KV-003-790

Colin Renfrew
Paul Bahn

Archeologia

Teoria, metodi e pratica

Terza edizione italiana
condotta sulla settima edizione inglese
A cura di Sandro Gelichi

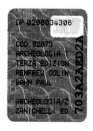

Se vuoi accedere alle risorse online riservate
1. Vai su **my.zanichelli.it**
2. Clicca su *Registrati*.
3. Scegli *Studente*.
4. Segui i passaggi richiesti per la registrazione.
5. Riceverai un'email: clicca sul link per completare la registrazione.
6. Cerca la tua chiave di attivazione stampata in verticale sul bollino argentato in questa pagina.
7. Inseriscila nella tua area personale su **my.zanichelli.it**

Se sei già registrato, per accedere ai contenuti riservati di altri volumi ti serve solo la relativa chiave di attivazione.

ARCHEOLOGIA ZANICHELLI

Titolo originale: *Archaeology – Theories, Methods and Practice* 7th Edition
Published by arrangement with Thames & Hudson Ltd, London.
Copyright © 1991, 1996, 2000, 2004, 2008, 2012, 2016 Thames & Hudson Ltd, London.
Text © 1991 e 2016 Colin Renfrew and Paul Bahn

Traduzione: Anna Vezzoli (cc. 1-8), Francesca Piccarreta (cc. 9-16)
Revisione: Sauro Gelichi

© 2018 Zanichelli editore S.p.A., via Irnerio 34, 40126 Bologna [82073]
www.zanichelli.it

I diritti di elaborazione in qualsiasi forma o opera, di memorizzazione anche digitale su supporti di qualsiasi tipo (inclusi magnetici e ottici),
di riproduzione e di adattamento totale o parziale con qualsiasi mezzo (compresi i microfilm e le copie fotostatiche), i diritti di noleggio,
di prestito e di traduzione sono riservati per tutti i paesi. L'acquisto della presente copia dell'opera non implica il trasferimento
dei suddetti diritti né li esaurisce.

Le fotocopie per uso personale (cioè privato e individuale, con esclusione quindi di strumenti di uso collettivo) possono essere effettuate,
nei limiti del 15% di ciascun volume, dietro pagamento alla S.I.A.E del compenso previsto dall'art. 68, commi 4 e 5, della legge 22 aprile 1941
n. 633. Tali fotocopie possono essere effettuate negli esercizi commerciali convenzionati S.I.A.E. o con altre modalità indicate da S.I.A.E.
Per le riproduzioni ad uso non personale (ad esempio: professionale, economico, commerciale, strumenti di studio collettivi, come dispense e simili)
l'editore potrà concedere a pagamento l'autorizzazione a riprodurre un numero di pagine non superiore al 15% delle pagine del presente volume.

Le richieste vanno inoltrate a:
Centro Licenze e Autorizzazioni per le Riproduzioni Editoriali
Corso di Porta Romana, n. 108
20122 Milano
e-mail autorizzazioni@clearedi.org e sito web www.clearedi.org.

L'autorizzazione non è concessa per un limitato numero di opere di carattere didattico riprodotte nell'elenco che si trova all'indirizzo
http://zanichelli.it/fotocopie-opere-escluse

L'editore, per quanto di propria spettanza, considera rare le opere fuori del proprio catalogo editoriale. La loro fotocopia per i soli esemplari esistenti
nelle biblioteche è consentita, oltre il limite del 15%, non essendo concorrenziale all'opera. Non possono considerarsi rare le opere di cui esiste,
nel catalogo dell'editore, una successiva edizione, le opere presenti in cataloghi di altri editori o le opere antologiche. Nei contratti di cessione è esclusa,
per biblioteche, istituti di istruzione, musei ed archivi, la facoltà di cui all'art. 71 - ter legge diritto d'autore.
Per permessi di riproduzione, anche digitali, diversi dalle fotocopie rivolgersi a ufficiocontratti@zanichelli.it

Redazione: Donata Cucchi

Progetto grafico e impaginazione: Arturo Galletti

Indice analitico: Stefania Arcari

Copertina:
– *Progetto grafico*: Falcinelli & Co., Roma
– *Immagine di copertina*: Busto della Regina Nefertiti da Amarna, bottega di Thutmosis. Veduta frontale (part.), 1350 a.C.
ca. Egitto, XVIII dinastia. Aegyptisches Museum - Staatliche Museen zu Berlin. Berlino, Germania. Pietra calcarea e stucco
dipinto, h. cm. 50 cm. Inv.: AM 21300. Foto: Juergen Liepe. © Foto Scala, Firenze/bpk, Bildagentur fuer Kunst, Kultur und
Geschichte, Berlin

Prima edizione italiana: maggio 1995

Seconda edizione italiana: luglio 2006

Terza edizione italiana: giugno 2018

Ristampa

| 5 | 4 | 3 | 2 | 1 | | 2018 | 2019 | 2020 | 2021 | 2022 |

Realizzare un libro è un'operazione complessa, che richiede numerosi controlli:
sul testo, sulle immagini e sulle relazioni che si stabiliscono tra essi.
L'esperienza suggerisce che è praticamente impossibile pubblicare un libro
privo di errori. Saremo quindi grati ai lettori che vorranno segnalarceli.
Per segnalazioni o suggerimenti relativi a questo libro l'indirizzo a cui rivolgersi è:

Zanichelli editore S.p.A.
Via Irnerio 34
40126 Bologna
fax 051293322
e-mail: linea_universitaria@zanichelli.it
sito web: www.zanichelli.it

Prima di effettuare una segnalazione è possibile verificare se questa sia già stata inviata in precedenza,
identificando il libro interessato all'interno del nostro catalogo on line (www.zanichelli.it/f_catalog.html)
e selezionando il link ERRATA CORRIGE, dove sono disponibili le eventuali correzioni in formato PDF.

Per comunicazioni di tipo commerciale: universita@zanichelli.it

Stampa: Grafica Ragno
Via Lombardia 25, 40064 Tolara di Sotto, Ozzano Emilia (Bologna)
per conto di Zanichelli editore S.p.A.
Via Irnerio 34, 40126 Bologna

Indice

Prefazione   XI
Introduzione   XV

Parte I

La struttura dell'archeologia   1

1. I RICERCATORI
La storia dell'archeologia   3

La fase speculativa   4
  I primi scavi   5
Gli inizi dell'archeologia moderna   8
  L'antichità dell'umanità   8
  Il concetto di evoluzione   8
  Il sistema delle Tre Età   10
  Etnografia e archeologia   11
  La scoperta delle prime civiltà   11
Classificazione e consolidamento   14
  L'approccio ecologico   19
  La nascita dell'archeologia come scienza 22
Una svolta nell'archeologia   22
  La nascita della *New Archaeology*   23
L'archeologia mondiale   24
  La ricerca delle origini   25
  L'archeologia dei continenti   25
  Il passato vivente   25
  Chi sono i ricercatori   26
  Nuove correnti di pensiero   26
  Il passato che si pluralizza   27

Riepilogo   31
Letture consigliate   32

SCHEDE

1.1 Pompei: archeologia, passato e presente   6
1.2 L'evoluzionismo: la grande idea di Darwin   9
1.3 I pionieri dell'archeologia nordamericana
    nel XIX secolo   12
1.4 Lo sviluppo delle tecniche di ricerca sul campo 15
1.5 Le donne pioniere dell'archeologia   20
1.6 L'archeologia processuale   24
1.7 Archeologie interpretative o postprocessuali 27
1.8 Le archeologie interpretative a Çatalhöyük   28

2. CHE COSA È RIMASTO?
La varietà delle testimonianze archeologiche   33

Le categorie fondamentali di reperti archeologici   33
  L'importanza del contesto   34
I processi di formazione   36
I processi culturali di formazione: come gli esseri
umani hanno influito su ciò che resta
delle testimonianze archeologiche   38
I processi naturali di formazione: come la natura
influisce su ciò che resta delle testimonianze
archeologiche   40
  Materiali inorganici   40
  Materiali organici   40
  Conservazione dei materiali organici: le condizioni
  estreme   44

Riepilogo   58
Letture consigliate   58

SCHEDE

2.1 L'archeologia sperimentale   37
2.2 La conservazione in ambiente umido: il sito
    di Ozette   45
2.3 La conservazione in ambiente secco: la tomba
    di Tutankhamon   49
2.4 La conservazione in ambiente freddo 1:
    le «mummie» delle montagne   52
2.5 La conservazione in ambiente freddo 2:
    gli *snow-patch* (blocchi di neve) in archeologia 53
2.6 La conservazione in ambiente freddo 3:
    l'«Uomo venuto dal ghiaccio»   56

3. DOVE?
Ricognizione e scavo di siti e di elementi archeologici 59

Le scoperta di siti e di elementi archeologici   60
  L'indagine al suolo   61
  La ricognizione aerea e satellitare   67
  La documentazione e la mappatura dei siti
  nella ricognizione territoriale   81
  I *Geographic Information Systems*   81
Determinazione dei caratteri essenziali dei siti
e degli elementi archeologici   86

© 978.8808.82073.0

Ricognizione di superficie di un sito 86
L'indagine nel sottosuolo 89
Prospezioni del sottosuolo 91
Lo scavo 97
Metodi di scavo 99
Il recupero e la documentazione delle testimonianze
archeologiche 112
Lo scavo nell'era digitale 112
Trattamento e classificazione 116

Riepilogo 118
Letture consigliate 119

SCHEDE

3.1 Il *Sydney Cyprus Survey Project* 62
3.2 Strategie di campionamento 66
3.3 Riconoscere gli elementi archeologici dall'alto 69
3.4 Interpretazione e mappatura a partire
dalle fotografie aeree 72
3.5 I laser nella giungla 76
3.6 Analisi e scavo sull'altopiano di Giza 83
3.7 Indagini di superficie sul sito di Tell Halula 88
3.8 Ricognizione geofisica al sito romano di Wroxeter 93
3.9 La misurazione del magnetismo 96
3.10 L'archeologia subacquea 101
3.11 Lo scavo del relitto della Red Bay 102
3.12 La riscoperta di Jamestown: lo scavo 105
3.13 L'arciere di Amesbuty, lo scavo 108
3.14 Scavo di un sito urbano 114

4. QUANDO?
Metodi di datazione e cronologia 120

Misurare il tempo 120
LA DATAZIONE RELATIVA 121
La stratigrafia 121
Le sequenze tipologiche 122
La seriazione 124
La datazione linguistica 125
Clima e cronologia 125
La cronologia del Pleistocene 126
Carotaggi nel fondo dei mari e nei ghiacciai 127
La datazione pollinica 127
LA DATAZIONE ASSOLUTA 128
Calendari e cronologie storiche 128
Uso di una cronologia storica 128
Cicli annuali: varve, speleotemi e anelli
di accrescimento 132
La dendrocronologia 132
Gli «orologi radioattivi» 135
La datazione con il metodo del radiocarbonio 136
Datazione con il metodo del potassio-argon
(e argon-argon) 145
Datazione con il metodo delle famiglie dell'uranio 146
Datazione con il metodo delle tracce di fissione 150
Altri metodi di datazione assoluta 150
Datazione con il metodo della termoluminescenza 150
Metodo di datazione ottico 152
Metodo della risonanza di spin elettronico 152

Datazione genetica 153
Metodi relativi calibrati 153
Datazione con il metodo della racemizzazione
degli amminoacidi 153
Datazione archeomagnetica e inversioni
geomagnetiche 154
Correlazioni cronologiche 154
Eventi su scala mondiale 155
La cronologia del mondo 157

Riepilogo 166
Letture consigliate 166

SCHEDE

4.1 Il calendario maya 130
4.2 Il decadimento radioattivo 137
4.3 Come calibrare le date determinate
con il radiocarbonio 139
4.4 Analisi bayesiana: per migliorare la precisione
delle cronologie con il radiocarbonio 142
4.5 Datazione dei primi abitanti dell'Europa
occidentale 148
4.6 Una data per l'eruzione di Thera 156

Parte II

Alla scoperta della varietà dell'esperienza umana 167

5. COM'ERANO ORGANIZZATE LE SOCIETÀ?
L'archeologia sociale 169

Determinare la natura e la scala della società 170
Classificazione delle società 170
La scala di una società 173
La ricognizione 174
Modelli d'insediamento 174
Altre fonti di informazione sull'organizzazione
sociale 177
Le fonti scritte 177
La tradizione orale e le «etnostorie» 181
L'etnoarcheologia 182
Tecniche di analisi per le società organizzate
in bande 186
Indagine sulle attività all'interno di un sito 186
Indagine sul territorio nelle società mobili 187
Tecniche di analisi per le società segmentali 189
L'indagine sugli insediamenti nelle società
sedentarie 189
L'analisi della gerarchia sociale sulla base
delle sepolture individuali e comuni 190
Lavoro collettivo e azioni della comunità 192
Relazioni tra società segmentali 194
Metodi di coltivazione e specializzazioni artigianali 200
Tecniche di analisi per i *chiefdom* e per gli stati 200
Identificazione dei centri primari 201
Funzione dei centri 204
L'amministrazione fuori dai centri primari 206
L'indagine sulla gerarchia sociale 207

L'indagine sulla specializzazione economica 212
Relazioni tra società centralizzate 215

L'archeologia dell'individuo e dell'identità 215
L'archeologia della personalità 216
L'emergenza dell'identità e della società 218
L'indagine sul genere e sull'infanzia 219
La genetica molecolare dei gruppi sociali
e dei lignaggi 224

Riepilogo 226
Letture consigliate 226

SCHEDE

5.1 Analisi delle reti 175
5.2 Etnicità antica e lingua 185
5.3 I monumenti, i sistemi politici e i territori dell'antico
Wessex 195
5.4 L'interpretazione di Stonehenge 197
5.5 Le indagini nei territori dei Maya 202
5.6 Un esempio di un'importante gerarchizzazione
a Spiro sul Mississippi 210
5.7 Archeologia dei conflitti 213
5.8 Le relazioni di genere nel Primo periodo intermedio
in Perù 220

6. QUAL ERA L'AMBIENTE?

L'archeologia ambientale 227

L'immagine ambientale su scala mondiale 227
Dati ricavati dagli oceani e dal ghiaccio 228
Antiche linee di costa 231
Studiare il paesaggio: la geoarcheologia 235
Paesaggi glaciali 235
Varve 236
Fiumi 236
Siti in grotta 236
Sedimenti e suoli 237
Anelli di accrescimento degli alberi e clima 243
La ricostruzione dell'ambiente vegetale 244
Resti microbotanici 244
Resti macrobotanici 249
La ricostruzione dell'ambiente animale 252
Microfauna 252
Macrofauna 255
La ricostruzione dell'ambiente umano 260
L'ambiente immediatamente circostante: l'essere
umano modifica l'area in cui vive 260
L'essere umano sfrutta un ambiente più vasto 261
Gli effetti prodotti dall'essere umano sull'ambiente
delle isole 266

Riepilogo 269
Letture consigliate 269

SCHEDE

6.1 Carotaggi nei mari e nelle calotte glaciali
e il riscaldamento globale 229
6.2 Il Niño e il riscaldamento globale 230
6.3 I sedimenti in grotta 238
6.4 Doggerland 241

6.5 L'analisi pollinica 246
6.6 La grotta di Elands Bay 258
6.7 Mappatura di un ambiente antico: Cahokia
e i GIS 262
6.8 Antiche colture orticole nella Palude di Kuk 265

7. CHE COSA MANGIAVANO?

Sussistenza e dieta 270

Che cosa possono dirci sulla dieta i cibi
vegetali 271
Resti macrobotanici 271
Resti microbotanici 275
Residui chimici nei resti vegetali 275
Impronte di resti vegetali 275
Gli strumenti usati nel trattamento delle piante 277
Analisi dei residui vegetali sui manufatti 277
Strategie nell'uso delle piante: stagionalità
e domesticazione 279
Pasti e cottura dei cibi 281
Testimonianze sul mondo delle piante nelle società
alfabetizzate 281
Dati forniti dalle risorse animali 284
Metodi per accertare lo sfruttamento degli animali
da parte degli esseri umani nel Paleolitico 284
L'indagine sulla dieta, sulla stagionalità
e sulla domesticazione in base ai resti animali 286
L'analisi di un'associazione di ossa di macrofauna 287
Strategie d'uso: la deduzione di età, sesso
e stagione di morte dalla macrofauna 287
La questione della domesticazione degli animali 291
La microfauna: uccelli, pesci e molluschi 301
Strategia d'uso: la deduzione della stagionalità
dalla microfauna 304
Come venivano sfruttate le risorse animali? 305
Strumenti, recipienti e residui 305
Strumenti e arte: testimonianze per la «rivoluzione
dei prodotti secondari» 308
Arte e letteratura 309
Resti di pasti individuali 309
La valutazione della dieta in base ai resti umani 310
Pasti individuali 310
I denti umani come testimonianza della dieta 311
Metodi isotopici: la dieta nell'arco di una vita 312

Riepilogo 316
Letture consigliate 316

SCHEDE

7.1 La paleoetnobotanica: un caso di studio 273
7.2 La fattoria sperimentale dell'Età del ferro di Butser 276
7.3 La ricerca sulla nascita dell'agricoltura nel Vicino
Oriente 282
7.4 Stagionalità a Star Carr 288
7.5 La tafonomia 290
7.6 La quantificazione delle ossa animali 293
7.7 I siti per le battute di caccia al bisonte 296
7.8 Lo studio dei denti animali 297
7.9 Le origini dell'agricoltura: un caso di studio 299
7.10 L'analisi dei *middens* di conchiglie 303

8. COME COSTRUIVANO E USAVANO GLI STRUMENTI?
La tecnologia — 317

La conservazione delle testimonianze — 317
Si tratta davvero di manufatti? — 318
L'interpretazione dei manufatti: l'uso dell'analogia etnografica — 319
Materiali inalterati: la pietra — 321
L'estrazione: miniere e cave — 321
Come veniva trasportata la pietra? — 322
Come venivano lavorate e messe in opera le pietre? — 323
L'industria degli strumenti litici — 325
L'identificazione della funzione degli strumenti litici: gli studi sulle microusure — 332
L'identificazione della funzione: ulteriori esperimenti con manufatti in pietra — 333
La tecnologia dell'arte paleolitica — 333
Altri materiali inalterati — 335
Osso, corno di cervide, conchiglie e cuoio — 335
Legno — 337
Fibre vegetali e animali — 341
Materiali artificiali — 343
Il fuoco e la pirotecnologia — 343
La ceramica — 344
Faïence e vetro — 346
Archeometallurgia — 348
Metalli non ferrosi — 348
L'alligazione — 349
La fusione in forma — 349
Argento, piombo e platino — 352
L'oreficeria — 354
La placcatura — 355
Ferro e acciaio — 355
Riepilogo — 357
Letture consigliate — 358

SCHEDE
8.1 Manufatti o «geofatti» a Pedra Furada? — 320
8.2 Il sollevamento dei grandi massi — 324
8.3 La ricomposizione e gli studi sulle microusure a Rekem — 330
8.4 La lavorazione del legno nella regione dei Somerset Levels — 338
8.5 L'esame metallografico — 350
8.6 La produzione del rame in Perù — 352
8.7 La fabbricazione primitiva dell'acciaio: un esperimento di etnoarcheologia — 356

9. QUALI CONTATTI AVEVANO?
Il commercio e gli scambi — 359

Lo studio dell'interazione — 359
Scambio e flusso di informazioni — 360
Scala dimensionale e «sistema-mondo» — 360
Le prime indicazioni di contatto — 361
Scambio di doni e reciprocità — 362
Oggetti di valore e beni ordinari — 366
Come scoprire i luoghi d'origine delle merci: la caratterizzazione — 367

Metodi di analisi — 368
Lo studio della distribuzione — 377
Analisi spaziale della distribuzione — 378
Lo studio della produzione — 385
Lo studio dei consumi — 387
Scambio e interazione: il sistema globale — 388
Il commercio come causa di mutamenti culturali — 390
Scambio e interazione simbolici — 391
Riepilogo — 393
Letture consigliate — 394

SCHEDE
9.1 Modalità di scambio — 363
9.2 Materiali cui si attribuisce un valore di prestigio — 364
9.3 L'analisi della composizione dei manufatti — 371
9.4 Oggetti di vetro del Mediterraneo reperiti in Giappone — 374
9.5 Ambra del mar Baltico nei territori del Levante — 375
9.6 L'analisi della diminuzione — 380
9.7 La distribuzione: il relitto di Uluburun — 383
9.8 La produzione: i manufatti di pietra verde in Australia — 386
9.9 Sfere di interazione: l'esempio di Hopewell — 392

10. CHE COSA PENSAVANO?
Archeologia cognitiva, arte e religione — 395

Teoria e metodo — 395
Come si è evoluta la facoltà umana di usare i simboli — 397
Linguaggio e autocoscienza — 397
Il progetto nella manifattura degli strumenti — 398
Approvvigionamento dei materiali e tempo di programmazione — 399
Il comportamento organizzato: la «superficie di abitato» e l'ipotesi della spartizione di cibo — 399
Associazioni di strumenti litici determinate da fattori funzionali o culturali — 399
La sepoltura intenzionale dei resti umani — 400
Le rappresentazioni — 400
Lavorare con i simboli — 405
Dalla fonte scritta alla mappa cognitiva — 405
Società ad alfabetismo limitato — 405
L'alfabetismo diffuso della Grecia classica — 406
Fondazione di un luogo: la localizzazione della memoria — 408
Misurare il mondo — 412
Unità di tempo — 412
Unità di lunghezza — 413
Unità di peso — 413
La pianificazione: mappe per il futuro — 414
Simboli di organizzazione e di potere — 416
Il denaro: simboli di valore e organizzazione nelle società complesse — 416
L'identificazione dei simboli di valore e di potere nella preistoria — 416
I simboli del potere nelle società gerarchizzate — 417
I simboli del mondo dell'Aldilà: l'archeologia della religione — 419
Il riconoscimento del culto — 420

Indicatori archeologici di un rituale religioso 421
L'identificazione di poteri soprannaturali 422
L'archeologia della morte 425

La raffigurazione: arte e rappresentazione 427
Il lavoro dello scultore 427
Relazioni pittoriche 428
La decorazione 429
Arte e mito 429
Questioni estetiche 431
Musica e conoscenza 434
Mente e coinvolgimento materiale 434

Riepilogo 438
Letture consigliate 438

SCHEDE

10.1 Indizi del pensiero primitivo 401
10.2 L'arte paleolitica 403
10.3 Ness of Brodgar, cuore cerimoniale delle Orcadi 410
10.4 I simboli del potere presso i Maya 418
10.5 Il più antico santuario del mondo 423
10.6 Il riconoscimento dell'attività culturale a Chavín 426
10.7 L'identificazione degli artisti nell'antica Grecia 430
10.8 Sacrificio e simbolo in Mesoamerica 432
10.9 Antiche pratiche musicali 435
10.10 Facoltà di conoscere e neuroscienze 437

11. CHI ERANO?
CHE ASPETTO AVEVANO?
L'archeologia delle persone 439

La varietà dei resti umani 439
Identificazione degli attributi fisici 441
Maschio o femmina? 441
Quanto vivevano? 443
Quanto erano alti e quanto pesavano? 446
Che aspetto avevano? 446
Da quali relazioni di parentela erano legati? 449
Valitazione delle capacità umane 452
La deambulazione 452
Quale mano usavano? 454
Quando si sviluppò il linguaggio? 455
Identificazione di altri tipi di comportamento 457
Malattie, deformità e morte 460
Le testimonianze nei tessuti molli 460
Batteri, parassiti e virus 461
Deformità e malattie rivelate dallo scheletro 466
I denti 471
Le conoscenze mediche 472
Come valutare la nutrizione 474
Malnutrizione 474
Diete a confronto: la nascita dell'agricoltura 474
Studi demografici 475
Diversità ed evoluzione 477
Lo studio dei geni: il nostro passato dentro di noi 477
La nascita degli studi sul genoma: il DNA dei Neanderthal 480
Il DNA antico dell'umano moderno 482
Questioni di identità 483

Riepilogo 483
Letture consigliate 484

SCHEDE

11.1 Spitalfields: determinazione dell'età biologica di morte 444
11.2 Come ricostruire il volto 448
11.3 La ricerca di una famiglia neolitica 451
11.4 Antichi cannibali? 458
11.5 Guardando dentro il corpo umano 462
11.6 L'Uomo di Grauballe 464
11.7 Vita e morte tra gli Inuit 468
11.8 Riccardo III 470
11.9 La genetica e la storia del linguaggio 479
11.10 Lo studio delle origini delle popolazioni del Nuovo Mondo 481

12. PERCHÉ LE COSE SONO CAMBIATE?
La spiegazione in archeologia 485

Spiegazioni migrazioniste e diffusioniste 486
L'approccio processuale 489
Applicazioni 491
L'archeologia marxista 493
L'archeologia evolutiva 495
La forma della spiegazione: generale o particolare 497
L'individuo e la teoria dell'agenzia 499
Tentativi di spiegazione: una o più cause? 499
Le spiegazioni monocausali: le origini dello stato 499
Le spiegazioni multivariate 502
La simulazione 504
Collasso sistemico 507
La spiegazione postprocessuale o interpretativa 507
Gli approcci strutturalisti 508
La «Teoria critica» 510
Il pensiero neomarxista 510
L'archeologia cognitivo-processuale 510
Simbolo e interazione 511
Azione e relazioni materiali 512
Azione 512
Materialità e relazioni materiali 515

Riepilogo 515
Letture consigliate 516

SCHEDE

12.1 Il rigetto della spiegazione basata sulla diffusione: il Grande Zimbabwe 488
12.2 La genetica molecolare e le dinamiche demografiche: Europa 490
12.3 Le origini dell'agricoltura: una spiegazione processuale 492
12.4 L'archeologia marxista: i princìpi fondamentali 494
12.5 Famiglie linguistiche e cambiamento linguistico 496
12.6 Le origini dello stato: il Perù 500
12.7 Il crollo del Periodo classico dei Maya 505
12.8 L'interpretazione dei megaliti europei 508
12.9 L'individuo come attore del cambiamento 513

Parte III

Il mondo dell'archeologia 517

13. ARCHEOLOGIA IN AZIONE
Cinque casi di studio 519

Oaxaca: nascita e ascesa dello stato Zapotec 520
Il contesto 521
Guilá Naquitz e le origini dell'agricoltura 521
La vita di villaggio nel Periodo formativo antico
(1500-850 a.C.) 524
Sviluppi sociali nel tardo Periodo formativo
(850 a.C.-100 d.C.) 527
Conclusioni 529

I Calusa della Florida: una società complessa
di cacciatori-raccoglitori 529
Ricognizione e scavo 530
Paleoclimi e stagionalità 531
Dieta 531
Tecnologia 532
Quali contatti avevano? 533
Organizzazioni sociali e credenze 533
Conclusioni 534

Una ricerca tra cacciatori-raccoglitori:
Upper Mangrove Creek, Australia 534
Preparazione e obiettivi del progetto 534
Collaborazione con gli Aborigeni 535
Ricognizione 535
Metodi di scavo 536
Datazione 537
Di che tipo di società si tratta? 537
Ricostruzione ambientale 537
Tecnologia 537
Che contatti avevano? 538
Che cosa pensavano? 539
Perché le cose cambiarono? 540
Conclusione 540

Khok Phanom Di: le origini dell'agricoltura
del riso nel sud-est asiatico 540
Finalità del progetto 540
I ricercatori 541
Cosa rimane? 542
Dove? 542
Quando? 542
Organizzazione sociale 542
L'ambiente 543
La dieta 543
La tecnologia 544
Quali contatti avevano? 545
Quale aspetto avevano? 545
Perché le cose cambiarono? 546
Conclusioni 546

York e la presentazione al pubblico
dell'archeologia 547
Contesto e finalità 547
La ricognizione, la documentazione
e la conservazione 549
Storia e datazione 550
Fasi dello sviluppo urbano 551
Ambiente 552
Tecnologia e commercio 553

Aspetti cognitivi 554
A chi appartiene il passato? Archeologia pubblica
a New York 555
Il raggio d'azione si allarga 556

Letture consigliate 557

14. A CHI APPARTIENE IL PASSATO?
L'archeologia e il pubblico 559

Il significato del passato: l'archeologia
dell'identità 559
Il nazionalismo e i suoi simboli 560
Archeologia e ideologia 561
L'etica in archeologia 561
Archeologia popolare contro pseudoarcheologia 561
Fantarcheologia 564
Il falso nell'archeologia 565
Il pubblico più ampio 565
A chi appartiene il passato? 566
I musei e la restituzione della proprietà
culturale 566
La protezione del patrimonio culturale
sommerso 569
La responsabilità dei collezionisti e dei musei 570

Riepilogo 575
Letture consigliate 575

SCHEDE
14.1 La politica di distruzione 562
14.2 Distruzione e reazione: il caso di Mimbres 571

15. IL FUTURO DEL PASSATO
Come tutelare il patrimonio culturale? 576

La distruzione del passato 576
L'intervento: ricognizione, conservazione
e riduzione del rischio 579
La ricognizione 580
Conservazione e mitigazione 580
L'attività del CRM negli Stati Uniti 583
Chi trova qualcosa, se lo tiene? 585
Protezione internazionale 585
Pubblicazione, archivi e finanziamenti: al servizio
della comunità pubblica 589
Tutela dei beni culturali, promozione e turismo 592
Chi interpreta e presenta il passato? 593
Il passato per tutti 595
A che cosa serve il passato? 595

Riepilogo 596
Letture consigliate 596

SCHEDE
15.1 Conservazione a Città del Messico: il Tempio Mayor
degli Aztechi 581
15.2 L'attività del CRM: il *Metro Rail Project* 586
15.3 I beni culturali mobili e il *Portable Antiquities Scheme*
del Regno Unito 588

16. I NUOVI RICERCATORI

Costruire una carriera in archeologia 597

Lisa J. Lucero 598
Docente universitaria, Stati Uniti

Gill Hey 599
Archeologa a contratto, Regno Unito

Rasmi Shoocongdej 601
Docente universitario, Thailandia

Douglas C. Comer 603
Archeologo CRM, Stati Uniti

Shedreck Chirikure 605
Archeologo esperto di metallurgia, Sudafrica

Jonathan N. Tubb 606
Curatore museale, Regno Unito

Ringraziamenti 609
Indice analitico 612

Glossario ONLINE
Note e bibliografia ONLINE

Prefazione

A venticinque anni dalla sua prima uscita, la terza edizione italiana (condotta sulla settima inglese) di *Archeologia: teoria, metodi e pratica* rimane l'introduzione al metodo e alla teoria dell'archeologia più completa che ci sia. È utilizzata da docenti e studenti nei corsi introduttivi su metodi e teoria, ma anche nei corsi sui metodi sul campo, sulla scienza archeologica e diversi altri.

Il volume presenta una visione d'insieme aggiornata e accurata del mondo dell'archeologia del XXI secolo. Siamo profondamente consapevoli della complessità della relazione che sussiste tra teoria e metodo e tra queste e la pratica di tutti i giorni dell'archeologia negli scavi, nei musei e nei media. Il libro è inoltre arricchito da numerose *Schede* che illustrano specifici esempi di progetti di scavi e spiegano dettagliatamente tecniche e approcci teorici particolari, mentre le note e la bibliografia assicurano che il lavoro possa essere utilizzato come un'introduzione a tutta la varietà di corsi di studio esistenti – in questo senso è anche un riferimento per studenti laureati e per archeologi professionisti. Ci auguriamo, inoltre, che il libro sia scritto con sufficiente precisione e chiarezza così da essere veramente utile al lettore comune sia per una visione d'insieme aggiornata della disciplina sia per seguire, in maniera selettiva, particolari argomenti di interesse.

Abbiamo tentato di non sfuggire a nessuna delle tematiche controverse dell'archeologia contemporanea, siano esse teoriche o politiche, e abbiamo anche provato a inserire alcune nostre idee originali. Riteniamo, infatti, che il capitolo su «L'archeologia delle persone» (Capitolo 11) offra una visione che non si può trovare altrove e i capitoli su «Archeologia cognitiva» e su «La spiegazione in archeologia» (Capitoli 10 e 12) sintetizzino un buon numero di punti di vista originali. La disciplina dell'archeologia è in perenne e continuo cambiamento e abbiamo quindi provato a cogliere e descrivere il suo stato dell'arte in questo momento.

Risorse

All'indirizzo **online.universita.zanichelli.it/renfrew3e** sono disponibili le risorse multimediali di complemento al libro. Per accedere alle risorse protette è necessario registrarsi su **my.zanichelli.it** inserendo la chiave di attivazione personale contenuta nel libro.

L'Archeologia nel XXI secolo

Siamo partiti con l'idea di trasmettere entusiasmo per una disciplina in continuo e veloce cambiamento e che cerca di dare risposta ad alcune delle fondamentali domande che si pone il genere umano. Le testimonianze archeologiche sono le uniche risorse che abbiamo per rispondere alle domande sulle nostre origini – sia in termini di evoluzione della nostra specie sia di sviluppi culturali e della società che portarono all'emergere delle prime civilizzazioni e delle società più recenti che su di esse si sono costruite. La ricerca è, quindi, uno studio su noi stessi e sulle nostre origini, per capire come siamo diventati ciò che siamo e da dove hanno avuto origine le nostre visioni del mondo. Questo è il motivo per cui questa disciplina è di importanza vitale per il nostro tempo: solo in questa maniera possiamo cercare di dare una prospettiva a lungo termine sulla condizione umana. Vale la pena sottolineare questo punto: l'archeologia è una disciplina che riguarda l'essere umano e non solo i reperti e gli edifici in sé stessi.

Il ritmo dinamico del cambiamento in archeologia si riflette nella continua evoluzione di questo libro, in modo particolare in questa edizione. Ciascun capitolo e ogni elemento è stato rivisto e aggiornato, aggiungendo nuovi metodi, dando conto di teorie che cambiano e nuove scoperte. Questo dinamismo è dovuto anche alla varietà di ricerche costantemente in atto in tutte le parti del mondo, che fanno in modo che le informazioni a disposizione degli archeologi siano sempre in costante aumento.

© 978.8808.82073.0

Tuttavia, le nuove interpretazioni non sono semplicemente il risultato di nuovi scavi che portano alla luce nuove informazioni. Esse dipendono anche dallo sviluppo delle nuove tecniche di ricerca: il campo della scienza archeologica è in rapida espansione. Siamo convinti, inoltre, che il progresso e una comprensione più profonda derivino anche dal continuo sviluppo della teoria archeologica e dalla natura sempre diversa delle domande che ci poniamo quando prendiamo in visione i dati disponibili che sono in continuo aumento. Infatti, tali domande nascono non solo dalla ricerca accademica, ma anche dai diversi bisogni e dalle diverse prospettive della società contemporanea in continua evoluzione e dalle differenti modalità in cui essa guarda il proprio passato.

L'archeologia del XXI secolo è già cominciata da tempo. Questa affermazione può essere illustrata in una maniera piuttosto drammatica dalle vicende legate alle guerre e ai conflitti civili che portano con sé il rischio di un danno al patrimonio artistico archeologico. Nel Capitolo 15 descriviamo la distruzione del ponte di Mostar del XVI secolo dopo il bombardamento da parte delle forze croate. Inoltre, affrontiamo l'argomento delle politiche di distruzione attraverso il caso della distruzione della moschea a Ayodhya nel nord dell'India, questa volta da parte dei fondamentalisti Hindu (Capitolo 14). La Gran Bretagna soltanto ora, scossa dai devastanti attacchi ai siti archeologici perpetrati dallo «stato islamico» (*vedi* Capitolo 15), sta pianificando di rettificare la Convenzione Hauge del 1954 e i suoi due Protocolli sulla Protezione delle Proprietà Culturali nel Caso di Conflitto a Fuoco (*Protection of Cultural Property in Case of Armed Conflict*), cosa che gli Stati Uniti hanno fatto già nel 2009.

È triste osservare come l'intolleranza religiosa che sottende gli eventi di Ayodhya sia stata uguagliata, o forse anche superata, da quella della deliberata distruzione da parte dei Talebani dei grandi Buddha di Bamiyan in Afghanistan (*vedi* Capitolo 14). Ancora una volta vediamo una parte fondamentale del patrimonio di un gruppo etnico o religioso deliberatamente distrutto da un altro. Più recentemente, nel 2011, durante la «primavera araba» in Egitto, con la copertura delle agitazioni civili, dei ladri hanno rubato alcuni pezzi dal famoso Museo del Cairo e dai siti archeologici egizi. Tutto il mondo fu sconvolto dalla distruzione, tra altri monumenti antichi, del toro alato androprosopo (con il volto umano) di Nineveh, in Iraq, annunciato dai miliziani del sedicente «stato islamico» attraverso un video che è stato diffuso nel febbraio del 2015. Nell'era digitale la possibilità di rendere pubblici questi attacchi al patrimonio culturale serve come strumento sia di pubblicità sia di propaganda. Tutte queste tensioni e perdite sottolineano il bisogno per gli archeologi, i gestori del patrimonio e i curatori delle mostre di essere vigili e di non perdere occasione per rimarcare il valore del patrimonio antico per tutta l'umanità.

L'organizzazione del libro

In archeologia, come in ogni disciplina scientifica, il progresso viene raggiunto ponendo le giuste domande. Questo libro si fonda su tale principio e quasi tutti i capitoli si prefiggono di indicare come sia possibile rispondere alle domande centrali dell'archeologia. La Parte I, «La struttura dell'archeologia», comincia con un capitolo sulla storia dell'archeologia, una visione d'insieme di come la disciplina è arrivata alla situazione attuale. In un certo senso vuole rispondere alla domanda: «Come siamo arrivati dove siamo?». Le scoperte e le idee del passato plasmano il modo in cui noi pensiamo l'archeologia oggi.

Siamo quindi arrivati alla domanda «Cosa?». Questa riguarda la materia che è l'oggetto dell'archeologia, precisamente le cose che sono state lasciate come testimonianze archeologiche, come si sono formate e come possiamo salvaguardarle. Alla domanda «Dove?» il terzo capitolo risponde in termini di prospezioni archeologiche, ricognizioni e scavi. La domanda «Quando?», che segue, è forse la più importante tra quelle poste, poiché l'archeologia riguarda il passato e deve vedere le cose nella prospettiva del tempo, al punto che le procedure di datazione assoluta sono centrali per l'impresa archeologica.

Dopo averne descritto la struttura (Parte I), ci spostiamo sull'oggetto stesso dell'archeologia (Parte II). Alcuni commentatori e critici si sono sorpresi nel vedere che noi cominciamo la seconda parte del libro con la domanda «Come erano organizzate le società?»; può sembrare più facile, infatti, cominciare a parlare, per esempio, dei primi mezzi di sussistenza oppure del commercio, piuttosto che dell'organizzazione sociale. In realtà la grandezza e la natura della società non solo determinano questi problemi, ma, in modo più particolareggiato, governano anche il modo in cui noi, in quanto archeologi, possiamo provare a studiarle. In generale gli accampamenti dei cacciatori-raccoglitori, piuttosto limitati, richiedono un approccio diverso dalle città ampiamente stratificate delle prime civiltà. Ci sono eccezioni, ovviamente, e il caso di studio sui Calusa in Florida (illustrato nel Capitolo 13) offre l'occasione di discutere l'approccio da adottare in uno di questi casi, in cui ci si trova di fronte a una società sedentaria, centralizzata e politicamente potente, che era basata quasi interamente sulla caccia, la pesca e la raccolta.

Siamo poi passati a domandarci come studiare l'ambiente in cui queste comunità primitive vivevano, la loro dieta, la loro tecnologia e il loro commercio. Quando arriviamo a chiederci, nel Capitolo 10, «Che cosa pensavano?» entriamo nel campo dell'archeologia cognitiva confrontando nuovi approcci teorici che utilizzano le nozioni di azione, materialità e coinvolgimento; concetti che tornano a essere utili quando ci chiediamo «Perché cambiano le cose?»: una domanda che coinvolge aree controverse della spiegazione archeologica.

La struttura, allora, è nei termini delle domande, di cosa vogliamo sapere. Tra le domande più affascinanti c'è «Chi erano? Che aspetto avevano?» (Capitolo 11); sempre di più ci si rende conto che la prima domanda, «Chi?», è teoricamente difficile poiché riguarda questioni di etnicità e che cosa veramente significa l'etnicità: qui noi ci riferiamo ai nuovi lavori nel campo dell'archeogenetica e dell'archeolinguistica. Alla domanda «Che aspetto avevano?» si può rispondere in diverse nuove maniere, tra le quali citiamo ancora l'uso sempre maggiore dell'archeogenetica e degli studi del DNA.

La Parte III del libro, «Il mondo dell'archeologia», mostra, nel Capitolo 13, come le domande illustrate nella Parte I e II sono state affrontate in cinque progetti sul campo esemplari provenienti da tutto il mondo, a partire dalle società di cacciatori-raccoglitori per arrivare alle civiltà e città più complesse. Degli ultimi tre capitoli (*vedi* più avanti) i primi due si occupano più ampiamente di capire a chi appartengono il passato e la gestione del patrimonio, mentre il terzo tratta l'argomento delle carriere in archeologia. Si capisce ora più chiaramente che ci sono diverse archeologie a seconda degli interessi e delle prospettive delle comunità che intraprendono il lavoro, o di quelle che lo hanno commissionato e che lo pagano, o del più vasto pubblico che, in effetti, è il «consumatore» di ciò che l'archeologo produce. È pur vero, tuttavia, che sempre più ci rendiamo chiaramente conto di quanto il mondo dell'archeologia sia governato dalle convinzioni politiche predominanti. Questo è il motivo per cui all'«etica archeologica» è stata data nel libro una importanza sempre maggiore.

Le novità di questa edizione

Nella precedente edizione inglese del libro avevamo aggiunto un nuovo capitolo «I nuovi ricercatori. Costruire una carriera in archeologia» dove abbiamo raccontato cinque storie di archeologi professionisti, tutti più o meno nella metà della loro carriera e provenienti da stati diversi, che lavorano in ambiti differenti dell'archeologia – dalla ricerca, alla gestione del patrimonio, al museo. Da allora Gill Hey, da archeologo a contratto per il Regno Unito, è diventato parte dello staff permanente in ragione della necessità sempre crescente, per la ricognizione archeologica e per gli scavi, di rispondere ai progetti di sviluppo. Lo scopo è quello di dare un'occhiata a come si svolge oggi praticamente il lavoro dell'archeologo, o meglio le differenti realtà che gli archeologi affronteranno nella pratica

del loro mestiere – la buona archeologia – in differenti parti del mondo.

Abbiamo continuato ad ampliare il Capitolo 3 per stare dietro agli immensi miglioramenti e alle nuove tecnologie nella ricognizione aerea – includendo anche l'uso di droni per identificare nuovi siti ed elementi – e all'uso di sistemi digitali per rilevare e documentare i dati sia sul sito sia nell'analisi dopo lo scavo. La nuova Scheda «Scavo di un sito urbano» illustra, utilizzando il progetto del Museum of London Archaeology di Bloomberg, come oggi gli archeologi affrontano le sfide di scavi in paesi e città che non sono mai stati abbandonati.

Nel Capitolo 4, abbiamo enfatizzato i nuovi metodi di datazione archeologica dei reperti e i miglioramenti di quelli già esistenti, coprendo il nuovo campo di datazione archeomagnetica e le sue implicazioni per la nostra ricostruzione dell'evoluzione umana. Inoltre, abbiamo dato conto dell'impatto dell'uso sempre maggiore del metodo dell'uranio-torio per comprendere la cronologia dei dipinti delle grotte, che potrebbero addirittura suggerire la possibilità che alcuni particolari lavori possano essere accreditati ai Neanderthaliani.

L'archeologia sociale, introdotta nel Capitolo 5, continua a stimolare un vivo dibattito e così anche il significato e l'interpretazione di Stonehenge e dei suoi dintorni; due nuove Schede, «I monumenti, i sistemi politici e i territori dell'antico Wessex» e «L'interpretazione di Stonehenge» registrano i progressi di ricerche estremamente interessanti in queste aree, passate e presenti, e discutono alcune delle ultime teorie sui monumenti iconici e il territorio a essi limitrofo. Un'altra nuova Scheda, «Un esempio di un'importante gerarchizzazione a Spiro sul Mississippi» dimostra come la teoria archeologica determini la nostra comprensione di un sito e della società che l'ha creato ispirando nuove interpretazioni delle testimonianze archeologiche man mano che la disciplina stessa si evolve.

Nel Capitolo 11, due schede illustrano alcuni rimarchevoli esseri umani del passato e raccontano cosa i loro resti fisici sono in grado di rivelare su dieta, aspetto fisico, salute, vestiario e status sociale, senza dimenticare di esaminare i metodi che gli archeologi impiegano per scoprire questi aspetti della vita e della morte dei nostri antenati. Il primo, l'Uomo di Grauballe in Danimarca, è uno dei corpi delle paludi dell'Età del ferro europea. Un uomo sfortunato, forse sacrificato dalla propria comunità, ma conservato splendidamente grazie alle condizioni paludose in cui è stato seppellito. L'altro, il re di Inghilterra Riccardo III, è stato ritrovato sotto un parcheggio a Leicester nel 2013. Il suo ritrovamento ha catturato l'attenzione dei media di tutto il mondo, ma tutti e due questi individui (quello famoso e quello anonimo) ci forniscono delle opportunità di conoscere meglio direttamente le persone del passato.

© 978.8808.82073.0

Ancora una volta, numerosi specialisti e titolari di corsi ci hanno aiutato nella preparazione di questa edizione con commenti dettagliati, informazioni o illustrazioni. Li ringraziamo singolarmente per nome nei Ringraziamenti a fine libro assieme a tutti coloro che ci hanno aiutato nelle precedenti edizioni.

Colin Renfrew
Paul Bahn

Introduzione

Natura e obiettivi dell'archeologia

L'archeologia è in parte la scoperta dei tesori del passato, in parte il lavoro meticoloso di un analista scientifico, in parte un esercizio di immaginazione creativa. È faticare sotto il sole nei deserti dell'Asia centrale, è lavorare insieme agli Inuit tra le nevi dell'Alaska, è immergersi al largo della costa della Florida per raggiungere il relitto di una nave spagnola ed è indagare le fognature della York romana. Ma è anche il cosciente sforzo interpretativo attraverso il quale si arriva a comprendere che cosa tutto ciò significhi nella storia dell'umanità. Infine, è il tentativo di preservare i beni culturali del mondo dal saccheggio e dalla distruzione dovuta alla mancanza di cura.

L'archeologia, poi, è al tempo stesso attività fisica sul campo e attività intellettuale svolta nello studio o in laboratorio. Ciò costituisce parte della sua grande attrattiva. La ricca miscela di pericolo e lavoro investigativo ne ha fatto un perfetto campo d'azione per narratori e registi, da Agatha Christie con *Assassinio in Mesopotamia* a Steven Spielberg con le avventure di Indiana Jones. Per quanto lontane dalla realtà possano essere queste descrizioni, esse colgono comunque una fondamentale verità: l'archeologia è una ricerca emozionante, cioè la ricerca della conoscenza su noi stessi e sul nostro passato.

Ma in quale relazione si pone l'archeologia rispetto a discipline quali l'antropologia e la storia, che si occupano anch'esse della vicenda umana? L'archeologia è una scienza? E quali sono le responsabilità dell'archeologo nel mondo odierno, dove il passato viene manipolato a fini politici e la «pulizia etnica» è accompagnata dalla deliberata distruzione dei beni culturali?

L'archeologia come antropologia

L'antropologia è, in senso lato, lo studio dell'umanità: dei caratteri fisici dell'essere umano in quanto animale e dei caratteri non biologici, esclusivi dell'umanità, quelli che chiamiamo cultura. «Cultura» in questa accezione generale include ciò che l'antropologo Edward Tylor, nel 1871, sintetizzò come «conoscenza, fede, arte, costumi, leggi, usanze e tutte le altre capacità e abitudini acquisite dall'essere umano come componente di una società». Gli antropologi usano il termine «cultura» anche in senso più ristretto allorché si riferiscono alla cultura di una particolare società, con ciò intendono i caratteri non biologici peculiari di una società, quelli che permettono di distinguerla dalle consimili. (Il concetto di «cultura archeologica» ha un significato specifico e piuttosto diverso, come spiegheremo in dettaglio nel Capitolo 3.) È chiaro quindi che l'antropologia è una disciplina tanto vasta da poter essere suddivisa in tre discipline di ambito più ristretto: l'antropologia fisica, l'antropologia culturale (o antropologia sociale) e l'archeologia.

L'**antropologia fisica**, detta anche antropologia biologica, studia i caratteri fisici e biologici dell'essere umano e la loro evoluzione.

L'**antropologia culturale** – o antropologia sociale, come è chiamata in Europa e altrove – analizza la società e la cultura umane. Due importanti branche sono l'*etnografia* (lo studio diretto delle diverse culture attuali) e l'*etnologia* (che tenta di comparare culture differenti sulla base dei dati etnografici per ricavare princìpi generali riguardo alla società umana).

L'**archeologia** è il «passato storico dell'antropologia culturale». Mentre gli studiosi di antropologia culturale basano spesso le proprie conclusioni su esperienze di vita reale compiute all'interno di comunità contemporanee, gli archeologi studiano le società del passato basandosi principalmente sui loro resti materiali: gli edifici, gli strumenti e tutti gli altri manufatti che costituiscono quella che viene chiamata **cultura materiale** delle società del passato.

Tuttavia uno dei compiti più stimolanti degli archeologi odierni è quello di riuscire a interpretare la cultura materiale in termini umani. Come erano usati questi vasi? Perché alcune abitazioni sono quadrate e altre sono circolari? In questo, i metodi dell'archeologia e dell'etnografia

© 978.8808.82073.0

si sovrappongono. Negli ultimi decenni gli archeologi hanno sviluppato una nuova branca di ricerca, l'**etno-archeologia**; come gli etnografi, essi vivono all'interno di comunità attuali, ma con lo specifico proposito di indagarne l'uso della cultura materiale: in quale modo queste comunità producono strumenti e armi, perché stabiliscono un insediamento in un sito piuttosto che in un altro e così via.

Inoltre, l'archeologia gioca un ruolo attivo nel campo della conservazione. Le **scienze dei beni culturali** costituiscono un campo in continua evoluzione dove è chiaro che i beni culturali mondiali sono in diminuzione; un campo che può avere diversi significati per diverse persone. La presentazione al pubblico dei ritrovamenti archeologici non può evitare difficili problemi politici e il curatore del museo o il divulgatore oggi ha una grossa responsabilità che alcuni sembrano aver disatteso.

L'archeologia come storia

Se l'archeologia si occupa del passato, sotto quali aspetti essa differisce dalla storia? In senso lato, come l'archeologia è un aspetto dell'antropologia, così è anche parte della storia, con ciò intendendo l'intera storia dell'umanità fin dai suoi inizi oltre 3 milioni di anni fa. Infatti, per oltre il 99% di questo enorme arco di tempo l'archeologia – cioè lo studio della cultura materiale del passato – è la sola fonte importante di informazioni, se si esclude l'antropologia fisica, che concentra l'attenzione più sul progresso biologico che su quello culturale del genere umano. Le fonti storiche tradizionali cominciano solo con l'introduzione della scrittura intorno al 3000 a.C. in Asia occidentale e, notevolmente più tardi, nella maggior parte delle aree del mondo (per giungere, per esempio, al 1788 d.C. nel caso dell'Australia). Comunemente si distingue tra **preistoria** – il periodo precedente alle testimonianza scritte – e **storia** in senso stretto, cioè lo studio del passato basato sulle testimonianze scritte. In alcuni paesi il termine «preistoria» è considerato paternalistico e denigrante poiché implica che la scrittura abbia un maggior valore della tradizione orale e classifica le loro culture come inferiori prima dell'arrivo della modalità occidentale di catalogare le informazioni. Per l'archeologia, che studia tutte le culture e i periodi, provvisti o meno dello strumento della scrittura, in ogni caso la distinzione tra storia e preistoria rimane un'utile linea di demarcazione che riconosce semplicemente l'importanza che riveste nel mondo moderno la parola scritta, ma in nessun modo svaluta le informazioni proprie della traduzione orale.

Come verrà chiarito in questo libro, però, l'archeologia può dare un grande contributo anche alla conoscenza di quei periodi e luoghi per i quali esistono documenti,

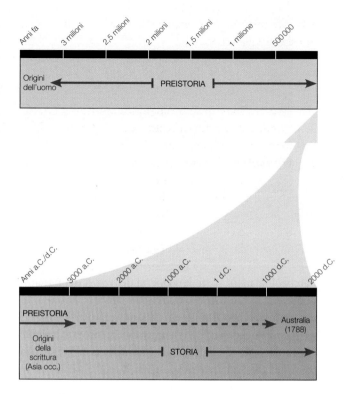

I.1 Il vasto arco cronologico della preistoria messo a confronto con il periodo di tempo relativamente breve per il quale sono disponibili testimonianze scritte (la «storia» tradizionale). Per le epoche precedenti al 3000 a.C. circa, i resti materiali costituiscono la nostra sola fonte di dati.

iscrizioni e altre testimonianze scritte. Spesso è proprio l'archeologo a prendere in considerazione come prima cosa questo tipo di testimonianze.

L'archeologia come scienza

Dato che l'obiettivo dell'archeologia è la conoscenza dell'umanità, essa è comunque una disciplina umanistica, uno studio dell'essere umano. E poiché è intrinseca al passato dell'umanità, è una disciplina storica. Differisce tuttavia dallo studio della storia scritta – sebbene usi testimonianze scritte – in un punto fondamentale: il materiale che gli archeologi rinvengono non ci dice direttamente *che cosa* pensare. I documenti storici scritti fanno affermazioni, presentano opinioni, comunicano giudizi (sebbene tali affermazioni e giudizi debbano essere essi stessi interpretati). Gli oggetti scoperti dagli archeologi, invece, di per sé stessi non dicono nulla e siamo *noi*, invece, a dover dar loro un senso. Da questo punto di vista la pratica dell'archeologo è piuttosto simile a quella dello scienziato. Lo scienziato raccoglie dati, conduce esperimenti, formula un'ipotesi (una proposizione per spiegare i dati), verifica l'ipotesi rispetto a ulteriori dati e infine costruisce un modello (una descrizione che riassume in modo soddisfacente la regolarità osservata nei dati). L'archeologo deve sviluppare un'immagine del passato, così come lo scienziato deve elaborare una visione coerente del mondo naturale, che non si trova già pronta.

L'archeologia, in breve, è al tempo stesso una scienza e una disciplina umanistica. Questo è uno dei motivi del fascino dell'archeologia: essa riflette l'ingegnosità dello scienziato così come quella dello storico moderni. I metodi tecnici usati dalla scienza archeologica sono i più ovvi, dalla datazione con il radiocarbonio allo studio dei residui di cibo nel vasellame. Ugualmente importanti sono i metodi scientifici d'analisi e di deduzione. Alcuni autori hanno parlato della necessità di definire una distinta teoria intermedia (*Middle Range Theory*, teoria del campo intermedio), intendendo con ciò un distinto *corpus* di idee, per colmare la lacuna tra i dati archeologici grezzi e le osservazioni e le conclusioni che si possono dedurre da quei dati. Questo è un modo di vedere la questione. Ma non è necessario fare una così netta distinzione fra teoria e metodo. Il nostro obiettivo sarà quello di descrivere chiaramente i metodi e le tecniche usate dagli archeologi per indagare il passato. I concetti analitici dell'archeologo costituiscono una parte della serie degli approcci al problema, così come lo sono gli strumenti usati nel laboratorio.

La varietà e lo scopo dell'archeologia

L'archeologia moderna è una grande chiesa che comprende numerose differenti «archeologie», le quali però sono unite tra loro dai metodi e dagli approcci che condividono, de-

scritti a grandi linee in questo libro. Abbiamo già attirato l'attenzione sulla distinzione tra l'archeologia del lungo periodo della preistoria e quella dei tempi storici. Spesso questa distinzione cronologica è accentuata da ulteriori suddivisioni, cosicché esistono archeologi specializzati nei periodi più antichi (il Paleolitico, prima di 10 000 anni fa) o in quelli più recenti (le grandi civiltà delle Americhe o della Cina; l'egittologia; l'archeologia classica dell'antica Grecia e di Roma). Uno dei maggiori sviluppi degli ultimi due o tre decenni è essersi resi conto che l'archeologia può contribuire notevolmente alla conoscenza della preistoria e della storia antica, ma anche a quella dei periodi storici più recenti. In America Settentrionale e in Australia l'archeologia storica – cioè lo studio degli insediamenti coloniali e post-coloniali in quei continenti – si è molto sviluppata, analogamente a quanto è accaduto in Europa per l'archeologia medievale e post-medievale, cosicché quando si tratta dell'insediamento coloniale di Jamestown negli Stati Uniti o del Medioevo di Londra, Parigi e Amburgo in Europa, l'archeologia diventa una fonte primaria di dati.

Trasversali a queste suddivisioni cronologiche ci sono delle specializzazioni che possono contribuire alla conoscenza di diversi periodi archeologici. L'**archeologia ambientale** è una di queste branche, in cui archeologi e specialisti di altre scienze studiano l'uso di piante e animali da parte degli esseri umani, nonché il modo in cui le società del passato si sono adattate a un habitat che cambiava continuamente.

I.2 Oggi gli idiomi, le forme e i ritrovati archeologici sono citati sempre più frequentemente nella società contemporanea, anche dall'arte. L'opera d'arte contemporanea di Anthony Gromley «Campo per le isole britanniche» è costituita da migliaia di figurine di terracotta che richiamano quelle preistoriche provenienti dagli scavi in Mesoamerica o nell'Europa sudorientale. Per lo spettatore che si pone di fronte all'opera l'effetto è soverchiante.

© 978.8808.82073.0

*Diversi aspetti
della moderna archeologia*

In questa pagina:
I.3 (*A destra*) Archeologia urbana: scavo
di un sito di epoca romana nel cuore di
Londra. **I.4** (*In basso a sinistra*) Lavoro in
laboratorio sui ritrovamenti di Çatalhöyük in
Turchia (*vedi* pagine 28-29). **I.5** (*In basso
a destra*) Un etnoarcheologo sul campo
in Siberia che studia e convive con la
popolazione odierna dei Oroqen. In questa
immagine sta preparando delle salsicce
con sangue proveniente dall'intestino di una
renna recentemente macellata.

Nella pagina a fianco:
I.6 (*In alto*) Archeologia subacquea: una
enorme statua egizia ritrovata nelle rovine
ora sommerse di un'antica città vicino ad
Alessandria. **I.7** (*In basso a sinistra*) La
«mummia» inca, conosciuta come «Juanita,
la Ragazza del gelo», mentre viene
prelevata dal luogo in cui è stata ritrovata,
sulle cime del vulcano Ampato, in Perù
(*vedi* pagina 52). **I.8** (*In centro a destra*)
Meticolosa ricostruzione dei frammenti di
un elaborato murale proveniente dal sito di
San Bartolo (Guatemala) risalente al primo
periodo Maya (*vedi* pagina 432).
I.9 (*In basso a destra*) Recupero prima
di un progetto di sviluppo: tomba di
2000 anni appartenente alla dinastia Han
occidentale mentre viene scavata in un sito
di costruzione a Guangzhou, in Cina.

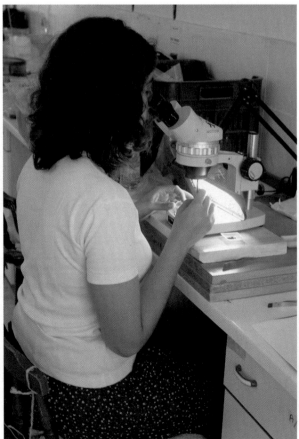

© 978.8808.82073.0

© 978.8808.82073.0

L'**archeologia subacquea** è un'altra di queste branche, che richiede grande coraggio e abilità. Negli ultimi quarant'anni essa è diventata un'attività altamente scientifica, in grado di salvare dall'oblio alcuni periodi del passato sotto forma di relitti di navi, gettando nuova luce sulla vita antica, tanto sulle terre emerse come sui mari.

Anche l'**etnoarcheologia**, come abbiamo appena visto brevemente, è un'importante specializzazione della moderna archeologia. Oggi ci rendiamo conto che siamo in grado di spiegare i reperti archeologici – vale a dire ciò che troviamo – soltanto se riusciamo a spiegare nei particolari il modo in cui si sono formati. I processi di formazione dei reperti archeologici sono ora oggetto di intensi studi. È proprio qui che l'etnoarcheologia si realizzata con successo: lo studio dei popoli viventi e della loro cultura materiale, allo scopo di migliorare la spiegazione dei reperti archeologici. Per esempio, lo studio delle pratiche di macellazione adottate da cacciatori-raccoglitori viventi, intrapreso da Lewis Binford presso gli Eschimesi Nunamiut dell'Alaska, ha offerto al ricercatore molte idee nuove circa il modo in cui un reperto archeologico può essersi formato, e gli ha permesso di sottoporre a una nuova valutazione i resti ossei di animali mangiati dai primi esseri umani anche in altre parti del mondo. Tali studi, inoltre, non sono limitati a semplici comunità o a piccoli gruppi. La cultura dei materiali contemporanea è diventata recentemente oggetto di studio per se stessa. L'archeologia del XXI secolo spazia dal design delle bottiglie della Coca Cola e delle lattine di birra alla patologia criminale usata sempre in misura maggiore nelle ricerche sui crimini e sulle atrocità della guerra; che siano state perpetrate in Bosnia, nell'Africa occidentale oppure in Iraq. A Tucson, in Arizona, il *Garbage Project* (letteralmente «Progetto spazzatura») condotto da William L. Rathje, che prevede lo studio della spazzatura dai bidoni di un settore della città, ha fornito informazioni preziose e inattese sulla modalità di consumo della moderna popolazione urbana. Luoghi come i campi d'aviazione e le postazioni di artiglieria risalenti alla Seconda guerra mondiale (1939-1945) sono ora conservati come monumenti antichi. Allo stesso modo vengono considerati gli strumenti di telecomunicazione risalenti al periodo della guerra fredda e i frammenti rimasti del muro di Berlino, che un tempo divideva la Germania dell'est da quella dell'ovest e che è caduto nel 1989. Il Centro di sperimentazione del Nevada (*The Nevada Test Site*), fondato nel 1950 come luogo per la sperimentazione delle armi degli Stati Uniti, oggi ormai è oggetto di ricerca archeologica e di conservazione. Anche l'archeologia del XX secolo ha avuto i suoi saccheggi: numerosi resti del relitto del *Titanic* sono stati venduti per considerevoli somme a collezionisti privati.

Dal canto suo l'archeologia del XXI secolo ha avuto un triste inizio con il lavoro di recupero seguito alla catastrofica distruzione del World Trade Center a New York avvenuta l'11 settembre del 2001. *Ground zero*, il luogo conservato e protetto dove un tempo sorgevano le torri gemelle, è ormai diventato uno dei più significativi monumenti commemorativi di New York.

L'archeologia oggi continua a sviluppare nuove specializzazioni e sub-discipline. Oltre all'approccio ambientale largamente sottolineato alla fine del XX secolo, si è sviluppata anche la bioarcheologia: lo studio delle piante e degli animali (e di altri esseri viventi) nell'ambiente e nella dieta umani. Similmente la geoarcheologia: l'applicazione della archeologia alla scienza geologica per la ricostruzione degli ambienti antichi e lo studio dei materiali litici. L'archeogenetica, lo studio del passato dell'essere umano utilizzando le tecniche della genetica molecolare, è un campo in rapida espansione. Queste, e altre aree emergenti come l'antropologia forense, sono il prodotto sia del progresso nelle scienze sia della sempre maggiore consapevolezza degli archeologi di come questo progresso possa essere sfruttato nello studio del passato.

L'etica dell'archeologia

Sempre di più viene riconosciuto che la pratica dell'archeologia solleva molti problemi etici e che l'uso dell'archeologia, politicamente e commercialmente, quasi sempre solleva questioni con una dimensione morale (*vedi* Capitoli 14 e 15). È facile comprendere come la distruzione deliberata di resti archeologici – come la demolizione dei Buddha di Bamiyan in Afganistan o il radere al suolo Nineveh o altri siti da parte del sedicente «stato islamico» – siano, secondo la maggior parte dei criteri morali, degli atti profondamente malvagi. Paragonabili conseguenze dannose ha avuto anche il fallimento delle forze di coalizione che hanno invaso l'Iraq nel salvaguardare i tesori e i siti archeologici di quella regione. Altre questioni, tuttavia, sono meno ovvie: in quali circostanze l'esistenza di siti archeologici dovrebbe impedire lo sviluppo di importanti progetti di costruzione come una nuova strada oppure una nuova diga? Durante la Rivoluzione culturale cinese, il presidente Mao ha coniato lo slogan «lasciate che il passato serva il presente», ma questo fu qualche volta usato come scusa per alcune deliberate distruzioni di reperti antichi.

Anche lo sfruttamento commerciale del passato solleva diversi problemi. Molti siti archeologici sono ora troppo visitati e il gran numero di visitatori, pur benintenzionati, pone dei reali problemi di conservazione. Questo è stato a lungo un problema a Stonehenge, il maggiore monumento preistorico dell'Inghilterra meridionale, e il fallimento da parte del governo del Regno Unito di operare delle scelte efficaci per il miglioramento della situazione per diverse decine di anni è stato da tutti condannato. Ancora peggio, forse, è la connivenza dei maggiori musei nel saccheggio del patrimonio archeologico del mondo attraverso l'acquisto di pezzi antichi illeciti o di cui non si conosce chiaramente la provenienza. L'accordo raggiunto a seguito della richiesta di restituzione fatta dal Governo italiano al Metropolitan Museum of Art di New York, al Getty Museum in Malibu e al Cleveland Museum of Art per la restituzione all'Italia di alcune antichità rubate solleva dei dubbi sull'integrità di alcuni direttori e amministratori di musei – persone molto colte da cui ci si aspetterebbe un atteggiamento di difesa e salvaguardia del passato e non la partecipazione a speculazioni che portano alla sua distruzione.

Obiettivi e domande

Se il nostro obiettivo è conoscere il passato dell'umanità, resta il problema importante di che cosa speriamo di apprendere. Gli approcci tradizionali tendevano a individuare l'obiettivo dell'archeologia principalmente nella ricostruzione di un puzzle: un pezzo dopo l'altro pezzo. Oggi, tuttavia, non è più sufficiente limitarsi a ricreare la cultura materiale delle epoche passate o a completare l'immagine di quelle più recenti. È stato definito un ulteriore obiettivo: «la ricostruzione del modo di vita delle persone che produssero i resti archeologici».

Noi siamo certamente interessati ad avere una chiara immagine del modo in cui donne e uomini vivevano e sfruttavano il loro ambiente, ma desideriamo anche conoscere il *perché* vissero in quella maniera: perché adottarono quei modelli di comportamento e in che modo la loro vita quotidiana e la loro cultura materiale giunsero ad assumere proprio quella forma. Noi siamo interessati, insomma, a *spiegare* i cambiamenti. Questo interesse per i processi di mutamento culturale è giunto a definire ciò che conosciamo come *archeologia processuale*. Essa procede ponendo una serie di domande, proprio come uno studio scientifico che lavora definendo l'obiettivo della ricerca – cioè formulando le domande – e poi cercando di fornire loro una risposta.

Aspetti simbolici e cognitivi delle società sono recentemente stati messi in evidenza da nuovi approcci, spesso raggruppati sotto la comune terminologia di **archeologia processuale** o **interpretativa**, anche se l'apparente unità di questa prospettiva si è ora diversificata in correnti guidate da interessi diversi. Si sostiene che nel mondo «postmoderno» differenti comunità o gruppi sociali hanno interessi o preoccupazioni specifici; che ciascun gruppo/comunità può avere proprie opinioni e quindi procedere a una propria ricostruzione del passato e che, in questo senso, ci sono diverse archeologie. Ciò diventa particolarmente chiaro quando si considerano le nuove nazioni del Terzo mondo, dove gruppi etnici differenti e talvolta antagonisti

hanno proprie tradizioni e interessi e quindi, in un certo senso, differenti archeologie.

Ci sono molte grandi questioni che sono oggi al centro dell'attenzione. Vorremmo per esempio conoscere le circostanze in cui fecero la loro comparsa i nostri primi progenitori. Ciò accadde davvero in Africa, e solo in Africa, come oggi sembra essere effettivamente accaduto? E i primi esseri umani erano veri e propri cacciatori o consumavano semplicemente prede uccise da altri animali? Quali furono le circostanze che permisero l'evoluzione della sottospecie *Homo sapiens sapiens* a cui noi apparteniamo? In che modo si può spiegare la comparsa dell'arte paleolitica? Come avvenne il passaggio dalla caccia-raccolta all'agricoltura in Asia occidentale, in Mesoamerica e in altre parti del mondo? Come si sono formate le varie identità, sia degli individui sia dei gruppi? Come si arriva a stabilire quali aspetti dei beni culturali di una regione o di una nazione vale la pena di conservare?

La serie di domande potrebbe continuare e oltre a queste questioni ne esistono di più specifiche. Vogliamo conoscere perché una determinata cultura abbia assunto proprio quella forma, in che modo siano emerse le sue peculiarità e in quale misura esse abbiano influenzato gli sviluppi successivi. Questo libro non vuole passare in rassegna le risposte provvisorie a tutte queste domande, anche se molti dei risultati più notevoli della recente ricerca archeologica emergeranno nelle pagine che seguono; in questo libro esamineremo piuttosto i *metodi* con cui è possibile rispondere a queste domande.

Piano dell'opera

I metodi dell'archeologia possono essere esaminati in molti modi. Come si è già detto nella prefazione, abbiamo scelto di porre in rilievo la grande varietà di **domande** per le quali desidereremmo una risposta e che riassumiamo brevemente qui. Si potrebbe arguire che l'intera filosofia dell'archeologia sia implicita nelle domande che poniamo e nel modo in cui le formuliamo.

La Parte I del volume passa in rassegna l'intero campo dell'archeologia, esaminando innanzitutto la storia della disciplina e ponendo in seguito tre questioni specifiche: come si sono conservati i materiali, come li si ritrova e li si data.

La Parte II pone ulteriori e più approfondite domande a cui vorremmo fosse data una risposta: quella circa l'organizzazione sociale, l'ambiente e i mezzi di sostentamento; circa la tecnologia e il commercio e circa il modo in cui donne e uomini pensavano e comunicavano. In seguito ci chiederemo quale fosse il loro aspetto fisico e infine porremmo la questione fondamentale del *perché* le cose cambiarono.

La Parte III offre un'esposizione della pratica archeologica, mostrando come le differenti idee e tecniche possano

© 978.8808.82073.0

essere utilizzate insieme in singoli progetti di ricerca sul campo. Cinque di questo progetti sono stati scelti come casi di studio: nel Messico meridionale, in Florida nel sud degli Stati Uniti, nell'Australia settentrionale, in Thailandia e nell'inglese York urbana.

In conclusione ci sono due capitoli sull'archeologia pubblica che discute usi e abusi nel mondo moderno e gli obblighi da essi derivati per l'archeologo e per tutti coloro che sfruttano il passato per lucro o per ragioni politiche. Infine, l'ultimo capitolo racconta le vicende personali di sei archeologi che lavorano in aree differenti del mondo e in vari campi. In questo modo speriamo che il nostro libro possa fornire un panorama efficace dell'intera gamma dei metodi e delle idee impiegati nella ricerca archeologica.

Letture consigliate

I seguenti libri danno un'indicazione della grande varietà dell'archeologia moderna; molti di essi sono corredati da pregevoli illustrazioni.

Bahn P.G. (a cura di), 2000, *The World Atlas of Archaeology*. Facts on File: New York.

Bahn P.G. (a cura di), 2001, *The Penguin Archaeology Guide*. Penguin: London.

Cunliffe B., Davies W. & Renfrew C. (a cura di), 2002, *Archaeology, the Widening Debate*. British Academy: London.

Fagan B.M. (a cura di), 2007, *Discovery! Unearthing the New Treasures of Archaeology*. Thames & Hudson: London & New York.

Forte M. & Siliotti A. (a cura di). 1997. *Virtual Archaeology*. Thames & Hudson: London; Abrams: New York.

Renfrew C. & Bahn P. (a cura di), 2014, *The Cambridge World Prehistory*. Cambridge, Cambridge University Press. 3 vols.

Scarre C. (a cura di), 1999, *The Seventy Wonders of the Ancient World. The Great Monuments and How they were Built*. Thames & Hudson: London & New York.

Scarre C. (a cura di), 2013, *The Human Past. World Prehistory and the Development of Human Societies*. (3rd ed.) Thames & Hudson: London & New York.

Schofield J. (a cura di), 1998, *Monuments of War: The Evaluation, Recording and Management of Twentieth-Century Military Sites*. English Heritage: London.

Parte I
La struttura dell'archeologia

L'archeologia si occupa dell'intera sfera della passata esperienza umana: come uomini e donne si organizzavano in gruppi sociali e sfruttavano l'ambiente in cui vivevano; che cosa mangiavano, che cosa facevano e in cosa credevano; in quale modo comunicavano e perché le loro società mutavano. Queste sono le questioni fondamentali che affronteremo più avanti in questo libro. Prima, però, abbiamo bisogno di un sistema di riferimento spaziale e temporale. Sarebbe poco utile cominciare la nostra indagine sulle idee e i metodi che si interessano del passato senza sapere quali materiali studino gli archeologi o dove essi possano essere rinvenuti e come possano essere datati. Inoltre, prima di partire nel nostro viaggio, cercheremo di sapere fin dove sono giunti e lungo quali strade si siano mossi gli archeologi del passato.

La Parte I del volume è quindi dedicata all'esame della struttura dell'archeologia. Nel Capitolo 1 prendiamo in esame la storia della disciplina e in particolare evidenziamo come successive generazioni di ricercatori abbiano ridefinito e ampliato le domande che noi ci poniamo circa il passato. Quindi porremo la prima domanda: «Che cosa?»: che cosa si è conservato e qual è la gamma di materiali archeologici che sono giunti fino a noi? La seconda domanda, «Dove?», ci introdurrà ai metodi di individuazione e rilevamento dei siti archeologici, nonché ai princìpi che regolano lo scavo e l'analisi preliminare. Nel Capitolo «Quando?» prenderemo in considerazione l'esperienza umana del tempo e della sua misurazione, valutando l'ampio ventaglio di tecniche sulle quali gli archeologi possono oggi contare per determinare la cronologia. Su questa base saremo in gado di tracciare un percorso cronologico che sintetizzi la storia umana e ciò costituirà la conclusione della Parte I del volume e il preludio alla Parte II.

1 I ricercatori
La storia dell'archeologia

La storia dell'archeologia è comunemente intesa come storia di grandi scoperte: la tomba di Tutankhamon in Egitto, le città perdute dei Maya in Messico, le grotte dipinte del Paleolitico, come quella di Lascaux in Francia, o i resti dei progenitori degli esseri umani sepolti nella Gola di Olduvai in Tanzania. Ma ancor più di questo, essa è la storia del modo in cui siamo giunti a guardare con occhi nuovi alle testimonianze materiali del passato dell'umanità, e del modo in cui i nuovi metodi ci aiutano nel nostro lavoro.

È importante ricordare che appena un secolo e mezzo fa la maggior parte delle persone colte del mondo occidentale – dove l'archeologia così come la conosciamo oggi si è da principio sviluppata – credeva che il mondo fosse stato creato solo pochi millenni prima (nell'anno 4004 a.C., secondo l'interpretazione della Bibbia comunemente accettata a quel tempo), e che tutto ciò che si poteva sapere del remoto passato dovesse essere ricercato nelle pagine degli storici antichi, in particolare quelli del Vicino Oriente, dell'Egitto e della Grecia. Non si riteneva in alcun modo possibile elaborare un qualche tipo di storia coerente dei periodi che precedettero lo sviluppo della scrittura. Secondo le parole dello studioso danese Rasmus Nyerup (1759-1829):

> Tutto ciò che è giunto fino a noi dall'epoca del paganesimo è avvolto da una spessa nebbia; esso appartiene a un arco di tempo che non possiamo misurare. Sappiamo che è più antico del Cristianesimo, ma se si tratti di un paio d'anni, di un paio di secoli o di più di un millennio non possiamo far altro che congetturarlo.

Per la verità oggi noi siamo in grado di penetrare quella «spessa nebbia» che avvolge il passato più lontano. Ciò non accade semplicemente perché avvengono continuamente nuove scoperte ma perché abbiamo imparato a porre le **domande giuste** e abbiamo sviluppato alcuni **metodi efficaci** per fornire loro una risposta. I dati materiali rappresentati dai reperti archeologici sono noti da lungo tempo; ciò che è nuovo è la nostra consapevolezza che i metodi dell'archeologia possono offrirci informazioni sul passato, anche sul periodo preistorico precedente all'invenzione della scrittura. La storia dell'archeologia è quindi, in primo luogo, una storia di idee, di teorie, di modi di guardare al passato; in secondo luogo è la storia dello sviluppo dei **metodi di ricerca**, avvenuto mettendo in pratica quelle idee e indagando su quelle questioni. Solo in terzo luogo la storia dell'archeologia è la storia di scoperte effettive.

Possiamo illustrare le relazioni tra questi aspetti della nostra conoscenza del passato con un semplice schema:

1.2

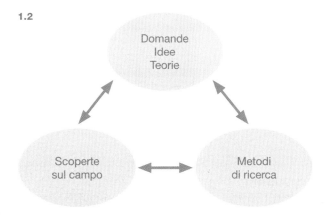

In questo capitolo e in questo libro porremo l'accento sullo sviluppo delle domande e delle idee e sull'applicazione di nuovi metodi di ricerca. La cosa più importante da ricordare è che ogni visione del passato è un prodotto del nostro tempo: idee e teorie sono in costante evoluzione, e ciò vale anche per i metodi. Quando descriviamo i metodi attuali della ricerca archeologica, parliamo semplicemente di un

◄ **1.1** La città romana di Pompei si trova all'ombra del monte Vesuvio in Italia. Quando il vulcano eruttò nel 79 d.C. l'intera città fu sepolta e del tutto dimenticata fino agli scavi che cominciarono a metà del XVIII secolo. Scoperte così spettacolari generarono un enorme interesse verso il passato e influenzarono molto le arti (*vedi* Scheda 1.1, pp. 6-7).

punto di un percorso evolutivo. Tra pochi decenni o anche tra pochi anni questi metodi appariranno certamente superati e obsoleti. Questa è la natura dinamica dell'archeologia intesa come disciplina scientifica.

LA FASE SPECULATIVA

Gli esseri umani si sono sempre interrogati sul proprio passato e gran parte delle culture ha elaborato i propri miti per spiegare perché la società è così com'è. Lo scrittore greco Esiodo, per esempio, che visse intorno all'800 a.C., nel suo poema epico *Le opere e i giorni* concepiva il passato dell'umanità suddiviso in cinque stadi: l'età dell'Oro e degli Immortali, che «vivevano in pace e tranquillità sulle loro terre con molti agi»; l'età dell'Argento, in cui gli esseri umani erano meno nobili; l'età del Bronzo; l'età degli Eroi Epici; e, infine, la sua epoca, l'età del Ferro e dei Dolori Penosi, in cui uomini e donne non cessano mai «di giorno e di notte di essere consunti dalle fatiche e dalle pene».

Gran parte delle culture subì anche il fascino delle società che le avevano precedute. Gli Aztechi sopravvalutavano la propria ascendenza tolteca, ed erano così interessati a Teotihuacàn – l'immensa città del Messico, abbandonata centinaia di anni prima, che essi collegavano erroneamente con i Toltechi – da inserire maschere cerimoniali in pietra provenienti da quell'importante sito nelle fondamenta del proprio Grande Tempio (*vedi* Scheda 15.1). Una curiosità ancora più spiccata per i resti di epoche precedenti si sviluppò in diverse civiltà antiche, presso le quali gli studiosi e anche gli esponenti del ceto dominante raccoglievano e

studiavano oggetti del passato. Nabonèdo, l'ultimo re indigeno di Babilonia, che regnò tra il 555 e il 539 a.C., ebbe un chiaro interesse per le antichità: egli condusse scavi in un importante tempio e scoprì la pietra di fondazione che era stata posta in opera circa 2200 anni prima; molti di questi reperti furono conservati in una sorta di museo a Babilonia.

Durante il Rinascimento europeo, tra XIV e XVII secolo, prìncipi ed esponenti della ricca borghesia colta cominciarono ad allestire i cosiddetti «gabinetti delle meraviglie» in cui erano esposti manufatti curiosi e antichi, talvolta mescolati in maniera casuale a minerali esotici e a ogni genere di esemplari che potessero illustrare quella che veniva definita «storia naturale». Nello stesso periodo gli studiosi cominciarono anche a raccogliere e a studiare i resti dell'antichità classica, e, anche nelle regioni più settentrionali e quindi più lontane dai centri di civiltà dell'antica Grecia e di Roma, si cominciarono a studiare i resti materiali del proprio remoto passato. Ad attrarre l'attenzione in quest'epoca furono principalmente i monumenti ancora visibili in superficie, i siti più ricchi di rovine, spesso in pietra, come le grandi tombe litiche dell'Europa nord-occidentale o i siti più imponenti di Stonehenge, in Inghilterra, o di Carnac, in Bretagna. Studiosi attenti, come l'inglese William Stukeley (1687-1765), condussero studi sistematici su alcuni di questi monumenti, eseguendo rilievi così precisi da essere ancora oggi di grande utilità. Stukeley e i suoi colleghi dimostrarono con successo che questi monumenti non furono costruiti da mostri o demoni, come potrebbe sembrare dai nomi dati localmente come quello di «Frecce del diavolo», ma da persone dell'antichità. Inoltre, ebbero

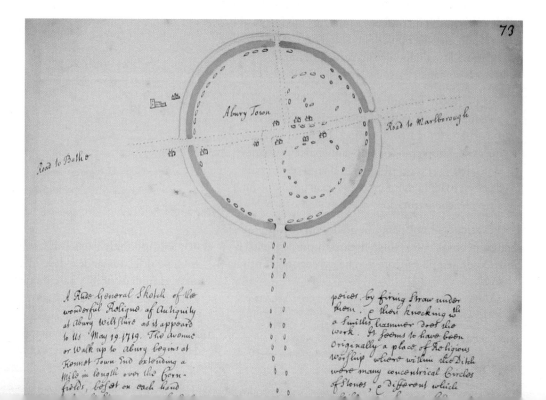

1.3 Un estratto dal diario di William Stukeley, con le note sulla sua scoperta dell'area di Avebury e un disegno di Silbury Hill.

ragione nel collocare in sequenza i monumenti mostrando che, poiché le strade romane passavano sopra i tumuli, esse dovevano per forza essere successive a questi ultimi. Nello stesso periodo, attorno al 1765, il primo scavo archeologico del Nuovo Mondo – un tunnel scavato nella Piramide della Luna di Teotihuacán – fu portato a termine da Carlos de Sigüenza y Góngora.

I primi scavi

Nel XVIII secolo alcuni ricercatori più avventurosi iniziarono lo scavo di alcuni dei siti più importanti. Pompei, con i suoi impressionanti ritrovamenti romani, fu uno dei primi siti a essere esplorato, anche se i veri e propri scavi iniziarono solo nel XIX secolo (*vedi* Scheda 1.1). Nel 1765, a Huaca de Tantalluc, sulla costa peruviana, fu scavato un *mound* (tumulo) e in una cavità furono ritrovate alcune offerte votive; la stratigrafia del tumulo fu descritta accuratamente. Tuttavia, il merito di aver condotto quello che è stato definito «il primo scavo scientifico nella storia dell'archeologia» va a Thomas Jefferson (1743-1826) – che in seguito divenne il terzo presidente degli Stati Uniti d'America – il quale nel 1784 scavò una trincea, o sezione, attraverso un *mound* funerario ubicato all'interno delle sue proprietà in Virginia. Il suo lavoro segnò l'inizio della fine della fase speculativa dell'archeologia.

Ai tempi di Jefferson si sosteneva che le centinaia di misteriose collinette visibili nella regione a est del Mississippi fossero state costruite non dagli Indiani d'America ma da una leggendaria razza ormai estinta di *Moundbuilders* («costruttori di tumuli»). Jefferson adottò quello che oggi potremmo definire un approccio scientifico: mise le idee correnti a proposito dei *mounds* al confronto con la realtà delle cose scavandone uno. Il metodo usato fu tanto accurato da permettergli di riconoscere diversi livelli nella trincea e di notare che molte delle ossa umane presenti erano conservate meno bene nei livelli inferiori. Da ciò egli dedusse che il *mound* era stato riutilizzato come luogo di sepoltura in molti momenti diversi. Sebbene lo stesso Jefferson ammettesse correttamente che per risolvere la questione dei *Moundbuilders* erano necessari ulteriori dati, egli non vedeva alcuna ragione per negare che a innalzare i *mounds* fossero stati proprio i progenitori degli Indiani d'America.

Jefferson era in anticipo sul suo tempo; il suo approccio corretto alla questione – deduzione logica sulla base di un reperto scavato con cura; quindi, da molti punti di vista, il fondamento della moderna archeologia – non fu adottato in America Settentrionale da alcuno dei suoi immediati successori.

Nello stesso periodo, anche in Europa venivano condotti ampi scavi, per esempio dall'inglese Richard Colt Hoare (1758-1838), che scavò centinaia di tumuli funerari nella Gran Bretagna meridionale nel corso del primo decennio del XIX secolo. Egli divise correttamente i monumenti situati nei campi in diverse categorie come il tumulo a forma di campana, ancora in uso al giorno d'oggi. Nessuno di questi scavi, però, fece compiere sensibili passi in avanti alla causa della conoscenza del passato più remoto, poiché la loro interpretazione si collocava sempre all'interno del sistema concettuale della Bibbia, che assegnava un breve periodo di tempo alla passata storia dell'umanità.

1.4 Primi scavi: Richard Colt Hoare e William Cunnington dirigono uno scavo a nord di Stonehenge nel 1805.

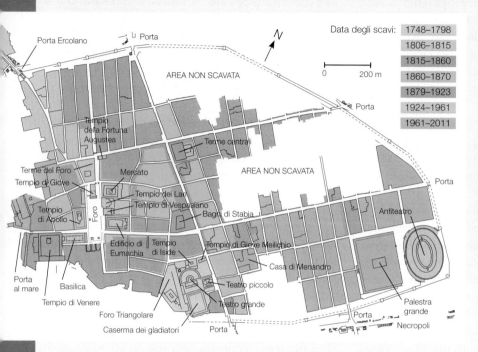

1.5 Pianta schematica di Pompei con l'indicazione delle aree scavate.

Nella storia dell'archeologia i siti di Pompei e di Ercolano, posti ai piedi del vulcano Vesuvio, nel Golfo di Napoli, occupano un posto assai particolare. Ancora oggi, quando moltissimi siti di grande importanza sono stati scavati sistematicamente, visitare queste due città romane così ben conservate costituisce un'esperienza emozionante.

Il destino di Pompei si compì in un tragico giorno dell'agosto del 79 d.C., quando avvenne l'eruzione del Vesuvio, una catastrofe descritta nei particolari dallo storico romano Plinio il Giovane. La città venne sepolta sotto alcuni metri di cenere vulcanica e molti degli abitanti morirono asfissiati nelle loro case. La vicina Ercolano fu sommersa dal magma vulcanico ed entrambe le città giacquero dimenticate – la loro esistenza era testimoniata solo da alcune scoperte occasionali – fino agli inizi del XVIII secolo.

Nel 1709, il principe di Elboeuf, venuto a conoscenza della scoperta di marmi lavorati nei dintorni, iniziò a indagare scavando fosse e gallerie quello che oggi conosciamo come il sito di Ercolano. Ebbe la fortuna di scoprire l'antico teatro – il primo esempio completo di teatro romano mai rinvenuto – ma si interessò principalmente delle opere d'arte destinate ad arricchire la sua collezio-

ne, opere che vennero asportate senza alcun riguardo per la loro collocazione originaria.

Sulla scia dell'opera di Elboeuf i lavori di sterro a Ercolano ripresero in maniera un poco più sistematica nel 1738, mentre nel 1748 venne scoperta Pompei. I lavori procedettero ancora sotto il patronato del re e della regina di Napoli, ma mirarono ancora una volta al recupero di capolavori antichi destinati ad abbellire il palazzo reale. Poco dopo, nelle immediate vicinanze di Ercolano furono portati alla luce i resti di una splendida villa, ricca di statue in bronzo e di un'intera biblioteca di papiri carbonizzati che diede il nome di Villa dei Papiri all'intero complesso. Le dimensioni della villa sono state riprodotte con esattezza nella costruzione del Paul Getty Museum a Malibu, in California.

Il primo catalogo della collezione reale fu pubblicato nel 1757. Sette anni dopo lo studioso tedesco Johann Joachim Winckelmann, spesso ritenuto il padre dell'archeologia classica, pubblicò la sua prima *Lettera sulle scoperte di Ercolano*. Da allora in poi i ritrovamenti provenienti da entrambe le città furono al centro di un'enorme attenzione internazionale, e finirono per influenzare lo stile degli arredamenti e della decorazione degli in-

terni e per ispirare molti brani di narrativa romantica.

Gli scavi ben documentati cominciarono comunque solo nel 1860, allorché Giuseppe Fiorelli fu incaricato di condurre i lavori di Pompei. Nel 1864 egli mise a punto un efficace sistema per trattare le cavità nello strato di cenere all'interno delle quali venivano rinvenuti gli scheletri sepolti dall'eruzione. Egli provò semplicemente a riempire le cavità con gesso liquido; la cenere solidificatasi intorno alla cavità agiva come uno stampo e il gesso assumeva esattamente la forma del corpo scomparso. (In una recente evoluzione di questa tecnica gli archeologi hanno sostituito al gesso una fibra di vetro trasparente, che rende possibile vedere i resti delle ossa e i manufatti eventualmente annessi al corpo.)

Amedeo Maiuri ha condotto scavi a Pompei tra il 1924 e il 1961, portando alla luce ampi resti delle fasi più antiche della città al di sotto dei livelli del 79 d.C. In anni più recenti il suo lavoro è stato integrato da ulteriori e più mirate indagini condotte da diversi team internazionali di archeologi. Un altro recente progetto condotto sotto la direzione di Roger Ling si è incentrato sull'analisi dettagliata dell'*insula* detta «del Menandro». Le indagini hanno mostrato cambiamenti nei confini di proprietà e nell'utilizzo del territorio, rivelando come Pompei sia passata da piccolo insediamento rura-

1.6 Come viene riportata alla luce la forma di un corpo.

1 La pomice e la cenere seppelliscono una vittima nel 79 d.C.

2 Il corpo si decompone gradualmente lasciando una cavità.

3 Gli archeologi individuano la cavità e la riempiono di gesso liquido.

4 Il gesso si consolida; a questo punto è possibile asportare la pomice e la cenere.

le a sofisticata città romana e gettando nuova luce sul suo sviluppo economico e sociale.

Pompei rimane il più completo scavo urbano mai intrapreso; la pianta della città risulta chiara nei suoi elementi essenziali e sono stati indagati gran parte degli edifici pubblici e un grandissimo numero di botteghe e case private. Ciò nonostante, la possibilità di ulteriori studi e interpretazioni è ancora enorme.

Oggi coloro che visitano Pompei possono rivivere l'emozione delle parole che Shelley scrisse oltre un secolo e mezzo fa nella sua *Ode a Napoli*: «Nella città dissotterrata udivo / il passo lieve, di fantasma, delle / foglie autunnali erranti per le vie / e dentro quelle sale scoperchiate / fremere a tratti l'assonnata voce / della montagna» (*).

(*) Da *Poesie*, a cura di F. Giovanelli, Roma, Newton Compton editori, 1993.

1.7

1.7 Scavi dell'inizio del XX secolo di Via dell'Abbondanza, strada principale di Pompei.

1.8 Affresco parietale della domus dei Casti Amanti; una giovane schiava guarda due coppie mentre si godono un banchetto.

1.9 Un calco in gesso restituisce la forma di un abitante di Pompei morto mentre cercava di fuggire.

1.8

1.9

1.10 Le condizioni di conservazione a Pompei sono davvero notevoli: per esempio, sono giunte fino a noi delle uova carbonizzate.

© 978.8808.82073.0

GLI INIZI DELL'ARCHEOLOGIA MODERNA

Soltanto alla metà del XIX secolo l'archeologia divenne una disciplina ben definita. Sullo sfondo c'erano già gli importanti risultati della geologia, anch'essa sviluppatasi in epoca recente. Il geologo scozzese James Hutton (1726-1797), nel suo *Theory of the Earth* [*Teoria della Terra*] (1785), aveva studiato la stratificazione delle rocce (la loro disposizione in strati sovrapposti), stabilendo i princìpi che sarebbero stati alla base dello scavo archeologico, come già presagito da Jefferson. Hutton dimostrò che la stratificazione delle rocce era dovuta a processi ancora in atto nei mari, nei fiumi e nei laghi. Si trattava del principio dell'«uniformitarianismo», sostenuto anche da Charles Lyell (1797-1875) che nel suo *Principles of Geology* [*Princìpi di geologia*] (1833) dimostrò come le condizioni geologiche antiche fossero in sostanza analoghe o «uniformi» rispetto a quelle della nostra epoca. Questa idea poteva essere applicata anche al passato dell'umanità e segna una delle nozioni fondamentali della moderna archeologia: sotto molti aspetti il passato è assai simile al presente.

L'antichità dell'umanità

Queste idee contribuirono in misura assai rilevante a porre le basi di quello che fu uno degli eventi più importanti della storia intellettuale del XIX secolo, e un evento fondamentale per la storia dell'archeologia: la definizione dell'antichità dell'umanità. Fu un ispettore doganale francese, Jacques Boucher de Perthes (1788-1868), che conduceva ricerche nelle cave di ghiaia lungo la Somme, a pubblicare nel 1841 prove convincenti dell'associazione di manufatti umani in pietra scheggiata (del genere che oggi chiameremmo «asce a mano» o «bifacciali») con ossa di animali estinti. Secondo Jacques Boucher de Perthes questo stava a indicare che l'essere umano esisteva già molto tempo prima del Diluvio Universale. Al principio, il suo punto di vista non ebbe largo seguito, ma nel 1859 due eminenti studiosi inglesi, John Evans (1823-1908) e Joseph Prestwich (1812-1896), dopo averlo incontrato in Francia, si persuasero della validità delle sue scoperte. Un consenso più generale accompagnò da allora l'idea che le origini dell'umanità risalissero a un passato assai remoto, e non trovò più alcun sostegno la nozione biblica che il mondo in tutte le sue componenti fosse stato creato appena pochi millenni prima della nostra epoca. Venne così stabilita la possibilità, o meglio la necessità, dell'esistenza di una preistoria dell'essere umano (lo stesso termine «preistoria» entrò nell'uso generale dopo la pubblicazione, nel 1865, di *Prehistoric Times* [*Tempi preistorici*], il libro di John Lubbock (1834-1913) che doveva diventare un vero e proprio successo editoriale).

Il concetto di evoluzione

Queste idee si armonizzavano bene con i risultati di un altro grande studioso del XIX secolo, Charles Darwin (1809-1882), la cui opera fondamentale, *L'origine delle specie*, pubblicata nel 1859, formulava il concetto di evoluzione, che costituiva la spiegazione migliore per l'origine e lo sviluppo di tutte le specie vegetali e animali. L'idea di evoluzione non era di per sé nuova; già in precedenza altri studiosi avevano ipotizzato che gli organismi viventi dovessero essersi modificati, o evoluti, nel corso del tempo. Ciò che Darwin giunse a dimostrare fu il *modo* in cui questo cambiamento era avvenuto. Il meccanismo essenziale fu, secondo le parole dello stesso Darwin, la «selezione naturale», ovvero la sopravvivenza del più adatto. Nella lotta per l'esistenza sopravvivono (o sono «selezionati dalla natura») quegli individui di ogni singola specie che si adattano meglio degli altri all'ambiente circostante, mentre soccombono quelli che vi si adattano meno bene. Gli individui che sopravvivono trasmettono per via ereditaria alla propria prole i caratteri vantaggiosi, e i caratteri di una specie si modificano in modo graduale fino a dare origine a una nuova specie: così si può riassumere il processo dell'evoluzione. L'altra grande opera di Darwin, *L'origine dell'uomo*, fu pubblicata solo nel 1871, ma le implicazioni erano già chiare; la specie umana era emersa come parte dello stesso processo di evoluzione. La ricerca delle origini dell'umanità nei resti materiali, secondo le tecniche dell'archeologia, poteva avere inizio.

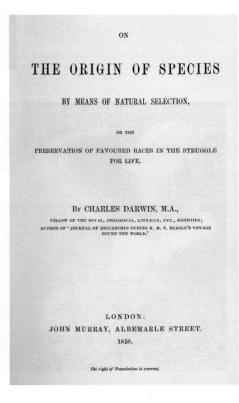

1.11 Il frontespizio della prima edizione dell'*Origine della specie* di Darwin: la sua teoria dell'evoluzione ebbe un'influenza notevole anche in campo archeologico.

L'idea di evoluzione ha svolto un ruolo centrale nello sviluppo del pensiero archeologico. Essa è associata in primo luogo al nome di Charles Darwin, il cui libro *L'origine delle specie* (1859) spiegò in modo soddisfacente il problema delle origini e dello sviluppo delle specie vegetali e animali, inclusa quella umana. Darwin affermò che all'interno di una specie si producono variazioni (un individuo è diverso da un altro), che la trasmissione dei caratteri fisici avviene per eredità e infine che la sopravvivenza è determinata dalla selezione naturale. Darwin ebbe certamente dei precursori, tra i quali una particolare influenza dovettero avere Thomas Malthus (1766-1834), con il suo concetto di competizione attraverso la pressione demografica, e il geologo Charles Lyell, con la sua teoria delle modificazioni geologiche graduali.

L'impatto sull'archeologia

Il lavoro di Darwin ebbe un'influenza immediata su archeologi come Pitt-Rivers, John Evans e Oscar Montelius, e costituì la base dello studio tipologico dei manufatti; la sua influenza fu ancora più rilevante sugli antropologi e sui pensatori interessati all'analisi sociale: si pensi solo a Karl Marx (a sua volta peraltro influenzato anche dal pensiero dell'antropologo americano Lewis Henry Morgan; *vedi* testo del capitolo).

L'applicazione dei princìpi della teoria evoluzionistica all'organizzazione sociale non segue sempre i precisi meccanismi della trasmissione ereditaria che valgono per le specie biologicamente definite, giacché la cultura può essere appresa e trasmessa di generazione in generazione in maniera più ampia che non tra genitori e figli. Spesso infatti il termine «evoluzionistico» applicato a un argomento o a una spiegazione assume semplicemente il valore di una generalizzazione. È quindi importante essere consapevoli del grande mutamento intervenuto nell'antropologia sul finire del XIX secolo, quando ci si allontanò dalle ampie generalizzazioni di L.H. Morgan ed E.B. Tylor in favore di un approccio assai più preciso e più descrittivo, spesso definito «particolarismo storico» e associato al nome dell'antropologo Franz Boas. Negli anni che precedettero e

1.12 Charles Darwin in una caricatura, pubblicata nel 1874, raffigurato come una scimmia. Il disegno riportava la citazione di una battuta di William Shakespeare «*This is the ape of form*» [«*La scimmia d'ogni forma del bel vivere*»] tratto dalla commedia *Love's Labour's Lost* [*Pene d'amor perdute*].

seguirono la Seconda guerra mondiale alcuni antropologi americani come Leslie White e Julian Steward assunsero perciò una posizione innovatrice respingendo le idee di Boas e tentando di generalizzare, cioè di trovare delle spiegazioni per i cambiamenti di lungo periodo. White, attraverso studi quali *The Evolution of Culture* [*L'evoluzione della cultura*] (1959), fu per molti anni il solo protagonista di quello che può essere definito evoluzionismo culturale. White e Steward influenzarono notevolmente i rappresentanti della *New Archaeology* degli anni Sessanta e Settanta del secolo scorso, in particolare Lewis Binford, Kent Flannery e David L. Clarke.

Recenti approcci

Il pensiero evolutivo ha continuato a rivestire un ruolo importante nella riflessione sull'origine dell'umanità. La deriva genetica, con tutto ciò che essa implica e assieme alla selezione naturale, è stata un fattore importante nell'evoluzione biologica. Recentemente è stato posto in rilievo come il processo evoluzionistico non debba per forza essere graduale e, inoltre, è entrata in gioco la teoria dell'equilibrio intermittente. Né deve per forza essere semplice: il ruolo della teoria delle catastrofi e della teoria dei sistemi che si auto-organizzano saranno esaminate nel Capitolo 12.

D'altro canto neanche il dibattito, così sentito negli Stati Uniti, sul «disegno intelligente», può aiutare: si tratta, infatti, dell'aggiornamento dei tradizionali argomenti a favore dell'esistenza di Dio modificati il giusto per non permettere di riconoscerne l'ideatore; non si tratta di scienza. Tuttavia sempre di più ci si rende conto che il pensiero evolutivo di Darwin non è riuscito a riprodurre quei meccanismi in grado di descrivere adeguatamente il processo che permette lo sviluppo della cultura umana. La nozione di «meme» di Richard Dawkins, basata sul concetto di «gene», che dovrebbe essere l'agente specifico e trasmissibile per il cambiamento, non si è in pratica rivelata molto utile. Né, d'altronde, ha risolto grandi problemi lo sviluppo della psicologia evolutiva. Non si vuole sostenere qui che l'applicazione della teoria evolutiva di Darwin non sia corretta o appropriata: in effetti, vi sono ora diversi indizi che si stanno aprendo nuove strade alla sua applicazione grazie a studi con simulazioni al computer e visioni improntate alla diversificazione (studi di filogenetica) applicati alla linguistica, alla cultura materiale e alla genetica molecolare.

© 978.8808.82073.0

Il sistema delle Tre Età

Come abbiamo visto, si andavano già allora sviluppando alcune tecniche proprie dello scavo archeologico. Fu messo a punto anche un altro strumento concettuale, che si rivelò assai utile per il progresso della preistoria europea: il sistema delle Tre Età. Già nel 1808 Colt Hoare riconobbe, all'interno dei tumuli da lui scavati, una sequenza di manufatti di pietra, ottone e ferro. Tale sequenza, però, fu studiata per la prima volta in maniera sistematica solo nel 1836 quando lo studioso danese C.J. Thomsen (1788-1865) pubblicò la sua guida al Museo Nazionale di Copenhagen, che apparve in inglese nel 1848 con il titolo *A Guide to Northern Antiquities* [*Guida alle antichità delle regioni settentrionali*]. In questo volume egli propose di dividere le collezioni in materiali risalenti all'*Età della pietra*, all'*Età del bronzo* e all'*Età del ferro*, secondo una classificazione in seguito riconosciuta utile dagli studiosi di tutta Europa. Più tardi si stabilì un'ulteriore divisione dell'Età della pietra in *Paleolitico* o *Antica Età della pietra* e *Neolitico* o *Nuova Età della pietra*. Questa terminologia risultava più difficile da applicare all'Africa, dove il bronzo non venne usato a sud del Sahara, o alle Americhe, dove il bronzo fu un materiale di importanza minore e l'uso del ferro venne introdotto solo con la conquista europea. Ciò nonostante, la divisione

1.14 L'influenza del pensiero darwiniano è evidente in queste prime tipologie. (*A sinistra*) John Evans tentò di stabilire una derivazione della monetazione celtico-britannica, in basso, dallo statere aureo di Filippo il Macedone, in alto. (*A destra*) La seriazione tipologica messa a punto da Montelius per le fibule dell'Età del ferro al fine di dimostrare la loro evoluzione.

proposta da Thomsen era concettualmente importante. Con essa si stabiliva il principio che attraverso lo studio e la classificazione dei manufatti di epoca preistorica si poteva arrivare a dedurre una sequenza cronologica e a svolgere considerazioni circa i periodi in questione. L'archeologia superava così la fase della pura speculazione sul passato e diveniva invece una disciplina che prevedeva lo scavo accurato e lo studio sistematico dei resti riportati alla luce. Benché ormai il sistema delle Tre Età sia superato da vari metodi di datazione cronometrici (*vedi* Capitolo 4), esso rimane ancora oggi un criterio fondamentale per la suddivisione dei materiali archeologici.

Questi tre grandi progressi concettuali – l'**antichità dell'essere umano**, il **principio di evoluzione di Darwin** e il **sistema delle Tre Età** – offrivano in definitiva un sistema di riferimento per lo studio del passato attraverso la formulazione di domande corrette. Le idee di Darwin ebbero influenza anche da un altro punto di vista; esse suggerivano che le culture umane potevano essersi evolute in maniera analoga a quanto era accaduto per le specie vegetali e animali. Subito dopo il 1859 alcuni studiosi inglesi, come il generale Pitt-Rivers (che incontreremo ancora più avanti) e John Evans, elaborarono schemi per spiegare l'evoluzione delle forme dei manufatti, gettando così le basi del metodo della «tipologia», vale a dire l'ordinamento dei manufatti in una sequenza cronologica o di sviluppo della forma; il metodo fu compiutamente elaborato più tardi dallo studioso svedese Oscar Montelius (1843-1921).

1.13 C.J. Thomsen mostra ai visitatori un oggetto antico nel Museo Nazionale Danese, classificato secondo il sistema delle Tre Età da lui elaborato.

Etnografia e archeologia

Un'altro elemento importante nel pensiero del tempo fu la percezione che lo studio condotto dagli etnografi sulle comunità primitive ancora esistenti in diverse parti del mondo potesse costituire un utile punto di partenza per gli archeologi che cercavano di spiegare i modi di vivere dei primi abitanti del loro paese, i quali disponevano di analoghi strumenti e abilità tecniche semplici. Per esempio, dal contatto con le comunità di Indiani del Nord America, antiquari e storici hanno tratto utili modelli per le immagini tatuate dei Celti e dei Britanni e studiosi come Daniel Wilson e John Lubbock fecero un uso sistematico di questo tipo di approccio etnografico.

Nello stesso tempo anche gli etnografi e gli antropologi producevano schemi per definire il progresso umano. Fortemente influenzati dalle idee darwiniane circa l'evoluzione delle specie, l'antropologo britannico Edward Tylor (1832-1917) e il suo collega americano Lewis Henry Morgan (1818-1881) pubblicarono entrambi importanti lavori negli anni Settanta del XIX secolo, sostenendo che le società umane si erano evolute da uno **stato selvaggio** (forme primitive di caccia), attraverso uno **stato barbarico** (forme semplici di coltivazione) fino alla **civiltà** (la più alta forma di società). Il libro di Morgan, *Ancient Society* [*La società antica*], del 1877, si basava in parte sulla profonda conoscenza che l'autore aveva delle contemporanee comunità di Indiani del Nord America. Le idee di Morgan – in particolare la nozione che l'essere umano sarebbe un tempo vissuto in uno stato di primitivo comunismo, con una ripartizione egualitaria delle risorse – influenzarono profondamente Karl Marx e Friedrich Engels, che vi attinsero per i loro scritti a proposito delle società precapitalistiche, influenzando di riflesso molti archeologi marxisti delle generazioni successive.

La scoperta delle prime civiltà

Nel corso degli anni Ottanta del XIX secolo, quindi, si svilupparono molte delle idee di fondo della moderna archeologia, ma queste idee presero forma in un contesto di importanti scoperte fatte nel corso dello stesso secolo, sia nel Vecchio sia nel Nuovo Mondo, a proposito delle antiche civiltà.

Gli splendori dell'antica civiltà egizia erano già stati portati all'attenzione di un pubblico entusiasta dopo la spedizione militare di Napoleone condotta in quella regione tra il 1798 e il 1800. La scoperta della Stele di Rosetta da parte di un militare appartenente alle truppe napoleoniche fornì la chiave per decifrare la scrittura geroglifica degli Egizi: su questa stele era infatti inciso uno stesso testo, scritto sia in geroglifici sia in caratteri greci. Usando questa iscrizione bilingue, il francese Jean-François Champollion (1790-1832) riuscì nel 1822, dopo 14 anni di intenso lavoro, a decifrare la scrittura geroglifica. Un caso analogo di brillante studio deduttivo portò a svelare i segreti della scrittura cuneiforme, usata in molte lingue dell'antica Mesopotamia. Negli anni Quaranta del XIX secolo studiosi francesi e inglesi, diretti rispettivamente da Paul Emile Botta (1802-1870) e da Austen Henry Layard (1817-1894), usando metodi di «scavo» piuttosto sommari avevano rivaleggiato tra loro nell'individuare il modo per ottenere dalle rovine della Mesopotamia «il maggior numero possibile di oggetti d'arte con il minor impiego possibile di tempo e denaro». Layard scrisse una serie di libri di successo e divenne famoso per le sue scoperte, che comprendono le enormi sculture assire raffiguranti tori alati e una grande biblioteca di tavolette cuneiformi provenienti dal sito di Küyünjik. Ma fu solo intorno al 1850, con la definitiva decifrazione della scrittura cuneiforme da parte di Henry Rawlinson (1810-1895) – il quale si era a sua volta basato su precedenti lavori di altri studiosi – che fu dimostrata l'identificazione di Küyünjik con la biblica Ninive. Rawlinson impiegò vent'anni, spesi a copiare e studiare un'iscrizione trilingue del VI secolo a.C. posta su un dirupo inaccessibile tra Baghdad e Teheran, per decifrare il codice della scrittura cuneiforme.

L'Egitto e il Vicino Oriente affascinarono anche l'avvocato e diplomatico americano John Lloyd Stephens (1805-1852), ma fu al Nuovo Mondo che egli legò il suo nome. I suoi viaggi nella regione messicana dello Yucatán in compagnia dell'artista inglese Frederick Catherwood e i libri splendidamente illustrati che essi produssero insieme all'inizio degli anni Quaranta del XIX secolo rivelarono per la prima volta a un pubblico entusiasta le città abbandonate degli antichi Maya. A differenza dei ricercatori contemporanei dell'America Settentrionale, che continuavano a individuare in una estinta razza bianca di *Moundbuilders* gli architetti dei monumenti di quelle regioni (*vedi* Scheda 1.3), Stephens credeva giustamente che i monumenti dei Maya fossero, per usare le sue stesse parole, «creazione della stessa razza che abitava la regione al tempo della conquista spagnola». Egli notò anche che c'erano iscrizioni geroglifiche simili in siti differenti, e ciò lo portò a sostenere l'esistenza di un'unità culturale dei Maya; ma fino agli anni Sessanta del XX secolo non ci fu uno Champollion o un Rawlinson che arrivasse a decifrare i glifi maya (*vedi* Scheda 10.4).

Se la Bibbia fu una delle maggiori fonti di ispirazione per la ricerca di civiltà perdute in Egitto e nel Vicino Oriente, fu invece il racconto omerico della guerra di Troia contenuto nell'*Iliade* ad accendere l'immaginazione dell'uomo d'affari tedesco Heinrich Schliemann (1822-1890) e a spingerlo a partire alla ricerca dei resti dell'antica città. Sorretto da una notevole fortuna e da una buona capacità di giudizio, egli la identificò con successo nel corso di

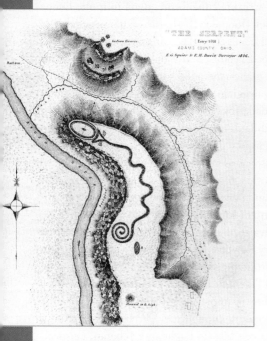

1.16 Pianta del sito di Serpent Mound, nell'Ohio, redatta da Squier e Davis nel 1846 (*vedi* illustrazione 3.14).

Due sono i temi dominanti negli studi dell'archeologia nordamericana del XIX secolo: la radicata convinzione dell'esistenza di una razza estinta di *Moundbuilders* e la ricerca di un «uomo glaciale», cioè l'idea, nata dalle scoperte compiute alla metà del secolo da Boucher de Perthes nella valle del fiume Somme, che si potessero ritrovare ossa umane e strumenti dell'Età della pietra, in associazione con resti di animali estinti, anche nelle Americhe, analogamente a quanto era accaduto in Europa. Un modo per addentrarsi in queste questioni è quello di esaminarle attraverso il lavoro di alcuni dei maggiori protagonisti.

Caleb Atwater (1778-1867)

Il primo volume degli Atti dell'appena creata American Antiquarian Society, *Archaeologia Americana* (1820), conteneva uno scritto di Atwater, il direttore di un ufficio postale periferico, sui tumuli (*mounds*) funerari e sui terrapieni intorno a Circleville, nell'Ohio. Il suo lavoro di ricognizione risulta prezioso, dato che i *mounds* da lui studiati andavano rapidamente scomparendo e sono oggi perduti; ma dava poca importanza al contenuto dei *mounds*, e le sue interpretazioni sono troppo legate alle sue convinzioni personali. Atwater suddivise i tumuli come appartenenti a tre periodi: quelli europei di epoca moderna, quelli altrettanto moderni ma riferibili agli Indiani d'America, e quelli eretti dal popolo dei *Moundbuilders*, che egli credeva fossero Indù provenienti dall'India e poi trasferitisi in Messico.

Ephraim Squier (1821-1888)

Squier era un giornalista dell'Ohio divenuto in seguito diplomatico, che è assai noto per il suo lavoro sui *mounds* preistorici condotto in collaborazione con Edwin Davis (1811-1888), un medico anch'egli dell'Ohio. Tra il 1845 e il 1847 essi scavarono oltre 200 *mounds* conducendo una ricognizione assai precisa anche di molti altri terrapieni. Il loro fondamentale volume del 1848, *Ancient Monuments of the Mississippi Valley* [*Monumenti antichi della valle del Mississippi*], costituì la prima pubblicazione della Smithsonian Institution, fondata da poco, ed è ancor oggi assai utile. In essa sono registrati centinaia di *mounds* – inclusi molti che sono stati distrutti dai coloni in marcia verso Ovest – di cui vengono fornite piante e sezioni trasversali, adottando un semplice sistema di classificazione basato in linea generale sulle caratteristiche funzionali dei singoli siti: luoghi di sepoltura, basamenti di edifici, sculture, fortificazioni e opere difensive ecc.

Come la maggior parte dei loro contemporanei, Squier e Davis consideravano i *mounds* costruzioni al di sopra delle possibilità di realizzazione di tutti gli Indiani, che sarebbero stati un popolo di «cacciatori poco inclini al lavoro», mantenendo così vivo il mito di una razza di *Moundbuilders* venuti dall'esterno.

Samuel Haven (1806-1881)

Haven, bibliotecario della American Antiquarian Society, maturò una conoscenza enciclopedica delle pubblicazioni sull'archeologia americana. Da tale ricchezza di letture seppe trarre, nel 1856, una notevole sintesi dal titolo *The Archaeology of the United States* [*L'archeologia degli Stati Uniti*], edita dalla Smithsonian Institution, che viene considerata una pietra miliare della moderna archeologia americana. In questo libro Haven sostenne in maniera persuasiva che le popolazioni autoctone dell'America Settentrionale risalivano a un'epoca assai antica e, attraverso l'esame dei caratteri del cranio e di altri elementi fisici, propose un loro probabile collegamento con razze asiatiche. In forte disaccordo con Atwater e Squier, Haven concluse che i misteriosi *mounds* erano stati costruiti dai progenitori degli attuali Indiani d'America. La controversia non si esaurì qui, ma il rigoroso approccio di Haven spianò la strada alla soluzione del problema fornita da John Wesley Powell e Cyrus Thomas.

John Wesley Powell (1834-1902)

Cresciuto negli Stati del Midwest, Powell dedicò gran parte della sua giovinezza allo scavo dei *mounds* e allo studio della

---

1.17 Squier

1.18 Haven

1.19 Powell

1.20 Thomas

1.21 Putnam

1.22 Holmes

geologia. Venne nominato, infine, direttore dell'U.S. Geographical and Geological Survey, nella regione delle Montagne Rocciose. In questa veste egli pubblicò una larga massa di informazioni sulle culture indiane che andavano rapidamente scomparendo. Spostatosi a Washington, questo energico studioso diresse non soltanto il Geological Survey, ma anche quello che può essere considerato una sua creazione: il Bureau of American Ethnology, un ente preposto allo studio degli Indiani del Nord America. Intrepido sostenitore dei diritti degli Indiani, egli si batté per la creazione delle riserve, cominciando anche la raccolta delle narrazioni orali delle diverse tribù.

Nel 1881 Powell assunse Cyrus Thomas come direttore del programma archeologico del Bureau of American Ethnology, incaricandolo di risolvere definitivamente la questione dei *Moundbuilders*. Dopo sette anni di lavoro sul campo e di indagini su migliaia di *mounds*, Thomas dimostrò che la razza dei *Moundbuilders* non era mai esistita e che i monumenti erano stati eretti dai progenitori dei moderni Indiani d'America.

Ma questa non fu la sola questione controversa affrontata dal Bureau di

1.23 Particolare del dipinto, lungo più di 100 metri, usato da Munro Dickenson nel XIX secolo per illustrare i suoi scavi dei *mounds*.

Powell. Nel 1876 un medico del New Jersey, Charles Abbott, mostrò la sua collezione di strumenti in pietra scheggiata a Frederick Putnam, un archeologo di Harvard, che ritenne dovesse trattarsi di materiali risalenti al Paleolitico, data la loro somiglianza con gli strumenti dell'Età della pietra rinvenuti in Francia. La questione dei «paleoliti» riemerse nel 1887, quando un altro archeologo, Thomas Wilson, appena ritornato da un soggiorno in Francia, intraprese una campagna di ricerche per provare l'esistenza di una occupazione dell'America Settentrionale nell'Età della pietra.

William Henry Holmes (1846-1933)
Holmes iniziò la sua carriera come illustratore di geologia, una preparazione che gli si rivelò assai utile in seguito, allorché indirizzò i suoi interessi sull'archeologia. Su richiesta di Powell, egli si dedicò per cinque anni allo studio della questione dei «paleoliti», raccogliendo innumerevoli esemplari e dimostrando che non si trattava di strumenti dell'Età della pietra, ma semplicemente di «scarti legati alla costruzione di attrezzi da parte degli Indiani» di epoca recente.

Abbott, Putnam e Wilson nell'istituire confronti inesatti con gli strumenti in pietra rinvenuti in Francia erano stati dunque indotti in errore da somiglianze superficiali.

1.24 Putnam considerò erroneamente le asce di pietra provenienti dalla Francia (*a sinistra*) simili ai «paleoliti» di Charles Abbott (*a destra*), che Holmes dimostrò in seguito essere di epoca recente.

La metodologia sistematica di Holmes gli consentì anche di compiere una brillante classificazione orientativa del vasellame in ceramica degli Stati Uniti orientali, nonché studi sulle rovine nel Sud-Ovest degli Stati Uniti e nel Messico. Infine egli successe a Powell nella carica di direttore del Bureau of American Ethnology. Ma la sua fede ossessiva nei fatti piuttosto che nelle teorie gli rese difficile accettare la possibilità che esseri umani avessero comunque raggiunto l'America Settentrionale nel Paleolitico, come sembravano suggerire le scoperte avvenute negli anni Venti del secolo scorso, quando la sua carriera volgeva ormai alla fine.

© 978.8808.82073.0

1.15 Il disegno accurato, anche se vagamente romantico, realizzato da Frederick Catherwood della stele A di Copán; al tempo della sua visita al sito, nel 1840, i geroglifici maya non erano ancora stati decifrati.

È in qualche modo ironico che l'approccio frammentario usato in Europa fu superato dalla creazione della Archaeological Survey of India nel 1862. Questa istituzione fu fondata dal Governo indiano perché, per dirla con le parole di Lord Canning allora Governatore generale, «non giova sicuramente al lustro di una potenza governativa illuminata continuare a permettere che un tale campo di ricerca rimanga senza un adeguato studio». Toccò a Sir John Marshall (1876-1958), Direttore generale della Survey, nel 1922, scoprire l'ultima grande civiltà del Vecchio Mondo: quella degli Indù. Tale fu la qualità dei suoi enormi scavi, sia alla Mohenjodaro dell'Età del bronzo (dove 8 ha della città sono stati portati alla luce) sia alla vecchia Taxila, che i suoi rapporti sono ancora oggi usati per la nuova analisi spaziale di questi siti.

CLASSIFICAZIONE E CONSOLIDAMENTO

Come si è visto, ben prima della fine del XIX secolo erano stati definiti molti dei caratteri principali della moderna archeologia ed erano state scoperte molte civiltà antiche. Seguì un periodo, durato all'incirca fino al 1960, che Gordon Willey (1913-2002) e Jeremy Sabloff, nella loro *History of American Archaeology* [*Storia dell'archeologia americana*], hanno descritto come il «periodo storico-classificatorio». Come essi hanno giustamente sottolineato, in questa fase l'interesse si concentrò sulla cronologia; grandi sforzi furono diretti a definire una serie di sistemi cronologici regionali e a descrivere lo sviluppo della cultura in ogni singola area.

Nelle regioni in cui erano fiorite le antiche civiltà, nuove ricerche e nuove scoperte condussero alla creazione di sequenze cronologiche sempre più precise. Alfred Maudslay (1850-1931) pose le vere basi scientifiche dell'archeologia della civiltà dei Maya, mentre lo studioso tedesco Max Uhle (1856-1944), attraverso gli scavi condotti nell'ultimo decennio del XIX secolo sul sito costiero di Pachacamac, in Perù, cominciò a definire una solida cronologia per la civiltà peruviana. Il meticoloso lavoro di Flinders Petrie (1853-1942) in Egitto fu seguito, negli anni Venti del secolo scorso, dalla spettacolare scoperta della tomba di Tutankhamon ad opera di Howard Carter (1874-1939) (*vedi* Scheda 2.3). Nell'area egea, e in particolare nell'isola di Creta, Arthur Evans (1851-1941) scoprì sull'isola di Creta un'antica civiltà fino ad allora sconosciuta, che chiamò «minoica» e che risaliva a un'età ancora precedente a quella della civiltà micenea scoperta da Schliemann. In Mesopotamia, infine, Leonard Wolley (1880-1960) condusse scavi sul sito dell'antica Ur, la città che secondo la Bibbia avrebbe dato i natali ad Abramo, conferendo ai Sumeri un posto di rilievo nella mappa del mondo antico.

una serie di campagne di scavo condotte a Hissarlik, nella Turchia occidentale, negli anni Settanta e Ottanta del XIX secolo. Non ancora soddisfatto del risultato conseguito, Schliemann condusse scavi anche a Micene, in Grecia, scoprendo – come del resto aveva fatto a Troia – una civiltà preistorica fino ad allora sconosciuta. Il metodo di scavo applicato da Schliemann è stato criticato e accusato di essere grossolano e troppo disinvolto, ma a quei tempi i ricercatori rigorosi erano assai pochi, ed egli seppe dimostrare che l'interpretazione della stratigrafia di un tumulo poteva essere utilizzata per la ricostruzione del passato. Ciò nonostante, toccò alla successiva generazione di archeologi, capeggiata da Pitt-Rivers e da Flinders Petrie, stabilire le vere basi delle moderne tecniche di indagine sul campo (*vedi* Scheda 1.4).

1.4 Lo sviluppo delle tecniche di ricerca sul campo

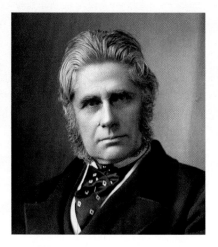

1.25 Il generale Pitt-Rivers.

Una solida metodologia di scavo scientifico cominciò a essere generalmente adottata solo a partire dalla fine del XIX secolo. Da allora e nel corso del XX secolo sono comparse alcune figure di grandi ricercatori che hanno contribuito in diversi modi a creare le moderne tecniche di lavoro sul campo usate dagli archeologi dei giorni nostri.

Generale Augustus Lane-Fox Pitt-Rivers (1827-1900)

Militare di carriera per gran parte della sua vita, Pitt-Rivers portò la sua lunga esperienza di militare – in particolare per quanto riguarda la ricognizione e la precisione nella documentazione – negli scavi da lui impeccabilmente organizzati nelle sue tenute nell'Inghilterra meridionale, per i quali furono realizzate piante, sezioni e perfino modelli in scala, e dove venne registrata l'esatta posizione di ogni oggetto rinvenuto. Non interessato tanto a ritrovare grandi tesori quanto piuttosto a recuperare ogni oggetto, per quanto modesto fosse, egli fu dunque un pioniere nel sottolineare l'importanza di una registrazione totale dei dati; i quattro volumi – pubblicati interamente a sue spese – dedicati agli scavi di Cranborne Chase, condotti tra il 1887 e il 1898, rappresentano un esempio di pubblicazioni archeologiche realizzate secondo gli standard più elevati; infatti,

1.26 (*Sopra*) Scavi in corso a Wor Barrow, sul sito di Cranborne Chase. Alla fine il tumulo (*barrow*) fu completamente rimosso.

1.27 (*Sotto a sinistra*) Una veduta del fossato di Wor Barrow durante gli scavi condotti da Pitt-Rivers sul sito alla metà degli anni Novanta del XIX secolo.

1.28 (*Sotto*) Un esempio della meticolosa documentazione fornita da Pitt-Rivers: la pianta da lui redatta della Collina 27 sul sito di Cranborne Chase.

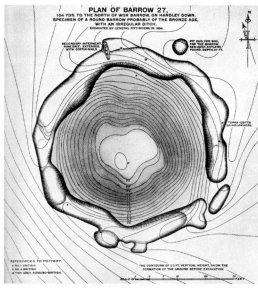

le sue registrazioni sono state così accurate che il sito tutt'oggi è sottoposto a reinterpretazioni basate su queste monografie.

Sir William Flinders Petrie (1853-1942)

Petrie, più giovane di qualche decennio di Pitt-Rivers, va anch'egli ricordato per la meticolosità dei suoi scavi, per la sistematicità nel raccogliere e nel descrivere tutti i reperti, nonché per l'accuratezza delle pubblicazioni. Egli applicò questi metodi negli scavi esemplarmente condotti in Egitto e poi in Palestina a partire dagli anni Ottanta del XIX secolo e fino alla sua morte. Inoltre, Petrie mise a punto una propria tecnica di seriazione o «datazione sequenziale» che utilizzò per stabilire una successione cronologica tra le 2200 tombe a fossa della necropoli di Naqada nell'Alto Egitto (*vedi* Capitolo 4).

Sir Mortimer Wheeler (1890-1976)

Wheeler militò nell'esercito britannico nel corso di entrambe le guerre mondiali e, al pari di Pitt-Rivers, introdusse negli scavi da lui condotti elementi di precisione tipicamente militare, in particolare con l'adozione dello scavo per quadrati regolarmente distanziati (*vedi* Capitolo 3). Egli è ben conosciuto per il suo lavoro su siti fortificati britannici, in particolare Maiden Castle, ma altrettanto significativo è il lavoro da lui svolto, tra il 1944 e il 1948, come direttore generale delle attività archeologiche in India, dove organizzò cantieri-scuola finalizzati all'introduzione delle nuove tecniche di indagine sul campo e condusse scavi sugli impor-

1.29 Flinders Petrie fuori dalla tomba in cui visse a Giza, in Egitto, negli anni Ottanta del XIX secolo.

1.30 Sir Mortimer Wheeler.

1.31 (*Sotto*) Uno degli scavi più famosi di Sir Mortimer Wheeler: quello di Arikamedu, in India, nel 1945.

tanti siti di Harappa, Taxila e Arikamedu, che rimane uno dei suoi scavi più famosi. In ogni caso, successivi scavi a Maiden Castle, Arikamedu e Charsadda hanno inevitabilmente contraddetto molte delle sua assunzioni fondamentali.

Dorothy Garrod (1892-1968)

Nel 1937 Dorothy Garrod fu la prima donna che diventò professoressa a Cambridge, e forse la prima donna studiosa della preistoria a diventarlo in tutto il mondo. I suoi scavi a Zarzi in Iraq e a Mount Caramel in Palestina hanno fornito la chiave interpretativa per una gran parte del Vicino Oriente, dalla metà del Paleolitico fino al Mesolitico. Inoltre, i resti di fossili umani da lei trovati furono di vitale importanza per la nostra conoscenza delle relazioni tra l'Uomo di Neanderthal e l'*Homo sapiens sapiens*.

1.32 (*Sopra*) Dorothy Garrod, tra i primi a studiare sistematicamente il Vicino Oriente dell'epoca preistorica.

Con la sua scoperta della cultura natufiana, che precedette le prime società agricole, Dorothy Garrod pose una serie di nuovi problemi ancora oggi non completamente risolti.

Julio Tello (1880-1947)

Tello, «il primo archeologo indigeno sudamericano», nacque e lavorò in Perù e cominciò la sua carriera con degli studi sulla linguistica peruviana, per poi diventare medico prima di interessarsi all'antropologia. Profuse molto impegno per risvegliare la consapevolezza del patrimonio archeologico del Perù e fu il primo a riconoscere l'importanza del sito di Chavín de Huantar e di molti altri siti importanti come Sechín Alto, Cerro Sechín e Wari. Fu uno dei primi a sottolineare la crescita autonoma delle civiltà in Perù. Fondò, inoltre, il Peruvian National Museum of Archaeology.

Alfred Kidder (1885-1963)

Kidder fu il più importante americanista dei suoi tempi. Rappresenta una figura di rilievo nell'archeologia dei Maya, ma fu anche colui che, con le sue ricerche condotte tra il 1915 e il 1929 a Pecos Ruin – un grande pueblo nel Nuovo Messico settentrionale –, introdusse a buon diritto nelle mappe archeologiche le regioni del Sud-Ovest degli Stati Uniti. Il suo studio topografico sulla regione, *An Introduction to the Study of Southwestern Archaeology* [*Introduzione allo studio dell'archeologia del Sud-Ovest*], del 1924, è divenuto un classico.

Kidder fu uno dei primi archeologi a utilizzare un gruppo di specialisti nell'analisi dei manufatti e dei resti umani. Sviluppò un «programma» di ricerca su scala regionale, articolato in: 1) ricognizione; 2) scelta dei criteri per l'ordinamento cronologico dei resti nei siti; 3) seriazione in una sequenza probabile; 4) scavo stratigrafico per risolvere problemi specifici; 5) ricognizione regionale e datazione più dettagliate.

Il lavoro sul campo dopo il 1980

A partire dal 1980 la ricerca archeologica sul campo si è sviluppata in molte nuove direzioni. Una di queste è costituita dall'archeologia subacquea, che ha assunto il carattere di metodo scientifico di ricerca nel 1960 con il lavoro di George Bass sul relitto risalente all'Età del bronzo di Capo Gelidonya, lungo la costa meridionale della Turchia, che costituisce il primo esempio di scavo integrale di un'imbarcazione antica adagiata sul fondo del mare. Bass e la sua équipe inventarono e svilupparono molte delle tecniche che oggi costituiscono la prassi comune della ricerca sottomarina (*vedi* Scheda 3.10 e Scheda 9.7).

Sulla terraferma il boom economico degli anni Sessanta del secolo scorso ha portato alla costruzione di nuove strade e nuovi edifici che hanno minacciato e distrutto molti siti archeologici, portando però nel contempo a una nuova sensibilità nei confronti della gestione delle nostre eredità culturali (Cultural Resource Management, CRM), sia per quel che riguarda la conservazione sia per quanto concerne la documentazione e lo scavo di emergenza prima di una distruzione (*vedi* Scheda 15.2). In Europa, il nuovo sviluppo dei centri storici delle grandi città ha comportato la conduzione di scavi assai complessi, che hanno interessato stratificazioni pertinenti a molte epoche diverse, richiedendo l'applicazione di nuove tecniche di analisi. Infine, in anni recenti, l'applicazione dell'informatica al lavoro sul campo ha offerto nuovi e potenti strumenti agli archeologi impegnati nel recupero e nella spiegazione dei resti delle società del passato.

1.33-34-35 (*Sotto a sinistra*) Julio Tello, probabilmente il più grande sociologo nativo sudamericano del XX secolo; era un Indios Quechua e divenne il padre dell'archeologia peruviana. Alfred Kidder (*sotto a destra*) e la sua sezione trasversale (*in basso*) della stratificazione sul sito del pueblo di Pecos.

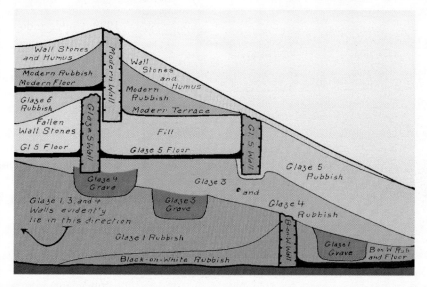

Furono tuttavia gli studiosi che si dedicavano principalmente a ricerche sulle società preistoriche dell'Europa e dell'America Settentrionale a fornire alcuni dei contributi più importanti nel corso della prima metà del XX secolo. Gordon Childe (1892-1957), un brillante ricercatore australiano che lavorava in Gran Bretagna, fu autore delle più importanti riflessioni e pubblicazioni sulla preistoria europea e sulla storia del Vecchio Mondo in generale. Negli Stati Uniti si creò uno stretto legame tra gli antropologi e gli archeologi impegnati nello studio degli Indiani d'America. L'antropologo Franz Boas (1858-1942) reagì contro il semplicistico schema evoluzionistico dei suoi predecessori Morgan e Tylor e sottolineò la necessità di dedicare più attenzione alla raccolta e alla classificazione dei reperti sul campo. Si prepararono inventari particolareggiati degli elementi distintivi di quelle culture, quali, per esempio, le forme del vasellame e dei recipienti in fibre vegetali, o ancora i tipi di mocassini. Questa operazione si collegava con il cosiddetto «approccio storico diretto» degli archeologi, i quali tentavano di far risalire la moderna produzione ceramica degli Indiani «direttamente» al passato più remoto. Il lavoro condotto da Cyrus Thomas, e più tardi da W.H. Holmes (*vedi* Scheda 1.3) nelle regioni orientali degli Stati Uniti, risultava complementare a quello

1.36 Il professor Gordon Childe presso il sito dell'insediamento neolitico di Skara Brae, nelle Isole Orcadi, nel 1930.

di Alfred Kidder (1885-1963), i cui scavi condotti tra il 1915 e il 1929 a Pecos Pueblo nella regione del Sud-Ovest portarono alla definizione di uno schema cronologico per quell'area (*vedi* Scheda 1.4). James A. Ford (1911-1968) sviluppò più tardi il primo schema articolato per le regioni del Sud-Est. A partire dagli anni Trenta del secolo scorso il numero delle sequenze regionali separate divenne così grande che un gruppo di studiosi diretti da W.C. McKern formalizzò quello che è noto come «Sistema tassonomico del Midwest»; in questo sistema, attraverso l'identificazione di caratteri simili nelle varie serie di manufatti, venivano poste in correlazione tra loro le diverse sequenze della regione del Midwest. Lo stesso procedimento venne poi esteso anche ad altre aree.

Nel frattempo, Gordon Childe aveva condotto quasi da solo analoghe comparazioni tra le sequenze preistoriche in Europa. Sia il suo metodo sia il Sistema tassonomico del Midwest si proponevano il fine di ordinare i materiali, nella prospettiva di fornire una risposta a domande del tipo: a quale periodo risalgono questi manufatti? Con quali altri manufatti si associano? Questa seconda domanda recava normalmente con sé un assunto che Gordon Childe rese esplicito: una «associazione» di materiali costantemente ricorrente (una «cultura» nella sua terminologia, o un «aspetto» nella terminologia di McKern) può essere intesa come la dotazione materiale di un particolare gruppo di persone. Questo tipo di approccio offriva così la speranza di poter fornire una risposta, in termini molto generali, alla domanda: a chi appartenevano questi manufatti? La risposta sarebbe il nome di un popolo, sebbene il nome di un popolo preistorico sia quello moderno e non quello originale. Come vedremo nel Capitolo 12, questo tipo di approccio non è però privo di rischi.

Nelle sue grandi opere di sintesi, quali *The Dawn of European Civilization* [*L'alba della civiltà europea*] del 1925 e *The Danube in Prehistory* [*Il Danubio nella Preistoria*] del 1929, Childe andò oltre la semplice descrizione e correlazione delle sequenze di culture, tentando di spiegare la loro origine. Nella seconda metà del XIX secolo studiosi come Montelius avevano esaminato la ricchezza delle prime civiltà scoperte nel Vicino Oriente e avevano concluso che tutti i caratteri di queste civiltà, dall'architettura in pietra fino alle armi in metallo, si erano «diffusi» dal Vicino Oriente all'Europa attraverso i commerci o le migrazioni dei popoli. Disponendo di una gamma di testimonianze archeologiche assai più vasta, Childe modificò questo esasperato approccio diffusionistico e, pur attribuendo i maggiori mutamenti culturali agli influssi provenienti dal Vicino Oriente, sostenne che l'Europa era stata teatro di alcuni processi di sviluppo di radice indigena. Ciò nonostante egli attribuì alle influenze del Vicino Oriente i cambiamenti culturali di rilievo.

© 978.8808.82073.0

Nei suoi libri successivi, come *Man Makes Himself* [*L'uomo crea se stesso*] del 1936, Childe tentò di dare una risposta a una domanda assai più difficile: perché la civiltà è sorta nel Vicino Oriente? Influenzato egli stesso dalle idee marxiste e dalla relativamente recente rivoluzione russa, ipotizzò l'esistenza di una «rivoluzione neolitica», che avrebbe dato l'avvio allo sviluppo dell'agricoltura, e di una «rivoluzione urbana», che avrebbe portato alla nascita delle prime città. Childe fu uno dei pochi archeologi della sua generazione abbastanza coraggiosi da proporre una soluzione complessiva al problema del perché le cose accaddero e mutarono nel passato; la maggior parte dei suoi contemporanei si dedicò invece a stabilire cronologie e sequenze culturali. Ma dopo la Seconda guerra mondiale gli studiosi portatori di nuove idee cominciarono a mettere in dubbio gli approcci tradizionali.

L'approccio ecologico

Uno dei più influenti pensatori della nuova generazione fu, in America Settentrionale, l'antropologo Julian Steward (1902-1972). Al pari di Childe, egli era interessato a spiegare i mutamenti culturali, portando però alla questione il contributo della conoscenza che un antropologo poteva avere delle culture attuali. Steward rilevò che le culture non interagiscono semplicemente tra loro, ma anche con l'ambiente circostante. Lo studio del modo in cui l'adattamento all'ambiente circostante può determinare mutamenti culturali fu chiamato da Steward «ecologia culturale». L'impatto forse più diretto di queste idee sull'archeologia può essere rintracciato nel lavoro di Gordon Willey (1913-2002), uno dei collaboratori di Steward, che condusse un'indagine pionieristica nella Valle Virú, in Perù, alla fine degli anni Quaranta del secolo scorso. Per lo studio di questa occupazione di epoca precolombiana durata 1500 anni fu usata una combinazione di osservazioni ricavate da varie fonti: piante dettagliate e fotografie aeree (*vedi* Scheda 3.3), rilevamenti al livello del suolo, scavi e raccolta della ceramica di superficie per datare le centinaia di siti preistorici identificati. Successivamente Willey, in quello che è cosiderato uno dei primi studi di un modello di insediamento nella storia dell'archeologia (*vedi* Capitoli 3 e 5), rappresentò graficamente la distribuzione geografica di questi siti nella valle in differenti periodi e li mise a confronto con i cambiamenti avvenuti nell'ambiente circostante.

In maniera del tutto indipendente da Steward l'archeologo britannico Grahame Clark (1907-1995) sviluppò un approccio ecologico ancor più direttamente pertinente al lavoro archeologico sul campo. Allontanandosi dall'approccio storico-culturale dei suoi contemporanei, dominato dallo studio dei manufatti, egli sostenne che si potevano comprendere molti aspetti della società antica

1.36 Gordon Willey in una buca di prova a Barton Ramie durante il progetto di studio dei modelli di insediamento Maya nella valle del Belize (1953-60).

attraverso lo studio del modo in cui le popolazioni si erano adattate all'ambiente in cui vivevano. Essenziale in questo approccio risultava la collaborazione con nuovi tipi di specialisti, capaci di identificare ossa di animali o resti di vegetali nei reperti archeologici, in modo da fornire un'immagine non solo degli ambienti in cui l'umanità primitiva viveva, ma anche degli alimenti che consumava. Lo scavo di capitale importanza condotto da Clark a Star Carr (Inghilterra nord-orientale) agli inizi degli anni Cinquanta del secolo scorso dimostrò quante e quali informazioni potessero essere tratte da quello che apparentemente era un sito assai poco promettente, senza strutture in pietra, e risalente a un'epoca appena successiva alla fine dell'èra glaciale. Attraverso un'accurata analisi ambientale e una meticolosa raccolta di resti organici si arrivò a dimostrare che quel sito era stato un accampamento sulla riva di un lago, e che quegli uomini cacciavano cervi nobili (*Cervus elaphus*) e si alimentavano di una grande varietà di vegetali selvatici. Ma le informazioni approfondite offerte da un approccio ecologico non sono necessariamente limitate a singoli siti o gruppi di siti: in una notevole opera di sintesi, *Prehistoric Europe: the Economic Basis* [*Le basi economiche della preistoria europea*] del 1952, Clark fornì una panoramica del variare dell'adattamento umano all'ambiente naturale europeo in un periodo di migliaia di anni.

Da questa prima fase della ricerca ecologica si è sviluppato quel filone di studi che si propone di ricostruire gli ambienti e l'alimentazione dell'umanità nel passato e che sarà esaminato nei Capitoli 6 e 7.

La storia delle prime donne archeologhe è una storia di esclusione e di mancanza di riconoscimenti o di promozioni e perfino di disoccupazione. Inoltre, molte brillanti accademiche, dopo il matrimonio, abbandonarono la loro carriera professionale accontentandosi talvolta di supportare il lavoro accademico dei loro mariti, con scarso riconoscimento pubblico.

Questa situazione è rimasta invariata fino a oggi; ed è anche per questo motivo che i risultati ottenuti dalle prime donne archeologhe, che lavorarono durante tutto il XIX e XX secolo e di cui cercheremo in questa scheda di dare qualche notizia, sono ancora più notevoli.

1.38 Harriet Boyd Hawes (nel 1892), scopritrice del sito cittadino minoico di Gournia nell'isola di Creta.

Harriet Boyd Hawes (1871-1945)

Americana, dotata di un'ottima cultura, Harriet Boyd Hawes si era specializzata negli studi classici e parlava fluentemente il greco; subito dopo aver conseguito la laurea, intorno ai vent'anni, passò diverse stagioni a perlustrare Creta in lungo e in largo sul dorso di un mulo, da sola o in compagnia di una sua amica, alla ricerca di siti preistorici. Nel 1901 scoprì il sito, risalente all'Età del bronzo, di Gournia – la prima città minoica a essere portata alla luce – e ne diresse gli scavi per i tre anni successivi, supervisionando un centinaio di operai locali. In seguito pubblicò le sue

scoperte in un rapporto copiosamente illustrato che è tuttora consultato. Degna di nota è inoltre la sua classificazione dei manufatti secondo la loro funzione, attingendo a paralleli etnografici dalla vita rurale del tempo a Creta.

Gertrude Caton-Thompson (1888-1985)

Benestante ricercatrice britannica che seguì i corsi di preistoria e antropologia a Cambridge, Caton-Thompson è conosciuta per il suo progetto pionieristico interdisciplinare di ricognizione e scavo nel Fayum dell'Egitto e più tardi al Grande Zimbabwe. La sua fama è forse legata a quest'ultimo luogo, dove i suoi scavi nel 1929 portarono alla luce manufatti, databili da un contesto stratificato che confermarono che quel sito era di una importante cultura di origine africana (*vedi* Scheda 12.1). La violenta reazione della comunità bianca in Rhodesia (così si chiamava allora lo Zimbabwe) alle sue scoperte la indignarono a tal punto che si rifiutò di portare avanti qualsiasi lavoro in Africa meridionale e ritornò in Egitto e in Arabia.

Anna O. Shepard (1903-1973)

L'americana Anna Shepard, studiosa di diverse scienze esatte, diventò in seguito specialista di archeologia e ceramiche della Mesoamerica e del Sud-Ovest. Fu una pioniera nell'analisi petrografi-

1.39 Gertrude Caton-Thompson: il suo lavoro nel grande Zimbabwe confermò che il sito era opera di una importante civiltà africana.

1.40 Anna O. Shepard fu una grande esperta delle ceramiche del Sud-Ovest americano e della Mesoamerica.

ca (*vedi* pagine 367-69) della ceramica archeologica, focalizzando l'attenzione su frammenti di collanti e di pigmento. Pubblicò molti lavori sulla tecnologia della ceramica del Nuovo Mondo e scrisse un'opera esemplare: *Ceramics for the Archaeologist* [*Ceramiche per l'archeologo*]. Lavorò per la maggior parte del tempo in laboratorio a casa, in relativo isolamento, ma, nonostante ciò, riuscì a crearsi una propria nicchia professionale.

Kathleen Kenyon (1906-1978)

Formidabile archeologa britannica, e figlia del direttore del British Museum, Kathleen Kenyon si formò su un sito romano in Gran Bretagna sotto la guida di Mortimer Wheeler (*vedi* Scheda 1.4), del quale adottò il metodo basato su uno stretto controllo della stratigrafia. In seguito applicò questo stesso metodo nel Vicino Oriente su due dei più complessi e più scavati siti in Palestina: Gerico e Gerusalemme. A Gerico, nel 1952-58, trovò le prove che la datazione dell'occupazione andava anticipata alla fine dell'Era glaciale; inoltre portò alla luce il villaggio con mura di una comunità agricola neolitica comunemente ritenuto «la prima città del mondo».

1.41-42-43 Kathleen Kenyon (*a sinistra*) fu una grande scavatrice e lavorò a due dei maggiori e complessi siti nel Vicino Oriente: Gerico e Gerusalemme. Tatiana Proskouriakoff (*al centro*) studiò architettura e lavorò dapprima come artista di museo: qui sopra (*a destra*) si può vedere la sua ricostruzione del sito maya di Xpuhil. Il suo lavoro sui geroglifici maya ha contribuito in misura notevole alla loro decifrazione.

Tatiana Proskouriakoff (1909-1985)

Nata in Siberia, Tatiana Proskouriakoff si trasferì con la famiglia in Pennsylvania, negli Stati Uniti, nel 1916. Dopo aver conseguito la laurea in architettura nel 1930, finì col lavorare come artista nel museo della University of Pennsylvania. Una visita al sito maya di Piedras Negras la spinse a dedicare il resto della sua vita all'architettura, all'arte e ai geroglifici maya. Artista dotata, realizzò numerose piante dell'architettura di Chichén Itzá e Copán, e scrisse il libro *A Study of Classic Maya Sculpture* [*Studio della scultura classica maya*]. Lavorò, inoltre, da sola fino alla sua morte al complesso problema della scrittura geroglifica maya, mettendo in discussione l'idea che le iscrizioni contenessero solo informazioni astronomiche e avanzando l'idea pionieristica che i Maya tenessero conto anche delle storie politiche e dinastiche. Il suo lavoro contribuì alla decifrazione dei geroglifici maya.

Mary Leakey (1913-1996)

Fumatrice di sigari e bevitrice di whisky, Mary Leakey riuscì, assieme al marito Louis (*vedi* pagina 25), a trasformare l'archeologia. I coniugi lavorarono per circa mezzo secolo in molti siti nell'Africa orientale, eseguendo scavi meticolosi, in modo particolare nella Gola di Olduvai in Tanzania, dove nel 1959 Mary portò alla luce il teschio un australopiteco adulto (*Zinjanthropus boisei*) risalente a 1,79 milioni di anni fa. A Laetoli, scavò il famoso percorso di orme fossilizzate, risalente a 3,7 milioni di anni fa. Inoltre registrò scrupolosamente un gran numero di pezzi d'arte rupestre della Tanzania.

Informazioni sull'attività e la personalità delle donne archeologhe, e anche degli archeologi, che lavorarono in Grecia nei primi anni del XX secolo si possono trovare nel bellissimo testo *Faces of Archaeology in Greece* [*Facce dell'archeologia in Grecia*] (Hood, 1998), corredato da una splendida serie di caricature di Piet de Jong, capo illustratore di Sir Arthur Evans durante i suoi scavi di Cnosso a Creta. Tra le archeologhe bisogna ricordare Winifred Lamb (1894-1963), che portò a termine gli scavi di Thermi a Lesbos (contemporanea alla prima Troia); Hetty Goldman (1881-1972), che scavò Eutresis dell'inizio dell'Età del bronzo, e Virginia Grace (1901-1994), autorità mondiale nel commercio di anfore romane. Nessuna di queste si sposò; altre studiose che si sposarono e terminarono la loro carriera professionale – come per esempio Vivian Wade-Gery (1897-1988) o Josephine Shear (1901-1967) – furono personalità accademiche altrettanto brillanti.

1.44 Mary Leakey lavorò per quasi mezzo secolo nei siti dei primi ominidi nell'Africa orientale, dando un notevole contributo alla nostra conoscenza dello sviluppo umano.

1.45-46 Virginia Grace (*sopra*) e Hetty Goldman (*sotto*), qui in due caricature di Piet de Jong, lavorarono in Grecia nei primi anni Venti del XX secolo. Ambedue ebbero una carriera lunga e di prestigio.

© 978.8808.82073.0

La nascita dell'archeologia come scienza

Il secondo aspetto rilevante del periodo immediatamente successivo alla Seconda guerra mondiale fu il rapido sviluppo di metodi scientifici applicabili all'archeologia. Abbiamo già visto che i pionieri dell'approccio ecologico avevano stretto un'alleanza con gli specialisti delle scienze ambientali; ancora più importante, però, fu l'applicazione all'archeologia della fisica e della chimica.

Il primo progresso importante avvenne nel campo della datazione: nel 1949 il chimico americano Willard Libby (1908-1980) annunciò di avere inventato la datazione con il metodo del radiocarbonio (14C). La reale portata di questa importante conquista tecnica cominciò ad apparire chiara solo un decennio più tardi (vedi più avanti), ma le implicazioni furono evidenti fin dal principio: con questo metodo gli archeologi potevano disporre di uno strumento per determinare direttamente l'età di siti e materiali non datati, ovunque essi fossero ubicati, senza dover ricorrere a complicati confronti interculturali con aree già datate per mezzo di metodi storici (di solito mediante testimonianze scritte).

Su questa base, alla preistoria europea era stata assegnata tradizionalmente una cronologia ricavata da supposti contatti con la prima civiltà greca e quindi, indirettamente, con quella dell'antico Egitto, civiltà che potevano essere datate utilizzando un metodo storico. La datazione con il metodo del radiocarbonio mantenne le aspettative permettendo di determinare in maniera assolutamente indipendente una cronologia dell'antica Europa. Nel Capitolo 4 verranno esaminati i metodi di datazione in generale, e in particolare quello del radiocarbonio.

L'applicazione delle tecniche scientifiche all'archeologia crebbe a tal punto che nel 1963 fu pubblicato un volume intitolato *Science in Archaeology* [*La scienza in archeologia*], edito a cura di Don Brothwell ed Eric Higgs, di circa 600 pagine e con i contributi di 55 esperti, dedicato non solo alle tecniche di datazione e agli studi su piante e animali, ma anche ai metodi per analizzare i resti umani (*vedi* Capitolo 11) e i manufatti (*vedi* Capitoli 8 e 9).

Lo studio dei manufatti, in particolare, può contribuire alla conoscenza dei commerci antichi: attraverso la tecnica dell'analisi degli elementi in tracce (cioè attraverso la misurazione degli elementi presenti nel materiale solo in quantità molto piccole; *vedi* pagine 368-73) è infatti possibile identificare le materie prime di certi manufatti e le relative aree di provenienza. Come accade spesso con i nuovi metodi, la ricerca si ricollegava a esperienze già condotte negli anni Trenta del secolo scorso dall'archeologo austriaco Richard Pittioni (1906-1985), che aveva cominciato ad applicare l'analisi degli elementi in tracce ad antichi manufatti in rame e bronzo. Ciò nonostante, fu solo negli anni del secondo dopoguerra che questa tecnica, come del resto molte altre tecniche scientifiche sviluppatesi

recentemente, ha cominciato ad avere un'influenza reale sull'archeologia; i computer, per esempio, con i loro programmi sempre più potenti, sono diventati essenziali per molti aspetti della gestione di informazioni.

Nell'ultima decade gli sviluppi della biochimica e della genetica molecolare hanno portato alla comparsa di nuove discipline: l'archeologia molecolare e l'archeogenetica. Alcune tecniche molto sensibili nel campo della chimica organica cominciano ormai a permettere precise identificazioni di residui organici, mentre gli studi degli isotopi ci forniscono nuove informazioni riguardo al regime alimentare e alla nutrizione. Lo studio del DNA, sia quello moderno sia quello antico, offre nuovi spunti per lo studio dell'evoluzione degli esseri umani e contribuisce a strutturare lo studio della domesticazione delle piante e degli animali su una base molecolare e sistematica.

UNA SVOLTA NELL'ARCHEOLOGIA

Gli anni Sessanta del secolo scorso segnano una svolta nello sviluppo dell'archeologia. In questo periodo, infatti, si è andata diffondendo una certa insoddisfazione per il modo in cui veniva condotta la ricerca archeologica. Questa insoddisfazione non riguardava tanto le tecniche di scavo o i nuovi ausili scientifici alla ricerca archeologica, quanto piuttosto i modi in cui venivano tratte conclusioni dai dati ricavati con i nuovi metodi. Il primo, e più ovvio, punto di riflessione riguardava il ruolo della datazione in archeologia; il secondo andava oltre, concentrandosi sul modo in cui gli archeologi spiegano le cose: in altre parole, sui procedimenti utilizzati nel ragionamento archeologico. Con l'avvento del metodo del radiocarbonio, in molti casi era possibile assegnare rapidamente date assolute senza ricorrere ai lunghi e laboriosi sistemi basati sul confronto interculturale fino ad allora necessari. Stabilire una data, quindi, non rappresentò più uno dei principali prodotti finali della ricerca; rimase certamente un obiettivo importante, che poteva però essere raggiunto ora con maggiore facilità, permettendo così ai ricercatori di porsi domande più complesse di quelle puramente cronologiche.

Il secondo e forse il fondamentale motivo di insoddisfazione nei confronti dell'archeologia tradizionale era legato al fatto che questa non sembrava in grado di spiegare alcunché se non in termini di migrazioni di popoli e di presunte «influenze». Già nel 1948 l'archeologo americano Walter W. Taylor (1913-1997) aveva espresso alcuni di questi motivi di insoddisfazione nel suo libro *A Study of Archaeology* [*Studio dell'archeologia*]. Egli sollecitava l'adozione di un tipo di approccio «combinato», nel quale fossero presi in considerazione tutti gli aspetti di un sistema culturale. E nel 1958 Gordon Willey e Philip Phillips (1900-1994), nel loro *Method and Theory in American Archaeology* [*Metodo e teoria nell'archeologia americana*], avevano dato molta importanza agli aspetti sociali, a una più vasta «interpretazione processuale», intesa come studio dei processi generali che operavano nella storia della cultura. Essi parlavano anche di «una sintesi finale in una comune ricerca della causalità e della regola socioculturali».

Tutto ciò appariva teoricamente interessante, ma che cosa avrebbe significato in pratica?

La nascita della *New Archaeology*

Negli Stati Uniti la risposta fu fornita, almeno in parte, da un gruppo di giovani archeologi, guidati da Lewis Binford (1931-2011), che proposero un nuovo tipo di approccio ai problemi dell'interpretazione archeologica, approccio che fu presto definito tanto dai suoi critici quanto dai suoi propugnatori *New Archaeology*. In una serie di articoli e in seguito in un volume dal titolo *New Perspectives in Archaeology* [*Nuove prospettive in archeologia*], Binford e i suoi colleghi prendevano posizione contro l'approccio che tendeva a usare i dati archeologici per scrivere una sorta di «storia falsificata». Essi sostenevano che le potenzialità delle testimonianze archeologiche nello studio degli aspetti sociali ed economici delle società del passato erano assai maggiori di quanto non si fosse fino ad allora creduto; in altri termini, la loro visione dell'archeologia era più ottimistica di quella di molti dei loro predecessori.

1.47 Lewis Binford, il fondatore della «New Archaeology», durante una lezione sul suo lavoro tra i cacciatori Nunamiut dell'Alaska.

Binford e i suoi colleghi sostenevano che il ragionamento archeologico doveva essere reso esplicito. Le conclusioni non dovevano quindi basarsi semplicemente sulla personale autorevolezza dello studioso che elaborava l'interpretazione, ma piuttosto su un intreccio esplicito di argomentazioni logiche. In questa maniera essi si ricollegavano con le idee correnti in materia di filosofia della scienza, dove le conclusioni, per essere considerate valide, dovevano essere suscettibili di verifica.

Nello spirito dell'archeologia processuale sostenuta da Willey e Phillips, essi cercavano piuttosto di **spiegare** che non semplicemente di descrivere, e di farlo, come in ogni scienza, operando valide generalizzazioni. Nel fare questo essi cercarono di evitare di parlare in maniera più o meno vaga di «influenze» di una cultura su un'altra, ma tentarono piuttosto di analizzare ogni cultura intendendola come un sistema che poteva essere suddiviso in sottosistemi. Ciò li condusse a studiare in maniera specifica i problemi legati alla sussistenza, alla tecnologia, al sottosistema sociale e ideologico, al commercio, alla demografia e così via, dedicando molta meno attenzione alla tipologia e alla classificazione dei manufatti. Da questo punto di vista essi erano stati in parte preceduti dai fautori dell'approccio ecologico degli anni Cinquanta del secolo scorso, che già avevano studiato quello che potremmo chiamare «sottosistema della sussistenza».

Nel tentativo di perseguire questi obiettivi, i fautori della *New Archaeology* spostarono in larga misura la loro attenzione dall'approccio storico a quello proprio delle scienze. Negli stessi anni in Gran Bretagna si affermarono correnti di pensiero assai vicine, ben esemplificate dal lavoro di David L. Clarke (1937-1976), e particolarmente dal suo libro *Analytical Archaeology* [*Archeologia analitica*], del 1968, che riflette la grande propensione dei seguaci della *New Archaeology* a utilizzare tecniche quantitative più raffinate impiegando dov'era possibile i sistemi di elaborazione elettronica (solo negli anni Sessanta del secolo scorso i computer divennero utilizzabili per la catalogazione, l'organizzazione e l'analisi dei dati), e ad attingere idee da altre discipline, in particolare dalla geografia.

Bisogna ammettere che nel loro entusiasmo di impadronirsi e di utilizzare una serie di nuove tecniche i fautori della *New Archaeology* attinsero anche a vocabolari (tratti dalla teoria dei sistemi, dalla cibernetica ecc.) fino ad allora insoliti nel mondo archeologico e che i loro critici tendevano a liquidare come gergali. Infatti in anni recenti molti critici hanno reagito contro queste aspirazioni alla scientificità, che hanno bollato come «scientistiche» o «funzionalistiche». Molta dell'enfasi della archeologia processuale è stata posta sulla spiegazione funzionale o ecologica, tanto che è ora possibile considerare questa prima decade come una fase «funzionale-processuale» seguita, negli anni più recenti, da una fase «cognitivo-processuale», che include maggiormente nella propria ricerca la considerazione degli

1.6 L'archeologia processuale

Sin dagli inizi, gli esponenti principali della *New Archaeology* si sono mostrati piuttosto consapevoli dei limiti dell'archeologia tradizionale. I concetti essenziali che presentiamo qui in forma di opposizioni tra i due approcci vanno annoverati tra i più dibattuti:

NATURA DELL'ARCHEOLOGIA
Esplicativa o descrittiva

Il ruolo dell'archeologia è *spiegare* il cambiamento nel passato e non semplicemente ricostruire il passato e il modo in cui vivevano gli esseri umani; ciò implica l'adozione di una *teoria esplicita*.

SPIEGAZIONE
Processo culturale o storia della cultura

L'archeologia tradizionale era indirizzata alla formulazione di una spiegazione storica: la *New Archaeology*, attingendo alla *filosofia della scienza*, pensa in termini di *processo culturale*, cioè del modo in cui avvengono i mutamenti dei sistemi economici e sociali; ciò implica l'uso della *generalizzazione*.

RAGIONAMENTO
Deduttivo o induttivo

Gli archeologi tradizionali vedevano l'archeologia come un gioco di pazienza il cui compito consisteva nel «ricomporre i pezzi del passato». Oggi, invece, si ritiene che il procedimento più appropriato sia quello di formulare *ipotesi* e di costruire *modelli*, deducendone le conclusioni.

CONVALIDA
Verifica o autorità

Le ipotesi devono essere verificate e le conclusioni non devono essere accettate solo in base all'autorevolezza o alla posizione del ricercatore che le propone.

PUNTO CENTRALE DELLA RICERCA
Pianificazione del progetto o accumulo di dati

Le ricerche archeologiche devono essere pianificate per fornire una risposta a specifiche *domande* e non semplicemente per ottenere altre informazioni che potrebbero non essere pertinenti.

SCELTA DEL TIPO DI APPROCCIO
Quantitativo o semplicemente qualitativo

Sono assai utili i dati quantitativi, suscettibili di trattamento statistico computerizzato, con la possibilità di eseguire *campionamenti* e *test* di *significatività*. Questo tipo di approccio è spesso preferito a quello tradizionale puramente verbale.

SCOPO
Ottimismo o pessimismo

Gli esponenti dell'archeologia tradizionale spesso sottolineavano che i dati archeologici non fossero adatti alla ricostruzione dell'*organizzazione sociale* o dei *sistemi cognitivi*. Gli esponenti della *New Archaeology* erano più concreti e replicavano che non era possibile stabilire la difficoltà reale di tali problemi sino a che non si fosse cercato di risolverli.

aspetti simbolici e cognitivi delle società primitive. Molti di questi argomenti saranno trattati nel Capitolo 12. Ma non ci sono dubbi che l'archeologia non sarà mai più la stessa. Gran parte degli archeologi contemporanei, anche quelli che si dimostrano critici sulla prima *New Archaeology*, riconoscono implicitamente la sua influenza quando si dichiarano d'accordo sul fatto che il vero obiettivo dell'archeologia è sia quello di spiegare cosa accadde nel passato sia quello di descrivere il passato stesso. Molti di loro sono d'accordo anche sul concetto che per fare della buona archeologia è necessario rendere espliciti, e quindi esaminare, i propri assunti fondamentali. Era questo che David Clarke intendeva quando, in un articolo del 1973, parlò di «perdita dell'innocenza» in archeologia.

L'ARCHEOLOGIA MONDIALE

L'approccio problematico della *New Archaeology* e la richiesta di procedimenti espliciti e quantitativi condusse a nuovi sviluppi della ricerca sul campo, molti dei quali conseguiti in programmi di indagine archeologica condotti da archeologi che non si riconoscevano necessariamente come seguaci della nuova scuola di pensiero.

In primo luogo crebbe l'attenzione per i progetti operativi con obiettivi di ricerca ben definiti, cioè per quei progetti che nascevano con l'intento di offrire una risposta a specifiche domande sul passato. In secondo luogo, in base alle nuove intuizioni frutto dell'approccio ecologico, era chiaro che sarebbe stato possibile ottenere risposte soddisfacenti a molte delle più importanti questioni solo se si fossero indagate intere regioni e i loro ambienti, piuttosto che singoli siti presi isolatamente. Il terzo sviluppo, strettamente connesso con il primo e il secondo, fu l'aver capito che per raggiungere realmente questi obiettivi era necessario introdurre nuove tecniche di ricognizione intensiva del territorio e di scavo selettivo, associate con procedure di campionamento su base statistica e con metodi di recupero perfezionati, compreso il setacciamento del materiale scavato. Questi sono gli elementi essenziali della moderna ricerca sul campo, che saranno esaminati in dettaglio nel Capitolo 3. Qui ci limiteremo a osservare che la loro diffusa applicazione ha cominciato a creare per la prima volta una vera disciplina mondiale: un'archeologia che geograficamente abbraccia tutto il mondo, e che si spinge indietro nel tempo fino ai primordi dell'esistenza umana per giungere poi fino all'epoca moderna.

La ricerca delle origini

Tra i pionieri dei progetti con obiettivi finalizzati va annoverato Robert J. Braidwood (1907-2003), della University of Chicago, la cui équipe multidisciplinare nel corso degli anni Quaranta e Cinquanta del secolo scorso indagò sistematicamente alcuni siti della regione irachena del Kurdistan che avrebbero dovuto fornire informazioni sull'origine dell'agricoltura nel Vicino Oriente (*vedi* Capitolo 7). Un altro progetto americano, diretto da Richard MacNeish (1918-2001), conseguì gli stessi risultati per quanto riguarda il Nuovo Mondo: le ricerche condotte negli anni Sessanta del secolo scorso nella Valle di Tehuacán in Messico fecero compiere un enorme passo avanti alle nostre conoscenze dello sviluppo di lungo periodo della coltivazione del mais.

Se le origini dell'agricoltura sono state in questi ultimi decenni materia di molte ricerche mirate, altrettanto è accaduto per la nascita delle società complesse, comprese le grandi civiltà antiche. In particolare, due progetti operativi americani sono stati coronati da grande successo: uno in Mesopotamia, diretto da Robert Adams e condotto facendo largo uso della fotografia aerea e della ricognizione al suolo, e uno nella Valle di Oaxaca, in Messico, diretto da Kent Flannery e Joyce Marcus (*vedi* Capitolo 13).

Nell'intera storia dell'archeologia un riconoscimento per la maggiore determinazione mostrata nel perseguire un chiaro obiettivo archeologico dovrebbe comunque essere assegnato a Louis Leakey (1903-1972) e a sua moglie Mary (1913-1996), che spostarono indietro di alcuni milioni di anni le date relative ai nostri immediati progenitori. Essi cominciarono le loro ricerche di resti fossili di esseri umani nella Gola di Olduvai, in Africa orientale, già nel 1931; ma la loro straordinaria perseveranza fu premiata solo nel 1959, quando Mary Leakey (*vedi* Scheda 1.5) fece la prima di molte scoperte di ominidi fossili. L'Africa è ora al centro degli studi sulle prime fasi della storia dell'umanità e del fondamentale dibattito teorico tra Lewis Binford, C.K. Brain, Glynn Isaac (1937-1985) e altri sulla questione se i nostri progenitori fossero cacciatori o consumassero prede già uccise da altri animali (*vedi* Capitoli 2 e 7).

L'archeologia dei continenti

Le ricerche in Africa esemplificano l'espandersi delle frontiere dell'archeologia sia nel tempo sia nello spazio. La ricerca delle origini dell'umanità è stata coronata da successo, ma ciò è avvenuto anche grazie alla riscoperta, attraverso l'archeologia, delle conquiste tecniche e della storia di popolazioni africane dell'Età del ferro, in ciò includendo anche l'edificazione del Grande Zimbabwe (*vedi* Scheda 12.1). Intorno al 1970 la conoscenza archeologica dell'intero continente africano era abbastanza avanzata da consentirne una sintesi, come dimostra il libro di J. Desmond Clark (1916-2002) *The Prehistory of Africa* [*La preistoria dell'Africa*]. Nel frattempo, in un altro continente ugualmente poco studiato, l'Australia, gli scavi condotti da John Mulvaney nei primi anni Sessanta del secolo scorso a Kenniff Cave, nel Queensland meridionale, fornivano una datazione con il radiocarbonio che provava un'occupazione umana durante l'ultima fase dell'èra glaciale, facendo così dell'Australasia (l'Australia e le isole comprese tra essa e l'Asia) una delle più fruttuose regioni del mondo per nuove ricerche archeologiche.

Il lavoro portato a termine in Australia mette in luce due ulteriori importanti tendenze della moderna ricerca archeologica: la nascita dell'etnoarcheologia, lo studio etnografico di popolazioni attuali allo scopo di risolvere problemi archeologici, e il crescente dibattito su scala mondiale a proposito di coloro che dovrebbero controllare o «possedere» i monumenti e le eredità culturali del passato.

Il passato vivente

Fin dal suo inizio la *New Archaeology* dedicò grande attenzione al problema della spiegazione; in particolare, a spiegare il processo di formazione dei resti archeologici e il significato che le strutture e i manufatti scavati potrebbero avere con riferimento al comportamento umano. Si arrivò a comprendere che uno dei modi più efficaci di porre tali questioni sarebbe stato quello di studiare la cultura materiale e il comportamento delle società contemporanee. L'osservazione etnografica non era di per sé nuova, dato che già a partire dal XIX secolo gli antropologi avevano studiato gli Indiani d'America e gli Aborigeni australiani. Era invece nuova l'ottica archeologica: il nuovo nome, *etnoarcheologia o «archeologia vivente»*, sottolinea proprio questo aspetto. Il lavoro di Richard Gould tra gli Aborigeni australiani, quello di Richard Lee tra i !Kung San dell'Africa meridionale e quello di Lewis Binford tra gli eschimesi Nunamiut hanno reso l'etnoarcheologia – che verrà esaminata più in dettaglio nel Capitolo 5 – una delle branche recentemente sviluppatesi più importanti dell'intera archeologia.

Tuttavia, il crescente interesse degli archeologi per le società viventi e il simultaneo sorgere presso queste società di una consapevolezza della propria eredità culturale e del proprio richiamarsi a essa ha portato a un'ulteriore domanda: chi deve avere accesso al passato o avere la «proprietà» su di esso? È chiaro, per esempio, che i soli abitanti dell'Australia prima dell'insediamento degli Europei furono gli Aborigeni. Dovrebbero quindi essere gli Aborigeni a controllare le ricerche archeologiche sui propri progenitori, anche quelli che risalgono a 20 000 anni fa o più? Questo importante punto sarà ulteriormente preso in esame nel Capitolo 14.

Archeologi come John Mulvaney e Rhys Jones (1941-2001) si sono schierati a fianco degli Aborigeni nella battaglia per impedire la distruzione, a opera dei fautori dello

© 978.8808.82073.0

sviluppo a ogni costo, di parti della preziosa eredità antica dell'Australia, per esempio in Tasmania. Inevitabilmente, però, dato che il ritmo dello sviluppo economico mondiale si è accelerato nell'ultimo trentennio, gli archeologi hanno dovuto adattarsi ovunque e imparare a salvare ciò che potevano delle testimonianze del passato prima dell'arrivo della ruspa o dell'aratro. In verità, il rapido sorgere di questa archeologia di recupero o di salvataggio, in gran parte finanziata dalle pubbliche amministrazioni, ha dato nuovo vigore all'archeologia dei nostri centri abitati, cioè a quella che in Europa è conosciuta come archeologia medievale o post-medievale e che negli Stati Uniti è chiamata archeologia storica.

Chi sono i ricercatori?

Lo sviluppo del lavoro di recupero o salvataggio ci induce anche a chiederci: chi sono attualmente i ricercatori in archeologia? Un secolo fa essi erano spesso ricchi signori che avevano tempo a disposizione per interrogarsi sul passato e per intraprendere scavi. In altri casi erano viaggiatori, spinti da qualche ragione in luoghi remoti, che sfruttavano questa opportunità per intraprendere ricerche durante quello che in fin dei conti era il loro tempo libero. Quarant'anni fa i ricercatori nel campo archeologico erano per lo più studiosi universitari o rappresentanti dei musei nazionali che cercavano di ampliare le proprie collezioni, o ancora dipendenti di istituzioni culturali o accademiche (come la Egypt Exploration Society), quasi tutte con sede nelle più ricche capitali d'Europa e degli Stati Uniti.

Oggi la maggior parte dei paesi del mondo ha i propri servizi archeologici o storici che dipendono dalla pubblica amministrazione. Lo scopo dell'attuale archeologia pubblica sarà esaminato nei Capitoli 14 e 15, ma vale la pena di notare qui che oggi un «ricercatore» (vale a dire un archeologo professionista) è una figura sempre più vicina a quella di un impiegato, spesso alle dipendenze dirette o indirette dello Stato, impegnato in interventi di recupero o salvataggio e non un ricercatore indipendente. I «ricercatori» di oggi ricoprono un'ampia varietà di ruoli, come si può vedere dalle carriere di alcuni professionisti contemporanei presentate nel Capitolo 16.

Nuove correnti di pensiero

Negli anni Ottanta e Novanta del secolo scorso, nuove correnti di pensiero, derivate in primo luogo dall'architettura e dagli studi letterari e poi dalle discipline sociali e filosofiche, hanno generato una grande varietà di approcci al passato. Mentre molti archeologi che lavoravano sul campo venivano solo in parte toccati dai dibattiti teorici e la tradizione processuale proposta dai sostenitori della *New Archaeology* continuava ad andare avanti, ci furono diversi nuovi approcci, qualche volta chiamati collettivamente postprocessuali,

che si sono occupati di difficili ma interessanti questioni. Importanti argomenti, alcuni dei quali proposti per primi da Ian Hodder (che condusse gli scavi a Çatalhöyük; *vedi* Scheda 1.8) e dai suoi studenti, hanno evidenziato che non c'è una sola modalità corretta di inferenza e che il raggiungimento dell'oggettività è impossibile. Anche i dati archeologici sono «carichi di teoria» e sono possibili tante «letture» quante sono le persone che hanno fatto la ricerca. Prese nella loro forma più estrema, queste argomentazioni si sono tirate addosso l'accusa di «relativismo» o di costituire una modalità di ricerca dove «tutto va bene» e dove la linea di demarcazione tra ricerca archeologica e *fiction* (o *fiction scientifica*) è difficile da definire.

I primi scritti di Michael Shanks e Christopher Tilley, tra cui spiccano i provocatori «libro nero» e «libro rosso», suscitarono inizialmente reazioni di questo tipo. Tuttavia, nei loro scritti più recenti, essi, assieme alla maggior parte degli archeologi postprocessuali, hanno assunto dei toni antiscientifici meno aggressivi e l'accento è stato spostato sull'uso di una molteplicità di visioni personali, spesso di stampo umanistico, al fine di sviluppare una serie di campi e interessi in grado di riconoscere le prospettive di gruppi sociali diversi e in grado di accettare la conseguente «multivocalità» del mondo postmoderno. Il dibattito epistemologico sembra oggi essersi esaurito, con prese di posizione molto meno retoriche e con il riconoscimento che non c'è un'unica e coerente archeologia postprocessuale, ma piuttosto una serie di approcci interpretativi e interessi arricchiti dalla varietà delle risorse intellettuali alle quali diversi studiosi hanno attinto (*vedi* Scheda 1.7). Michael Shanks e Ian Hodder hanno suggerito che «archeologie interpretative» (plurale) potrebbe essere un'etichetta migliore di «postprocessuali». Queste oggi giorno sono vecchie questioni; in tempi più recenti, infatti, si è vista una maggiore convergenza di punti di vista, con una tendenza verso un approccio più olistico dove diverse prospettive possono essere viste assieme.

Uno dei punti di forza dell'approccio interpretativo è quello di porre al centro dell'attenzione le azioni e i pensieri degli individui che vissero nel passato; questo è anche il fine dell'archeologia cognitiva (*vedi* Capitolo 12). Ciò che va al di là dell'individualismo metodologico di quest'ultima è il sostenere che per capire il passato sia necessario utilizzare l'empatia per «mettersi all'interno delle menti dei nostri predecessori» e pensare i loro pensieri. Questo potrebbe sembrare un obbiettivo ragionevole quando si esaminano i sistemi simbolici come i lavori figurativi (per esempio i dipinti) che richiedono una iconografia complessa, ma rappresenta un problema quando non siamo in presenza di dati iconografici.

Le varie archeologie interpretative spesso rifiutano la tendenza a un confronto tra le culture e le modalità di spiegazione che si basano sulla generalizzazione, caratteristica, questa, tipica dell'archeologia processuale. Similmente si muovono anche coloro che lavorano nell'archeologia classica o in altri casi dove le testimonianze testuali sono così ricche da richiedere un approccio specifico per il contesto.

Alcuni dei lavori più interessanti su temi come quello della nascita di società complesse continuano a essere intrapresi al di fuori di questa nuova tradizione interpretativa da studiosi come Kent Flannery, Henry Wright o Tim Earle, che vogliono fare raffronti interculturali all'interno di un ambiente più ampio. Anche lo studio dei primi sviluppi umani del Paleolitico deve operare all'interno di un contesto comparativo in cui i resti fossili di ominidi e delle culture materiali sono confrontati a livello continentale. Le domande che riguardano lo sviluppo delle abilità cognitive degli esseri umani sono ora tornate con rinnovato vigore a essere attuali. In altre aree, comunque, e in particolare per quei periodi dove l'archeologia può contare anche su testimonianze scritte, gli approcci interpretativi sono largamente diffusi.

Un tema che recentemente ha attirato molto l'attenzione è il crescente apprezzamento del ruolo giocato dagli stessi manufatti – le cose materiali – nello sviluppo delle relazioni umane e nella promozione del cambiamento sia

sociale sia tecnologico. Questo modo di vedere va al di là del primo materialismo di pensatori come Karl Marx e guarda più nel dettglio al ruolo simbolico dei manufatti nell'articolazione delle società umane. Ciò coinvolge anche la considerazione dell'azione sia per le persone sia per le cose. Questa è una delle innovazioni della teoria dell'Actor Network (*vedi* Capitolo 5). A suscitare nuovo interesse è il corpo umano: come è stato visto, concettualizzato e rappresentato simbolicamente da differenti società.

Il passato che si pluralizza

Non a torto gli archeologi postprocessuali ritengono che la nostra interpretazione e presentazione del passato, così come viene allestita in qualsiasi museo, oppure anche i miti sull'origine di ogni nazione moderna, dipendano più dalle opinioni e inclinazioni dei ricercatori e dei clienti a cui devono piacere che dalla valutazione oggettiva dei dati. La Smithsonian Institution a Washington D.C., non è riuscita nel 1995 ad allestire una mostra sulla distruzione di Hiroshima avvenuta 50 anni prima senza suscitare le ire sia degli ex-militari sia delle persone più liberali e attente alla sensibilità giapponese. Lo sviluppo di archeologie indigene pone simili problematiche (*vedi* Capitoli 14 e 15).

1.7 Archeologie interpretative o postprocessuali

Il Postprocessualismo è un termine collettivo che comprende una serie di approcci al passato che affondano le radici nella corrente di pensiero postmoderna che si sviluppò negli anni Ottanta e Novanta del secolo scorso.

L'elemento *neomarxista* porta con sé una grossa attenzione alla coscienza sociale: vale a dire che il dovere dell'archeologo non è solo quello di descrivere il passato, ma anche quello di utilizzare queste informazioni per cambiare il presente. Ciò contrasta fortemente con l'aspirazione all'oggettività propria di molti archeologi processuali.

L'approccio *postpositivista* rifiuta l'enfasi sulle procedure sistematiche di metodo scientifico che sono caratteristiche dell'archeologia processuale e ritiene che la scienza moderna sia a volte così ostile all'individuo da essere parte integrante dei sistemi di dominazione con i quali le forze del capitalismo esercitano la loro egemonia.

L'approccio *fenomenologico* invece pone l'accento sulle esperienze dell'individuo e la maniera in cui gli incontri con il mondo materiale e con gli oggetti danno forma alla nostra comprensione

del mondo. Per esempio nell'archeologia del paesaggio, l'archeologo si avvia a fare l'esperienza del paesaggio così com'è stato modificato e configurato da attività umane.

L'approccio della filosofia della *praxis* evidenzia il ruolo centrale dell'essere umano come essere «agente» e l'importanza delle azioni umane (*praxis*) nel dar forma alla struttura sociale. Molte norme e strutture sociali sono stabilite e prendono forma dall'esperienza abituale. La nozione di *habitus* (abitudine), in maniera analoga, si riferisce ai princìpi inespressi usati dall'individuo che media fra la struttura sociale e la pratica. Il ruolo dell'individuo come agente è in questo modo enfatizzato.

Il punto di vista dell'*ermeneutica* (interpretativo) rifiuta ogni tentativo di generalizzazione. L'attenzione è posta, piuttosto, sulla unicità di ogni società e cultura e sulla necessità di studiare l'intero contesto in tutta la sua ricchezza e diversità. Di conseguenza non ci potrà essere una singola e corretta interpretazione: ciascun osservatore o analista ha diritto di farsi la propria opinione sul passato. Ci sarà, quindi, un'ampia gamma di prospettive e questo è il motivo per il quale l'attenzione è posta sulle archeologie interpretative (al plurale).

La storia della ricerca in questo importante sito agricolo primitivo in Turchia illustra con chiarezza come è cambiato l'approccio archeologico negli ultimi cinquanta anni.

TURCHIA
• Çatalhöyük

Scavi originali

Il sito fu scoperto da James Mellaart nel 1958, nel corso della ricognizione iniziata nel 1951, della fertile pianura di Konya, nella Turchia centro-meridionale. Gli scavi del sito iniziarono nel 1961 e la sensazionale natura della scoperta fu subito chiara. Il tumulo, alto 21 m, celava i resti di una delle prime città neolitiche (quasi agricola) che si estendeva su 13 ha, con una pianta «agglomerata» (vedi Capitolo 10) e con livelli profondamente stratificati risalenti fino al 7200 a.C. Le stanze ben conservate avevano muri intonacati, alcune con pitture murali e decorazioni di gesso, tra cui anche teschi di bue; i reperti comprendevano delle figurine di terracotta, molte delle quali femminili, che suggerirono ad alcuni studiosi l'esistenza di un culto di una «Dea Madre». Furono anche ritrovati dei resti tessili, vegetali, animali e dell'ossidiana (con la quale erano costruiti molti degli attrezzi rinvenuti) che aveva una provenienza locale, come

fu possibile dimostrare con l'analisi degli elementi in tracce (vedi pagine 368-73). Nel 1965 lo scavo fu interrotto lasciando molte domande senza risposta. In particolar modo, non era chiaro se gli scavi di Mellaart nella parte sud-occidentale del sito avessero rivelato un «quartiere sacro» oppure se stanze con muri decorati e altri materiali simbolici fossero state presenti anche in altre parti del tumulo.

Finalità della nuova ricerca

Ian Hodder, la figura più importante della corrente postprocessuale degli anni Ottanta e Novanta del secolo scorso, ha raccolto la sfida offerta dal sito cominciando delle ricerche di superficie nel 1993 e gli scavi nel 1995. Lo scopo del progetto era, utilizzando moderne tecniche di ricerca sul campo, quello studiare la struttura del sito e la finalità dei suoi edifici; in questa maniera Hodder voleva rispondere a una delle domande centrali lasciate irrisolte da Mellaart. Inoltre,

1.49 Una statuetta in argilla di una «Dea Madre» sorretta da due felini, ritrovata negli scavi di Mellaart.

la superficie freatica che stava cedendo rese urgente lo studio degli strati inferiori non ancora scavati che, si sapeva, contenevano resti organici ben conservati come del legno, dei manufatti in legno, dei cestini e forse anche delle tavolette di argilla non cotte. Tutto questo richiese nel 1999 uno scavo durato sei mesi.

Hodder, però, si era prefissato anche altri obiettivi più ambiziosi, seguendo l'impostazione che nasceva dal dibattito postprocessuale. Il primo era di sviluppare un approccio più flessibile e aperto allo scavo stratigrafico. Seguendo questa nuova impostazione, mentre i lavori erano in corso si è tentato di dare un'interpretazione capace di fornire nuovi stimoli: il momento stesso dello scavo è stato, quindi, accompagnato dalla discussione tra il responsabile degli scavi e numerosi specialisti.

I diversi specialisti analizzano immediatamente il materiale proveniente dallo scavo in modo da fornire subito, di rimando, informazioni a chi sta scavando. Coloro che scavano, inoltre, devono registrare e tenere un diario aggiornato sulle loro interpretazioni nel momento in cui scavano e tutte le informazioni sono disponibili in una banca dati interattiva.

Il secondo obiettivo era di permettere approcci più aperti e a più voci per l'interpretazione del sito nella sua totalità: consentendo non solo ai veri specialisti di avere voce in capitolo, ma anche agli abitanti del luogo, ai visitatori e a coloro che ritenevano (come Marija Gimbutas) che il sito fosse importante per il presunto culto della «Dea Madre» (vedi pagine 30, 219-22 e 427-28).

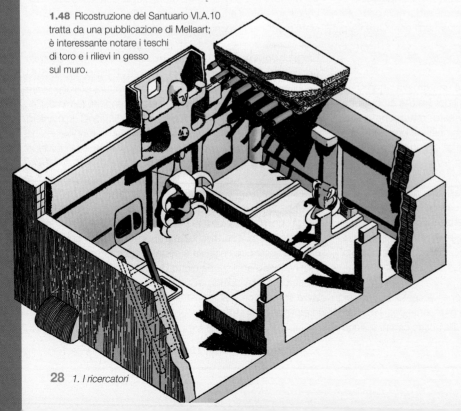

1.48 Ricostruzione del Santuario VI.A.10 tratta da una pubblicazione di Mellaart; è interessante notare i teschi di toro e i rilievi in gesso sul muro.

La decisione di rendere i dati degli scavi disponibili su un sito web del progetto va ben oltre l'intento di pubblicare i ritrovati in maniera tempestiva: alimenta il desiderio postprocessuale di avere interpretazioni multiple e alternative da parte di tutti coloro che vogliono esprimere un parere. Mentre i responsabili degli scavi hanno il dovere di utilizzare le loro conoscenze del sito per cercare di proporre una loro interpretazione, si ricerca, in questa maniera, un approccio maggiormente inclusivo.

Il progetto antropologico che lo accompagna si concentra sulla comunità locale che vive nei villaggi adiacenti – alcuni abitanti dei quali lavorano al sito –, sui turisti locali e stranieri che visitano il sito, su un gruppo di adoratori della Dea, sugli ufficiali governativi locali e centrali, e sugli artisti e designer di moda interessati al sito. Questa etnografia «dai molti siti» è vista come una parte integrante della «metodologia riflessiva» usata a Çatalhöyük.

Guidati dallo stesso spirito, lavorano al sito diversi gruppi di scavo semi-indipendenti, inclusa un'équipe di archeologi di Berkeley, un'équipe polacca di Poznań e tre turche. Queste équipe, il progetto antropologico e il Museo e i Programmi pubblici interpretativi operano tutti quanti sotto la direzione di Ian Hodder.

1.51 I nuovi scavi diretti da Ian Hodder.

dologie utilizzate fino a una quarantina di anni fa. Hanno visto la luce diverse pubblicazioni tra le quali un volume scritto da Sadrettin Dural, la guardia del sito.

Nuove informazioni, provenienti da dettagliati studi micromorfologici, di micro-residui e chimici di depositi sui pavimenti, hanno dimostrato che edifici come il Santuario VI.A.10 di Mellaart erano abitazioni utilizzate per un'ampia varietà di funzioni. Il complesso simbolismo di Çatalhöyük era parte della vita quotidiana. Le figurine delle donne, così come quelle degli uomini e degli animali, sono state ritrovate accumulate in contesti sedimentari che non suggeriscono alcun riferimento a Dei o Dee.

L'approccio di Hodder ha i suoi aspetti critici; eppure sembra mantenere la promessa di essere uno di quei progetti importanti nel quale l'applicazione di un'impostazione teorica diversa e coerente ha avuto un impatto significativo sulla pratica archeologica.

1.50 (*Sopra*) Una figurina recentemente scoperta che ritrae una donna sul davanti e uno scheletro sul retro.

I risultati

Lo scavo, che dovrebbe durare 25 anni, è stato avviato ormai da una quindicina di anni ed è possibile dar conto della differenza che ha portato l'utilizzo di questa metodologia riflessiva rispetto alle meto-

1.52 Una recente ricostruzione di una stanza dell'edificio 1.

© 978.8808.82073.0

1.53 La presentazione del passato può risultare piuttosto controversa ed essere oggetto di critiche per la mancanza di obiettività e la scarsa sensibilità nei confronti delle differenti visioni possibili; ne è un chiaro esempio la mostra su Hiroshima alla Smithsonian Institution nel 1995.

Questi temi sono stati presi in considerazione dal World Archaeological Congress (WAC), un'istituzione fondata nel 1986 dall'archeologo britannico Peter Ucko (1938-2007) che, in qualità di direttore dell'Istituto Australiano di Studi Aborigeni, comprese subito la necessità di creare e seguire una piattaforma che desse voce agli indigeni. Nonostante la Conferenza mondiale del 1994 di Nuova Delhi, in India, sia stata guastata dai disaccordi interni tra gli indiani e nonostante gli Stati Uniti abbiano negato ai rappresentanti degli Stati arabi e degli Stati in via di sviluppo il visto per partecipare alla Conferenza mondiale di Washington D.C. nel 2003, il Congresso ha avuto successo nella creazione di un forum in cui le archeologie delle nazioni emergenti e di gruppi etnici differenti sono rispettate e incoraggiate.

È evidente che l'archeologia non può evitare di essere coinvolta nelle problematiche correnti siano esse sociali, politiche o intellettuali. In effetti, alcuni professionisti, come sostiene Randall McGurie nel suo *Archaeology in Political Action* [*Archeologia nell'azione politica*], ritengono che questo sia il suo ruolo principale. Ne è esempio l'influenza del pensiero femminista (in qualche modo tardivo nell'archeologia) e la crescita dell'archeologia femminista che si sovrappone al campo, relativamente nuovo, degli

Studi di genere (*vedi* Capitolo 5). Una pioniera nel sottolineare l'importanza delle donne nella preistoria fu Marija Gimbutas (1921-1994); la sua ricerca nei Balcani la portò a creare una visione del «Vecchio Mondo» associata ai primi contadini, il cui fulcro centrale era (così almeno pensava lei) la credenza in una grande figura di Dea Madre. Anche se molte archeologhe femministe potrebbero essere in disaccordo con certi aspetti dell'approccio della Gimbutas, ha certamente contribuito a sostenere il dibattito corrente sui ruoli dei due sessi.

In un articolo pubblicato nel 1984, Margaret Conkey e Janet Spector portarono all'attenzione l'androcentrismo (pregiudizio maschile) della disciplina archeologica. Come evidenziato da Margaret Conkey, ci fu l'esigenza «di rivendicare la validità dell'esperienza delle donne, di teorizzare questa esperienza e di usarla per costruire un programma di azione politica». In ogni caso le implicazioni di queste posizioni non furono davvero scandagliate fino agli anni Novanta del secolo scorso, poiché fu solo in tale periodo che il clima nell'ambiente archeologico si mostrò pronto. In Gran Bretagna ciò fu reso possibile dallo sviluppo teorico dell'archeologia processuale (*vedi* Scheda 1.7) al cui interno si svilupparono molte delle ricerche archeologiche femministe. In America del Nord, una combinazione di critica femminista, la nascita dell'archeologia storica e lo spiccato interesse dei gruppi indigeni per il proprio passato hanno fatto sì che si formasse un ambiente intellettuale per questo dibattito.

Analoghe domande hanno continuato a sorgere nelle archeologie indigene che si stavano sviluppando nei territori ex coloniali che si erano emancipati dal potere imperiale. La politica appropriata per la gestione dei beni culturali e la natura stessa dei beni culturali sono spesso contestate da gruppi di interesse in competizione, che spesso seguono linee etniche. Gruppi marginali, come per esempio gli Aborigeni australiani, hanno lottato per avere più potere nella definizione e nella gestione dei beni: spesso i loro interessi non sono stati compresi oppure sono stati messi da parte.

Domande più profonde sorgono, tuttavia, sulla natura del processo di «globalizzazione», che è esso stesso il risultato dello sviluppo tecnologico dell'Occidente, e se il concetto di «patrimonio culturale», così come è comunemente inteso, non sia un prodotto del pensiero occidentale. La concezione di «gestione del patrimonio culturale» è stata vista da pensatori postcoloniali come un'imposizione dei valori occidentali, con nozioni ufficialmente sottoscritte come quella di «patrimonio culturale» che possono portare a una omogeneizzazione e sottovalutazione delle diversità.

Anche la lista sponsorizzata dall'UNESCO dei «siti dei patrimoni culturali mondiali», dal punto di vista di questa critica, è dominata dalla nozione formulata dal mondo occidentale di «patrimonio».

Tali questioni sono sollevate anche da archeologi del mondo occidentale molto vicini a noi. Il crescente interesse per l'archeologia dei secoli recenti, fino ad arrivare al presente, è tale che il significato del termine «patrimonio» è frequentemente contestato.

Alcuni aspetti dell'archeologia dell'inizio del nuovo millennio, pur essendo inevitabilmente controversi, erano in qualche modo molto positivi. Essi mettevano in risalto il valore e l'importanza del passato per il mondo contemporaneo e hanno contribuito a sviluppare la consapevolezza che il patrimonio culturale è una parte importante dell'ambiente umano e, in un certo senso, altrettanto fragile dell'ambiente naturale. Questo significa che l'archeologo ha un ruolo cruciale nel raggiungimento di una visione equilibrata anche per il nostro mondo presente, che è inevitabilmente il prodotto dei mondi che lo hanno preceduto. Il compito dell'interpretazione è ora percepito come molto più complesso di come era sembrato in passato: tutto ciò è parte della «perdita di innocenza» che accompagnò la *New Archaeology* più di cinquanta anni fa.

▌ Riepilogo

■ La storia dell'archeologia è sia la storia delle idee e dei modi di guardare al passato, sia la storia di come sono state utilizzate queste idee e le domande che le hanno originato.

■ Gli esseri umani si sono sempre fatti delle domande sul proprio passato, ma soltanto nel 1784 fu portato a termine da Thomas Jefferson il primo scavo condotto con modalità scientifica. Solo nel XIX secolo l'archeologia divenne una disciplina scientifica propriamente costituita e ciò accadde quando tre grandi conquiste riuscirono a fornire un contesto per lo studio e l'interrogazione intelligente del passato. Queste sono l'accettazione dell'antichità dell'umanità, il concetto di evoluzione e lo sviluppo del sistema delle Tre Età.

■ Il periodo «storico-classificatorio» dell'archeologia è durato dalla metà del XIX secolo agli anni Sessanta del secolo scorso e la sua preoccupazione principale era lo sviluppo e lo studio delle cronologie. La scienza, in questo periodo in rapido sviluppo, ha fornito diversi nuovi strumenti all'archeologia, in particolar modo nel campo della datazione.

■ Gli anni Sessanta del secolo scorso costituiscono un punto di svolta nell'archeologia nonché un momento di stanchezza nei confronti dell'approccio storico-classificatorio che ha portato alla nascita della *New Archaeology*, anche conosciuta come archeologia processuale; essa cerca di dare una spiegazione piuttosto che una mera descrizione del passato. Per far ciò gli archeologi che appartengono alla *New Archaeology* hanno in buona parte cercato di allontanarsi dai metodi storici per favorire approcci più scientifici.

■ Negli anni Ottanta e Novanta del secolo scorso nuovi modi di pensare, alcuni di questi postmoderni, portarono allo sviluppo dell'archeologia interpretativa o postprocessuale. Secondo questa linea di pensiero nell'archeologia non c'è un'unica maniera di trarre delle conclusioni e l'obbiettività nella ricerca è impossibile da raggiungere. Le archeologie interpretative, quindi, pongono l'attenzione sulle varie prospettive dei differenti gruppi sociali ritenendo che non tutte le persone fanno esperienza del passato alla stessa maniera.

■ Nel mondo post-coloniale l'archeologia ha un ruolo importante nello stabilire l'identità nazionale ed etnica e, inoltre, il turismo legato al patrimonio archeologico ha assunto un valore economico.

© 978.8808.82073.0

Letture consigliate

Tra le buone introduzioni alla storia dell'archeologia ricordiamo:

Bahn P.G. (a cura di), 1996, *The Cambridge Illustrated History of Archaeology*. Cambridge University Press: Cambridge & New York.

Bahn P.G. (a cura di), 2014, *The History of Archaeology: An Introduction*. Routledge: London.

Browman D.L. & Williams S. (a cura di), 2002, *New Perspectives on the Origins of Americanist Archaeology*. University of Alabama Press: Tuscaloosa.

Daniel G. & Renfrew C., 1988, *The Idea of Prehistory*. Edinburgh University Press: Edinburgh; Columbia University Press: New York.

Fagan B.M., 1996, *Eyewitness to Discovery*. Oxford University Press: Oxford & New York.

Fagan, B.M., 2004, *A Brief History of Archaeology: Classical Times to the Twenty-First Century*. Prentice Hall: Upper Saddle River, NJ.

Freeman M., 2004, *Victorians and the Prehistoric: Tracks to a Lost World*. Yale University Press: New Haven, CT.

Hodder I. & Hutson S., 2004, *Reading the Past: Current Approaches to Interpretation in Archaeology*. (3rd ed.) Cambridge University Press: Cambridge & New York.

Johnson M., 2010, *Archaeological Theory, an Introduction*. (2nd ed.) Blackwell: Oxford & Malden, MA.

Lowenthal D., 1999, *The Past is a Foreign Country*. Cambridge University Press: Cambridge & New York.

Preucel R.W. & Hodder I. (a cura di), 1996, *Contemporary Archaeology in Theory, a Reader*. Blackwell: Oxford & Malden, MA.

Renfrew C., 2007, *Prehistory: The Making of the Human Mind*. Weidenfeld & Nicolson: London; Modern Library: New York.

Renfrew C. & Bahn P. (a cura di), 2004, *Key Concepts in Archaeology*. Routledge: London & New York.

Rowley-Conwy P., 2007, *From Genesis to Prehistory: The Archaeological Three Age System and its Contested Reception in Denmark, Britain, and Ireland*. Oxford University Press: Oxford.

Schnapp A., 1996, *The Discovery of the Past*. British Museum Press: London; Abrams: New York.

Schnapp A. & Kristiansen K., 1999, *Discovering the Past, in Companion Encyclopedia of Archaeology* (G. Barker ed.), 3-47. Routledge: London & New York.

Trigger B.G., 2006, *A History of Archaeological Thought*. (2nd ed.) Cambridge University Press: Cambridge & New York.

Willey G.R. & Sabloff J.A., 1993, *A History of American Archaeology*. (3rd ed.) W.H. Freeman: New York.

2 Che cosa è rimasto?

La varietà delle testimonianze archeologiche

I resti delle attività svolte dalle donne e dagli uomini nel passato sono tutt'intorno a noi. Alcuni sono resti di costruzioni erette deliberatamente perché durassero nel tempo, come le piramidi d'Egitto, la Grande Muraglia in Cina o i templi della Mesoamerica e dell'India. Altri, come le vestigia dei sistemi d'irrigazione dei Maya in Messico e nel Belize, sono i resti visibili di attività il cui scopo primario non era quello di impressionare chi guardava, ma che ancora oggi suscitano rispetto per la grandiosità dell'impresa che documentano.

La maggior parte dei resti archeologici è però assai più modesta; consiste in rifiuti scartati nel corso delle attività legate alla vita quotidiana: avanzi di cibo, frammenti di stoviglie, strumenti in pietra rotti, detriti che si formano ovunque persone conducano la loro quotidiana esistenza.

In questo capitolo verrà definita la terminologia archeologica fondamentale, si esaminerà in breve la gamma dei diversi reperti conservati e si osserverà la grande varietà di modi in cui sono giunti fino a noi. Dal suolo permanentemente congelato (*permafrost*) delle steppe russe, per esempio, vengono i meravigliosi ritrovamenti di Pazyryk, le sepolture di grandi condottieri in cui il legno, i tessuti e le pelli si sono conservati perfettamente. Dalle grotte asciutte del Perù e da altri ambienti aridi provengono straordinari tessuti, canestri e altri materiali che altrove, spesso, sono scomparsi completamente. Per contro, nelle zone umide, come le paludi della Florida o i villaggi lacustri della Svizzera, sono stati rinvenuti altri resti organici, conservati questa volta non perché mancasse l'umidità, ma piuttosto perché ce n'era molta, tanto da impedire il contatto con l'aria.

Condizioni estreme di temperatura e umidità favoriscono molto la conservazione; e lo stesso i disastri naturali. L'eruzione vulcanica che distrusse Pompei ed Ercolano (*vedi* Scheda 1.1) rappresenta il caso più famoso, ma ve ne sono state altre, come l'eruzione del vulcano Ilopango in El Salvador nel corso del II secolo d.C., che seppellì un'intera regione e resti di insediamenti in una estesa parte dell'area meridionale occupata dai Maya.

La nostra conoscenza del passato prossimo dell'umanità dipende, da questo punto di vista, sia dalle attività umane e dai processi naturali che hanno formato la testimonianza archeologica, sia da quei processi successivi che hanno determinato, in un lungo periodo di tempo, ciò che è scomparso e ciò che è sopravvissuto. Oggi possiamo sperare di recuperare gran parte di quello che è rimasto e da questi reperti, ponendo le domande giuste nel modo giusto, ottenere informazioni.

LE CATEGORIE FONDAMENTALI DI REPERTI ARCHEOLOGICI

Uno dei più importanti compiti degli archeologi è indubbiamente quello di studiare i **manufatti**, cioè gli oggetti realizzati, usati o modificati dagli esseri umani. Ma, come è stato dimostrato dalle ricerche di Grahame Clark e di altri pionieri dell'approccio ecologico all'archeologia (*vedi* Capitolo 1), c'è un'intera categoria di resti organici e ambientali, – **ecofatti** – che possono essere ugualmente rivelatori di molti aspetti delle attività umane del passato. Gran parte delle ricerche archeologiche ha a che fare con l'analisi di manufatti e di resti organici e ambientali rinvenuti insieme sui **siti**, i quali risultano assai più produttivi se vengono studiati in relazione con i territori circostanti e raggruppati insieme in **regioni**.

I **manufatti** sono oggetti portatili, costruiti o modificati dall'essere umano, come strumenti in pietra, vasellame o armi in metallo. Nel Capitolo 8 esamineremo i metodi per analizzare l'abilità tecnica umana nella lavorazione di materiali grezzi per ricavarne manufatti. Ma i manufatti forniscono una testimonianza fondamentale per aiutarci a rispondere a tutte le domande cruciali – e non solo a quelle tecnologiche – che ci siamo posti in questo libro. Un singolo vaso in argilla, per esempio, può essere oggetto di diverse linee di ricerca. Si può esaminare l'argilla per assegnare una data al recipiente e forse anche una data

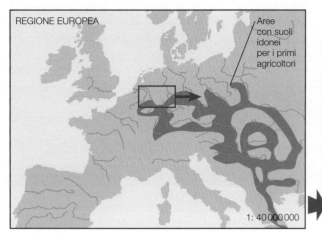

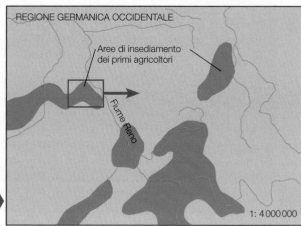

alla località in cui è stato rinvenuto (*vedi* Capitolo 4), o anche per individuare la provenienza dell'argilla stessa, fornendo così un elemento per ricostruire l'area di distribuzione e i contatti del gruppo umano che produsse il recipiente (*vedi* Capitoli 5 e 9). La decorazione dipinta sulla superficie di un vaso può essere utilizzata per stabilire una sequenza tipologica dei vasi (*vedi* Capitolo 3) e al tempo stesso può rivelare qualche aspetto delle antiche credenze (*vedi* Capitolo 10). E l'analisi della forma del vaso e di ogni residuo di cibo o d'altro materiale in esso contenuto può offrire informazioni sull'uso del recipiente stesso – magari serviva per cuocere i cibi – nonché sulla dieta dei popoli del passato (*vedi* Capitolo 7).

Alcuni ricercatori hanno allargato il significato del termine «manufatto» fino a comprendervi tutte le componenti di un sito o di un territorio in qualche misura modificati dall'essere umano, come i focolari, le buche per palo, i silos a pozzo; ma è più utile chiamare questi componenti come **elementi** (*feature*), definendoli sostanzialmente come manufatti non trasportabili. Elementi semplici come le buche per palo, considerati da soli o in associazione con focolari, pavimenti, fossati ecc., forniscono una testimonianza di elementi più complessi o **strutture**, termine con cui si definiscono edifici di ogni genere, a partire dalle case o dai granai per arrivare ai palazzi e ai templi.

Gli *ecofatti* (cioé i resti organici e ambientali non definibili come manufatti) comprendono le ossa animali e i resti vegetali, ma anche i suoli e i sedimenti, ognuno dei quali può fornire informazioni sulle attività umane del passato. Sono importanti perché possono indicare, per esempio, che cosa mangiavano le persone di una certa epoca e in quali condizioni ambientali vivevano (*vedi* Capitoli 6 e 7).

I **siti archeologici** possono essere intesi come luoghi in cui si rinvengono, insieme, manufatti, elementi, strutture e resti organici e ambientali. Per praticità di esposizione si può ulteriormente semplificare definendo il sito archeologico come il luogo in cui si identificano tracce significative delle attività umane. Così una città o un villaggio è un sito, ma lo è anche un monumento isolato come Serpent Mound nell'Ohio o Stonehenge in Inghilterra. Allo stesso modo un gruppo di strumenti in pietra o un gruppo di cocci dispersi su una superficie possono rappresentare un sito occupato soltanto per poche ore, mentre nel Vicino Oriente una collinetta, o *tell*, segnala un sito occupato da esseri umani forse per migliaia di anni. Nel Capitolo 5 considereremo più dettagliatamente la grande varietà di questi siti ed esamineremo i modi in cui gli archeologi li classificano e li studiano su base regionale, come parte dell'indagine su un modello di insediamento. In questo capitolo ci occuperemo invece prevalentemente della natura dei singoli siti e delle modalità della loro formazione.

L'importanza del contesto

Al fine di ricostruire le attività umane su un sito è di fondamentale importanza comprendere il **contesto** in cui è inserito un reperto, sia esso un manufatto, un elemento, una struttura o un resto organico. Il contesto di un reperto consiste della sua **matrice** immediata (il materiale che lo circonda, di solito qualche tipo di sedimento, come ghiaia, sabbia o argilla), della sua **posizione** (orizzontale o verticale all'interno della matrice) e della sua **associazione** con altri reperti (quando compare insieme ad altri resti archeologici, di solito nella stessa matrice). Nel XIX secolo, il fatto che strumenti in pietra fossero associati con ossa di animali estinti in depositi sigillati fece pensare che l'umanità fosse molto

© 978.8808.82073.0

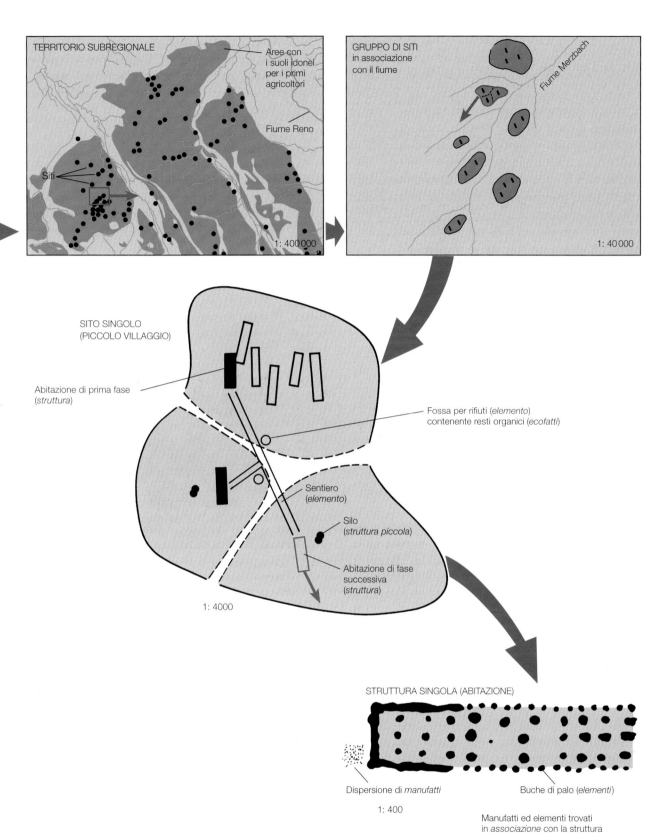

2.1 Differenti scale e terminologia usate in archeologia, a partire dalla regione continentale (nella pagina accanto) fino alla singola struttura (in questa pagina). Attraverso questa rappresentazione del modello d'insediamento dei primi agricoltori in Europa (V millennio a.C.), l'archeologo può studiare – su scala più vasta – l'interessante associazione tra siti e suoli leggeri e facilmente lavorabili posti nelle vicinanze dei fiumi (*vedi* Capitolo 7). A scala più piccola, l'associazione – resa evidente dallo scavo (*vedi* Capitolo 3) – di case con altre case e con strutture quali silos per l'immagazzinamento dei cereali solleva domande, per esempio, circa l'organizzazione sociale e la continuità dell'occupazione nel periodo in questione.

antica (*vedi* Capitolo 1). Da allora in poi gli archeologi hanno dato sempre più importanza all'identificazione e alla documentazione precisa delle associazioni tra materiali sui siti. È per questo motivo che quando i saccheggiatori di tombe scavano in maniera indiscriminata sui siti archeologici in cerca di oggetti preziosi, senza registrarne la matrice, la posizione o l'associazione, compiono un danno archeologico irreparabile, perché in questo modo vanno perdute tutte le informazioni contestuali; un vaso recuperato in questa maniera può essere un oggetto interessante per un collezionista, ma avrebbe fornito agli archeologi molte altre informazioni sulla società che lo ha prodotto, e questi sarebbero stati in grado di documentarne il luogo di ritrovamento (una tomba, un fossato, una casa?) e l'associazione con altri manufatti o resti organici (armi, strumenti, ossa di animali?). Moltissime preziose informazioni sulla popolazione di Mimbres, nel Sud-Ovest americano, sono andate perdute a causa degli sterri condotti con mezzi meccanici dai saccheggiatori in cerca delle superbe coppe dipinte – tanto ricercate – prodotte da quel popolo mille anni fa (*vedi* Scheda 14.6).

Quando i saccheggiatori, antichi o moderni, alterano un sito, magari gettando via il materiale che non è di loro interesse, distruggono il **contesto originario** di quel materiale. Se gli archeologi successivamente scavano questo materiale così rimescolato, devono essere in grado di riconoscere che giace in un **contesto secondario**; il che può essere semplice nel caso per esempio di un sito mimbres, saccheggiato piuttosto recentemente, ma è assai più difficoltoso per un sito disturbato già in epoca antica. Il disturbo di un sito non è causato soltanto dalle attività umane: gli archeologi che si occupano di periodi quale il Paleolitico, durato decine di migliaia di anni, sanno bene che gli agenti naturali – l'espandersi dei mari o delle calotte polari, l'azione del vento e dell'acqua – distrug-

gono inevitabilmente il contesto originario. La grande maggioranza degli strumenti dell'Età della pietra rinvenuti nei letti ghiaiosi dei fiumi europei giace in un contesto secondario, trasportati dall'azione dell'acqua assai lontano dal contesto originario.

I PROCESSI DI FORMAZIONE

In anni recenti gli archeologi sono divenuti sempre più consapevoli che un'intera serie di **processi di formazione** possono aver riguardato sia il modo in cui i reperti arrivarono a essere interrati sia ciò che accadde loro dopo il seppellimento, cioè la loro **tafonomia** (*vedi* Scheda 7.4).

2.2

2.2-3 I primi esseri umani furono valorosi cacciatori (*sopra*) o si cibavano piuttosto di resti di animali uccisi da altri animali (cioè erano *scavengers*, «spazzini») (*sotto*)? La comprensione dei processi di formazione determina la nostra interpretazione delle associazioni di strumenti prodotti dagli esseri umani con ossa animali nei resti fossili rinvenuti in Africa.

2.3

Può tornare utile la distinzione tra **processi culturali di formazione** e **processi naturali o (non-culturali) di formazione**. I processi culturali implicano l'attività deliberata o accidentale degli esseri umani: questi producono o utilizzano manufatti, costruiscono o abbandonano edifici, coltivano i loro campi e così via. I processi di formazione naturale sono costituiti dagli eventi naturali che determinano sia il seppellimento sia la conservazione dei reperti archeologici. La repentina caduta di cenere vulcanica che sommerse Pompei (*vedi* Capitolo 1) è un'eccezionale processo naturale; un esempio più comune è costituito dal graduale seppellimento di manufatti o elementi a opera della sabbia o della terra portate dal vento. Allo stesso modo, anche il trasporto verso valle di strumenti in pietra a opera delle acque dei fiumi, secondo

un processo che abbiamo appena descritto, costituisce un esempio di processo naturale, così come le attività degli animali su di un sito, per esempio lo scavo di tane o la masticazione di ossa e pezzi di legno.

A prima vista queste distinzioni possono sembrare di scarso interesse per gli archeologi; in realtà sono fondamentali per una precisa ricostruzione delle attività umane del passato. Può essere importante, per esempio, sapere se determinati resti archeologici sono il prodotto di attività umane o di attività non-umane. Quando si tenta di ricostruire le attività umane di lavorazione del legno studiando i segni presenti sul legname, sarà necessario imparare a distinguere i segni lasciati dai denti di un castoro da quelli dovuti all'uso di strumenti di pietra o di metallo da parte di un essere umano (*vedi* Capitolo 8).

2.1 L'archeologia sperimentale

Un modo efficace per studiare i processi di formazione è attraverso l'archeologia sperimentale nel lungo periodo. Un esempio eccellente in questo senso è la fortificazione sperimentale in terra costruita nel 1960 a Overton Down, nell'Inghilterra meridionale.

La fortificazione consiste in un robusto terrapieno di calcare fino e terreno erboso (lungo 21 m, largo 7 m e alto 2 m), con un fossato che gli corre parallelo. L'obiettivo dell'esperimento era quello di stabilire non solo come si alterassero il terrapieno e il fossato con il passare del tempo, ma anche cosa potesse accadere ai materiali – ceramica, pelle, prodotti tessili – che erano stati inglobati nella terra nel 1960. Alcune sezioni (o trincee) sono state tagliate – o lo saranno – lungo il terrapieno e il fossato a intervalli di 2, 4, 8, 16, 32, 64 e 128 anni (in tempo reale nel 1962, 1964, 1968, 1976, 1992, 2024 e 2088): un impegno considerevole per tutti coloro che sono coinvolti nel progetto!

Il progetto è ancora a metà del suo corso, ma i primi risultati sono interessanti. Nel corso degli anni Sessanta, l'altezza del terrapieno si è ridotta di circa 25 cm e il fossato si è andato riempiendo abbastanza rapidamente. A partire dalla metà degli anni Settanta, però, la struttura si è stabilizzata. Per quanto riguarda i materiali sepolti, le prove effettuate allo scadere dei quattro anni hanno

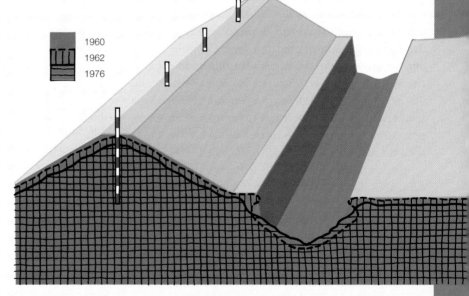

1960
1962
1976

dimostrato che la ceramica non si era minimamente alterata, la pelle risultava poco intaccata, mentre i tessuti cominciavano ad alterarsi e a perdere il colore.

Gli scavi del 1992 hanno mostrato come la conservazione sia migliore nella parte dei terrapieni dove si trova il calcare – biologicamente meno attivi – che non al centro dove si trova il terreno erboso: qui i prodotti tessili e alcune parti di legno sono completamente scomparsi. La struttura in sé si è solo leggermente modificata dal 1976, benché sia stato

2.4 Il terrapieno e il fossato così come furono costruiti nel 1960 e con i cambiamenti rilevati dalle sezioni trasversali tagliate nel 1962 e nel 1976.

notato un considerevole rimaneggiamento e trasporto di piccoli sedimenti a opera di lombrichi. L'esperimento ha già mostrato che molti dei cambiamenti che interessano gli archeologi avvengono nelle prime decadi dopo il seppellimento e che la misura di questi cambiamenti è ben maggiore di quella finora sospettata.

© 978.8808.82073.0

Consideriamo un esempio ancora più significativo. Per le fasi più antiche dell'esistenza dell'umanità in Africa, agli inizi del Paleolitico, grandi schemi teorici sulle abilità nella caccia dei nostri progenitori sono stati basati sul fatto che strumenti in pietra e ossa di animali venivano rinvenuti insieme nei siti archeologici. Fu accettato per vero che le ossa ritrovate fossero quelle di animali cacciati e macellati dagli stessi uomini primitivi che avevano prodotto gli strumenti. Ma studi condotti recentemente da C.K. Brain, Lewis Binford e altri sul comportamento animale e sulle tracce di taglio presenti sulle ossa suggeriscono che in molti casi le ossa ritrovate sono quelle di animali uccisi e mangiati da altri animali predatori. Gli uomini con i loro strumenti in pietra sarebbero comparsi sulla scena come semplici consumatori di carogne, o *scavengers* (letteralmente: «spazzini»), al termine di una gerarchia di alimentazione di differenti specie animali. Ciò non significa che tutti siano d'accordo con l'ipotesi della consumazione di carogne, ma il punto da mettere in rilievo qui è che la questione può essere meglio affrontata perfezionando le nostre tecniche per distinguere tra processi naturali di formazione e processi culturali di formazione, tra attività non-umane e attività umane. Molti studi si stanno ora appuntando sulla necessità di chiarire il modo in cui si possano distinguere i segni lasciati sulle ossa animali dagli strumenti in pietra dai segni lasciati dai denti degli animali predatori (*vedi* Capitolo 7). Gli esperimenti condotti recentemente utilizzando copie di strumenti in pietra per disossare la carne costituiscono un tipo di approccio utile; altre esperienze di archeologia sperimentale possono invece servire per spiegare alcuni dei processi di formazione che interessano la conservazione fisica del materiale archeologico (*vedi* Scheda 2.1).

Il resto di questo capitolo è dedicato a un esame più dettagliato dei diversi processi culturali e naturali di formazione.

I PROCESSI CULTURALI DI FORMAZIONE: COME GLI ESSERI UMANI HANNO INFLUITO SU CIÒ CHE RESTA DELLE TESTIMONIANZE ARCHEOLOGICHE

I processi culturali di formazione possono essere divisi a grandi linee in due gruppi: quelli che rispecchiano comportamenti e attività originarie dell'essere umano prima che un reperto o un sito venisse interrato, e quelli successivi al seppellimento (è il caso per esempio delle arature o degli scavi abusivi). Naturalmente la maggior parte dei siti archeologici più importanti è il risultato di una complessa sequenza di uso, seppellimento e riuso, ripetutasi più e più volte, tanto che una semplice divisione in due categorie dei processi culturali di formazione può risultare di non semplice applicazione pratica. Ciò nonostante, dato che

uno dei nostri obiettivi principali è quello di ricostruire il comportamento e le attività umane originarie, dobbiamo fare il tentativo.

Il **comportamento originario degli esseri umani** si riflette spesso, archeologicamente parlando, in quattro attività fondamentali; nel caso di uno strumento, per esempio, esse sono:

1) l'acquisizione del materiale grezzo;
2) la lavorazione manuale;
3) l'uso (e la distribuzione);
4) l'eliminazione o lo scarto quando lo strumento è logoro o rotto. (Lo strumento stesso può ovviamente essere rilavorato e riciclato, cioè ripetere le fasi 2 e 3).

In maniera simile, una pianta alimentare come il frumento può essere acquisita (mietitura), lavorata (trasformata in alimento finito), usata (mangiata) e scartata (digerita eliminandone per via fisiologica le scorie); in questo caso si potrebbe aggiungere un passaggio intermedio di immagazzinamento prima dell'uso. Dal punto di vista archeologico il fattore critico è costituito dal fatto che i resti possono entrare a far parte del materiale archeologico in ognuna di queste fasi; uno strumento può essere perduto o eliminato perché di qualità scadente durante la fase di lavorazione manuale, così come un raccolto può andare accidentalmente bruciato e conservarsi quindi nella fase di lavorazione. Per ricostruire con precisione l'attività originaria è quindi fondamentale cercare di comprendere a quale delle fasi di utilizzo ci si trovi di fronte. Può essere abbastanza facile, per esempio, identificare la prima fase della produzione di strumenti in pietra, perché le cave sono spesso riconoscibili grazie a profonde buche nel terreno, presso le quali si trovano cumuli di scaglie e pezzi grezzi scartati che si conservano bene. Ma è assai più difficile capire, al di là di ogni ragionevole dubbio, se un campione di resti vegetali carbonizzati provenga, per esempio, da un'aia o da un livello di frequentazione, e ciò può rendere difficile la ricostruzione delle reali abitudini alimentari, dato che alcune attività possono favorire la conservazione di determinate specie di piante. Questa questione, che è controversa, verrà ulteriormente discussa nel Capitolo 7.

Il **seppellimento deliberato** di oggetti di valore o di defunti costituisce un altro dei più importanti aspetti del comportamento originario dell'essere umano che ha lasciato il suo segno nel deposito archeologico. In tempo di conflitti o di guerra le persone spesso nascondono nel terreno gli oggetti preziosi, con l'intenzione di tornare a recuperarli in un secondo tempo, ma per ragioni diverse finiscono per non farlo. Questi *tesori* costituiscono una fonte primaria di dati per alcuni periodi, per esempio per l'Età del bronzo in Europa, in cui sono numerosi i depositi di beni in metallo, o per l'epoca tardo-romana in

2.5 Un manufatto può essere entrato a far parte dei resti archeologici in una di queste quattro fasi del suo ciclo vitale. È compito dell'archeologo determinare quale livello è rappresentato dal ritrovamento in questione.

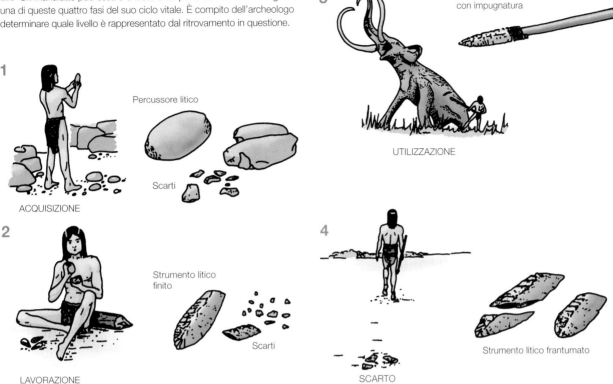

1 Percussore litico
Scarti
ACQUISIZIONE

2 Strumento litico finito
Scarti
LAVORAZIONE

3 Strumento litico con impugnatura
UTILIZZAZIONE

4 Strumento litico frantumato
SCARTO

Gran Bretagna, quando furono seppelliti tesori di oggetti in argento o in altri metalli preziosi. Gli archeologi, però, possono trovare difficoltà nel distinguere i tesori nascosti con lo scopo di recuperarli successivamente rispetto ai seppellimenti di beni destinati forse a placare potenze sovrannaturali (quelli posti, per esempio, in un punto di passaggio particolarmente pericoloso nell'attraversamento di una palude), e per i quali non era previsto di recuperarli.

Come gli archeologi tentino di dimostrare le antiche credenze in potenze soprannaturali e in un Aldilà sarà oggetto del Capitolo 10; qui ci limitiamo a notare che, oltre ai tesori, la maggior fonte di dati è costituita dalle **sepolture dei defunti** – a partire dalle semplici fosse, per arrivare agli elaborati tumuli funerari o alle gigantesche piramidi – arricchite di solito con corredi di oggetti quali vasi in ceramica o armi, e talvolta con pitture sulle pareti della camera tombale, come avveniva nell'antico Messico o nell'antico Egitto. Gli Egizi arrivarono a mummificare i loro morti (*vedi* più avanti) con la speranza di conservarli per l'eternità; altrettanto facevano gli Inca del Perù, presso i quali le spoglie dei re defunti venivano custodite nel Tempio del Sole a Cuzco e portate all'esterno nel corso di speciali cerimonie.

La **distruzione, da parte degli esseri umani, delle testimonianze archeologiche** può essere causata da sepolture del tipo appena descritto scavate in depositi precedenti. Ma l'umanità del passato nascose le tracce dei predecessori,

in maniera deliberata o accidentale, in innumerevoli altri modi. Coloro che detenevano il potere, per esempio, spesso distruggevano monumenti o cancellavano iscrizioni relative a capi o monarchi venuti prima. Un classico esempio di questo fenomeno si ebbe nell'antico Egitto, dove il faraone eretico Akhenaton, che nel XIV secolo a.C. tentò di introdurre una nuova religione, fu ricusato dai suoi successori, e i più importanti edifici da lui costruiti furono distrutti per riutilizzarne i materiali in altri monumenti. Una équipe canadese diretta da Donald Redford ha dedicato molti anni a prendere nota di alcuni di questi blocchi di pietra riutilizzati a Tebe, riuscendo a rimetterli insieme grazie anche all'aiuto di un elaboratore elettronico; lo scopo era di ricostruire (almeno sulla carta), come in un gigantesco puzzle, parte di uno dei templi di Akhenaton.

Alcune distruzioni deliberatamente volute dall'essere umano hanno finito, al contrario, per favorire la conservazione di materiali utili agli archeologi. Gli incendi non sempre hanno portato a una distruzione. Infatti la combustione spesso può aumentare le probabilità di conservazione di una vasta gamma di resti, per esempio di quelli vegetali, dal momento che la carbonizzazione aumenta in misura rilevante le capacità di resistenza agli assalti del tempo. Gli intonaci in argilla e i mattoni crudi seccati al sole (*adobe*) di solito si decompongono, ma se una struttura ha subìto un incendio, il fango si cuoce fino a raggiungere la consistenza di un mattone. In questo modo si sono conservate le migliaia di tavolette di argilla iscritte che si stanno rinvenendo nel Vicino Oriente; esse furono cotte in maniera deliberata o accidentale nel corso di incendi. Anche il legname può carbonizzarsi e sopravvivere nelle strutture, o almeno lasciare una chiara impronta nel fango indurito.

Oggi la distruzione di resti archeologici causata direttamente dall'essere umano attraverso la bonifica dei terreni, le arature, i lavori edilizi, i saccheggi ecc. continua a ritmo spaventoso; nel Capitolo 14 sarà esaminato il modo in cui questa circostanza interessa l'archeologia in generale e quali potranno essere le implicazioni future.

I PROCESSI NATURALI DI FORMAZIONE: COME LA NATURA INFLUISCE SU CIÒ CHE RESTA DELLE TESTIMONIANZE ARCHEOLOGICHE

Abbiamo già detto che i processi naturali di formazione – per esempio l'azione di un fiume – possono disturbare o distruggere il contesto originario dei materiali archeologici. Ci soffermeremo ora su questi materiali e sui processi naturali che possono causarne il deterioramento o la conservazione.

In circostanze eccezionali si possono conservare praticamente tutti i materiali archeologici, dai resti vegetali ai minerali; di solito, però, i materiali inorganici si conservano assai meglio di quelli organici.

Materiali inorganici

I materiali inorganici di interesse archeologico che più comunemente si conservano sono la pietra, l'argilla e i metalli.

Gli **strumenti in pietra** si conservano straordinariamente bene: alcuni risalgono a oltre 2 milioni di anni fa. Non deve dunque sorprendere se costituiscono la più ricca fonte a nostra disposizione per documentare le attività umane del Paleolitico, sebbene in quell'epoca gli strumenti in legno e in osso (che si conservano però meno facilmente) fossero egualmente diffusi. Gli strumenti in pietra giungono talvolta a noi danneggiati o alterati in misura talmente lieve rispetto al loro stato orginario da permettere agli archeologi di esaminare le microscopiche tracce di consunzione presenti sulle parti taglienti e di determinare, per esempio, se un certo strumento fosse stato impiegato per tagliare legno anziché pelli di animali. Questa è oggi una delle più significative branche della ricerca archeologica (*vedi* Capitolo 8).

L'**argilla cotta**, come la ceramica, i mattoni cotti nelle fornaci o quelli essiccati al sole, è pressoché indistruttibile se la cottura è stata adeguata. Non stupisce dunque che per i periodi successivi all'introduzione della produzione ceramica (circa 18 000 anni fa in Giappone e 9000 anni fa nel Vicino Oriente e in alcune parti dell'America Meridionale) proprio i manufatti in questo materiale abbiano tradizionalmente costituito la più importante fonte di informazioni per gli archeologi. Come abbiamo visto all'inizio di questo capitolo, il vasellame può essere studiato per la forma, la decorazione delle superfici, i minerali contenuti nell'impasto, e anche per i residui di cibo o di altro materiale che si possono trovare all'interno. I terreni acidi possono danneggiare la superficie dell'argilla cotta, e il vasellame in argilla mal cotta o porosa può diventare fragile in condizioni di umidità, così come accade per i mattoni crudi. Però, anche un mattone crudo pressoché disintegrato può aiutare a stabilire l'esistenza di fasi di riedificazione in qualche villaggio peruviano o in un *tell* nel Vicino Oriente (*vedi* illustrazione 2.8-9).

I **metalli**, come l'oro, l'argento e il piombo, si conservano bene. Il rame e il bronzo di bassa qualità sono attaccati dai suoli acidi e possono ossidarsi a tal punto che ne rimangono solo scarse tracce o una macchia verde. L'ossidazione è anche un rapido e potente agente di distruzione del ferro, che arrugginisce e lascia quale unica traccia di sé una macchia nel suolo. Comunque, come vedremo meglio nel Capitolo 8, a volte è possibile recuperare gli oggetti in ferro consumati facendo un calco della cavità che hanno lasciato nel suolo o all'interno di una massa di ruggine.

Il mare è potenzialmente assai distruttivo, giacché i resti sommersi sono distrutti e dispersi dalle correnti, dalle onde o dall'azione delle maree. Ma può accadere che restando in mare i metalli finiscano rivestiti di un involucro spesso e resistente di sali metallici (cloruri, solfuri e carbonati) prodotti dagli oggetti stessi; questa circostanza favorisce la conservazione dei manufatti racchiusi all'interno. Se i resti vengono semplicemente estratti dall'acqua e non sottoposti a un appropriato trattamento, i sali reagiscono con l'aria, producendo acidi che distruggono ciò che rimane del metallo. Ma l'uso dell'elettrolisi – che avviene ponendo i resti in una soluzione chimica e facendo passare una debole corrente elettrica tra questi e una griglia metallica che li avvolge – lascia i manufatti metallici puliti e intatti. Questo procedimento è abituale nell'archeologia subacquea ed è utilizzato per tutti i tipi di oggetti, dai cannoni ai materiali recentemente recuperati a bordo del transatlantico *Titanic*.

Materiali organici

La conservazione dei materiali organici è determinata in larga misura dalla matrice (il materiale circostante) e dal clima (locale e regionale), e occasionalmente è influenzata da disastri naturali, come le eruzioni vulcaniche, che sono spesso tutt'altro che catastrofi per gli archeologi.

La **matrice**, come abbiamo già visto, consiste normalmente in qualche tipo di sedimento o di suolo. Questi

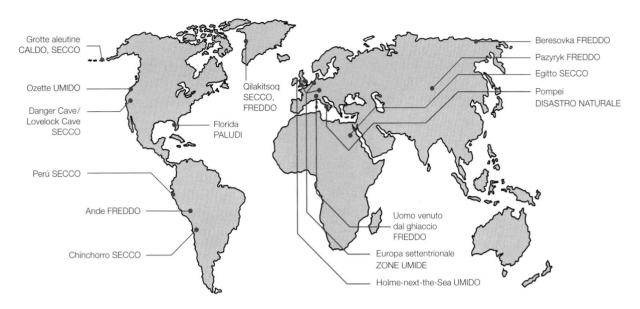

2.6 I siti più importanti e le regioni di cui si parla in questo capitolo, dove i processi naturali di formazione – da condizioni umide a condizioni molto secche o fredde – hanno determinato una conservazione eccezionalmente buona dei resti archeologici.

agiscono in modi differenti sul materiale organico; il gesso, per esempio, conserva bene sia le ossa umane e animali sia i metalli inorganici. I suoli acidi distruggono le ossa e il legno in pochi anni, ma presentano colorazioni rivelatrici là dove una volta esistevano buche per palo o fondazioni di capanne. Analoghi segni marroni o neri si conservano nei suoli sabbiosi, come nel caso dei profili scuri che rappresentano quel che resta degli scheletri (*vedi* Capitolo 11).

Ma la matrice immediatamente circostante può in casi eccezionali contenere componenti addizionali, quali minerali metallici, sali o petrolio. Il rame può favorire la conservazione di resti organici, probabilmente prevenendo l'attività di distruzione dei microrganismi. Le miniere preistoriche di rame dell'Europa centrale e sud-orientale conservano molti reperti di legno, pelli e tessuti. Per la stessa ragione si sono conservati i materiali organici da imballaggio rinvenuti frammisti a lingotti di rame nel relitto di Uluburun, lungo le coste della Turchia, che risale al XIV secolo a.C. (*vedi* Scheda 9.7).

Anche le miniere di salgemma, come quelle risalenti all'Età del ferro di Hallstatt, in Austria, hanno spesso conservato resti organici. Fatto ancora più notevole, una combinazione di sali e di petrolio ha assicurato a Starunia, in Polonia, la conservazione di un intero rinoceronte villoso (*Coelodonta antiquitatis*), compresi la pelle e i peli, e anche di foglie e di frutti della vegetazione della tundra circostante. L'animale fu trasportato da una forte corrente in uno stagno saturo di petrolio grezzo e sale, formato da una filtrazione di petrolio naturale che impedì la decomposizione: i batteri non potevano operare in queste condizioni, mentre il sale ha impregnato la pelle conservandola. In maniera simile, le cave di asfalto di La Brea, vicino a

Los Angeles, sono famose nel mondo per l'ottima conservazione degli scheletri di una grande varietà di animali e di uccelli preistorici che vi sono stati rinvenuti.

Anche il **clima** svolge un ruolo importante nella conservazione dei resti organici. Qualche volta si può parlare di «clima locale» di un ambiente, per esempio di una grotta. Le grotte sono «conservatori» naturali perché le loro cavità interne sono protette contro gli agenti meteorici esterni e (nel caso di grotte di calcare) la loro alcalinità permette un'eccellente conservazione. Se non disturbate da allagamenti o dal trapestio di animali ed esseri umani, possono conservare le ossa e anche resti assai deperibili quali orme, e in qualche caso perfino fibre vegetali, come il breve tratto di corda rinvenuto nella grotta decorata di Lascaux, in Francia, che risale al Paleolitico Superiore.

Normalmente, però, è il clima della regione che è più importante. I **climi tropicali** sono i più distruttivi, con la loro caratteristica combinazione di abbondanti precipitazioni, suoli acidi, temperature elevate, alta umidità, erosione, il rigoglio della vegetazione e il grande numero di insetti. Una foresta pluviale può sommergere un sito in tempi assai brevi – le radici disconnettono le murature e distruggono gli edifici – mentre le piogge torrenziali distruggono poco alla volta le pitture e le decorazioni a stucco, e le strutture lignee imputridiscono completamente. Gli archeologi che lavorano nel Messico meridionale, per esempio, devono combattere una continua battaglia per arginare lo sviluppo della giungla (*vedi* Scheda 3.5). D'altro canto occorre sottolineare che le difficili condizioni della foresta presentano anche un aspetto positivo: impediscono ai saccheggiatori di raggiungere facilmente altri siti oltre a quelli che hanno già spogliato.

© 978.8808.82073.0

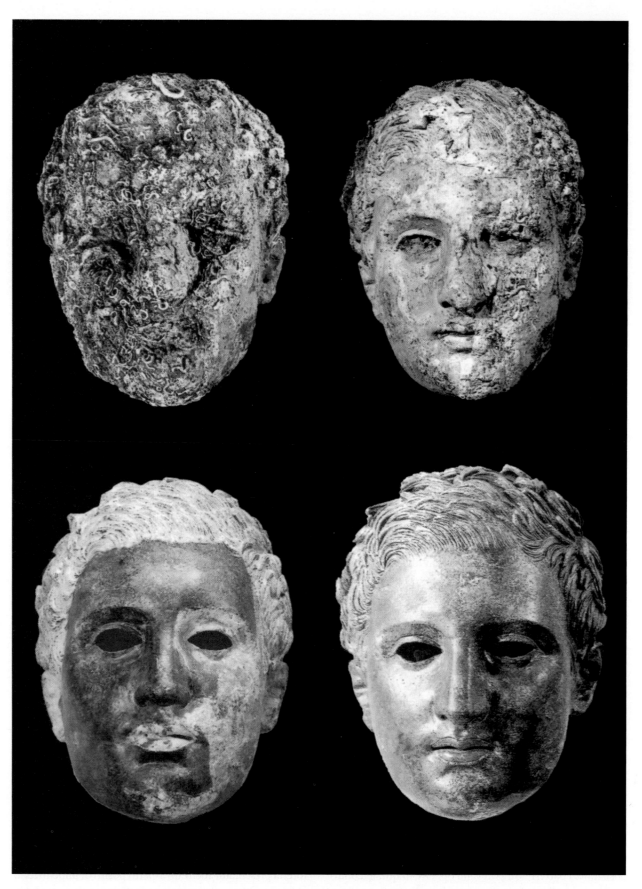

2.7 Questa testa di bronzo, appartenente a una statua raffigurante un atleta greco, è stata trovata al largo della costa croata nel 2001. Il bronzo si conserva bene nell'acqua di mare, ma è stato necessario rimuovere con estrema cura diverse concrezioni accumulatesi in circa 2000 anni.

2.9

2.8-9 I mattoni crudi si conservano bene nel clima secco del Vicino Oriente. In questa fotografia presa a Tell Brak, in Siria, gli scavi hanno portato alla luce i resti di un muro vecchio più di 3000 anni. L'edificio moderno che si vede sullo sfondo è anch'esso costruito con mattoni crudi.

I **climi temperati** (quelli della maggior parte dell'Europa e dell'America Settentrionale) non sono adatti, in generale, alla conservazione dei resti organici; la temperatura relativamente elevata ma variabile e l'andamento alterno delle precipitazioni si sommano nell'accelerare i processi di decomposizione. In alcune circostanze, però, le condizioni locali possono contrastare questi processi. Nel forte romano di Vindolanda, nelle vicinanze del Vallo di Adriano nell'Inghilterra settentrionale, sono state ritrovate oltre 1300 lettere, scritte con inchiostro su sottilissimi fogli di betulla e ontano. I frammenti, databili all'incirca al 100 d.C., si sono conservati grazie all'insolita composizione chimica del suolo: nella stratificazione del sito, l'argilla compattata interposta fra gli strati ha creato sacche prive di ossigeno (l'assenza di ossigeno è fondamentale per la conservazione dei materiali organici), mentre composti chimici prodotti dalle felci, dalle ossa e da altri resti hanno reso del tutto sterile il suolo di questa località, prevenendo così possibili perturbazioni a opera della vegetazione e di altre forme di vita.

Un altro esempio di conservazione anomala in condizioni di clima temperato è il sito di Potterne, in Inghilterra meridionale: un cumulo di rifiuti che risale alla tarda Età del bronzo, databile intorno al 1000 a.C. Mentre le ossa di solito subiscono un processo di mineralizzazione dovuto alla penetrazione delle acque superficiali, in questo sito le ossa – così come i semi non carbonizzati e perfino la

ceramica – si sono conservate perché un minerale di ferro e potassio, la glauconite, che si presenta in aggregati di piccole lamelle, si è trasferito dal banco roccioso di arenaria verde andando a formare un composto stabile con i materiali organici.

I **disastri naturali** determinano talvolta la conservazione di un sito e dei suoi materiali organici. I casi più frequenti sono costituiti da: violente tempeste, come quella che seppellì di sabbia il villaggio costiero di Skara Brae, nelle Isole Orcadi, risalente al Neolitico; frane di fango, come quella che seppellì il villaggio preistorico di Ozette, sulla costa nord-occidentale dell'America (*vedi* Scheda 2.2); o ancora eruzioni vulcaniche, come quella del Vesuvio che seppellì e conservò la Pompei romana sotto una spessa coltre di cenere (*vedi* Scheda 1.1). Le eruzioni vulcaniche che ebbero luogo a El Salvador intorno al 595 d.C. depositarono un vasto e spesso strato di cenere su un'area densamente popolata e ricca di insediamenti maya, come hanno dimostrato le ricerche di Payson Sheets e dei suoi collaboratori, che nel sito di Cerén hanno riportato alla luce un gran numero di resti organici, tra cui i resti di tetti di palme e graminacee, stuoie, cestini, grano e addirittura tracce di aratura perfettamente conservate. Come vedremo nel Capitolo 6, la cenere vulcanica ha permesso la conservazione anche di una parte di foresta preistorica a Miesenheim, in Germania.

© 978.8808.82073.0

Al di là di queste particolari circostanze, la conservazione di materiali organici avviene solo in ambienti con condizioni estreme di umidità: impregnazione d'acqua, aridità e congelamento.

Conservazione dei materiali organici: le condizioni estreme

Gli ambienti impregnati d'acqua Nell'archeologia terrestre (contrapposta all'archeologia subacquea) si può stabilire un'utile distinzione tra siti in zone asciutte e siti in zone umide. La grande maggioranza dei siti è «secca», nel senso che il contenuto di umidità è basso e la conservazione dei resti organici è limitata. I siti nelle zone umide comprendono tutti quelli che si trovano nei laghi e in varie tipologie di paludi comprese le torbiere. In queste situazioni i materiali organici si trovano praticamente sigillati in un ambiente umido e privo di aria (anaerobico o, più correttamente, anossico) che ne favorisce la conservazione, a condizione che l'impregnazione d'acqua resti permanente fino al momento dello scavo (se un sito umido si dissecca, anche solo stagionalmente, può aver luogo la decomposizione dei materiali organici).

Uno dei pionieri dell'archeologia in zone umide in Gran Bretagna, John Coles, stima che in un sito umido i reperti di natura organica siano spesso il 75-90%, ma talvolta anche il 100%. Poco o nulla di questo materiale – tra cui il legno, la pelle, i tessuti, le fibre vegetali intrecciate e i resti vegetali di ogni genere – si conserverebbe nelle zone secche. È per questa ragione che gli archeologi dedicano sempre maggiore attenzione alle zone umide, che sono fonti ricche di dati sulle attività umane del passato. La crescente minaccia derivante dalle bonifiche e dall'estrazione della torba nelle zone umide, che costituiscono solo il 6% circa delle terre emerse mondiali, rende questa ricerca sempre più urgente.

Le capacità di conservazione delle zone umide variano in misura notevole. Le torbiere acide sono adatte a conservare legno e resti vegetali, ma possono distruggere ossa, ferro e perfino ceramica. Per contro, i famosi siti lacustri delle regioni alpine di Svizzera, Italia, Francia e Germania meridionale conservano bene la maggior parte dei materiali.

Le **torbiere**, e in particolare quasi tutte quelle che si trovano alle latitudini settentrionali, costituiscono alcuni degli ambienti tra più fruttuosi per l'archeologia delle zone umide. I Somerset Levels, nell'Inghilterra meridionale, per esempio, sono stati oggetto non solo di scavi già agli inizi del XX secolo – scavi che hanno consentito di scoprire i villaggi lacustri ben preservati di Glastonbury e Meare, risalenti all'Età del ferro –, ma anche di più recenti indagini archeologiche che, negli ultimi due decenni, hanno riportato alla luce numerosi sentieri pavimentati in legno (tra cui la «più antica strada» del mondo, un tratto di sentiero lungo circa 1,6 km, che risale a circa 6000 anni fa; *vedi* Scheda 8.4) e hanno permesso di acquisire molte informazioni sulle capacità tecniche di lavorare il legno (*vedi* Capitolo 8) e sull'ambiente naturale antico (*vedi* Capitolo 6). Nell'Europa continentale e in Irlanda le torbiere hanno conservato le tracce di molti sentieri – talvolta con le tracce dei carri in legno che vi transitavano – e di altri resti assai fragili. Altri tipi di zone umide in Europa, come le paludi costiere, hanno restituito piroghe, pagaie e perfino reti da pesca e pescaioli.

I cosiddetti **corpi delle torbiere** (*bog bodies*) sono senza alcun dubbio i ritrovamenti più famosi delle torbiere dell'Europa nord-occidentale. La maggior parte di essi risale all'Età del ferro. Il livello di conservazione varia notevolmente e dipende dalle particolari condizioni in cui le salme vennero sepolte. La maggior parte di queste persone morì di morte violenta, e si trattava probabilmente o criminali giustiziati o esseri umani uccisi a scopo sacrificale prima di essere gettati nella torbiera. Per esempio, nel 2003 sono stati rinvenuti in una torbiera in Irlanda due corpi mutilati risalenti all'Età del ferro: l'Uomo di Clonycavan è stato ucciso e sventrato da un colpo d'ascia, mentre il Vecchio di Croghan, un uomo anziano molto alto (1,91 metri), è stato ucciso, decapitato, mutilato e legato al fondo di una palude (*vedi* illustrazione 2.18-19). Gli esempi meglio conservati, come per esempio l'Uomo di Grauballe, in Danimarca (*vedi* Scheda 11.6), sono in uno stato di conservazione veramente notevole e presentano solo una colorazione dovuta all'acqua di torba e all'acido tannico, il che conferma ulteriormente la loro lunga permanenza in questi siti. Al di sotto della pelle le ossa e la maggior parte degli organi interni sono spesso scomparsi, ma qualche volta si sono conservati lo stomaco e il suo contenuto (*vedi* Capitolo 7). In Florida sono stati recuperati perfino encefali di esseri umani preistorici (*vedi* Capitolo 11).

Occasionalmente, tali condizioni – cioè impregnazioni d'acqua – si possono trovare anche all'interno di tumuli funerari; è la versione tipica dei climi temperati di un fenomeno che abbiamo visto accadere in Siberia. Le sepolture in sarcofagi di quercia dell'Età del bronzo presenti nell'Europa settentrionale, e in particolare quelle danesi databili intorno al 1000 a.C., avevano un nucleo centrale di pietre sistemate intorno al tronco d'albero, che costituiva la bara, il tutto ricoperto da un tumulo di terra a cupola. L'acqua, infiltrata all'interno del tumulo e combinata con il tannino prodotto dai tronchi di legno, ha creato così un ambiente acido che ha distrutto gli scheletri ma ne ha conservato la pelle (che cambia colorazione, come nel caso dei corpi delle torbiere), i capelli e i legamenti dei corpi all'interno delle bare, così come le vesti dei defunti e gli oggetti, quali i secchi fatti di corteccia di betulla.

2.10 Veduta generale da nord dell'area circostante il sito di Ozette.

2.11 Pomello a testa di gufo di un bastone sciamanico.

Un tipo particolare di saturazione d'acqua si è prodotto nel sito di Ozette, nello stato di Washington, sulla costa nord-occidentale degli Stati Uniti. Intorno al 1700 un'immensa colata di fango, generata da un fiume sotterraneo che si ingrossava con andamento stagionale, seppellì parte di un insediamento di cacciatori di balene. Il villaggio è rimasto protetto sotto quella coltre di fango per tre secoli, ma non è stato mai dimenticato, perché i discendenti degli abitanti hanno mantenuto viva la memoria delle case dei loro antenati. Poi il mare ha cominciato a trascinare via il fango, e si è temuto che il sito potesse cadere preda dei saccheggiatori. Il presidente della popolazione locale Makah ha quindi chiesto a Richard Daugherty, archeologo dell'Università del Washington State, di condurre gli scavi e di provvedere alla conservazione dei resti.

Ripulendo la superficie dal fango con l'aiuto di getti d'acqua a pressione, gli archeologi hanno riportato alla luce una grande quantità di materiali di legno e fibra vegetale. Le abitazioni, dove vivevano molte famiglie imparentate tra di loro, raggiungevano le dimensioni di 21 m di lunghezza e 14 m di larghezza; avevano pannelli lavorati con l'ascia e

decorati (con disegni che includevano lupi e uccelli del tuono), pali di sostegno del tetto e bassi muri divisori. Tre delle case contenevano focolari, piani di cottura, panche per dormire e stuoie.

Sono stati rinvenuti oltre 5000 manufatti, per lo più di legno, che si sono conservati grazie al fango impregnato d'acqua che ha impedito la presenza di ossigeno. Il ritrovamento più spettacolare è costituito da un enorme blocco di cedro rosso, alto 1 m, scolpito in forma di pinna dorsale di balena. Si sono conservate persino foglie – ancora verdi

– insieme con una grande quantità di ossa di balena.

Gli scavi sul campo, e il lavoro di conservazione in laboratorio di quanto è stato ritrovato, è continuato senza interruzione per 11 anni facendo di questo progetto un eccellete esempio di come la popolazione indigena possa collaborare proficuamente con gli archeologi. Gli anziani Makah hanno aiutato nell'identificazione dei manufatti, mentre i giovani hanno dato una mano negli scavi e i risultati del progetto si possono ora apprezzare in un museo.

2.12 Un'indiana Makah (*a destra*), che fa parte del gruppo dei ricercatori, misura un pezzo di legno in una delle case di Ozette.

2.13 Veduta generale da nord dell'area circostante il sito di Ozette.

2.14-17 Una selezione di manufatti di Ozette (*in senso orario da destra*): un attrezzo di legno intagliato con una lama costituita da un dente di castoro; un cedro rosso intagliato raffigurante la pinna dorsale di una balena decorato con oltre 700 denti di lontra marina (alcuni denti sono sistemati in modo da formare la sagoma dell'uccello del tuono che tiene un serpente, la cui funzione è quella di stordire la balena in maniera tale che l'uccello di fuoco possa tenerla tra i suoi artigli); un arpione per balene, ottenuto da guscio di cozza, ancora riposto nella sua custodia di corteccia di cedro; una ciotola per contenere olio di foca o balena intagliata a forma di uomo con persino dei capelli (l'olio serviva come condimento per il pesce disseccato).

INVENTARIO DEI MANUFATTI
DEPERIBILI RINVENUTI A OZETTE

Materiali tessuti o intrecciati 1330 cesti • 1466 stuoie • 142 cappelli • 37 culle • 96 cinghie per portare pesi • 49 foderi per fiocine

Attrezzi da tessitura 14 montanti da telaio • 14 subbi • 10 sospensioni di battente • 23 fuseruole • 6 spolette

Equipaggiamento da caccia 115 archi o frammenti di archi in legno • 1534 aste di freccia • 5189 punte di freccia in legno • 124 aste di fiocina • 22 supporti per fiocine • 161 tappi per galleggianti gonfiabili in pelle

Equipaggiamento da pesca 131 ami di legno piegato per la pesca degli ipoglossi (o halibut) • 607 frammenti degli stessi ami • 117 ami grezzi da rifinire • 7 reti a strascico per aringhe • 57 ami a punta semplice • 15 ami a punta doppia

Recipienti 1001 casse o parti di casse in legno • 120 ciotole o frammenti di ciotole in legno • 37 vassoi in legno

Imbarcazioni 361 pagaie o frammenti di pagaie per canoe • 14 gottazze per canoa • 14 frammenti di canoe

Oggetti diversi 40 pagaie giocattolo • 45 oggettini in miniatura scolpiti (canoe, figurine ecc.) • 52 mazze di legno scolpite • 1 scultura raffigurante la pinna dorsale di una balena decorata con denti di lontra marina

2.17

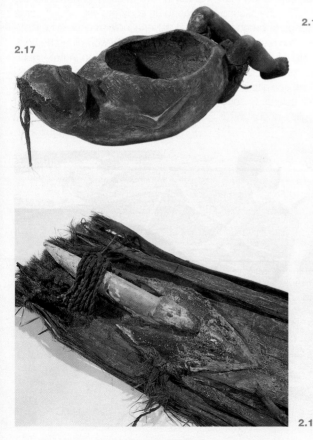

2.14

2.16

2.15

Un fenomeno in qualche misura analogo si ritrova nelle navi che i Vichinghi usavano come sepolture. La nave di Oseberg, in Norvegia, per esempio, conteneva il corpo di una regina vichinga risalente circa all'800 d.C.; l'intera nave fu sepolta nell'argilla, ricoperta da uno strato di pietre e da uno strato di torba che sigillò la sepoltura assicurandone la conservazione.

Le **abitazioni su palafitte** hanno rivaleggiato con i corpi delle torbiere nell'interesse popolare fin da quando, ben oltre un secolo fa, furono scoperti nei laghi svizzeri i primi resti di pali o sostegni in legno per abitazioni. Grazie alle accurate ricerche condotte a partire dagli anni Quaranta

2.18-19 Le parti che sono rimaste del Vecchio di Croghan sono conservate in uno stato eccezionale, in particolare le mani: le unghie ben tenute e l'assenza di calli suggeriscono che l'uomo appartenesse a uno stato sociale elevato e l'analisi del contenuto del suo stomaco ci dice che il suo ultimo pasto era stato a base di cereali e latticello.

del secolo scorso, la visione romantica di interi villaggi costruiti su piattaforme poste al di sopra delle acque dei laghi ha lasciato il posto a una più concreta immagine di insediamenti di natura principalmente costiera. La varietà dei materiali conservati è stupefacente, e non comprende solo strutture e manufatti in legno o resti di tessuti, ma anche – per esempio nell'insediamento neolitico di Charavines, in Francia – noci, bacche e altri frutti.

Comunque, il maggiore contributo dato in anni recenti all'archeologia dalle abitazioni su palafitte e anche dagli altri insediamenti in zone umide dell'Europa è forse quello di aver prodotto una buona quantità di campioni ben conservati di strutture lignee da sottoporre all'analisi dendrocronologica, che si basa sullo studio degli anelli annuali di accrescimento degli alberi. Nel Capitolo 4 esamineremo l'importante progresso che questi reperti hanno aiutato a compiere nella determinazione di una precisa dendrocronologia di parti dell'Europa settentrionale, risalenti a migliaia di anni fa.

Si possono ancora aggiungere, all'archeologia terrestre, altri contesti ricchi di strutture lignee impregnate d'acqua e dunque conservate: quelli costituiti dalle antiche zone portuali di città, grandi e piccole. Gli archeologi hanno ottenuto risultati particolarmente importanti nella scoperta di parti della zona portuale romana e medievale di Londra, ma tali scoperte non sono limitate all'Europa. Agli inizi degli anni Ottanta del secolo scorso, gli archeologi newyorkesi hanno scavato una nave del XVIII secolo, ben conservata, che era stata affondata per rinforzare la zona portuale dell'East River. L'archeologia subacquea, condotta sia nei fiumi sia nei laghi ma specialmente in mare, costituisce, ovviamente, la fonte più ricca di reperti sommersi in acqua (*vedi* Scheda 3.6). L'erosione della costa può inoltre rivelare

© 978.8808.82073.0

2.20 Nel 1998, a Holme-next-the-Sea, sulla costa inglese di Norfolk, l'erosione portò alla superficie questo monumento, noto come «Seahenge», datato in alcuni suoi strati all'Età del bronzo. Si tratta di una quercia, affondata parzialmente nel terreno con le radici verso l'alto, circondata da 54 pali lignei, per lo più di quercia, disposti in forma ovale e ravvicinati gli uni agli altri. Conservato grazie alla sabbia e all'acqua salmastra che l'hanno ricoperto, questo complesso si pensa sia stato una struttura rituale, forse un «altare» per esporre salme che sarebbero poi state portate via dal mare. È stato datato con la dendrocronologia attorno al 2050-2049 a.C.

strutture che un tempo erano sommerse, come quella recentemente scoperta di un circolo ligneo sulla costa orientale dell'Inghilterra (*vedi* illustrazione).

Il problema maggiore di questa categoria di reperti – e ciò vale in particolare per i materiali lignei – consiste nel rapido deterioramento cui vanno incontro dopo la loro scoperta, perché cominciano pressoché immediatamente a essiccarsi e a fessurarsi. Quindi è necessario mantenerli umidi fino a quando non possono essere trattati o liofilizzati in laboratorio. Misure di conservazione di questo genere spiegano i costi enormi delle ricerche archeologiche condotte in zone umide o subacquee. È stato stimato che l'«archeologia umida» costa quattro volte più di quella «secca»; ma i risultati, come abbiamo visto, sono di enorme interesse e potranno esserlo in misura ancora maggiore in futuro. La Florida, per esempio, può contare su circa 1,2 milioni di ettari di torbiere in cui, in base ai dati attuali, dovrebbero essere contenuti più manufatti organici che in ogni altra area del pianeta. Fino a ora le paludi di quest'area hanno restituito un numero di imbarcazioni maggiore di qualsiasi altra regione, insieme con *totem*, maschere e piccole figure che risalgono al 5000 a.C. Nel bacino dell'Okeechobee, per esempio, è stata rinvenuta una piattaforma funebre del I millennio a.C., decorata con una serie di grandi totem in legno che rappresentavano un insieme di animali e uccelli. Dopo un incendio, la piattaforma crollò nel laghetto sottostante. È però solo da tempi molto recenti che i reperti di zone umide della Florida sono stati recuperati nel corso di scavi accurati e non più nell'ambito di opere di bonifica che hanno distrutto grandi aree di torbiera e, insieme con queste, incalcolabili quantità di testimonianze archeologiche del massimo interesse (si veda il caso di studio dei Calusa in Florida nel Capitolo 13).

Gli ambienti secchi Un alto grado di aridità o siccità impedisce la decomposizione, poiché in assenza d'acqua gran parte dei microrganismi non può svilupparsi. Gli archeologi si resero conto di questo fenomeno per la prima volta in Egitto, dove una larga porzione della Valle del Nilo ha un'atmosfera così asciutta che i corpi risalenti al periodo predinastico (prima del 3000 a.C.) si sono conservati intatti, con la pelle, i capelli e le unghie, senza che fosse stata praticata su di loro la mummificazione o che fossero collocati in qualche tipo di sarcofago; i corpi erano infatti semplicemente posti in fosse poco profonde scavate nella sabbia. La rapida perdita di liquidi, o essiccazione, insieme con la capacità di drenaggio della sabbia, ha prodotto effetti di conservazione così spettacolari da aver probabilmente suggerito la pratica della mummificazione agli stessi Egizi del successivo periodo dinastico.

EGITTO

Tebe

Il clima secco che prevale in Egitto ha reso possibile la conservazione di una vasta gamma di materiali antichi: a partire da numerosi documenti scritti su papiri (materiale ricavato dal midollo della pianta acquatica omonima che cresce sulle rive del Nilo) fino ad arrivare a due imbarcazioni in legno a grandezza naturale sepolte accanto alla Grande Piramide di Giza. Ma il più noto e spettacolare insieme di oggetti fu scoperto nel 1922 da Howard Carter e Lord Carnarvon a Tebe, nella tomba risalente al XIV secolo a.C. del faraone Tutankhamon.

Tutankhamon regnò per un periodo piuttosto breve e occupa un posto relativamente insignificante nella storia dell'antico Egitto; questa circostanza si riflette nel suo sepolcro, che appare povero se paragonato alle dimensioni di altre tombe di faraoni. Ma all'interno di questa piccola tomba, originariamente costruita per un altro personaggio, fu rinvenuta una quantità incredibile di tesori,

2.21 Il più esterno dei tre sarcofagi che racchiudevano il corpo di Tutankhamon fu realizzato in legno di cipresso ricoperto di foglia d'oro.

2.22 Il sarcofago di Tutankhamon giaceva riposto all'interno di quattro contenitori funerari posizionati uno dentro l'altro. All'interno del sarcofago sono state ritrovate tre ulteriori bare, la più interna delle quali conteneva la mummia del Faraone.

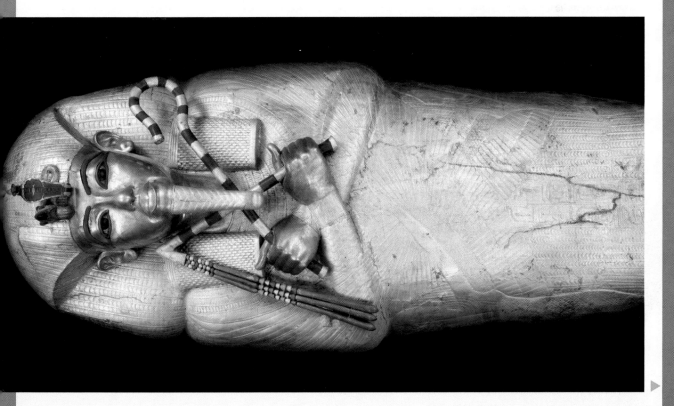

dato che il faraone venne sepolto insieme a tutto ciò che gli poteva essere utile nella nuova vita. Il corridoio di entrata e le quattro camere che costituiscono la tomba furono stipate di migliaia di oggetti diversi, tra cui manufatti in metalli preziosi, come i gioielli e la famosa maschera d'oro, insieme con cibo e capi d'abbigliamento. Ma una grande parte dei materiali contenuti nella tomba è costituita da oggetti in legno: statue, cofanetti, reliquiari e due delle tre bare. I resti umani – le mummie del re e dei suoi due figli nati morti – sono state più di una volta oggetto di analisi scientifiche. Una ciocca di capelli trovata tra i pezzi del corredo funebre è stata sottoposta a ulteriori analisi e si pensa che possa provenire da un'altra tomba, forse quella di Tiye, la nonna del giovane re.

Il corredo tombale non fu interamente concepito per Tutankhamon. Alcuni dei pezzi erano stati preparati per altri membri della famiglia e poi frettolosamente utilizzati quando il giovane re inaspettatamente morì. Nel corredo erano compresi anche alcuni oggetti molto personali, come la sedia che il re aveva usato da bambino o un semplice bastoncino di giunco, montato in oro e definito «un giunco che Sua Maestà tagliò con le sue mani». Grazie alle particolari condizioni ambientali si sono conservate anche le corone funebri e i mazzi di fiori lasciati dalle prefiche sulla seconda e sulla terza bara.

2.24 Un letto rituale laminato d'oro straordinariamente ben conservato tra i reperti della tomba di Tutankhamon.

REPERTI DELLA TOMBA DI TUTANKHAMON

Abiti • Bare • Bastoni e pioli • Boomerang e bastoni da lancio • Canestri • Canopi • Casse e cofanetti • Catafalchi • Cibarie • Corazza • Cuscini • Emblemi regali • Equipaggiamento per carro • Equipaggiamento per il tiro con l'arco • Esemplari botanici • Feretro • Figure di divinità • Figure regali • Flabelli • Letti rituali • Gioielli, vaghi di collana e amuleti • Lampade e torce • Letti • Maschera d'oro • Materiale scrittorio • Materiale da gioco • Modellini di imbarcazioni • Modello di un granaio • Mummie • Oggetti per la cosmesi • Oggetti rituali • Poggiapiedi • Recipienti per il vino • Reliquiari e oggetti a essi correlati • Sarcofago • Scudi • Sedie e sgabelli • Spade e pugnali • Statuette *ushabti* e oggetti a esse correlati • Strumenti • Strumenti musicali • Un padiglione portatile • Vasellame

---

2.23 Veduta in sezione dell'interno della tomba e dei suoi tesori come appariva al momento della scoperta nel 1922. La prima sala non fu liberata da tutti i beni funerari fino al febbraio del 1923; solo allora Carter e la sua équipe poterono accedere alle altre sale della tomba.

Gli abitanti dei *pueblos* del Sud-Ovest americano (circa 700-1400 d.C.) seppellivano i loro defunti in grotte e anfratti rocciosi asciutti, dove ebbe luogo un fenomeno di essiccazione naturale; al contrario di quanto si è più volte sostenuto, in questo caso non si tratta quindi di vere e proprie mummie, frutto di un intenzionale intervento umano. I corpi si sono conservati, in qualche caso avvolti in pellicce o in pelli conciate, in condizioni così perfette che è stato possibile studiare lo stile delle acconciature. Si sono conservati anche elementi dell'abbigliamento (dai sandali di fibra ai lacci dei grembiuli), insieme con una vasta gamma di materiali, tra cui cesti, ornamenti di piume e oggetti in pelle. Anche alcuni siti assai più antichi posti nella stessa regione contengono resti organici: il sito di Danger Cave, nello Utah (occupato a partire dalla fine del X millennio a.C.) ha restituito frecce di legno, parti di trappole, manici di coltello e altri strumenti lignei; il sito di Lovelock Cave, nel Nevada, ha restituito reti, mentre nelle grotte poste nelle vicinanze di Durango, nel Colorado, si sono conservate pannocchie di mais e semi di zucca, di girasole e di senape. Questo tipo di ritrovamenti di materiali vegetali sono fondamentali per gli archeologi che ricostruiscono le diete dei popoli del passato (*vedi* Capitolo 7).

Anche gli abitanti dei siti costieri del Perù centrale e meridionale vivevano, e morivano, in un ambiente secco; per questo è ancora oggi possibile vedere sui loro corpi disseccati i tatuaggi e ammirare i grandi tessuti splendidamente colorati provenienti dai cimiteri di Ica e Nazca, così come i prodotti in fibre vegetali intrecciate e le decorazioni di piume e, ancora, le pannocchie di mais e altri prodotti alimentari. In Cile la mummia più vecchia creata deliberatamente dall'uomo è stata trovata a Chinchorro e si è conservata, ancora una volta, grazie all'aridità dell'ambiente desertico.

Infine, un fenomeno leggermente differente si riscontra nelle Isole Aleutine, al largo della costa occidentale dell'Alaska: qui i defunti venivano posti in grotte riscaldate da fenomeni vulcanici; queste grotte, essendo molto secche, ne hanno assicurato la conservazione. In questo caso sembra che gli abitanti delle isole abbiano favorito il naturale processo di essiccamento asciugando periodicamente i corpi con panni o sospendendoli sopra il fuoco; in alcuni casi hanno asportato gli organi interni, ponendo erba secca nelle cavità del corpo.

Gli ambienti freddi Il congelamento naturale può fermare il processo di decomposizione per migliaia di anni. I primi ritrovamenti di materiali conservati grazie al freddo sono stati forse i numerosi resti di mammut rinvenuti nel permafrost (o permagelo: suolo permanentemente gelato) della Siberia: molti conservano intatti i tessuti molli, i peli e il contenuto dello stomaco. Questi sfortunati animali caddero probabilmente in crepacci nel ghiaccio e furono sepolti dal silt diventando giganteschi surgelati. Gli esemplari più conosciuti sono quelli di Beresovka, scoperti nel 1901, e il piccolo Dima, trovato nel 1977. La conservazione a volte è così ben riuscita che i cani trovano la carne sufficientemente appetitosa e devono essere tenuti ad adeguata distanza dalle carcasse.

I più famosi resti archeologici congelati sono senza dubbio quelli provenienti dai tumuli funerari dei nomadi delle steppe a Pazyryk, nella regione di Altaj, nella Siberia meridionale, risalenti all'Età del ferro e precisamente al 400 a.C. circa. Sono profonde fosse scavate nel suolo, foderate con tavole di legno e coperte da un basso tumulo di pietre.

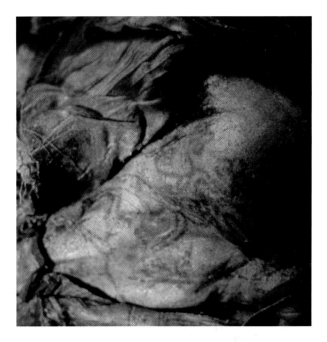

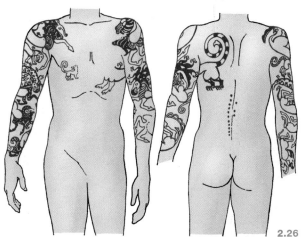

2.26

2.25-26 (*Sopra*) Il suolo permanentemente gelato (permafrost) della Siberia meridionale ha consentito la conservazione dei notevoli reperti provenienti dai tumuli eretti dai nomadi delle steppe a Pazyryk, risalenti a circa il 400 a.C. (*Sotto*) Sviluppo del tatuaggio sul torso e sulle braccia di un capo Pazyryk.

2.4 La conservazione in ambiente freddo 1: le «mummie» delle montagne

Dagli anni Cinquanta del secolo scorso, sono stati sporadicamente rinvenuti dei corpi congelati sulle alte montagne delle Ande in Sud America. Questi ritrovamenti sono diventati noti come mummie, anche se la loro conservazione è dovuta solo al freddo e non ad alcun processo di mummificazione artificiale. Gli Inca del XV e XVI secolo d.C. hanno costruito più di 100 centri cerimoniali su diversi dei picchi più alti del loro impero, poiché adoravano le montagne ricoperte di neve e ritenevano che esse fornissero l'acqua per l'irrigazione dei loro campi garantendo in questo modo la fertilità dei raccolti e degli animali.

Tra le offerte lasciate agli dei delle montagne c'erano cibo, bevande alcoliche, tessuti, ceramiche e figurine, ma anche sacrifici umani, spesso bambini. Negli anni Novanta inoltre l'archeologo americano Johan Reinhard portò a termine una serie di spedizioni sulle alte cime delle Ande e scoprì, grazie a questa «archeologia estrema», alcuni dei corpi antichi meglio conservati mai rinvenuti.

Sul vulcano di Ampato, a 6312 metri di altezza, ritrovò un fagotto steso sul ghiaccio contenente una ragazza inca – chiamata «la ragazza del ghiaccio» oppure «Juanita» (*vedi* pagina XIX) – che era stata sacrificata (con un colpo al cranio) all'età di circa 14 anni. Era stata sepolta con figurine, cibo, stoffe e ceramiche. A 5850 metri di altezza furono poi rinvenuti anche i corpi sepolti di un ragazzo e di una ragazza.

Nel 1999, sulla cima di Llullaillaco a 6739 metri di altezza, sempre Johan Reinhard ritrovò un bambino di 7 anni e due ragazze di 15 e 6 anni, tutti con figurine e tessuti.

Lo stato di conservazione di tutti questi corpi era così perfetto che si sono potute eseguire analisi dettagliate sui loro organi interni, sul loro DNA e sui loro capelli. Per esempio, gli isotopi conservati nei loro capelli ci hanno rivelato che avevano masticato delle foglie di coca, una pratica comune nella regione anche ai nostri giorni.

2.27-28 La ragazza più giovane di Llullaillaco (*sopra*) fu ritrovata che indossava una placca d'argento; la ragazza più grande e meglio conservata (*sotto*) aveva i capelli finemente intrecciati e indossava alcuni ornamenti.

2.28

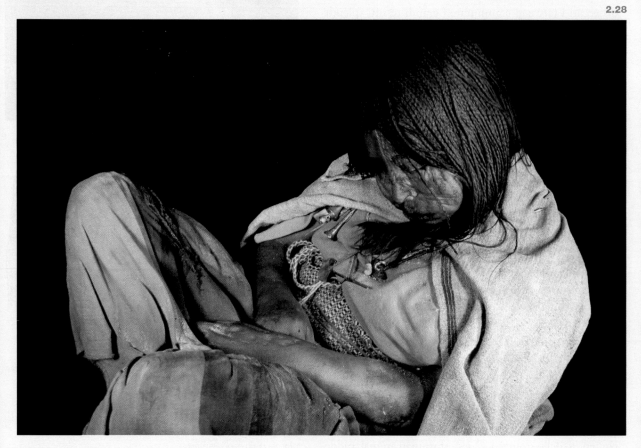

2.5 La conservazione in ambiente freddo 2: gli *snow-patch* (blocchi di neve) in archeologia

• Oppdal

Gli *snow-patch* sono blocchi di neve e ghiaccio che si trovano in Norvegia e in altre parti del mondo ubicate a grande latitudine o altitudine, come l'Alaska, le Montagne Rocciose oppure le Alpi. Oggetti organici che sono stati persi o scartati (di solito da cacciatori) rimangono spesso ben conservati in queste condizioni e possono essere ritrovati sui bordi degli *snow-patch* quando questi si sciolgono sufficientemente. Nel 2010 e 2011 sono stati ritrovati dei frammenti di cinque frecce e un arco risalenti al Neolitico (4000-1800 a.C.) in due siti montani vicino a Oppdal, nella Norvegia centrale; questi costituiscono i manufatti più antichi provenienti da blocchi di neve della Scandinavia. Sono state portate alla luce alcune aste di frecce con le loro piccole punte di ardesia e, in un caso, si è conservato anche il collante che le teneva assieme; un'altra, addirittura, aveva ancora attaccati due anelli di tendine. Similmente, una tunica risalente all'Età del ferro, datata con il radiocarbonio attorno al 230-390 a.C. e conservata molto bene, fu rinvenuta in Norvegia nel 2011. Fatta di fine lana di agnello, non presenta bottoni o chiusure e si suppone che fosse infilata dall'alto come un maglione. La misura era adatta a un uomo snello alto circa 1,7 metri. In buona misura intatta, risulta molto consumata in alcune parti.

2.29-30 (*A destra*) Un arco e due frecce con le punte in ardesia risalenti al Neolitico perse da cacciatori di renne tra i blocchi di ghiaccio di Oppdal, nella Norvegia centrale (*sotto*). Il ghiaccio e la neve ne hanno preservato il legno, gli anelli di tendine e il collante per più di 5000 anni.

2.30

Non solo questi oggetti ci forniscono delle informazioni sugli inizi dell'arte di tirare con l'arco e sugli abiti della preistoria, ma il continuo ritrovamento di manufatti organici provenienti da questi blocchi di neve perenne che si sciolgono ci avvisano delle alterazioni del paesaggio: dall'innalzamento delle temperature ai cambiamenti climatici. Negli ultimi anni si è registrata una maggior frequenza di casi in cui questi siti si sono sciolti e un numero sempre crescente di reperti è stato recuperato sia da siti conosciuti da tempo sia da altri nuovi. Questi ritrovamenti recenti hanno chiaramente un legame con le temperature che continuiamo a percepire e i cambiamenti del clima: nella Norvegia centrale del ghiaccio antico si sta sciogliendo e il permafrost delle Alpi si sta ritirando e diventando sempre più sottile.

2.31 Questa tunica fu ritrovata accartocciata a circa 1900 m nel ghiacciaio di Landbreen in Norvegia. A causa dell'esposizione al sole la stoffa si è sbiancata in maniera non uniforme. Per la sua conservazione, la tunica è stata lavata con molta attenzione in acqua pulita e poi congelata a secco al Museum of Cultural History di Oslo.

2.32 Questa stoffa è un buon esempio di antico uso e sfruttamento della lana. La tunica è tessuta con una tecnica chiamata «saia diamante» con dei colori accuratamente selezionati nelle tonalità che vanno dal beige al marrone scuro.

© 978.8808.82073.0

Tali fosse potevano essere scavate solo nella stagione calda, prima che il suolo diventasse troppo duro per il gelo. Tutta l'aria calda contenuta nelle sepolture tendeva a salire verso l'alto e a depositare la propria umidità sulle pietre del tumulo; l'umidità si infiltrava a poco a poco nelle camere funerarie e gelava così profondamente da non sciogliersi durante le estati successive, dato che i tumuli erano cattivi conduttori del calore e proteggevano le fosse dal riscaldamento e dal disseccamento per opera del sole e del vento. Di conseguenza, anche i materiali più fragili si sono conservati intatti, nonostante l'acqua bollente che l'archeologo sovietico Sergei Rudenko dovette usare per riuscire a recuperarli.

I corpi di Pazyryk erano stati posti dentro casse lignee, con cuscini anch'essi in legno, e si sono conservati così bene che se ne possono vedere gli spettacolari tatuaggi. L'abbigliamento è costituito da camicie di lino, caftani decorati, grembiuli, calze e copricapi di feltro e pelle. Si sono conservati anche tappeti, tessuti per coprire le pareti, tavole cariche di cibi, nonché intere carcasse di cavalli con briglie lavorate, selle e altre bardature. Nella stessa regione è stata ritrovata un'altra sepoltura ben conservata contenente una donna accompagnata da sei cavalli e alcuni reperti tombali, tra i quali uno specchio d'argento e diversi oggetti lignei.

Analoghi livelli di conservazione sono stati riscontrati in altre regioni circumpolari quali la Groenlandia e l'Alaska. Nell'Isola di San Lorenzo, in Alaska, il permafrost ha restituito il corpo di una donna inuit con le braccia tatuate che risale ai primi secoli dell'èra cristiana. Un altro esempio è l'abitazione rinvenuta a Utqiagvik (la moderna Barrow, sulla costa settentrionale dell'Alaska) in ottimo stato di conservazione. Realizzata con pezzi di legno portati dalla corrente e da zolle erbose, conteneva non solo tre corpi di donne Inupiat, risalenti a 500 anni fa, assieme a tre bambini, ma anche legno, ossa, avorio, piume, capelli e gusci d'uovo. Nelle regioni poste più a sud si può produrre lo stesso effetto alle grandi altitudini: per esempio le «mummie» inca ritrovate nelle Ande (*vedi* Scheda 2.4) o l'«Uomo venuto dal ghiaccio», di 5300 anni fa, che è stato ritrovato conservato dal ghiaccio delle Alpi nei pressi del confine tra Italia e Austria (*vedi* Scheda 2.6).

In Groenlandia, i corpi degli Inuit rinvenuti a Qilakitsoq, che risalgono al XV secolo, sono stati sottoposti a un processo naturale di congelamento e disseccamento in tombe poste in anfratti rocciosi protetti contro gli elementi naturali; i tessuti del corpo si sono raggrinziti e scoloriti, ma i tatuaggi erano ancora visibili (*vedi* Scheda 11.4) e gli abiti erano in condizioni particolarmente buone.

Un esempio più recente di congelamento naturale può essere riconosciuto nelle sepolture artiche di tre marinai britannici morti nel 1846 nella spedizione di Sir John Franklin. I corpi furono perfettamente conservati dai ghiacci della Beechey Island nel Canada settentrionale. Nel 1984 un gruppo di ricercatori diretti dall'antropologo canadese Owen Beattie prelevarono senza difficoltà campioni di ossa e di tessuti per fare un'autopsia prima di riseppellire le spoglie.

2.33 Disegno di una parte della decorazione parietale in feltro decorato, raffigurante un cavaliere che si avvicina a una figura in trono.

2.6 La conservazione in ambiente freddo 3: l'«Uomo venuto dal ghiaccio»

Il più vecchio corpo umano completamente conservato è stato ritrovato da alcuni alpinisti tedeschi vicino al ghiacciaio Similaun nelle Alpi Ötztaler del sud Tirolo. Essi individuarono un corpo umano con la pelle dissecata e giallo-marrone a un'altitudine di 3200 m. In quattro giorni il corpo, con tutti gli oggetti che si trovavano assieme a lui, fu rimosso dalle autorità austriache e portato all'Università di Innsbruck. Fu chiaro da subito che il corpo era antico, ma nessuno sospettò che potesse essere così antico.

L'«Uomo venuto dal ghiaccio» è il primo uomo preistorico che sia stato ritrovato con i suoi vestiti e la sua attrezzatura di uso quotidiano, probabilmente morto mentre svolgeva le sue faccende quotidiane. Altri corpi simili rinvenuti intatti erano stati propriamente seppelliti oppure sacrificati, mentre questo ci riporta letteralmente faccia a faccia con il passato più remoto. Il corpo fu consegnato al Dipartimento di Anatomia di Innsbruck dove subì un trattamento al termine del quale venne riposto in una cella frigorifera alla temperatura di −6 °C

con il 98% di umidità. Ulteriori accertamenti stabilirono che il corpo (chiamato Uomo di Similaun, Ötzi o semplicemente «Uomo venuto dal ghiaccio») si trovava, per 90 m, entro i confini italiani, e perciò nel 1998 fu riportato in Italia al museo di Bolzano. Un notevole lavoro fu fatto sugli oggetti che accompagnavano Ötzi e, per studiarne il corpo, fu utilizzata un'ampia gamma di tecniche tra cui le scansioni, i raggi X e la datazione col metodo del radiocarbonio. Sono state eseguite quindici datazioni al carbonio, prelevando campioni dal corpo, dai manufatti, dall'erba sugli stivali, e tutte concordano nell'indicare una data compresa tra il 3365 e il 2940 a.C., vale a dire, in media, attorno al 3300 a.C.

Stando ai primi studi, l'«Uomo venuto dal ghiaccio» è probabilmente deceduto per stanchezza sulle montagne, forse sorpreso dalla nebbia oppure colpito da un fulmine. Dopo la morte, un caldo vento autunnale deve averlo seccato prima di che fosse inghiottito dal ghiaccio. Il fatto di trovarsi in una zona

depressa l'ha protetto dai movimenti del ghiacciaio soprastante per 5300 anni, finché una tempesta dal Sahara ha portato uno strato di polvere sul ghiaccio che ha assorbito la luce del sole e finalmente lo ha sgelato.

Che aspetto aveva?

Era un uomo dalla pelle scura, di età tra i 45 e i 50 anni, con una capacità cranica di 1500-1560 cc. e un'altezza di soli 156-160 cm. L'altezza e la morfologia si accordano bene con quelle delle popolazioni del tardo Neolitico italiane e svizzere. L'analisi preliminare del suo DNA conferma i suoi legami con il nord Europa.

Il corpo al momento pesa 54 kg e i suoi denti, in particolare gli incisivi, sono molto consumati; ciò fa pensare che mangiasse grano grezzamente macinato oppure utilizzasse i denti regolarmente come attrezzi. Non ci sono denti del giudizio, cosa comune in quel periodo, ed è presente una grossa fessura tra i due incisivi superiori.

2.34-35 L'«Uomo venuto dal ghiaccio», il più vecchio corpo umano completamente conservato, così come fu ritrovato nel 1991, quando affiorò dal ghiaccio che si era sciolto e che lo aveva conservato per più di 5000 anni (*a sinistra*). Il suo corpo è stato ora scientificamente studiato usando diverse tecniche (*sopra*).

Cintura e borsa
di pelle di vitello,
con tre strumenti
di selce,
un punteruolo
di osso e materiale
organico
(come esca)

Cappotto
di pelle
conciata
di capra
domestica

Arco lungo
di legno
di frassino
(non finito)

Copricapo di pelle d'orso

Faretra in pelle
di daino con 14 frecce
(solo due finite) di legno
di viburno e sanguinella,
una punta di corno e
due frammenti, corde
attorcigliate e due fasci
di tendini di animali

Ascia
di rame
con manico
di legno
di tasso
e legacci
di pelle

Telaio
di nocciolo
e larice per
uno zaino
di pelliccia

Mantello di graminacee
o canne intrecciate

Pugnale: lama
di selce con
impugnatura
di legno di frassino
in una guaina
di piante erbacee
intrecciate

Contenitori in corteccia
di betulla cucita
(uno con tracce di fuoco)

Perizoma di cuoio

Calzature:
suole di pelle
d'orso con
tomaie di
pelle di cervo;
riempite
di erba

Gambali di cuoio

2.36 L'equipaggiamento e i vestiti dell'«Uomo venuto dal ghiaccio» sono un «involucro temporale» virtuale della vita di tutti i giorni: sono stati rinvenuti più di 70 oggetti associati a lui.

Al momento del ritrovamento era calvo, ma centinaia di capelli umani ricci e di colore bruno scuro (lunghi circa 9 cm) furono ritrovati nelle vicinanze del corpo e sui vestiti. Questi capelli sono caduti dopo la morte e probabilmente Ötzi aveva anche la barba. Sul lobo dell'orecchio destro ci sono ancora tracce di una depressione, simile a una cavità rettangolare dagli angoli marcati, indicante che forse, un tempo, lì c'era una pietra decorativa.

Una scansione del corpo ha mostrato che il cervello, i tessuti muscolari, i polmoni, il cuore, il fegato e gli organi digestivi erano in ottime condizioni, nonostante i polmoni fossero anneriti dal fumo, probabilmente derivante da fuochi all'aria aperta; inoltre presentava un indurimento delle arterie e delle vene. La composizione isotopica dei capelli (*vedi* Capitolo 7) suggerisce che era stato rigorosamente vegetariano, almeno durante gli ultimi mesi della sua vita, ma tracce di carne sono state ritrovate nel colon a indicare che il suo ultimo pasto fu a base di carne (probabilmente stambecco o cervo), farina, vegetali e prugne.

Tracce di congelamento cronico furono ritrovate in un mignolo del piede e 8 costole erano rotte, anche se al momento della morte erano guarite o in via di guarigione. Una frattura al suo braccio sinistro, e danni all'area sinistra della zona pelvica, furono inavvertitamente procurati durante il suo recupero dal ghiaccio.

Gruppi di tatuaggi, per lo più corte linee parallele verticali, furono ritrovati su ambedue i lati della parte bassa della spina dorsale, sul suo polpaccio sinistro e sulla caviglia destra; una croce blu, invece, fu ritrovata sulla parte interna del ginocchio destro. Questi segni possono essere stati terapeutici, cioè finalizzati ad alleviare l'artrite che aveva al collo, alla parte bassa della schiena e all'anca destra.

Le unghie si sono staccate, ma quella di un dito è stata ritrovata. La sua analisi ha mostrato che non solo aveva fatto diversi lavori manuali, ma che ebbe anche periodi di riduzione della crescita dell'unghia in corrispondenza di malattie importanti 4, 3 e 2 mesi prima della morte. Che fosse incline ad avere periodiche malattie invalidanti supporta la tesi che sia caduto sorpreso dal cattivo tempo

e che si sia congelato fino alla morte. Recenti studi, però, hanno rivelato ciò che sembra essere una fessura causata da una freccia nella spalla sinistra, tagli sulle mani, ai polsi e alla cassa toracica, nonché tracce di sangue di altre quattro persone sui suoi vestiti e sulle sue armi, che potrebbero far pensare, in qualche modo, a una morte violenta.

Gli isotopi dei denti e delle ossa di Ötzi, i quali possono fornire indicazioni sulla dieta (*vedi* Capitolo 7), sono stati anche analizzati e confrontati con forme specifiche trovate nell'acqua e nel terreno della regione. Questo studio ha permesso agli scienziati di concludere che aveva passato la sua intera vita entro 60 km dal luogo del ritrovamento.

Gli oggetti ritrovati con lui, molti fatti di materiale organico conservati dal freddo e dal ghiaccio, costituiscono un unico «involucro temporale» della vita di ogni giorno. Una grande varietà di legni e una gamma di tecniche sofisticate per la lavorazione della pelle e delle graminacee sono state usate per creare una collezione di 70 oggetti, che arricchiscono di una nuova dimensione la nostra conoscenza di quel periodo.

© 978.8808.82073.0

Riepilogo

■ Uno degli interessi più importanti dell'archeologia è costituito dallo studio dei manufatti, oggetti trasportabili realizzati dagli esseri umani, che ci forniscono informazioni in grado di aiutarci a rispondere ad alcune domande sul passato. I manufatti che non sono trasportabili, come i focolari o le buche per palo, sono chiamati elementi (*feature*). I luoghi dove vengono ritrovate tracce significative dell'attività umana, sostanzialmente dove i manufatti sono in associazione con gli elementi, sono noti come siti archeologici.

■ Il contesto è essenziale per la comprensione delle attività umane del passato e il contesto di un manufatto consiste nella sua matrice (il materiale cioè che lo circonda, il suo intorno, come per esempio un particolare strato di terreno), nella sua provenienza (posizione orizzontale o verticale all'interno dell'involucro) e nelle relazioni con altri manufatti trovati in prossimità. I manufatti ritrovati nel luogo dove originariamente erano stati lasciati si dice che sono in un contesto primario; quelli, invece, che sono stati spostati dal luogo originario di abbandono, a causa sia di forze naturali sia dell'attività umana, si dice che sono in un contesto secondario.

■ I siti archeologici si creano attraverso processi di formazione. Le attività degli esseri umani sia deliberate sia accidentali, quali la costruzione di una struttura o l'aratura di un campo, vengono chiamati processi di formazione culturale. Gli eventi naturali che interagiscono con i siti archeologici, come le ceneri vulcaniche che ricoprono una città o la sabbia trasportata dal vento che seppellisce dei manufatti, sono chiamati, invece, processi di formazione naturale.

■ In condizioni ambientali favorevoli, un manufatto costituito da un qualsiasi materiale può sopravvivere. Di solito i materiali inorganici come le pietre, l'argilla e il metallo resistono meglio dei materiali organici come le ossa, il legno o i tessuti, che tendono a deperire se non conservati in ambienti estremi.

■ La conservazione dei resti organici dipende dalla matrice e dal clima a cui sono stati sottoposti. I terreni acidi dei climi tropicali sono i più distruttivi per questi materiali, mentre i terreni secchi e desertici o estremamente freddi oppure ancora impregnati d'acqua sono quelli che riescono meglio a conservarli.

Letture consigliate

Buone introduzioni ai problemi della conservazione dei materiali archeologici si possono trovare in:

Aldhouse-Green M., 2015, *Bog Bodies Uncovered: Solving Europe's Ancien Mistery*. Thames & Hudson: London & New York.

Binford L.R., 2002, *In Pursuit of the Past: Decoding the Archaeological Record* (new ed.). University of California Press: Berkeley & London.

Coles B. & J., 1989, *People of the Wetlands: Bogs, Bodies and Lake-Dwellers*. Thames & Hudson: London & New York.

Lillie M.C. & Ellis S. (a cura di), 2007, *Wetland Archaeology and Environments: Regional Issues, Global Perspectives*. Oxbow Books: Oxford.

Menotti F. & Sullivan A., 2012, *The Oxford Handbook of Wetland Archaeology*. Oxford University Press: Oxford.

Nash D.T. & Petraglia M.D. (a cura di), 1987, *Natural Formation Processes and the Archaeological Record*. British Archaeological Reports, International Series 352: Oxford.

Purdy B.A. (a cura di), 2001, *Enduring Records: The Environmental and Cultural Heritage of Wetlands*. Oxbow Books: Oxford.

Schiffer M.B., 2002, *Formation Processes of the Archaeological record*. University of Utah Press: Salt Lake City.

Sheets P.D., 2006, *The Ceren Site: An Ancient Village Buried by Volcanic Ash in Central America* (2nd ed.). Wadsworth: Stamford.

3 Dove?

Ricognizione e scavo di siti e di elementi archeologici

Si dice che una persona con un obiettivo chiaro e un piano d'attacco ha maggiori probabilità di riuscire rispetto a una che non abbia né l'uno né l'altro; e certamente questo è vero in archeologia. La connotazione militare dei termini «obiettivo» e «piano d'attacco» è assai appropriata per l'archeologia, che spesso richiede il reclutamento, il finanziamento e il coordinamento di un gran numero di persone da utilizzare in complessi progetti sul campo. Non è un caso che due pionieri delle tecniche di ricerca sul campo, Pitt-Rivers e Mortimer Wheeler, fossero vecchi militari (*vedi* Scheda 1.4). Oggi, grazie all'esempio di questi professionisti e alla grande influenza delle *Archeologie processuali* con la loro aspirazione al rigore scientifico, gli archeologi cercano di precisare fin dal principio della ricerca quali sono i loro obiettivi e quali i loro piani per conseguirli. Questa procedura viene comunemente definita **progetto di ricerca** e comprende fondamentalmente quattro fasi:

1) la **formulazione** di una strategia di ricerca per risolvere questioni particolari o per verificare un'ipotesi o un'idea;
2) la **raccolta** e la **documentazione delle testimonianze archeologiche** attraverso cui verificare quell'ipotesi, di solito organizzando un'équipe di specialisti e conducendo una ricerca sul campo, sia essa una ricognizione, uno scavo o ambedue;
3) l'**elaborazione** e l'**analisi** di quei dati e la loro **interpretazione** alla luce dell'idea di partenza che deve essere verificata;
4) la **pubblicazione** dei risultati in articoli, libri ecc.

Assai raramente, o mai, si verifica un passaggio diretto dalla prima alla quarta fase. Nella pratica la strategia di ricerca si affina costantemente man mano che i dati archeologici vengono raccolti e analizzati. Troppo spesso, e la cosa è imperdonabile, non si pubblicano i risultati (*vedi* Capitolo 15). Ma nelle ricerche meglio pianificate l'obiettivo finale – cioè la domanda o le domande fondamentali cui

dare una risposta – rimane sempre valido, anche se muta la strategia per raggiungerlo.

Nella Parte II analizzeremo alcune strategie di ricerca adottate dagli archeologi al fine di rispondere a importanti domande circa l'organizzazione delle società, che aspetto aveva l'ambiente nell'antichità, che genere di alimenti consumava l'essere umano, che strumenti fabbricava, quali i suoi contatti commerciali e le sue credenze, e infine perché le società si siano evolute e trasformate nel corso di migliaia di anni.

Nel Capitolo 13 verranno poi esaminati in dettaglio cinque progetti, per mostrare come si conduce una ricerca nella pratica, dal principio alla fine. In questo capitolo, invece, concentreremo l'attenzione sulla seconda fase del progetto di ricerca, cioè sui metodi e sulle tecniche usati dagli archeologi per ottenere dati archeologici rispetto ai quali verificare le proprie ipotesi. Non bisogna dimenticare che spesso i dati utilizzabili derivano sia da vecchi sia da nuovi lavori sul campo: il riesame di Ian Hodder dei risultati degli scavi di Çatalhöyük (*vedi* Scheda 1.8) ne è una dimostrazione.

Molti materiali assai interessanti e potenzialmente ricchi di informazioni giacciono chiusi nelle cantine di musei e istituzioni, in attesa di essere analizzati con tecniche e prospettive moderne. Solo di recente, per esempio, i resti vegetali scoperti nella tomba di Tutankhamon negli anni Venti del secolo scorso (*vedi* Scheda 2.3) sono stati oggetto di analisi accurate. Tuttavia rimane vero che la grande maggioranza delle ricerche archeologiche si basa ancora sui nuovi materiali che si raccolgono nel corso dei lavori sul campo.

Di solito il lavoro archeologico sul campo viene visto quasi esclusivamente in termini di scoperta e di scavo di singoli siti. Oggi, però, anche se i singoli siti e il loro scavo rimangono di fondamentale importanza, l'attenzione si va sempre più concentrando sullo studio di interi paesaggi e sull'uso di ricognizioni di superficie dei siti in aggiunta, o in sostituzione, allo scavo. Gli archeologi si sono resi

conto che esiste una grande varietà di testimonianze non
riconducibili direttamente ai singoli siti – a partire dai
manufatti sparsi per arrivare a elementi quali le tracce di
aratura o i confini dei campi – che forniscono importanti
informazioni circa lo sfruttamento dell'ambiente da parte
degli esseri umani. Lo studio di interi paesaggi condotto
attraverso la ricognizione su scala regionale costituisce oggi
una parte fondamentale del lavoro archeologico sul campo.
Gli archeologi si stanno inoltre rendendo conto sempre
più degli alti costi e del carattere distruttivo proprio dello
scavo archeologico. Le ricognizioni di superficie e le indagini subsuperficiali condotte con l'impiego di tecniche
non distruttive di prospezione stanno dunque assumendo
un'importanza sempre maggiore. Si può utilmente distinguere tra **metodi utilizzati nella scoperta** di siti archeologici
e di elementi o manufatti dispersi al di fuori dei siti, e
**metodi impiegati una volta che siti ed elementi sono stati
scoperti**; questi ultimi includono la ricognizione intensiva
e lo scavo selettivo di singoli siti.

LA SCOPERTA DI SITI E DI ELEMENTI ARCHEOLOGICI

Uno dei principali compiti dell'archeologo è quello di localizzare e registrare la posizione di siti e di elementi. In
questo paragrafo prenderemo in esame alcune delle principali tecniche utilizzate per la scoperta di siti archeologici.
Non dobbiamo però dimenticare che molti monumenti
non sono mai andati interamente perduti: le grandi piramidi d'Egitto, o quelle di Teotihuacán, nelle vicinanze della
moderna Città del Messico, sono sempre state note alle
generazioni che si sono succedute; così è avvenuto anche
per la Grande Muraglia cinese o per molti edifici del Foro
di Roma. Sulla loro esatta funzione possono essere sorte
controversie nel corso dei secoli, ma la loro presenza, il fatto
stesso della loro esistenza, non furono mai messi in dubbio.

Né si deve solo agli archeologi la scoperta di tutti quei
siti che si erano perduti nel corso dei secoli. Un numero
notevole dei siti archeologici che oggi conosciamo sono
stati individuati per caso, a partire dall'esercito di terracotta
del primo imperatore cinese, portato alla luce nel 1974
da un contadino che scavava un pozzo, per arrivare alle
grotte dipinte nella Francia sud-occidentale di Lascaux
e a quella sottomarina di Cosquer, l'entrata della quale
fu trovata da un sommozzatore nel 1985, oppure ancora
agli innumerevoli relitti sottomarini segnalati da pescatori,
raccoglitori di spugne o subacquei dilettanti. Anche gli
operai che lavorano alla costruzione di nuove strade, di
metropolitane, di dighe e di grandi edifici hanno dato il
loro importante contributo alle scoperte, per esempio nel
caso del Templo Mayor o Grande Tempio degli Aztechi a
Città del Messico (*vedi* Scheda 15.1).

3.1 Parzialmente sepolti ma mai perduti: gli edifici del Foro dell'antica
Roma come appaiono in un'incisione dell'inizio del IXX secolo, opera
di Ippolito Caffi.

3.2 La Grande Muraglia cinese, lunga oltre 2000 km, iniziata nel III sec.
a.C. Come il Foro romano, non è mai stata dimenticata dalle generazioni
che si sono succedute.

© 978.8808.82073.0

Ciò nonostante, sono gli archeologi ad aver tentato di documentare sistematicamente questi siti, e sono ancora gli archeologi che individuano la grande massa dei siti e degli elementi, grandi o piccoli che siano, che compongono la straordinaria varietà dei paesaggi del passato. Ma in che modo ottengono questo risultato?

Una distinzione pratica può essere fatta tra la scoperta di siti condotta a livello del suolo (**indagine al suolo**) e la scoperta fatta dal cielo o dallo spazio (**ricognizione aerea**), sebbene ogni progetto sul campo impieghi abitualmente entrambi i tipi di ricognizione.

L'indagine al suolo

I metodi per identificare singoli siti comprendono la consultazione di fonti scritte e lo studio della toponomastica, ma in primo luogo il vero e proprio lavoro sul campo, che consiste nel seguire il procedere dei lavori di costruzione, nel caso dell'archeologia preventiva (nota nel Regno Unito anche come archeologia di salvataggio), o nell'impiego di tecniche di ricognizione nei casi in cui l'archeologo è più libero di operare.

Le fonti scritte Nel Capitolo 1 abbiamo visto come la fede di Schliemann nell'attendibilità storica del racconto omerico abbia condotto direttamente alla scoperta dell'antica Troia. Degli anni Sessanta del secolo scorso è, invece, la localiz-

zazione e lo scavo da parte di Helge e Anne Stine Ingstad dell'insediamento vichingo di L'Anse aux Meadows a Terranova, dovuto in larga parte alle indicazioni contenute nelle saghe medievali vichinghe. Gran parte della moderna archeologia biblica si dedica alla ricerca in tutto il Vicino Oriente di concrete testimonianze di luoghi – e anche di persone e di fatti – descritti nell'Antico e nel Nuovo Testamento. Se viene trattata obiettivamente come una possibile fonte di informazioni sui siti del Vicino Oriente, la Bibbia può costituire infatti una ricca fonte di materiale documentario, anche se c'è il rischio che la fede nell'assoluta veridicità dei testi religiosi possa in qualche modo influire su un imparziale accertamento della loro validità archeologica.

Gran parte delle ricerche di archeologia biblica cercano di collegare i siti citati nella Bibbia con quelli noti archeologicamente. Anche la toponomastica può condurre alla scoperta di nuovi siti archeologici. Nell'Europa sud-occidentale, per esempio, molte tombe preistoriche in pietra sono state ritrovate grazie ai nomi antichi scritti su vecchie mappe in cui compaiono termini locali che designano «pietra» o «tomba».

Le antiche mappe e i vecchi nomi delle strade sono ancora più importanti nell'aiutare gli archeologi a ricostruire le piante antiche delle città storiche. In Inghilterra, per esempio, è possibile, nel caso delle città medievali meglio documentate, ricostruire l'ubicazione di gran parte delle strade, delle case, delle chiese e dei castelli, risalendo fino al XII secolo o anche prima, proprio grazie a questo tipo di dati. Le mappe così ricostruite vanno quindi a formare una base attendibile sulla quale decidere dove sia più utile condurre un intervento di ricognizione o di scavo.

3.3 I *mounds* bassi, a L'aux Meadows, sono i resti di abitazioni costruite con i muri e il tetto di torba retto da una intelaiatura di legno. La mancanza di indizi circa una loro ricostruzione suggerisce che fosse un insediamento di breve periodo. Quelle riportate nell'illustrazioni sono ricostruzioni per i turisti.

3.1 Il *Sydney Cyprus Survey Project*

Dal 1992 al 1998 il *Sydney Cyprus Survey Project* (SCSP), condotto da Bernard Knapp e Michael Given della University of Glasgow, realizzò una ricognizione intensiva su un'area di 65 km² nella parte nord delle montagne Troodos a Cipro: un'area famosa per i suoi depositi di minerali di solfati di rame, sfruttati fin dall'Età del bronzo.

Il progetto esaminò la trasformazione del paesaggio operata dagli esseri umani lungo un periodo di 5000 anni collocandola nel suo contesto originario. Fu utilizzato un approccio interdisciplinare che integrò diversi campi come l'archeologia, l'archeometallurgia, la storia etnica, la geomorfologia, l'ecologia, i GIS (*Geographic Information Systems, vedi* più avanti) e le immagini satellitari; anche l'esperienza locale fu presa in debita considerazione.

Finalità e caratteristiche del progetto

Lo scopo primario del progetto era quello di utilizzare i dati archeologici del paesaggio per analizzare la relazione tra produzione e distribuzione negli anni delle risorse agricole e metallurgiche e, in questo modo, avere un'idea dei cambiamenti intervenuti all'interno di una società complessa e fra gli individui al suo interno.

Il progetto di ricerca era costituito da molte fasi e la stessa nozione di «sito» fu messa in discussione. Un primo requisito per una ricognizione sistematica e intensiva fu la presenza di buone mappe: fotografie aeree ingrandite andarono a creare una mappa di base dell'intera regione da studiare. Utilizzando il programma GIS MapInfo, le fotografie furono analizzate e registrate sulla griglia UTM (*Universal Transverse Mercator*) con le linee della griglia distanziate di 100 m poste sopra la mappa di base. Il *Cypriot Land and Survey Department* intervenne fornendo le letture GPS (*Global Positioning System*) per i punti di ricognizione nell'area di studio.

L'unità analitica di ricerca usata fu l'unità di ricognizione stessa: ogni qualvolta venivano identificati chiaramente degli appezzamenti agricoli nel campo e nelle fotografie aeree, diventavano una unità base di registrazione. Come approccio principale fu utilizzato un tipo di ricognizione a transetti, cioè a percorsi lineari, e furono adottate le seguenti strategie:

1) camminare su percorsi nord-sud di 50 m (con persone che osservavano direttamente il terreno a 5 m di distanza l'uno dall'altro) su tutta l'area di ricognizione a intervalli di 500 m, in modo da ottenere un campione vagamente sistematico dell'area stessa;
2) utilizzare le informazioni spaziali che venivano inserite giornalmente nel GIS per determinare quali fattori topografici, geologici e di utilizzo del terreno potevano aver condizionato l'occorrenza di materiali culturali portati alla luce;
3) fare delle ricognizioni su blocchi di «speciali aree di interesse» con abbondanti prove di attività protoindustriali, agricole o di insediamento;
4) studiare, come posti di «speciale interesse», località segnate da resti che ostacolavano il passaggio o da un'alta densità di manufatti.

In ciascuna unità fu raccolto un campione rappresentativo del materiale culturale: ceramiche, pietre scheggiate, pietre macinate, metalli, scorie vulcaniche, vetri e piastrelle. Altri, prevalentemente materiali non diagnostici, furono lasciati nelle unità.

Una componente importante del SCSP fu l'utilizzo di mappe tematiche derivate dai GIS per illustrare i risultati

delle strategie adottate nella raccolta e nella registrazione diretta dei dati. La ceramica fu l'aspetto analitico chiave nell'assegnazione del significato delle unità di ricognizione e i dati della ceramica (densità e distribuzione) furono incorporati nelle mappe GIS. Un indice di ceramica PI (*Pottery Index*), focalizzato sulla visibilità al suolo e su altri fattori, fu usato per indicare l'importanza di uno specifico periodo di tempo all'interno di un'unità. Un PI di 500-1000 indicava la presenza di pochi reperti di vasellame affioranti derivati da pratiche agricole come la concimazione; un PI di 5000 poteva suggerire un'abitazione a bassa densità come una fattoria; mentre un PI di 10000 suggeriva una densità molto alta, come quella che si può ritrovare nei maggiori insediamenti.

Risultati

Complessivamente furono studiate 1550 unità di ricognizione, coprendo un'area di 6,5 km², ossia il 9,9% dell'area di ricognizione. La ricognizione ha individuato 11 «aree di interesse speciale» e 142 «luoghi di interesse speciale», che furono studiati. Il numero totale dei dati raccolti direttamente sul campo fu di 87 600 reperti di ceramica, 8111 frammenti di mattoni e 3092 reperti litici. Circa un terzo di tutto questo materiale fu raccolto, studiato e immagazzinato come parte della banca dati del progetto.

Il progetto ha potuto concludere che la catalogazione dei cronotipi e il sistema

3.5

3.4-5 (*A destra*) Mappatura dell'insediamento medievale di Mitsero Mavrouvounos. (*Sotto*) Analisi *viewshed* (*vedi* Capitolo 5) della ricognizione aerea: i punti neri sono gli insediamenti moderno-medievali, mentre l'area colorata mostra cosa è visibile da Mitsero.

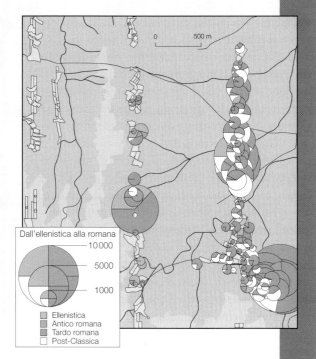

3.6 Diagramma di distribuzione della ceramica (Indice di ceramica, *Pottery Index*) nella parte nord-est dell'area su cui è stata fatta la ricognizione, che mostra «tappeti» a bassa densità dovuti probabilmente alla concimazione, il confine della città di Tamssos in fondo a destra e diversi picchi di densità dovuti a poderi o a piccoli insediamenti.

di informazioni integrato con le analisi della ceramica e la mappatura GIS è in grado di presentare una nuova prospettiva dello sfruttamento di un paesaggio regionale. L'indice PI ha portato nuovo rigore alla mappatura dei dati della ceramica regionale. Le mappe analitiche GIS hanno delineato con una modalità vivida e dinamica il livello e i tipi di materiali incontrati.

In conclusione sono stati necessari circa 6 anni per portare a termine una ricognizione intensiva del 10% (circa) di un'area poco maggiore di 75 km². Inoltre la catalogazione dei «cronotipi» è dipesa dalla ragionevole abbondanza di ritrovamenti di ceramica classificabili cronologicamente secondo un sistema di classificazione già noto. La disponibilità di un indicatore cronologicamente sensibile di questo tipo è di importanza cruciale per ogni ricognizione diacronica. Tuttavia il sistema ha incluso intenzionalmente anche una vasta gamma di attrezzi che prima nessun progetto sul campo era riuscito a datare.

Gestione delle risorse culturali e Archeologia preventiva (di salvataggio) In questo particolare lavoro – che sarà discusso più in dettaglio nel Capitolo 14 – il ruolo dell'archeologo è quello di individuare e documentare il maggior numero possibile di siti prima che vengano distrutti dalla costruzione di nuove strade, di edifici o di dighe, nonché dallo sfruttamento delle torbiere o dalla bonifica delle zone umide. Negli Stati Uniti un gran numero di siti ogni anno viene posizionato e registrato in inventari ed è sottoposto alla regolamentazione delle leggi del Cultural Resource Management (CRM/Gestione delle risorse Culturali), peraltro notevolmente ampliate e rafforzate durante gli anni Settanta del secolo scorso. Specifici accordi con i responsabili dei lavori permettono di eseguire la ricognizione archeologica lungo il percorso di una strada o sull'area di un edificio prima che i lavori siano condotti a termine. Siti importanti scoperti in questo modo possono richiedere uno scavo, e in qualche caso è necessario cambiare i piani di costruzione. Alcuni resti archeologici scoperti durante la realizzazione delle metropolitane di Roma e di Città del Messico sono stati incorporati nelle stazioni come elementi architettonici in vista.

In Inghilterra, così come negli Stati Uniti, la maggior parte degli scavi e delle ricognizioni avvengono nell'ambito della gestione delle risorse culturali; in Inghilterra, grazie al National Planning Policy Framework (Quadro formativo di pianificazione nazionale) le spese da parte dei costruttori per l'archeologia sono aumentate di circa 10 milioni di sterline ogni anno (11,7 milioni di euro circa).

Ricognizione territoriale Come procedono gli archeologi alla localizzazione dei siti, oltre che attraverso l'analisi delle fonti scritte e gli scavi di salvataggio? Un metodo tradizionale ma ancora valido è quello di analizzare i più importanti resti presenti in un territorio, in particolare ciò che resta di edifici in muratura o di tumuli funerari come quelli che si trovano nell'America Settentrionale (dove sono noti come *mounds*) o nel Wessex (Inghilterra meridionale). Ma molti siti si presentano in superficie soltanto come manufatti sparsi, e per essere identificati richiedono dunque un'indagine più approfondita, che possiamo definire ricognizione territoriale.

Particolarmente negli ultimi anni, da quando si sono maggiormente interessati alla ricostruzione di tutte le utilizzazioni del territorio da parte dell'essere umano, gli archeologi hanno cominciato a rendersi conto che esistono aree su cui i manufatti sono scarsi e che non possono essere qualificate come siti, ma che non di meno rappresentano importanti attività umane. Studiosi come Robert Dunnell e William Dancey hanno quindi suggerito che anche queste aree, che possiamo definire «fuori-sito» (*off-site*) o «non-sito» (*non-site*), vale a dire aree a bassa densità di

© 978.8808.82073.0

reperti, andrebbero individuate e documentate, operazione questa che si può compiere solo, come vedremo più avanti, attraverso una ricognizione sistematica che preveda accurate procedure di campionamento. Questo tipo di approccio si rivela particolarmente utile in aree in cui le popolazioni conducevano una vita nomade che ha lasciato solo testimonianze archeologiche sparse, come accade nella maggior parte del territorio africano: si veda l'ulteriore trattazione di questo argomento nel Capitolo 5.

La ricognizione territoriale è diventata importante per un'altra ragione fondamentale: l'affermarsi degli studi regionali. Sulla scia delle ricerche pionieristiche di studiosi quali Gordon Willey nella Valle Virú, in Perú, e William T. Sanders nel Bacino del Messico, gli archeologi si dedicano sempre più allo studio dei modelli di insediamento, cioè della distribuzione dei siti in un paesaggio di una determinata regione. Il significato di questo tipo di indagini per la conoscenza delle società del passato sarà trattato ancora nel Capitolo 5. Qui ci limiteremo a sottolineare la sua influenza sul lavoro archeologico sul campo: oggigiorno è abbastanza raro che ci si limiti semplicemente a localizzare un singolo sito, procedendo quindi alla sua ricognizione o al suo scavo prescindendo da altri siti. Sono intere regioni che devono essere esplorate, e questo richiede necessariamente un programma di ricognizione.

Negli ultimi decenni la ricognizione è andata evolvendosi da semplice fase preliminare del lavoro sul campo (che mirava essenzialmente all'individuazione del sito da scavare) a modello d'indagine più o meno autonomo, a un'area di ricerca in sé compiuta che può fornire informazioni diverse da quelle prodotte dallo scavo. In alcuni casi lo scavo propriamente detto non può essere condotto, o perché le necessarie autorizzazioni tardano ad arrivare o perché mancano il tempo o i fondi: il moderno scavo scientifico è lento e costoso, mentre la ricognizione è economica, veloce e relativamente non distruttiva, perché richiede solo carte topografiche, bussole e fettucce metriche. Di solito, però, gli archeologi scelgono un approccio di questo tipo come fonte da cui ottenere dati su scala regionale in vista dell'indagine su specifiche questioni che li interessano e che lo scavo da solo potrebbe non fornire.

La ricognizione territoriale comprende una grande varietà di tecniche: non solo quindi l'identificazione dei siti e la raccolta e la documentazione dei manufatti affioranti, ma talvolta anche il campionamento delle risorse naturali e dei minerali, come per esempio la raccolta di campioni di pietra e argilla. Gran parte delle ricognizioni condotte oggi sono dirette a studiare la distribuzione spaziale delle attività umane, le variazioni nelle diverse regioni, i cambiamenti della popolazione con il trascorrere del tempo e le interrelazioni tra abitanti, territorio e risorse.

La pratica della ricognizione territoriale Per rispondere a domande formulate su scala regionale è necessario raccogliere dati a una scala corrispondente, ma utilizzando procedure che permettano di ottenere i massimi risultati con il minimo sforzo e con il minimo costo. In primo luogo, occorre delimitare la regione che deve essere sottoposta a ricognizione: i suoi confini possono essere sia naturali (per esempio una valle o un'isola) sia culturali (nel caso si voglia indagare l'intera area di distribuzione di manufatti di un determinato stile) o assolutamente arbitrari; va da sé che i confini naturali sono quelli più semplici da stabilire.

Occorre esaminare la storia dello sviluppo dell'area non solo per informarsi sulle precedenti indagini archeologiche e conoscere i reperti locali, ma anche per stabilire le aree in cui i materiali di superficie possono essere stati coperti o asportati in seguito a processi geomorfologici. Sarà poco fruttuoso, per esempio, avviare una ricerca di materiali preistorici in sedimenti depositatisi solo in epoche relativamente recenti grazie all'azione di un fiume. Ma anche altri fattori possono avere compromesso le testimonianze di superficie. In gran parte dell'Africa, per esempio, gli animali, spostandosi in grandi branchi o scavando tane,

3.8

3.7-8 Ricognizione di superficie sistematica nel deserto egiziano: utilizzando il GPS gli archeologi sono stati in grado di campionare piccole aree posizionate a 100 m di distanza le une dalle altre, in cerca di attrezzi in pietra risalenti al Paleolitico medio. I reperti sono quindi analizzati sul campo utilizzando calibri e computer palmari.

hanno causato spesso perdite rilevanti di materiali di superficie, per cui gli archeologi sono in grado di studiare solo a grandi linee i modelli di distribuzione dei materiali stessi. In questi casi, i geologi e gli specialisti di indagini ambientali possono dare consigli importanti.

Queste informazioni di base aiutano a stabilire il grado di copertura che dovrà avere la ricognizione. Altri fattori da tenere in considerazione sono il tempo e i fondi a disposizione, nonché la facilità di raggiungere e documentare l'area prescelta. Gli ambienti aridi (secchi) e semi-aridi, con poca vegetazione, sono i migliori per questo tipo di indagine, mentre in una foresta pluviale equatoriale la ricognizione può essere limitata ai terreni liberi lungo le rive dei fiumi, a meno che il tempo a disposizione e le capacità di lavoro non permettano di aprire piste nel folto della foresta per formare una griglia di ricognizione. Molte regioni, ovviamente, presentano una grande varietà di paesaggi, e una singola strategia di ricognizione si rivela spesso inadeguata ad affrontare ognuna di queste varianti. È quindi necessaria una certa flessibilità nell'approccio: si deve suddividere l'area in zone in base alla visibilità dei manufatti e si deve adottare la tecnica di indagine più appropriata per ciascuna di esse. È necessario ricordare che alcune fasi archeologiche (grazie a manufatti indicativi) sono più «visibili» di altre, e che le comunità nomadi che vivono di caccia e di raccolta dei frutti selvatici lasciano nel paesaggio tracce assai differenti – e in generale assai meno visibili – di quanto non facciano le comunità urbane o quelle dedite all'agricoltura (*vedi* Capitolo 5). Tutti questi fattori devono perciò essere tenuti nel debito conto quando si pianificano gli schemi di ricerca e le tecniche di recupero.

Un ulteriore punto da considerare concerne i materiali: occorre stabilire se debbano essere raccolti o se semplicemente esaminati per identificare le loro associazioni e il loro contesto (quando il contesto è disturbato, come nel già citato caso dell'Africa, la raccolta si rivela spesso la scelta più ragionevole), e ancora se la raccolta debba essere totale o parziale. Normalmente si effettua un campionamento (*vedi* Scheda 3.2).

Esistono due tipi fondamentali di ricognizione di superficie: quella **asistematica** e quella **sistematica**. La prima è la più semplice e consiste nel camminare in ogni settore dell'area (per esempio in ogni campo arato), esaminando attentamente la striscia di terreno sulla quale si cammina, raccogliendo o studiando sul posto i manufatti presenti sulla superficie e registrando la loro ubicazione insieme con quella di ogni altro elemento presente sul terreno. È opinione comune che i risultati di questo lavoro possano essere travisati: coloro che esaminano il terreno sono naturalmente portati a «cercare» i reperti, concentrandosi di più su quelle aree che sembrano esserne più ricche e perdendo spesso di vista la necessità di ottenere un campione

realmente rappresentativo dell'area, tale che possa mettere l'archeologo nella condizione di stabilire le variazioni nella distribuzione dei materiali di periodi o tipi differenti. D'altro canto il metodo risulta flessibile e permette all'équipe di concentrare gli sforzi maggiori in quelle aree dove ci sono maggiori probabilità di trovare reperti.

La maggior parte delle moderne ricognizioni è condotta in maniera sistematica, utilizzando una griglia o una serie di strisciate parallele ed equidistanti. L'area oggetto d'indagine viene divisa in settori, e questi (o un campione di questi) sono esaminati sistematicamente. In questo modo nessuna parte dell'area può essere sottorappresentata o sovrarappresentata nella ricognizione, e l'adozione di questo metodo rende anche più facile determinare l'ubicazione di ogni singolo reperto, dato che è nota la posizione esatta di ciascun ricercatore. Una precisione ancora maggiore si può ottenere suddividendo le strisciate in segmenti di lunghezza prestabilita, alcuni dei quali possono poi essere studiati con maggiore attenzione.

I risultati diventano più attendibili nel caso dei progetti di lungo periodo: in questo caso è possibile coprire ripetutamente un'area, dato che la visibilità dei siti e dei manufatti può variare ampiamente di anno in anno o anche di stagione in stagione, a causa dello sviluppo della vegetazione e dei cambiamenti nell'uso del terreno. Inoltre, i membri di un'équipe che lavora sul campo differiscono inevitabilmente tra loro sia per la precisione delle osservazioni sia per la capacità di individuare e descrivere i siti (più si osserva con attenzione e più esperienza si ha, più si riesce a vedere); questo fattore non può in ogni caso essere eliminato del tutto, ma le ripetute coperture possono aiutare a contrastarne gli effetti. L'uso di schede standardizzate per la documentazione rende più agevole l'introduzione dei dati in un computer sia in loco con dei computer palmari, sia successivamente.

È importante sottolineare come i materiali trovati in superficie molto spesso rispecchiano il sito sottostante, i cui livelli superiori sono stati o sono al momento rimossi da arature, erosione o da trasformazioni successive. Al contrario, può anche capitare che i materiali di superficie non siano in grado di indicare cosa ci possa essere sotto – per esempio nel caso in cui delle ceramiche siano state utilizzate come fertilizzante, oppure ancora se il tipo di società che si sta studiando non ha una produzione di ceramica e quindi viene ovviamente sottorappresentata. Questo è il motivo per cui può essere necessario o utile condurre un piccolo scavo per arricchire o comunque controllare i dati provenienti dalla ricognizione di superficie (particolarmente per quanto riguarda le questioni circa la cronologia, la contemporaneità o le funzioni di un sito) o ancora per verificare le ipotesi formulate sulla base di quella ricognizione. I due tipi di indagine archeologica

3.2 Strategie di campionamento

Gli archeologi di solito non riescono a trovare il tempo e i fondi necessari per sottoporre a indagine l'intera superficie di un grande sito o di tutti i siti di una determinata regione. È necessaria dunque una qualche forma di campionamento. In una ricognizione territoriale sarà necessario utilizzare uno dei metodi descritti più avanti, che ci aiutino a scegliere aree più piccole da investigare in maniera approfondita ma in grado di trarre, da esse, conclusioni valide per tutta l'area.

La modalità con cui gli archeologi scelgono dei campioni è simile alla tecnica impiegata per condurre i sondaggi di opinione, in cui è possibile estrapolare generalizzazioni sulle opinioni di comunità di milioni di individui analizzando le risposte di campioni di poche migliaia. Abbastanza sorprendentemente questi sondaggi si rivelano più o meno giusti e questo perché la composizione del campione è ben nota – per esempio se ne conoscono l'età e l'occupazione. Nel campo dell'archeologia, però, si ha una conoscenza di base minore e, conseguentemente, è necessaria più cautela nell'estrapolare generalizzazioni da un campione. Tuttavia, analogamente a quanto accade nei sondaggi d'opinione, anche nel lavoro archeologico la probabilità che i risultati siano validi sarà tanto più alta quanto più ampio e rappresentativo sarà stato il campione prescelto.

Alcuni siti di una determinata regione possono essere più facilmente accessibili, o più evidenti nel paesaggio, rispetto ad altri, e ciò può suggerire l'adozione di una strategia di ricerca meno formalizzata dal punto di vista scientifico. Lunghi anni di esperienza sul campo conferiscono agli archeologi anche una sorta di «sesto senso» nell'individuazione dei luoghi in cui intraprendere le ricerche.

Tipi di campionamento probabilistico

Il tipo più semplice è quello basato su un campione casuale semplice, in cui le aree da campionare sono scelte sulla base di una tavola di numeri casuali. La natura stessa dei numeri casuali, tuttavia, implica la possibilità che in alcune aree ci siano gruppi di quadrati indagati, mentre altre rimangano totalmente inesplorate, e il campione ne viene inevitabilmente influenzato.

Una possibile soluzione a questi problemi è rappresentata dal campione casuale stratificato: la regione o il sito sono suddivisi nelle loro zone naturali (strati, da cui il nome della tecnica), come terreni coltivati o aree forestate, e i quadrati sono scelti in seguito con la stessa procedura di casualità, eccettuato che a ogni zona viene assegnato un numero di quadrati direttamente proporzionale all'area effettivamente occupata. Così, per esempio, se la foresta copre l'85% dell'area, dovrà ospitare l'85% dei quadrati.

Un'altra soluzione, il campionamento sistematico, comporta la definizione di una griglia di posizioni tra loro equidistanti (vale a dire scegliendo quadrati alternati). Adottando una tale distribuzione spaziale regolare si corre il rischio di mancare (o di centrare) ogni singolo esempio in una distribuzione altrettanto regolare sul terreno; questa è un'ulteriore causa di potenziali errori sistematici.

Un metodo più soddisfacente è quello di usare un campione sistematico stratificato, che combina gli elementi più importanti delle tre tecniche appena descritte. Nella raccolta dei manufatti di superficie del grande tell di Girik-i-Haciyan, in Turchia, Charles Redman e Patty Jo Watson utilizzarono una griglia di quadrati di 5 m di lato, disposta lungo gli assi principali del sito (N-S ed E-O), e i campioni vennero scelti in relazione a questi assi. Gli «strati» prescelti erano gruppi di nove quadrati (3 × 3), all'in-

terno di ogni gruppo venne scavato un solo quadrato, determinato scegliendo in base a una tavola di numeri casuali le sue coordinate N-S e E-O. Questo metodo assicura la disponibilità di campioni non affetti da errori sistematici e distribuiti più uniformemente sull'intero sito.

Transetti o quadrati?

Nel caso di ricognizioni su vasta scala, i transetti (cioè i percorsi lineari) sono talvolta preferibili ai quadrati. È particolarmente vero in aree con fitta vegetazione, come le foreste pluviali tropicali. Infatti è molto più facile percorrere una serie di cammini lineari piuttosto che localizzare con precisione e indagare un gran numero di quadrati distribuiti a caso sul terreno. Inoltre, i transetti possono essere facilmente suddivisi in unità, mentre potrebbe essere difficile localizzare o descrivere una specifica porzione del quadrato; i transetti, infine, sono assai utili non solo per individuare i siti ma anche per documentare le diverse densità dei reperti nelle varie aree del territorio. D'altro canto, i quadrati hanno il vantaggio di esporre alla ricognizione una maggiore superficie di territorio, aumentando così la possibilità di individuare i siti. Una combinazione dei due metodi risulta spesso la soluzione migliore: si utilizzano i transetti per coprire le superfici più vaste, ma si adottano i quadrati quando si incontrano più intense concentrazioni di materiali.

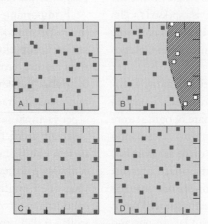

3.9 Tipi di campionamento: (A) campione casuale semplice; (B) campione casuale stratificato; (C) campione sistematico; (D) campione sistematico stratificato.

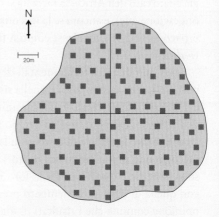

3.10 Campione sistematico stratificato di quadrati di 5 m di lato selezionati per essere sottoposti a indagine sul sito di Girik-i-Haciyan, in Turchia.

sono perciò complementari e non si escludono a vicenda; la loro differenza principale può essere così sintetizzata: lo scavo ci fornisce molte informazioni su una piccola parte di un sito e può farlo una volta sola (lo scavo è un'indagine distruttiva, e in quanto tale irripetibile), mentre la ricognizione ci fornisce relativamente poche informazioni ma su una grande quantità di siti, e può essere ripetuta.

Ricognizione estensiva e ricognizione intensiva Le ricognizioni territoriali possono assumere un carattere estensivo quando si colleghino tra loro i risultati di una serie di progetti autonomi condotti in regioni adiacenti al fine di ottenere un'immagine su scala molto grande dei cambiamenti avvenuti nel paesaggio, nell'uso del territorio e negli insediamenti nel corso del tempo, anche se, così come accade per i singoli componenti di un'équipe che opera sul campo, la precisione e la qualità dei diversi progetti di ricognizione può variare in maniera notevole. Sintesi assai interessanti di ricognizioni su scala regionale sono state prodotte per aree del Mesoamerica (*vedi* Capitolo 13) e della Mesopotamia, per regioni cioè che potevano già contare su una lunga tradizione in questo tipo di indagini.

In Mesopotamia, per esempio, il lavoro pionieristico condotto da Robert Adams e altri, che combinava l'indagine al suolo con la ricognizione aerea, ha prodotto un'immagine del variare delle dimensioni e della disposizione degli insediamenti attraverso i secoli fino a giungere all'edificazione delle prime città: i villaggi agricoli sparsi tendevano a riunirsi sempre più man mano che cresceva la popolazione, e infine già nel corso del Primo periodo dinastico (III millennio a.C.) nacquero importanti centri di distribuzione, collegati tra loro da una rete di vie di comunicazione. L'indagine sul campo ha rilevato anche l'ubicazione di antichi corsi d'acqua e canali, nonché di probabili aree coltivate.

Una ricognizione può essere condotta in maniera più intensiva anche allo scopo di coprire totalmente un solo grande sito archeologico o un gruppo di siti; in questo caso si può parlare di ricognizione microregionale. È paradossale che alcuni dei più grandi e famosi siti archeologici del mondo non siano mai stati studiati da questo punto di vista, o lo siano stati solo di recente: infatti l'attenzione dei ricercatori si è tradizionalmente concentrata sui grandi monumenti in quanto tali e non si è tentato di collocarli in un contesto almeno locale. A Teotihuacán, nelle vicinanze di Città del Messico, un importante progetto cartografico avviato negli anni Sessanta del secolo scorso ha portato a conoscere molto più a fondo l'area circostante i grandi templi piramidali (*vedi* Scheda 3.4).

La ricognizione di superficie occupa un posto fondamentale nel lavoro archeologico e la sua importanza è in continua crescita. Nei progetti moderni, però, il lavoro al suolo è normalmente integrato (e spesso preceduto) dalla ricognizione aerea, resa possibile non solo dagli aerei, ma anche da altri veivoli che si trovano nello spazio. Disporre di fotografie aeree può, infatti, costituire un elemento importante nella scelta e nella definizione dell'area sulla quale condurre una ricognizione di superficie.

La ricognizione aerea e satellitare

La ricognizione archeologica che utilizza il telerilevamento (*remote sensing*) aereo o spaziale è composta di due parti: la **raccolta dei dati**, che comprende l'acquisizione di fotografie o immagini da aerei o satelliti, e l'**analisi dei dati**, quando queste immagini sono analizzate, interpretate e (spesso) integrate con altri reperti che possono essere raccolti tramite ricognizioni sul campo, telerilevamento dal terreno o provenire da documenti. Dal punto di vista dell'esperto di aerofotografia, o dell'analista delle immagini satellitari, le informazioni multispettrali o iperspettrali, così

3.11-12 Due esempi delle prime fotografie aeree. (*Sopra*) La prima fotografia aerea di Stonehenge (che è anche la prima fotografia aerea di un sito in assoluto) presa da un pallone aerostatico nel 1906. (*Sotto*) I *crop-marks* (differenze o disuniformità di crescita della vegetazione) a Poverty Point, in Louisiana, rivelano l'esistenza di grandi terrapieni che risalgono al 1500-700 a.C.

© 978.8808.82073.0

come le tradizionali immagini aeree, sono potenzialmente una fonte di informazioni utili anche se, differendo nella scala e nella risoluzione, sono soggetti a differenti problemi interpretativi. Tutti questi dati assieme vengono chiamati «immagini aeree».

Ormai ci sono milioni di immagini aeree, in buona parte disponibili alla consultazione in biblioteche specialistiche, mentre una quantità inferiore è accessibile gratuitamente online. Molte di queste immagini sono il frutto di «ricognizioni di un'area» dove sono state scattate diverse serie di immagini aeree che si sovrappongono per coprire l'area desiderata. Un esiguo numero di foto, inoltre, proviene da ricognizioni prospettiche realizzate ogni anno dagli archeologi con velivoli leggeri. È importante sottolineare che le immagini aeree, anche quelle che vengono dalla ricognizione prospettica, possono essere utilizzate per diversi scopi archeologici, dalla scoperta alla registrazione dei siti al monitoraggio dei cambiamenti che avvengono nei siti stessi attraverso gli anni, alla fotografia di edifici, agli sviluppi urbani (e non); in sostanza, la documentazione riguarda qualsiasi cosa che «domani potrebbe non essere più lì». Ciò nonostante, l'utilizzo e l'analisi delle immagini aeree da un velivolo o da un satellite hanno portato a un gran numero di scoperte archeologiche e il numero è destinato a salire.

Come sono utilizzate le fotografie aeree? Le fotografie eseguite dal cielo sono semplicemente degli strumenti, e devono quindi essere impiegate come mezzi per raggiungere un fine. Le fotografie in sé non rivelano siti: sono il fotografo e l'esperto di aerofotografia a farlo, attraverso l'esame del terreno e delle immagini. È questa un'attività che richiede una particolare abilità. Sono infatti necessarie una lunga esperienza e un occhio attento per distinguere le tracce archeologiche dagli altri elementi che compaiono sul terreno, quali le tracce lasciate dai veicoli, gli antichi letti di fiumi e i segni dovuti all'agricoltura moderna. Un'approfondita conoscenza della storia del paesaggio, ivi inclusa la consapevolezza delle procedure contemporanee, è di grande aiuto in questo processo.

Le fotografie aeree sono di due tipi: **oblique** e **verticali** (*zenitali*). Ognuno presenta vantaggi e svantaggi: le fotografie oblique sono, di solito, quelle scattate dagli archeologi ai siti che stanno indagando e sono ritenute di prevalente rilevanza archeologica, mentre la maggior parte di quelle zenitali provengono da ricerche non archeologiche (realizzate, per esempio, per motivi cartografici). Ambedue i tipi di fotografie possono essere sovrapposti per ottenere un effetto stereoscopico: con questo procedimento i siti e gli ambienti circostanti sono visti in tre dimensioni e quindi si può ottenere una maggiore affidabilità nell'interpretazione. Le immagini stereoscopiche dell'antica città di Mohenjodaro, in Pakistan, ottenute per mezzo di un pallone aerostatico

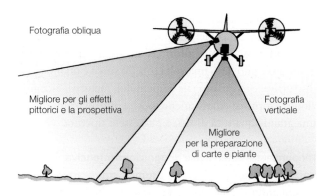

3.13 Le fotografie aeree sono di due tipi: oblique e verticali (o zenitali). Entrambe hanno una loro utilità. Le vedute oblique sottolineano i contorni e forniscono un miglior senso della prospettiva. Le vedute zenitali sono più adatte per realizzare piante e carte.

3.14 Fotografia aerea obliqua del terrapieno a Great Serpent Mound, vicino a Peebles in Ohio, la più grande raffigurazione di un serpente nel mondo, costruita attorno al 1070 d.C.

frenato, hanno permesso, per esempio, di costruire rilievi fotogrammetrici di tutte le strutture sopravvissute, delle quali sono rappresentati con grande precisione i contorni. In maniera analoga, con il metodo della sovrapposizione dei fotogrammi si possono sottoporre a ricognizione grandi aree, costruendo una carta fotogrammetrica di base molto precisa di tutti i resti archeologici identificati dall'alto. Una successiva ricognizione analitica del terreno può quindi procedere su una base assai più sicura.

Le modalità con le quali i siti vengono visti dall'alto e interpretati sono illustrate nella Scheda 3.3. Le fotografie oblique mostrano chiaramente gli elementi archeologici nel loro insieme, mentre le fotografie zenitali o verticali possono aver bisogno di essere interpretate, dopo un ac-

Elementi visibili dall'alto

L'identificazione dei siti archeologici su base aerea richiede la conoscenza delle tipologie di evidenze che si suppongono effettivamente visibili, e dei processi di formazione post-deposizionali che possono essere avvenuti dal momento dell'abbandono dei siti stessi. In genere, affinché un sito sia rilevato da un telerilevamento, è necessario che il suolo o il sottosuolo sia stato alterato. Queste alterazioni possono consistere in buche scavate nel terreno (come fossati o pozzetti) oppure in elementi posti al di sopra di esso (come terrapieni, tumuli o muri) che possono talvolta sopravvivere in superficie oppure essere completamente sepolti sotto strati di terreno coltivato. Se nell'area di interesse sono già stati fatti degli scavi e dei lavori, questi dovrebbero essere in grado di dare indicazioni sull'ampiezza e sul tipo di elemento archeologico che dovrebbe essere visibile dall'alto, anche se i più piccoli (per esempio le buche per i pali) possono essere individuati solo nelle foto più nitide e con un ingrandimento molto potente. Una tale conoscenza dell'area o della regione aiuterà anche l'interprete a differenziare tra gli elementi archeologici e quelli non archeologici.

Siti in rilievo

È importante ricordare che simili buche o avvallamenti possono essere stati provocati da disturbi naturali o attività umane più recenti (campi di confine livellati o piccole cave, per esempio); un esaminatore esperto, tuttavia, dovrebbe essere in grado di identificarli e di distinguerli dagli elementi archeologici, in un'area in cui sono comuni.

Le sezioni trasversali che sono state ricavate dal lavoro sperimentale nei campi a Overton Down, in Inghilterra meridionale (*vedi* pagina 37), hanno mostrato che, in un ambiente indisturbato di gesso, la colonizzazione del terreno ha reso stabile, dopo 16 anni, il processo di slittamento dell'argine nel fossato. Simili lavori nel terreno possono essere visti in rilievo nelle fotografie aeree in molte parti del mondo, suggerendo che tali siti possano «fossilizzarsi» solo pochi anni dopo il loro abbandono.

Le immagini aeree registrano i siti in rilievo tramite una combinazione di luci e ombre, e quindi il periodo della stagione e dell'anno sono fattori importanti per creare l'immagine più rappresentativa di tali siti. Può essere necessario raccogliere immagini in momenti diversi per ottimizzare le informazioni deducibili grazie alla luce e all'ombra. Questo è uno dei vantaggi di usare il LIDAR (ALS) (*vedi* pagine 75-76) dove il programma permette a chi guarda la foto di muovere la direzione e l'azimut del sole e quindi di fatto aumentare il numero di informazioni che si possono ricavare dalle immagini aeree. Le foto aeree verticali e le immagini satellitari dovrebbero essere viste con le ombre che cadono dalla parte di chi guarda, altrimenti un rilievo potrebbe essere percepito come avvallamento.

3.15 Il processo semplificato di formazione del sito. Il disegno sulla destra mostra cosa può essere visibile oggi in un campo che è stato spianato per la coltivazione. Le colture di cereali rispondono diversamente a profondità differenti del terreno e producono *crop-marks* (differenze o disuniformità nella crescita delle coltivazioni) che possono essere fotografati dall'alto. In un paesaggio non arato (*in basso a destra*) gli elementi più importanti sopravvivono sotto forma di leggeri rilievi. È più facile notarli dall'alto oppure dal terreno sotto forma di scarpate concave o terrapieni di pietra in rilievo, i quali segnalano dove prima c'erano un argine o un muretto. Da queste testimonianze, crescita difforme delle colture o leggero rilievo, dobbiamo immaginare che tipo di elementi sono rappresentati. Il sito originale (*in basso a sinistra*) comprende un fossato e un argine che circondano una casa rotonda, con un recinto per il bestiame e altre zone recintate. Differenti aspetti del sito originale possono essere identificati in un rilievo anche quando è stato completamente livellato, mentre altri non verranno mai scoperti con questo metodo.

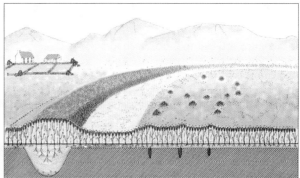

3.16 Gli elementi in rilievo a sinistra di questa fotografia mostrano i resti di un'azienda agricola di epoca romana a Holbeach, nelle paludi dell'East Anglia in Inghilterra. Per disegnare i confini dei campi e delle altre proprietà, tracciare le fiancate e drenare il terreno, erano stati scavati dei fossati. Questi elementi continuano sul campo a destra, dove sono stati coperti e ora si trovano sotto un campo di cereali. La traccia (A-B) che corre sulla parte superiore del campo a sinistra si può vedere anche a destra (C-D), marcata da una fascia più scura, dove la crescita delle culture è stata favorita dal terreno più profondo che ha riempito il vecchio fossato. I canali interrati dei vecchi corsi d'acqua si mostrano come ampie fasce più chiare là dove le colture crescono in modo sparso su un terreno più povero.

Siti spianati

In alcune parti del mondo, la maggior parte dei siti archeologici è stata spianata e si ritrova in campi coltivati. Anche se questi siti hanno sofferto un certo grado di distruzione (e alcuni continuano a essere distrutti dalle coltivazioni annuali), questi paesaggi possono ancora dare risultati se esaminati con immagini aeree. Nei mesi estivi, le colture possono crescere in modo diverso a seconda del tipo di terreno o della sua profondità e così suggerire la presenza di siti archeologici e naturali sepolti. Queste differenze nelle colture, chiamate *crop-marks* (segni di coltura), sono state lo strumento principale grazie al quale la ricognizione aerea ha rilevato la presenza di elementi archeologici; infatti, sono stati scoperti più elementi in questa maniera che con altre forme di prospezione. La maggior parte dei *crop-marks* è visibile nelle colture di cereali, ma in condizioni di aridità anche l'erba qualche volta riesce a rispondere alle differenze che esistono sotto il terreno, come a Stonehenge nel luglio del 2013 quando, nel parcheggio, si sono evidenziate delle buche per le pietre prima di allora sconosciute che potrebbero completare il cerchio di pietre sarsen.

3.17 (*Sotto*) Il porto romano scomparso della città di Altinum, vicino a Venezia, è stato recentemente scoperto quando una siccità molto severa ha portato alle creazione di *crop-mark* sopra le strutture sepolte. I colori inusuali in questa foto verticale mostrano che è stata presa nella lunghezza d'onda vicino all'infrarosso.

curato esame, al fine di ricavarne determinate informazioni. Ambedue i tipi di immagini possono essere corretti al computer o georeferenziati grazie a programmi informatici, che permettono di correggere le distorsioni prospettiche e di scala delle fotografie oblique e di rettificare anche le distorsioni off-nadir e dovute alle pendenze di quelle zenitali. L'utilizzo di modelli digitali del terreno – modelli tridimensionali realizzati basandosi sulle isoipse (profili del terreno) grazie ai dati LIDAR o ALS; *vedi* più avanti – nel processo di correzione digitale è in grado di restituire una grande accuratezza laddove il terreno è ondulato o ha grandi rilievi. L'immagine che risulta dall'elaborazione al computer può essere resa a strati con dei programmi di grafica o come un documento GIS (*Geographic Information Systems*; *vedi* più avanti) e interpretata sovrascrivendo gli elementi archeologici che sono stati identificati. Una cartografia specifica di un sito in scala 1:2500 può mostrare dettagli considerevoli all'interno del sito e in genere ha una precisione di ± 1 m. Ciò permette di misurare e di confrontare gli elementi ed è essenziale nel fornire indicazioni precise sulla localizzazione degli scavi da effettuare, riducendone i costi. Questo è il metodo utilizzato abitualmente in Gran Bretagna e in Europa per la mappatura degli elementi archeologici ma può essere uno strumento valido anche altrove.

La cartografia dei singoli siti ricavata dalle fotografie aeree è necessaria nel caso di scavi di recupero o di salvataggio, inoltre costituisce il momento iniziale per la mappatura e lo studio del paesaggio. Lo studio di vaste aree, infatti, è spesso possibile solo utilizzando strumenti che operano dall'alto. In Gran Bretagna, Roger Palmer ha utilizzato migliaia di singole fotografie di un territorio di circa 450 km² intorno all'*hillfort* di Danebury, una fortificazione su altura risalente all'Età del ferro, per produrre carte e piante assai precise che mostrano come il sito si collochi all'interno di un paesaggio agricolo assai popoloso e complesso. Le tracce presenti nei campi coltivati (*vedi* Scheda 3.3) rivelarono la presenza di 120 appezzamenti coltivabili circondati da fossati, di centinaia di ettari di piccoli campi, disposti regolarmente, nonché di 240 km di fossati o altri segnali di confine, molti dei quali erano all'incirca contemporanei all'*hillfort* di Danebury, a giudicare almeno dalla forma dei siti e/o dai reperti di superficie.

Anche l'esistenza di strade all'interno del Chaco Canyon, nel sud-ovest dell'America, era nota, ma solo quando il National Park Service portò a termine, negli anni Settanta del secolo scorso, un importante progetto di ricognizione aerea fu possibile apprezzare la portata completa del sistema di strade. Usando la copertura estensiva fornita dalle fotografie aeree, un'intera rete di strade preistoriche fu identificata e cartografata. A ciò fecero seguito delle ricognizioni al suolo selettive e degli studi archeologici. Dalla copertura aerea è stato stimato che la rete di strade,

3.18 Pianta degli elementi presenti sul territorio circostante Danebury, un sito fortificato su altura (*hillfort*) risalente all'Età del ferro (VI-II secolo a.C.), nell'Inghilterra meridionale, elaborata a partire da una ricognizione aerea. Sono chiaramente visibili nei loro dettagli gli antichi campi, i sentieri e le recinzioni.

risalente all'XI e XII secolo d.C., si estende per circa 2400 km; di tutti questi chilometri solo per 208 si è scelto di andare a verificarne l'esistenza con ricerche al suolo.

Recenti sviluppi Le nuove tecnologie stanno avendo un grosso impatto che si espleta in diverse maniere sulla ricognizione aerea. Anche se la maggior parte delle fotografie esistenti sono su pellicola – pancromatica in bianco e nero, a colori, all'infrarosso in falsi colori – i sensori digitali sono ormai di serie in quasi tutte le macchine fotografiche di precisione per fotografie zenitali e nelle videocamere palmari utilizzate dagli archeologi che fanno delle riprese dall'alto. Con il duplice scopo di associare una serie di sequenze di fotografie verticali all'analisi di un'area prescelta da un archeologo, di solito si organizza un volo di ricognizione registrato sfruttando il sistema di navigazione GPS (*Global Positioning System*/Sistema di localizzazione globale) e la documentazione della traiettoria di volo. Il tracciato di un volo verticale molto probabilmente viene registrato a intervalli regolari per fornire una documentazione costante in grado di mostrare il terreno che è stato sorvolato e ispezionato; è utile anche salvare un tracciato GPS per probabili voli futuri. Inoltre, alcune videocamere palmari possono essere collegate al GPS in modo tale che le coordinate siano registrate in ciascuna immagine che viene

La maniera più chiara per indicare ciò che una persona ha identificato sulle fotografie aeree è produrre una mappa che ne mostri l'interpretazione. Queste mappe si prestano a molti usi: forniscono una guida per la tutela e la gestione; mostrano le relazioni tra i siti e gli ambienti circostanti fornendo degli strumenti essenziali per lo studio del territorio; offrono un contesto per le ricognizioni effettuate osservando direttamente il terreno; infine, mostrano accuratamente le localizzazioni degli elementi archeologici utili per guidare il posizionamento delle ricognizioni geofisiche e delle trincee di scavo.

Le illustrazioni riportate si riferiscono a elementi che si trovano vicino a Cambridge, UK, e che possono essere archeologici, naturali oppure riferirsi a manufatti di epoca recente. Esse sono un esempio di interpretazione di immagini che potrebbero essere commissionate a una ditta esterna come preparazione per lo sviluppo di un impianto fotovoltaico. Gli strati nella mappa mostrano il valore aggiunto qualora si inseriscano anche elementi naturali e recenti.

Il pannello A mostra le informazioni archeologiche interpretate da una serie di fotografie aree disponibili sovrapposte a una mappa moderna schematica. Predominanti nella figura sono le fasce parallele, a testimonianza del metodo di coltivazione medievale noto come *ridge and furrow* precedentemente utilizzato nella maggior parte dell'area. In quest'area, i campi sono stati intensivamente coltivati almeno a partire dagli anni Sessanta del secolo scorso fino a oggi, spianando i rilievi e i solchi precedenti. Così, mentre le coltivazioni medievali sono state distrutte, le piante da raccolto (*crop*) in questi campi spianati indicano, attraverso la loro differente crescita, la presenza di solchi sotterrati pre-medievali. Le fotografie aree possono documentare questo tipo di tracce attraverso le differenze delle piante delle coltivazioni. Gli scavi nella zona di Cambridge hanno mostrato che le coltivazioni medievali possono aver danneggiato i siti romani e preistorici e le coltivazioni moderne causato ulteriori erosioni dei contesti archeologici. Poiché tutte le informazioni su questo sito si ricavano dalla mappatura di dif-

ferenti crescite nel raccolto, piuttosto che da scavi intrusivi, non si conosce fino a quale punto sia stato danneggiato il precedente fosso, né se il danno provenga da coltivazioni moderne o medievali.

Nel pannello B sono riportate anche le aree di depressione del suolo che indicano degli antichi canali (quello a ovest ha tutt'ora un corso d'acqua al suo interno) e un avvallamento arido (a sud), dove il suolo è scivolato a seguito della coltivazione del campo adiacente più rialzato. Indipendentemente dalle loro origini, in assenza di confini queste zone di depressione mostrano dove il terreno è più basso e indicano che gli elementi con i fossi erano ubicati nei terreni più in alto. Questo fornisce un livello di contesto per gli elementi archeologici.

L'ultimo pannello C incorpora inoltre quattro tipi di attività recenti (cioè post-medievali), che ci informano sulla integrità archeologica della mappa e, cosa importante, sulla condizione dei livelli archeologici, nel caso dovesse essere proposto un piano di conservazione o protezione. I confini recenti dei campi, come quelli correntemente in uso, ci aiutano a mostrare le parti di terreno nelle quali non sono state riscontrate, nelle fotografie aeree studiate, delle informazioni archeologiche. Le immagini mostrano che ci sono stati differenti regimi di coltivazione (cioè campi con coltivazioni «non reattive») e quindi aiutano a spiegare alcune lacune nel quadro archeologico. Lo studio di altre fotografie aeree potrebbe contribuire a completare il quadro.

Un condotto, visibile a sud del pannello C, taglia alcuni elementi e verosimilmente ha distrutto o danneggiato il contesto archeologico non solo su quella linea, ma probabilmente anche su ambedue i lati della trincea per il tubo, dove una striscia di terreno è stata probabilmente rimossa per facilitarne l'accesso. Danni simili sono stati prodotti anche sul gruppo di elementi che si trova a nord, dove i tubi degli scarichi del terreno sono stati collocati in modo da tagliare di traverso alcuni dei fossi archeologici. Le cave scavate a mano sono comuni in molte aree rurali e sono il risultato di uno sfruttamento locale del terreno. Le due piccole cave nella figura sono vicine ad alcu-

A

B

ni dei fossi archeologici documentati. Se, come possibile, il sito si estende a ovest, le cave potrebbero aver distrutto degli elementi precedenti. Il danno causato dal condotto e dal tubo di scarico potrebbe aiutare nelle decisioni in merito alla scelta di dove posizionare alcune trincee di valutazione o alla scelta se conservare un determinato sito o meno. Per un'archeologia che nasce a conseguenza della trasformazione di un'area, questo tipo di interpretazione dell'immagine, assieme alla mappatura, prelude spesso a ricognizioni su piccola

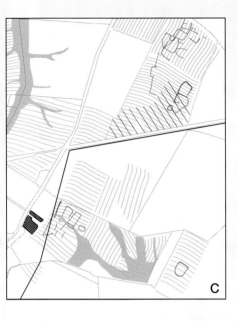

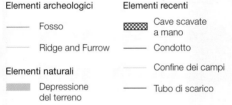

Elementi archeologici	Elementi recenti
—— Fosso	▦ Cave scavate a mano
—— Ridge and Furrow	—— Condotto
Elementi naturali	—— Confine dei campi
▨ Depressione del terreno	—— Tubo di scarico

3.19 Mappe realizzate partendo da fotografie aeree riprese vicino Cambridge, in Gran Bretagna, per evidenziare gli elementi del territorio di potenziale interesse per gli archeologi. (A) mostra gli elementi archeologici; (B) mostra in più le variazioni nelle profondità del terreno; (C) incorpora anche elementi più recenti.

scala, sia geofisiche sia di esperti che perlustrano il terreno. Una mappa ottenuta da immagini aeree può catturare, in maniera efficace, il paesaggio archeologico di diversi chilometri quadrati, rispondendo alle limitazioni di tempo e di costi che sarebbero altrimenti richiesti da altri tipi di investigazioni più dettagliate. Lo studio di queste mappe permette di eseguire un lavoro sul campo già focalizzato su alcune questioni e inoltre consente di utilizzare i fondi e i tempi limitati in maniera ottimale per l'archeologia.

presa; questo rende più facile la localizzazione di alcuni scatti quando poi ci si ritrova a terra. È saggio mettere in piedi un sistema di catalogazione e archiviazione che permetta un facile recupero delle immagini, abbia un sistema di back-up (salvataggio di scorta) adeguato e tenga conto della possibile vita breve dei formati digitali. Tutto ciò al fine di fornire una buona conservazione dell'archivio di quelli che potrebbero essere dei dati unici.

Una tendenza del momento è quella di georeferenziare e di comporre a mosaico le fotografie verticali e le immagini satellitari in modo che possano essere stratificate in un documento GIS. Ciò fornisce delle informazioni comparative utili, ma non è ideale per l'interpretazione che viene effettuata ancora nella maniera migliore utilizzando la sovrapposizione di stampe o immagini stereoscopiche. Inoltre, è consuetudine vedere le immagini sullo schermo avendo il nord posizionato in alto (una convenzione moderna), ma nell'emisfero nord questo vuol dire che le ombre si allontanano dall'osservatore, compromettendo la capacità di interpretare la topografia (delle valli potrebbero sembrare delle crinali e viceversa). L'interpretazione delle foto e la fotogrammetria, che rimandano a una fase di poco precedente, hanno una lunga storia di lettura delle immagini e diversi sarebbero i «trucchi» in grado di aiutare molti utilizzatori di GIS.

L'applicazione dell'analisi delle immagini computerizzate è ora uno strumento fondamentale della ricognizione archeologica. Proprio come negli scavi e nella ricognizione aerea, il telerilevamento attraverso sensori deve essere ben pianificato e condotto, utilizzando una metodologia completa. L'analisi automatica o semi-automatica delle immagini è ormai una pratica comune in discipline come il *Remote Sensing* ambientale, dove il lavoro viene svolto su serie di dati molto grandi. Anche in ambito archeologico si stanno studiando delle applicazioni ai computer che siano affidabili nel gestire grandi serie di dati, come quelli generati dalle ricognizioni iperspettrali. I programmi possono essere scritti per estrarre dai dati gli elementi con caratteristiche definite (per esempio, fosse o *mound*) e ciò dovrebbe essere utile alla tradizionale analisi delle immagini. Dati digitali, come ALS (*Airborne Laser Scanning*/Scansione laser via aerea), rispondono molto bene a flussi di lavoro pesantemente automatizzati, come illustrato da un progetto della durata di 6 anni che ha realizzato una ricognizione di 35 000 km² nella regione del Baden-Württenberg in Germania. Qui, con il solo ausilio di una supervisione, è stata eseguita una classificazione automatizzata che ha identificato 600 000 possibili siti. Comunque, le osservazioni sul campo, l'interpretazione archeologica e la competenza umana rimangono indispensabili.

L'uso di droni (o APR, Aeromobile a pilotaggio remoto, in inglese UAV, *Unmanned Aerial Vehicles*) in com-

© 978.8808.82073.0

3.20 Un modello tridimensionale della torre greca parzialmente scavata a Maslinovik, sito patrimonio mondiale dell'UNESCO, nella Stari Grand Plan, sull'isola di Hvar in Croazia, realizzato da Sara Popovic da 23 immagini prese da un drone nel 2013.

binazione con il programma SfM (*Structure for Motion*/ Struttura dal movimento) per la documentazione archeologica dei siti è diventato sempre più popolare. Droni alimentati da piccole batterie sono in grado di trasportare un buon numero di strumenti e videocamere e possono essere programmati per fare la ricognizione di un'area oppure realizzare molte fotografie in modo da ottenere delle serie di immagini che si sovrappongono, documentando un sito, un elemento o uno scavo da tutti le angolazioni. Il programma SfM può combinare queste immagini in modo da creare modelli tridimensionali e, da questi, una serie di ortofotografie che possono essere successivamente georeferenziate e utilizzate per realizzare dei disegni accurati. Un esperimento condotto recentemente da Jesse Casana e colleghi ha utilizzato un drone che trasportava delle macchine fotografiche ottiche e termiche per documentare parti del sito Blue J risalente al periodo Chaco in New Mexico. Il sorvolamento ha seguito un tracciato predeterminato sincronizzato con i momenti della giornata in cui ci si aspettavano determinate reazioni termiche da differenti elementi sul terreno. Le immagini provenienti da ciascun sensore sono state poi combinate in modo da produrre un mosaico di ortofotografie agganciato ad alcuni punti di controllo sul terreno ed è stato possibile confrontarlo con altri. Il sito Blue J è conosciuto molto bene perché sono state effettuate diverse ricognizioni, anche da terra, ed è ideale per verificare la validità del metodo. Le immagini termiche hanno rilevato quasi tutti gli elementi archeologici conosciuti e, quindi, lo si può considerare uno strumento utile in aree dove ci si aspetta di trovare reperti.

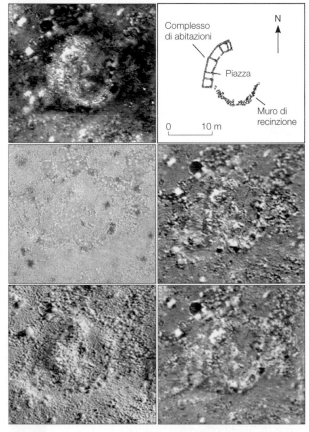

3.21 Un complesso di abitazioni risalenti al periodo Chaco (900-1180 d.C.) a Blue J, in New Mexico, USA. Le immagini termiche raccolte da un drone alle 5.18 della mattina (*in alto a sinistra*) rivelano una sequenza di stanze, un muro di recinzione e un'area adibita a piazza. Tutti questi elementi sono stati confermati da ricognizioni tradizionali e test di scavo (*in alto a destra*). Questi elementi non sono visibili in una immagine a colori (*in centro a sinistra*) e sono poco visibili a causa dell'interferenza della vegetazione nelle immagini termiche delle 9.50 di pomeriggio (*in centro a destra*) oppure delle 6.18 della mattina (*in basso a destra*). L'immagine termica presa subito dopo l'alba, alle 7.18 del mattino (*in basso a sinistra*) rivela l'esile topografia del complesso di abitazioni.

LIDAR e SLAR L'uso del LIDAR (*Light Detection and Ranging*/Rilevamento e variazione della luce) noto anche come ALS (*Airborne Laser Scanning*/Scansione laser via aera) si è dimostrato, negli ultimi anni, estremamente valido. Questa tecnologia utilizza un veicolo aereo, la cui esatta posizione è nota attraverso l'uso del GPS, che trasporta uno scanner laser, il quale invia una serie di impulsi luminosi alla terra in rapida successione. Attraverso la misurazione del tempo che impiegano i raggi a tornare all'aereo si crea una dettagliata «nuvola di punti» tridimensionale che, una volta elaborata, produce dei modelli digitali molto accurati dei rilievi del terreno (detto anche modello digitale della superficie) assieme a una gran varietà di differenti visualizzazioni dei dati. Il LIDAR offre agli archeologi due grandi vantaggi rispetto alla tradizionale fotografia aerea: le chiome degli alberi possono essere eliminate poiché il laser è in grado di raggiungere il terreno attraversando la vegetazione; i rilievi tridimensionali del terreno possono essere visualizzati in differenti modi semplicemente spostando l'angolo e l'azimut del sole in modo da permettere agli elementi del terreno di essere visti con una luce ottimale (talvolta naturalmente impossibile). Entrambi questi sistemi sono stati impiegati con successo in Inghilterra dove sono stati individuati dei nuovi siti – per la maggior parte durante l'ampliamento della messa a coltura dei campi – e la localizzazione di siti esistenti nel paesaggio intorno a Stonehenge è stata corretta. Un esempio straordinario di applicazione pratica del LIDAR in un sito archeologico ci proviene dalla città maya di Caracol, in Messico (*vedi* Scheda 3.5).

Un'altra tecnica di telerilevamento, SLAR (*Sideways-Looking Airborne Radar*/Radar aereo a scansione laterale), ha fornito delle prove che l'agricoltura dei Maya era più intensiva di quanto non si fosse immaginato prima. Questa tecnica implica la registrazione nelle immagini radar degli impulsi di ritorno delle radiazioni elettromagnetiche che sono emesse dallo strumento sull'aereo. Dal momento che il radar penetra la coltre delle nuvole, e fino a un certo punto la densa foresta pluviale, Richard Adams e i suoi colleghi sono stati in grado di utilizzare la tecnica SLAR da un aereo della Nasa ad alta quota per eseguire una scansione di 80 000 km^2 delle pianure maya. Le immagini SLAR hanno rivelato non solo città antiche e sistemi agricoli, ma anche un gigantesco reticolo di linee grigie, alcune delle quali potrebbero essere stati canali – cosa da verificare con successive ispezioni con le canoe. Se un esame sul campo proverà che i canali sono antichi, verrà dimostrato che i Maya avevano un elaborato sistema di trasporto via acqua e un complesso sistema di irrigazione.

Immagini satellitari e Google Earth Accedere a Google Earth e utilizzare la loro copertura satellitare e le fotografie aeree ad alta definizione, o comprarne delle copie, oggi è diventato routine. Per esempio, un accampamento nel deserto usato da Lawrence d'Arabia durante la Prima guerra mondiale (1918) è stato recentemente localizzato in Giordania grazie a una ricerca tramite Google Earth di luoghi simili a quelli riportate nelle immagini del tempo (*vedi* immagini 3.27-28).

 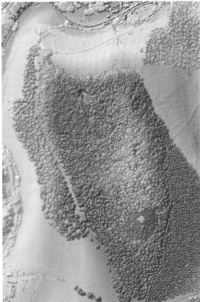 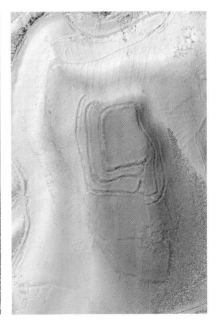

3.22 LIDAR in funzione: la fortezza di Welshbury risalente all'Età del ferro e situata nella foresta di Dean, in Inghilterra, è quasi invisibile nelle fotografie aeree convenzionali (*a sinistra*) e l'immagine iniziale LIDAR mostra un piccolo miglioramento (*al centro*). Una volta che il riflesso del fogliame e degli alberi (il «primo ritorno») è stato filtrato attraverso un programma algoritmico, i movimenti del terreno diventano chiaramente visibili (*a destra*).

I laser nella giungla

Un esempio straordinario di applicazione pratica del LIDAR in un sito archeologico è quello di Caracol, una città maya nel Belize che fiorì tra il 550 e il 900 d.C.

Arlen e Diane Chase, dell'Università di Central Florida, hanno scavato questo sito per più di venticinque anni e durante questo periodo, nonostante la densa foresta tropicale, sono riusciti a mappare 23 km² di insediamento. Tuttavia la ricognizione aerea ha permesso loro, in poche settimane, di superare i risultati ottenuti in quei venticinque anni, coprendo un'area molto più ampia e scoprendo che la città si estendeva per più di 177 km². È stato il biologo John Weishampel, della stessa università, a organizzare l'uso del LIDAR per questo progetto; già da anni utilizzava i laser per studiare le foreste e altri tipi di vegetazione e ora questa tecnica veniva impiegata per studiare delle rovine archeologiche sotto la foresta tropicale. I segnali laser sono stati in grado di penetrare attraverso lo strato di giungla e sono stati riflessi dal terreno sottostante. Per catturare le immagini, alla fine della stagione secca del 2009, ci vollero circa quattro giorni (24 ore di volo), con l'aereo che andava avanti e indietro sopra la città, con più di 4 miliardi di misurazioni del paesaggio

3.23 Caracol, Piazza A: solo una piccola porzione dell'area complessiva della città è stata liberata dalla giungla.

sottostante. A queste attività seguiranno poi tre settimane di analisi da parte di esperti di telerilevamento.

L'intero paesaggio di Caracol ora può essere visto in versione tridimensionale, il che ha consentito di scoprire nuove rovine, terrazzamenti agricoli e strade rialzate di pietra che conducevano a insediamenti più lontani. Questa è stata la prima applicazione del LIDAR a un sito archeologico così ampio ed è chiaro che questa tecnologia trasformerà radicalmente la ricerca su ambienti di questo genere. Comunque, come solo gli scavi possono verificare i ritrovamenti del telerilevamento a livello del terreno, così anche le informazioni che ci vengono dall'alto dovranno poi a Caracol essere verificate sul campo.

3.24-25 Un'immagine LIDAR (*sotto a sinistra*) del centro di Caracol senza la giungla che la sovrasta; i terrazzamenti agricoli appaiono come increspature nelle valli e sui fianchi delle colline. (*Sotto*) Il percorso fatto dall'aereo durante le 24 ore di sorvolamento durante le quali sono state effettuate milioni di misurazioni del terreno.

3.24

3.25

3.26 Una proiezione tridimensionale della ricognizione LIDAR di Caracol mostra gli elementi sotto la giungla.

o ancora i sedimenti attorno alla Rift Valley, in Etiopia, che probabilmente contengono resti fossili di ominidi.

L'introduzione di Google Earth è stata veramente una «rivoluzione aerea», poiché ha permesso a ogni archeologo di esaminare il terreno e ricercare siti archeologici – per esempio, è stata utilizzata in Africa dai paleontologi a caccia di fossili e nel 2008 ha rivelato 500 nuove grotte in Sud Africa, compresa quella che conteneva le ossa dell'*Australopiteco sediba* (*vedi* pagine 158-59). Con questa metodologia sono stati scoperti anche centinaia di nuovi siti archeologici in Afghanistan e migliaia di tombe in Arabia Saudita. Ma a quelle immagini si applicano le stesse «regole» di leggibilità che si utilizzano per le foto

3.27-28 La fotografia in bianco e nero (*sopra*), assieme a uno scritto del colonnello T.E. Lawrence che fa riferimento esplicito a una «collina a dente» dove si era accampato con la sua équipe, aiutarono un gruppo di studiosi dell'Università di Bristol a identificare il sito del campo dove Lawrence si fermò nottetempo durante la sua campagna nell'Arabia nord-occidentale.

Le immagini ad alta risoluzione, pubbliche, disponibili e che offrono dati paragonabili alle fotografie aeree, sono quelle dei satelliti IKONOS (circa 1 m di risoluzione) e QuickBird (60 cm), mentre Google Earth ha una copertura di base della serie LANDSAT della Nasa (28,5 m), ma include anche immagini di IKONOS, QuickBird e GeoEye oltre ad altre immagini satellitari e ad alcune foto aeree convenzionali. IKONOS e QuickBird forniscono immagini ad alta risoluzione sia multispettrali (MS) sia pancromatiche (PAN) nelle quali anche dettagli come gli edifici sono chiaramente visibili. Le immagini, per essere analizzate, possono essere importate in programmi di elaborazione di dati telerilevati oppure in pacchetti GIS.

Dei primi lavori utili sono stati portati a termine utilizzando delle serie di immagini scattate dai satelliti LANDSAT. Appositi analizzatori (*scanner*) registrano l'intensità della luce riflessa e delle radiazioni infrarosse della superficie terrestre, convertendo elettronicamente questi dati in immagini fotografiche. Le immagini LANDSAT sono state utilizzate per delineare il tracciato di elementi archeologici di grandissime dimensioni, per esempio gli antichi sistemi di argini nella Mesopotamia, o l'antico letto di un fiume che correva dal deserto dell'Arabia Saudita fino al Kuwait,

3.29-30 Due immagini satellitari della cittadella urartea di Erebuni, vicino a Yerevan, in Armenia, fondata nel 782 a.C.: (*sopra*) un'immagine della serie americana CORONA scattata nel 1971 con una risoluzione di circa 2 m; (*sotto*) uno scatto ad alta risoluzione da Google Earth di un'immagine di QuickBird scattata nel 2006. Entrambe le immagini vengono visualizzate con il sud verso l'alto in modo che le ombre agevolino la foto-lettura della topografia e delle strutture.

© 978.8808.82073.0

	TECNICHE	USI	ASPETTI POSITIVI	ASPETTI NEGATIVI	RISORSE PUBBLICHE
Fotografie aeree	Oblique	Documentazione di elementi archeologici da parte di un osservatore	• Fornisce una visione chiara dei siti • Realizza buone visualizzazioni	Gli elementi devono essere stati riconosciuti prima di essere fotografati	Biblioteche specialistiche di immagini aeree
	Verticali	• Documentazione di interi paesaggi • Fotografie storiche possono essere utilizzate per documentare l'utilizzo e lo sviluppo del terreno e per identificare le minacce ai siti archeologici	• Milioni di immagini esistenti • Fotografie prese per essere di solito esaminate stereoscopicamente	• Molte foto non sono prese nel momento migliore per avere delle informazioni archeologiche • Una corretta interpretazione richiede esperienza	• Google Earth, Microsoft Bing, Siti geoportali di molti stati europei • USGS Earth Explorer ha alcune immagini scaricabili gratuitamente di alcune parti degli Stati Uniti • Alcune raccolte hanno almeno accessi online a anteprime
	Altitudini molto basse (droni, APR, palloni aerostatici, aquiloni, aste)	Documentazione di un sito conosciuto, degli scavi o di una piccola area prefissata	• Relativamente economico • Buono per le illustrazioni • I programmi possono produrre modelli in 3D a partire da immagini appropriate	Molte leggi aeree in vigore non permettono voli fuori dal campo visivo, quindi il telerilevamento non è (ancora) possibile	Raccolte private spesso animate dalla ricerca
Lunghezze d'onda visibili (immagini satellitari)	CORONA	Fornisce un punto di vista storico (anni '60 e '90 del XIX secolo)	• Disponibile economicamente • Miglior risoluzione di circa 2 m	• La copertura non è mondiale • Importanti distorsioni delle immagini a causa delle tecniche di raccolta	USGS Earth Explorer permette di fare delle ricerche. Anteprime possono essere controllate per la copertura delle nuvole
	WorldView Quickbird IKONOS GeoEye	Fornisce immagini in alta risoluzione in luoghi dove le fotografie non sono disponibili	• Molto è disponibile gratuitamente online • Risoluzione sotto il metro permette di identificare molte tipologie di elementi archeologici	Può essere abbastanza costoso	Il website di DigitalGlobe ha una visione di insieme, una gallery e permette le ricerche di immagini
	LANDSAT	Collezione di informazioni attiva dal 1972 di lunghezze d'onda visibili e non visibili	Copertura mondiale ripetuta di molti dati	Risoluzione grossolana	Delle visualizzazioni possono essere controllate e scaricate dal website di LANDSAT
	Scansione laser aeree (ALS) o LIDAR	Fornisce modelli accurati di elementi in rilievo e del loro terreno circostante	• Risoluzione molto alta • Programmi capaci di rimuovere la chioma degli alberi per fornire un modello del terreno accurato	• Costoso • Necessaria esperienza per decidere la risoluzione al terreno ottimale prima di fare la foto • La ricognizione produce delle grandi nuvole di punti di dati che necessitano un'analisi esperta	Negli USA, c'è un programma nazionale LIDAR mantenuto da USGS. I punti di densità possono essere troppo pochi per l'archeologia, ma utili per una topografia generale. In Europa, le agenzie nazionali per l'ambiente possono avere dei dati
Lunghezze d'onda non visibili (immagini aeree/spaziali)	Multispettrali/ iperspettrali	Investiga i fenomeni che sono individuati nelle lunghezze d'onda visive e nell'infrarosso	Possibilità di unire dati di lunghezze d'onda differenti per ottimizzare le informazioni	Masse di dati che potrebbero aver bisogno di un'analisi iniziale utilizzando procedimenti automatici	GigitalGlobe ha delle visualizzazioni aeree multispettrali
	SLAR SAR SIR-C	• Fornisce accurate «mappe» e modelli del terreno • Può documentare grandi elementi archeologici in rilievo • In specifiche condizioni, può fornire delle immagini di elementi sotto la superficie del suolo	• Risoluzioni dai sensori aerei sotto il metro • Programmi capaci di rimuovere la chioma degli alberi per fornire un modello del terreno accurato	I dati che vengono dagli aerei possono avere una risoluzione molto grossolana	NASA e USGS hanno un archivio dati
	Radiometria termica	• Documenta tutti gli oggetti che hanno proprietà termiche differenti • Raccolta dati dallo spazio, da un aereo o da un'altitudine molto bassa	Potrebbe individuare resti sulla superficie del terreno e sotto	• I primi dati aerei avevano una bassa risoluzione • Dati aerei (ASTER) sono troppo grossolani per individuare qualsiasi elemento che non siano resti archeologici monumentali	Raccolte private spesso animate dalla ricerca

3.31 Tabella riassuntiva delle principali tecniche utilizzate nel rilievo aereo.

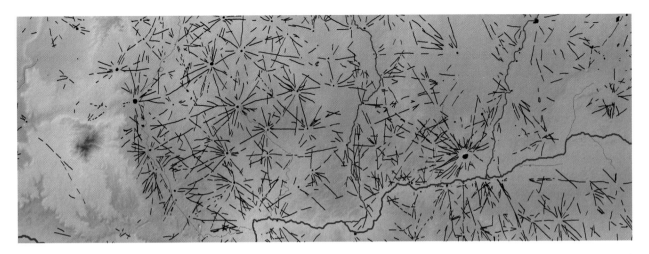

3.32-33 (*Sopra*) Migliaia di miglia di sentieri nella regione sono stati mappati da Jason Ur con una banca dati GIS. L'area rappresentata è circa 80 km². Tell Brak si trova nel centro sulla destra, a nord del fiume Khabu. (*A destra*) Una fotografia CORONA (con falsi colori) dei sentieri a raggiera interni a Tell Brak, in Siria meridionale, datati tra il 2600 e il 2000 a.C.

aeree convenzionali e l'assenza di tracce su un particolare dato non è da considerarsi una prova della sua inesistenza. Bing, della Microsoft, offre una gamma più ristretta di immagini aeree, ma queste sono talvolta differenti da quelle di Google Earth e, quindi, riescono a essere complementari alle prime. Anche World Wind della Nasa offre una copertura mondiale, ma ad una risoluzione inferiore oppure utilizzando delle immagini aeree recuperate altrove. È importante notare, comunque, che di solito si usano queste immagini senza una adeguata preparazione per interpretarle e molti si aspettano che i siti siano visibili in ogni caso, cosa che non sempre è possibile.

Le immagini sia QuickBird sia IKONOS sono archiviate in «biblioteche» e sono accessibili a un costo modesto. È anche possibile far fare delle fotografie su ordinazione, ma in questo caso il prezzo potrebbe essere alto. In parti del mondo dove le immagini sono ancora considerate un segreto o non esistono, un'immagine aggiornata del satellite può essere l'unico modo per ottenere una «mappa di base» per le ricerche archeologiche.

Largo uso è stato fatto anche delle immagini del satellite della Guerra fredda CORONA (le migliori con 2 m di risoluzione); anche queste offrono un'utile mappatura di base e consentono interpretazioni provvisorie di siti che possono essere successivamente confermate sul campo. Per esempio, le immagini CORONA hanno guidato alla rivelazione e alla mappatura dettagliata di nuovi tipi di resti archeologici come antiche strade, rovine e reti di irrigazione. CORONA, in genere, prende due fotografie delle stesso punto che possono essere analizzate attraverso una visione stereoscopica e tridimensionale del modello digitale della superficie.

Jason Ur dell'Università di Harvard ha usato le immagini del satellite CORONA per esaminare i tracciati lineari nella Mesopotamia settentrionale (Siria, Turchia e Iraq). Questi elementi larghi e poco profondi (spesso chiamati *Hollow ways*) si sono formati nel tempo con lo spostarsi delle persone da un insediamento all'altro e dagli insediamenti ai pascoli e ai campi. Poiché le depressioni raccolgono umidità e vegetazione, nelle immagini CORONA sono chiaramente visibili. Circa 6025 km² di elementi risalenti all'epoca pre-moderna sono stati identificati e la maggior parte è stata fatta risalire alla fase di espansione urbana dell'Età del bronzo, cioè all'incirca dal 2600 al 2000 a.C. Nella maggior parte dei casi questi tracciati si irradiano per circa 2-5 km dai siti in uno schema a raggiera. Sebbene ci fossero molti grandi centri, tutti gli spostamenti tra i siti e

© 978.8808.82073.0

le regioni avvenivano attraverso una serie di piccoli insediamenti; non c'erano tracce di spostamenti diretti tra i vari centri. Da questo possiamo dedurre che la centralizzazione politica era debole e che l'autorità era molto probabilmente consensuale: anche le élites dovevano rispettare, quando si spostavano, il sistema locale di possedimenti fondiari.

Altre tecniche satellitari Un'altra recente acquisizione nella strumentazione archeologica è SAR (*Synthetic Aperture Radar*/Radar ad apertura sintetica) in cui molte immagini radar – di solito raccolte dallo spazio, ma talvolta anche dai velivoli – vengono processate in modo da ottenere risultati estremamente dettagliati che offrono informazioni per la realizzazione di mappe, banche dati, studi sull'utilizzo dei campi e così via. Uno dei suoi molteplici vantaggi è che, a differenza della fotografia aerea, consente di ottenere dei risultati sia di notte sia di giorno indipendentemente dalle condizioni atmosferiche. Può essere utilizzato assieme ai dati multispettrali del satellite per redigere degli inventari dei siti archeologici in un'area sottoposta ad analisi; un'alternativa rapida e non distruttiva alle analisi di superficie, che non implica la raccolta di manufatti e in determinate circostanze può far risparmiare tempo e denaro.

3.34 Un'immagine satellitare, ottenuta con un radar ad apertura sintetica (SAR), dell'immenso sito archeologico di Angkor, in Cambogia. Il tempio più grande, Angkor Thom, è visibile attraverso la copertura della giungla e appare come una larga piazza verde, con di fianco Angkon Wat, il tempio più piccolo. I grossi rettangoli neri sono cisterne.

Il progetto internazionale Greater Angkor ha permesso di scoprire che le vaste rovine del complesso di templi millenari di Angkor nella Cambogia settentrionale potrebbero coprire un'area fino a 3000 km². Le rovine, nascoste da una densa giungla e circondate da campi minati, sono state studiate tramite le immagini radar ad alta definizione provenienti dai satelliti NASA. I quadrati e i rettangoli scuri sono fossati di pietra e specchi d'acqua intorno ai templi. Fino a oggi, la scoperta più rilevante per gli archeologi è stata la rete di antichi canali (visibili come linee più chiare) che circondava la città, canali che irrigavano i campi di riso e alimentavano le piscine e i fossati. Probabilmente questi canali venivano anche utilizzati per trasportare le pietre pesanti per la costruzione del complesso. Una recente ricognizione LIDAR su quest'area ha arricchito considerevolmente le informazioni derivate dai satelliti.

ASTER (*Advanced Spaceborne Thermal Emission and Reflection Radiometer*/Radiometro avanzato spaziale per l'emissività e la riflettanza termica) è uno strumento che vola su «Terra», un satellite lanciato nel 1999 come parte di un progetto NASA di osservazione terrestre (EOS, *Earth Observing System*/Sistema di osservazione terrestre) ed è utilizzato per realizzare delle mappe dettagliate di temperatura, riflettanza e altitudine della superficie terrestre. È in grado di fornire più informazioni di LANDSAT perché cattura dei dati in 14 bande a partire dalle lunghezze d'onda del visibile per arrivare a quelle termiche dell'infrarosso e riesce, inoltre, a dare una visione stereo utile per la creazione dei modelli digitali delle altitudini. Poiché la miglior risoluzione a terra è di 15 m, ASTER è utile per esaminare il terreno piuttosto che per individuare i siti, a meno che questi non siano molto grandi, come gli insediamenti dei *tell* tipici del Medio Oriente.

I progetti di rilevazione satellitare remota, portati avanti da chi ha conoscenze specifiche sia nel telerilevamento sia in archeologia, hanno molto da offrire, ma l'archeologia satellitare non deve essere considerata una sostituzione degli scavi archeologici e della ricerca sul campo: è solo uno tra i tanti modi che gli archeologi possono utilizzare nelle loro ricerche. Oltre a rilevare la presenza di elementi archeologici sulla superficie (e sotto di essa) anche in aree precedentemente già studiate, il telerilevamento satellitare può posizionare i siti archeologici in un contesto più ampio, mostrando gli antichi paesaggi sociali in tutta la loro complessità e supportando in questo modo le valutazioni qualitative. L'analisi delle immagini satellitari può aiutare ulteriormente nella scelta dei luoghi dove scavare e, per questo, può precedere la stessa indagine archeologica. Gli archeologi devono quindi ripensare le proprie ricerche e strategie di scavo alla luce di queste nuove informazioni, dal momento che la risoluzione delle immagini migliora continuamente.

La documentazione e la mappatura dei siti nella ricognizione territoriale

Come abbiamo visto parlando di fotografia aerea, l'identificazione di siti e di elementi archeologici su una carta topografica a scala regionale costituisce un passaggio fondamentale nella ricognizione territoriale. Il riconoscimento di un sito è però il primo passo: solo attraverso un'adeguata documentazione entrerà a far parte dell'insieme dei dati archeologici di una determinata regione.

La mappatura è fondamentale per una documentazione accurata di quasi tutti i dati delle ricognizioni. Per gli elementi di superficie, come gli edifici e le strade, vengono utilizzate sia le mappe **topografiche** sia quelle **planimetriche**. Le mappe topografiche mostrano le differenze di elevazione tramite delle linee di livello e aiutano a correlare le strutture antiche con il territorio circostante. Le mappe planimetriche, non avendo linee di livello, non forniscono informazioni topografiche, ma si concentrano, invece, sui contorni degli elementi e quindi semplificano, per esempio, la comprensione delle relazioni tra edifici differenti. Su alcune mappe di siti le due tecniche sono combinate: i rilievi naturali sono indicati topograficamente e gli elementi archeologici, invece, planimetricamente.

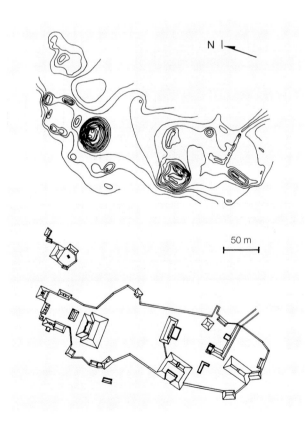

3.35 Due modi di rappresentare i risultati delle ricognizioni di superficie, attraverso gli esempi dal sito maya di Nohml, in Belize. (*Sopra*) Una mappa topografica che evidenzia le relazioni del sito con il paesaggio. (*Sotto*) Una mappa planimetrica che mostra i singoli elementi del sito.

Oltre alla rappresentazione del sito su una carta topografica – indicandone esattamente la latitudine, la longitudine e il reticolato cartografico (o il reticolato UTM, *Universal Transverse Mercator*/Proiezione universale trasversa di Mercatore) – per una corretta documentazione è necessario assegnare al sito un codice di identificazione e indicare in un'apposita scheda le sue condizioni di conservazione, l'attuale proprietario e altri dettagli. I codici di identificazione variano nelle diverse parti del mondo. Negli Stati Uniti consistono di norma in un numero di due cifre che identifica lo Stato, in una coppia di lettere per la Contea e in un numero progressivo che indica trattarsi dell'ennesimo sito scoperto in quella Contea. Così, il sito designato con il codice 36WH297 indica il 297° sito scoperto nella Contea di Washington, nello Stato di Pennsylvania (cui corrisponde il numero 36). Si tratta in questo caso del codice di identificazione del famoso sito paleoindiano di Meadowcroft Rockshelter. Uno dei principali vantaggi dell'identificazione dei siti mediante questo sistema alfa-numerico è la facilità con cui tali codici possono essere inseriti in un elaboratore elettronico, allo scopo di creare banche di dati da utilizzare, per esempio, nell'archeologia di salvataggio o nello studio dei modelli di insediamento.

I *Geographic Information Systems*

La modalità che viene normalmente utilizzata al giorno d'oggi per la cartografia archeologica è quella dei GIS (*Geographic Information Systems*/Sistemi di informazione geografica), descritti in un resoconto ufficiale come «il più grosso passo in avanti nell'utilizzo delle informazioni geografiche dall'invenzione della mappa». I GIS sono l'insieme di computer (*hardware*, parti fisiche, e *software*, programmi) e di informazioni geografiche concepite per la raccolta, l'immagazzinamento, il recupero, la gestione, l'analisi e la visualizzazione di un'ampia gamma di dati tridimensionali. Un GIS combina una banca di informazioni con dei potenti strumenti di mappatura. Inoltre i GIS sono un'elaborazione dei programmi di design e cartolarizzazione CAD e CAM (*Computer-Aided Design* e *Computer-Aided Mapping*) degli anni Settanta del secolo scorso. Alcuni programmi CAD, come per esempio AutoCAD, possono essere associati a una banca dati e provvedere alla mappatura automatica dei siti archeologici contenuti nella banca dati. Un vero GIS, in ogni caso, può anche fare delle analisi statistiche sulla distribuzione del sito, e quindi fornire nuove informazioni. Per esempio, una volta che i dati sul dislivello e la distanza sono noti, un GIS può anche essere usato per l'**analisi spaziale avanzata**, facendo la mappatura del bacino idrografico e dei territori, prendendo in considerazione i terreni circostanti. Il programma e le informazioni digitali

© 978.8808.82073.0

del paesaggio sono elaborati da un computer insieme a un valore di riferimento che corrisponde a un'ora di una camminata in piano di 5 km. Il programma, quindi, fa i calcoli usando tabelle di riferimento sul costo energetico dell'attraversamento di diversi tipi di territorio. Perciò i GIS hanno applicazioni ben oltre la registrazione e la creazione di mappe e ritorneremo alle loro potenzialità analitiche nei Capitoli 5 e 6.

Un GIS può conservare le informazioni sulla localizzazione e sulle caratteristiche di ciascun sito o luogo documentato. I dati spaziali possono essere ricondotti a tre tipologie fondamentali: punto, linea e poligono (o area). Ciascuna delle tre unità può essere immagazzinata con una targhetta identificativa e un numero di attributi non spaziali come il nome, la data o il tipo di materiale. Un singolo ritrovamento archeologico potrebbe essere rappresentato da un riferimento rispetto all'est e al nord e un numero di ritrovamento, mentre una strada antica potrebbe essere registrata con una coppia di coordinate e il suo nome. Un sistema costituito da un campo potrebbe essere definito come stringa di coordinate che seguono il confine di ciascun campo insieme a nomi e/o numeri di riferimento. Ciascuna mappa (qualche volta descritta in un GIS come *layer*, strato, o *coverage*, copertura) potrebbe comporsi di una combinazione di punti, linee e poligoni insieme ai loro attributi non spaziali.

All'interno di uno strato della mappa i dati si possono registrare in forma di *vettore*, come punti, linee o poligoni, oppure come una griglia di celle, nel formato detto *raster* (*vedi* illustrazione 3.37). Un livello *raster* che registri la vegetazione, per esempio, potrebbe essere costituito da una griglia all'interno della quale ciascuna cella contiene informazioni sulla vegetazione presente in quel punto. Oggi, comunque, molti sistemi commerciali permettono di combinare queste diverse categorie di dati.

Un GIS mostra un'enorme quantità di dati ambientali sul rilievo, le comunicazioni, l'idrologia ecc. Per riuscire a maneggiare facilmente tutte queste informazioni si usa dividerle per tipologia nei diversi livelli della mappa, ciascuno rappresentante una singola variabile. I dati archeologici potrebbero essi stessi essere divisi in numerosi livelli, il più delle volte in modo tale che ciascun livello rappresenti un intervallo discreto di tempo. Fintanto che differenti tipi di dati possono essere localizzati spazialmente, possono anche essere integrati in un GIS. Questi includono piante dei luoghi, distribuzione dei manufatti, immagini da satellite, fotografie aeree, ricognizioni geofisiche e anche mappe. Un buon esempio di incorporazione di diversi tipi di dati messi assieme in un GIS è il Progetto di mappatura della piana di Giza in Egitto (*vedi* Scheda 3.6).

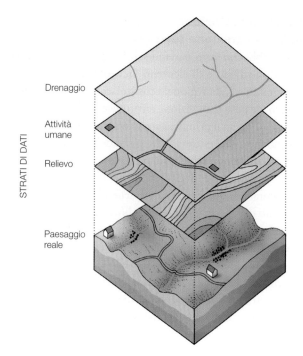

STRATI DI DATI

Drenaggio

Attività umane

Rilievo

Paesaggio reale

3.36 Diagramma che mostra alcuni possibili livelli (*layer*) di dati GIS.

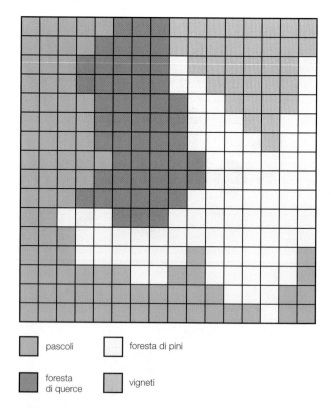

▢ pascoli ▢ foresta di pini

▢ foresta di querce ▢ vigneti

3.37 Rappresentazione raster di dati sulla vegetazione: a ciascuna cella viene assegnato un codice a seconda del tipo di vegetazione predominante.

La possibilità di incorporare tutte le immagini aeree in un GIS può essere particolarmente rilevante per le ricognizioni di siti, dal momento che forniscono informazioni dettagliate e aggiornate sull'utilizzo del terreno.

3.6 Analisi e scavo sull'altopiano di Giza

Per più di trent'anni l'egittologo americano Mark Lehner ha sistematicamente esplorato, sul bordo dell'altopiano egiziano di Giza, l'insediamento che aveva ospitato i lavoratori che costruivano le piramidi. Questo vasto centro urbano è conosciuto come Heit el-Ghurab («il muro del corvo») o la «Città perduta dei costruttori delle piramidi». Dal 2005 l'associazione di Lehner AERA (*Ancient Egypt Research Association*/Associazione per la ricerca dell'Antico Egitto) ha anche lavorato a sud-ovest della Sfinge, nell'area attorno al tempio della Valle di Menkaure e alla città attaccata alla tomba delle regina Khentkawes.

Sotto la direzione di Rebekah Miracle, il GIS dell'AERA viene utilizzato per riunire in un unico database integrato i disegni del progetto, le forme, i dati delle ricognizioni e tutta la raccolta informatica dei manufatti. Ciò permette all'équipe di mappare i modelli di architettura, le sepolture, i manufatti e altri materiali come le derrate alimentari. Per esempio, sembra che gli abitanti delle case più grandi mangiassero i cibi più prelibati, come il vitello e il pesce persico del Nilo, mentre gli altri mangiavano prevalentemente pecore, capre e maiali.

Infine, l'AERE spera di rendere tutte queste informazioni disponibili in una banca dati online assieme ai GIS che saranno accessibili a tutti i ricercatori in tutto il mondo.

3.38 Il Progetto di mappatura dell'altopiano di Giza (GPMP) è iniziato con un'analisi estremamente accurata delle caratteristiche culturali e naturali dell'intera area. Il reticolato di analisi è centrato sulla Grande Piramide.

Dati raccolti in più di 30 anni integrati tutti nel GIS

- oltre 19 000 elementi archeologici
- più di 6000 disegni sul campo
- ricognizione e telerilevamento di dati
- immagini aeree e satellitari
- mappe storiche
- informazioni sulla distribuzione di manufatti/ecofatti

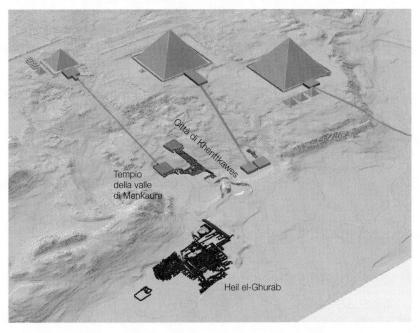

Città di Khentkawes

Tempio della valle di Menkaure

Heil el-Ghurab

3.39 Utilizzando i perimetri digitalizzati a 1 m dall'altopiano, e raffigurando con CAD i dati delle componenti architettoniche del complesso delle piramidi, la squadra GIS del Progetto di mappatura dell'altopiano di Giza (GPMP, *Giza Plateau Mapping Project*) ha creato una superficie quasi tridimensionale chiamata TIN (*Triangulate Irregular Network*), cioè una rete irregolare triangolata sulla quale si possono aggiungere altri livelli di dati, come per esempio delle mappe. Qui il reticolato di analisi del GMPM è disegnato sulla superficie dell'altopiano. La città perduta dei costruttori delle piramidi è chiaramente visibile in primo piano.

3.40 Dal 1988, ricognizioni e scavi si sono concentrati nell'area nota come la «Città perduta dei costruttori di piramidi», a circa 400 m a sud della Sfinge. (*Sotto*) La pianta dettagliata dell'insediamento che venne abbandonato alla fine della IV dinastia (2575-2465 a.C.), cioè nel periodo della costruzione della Piramide di Giza, è ora parte del GIS.

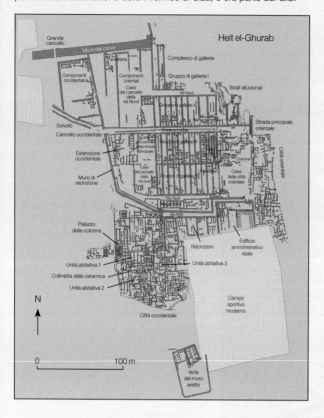

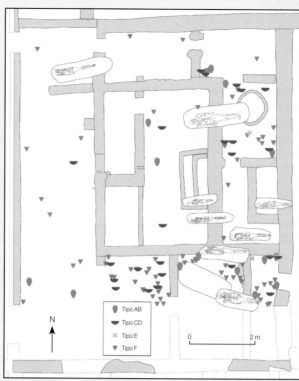

3.43 (*Sopra*) La distribuzione spaziale dei reperti è facile da rappresentare con il GIS. Si può vedere la distribuzione di quattro tipi di ceramiche (qui evidenziati in blu, verde, giallo e arancione) nell'area dell'insediamento di Heit el-Ghurab conosciuto come la Casa a Est della città. Inoltre, si possono riconoscere anche delle sepolture successive che si dispongono di traverso ai muri delle case.

3.41-42 Presentazione GIS degli elementi che sono stati registrati digitalmente dell'Edificio dell'Amministrazione Reale (RAB, *Royal Amministrative Building*), una delle aree più ampie e complesse degli scavi dell'GPMP.

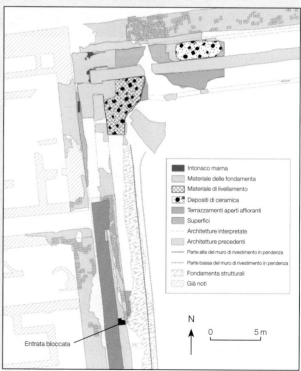

Molti dati topografici esistono già nella forma di mappe digitali, le quali possono essere direttamente trasferite in un GIS. Conoscere esattamente le coordinate a terra è fondamentale nella pratica archeologica, sia per la mappatura sia per conoscere i modelli di distribuzione. Questo si può ottenere tramite un GPS (*Global Positioning System*/Sistema di localizzazione globale) portatile, che consente agli archeologi di conoscere la longitudine e la latitudine della loro posizione a terra (in certi casi all'interno di uno spazio piccolo come 3 cm) collegandosi a un sistema satellitare. Un minimo di 4 satelliti deve essere in comunicazione con il GPS per mostrare le coordinate X e Y precise, che possono mostrare le informazioni ricevute in longitudine e latitudine (gradi, minuti e secondi), oppure tramite un UMT, un sistema di coordinate in grado di offrire dati sugli assi geodetici, con riferimento cioè alla longitudine e alla latitudine. Dati di questo genere sono estremamente utili in regioni dove non esistono ancora delle carte o là dove le carte esistenti sono vecchie o inaccurate.

Una volta che le linee principali di un sito sono state cartografate con ragionevole accuratezza tramite GPS e i punti di controllo sono stati sistemati intorno al sito, la pratica standard prevede l'uso di una *Stazione totale* per registrare gli elementi nel dettaglio e raggiungere dunque un grado maggiore di accuratezza. Questo apparecchio è costituito da un teodolite elettronico integrato con un metro elettronico usato per rilevare le distanze rispetto a un punto specifico. Angoli e distanze rilevate vengono poi misurate a partire dalla Stazione totale e le coordinate (X, Y, Z o longitudine, latitudine e altezza) dei punti monitorati sono calcolate relativamente alle posizioni della Stazione totale. Questi dati possono quindi venire scaricati dalla Stazione totale e trasferiti a un computer per generare una carta geografica dell'area monitorata. Tutte le informazioni vengono registrate e trasmesse automaticamente, sotto forma di GIS, al cliente o, normalmente, allo sponsor del progetto.

Una volta che i dati sono stati registrati in un GIS è relativamente semplice generare su richiesta delle mappe, interrogare la banca dati e a questo punto chiedere che venga mostrata una particolare categoria di siti. Livelli individuali di mappe, o combinazioni di livelli, possono essere selezionati in accordo al soggetto in esame. L'abilità del GIS di incorporare dati archeologici all'interno di piani moderni di sviluppo permette una più accurata valutazione del loro impatto archeologico.

Uno dei primi e più diffusi usi dei GIS in archeologia è stato la costruzione di **modelli predittivi** sulla localizzazione di siti. Molti degli sviluppi di queste tecniche hanno avuto luogo negli ambienti archeologici del Nord America, dove, date le enormi estensioni spaziali di alcuni paesaggi archeologici, non sempre è possibile fare delle ricognizioni esaustive. La premessa che giustifica tutti i modelli predittivi è che siti archeologici analoghi si trovino con maggior probabilità in luoghi con caratteristiche simili. Per esempio, alcuni siti di insediamenti tendono a presentarsi vicino a sorgenti di acqua fresca e con caratteristiche di un luogo del sud, poiché queste particolarità forniscono condizioni ideali per la vita degli esseri umani (non troppo freddo e a una distanza percorribile a piedi da una sorgente d'acqua). Usando queste informazioni è possibile costruire un modello del grado di probabilità che un luogo possa contenere un sito archeologico. In un ambiente GIS questa operazione può essere fatta per un intero paesaggio producendo una mappa del modello predittivo per l'intera area.

Un esempio è stato elaborato dall'Illinois State Museum per la foresta nazionale di Shawnee, nell'Illinois meridionale. Esso fa previsioni sulla probabilità di trovare un sito preistorico in un qualunque punto dei 91 km^2 della foresta sulla base delle caratteristiche dei 68 siti che sono stati studiati nei 12 km^2 per i quali è stato possibile fare una ricognizione. Una banca dati GIS fu costruita per l'intera area includendo dati su altitudine, inclinazione, aspetto, distanza dall'acqua, tipo di terreno e profondità delle acque freatiche. Le caratteristiche dei siti noti furono confrontate con le caratteristiche dei luoghi conosciuti che non contengono siti usando una procedura statistica nota come regressione logistica. Quest'ultima è un modello probabilistico il cui risultato è un'equazione che può essere usata per predire la probabilità che un qualunque luogo con caratteristiche ambientali note possa contenere un sito preistorico.

Recentemente le potenzialità dei modelli predittivi ottenuti con i GIS sono apparse chiare anche al di fuori del Nord America, particolarmente in Olanda e in Gran Bretagna. Tali modelli possono rivelarsi utili sia nel capire la distribuzione di siti archeologici all'interno di un paesaggio sia per la protezione e la gestione dei resti archeologici nell'amministrazione delle risorse culturali (*vedi* Capitolo 15).

Molte applicazioni dei GIS, specialmente quelle basate sui modelli predittivi, sono state criticate per essere ambientalmente deterministiche, ed è facile capirne il motivo: dati ambientali come il tipo di terreno, i fiumi, l'altitudine e l'uso della terra possono essere misurati, cartografati e convertiti in dati digitali, mentre invece gli aspetti culturali e sociali del territorio sono molto più problematici. Nel tentativo di non rimanere imprigionati in queste analisi più funzionalistiche, gli archeologi hanno usato la funzione dei GIS chiamata *viewsheds*, letteralmente «contenitore di visioni», per cercare di sviluppare una maggiore comprensione del paesaggio dal punto di vista degli esseri umani (*vedi* Scheda 3.1 e pagine 192-94).

© 978.8808.82073.0

DETERMINAZIONE DEI CARATTERI ESSENZIALI DEI SITI E DEGLI ELEMENTI ARCHEOLOGICI

L'individuazione e la catalogazione di siti ed elementi costituisce il primo stadio del lavoro sul campo; il secondo stadio è una definizione delle dimensioni di un sito, della sua tipologia e della sua pianta. Questi fattori hanno un'importanza cruciale per gli archeologi, non solo per quelli che devono decidere se, dove e come scavare, ma anche per quelli il cui obiettivo principale è costituito dallo studio dei modelli di insediamento, dei sistemi di siti e dell'archeologia del paesaggio, senza far ricorso allo scavo.

Abbiamo già visto che le fotografie aeree possono essere utilizzate in primo luogo per disegnare la pianta di un sito e come ausilio per localizzarlo. Quali sono gli altri principali metodi per indagare siti archeologici senza scavarli?

Ricognizione di superficie di un sito

Il modo più semplice per farsi un'idea dell'estensione e della pianta di un sito è quello di condurre una ricognizione di superficie del sito, studiando la distribuzione degli elementi conservati e documentando, e possibilmente raccogliendo, i manufatti che affiorano dal terreno.

Il Teotihuacán Mapping Project (Progetto di documentazione planimetrica del sito di Teotihuacán), per esempio, ha usato la ricognizione di superficie del sito per studiare l'assetto e l'orientamento di una città che, nel suo periodo di maggior fioritura dal 200 al 650 d.C., era stata il più grande e potente centro urbano del Mesoamerica. L'assetto e l'orientamento della città incuriosivano gli studiosi secondo i quali, però, i grandiosi templi piramidali, le piazze e la via principale – un'area oggi nota come centro cerimoniale – rappresentavano l'intera estensione della metropoli. Soltanto con la ricognizione condotta dal Teotihuacán Mapping Project furono scoperti e definiti i limiti esterni, l'asse maggiore est-ovest e la pianta a griglia dell'intera città. Per fortuna, i resti delle strutture giacciono immediatamente sotto la superficie e l'équipe fu in grado di redigere la pianta dei diversi edifici sfruttando la combinazione tra le ricognizioni aeree e quelle di superficie e dovendo ricorrere solo a pochi scavi di piccole dimensioni: sono stati raccolti milioni di frammenti ceramici e documentate oltre 5000 strutture e aree di attività. A partire dal 1980, un nuovo gruppo di studio multidisciplinare, diretto da Ruben Cabrera Castro dell'Istituto messicano di archeologia e storia (INAH), ha ulteriormente ampliato il quadro, già così ragguardevole, delle conoscenze ottenute con il Teotihuacán Mapping Project. Altri gruppi di lavoro hanno utilizzato dei metodi geofisici per realizzare la mappa di un sistema di gallerie impiegate sia per l'asportazione dei materiali di

costruzione sia per sepolture e rituali. Ricognizioni magnetometriche e sulla resistività del terreno (*vedi* pagine 91-92), realizzate da un'équipe dell'Università Nazionale Autonoma del Messico guidata da Linda Manzanilla, sono state utilizzate per produrre una ricostruzione tridimensionale dei profili sotterranei.

Quanto ai manufatti o agli altri oggetti raccolti od osservati durante la ricognizione di superficie di un sito, può non valere la pena indicare sulla mappa le loro posizioni individuali se sembrano provenire da contesti secondari fortemente disturbati oppure se i manufatti sono semplicemente troppo numerosi perché si possa realisticamente registrare la loro posizione; in quest'ultimo caso, l'archeologo procederà a una campionatura selettiva dei reperti di superficie. Tuttavia, se i tempi e i fondi lo permettono e il sito è abbastanza piccolo, è possibile raccogliere e documentare i manufatti dell'intera area. Frank Hole e i suoi collaboratori, per esempio, raccolsero tutti i reperti affioranti sull'intera superficie, pari a circa 1,5 ha, di un sito preistorico su un'area scoperta della Valle di Oaxaca, in Messico, e riportarono in pianta la posizione dei singoli reperti utilizzando un reticolato a maglie quadrate di 5 m di lato. Poi riportarono i risultati in piante con linee di livello che non indicavano le differenze di quota ma la densità relativa dei diversi tipi di materiali e manufatti. Il risultato fu di rendere evidente che, sebbene alcuni oggetti quali punte da lancio giacessero manifestamente in un contesto secondario lungo pendii, altri giacevano in contesti primari e rivelavano aree distinte per la lavorazione della selce, la macinatura dei semi e la macellazione. Queste aree costituirono in seguito una guida per gli scavi successivi.

Una simile ricognizione di superfici fu fatta sulla città risalente all'Età del bronzo di Mohenjodaro in Pakistan. Qui un'équipe di archeologi pakistani, tedeschi e italiani studiò la distribuzione di detriti di lavorazioni artigianali e trovò, con sorpresa, che le attività artigianali non erano confinate a una zona della città, ma erano sparse su tutto il sito rappresentando diversi piccoli laboratori.

Attendibilità dei reperti di superficie   Gli archeologi hanno sempre utilizzato la raccolta dei materiali di superficie per tentare di definire l'ambito cronologico e l'assetto topografico di un sito prima di procedere allo scavo. Tuttavia, al giorno d'oggi la ricognizione di superficie non è più semplicemente un momento preliminare allo scavo, ma in qualche caso un'indagine sostitutiva dello scavo stesso – per ragioni di costi e per altri motivi, come abbiamo avuto modo di accennare in questo capitolo – e si è andato sviluppando un denso dibattito sulla questione se i reperti superficiali riflettano realmente le distribuzioni presenti nel sottosuolo.

© 978.8808.82073.0

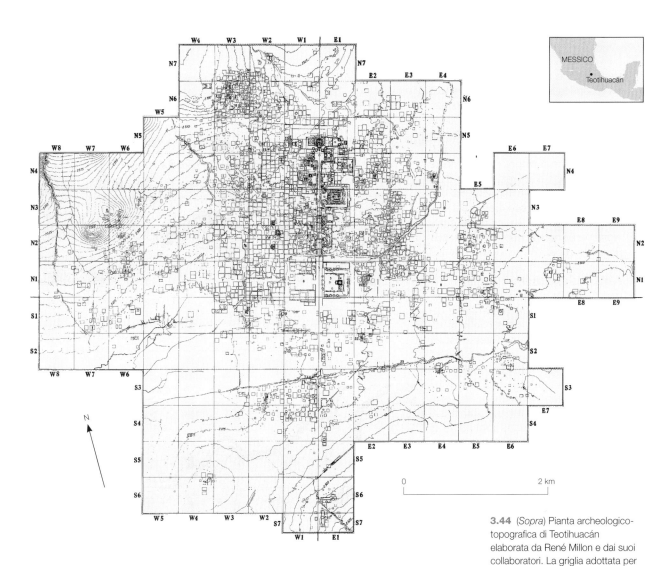

3.44 (*Sopra*) Pianta archeologico-topografica di Teotihuacán elaborata da René Millon e dai suoi collaboratori. La griglia adottata per la ricognizione (500 m²) è orientata sull'asse nord-sud della città, in particolare sul centrale «viale dei Morti» (che divide i settori W1 ed E1 sulla pianta).

3.45 (*A sinistra*) Vista da sud lungo il «viale dei Morti», con, sulla sinistra, la piramide del sole che riflette la forma della montagna retrostante.

L'archeologo australiano Mandy Mottram condusse le indagini di superficie a Tell Halula, nella Siria settentrionale, nel 1986, con l'intento di ricostruire la storia delle occupazioni di questo sito, una storia che interessava diversi periodi. A tal fine si propose di identificare sia le diverse culture rappresentate sia la localizzazione e l'estensione del loro insediamento. Precedenti studi del sito, che avevano utilizzato metodi di campionamento non probabilistici, indicavano una occupazione principale durante il periodo di Halaf (circa 5900-5200 a.C.) seguita da diverse altre occupazioni minori. La successiva scoperta di materiali appartenenti alla fase preceramica del Neolitico suggerì tuttavia che la storia dell'occupazione del sito potesse essere molto più complessa di quanto fino ad allora supposto.

Una volta stabilita l'estensione del sito, i manufatti, i frammenti di vasi e gli attrezzi di pietra furono raccolti dalla superficie utilizzando procedure di campionamento stratificato casuale, basato su un sistema a griglia. Quarantasei quadrati in questa griglia, pari al 4% dell'area del sito (12,5 ha), furono campionati. L'analisi topologica dei manufatti permise a Mottram di identificare 10 importanti fasi di occupazione, che rappresentavano 15 periodi culturali differenti. La presenza di manufatti di tipo transizionale indicò che in alcuni casi si era passati con continuità da una fase all'altra, testimoniando una stabilità a lungo termine sia politica sia economica.

Per stabilire dove i differenti insediamenti erano localizzati nel *tell*, un programma GIS fu utilizzato per rappresentare su una mappa la distribuzione dei manufatti che appartenevano a ciascuna fase. Le mappe risultanti dal profilo di densità dei manufatti furono poi sovrapposte su una mappa a rilievo del sito e su tutte le altre, rendendo così possibile interpretare le distribuzioni alla luce sia della topografia di superficie sia delle probabili relazioni stratigrafiche del deposito originario. L'applicazione di una stima del «rumore» fu integrata a questo processo per aiutare a individuare materiali che avrebbero potuto raggiungere la loro presente localizzazione come risultato di un processo casuale piuttosto che a lungo termine.

3.46 La ricognizione e l'équipe di raccolta a Tell Halula durante un rilievo con un teodolite.

3.47 (*Sotto*) L'immagine del satellite CORONA, relativa al distretto di Halula, mostra l'ubicazione del *tell* e i confini dell'area di campionamento.

I risultati della ricognizione

Un risultato significativo di questo lavoro, oltre all'aver indicato il numero, la grandezza e la cronologia dei differenti insediamenti, fu l'identificazione di alcuni dei processi coinvolti nella formazione di tumuli e come questi abbiano influito su ciò che è rimasto sulla superficie. Una scoperta importante fu che il sito era originariamente composto da due *tell*: uno a sud-est e l'altro a nord-ovest. Le mappe inoltre rivelano che il sito è stato pesantemente eroso; situazione che evidentemente è stata esacerbata in tempi recenti dalla pulizia dovuta all'architettura di superficie.

I depositi dell'occupazione più recente sono stati severamente danneggiati, lasciando i livelli precedenti ampiamente esposti. In base a ciò che si può dedurre dai resti ancora esistenti, molti degli ultimi insediamenti sono stati con ogni probabilità assai più estesi. Inoltre è ormai certo che parecchie delle occupazioni estese del sito ebbero luogo durante il Neolitico (7900-6900 a.C.) piuttosto che durante il periodo di Halaf, come era stato precedentemente supposto. Un'altra importante scoperta fu che il sito fu definitivamente abbandonato alla fine del periodo Ellenistico (o all'inizio di quello Romano) verso il 60 a.C. Si scoprì che tutti gli altri materiali erano il prodotto della concimazione dell'area da parte degli abitanti del sito adiacente; questo indica che, durante gli ultimi due millenni o più, l'utilizzo principale di Tell Halula è stato quello agricolo. Da ciò si dedusse, in base alla ricognizione di superficie combinata con i GIS, una comprensione chiara della sequenza complessa di occupazioni avvenute in questo sito, che ha avuto diverse fasi di vita, e fu possibile anche rivelare dettagli della sua storia precedentemente sconosciuti.

Logicamente ci si aspetterebbe che siti che giacciono a piccola profondità o che presentano una sola fase di occupazione offrano la massima omogeneità tra ciò che appare in superficie e ciò che realmente giace sottoterra: tale assunto sembra essere convalidato dal sito di Teotihuacán o da quello indagato da Frank Hole nella Valle di Oaxaca, di cui abbiamo già parlato. Allo stesso modo si potrebbe prevedere che siti che presentano più fasi di occupazione o che giacciono a grandi profondità, come per esempio i *tell* del Vicino Oriente o i *mounds* dei villaggi, rechino in superficie poche o nessuna traccia dei livelli più antichi e profondi. Tuttavia, questo non è sempre vero, come dimostrato dal lavoro di ricognizione di superficie a Tell Halula in Siria (*vedi* Scheda 3.7).

Coloro che difendono la validità delle ricognizioni di superficie, pur dichiarandosi d'accordo che in superficie la presenza di reperti appartenenti ai periodi più recenti è certamente maggiore, sottolineano comunque che una delle sorprese più frequenti per gli archeologi impegnati nella ricognizione è scoprire che molti dei siti su cui lavorano, quando vengono indagati con cura, dimostrano di risalire veramente a più periodi, rivelando tracce di più fasi di occupazione e non solo dell'ultima. Le ragioni di questo fenomeno non sono ancora del tutto chiare, ma devono avere qualcosa a che fare con i processi di formazione di cui si è parlato nel Capitolo 2, dall'erosione per opera degli agenti meteorici e dal disturbo per opera degli animali, alle attività umane quali l'aratura.

La relazione tra i resti presenti sulla superficie e quelli nascosti nel sottosuolo è indubbiamente complessa e varia da sito a sito. È quindi opportuno, se è possibile, tentare di scoprire cosa realmente giaccia sotto la superficie di un terreno praticando scavi di sondaggio (con un'ampiezza di solito dell'ordine di qualche metro quadrato) per stabilire l'estensione orizzontale di un sito, e giungere alla fine a uno scavo più estensivo (*vedi* più avanti). Esiste però tutta una serie di strumenti che consente una prospezione di ciò che è sepolto e che può essere utilizzata prima dello scavo – ma in qualche caso anche in sua vece –, perché lo scavo, come abbiamo già detto, è distruttivo e costoso.

L'indagine nel sottosuolo

Le sonde La tecnica più tradizionale di prospezione del sottosuolo consiste nel sondare il terreno con aste o trivelle, prendendo nota dei punti in cui queste incontrano elementi solidi o cavità. Lo strumento più comune sono aste metalliche con un'impugnatura a T, ma vengono utilizzate anche trivelle – una sorta di grossi cavatappi dotati della solita grande impugnatura a T – che hanno il vantaggio di portare in superficie i campioni di suolo che rimangono attaccati allo strumento. Questo tipo di sondaggio è ancora frequentemente impiegato da alcuni archeologi: per

Topografia e aree di raccolta

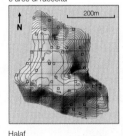

Neolitico B preceramico

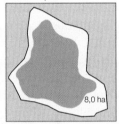

Halaf

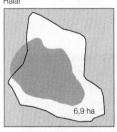

Ubaid- tardo Calcolitico

Uruk-prima Età del bronzo

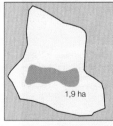

Età del bronzo medio-tarda

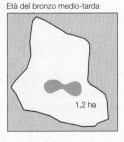

3.48 Pianta di Tell Halula che illustra la distribuzione dei quadrati di raccolta, assieme alle mappe dei contorni del *tell*, che mostrano i cambiamenti delle locazioni e le dimensioni dell'insediamento durante 5 delle 10 fasi di occupazione.

© 978.8808.82073.0

valutare per esempio la profondità del mondezzaio nel sito di Ozette nello Stato di Washington (*vedi* Capitolo 2) o anche dagli archeologi cinesi per individuare le 300 fosse non ancora indagate vicino all'esercito di terracotta del loro primo imperatore. Alla metà degli anni Ottanta del secolo scorso l'archeologo americano David Hurst Thomas e i suoi collaboratori usarono 600 sondaggi equidistanti ed eseguiti per mezzo di una trivella azionata da un motore a scoppio per la loro ricerca, coronata dal successo, dei resti della perduta missione spagnola del XVI secolo sull'Isola di Santa Caterina, al largo delle coste della Georgia, negli Stati Uniti. Le trivelle sono utilizzate anche dai geomorfologi che studiano i sedimenti del sito, anche se non va dimenticato che il loro uso comporta sempre il rischio di danneggiare i manufatti o gli elementi fragili.

Un notevole perfezionamento di questa tecnica fu messo a punto in Italia da Carlo Lerici, impegnato negli anni Cinquanta del secolo scorso nello studio delle tombe etrusche del VI secolo a.C. Dopo aver localizzato esattamente una tomba attraverso la fotografia aerea e aver misurato la resistività del suolo (*vedi* più avanti), egli praticava nel terreno, in corrispondenza della tomba stessa, un foro del diametro di 8 cm, attraverso il quale inseriva un lungo tubo munito di testa periscopica e di una lampada per illuminazione e, se necessario, anche di una piccola macchina fotografica. Utilizzando questa tecnica Lerici esaminò circa 3500 tombe etrusche e scoprì che quasi tutte erano completamente vuote, risparmiando così ai futuri scavatori una grande quantità di sforzi assolutamente vani. Per contro scoprì anche più di 20 tombe con le pareti dipinte, raddoppiando così in un solo colpo il numero delle testimonianze note della pittura sepolcrale etrusca.

Saggi di scavo con la pala (Shovel-Test Pit o STP) e trincee preventive Per farsi un'idea iniziale di cosa giaccia sotto la superficie del suolo si possono aprire piccoli saggi di scavo equidistanti l'uno dall'altro: in Europa sono di solito quadrati di 1 m per lato, ma in alcune parti dell'America settentrionale sono rotondi, con un diametro simile a quello di un piatto e profondi meno di 1 m. Questi saggi servono a mostrare ciò che un'area può offrire e a identificare l'estensione di un eventuale sito, mentre l'analisi e la rappresentazione grafica del materiale recuperato da questi saggi mediante la setacciatura del suolo può produrre mappe che mostrano aree con elevate concentrazioni di differenti tipi di materiali. Questo metodo è comunemente utilizzato come parte integrante della ricognizione nell'individuazione dei siti nei progetti CRM in alcune aree degli Stati Uniti dove la visibilità in superficie non è buona, come per esempio le foreste della costa orientale.

In Europa le trincee preventive si sono rivelate più efficaci di questi saggi di scavo; queste trincee, lunghe circa 20-50 m, sono di solito posizionate sul terreno già diviso in griglie oppure mirano a elementi specifici, che sono già stati individuati da altri metodi, come la fotografia aerea o la ricognizione geofisica, per portare alla luce una certa percentuale dell'area (di solito il 2 o 5%). Ogni anno, nella sola Inghilterra, vengono scavate migliaia di queste trincee.

Sondaggio delle piramidi La tecnologia moderna ha perfezionato il sondaggio ricorrendo all'endoscopio (*vedi* Capitolo 11) e alle telecamere miniaturizzate. Nel corso di un progetto che per alcuni aspetti ricorda quello di Lerici, nel 1987 fu compiuto un sondaggio di una fossa per imbarcazione rituale posta sotto la Grande Piramide di Cheope, in Egitto. Questa fossa era adiacente a un'altra, scavata nel 1954, che conteneva le parti smontate e perfettamente conservate di una nave regale in legno di cedro, della lunghezza di 43 m, databile al III millennio a.C. Il sondaggio del 1987 rivelò che la fossa conteneva tutti i pezzi smontati di una seconda imbarcazione. Nel 2008, un'équipe di ricercatori della Università di Waseda ha inserito una seconda micro videocamera per riesaminare le condizioni dell'imbarcazione e accertarsi che potesse essere sollevata senza danni. I blocchi di pietra che la coprivano e lo scavo dell'imbarcazione sono stati rimossi nel 2011.

Alcune sonde robotiche, con delle micro videocamere, sono state mandate nei cosiddetti «condotti di aereazione» della Grande Piramide, per scoprire se conducevano oppure no a camere segrete. La sonda più recente, il Pyramid Rover, è riuscita a raggiungere e perforare un blocco di pie-

3.49 Per la prima volta nel 1993 dei robot furono utilizzati per esplorare e pulire i «condotti di areazione». Nel 2002 il Rover Pyramid è entrato nuovamente in due di questi condotti per ulteriori investigazioni riuscendo a visitare percorsi nuovi.

tra che bloccava uno di questi condotti, rivelando un altro passaggio posto dietro. Ulteriori sonde sono state utilizzate da équipe francesi e giapponesi convinte che la Piramide potesse ancora contenere camere o corridoi nascosti. Utilizzando strumentazioni microgravimetriche molto sensibili – di solito impiegate per riconoscere eventuali falle nei muri delle dighe, poiché capaci di individuare delle cavità al di là della pietra – queste sonde scoprirono una cavità di circa 3 m dietro uno dei muri di passaggio. Tutti i test sono stati accuratamente scrutinati dalle autorità egiziane per valutare chiaramente il loro potenziale contributo all'egittologia. Progetti di questo tipo sono al di sopra delle possibilità economiche della maggior parte degli archeologi. Ciò nondimeno in futuro, fondi permettendo, questo tipo di sondaggi potrebbe essere applicato indifferentemente ad altri siti egiziani, alle cavità nelle strutture degli edifici dei Maya o alle numerose tombe non scavate in Cina.

Prospezioni del sottosuolo

Le tecniche di sondaggio sono utili, ma comportano inevitabilmente un certo disturbo del sito. Esiste però una vasta gamma di tecniche di prospezione non distruttive ideali per gli archeologi che desiderano avere più dati su un sito prima di iniziare uno scavo o che allo scavo non vogliono ricorrere affatto. Si tratta di dispositivi di prospezione geofisica, che possono essere sia attivi – in questo caso implicano la trasmissione di varie forme di energia attraverso il suolo per «leggere» ciò che giace sotto la superficie – sia passivi – in questo caso misurano le proprietà fisiche come il magnetismo o la gravità senza bisogno di introdurre energia e quindi leggerne la risposta.

Metodi sismici e acustici Alcuni metodi di ecoscandaglio, come i sonar, sono stati utilizzati anche in archeologia. Per esempio, la rilevazione di anomalie può individuare cavità come grotte. Un metodo basato sull'analisi delle onde sismiche, normalmente utilizzato nella prospezione geologica per la ricerca dei giacimenti petroliferi, ha consentito di riconoscere i particolari delle fondazioni della Basilica di San Pietro in Vaticano.

Le tecniche di ecoscandaglio trovano più larga applicazione, comunque, nei progetti di archeologia subacquea (*vedi* Scheda 3.10). Un esempio di queste applicazioni si ebbe quando, dopo il ritrovamento di una statua bronzea raffigurante un ragazzo africano da parte di un pescatore di spugne al largo della costa turca, George Bass e i suoi colleghi riuscirono a ritrovare la nave romana dalla quale proveniva la statua servendosi di un sistema di ecolocalizzazione. L'uso di sonar *multibeam* (letteralmente con più raggi) consente di raccogliere una gran quantità di dati sui siti dei relitti, utili per creare modelli tridimensionali; con questa tecnica si riesce a coprire il fondale marino che si trova sotto e di fianco ad ambedue i lati dell'imbarcazione da ricognire. Così si riesce a quotare, con grande precisione e senza soluzione di continuità, migliaia di punti sul fondale marino.

Metodi elettromagnetici Un sistema fondamentalmente simile, che utilizza impulsi radio anziché impulsi sonori, è l'utilizzo del radar per il sondaggio del suolo (*Ground Penetrating* – o *Probing* – *Radar*, GPR). L'emettitore invia brevi impulsi attraverso il suolo, l'eco dei quali non solo riflette ogni cambiamento incontrato (come fossati colmati, tombe, muri ecc.) e le condizioni di questi sedimenti, ma riesce anche a misurare la profondità di tali cambiamenti ricavandola dalla velocità di propagazione degli impulsi. Si può così produrre, utilizzando programmi di elaborazione dati e generazione di immagini, delle mappe tridimensionali di resti archeologici.

Nell'esplorazione archeologica e nella stesura delle mappe, l'antenna radar è in genere portata in giro nei transetti alla velocità di una persona che cammina, mentre emette e riceve diversi impulsi al secondo. I dati forniti dalle onde riflesse sono catalogati digitalmente, il che permette di fare sofisticate elaborazioni e analisi dei dati, producendo registrazioni relativamente facili da interpretare. Computer e programmi potenti rendono possibile l'immagazzinamento e la produzione di gruppi di ampie immagini tridimensionali tratte dai dati GPR e le innovazioni dell'informatica permettono ora il trattamento di dati e di immagini in grado di aiutarci a interpretare complessi profili di riflessione.

Una di queste innovazioni è l'uso di *time-slices* (sezioni temporali) o *slices-maps* (mappe a sezioni). Milioni di onde riflesse sono separate in sezioni orizzontali, ciascuna delle quali corrisponde a una profondità stimata e può rivelare forma e locazione generale degli elementi sepolti a ciascuna profondità. Per esempio, nel Forum Novum, un antico mercato romano situato a circa 100 km a nord di Roma, alcuni archeologi britannici della University of Birmingham insieme alla British School of Archaeology di Roma avevano bisogno, relativamente a un'area non ancora scavata, di un'immagine più completa di quella che avrebbero potuto ottenere con fotografie aeree o altre tecniche come la resistività (*vedi* più avanti). Una serie di sezioni (*slices*) GPR dell'area rivelò un'intera serie di muri, camere, corridoi e cortili, cioè produsse un intero assetto architettonico del sito; ne conseguì che i successivi scavi furono concentrati su un campione rappresentativo delle strutture, rendendo in questo modo inutile portare alla luce l'intera area (cosa che sarebbe stata possibile solo a un costo elevato e con un grande dispendio di tempo).

Una parte della città romana di Wroxeter (la quarta più grande in Inghilterra) nello Shropshire (*vedi* Scheda 3.8) è stata recentemente studiata con il GPR; le *time-slices*

© 978.8808.82073.0

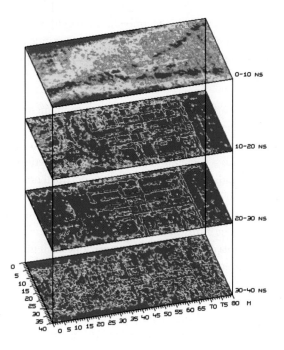

3.50 Mappe a sezioni relative all'estensione del sito di *Forum Novum* in Italia. La sezione superiore, a 0-10 ns (nanosecondi, equivalenti a 0-50 cm), rivela un'anomalia a forma di Y che evidenzia due strade ghiaiose. Più gli strati vanno in profondità, più si vedono con chiarezza le mura romane, mostrando una mappa ben organizzata di stanze, porte e corridoi. La sezione più profonda mostra il livello del pavimento delle stanze e gli oggetti in esse conservati.

di differenti profondità hanno rivelato cambiamenti nel tempo della città nel corso di 400 anni.

In Giappone, un tumulo sepolcrale a Kanmachi Mandara del 350 d.C. circa era protetto dagli scavi in base alle leggi della proprietà culturale e quindi il GPR fu utilizzato per localizzare l'area sepolcrale all'interno del tumulo e per determinare la sua struttura. Profili radar furono presi a 50 cm di intervallo su tutto il tumulo, con impulsi che poterono penetrare di circa 1 m nel terreno.

La resistività elettrica Un metodo comunemente usato e che è stato impiegato dagli archeologi, particolarmente in Europa, già da alcuni decenni, è quello della **resistività elettrica**. Questo metodo si basa sul principio per cui il suolo conduce tanto più facilmente l'elettricità – cioè oppone una resistenza tanto minore al passaggio di una corrente elettrica – quanto più alto è il suo grado di umidità. Un misuratore di resistività collegato a elettrodi inseriti nel suolo può quindi misurare la resistenza variabile offerta dal sottosuolo a una corrente fatta passare tra gli elettrodi. Un fossato o una buca riempiti di terra trattengono più umidità rispetto ai muri in pietra o alle strade pavimentate, e presentano quindi una resistività minore rispetto a quelle strutture.

Il metodo della resistività elettrica si rivela particolarmente efficace sia per i fossati e le buche nei suoli gessosi e ghiaiosi sia per le murature in suoli argillosi. Due sonde «mobili», fissate a una struttura che supporta anche il misuratore, vengono inserite nella terra per la lettura. Un nuovo sviluppo è il *profilo di resistività*, che richiede la misurazione della resistenza della terra a profondità crescente su tutto il sito e che viene fatta ampliando la distanza delle sonde e quindi costruendo una «pseudosezione» verticale. Una variante ancora più sofisticata di questo metodo, presa in prestito dalla medicina, è la *termografia elettrica*, ma sicuramente il futuro ci riserverà la combinazione di profili multipli su un sito per creare immagini tridimensionali di superfici sepolte (e «sezioni temporali» simili a quelle prodotte per i dati GPR).

Un aspetto negativo di questo metodo è la sua lentezza, dovuta al fatto che bisogna avere un contatto con il suolo. I geofisici francesi e inglesi, per migliorare la velocità della ricognizione, hanno studiato dei sistemi di resistività mobile, con una serie di sonde montate su ruote. Purtroppo quello della resistività elettrica è un metodo che non funziona completamente se il terreno è troppo duro o secco; mentre è particolarmente indicato in caso di siti poco profondi che presentano una sola fase di vita, piuttosto che siti complessi e profondi. Ciononostante, questo metodo offre un valido ausilio agli altri metodi di prospezione. Infatti esso può spesso sostituire i metodi magnetici (*vedi* più avanti) dato che, a differenza di alcuni di essi, può venire utilizzato in aree urbane, vicino a cavi elettrici e a materiali in metallo. Molti degli elementi che si possono individuare con il metodo magnetico sono identificabili anche con il metodo della resistività, e quest'ultimo si è dimostrato nel corso di molti progetti operativi il più efficace per localizzare gli elementi interrati. Ciò nondimeno, i metodi magnetici risultano di grande importanza per gli archeologi.

Metodi magnetici di ricognizione Si tratta di metodi di ricognizione tra i più utilizzati, e risultano particolarmente utili per localizzare strutture in argilla cotta, come focolari o fornaci per la produzione di ceramica, oggetti in ferro, buche e fossati. Tutti questi elementi, una volta interrati, producono una lieve ma misurabile distorsione nel campo magnetico terrestre. Le ragioni di questo fenomeno variano a seconda del tipo di elementi, ma sono dovute alla presenza di minerali magnetici, anche se in quantità minime. Prendiamo per esempio i granuli di ossido di ferro contenuti nell'argilla: nell'argilla non cotta i campi magnetici dei granuli sono orientati casualmente, ma si allineano permanentemente assumendo la direzione del campo magnetico terrestre quando l'argilla viene riscaldata a circa 700 °C o più. L'argilla cotta diventa allora un debole magnete permanente, che crea un'anomalia nel campo magnetico terrestre circostante. (Questo fenomeno del magnetismo termoresiduo costituisce anche la base della

3.8 Ricognizione geofisica al sito romano di Wroxeter

La romana Wroxeter, o *Viroconium Cornoviorum*, si estende su un'area di quasi 78 ha ed era, per grandezza, il quarto centro urbano della provincia romana della Britannia e la capitale della tribù dei Cornovii. Oggi è importante perché, diversamente da tante altre città romane in Gran Bretagna, Wroxeter è sopravvisuta in gran parte senza danni e senza la sovrapposizione di un insediamento moderno.

La città attrasse l'attenzione degli archeologi per la prima volta nel 1859 e grandi scavi furono eseguiti sui pubblici edifici della città; dopo il 1945, invece, Graham Webster e Philip Barker portarono a termine degli scavi su grande scala. Lo scavo, comunque, non è stato l'unico mezzo per raccogliere informazioni sullo sviluppo della città. Ricognizioni aeree intensive condotte nell'arco di molti anni hanno delineato con chiarezza il profilo della città e dei suoi sviluppi, permettendo la redazione di una mappa della città considerevolmente dettagliata.

Sono quindi disponibili molte informazioni su questo sito e sulla sua storia: la costruzione di una fortezza per la XIV e la XX legione romana del 60 d.C., la fondazione della *Civitas Cornoviorum* durante gli anni Novanta dello stesso secolo, fino ad arrivare alle interessanti prove dell'occupazione post-romana. Le informazioni ottenute, comunque, sono estremamente labili. Gli scavi moderni, però, hanno portato alla luce solo una parte molto piccola del sito, sicuramente meno dell'1%, mentre la fotografia aerea non è efficace su tutta l'area: spesso, infatti, riflette solamente gli edifici di pietra e neanche tutti. Per questi motivi, si sapeva poco di una porzione considerevole di questa città: forse il 40% della città romana meglio conservata in Gran Bretagna era effettivamente *terra incognita*.

La ricognizione della città

Il *Wroxeter Hinterland Project* (1994-97) cominciò con lo studiare l'effetto della città sul territorio circostante e come parte di questo lavoro si rese necessaria la redazione di una pianta più completa dell'entroterra. Si decise di effettuare una ricognizione geofisica dell'intera città e, date le dimensioni dell'area, fu necessaria una soluzione radicale. Il progetto fu portato a termine da un'équipe di geofisici britannici e stranieri dopo un lavoro di diversi anni. In questo studio erano coinvolti istituzioni come il National Heritage e gruppi commerciali come il GSB Prospection. Il loro lavoro e i loro risultati sono degni di nota: quasi 63 ha di terreno furono studiati col metodo della ricognizione col gradiometro (che ha fornito più di 2,5 milioni di *data points*), mentre quasi 15 ha col metodo della resistenza. Oltre 5 ha sono stati esplorati con il radar per il sondaggio del suolo e i relativi dati sono ora disponibili per l'impiego in programmi di *time-slicing* (per fornire informazioni sulla profondità degli elementi) e molte altre tecniche hanno trovato impiego, come quella sismica, la

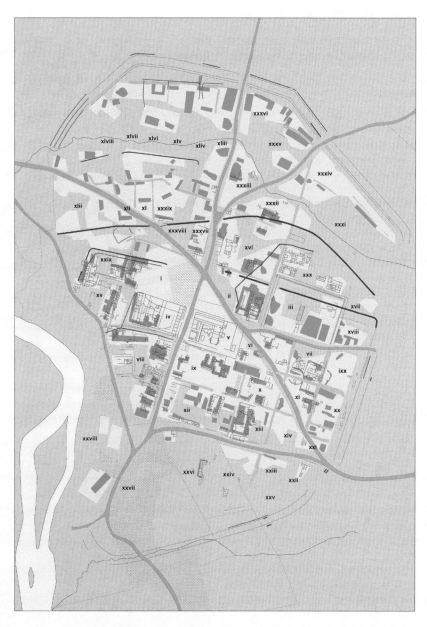

3.51 Una mappa di Wroxeter composta dalle fotografie aeree delle mappe degli edifici (in rosso) e da quelle degli altri edifici visibili con il magnetometro (in verde). Le parti ombreggiate rappresentano aree di attività all'interno della città delle quali, però, non è ancora stato possibile riconoscere le funzionalità.

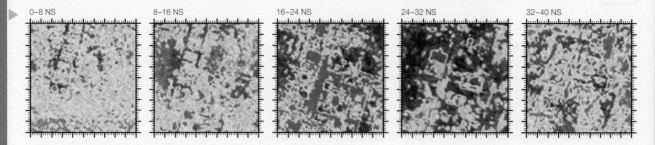

| 0–8 NS | 8–16 NS | 16–24 NS | 24–32 NS | 32–40 NS |

3.52 La resa grafica delle immagini che raffigurano le «*time-slice*» di un edificio durante la ricognizione.

conduttività e il magnetometro al cesio. Alcune tecniche sono state utilizzate in modo meno sistematico, ma hanno comunque fornito risultati interessanti.

Risultati

Il risultato più significativo di questo lavoro è rappresentato dalla più estesa e completa pianta di una città romana in Gran Bretagna. Le ricerche archeologiche hanno dimostrato l'esistenza di edifici prestigiosi, nell'area centrale e sud-orientale della città, mentre i quartieri di artigiani erano localizzati generalmente a est e a nord. La presenza, nel quartiere nord-occidentale, di una fitta rete di pozzi può essere associata a un'attività industriale, come quella della tintura. Un'area di forma rettangolare, a est nel punto più alto della città, può essere interpretata come il *forum boarium* (cioè il mercato del bestiame).

Ugualmente importante è il fenomeno, rilevato dal gradiometro, dei dati magnetici «invertiti» nel quartiere nord-orientale della città. Questo dato sembra indicare che un furioso incendio si sviluppò lungo tutta la città, provocando mutamenti nelle proprietà magnetiche delle pietre degli edifici.

La geofisica, inoltre, ci ha permesso di dare un'occhiata anche alla preistoria del sito: un certo numero di fossati circolari, più piccole aree chiuse con i loro campi, segnalano delle difese che possono essere precedenti all'Età del ferro.

A Wroxeter, la mappa ottenuta tramite la geofisica è eccezionale: è la più dettagliata di una città romana mai realizzata in Gran Bretagna, e il tutto senza scavi dispendiosi e distruttivi. Un vantaggio essenziale è che, a differenza di quello che accade nella maggior parte dei casi in archeologia, questo è

un esperimento ripetibile. Con il migliorarsi delle prestazioni degli esperimenti, possiamo «rivisitare» la città e quindi conoscerla meglio. Questo studio non è importante solo per la sua ampiezza, o per la qualità dei dati, ma anche perché parte integrante di un progetto di ricerca più ampio.

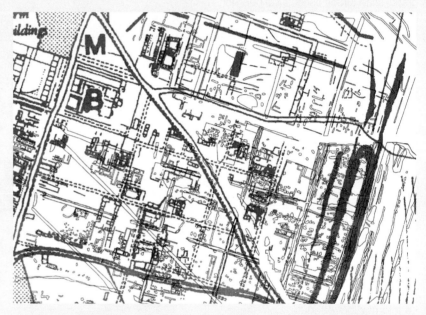

3.53-54 (*Sopra*) Un dettaglio della pianta della Wroxeter romana ottenuta dallo studio delle fotografie aeree di David Wilson e dalla ricognizione col magnetometro. (*Sotto*) L'équipe a Wroxeter mentre prepara la strumentazione per una ricognizione radar per sondare il terreno.

datazione magnetica; *vedi* Capitolo 4.) Invece le anomalie causate dalle buche e dai fossati sono dovute al fatto che la cosiddetta suscettività magnetica del loro contenuto è maggiore di quella del sottosuolo circostante.

Tutti gli strumenti magnetici possono produrre informazione utili a definire la potenzialità archeologica di un sito (*vedi* Scheda 3.9). I metodi comuni di presentazione sono le carte a linee di livello, le carte a densità di punti e le mappe con le gradazioni di grigio, tutte utilizzate anche per visualizzare i risultati della ricognizione con il metodo della resistività. Nel caso della ricognizione con il metodo magnetico, la carta a linee di livello è costituita dalle linee che uniscono tutti i punti in cui il campo magnetico ha lo stesso valore (livello); questa presentazione riesce a rivelare distinte anomalie, per esempio le tombe in un cimitero.

Nuovi sviluppi nell'elaborazione informatica delle immagini rendono possibile manipolare gli insiemi di dati geofisici in modo tale da ridurre gli effetti spuri e, invece, sottolineare anche minime anomalie archeologiche. Per esempio, filtri direzionali permettono a una «superficie» di dati di una qualsiasi scala verticale di essere «illuminata» da varie direzioni ed elevazioni per rendere visibili anche le anomalie più piccole. Questo procedimento imita l'effetto rivelatore della bassa luce del sole sui lavori di terracotta, ma con in più la flessibilità della manipolazione al computer.

Recentemente, diversi tipi di sensori – elettromagnetici e magnetici – sono spesso integrati su piattaforme in movimento o «matrici mobili» che permettono più misurazioni simultanee.

Metal detector Questo tipo di dispositivi elettromagnetici sono utili anche nella ricerca di resti sepolti, e non solo di quelli metallici. Facendo passare una corrente elettrica alternata in una bobina trasmittente, si genera un campo magnetico alternato; gli oggetti metallici sepolti provocano distorsioni di questo campo magnetico, le quali possono essere rivelate come risultato di un segnale elettrico captato da una bobina ricevente.

I metal detector sono di grande aiuto per gli archeologi, particolarmente perché danno in poco tempo risultati di carattere generale e localizzano oggetti moderni che possono giacere appena sotto la superficie del suolo. Sono molto usati anche dai non-archeologi, nella maggior parte dei casi da dilettanti responsabili, ma talvolta anche da coloro che sciaguratamente danneggiano i siti antichi e spesso scavano buche senza preoccuparsi minimamente di registrare e consegnare alle autorità i materiali rinvenuti, che rimangono perciò senza contesto. Nella sola Gran Bretagna ci sono a oggi 30 000 persone che usano i metal detector. Il sito ufficiale inglese del Programma per le Antichità Mobili (*Portable Antiquities Scheme; vedi* Scheda 15.3) cerca di indirizzare l'entusiasmo di questi «dilettanti col detector»

e metterlo al servizio dell'archeologia. Uno dei più grandi successi nei recenti anni del Programma è stata la scoperta, fatta da un appassionato dilettante nello Staffordshire, di un incredibile tesoro costituito da oggetti lavorati in oro e argento del periodo anglossassone (*vedi* illustrazione 3.57).

Altre tecniche Esistono anche altri metodi di prospezione che sono attualmente poco utilizzati, ma che potrebbero trovare un impiego assai più sistematico nel futuro, in particolare l'analisi geochimica, di cui parleremo più avanti.

La **prospezione termica** (**termografia**), di cui si è già parlato nel paragrafo dedicato alla fotografia aerea, si basa sulle lievi variazioni di temperatura (nell'ordine di decimi di grado Celsius) che si possono osservare al di sopra di strutture sepolte le cui proprietà termiche siano diverse da quelle del terreno circostante. Questa tecnica è stata utilizzata principalmente dall'aeroplano, ma ora sono disponibili anche macchine per fotografie termiche utilizzabili al suolo; al momento queste non sono state ancora impiegate dagli archeologi, nonostante possano individuare bene variazioni nascoste negli edifici, come vani di porte che sono stati tamponati nelle chiese. Fino a oggi questa tecnica è stata impiegata principalmente per indagini su strutture lunghe o massicce, per esempio recinti preistorici o edifici romani.

La mappatura e lo studio della **vegetazione** presente su un sito possono fornire molti dati sulle attività svolte in passato sul sito stesso: alcune specie crescono di preferenza dove il suolo è stato disturbato, e a Sutton Hoo (Inghilterra orientale), per esempio, un esperto di graminacee è riuscito a individuare molte buche scavate in quel tumulo in anni recenti.

Per l'**analisi geochimica** è necessario prelevare campioni di terreno, a intervalli regolari (per esempio ogni metro), dalla superficie di un sito e dai suoi immediati dintorni e misurare la loro composizione chimica. La stretta correlazione tra antichi insediamenti e alta concentrazione di fosforo nel suolo fu rivelata per la prima volta nel corso di un'indagine sul campo in Svezia, negli anni Venti e Trenta del secolo scorso. I componenti organici dei rifiuti lasciati dall'occupazione di un sito possono scomparire, mentre i componenti inorganici restano nel terreno; si possono analizzare anche il magnesio e il calcio, ma i fosfati sono più facilmente analizzabili e si rivelano di maggior valore diagnostico. Sulla base di queste osservazioni sono stati sviluppati e utilizzati, nell'America settentrionale e nell'Europa nord-occidentale, alcuni metodi per individuare siti archeologici: Ralph Solecki, per esempio, ha individuato con questo metodo alcune sepolture nella Virginia occidentale.

Recenti analisi dei fosfati eseguite su siti inglesi, esaminando campioni presi a distanze regolari di 20 cm a partire dalla superficie e scendendo in profondità, hanno confermato che elementi archeologici che giacciano in-

3.9 La misurazione del magnetismo

La maggior parte delle analisi con i magnetometri terrestri sono state realizzate con il radiometro *fluxgate* (magnetometro a passaggio di flusso) o con i magnetometri a calore di metalli alcalini.

Gli strumenti a passaggio di flusso (*fluxgate*) di solito sono composti da due sensori fissati rigidamente alle due estremità di un tubo verticale e misurano solo la componente verticale del campo magnetico locale. Il magnetometro viene trascinato lungo una successione di traverse, a una distanza di solito di 0,5-1 m, legato a una griglia preimpostata, fino a che non è stato ricoperto l'intero sito. Il segnale viene registrato automaticamente e memorizzato dallo strumento; successivamente viene scaricato e elaborato. Per velocizzare la copertura di ampie aree, due o più *fluxgate* possono essere spostati in contemporanea attraverso il sito, agganciati a una guida trascinata dall'operatore o talvolta su un carrellino a ruote. In questo modo molti ettari di terreno possono essere analizzati abbastanza velocemente, rivelando elementi come pozzi, fossati, focolari, fornaci o interi insediamenti con le relative strade, sentieri e cimiteri.

Un'alternativa, talvolta più efficace del magnetometro, è il magnetometro al vapore dei metalli alcalini, di solito il magnetometro al cesio. Più costosi e abbastanza complessi da utilizzare, tuttavia hanno il vantaggio, rispetto ai *fluxgate*, di essere più sensibili e pertanto sono in grado di rilevare elementi molto poco magnetizzati o sepolti a profondità maggiori del solito. Diversamente da un gradiometro *fluxgate*, misurano il campo magnetico totale (ma possono anche essere utilizzati come un gradiometro se configurati con due sensori montati verticalmente). Spesso due o più di questi sensori vengono utilizzati contemporaneamente, montati su un carrello non magnetico con le ruote. Le ricognizioni con questi sistemi possono coprire fino a 5 ha al giorno, con un intervallo di campionatura ad alta risoluzione (da 0,5 a 0,25 m). Ora sono stati introdotti anche degli strumenti che dispongono diversi sensori *fluxgate* in fila, ma molte ricerche sono condotte con un doppio sistema di sensori (come nell'illustrazione) con un intervallo di campionatura di circa 0,1 m per 0,25 m. I gradiomentri *fluxgate* sono spesso preferiti ai sistemi di rilevamento al cesio, per il loro basso costo, per la versatilità e per la capacità di rilevare serie simili di elementi.

3.55 Il gradiometro *fluxgate* ad alta stabilità Bartington Grad 601/2 a un singolo componente verticale.

3.56 (*Sotto*) Risultati di una ricognizione col magnetometro *fluxgate* di un complesso di tumuli a Wyke Down sul Cranborne Chase nel Dorset, in Inghilterra, evidenziati a colori per facilitare la lettura.

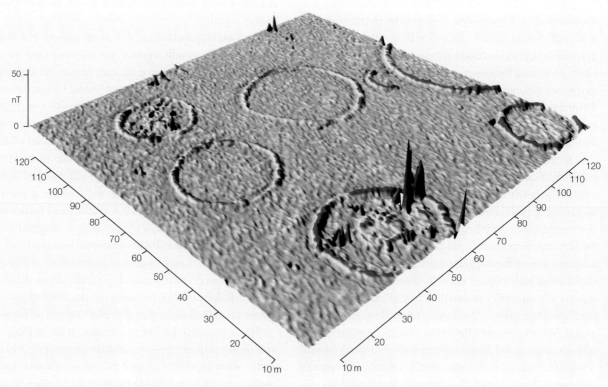

© 978.8808.82073.0

3.57 Parte del tesoretto dello Staffordshire, il più grande tesoro anglosassone di oggetti lavorati a mano in oro e argento mai ritrovato. Dissotterrato nel 2009 con il metaldetector da un dilettante (che stava perlustrando una zona con il consenso del proprietario), comprende più di 1500 pezzi (per la maggior parte collegati alle armi, come pomelli di spade) di alta qualità. Si ritiene che il tesoro sia da datare attorno al VII o VIII secolo d.C. e contiene 5 kg di oro e 1,3 kg di argento. È stato valutato 3,2 milioni di sterline.

disturbati nel sottosuolo hanno un preciso riflesso nello strato superiore del suolo. In passato, lo strato superiore del suolo veniva considerato come non stratificato e quindi incapace di dare informazioni archeologiche; era quindi spesso asportato con mezzi meccanici, senza alcuna indagine preventiva. Oggi, però, è sempre più chiaro che, anche se un sito appare totalmente sconvolto dall'aratro, può fornire importanti dati chimici che consentono di ricostruire in modo attendibile dov'era localizzata l'area d'insediamento.

Il metodo della determinazione dei fosfati si rivela di enorme utilità anche per quei siti che apparentemente non presentano al loro interno alcuna struttura architettonica. In alcuni casi questa tecnica può aiutare a chiarire la funzione delle diverse parti di un sito già scavato. Nell'insediamento agricolo romano-britannico di Cefn Graeanog (nel Galles settentrionale), per esempio, J.S. Conway ha raccolto campioni di suolo, a intervalli di 1 m, dal pavimento di capanne già scavate e dai campi circostanti, rappresentando poi le concentrazioni osservate di fosforo come linee di livello su una carta. La presenza di un'alta concentrazione di fosforo lungo la linea di mezzeria di un edificio ha indicato l'esistenza di una stalla per animali con canale centrale per lo smaltimento delle orine. In un altro edificio la posizione di due focolari è stata segnalata dalla presenza di valori assai elevati della concentrazione di fosforo.

Le indagini di questo tipo sono lente, perché è necessario predisporre una griglia sul terreno, raccogliere, pesare e analizzare i campioni. Insieme con il metodo magnetico e con il metodo della resistività – di cui sono complementari – permettono di ricostruire un'immagine dettagliata di elementi di particolare interesse archeologico all'interno di aree più vaste già identificate con altri sistemi, per esempio con la fotografia aerea o la ricognizione di superficie.

Se i metodi geofisici possono localizzare delle strutture, sono poi i metodi geochimici a dirci quale processo o quali attività si siano sviluppate sul sito. Gli spettrometri mobili a infrarosso apparvero per la prima volta negli anni Ottanta del secolo scorso e oggi strumenti portatili, come gli scanner fluorescenti a raggi X e gli spettrometri, sono usati regolarmente per fornire un'analisi dettagliata della composizione chimica del suolo, dei pigmenti, della calcite, del calcare, della malta, delle ceneri e via dicendo, senza bisogno di prelevare dei campioni. In effetti, l'abbattimento dei costi e la trasportabilità di un'ampia gamma di questi strumenti ad alta precisione stanno portando un cambiamento epocale nell'archeologia. Uno dei maggiori vantaggi è che non sono più necessari laboratori esterni, dove i campioni venivano inviati per essere analizzati, spesso causando ritardi di mesi.

Finora abbiamo scoperto siti e mappato il maggior numero possibile di elementi archeologici superficiali e sub-superficiali. Tuttavia, nonostante la crescente importanza della ricognizione, l'unico metodo per verificare l'attendibilità dei dati archeologici, confermare l'accuratezza delle tecniche di telerilevamento e vedere effettivamente ciò che resta di questi siti è scavarli. Inoltre, la ricognizione è in grado di dirci qualcosa su un'area grande, ma soltanto lo scavo è in grado di fornirci una gran quantità di informazioni su un area relativamente piccola.

LO SCAVO

Lo scavo mantiene il suo ruolo centrale nel lavoro sul campo, poiché offre i dati più chiari per i due tipi di informazioni cui sono interessati gli archeologi: 1) le attività umane in un particolare periodo del passato; 2) il mutare di queste attività da un periodo all'altro. In linea

© 978.8808.82073.0

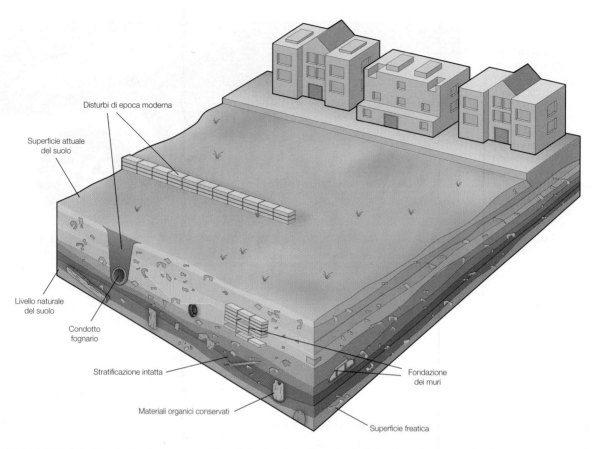

Disturbi di epoca moderna

Superficie attuale
del suolo

Livello naturale
del suolo

Condotto
fognario

Stratificazione intatta

Materiali organici conservati

Fondazione
dei muri

Superficie freatica

3.58 La complessità della stratificazione varia con il tipo di sito. Questa sezione di un ipotetico deposito urbano indica la complessa stratigrafia, tanto in verticale quanto in orizzontale, che può incontrare un archeologo. Possono comparirvi solo pochi livelli stratificati non disturbati. Le possibilità di rinvenire materiali organici conservati aumentano allorché ci si avvicina alla superficie freatica, in prossimità della quale i depositi possono essere saturi d'acqua.

molto generale possiamo dire che attività che si svolgono contemporaneamente si collocano **orizzontalmente nello spazio**, mentre i cambiamenti in queste attività avvengono **verticalmente attraverso il tempo**. È questa distinzione tra «fette di tempo» orizzontali e sequenze verticali attraverso il tempo che forma la base della maggior parte della metodologia dello scavo.

Nella dimensione orizzontale gli archeologi dimostrano la contemporaneità – cioè quali attività vennero svolte in realtà nello stesso tempo – provando attraverso lo scavo che i manufatti e gli elementi sono associati in un contesto non disturbato. Ovviamente, come abbiamo visto nel Capitolo 2, esistono molti processi di formazione che possono disturbare il contesto primario. Uno degli scopi principali della ricognizione e delle procedure di prospezione, di cui si è parlato nei precedenti paragrafi, consiste nel selezionare, in vista dello scavo, i siti, o anche le aree all'interno di un sito, che non abbiano subìto un notevole disturbo. Questa indagine preliminare è fondamentale nel caso si voglia ricostruire con la massima precisione il comportamento umano in un sito che presenti una sola fase di vita, per esempio nel caso di un accampamento di uomini primitivi nell'Africa orientale. Ma nei siti che presentano più fasi di vita, come

nelle città storiche europee o nei *tell* del Vicino Oriente, trovare grandi aree di depositi non disturbati si rivelerebbe in pratica impossibile. In questi casi gli archeologi devono tentare di ricostruire, durante e dopo lo scavo, quali tipi di interventi si siano succeduti, cercando di interpretarli. È chiaro che, se si vuole avere una qualche possibilità di successo in questo lavoro di interpretazione, è necessario eseguire una documentazione adeguata a mano a mano che lo scavo procede. Nella dimensione verticale, attraverso lo studio della stratigrafia, gli archeologi analizzano i cambiamenti avvenuti nel corso del tempo.

Stratigrafia Come abbiamo visto nel Capitolo 1, uno dei primi passi nella comprensione della grande antichità dell'umanità fu la scoperta, da parte dei geologi, dei processi di stratificazione; del fatto, cioè, che i livelli o gli strati si dispongono uno sull'altro, secondo un processo che continua tuttora. Gli strati archeologici (i livelli di resti di natura culturale o naturale visibili sulle pareti verticali di ogni scavo) si accumulano assai più rapidamente di quelli geologici, ma seguono la stessa **legge di sovrapposizione**. In parole povere, ciò significa che quando uno strato si sovrappone a un altro, quello inferiore è stato deposto prima dell'altro. Il profilo verticale di uno scavo che presenta una serie di strati costituisce così una sequenza che è andata accumulandosi con il passare del tempo.

Nel Capitolo 4 verranno esaminate le implicazioni di questo concetto ai fini della datazione. Qui facciamo notare che la legge di sovrapposizione testimonia solo la sequenza della deposizione, non l'epoca cui appartengono i materiali presenti nei diversi strati. Il contenuto degli strati inferiori è di solito più antico di quello degli strati superiori, ma gli archeologi non devono assumere questo fatto come certezza assoluta. Una fossa scavata a partire da uno strato superiore o la galleria scavata da un animale (perfino da un lombrico) possono introdurre nei livelli inferiori materiali più tardi. Inoltre, gli strati possono qualche volta presentarsi invertiti, come quando l'erosione li abbia trasferiti dall'alto di un terrapieno sul fondo di un fossato.

In anni recenti gli archeologi hanno messo a punto un metodo ingegnoso ed efficace per stabilire se i manufatti – in particolare quelli litici e le ossa – presenti in un particolare deposito siano contemporanei o intrusivi. Hanno infatti scoperto che in un numero sorprendente di casi le schegge di pietra o i frammenti d'osso possono essere ricongiunti gli uni agli altri e riassemblati nella forma del blocco di pietra originale o delle ossa da cui provenivano. Sul sito mesolitico (cioè risalente alla Media Età della pietra) di Hengistbury Head, in Inghilterra, per esempio, una nuova analisi dei reperti provenienti da un vecchio scavo ha rivelato che due gruppi di schegge di selce, rinvenute in due differenti strati, potevano essere ricomposti. Ciò fece sorgere dubbi sulla separazione stratigrafica dei due strati e smontò definitivamente l'assunto dell'archeologo che aveva condotto lo scavo, secondo il quale le selci erano state prodotte da due differenti gruppi di persone. Così come hanno chiarito alcune questioni stratigrafiche, questi esercizi di rimontaggio o di ricongiungimento stanno operando una trasformazione negli studi archeologici sulla tecnologia primitiva (*vedi* Capitolo 8).

La stratigrafia è, quindi, lo studio e la convalida della stratificazione: l'analisi, nella dimensione verticale, cioè temporale, di una serie di strati nella dimensione orizzontale, cioè spaziale (sebbene, in pratica, solo pochi strati siano esattamente orizzontali).

Quali sono i migliori metodi di scavo per recuperare queste informazioni?

Metodi di scavo

Lo scavo è una pratica al tempo stesso costosa e distruttiva, che quindi deve essere intrapresa a ragion veduta. Quando è possibile, per raggiungere gli obiettivi che la ricerca si prefigge dovrebbero preferibilmente essere usati quegli approcci non distruttivi di cui si è parlato nei paragrafi precedenti. Ma dando per assunto che lo scavo si debba

fare e che siano stati ottenuti i fondi e i permessi necessari per procedere, quali sono i metodi migliori da adottare?

Questo libro non è un manuale dello scavo archeologico; quindi per informazioni più dettagliate il lettore può consultare i testi indicati alla fine di questo capitolo e nella bibliografia a fine volume. Inoltre, i casi di studio presentati nelle prossime pagine e nel Capitolo 13 (oltre a tante altre Schede nei capitoli successivi) forniscono dei buoni esempi pratici di tanti tipi di scavi. Nella pratica, alcuni giorni o alcune settimane passate su uno scavo ben condotto sono molto più utili della lettura di qualsiasi libro su questo argomento. Ciò nonostante, anche in questa sede sarà opportuno fornire una breve rassegna dei principali metodi di scavo.

Va da sé che tutti i metodi di scavo devono tener presenti le domande che si pone la ricerca in corso e la natura del sito sul quale si opera. Non è infatti possibile scavare un sito urbano pluristratificato, con centinaia di strutture complesse, migliaia di buche che si intersecano e decine di migliaia di reperti, come se si trattasse di un sito paleolitico con una sola fase di occupazione, dove possono essersi conservate solo una o due strutture e poche cen-

3.59 L'archeologia urbana: un sarcofago romano e una tomba sassone scavati a St Martin-in-the-Fields, a Trafalgar Square, Londra.

© 978.8808.82073.0

3.60 Scavo a griglia di quadrati nel monastero buddista di Anuradhapura's Abhayagiri nello Sri Lanka. I depositi di terra lasciati intatti tra i quadrati di scavo permettono di identificare e correlare i differenti strati in profili verticali lungo tutto il sito.

tinaia di manufatti. Su un sito paleolitico, per esempio, si può avere qualche speranza di riportare alla luce tutte le strutture e di registrare l'esatta posizione o **provenienza** spaziale, verticale e orizzontale, di ognuno dei reperti. Su un sito urbano non si ha invece nessuna possibilità di farlo, anche a causa dei limiti di tempo e della scarsità dei finanziamenti. È necessario quindi adottare una strategia di campionamento (*vedi* Scheda 3.2) e prevedere un'esatta localizzazione spaziale tridimensionale solo per i manufatti fondamentali, quali le monete (importanti ai fini della datazione, *vedi* Capitolo 4), mentre gli altri reperti saranno assegnati semplicemente allo strato – e forse al quadrato della griglia – da cui provengono.

Abbiamo già introdotto il concetto di dimensione orizzontale e dimensione verticale. Esse sono fondamentali per il metodo di scavo, dato che costituiscono i princìpi che sottendono lo scavo stesso. In generale, le tecniche di scavo si possono dividere in:

1) quelle che privilegiano la dimensione verticale, operando tagli in depositi profondi per rivelarne la stratificazione;
2) quelle che danno più importanza alla dimensione orizzontale, esponendo grandi superfici di un particolare strato per evidenziarne le relazioni spaziali tra i manufatti e gli elementi presenti.

La maggior parte degli archeologi adottano una combinazione di entrambe le strategie, ma ci sono modi differenti per ottenere questo risultato. In ogni caso si presuppone che il sito sia stato sottoposto a un'accurata ricognizione preliminare e che vi sia stata allestita un'adeguata griglia di quadrati (quadrettatura) per facilitare una documentazione precisa. La quadrettatura del sito viene disposta in base a un dato punto di partenza che serve da punto di riferimento per la raccolta di tutte le misurazioni (verticali e orizzontali), in modo che il sito possa essere accuratamente mappato e la posizione esatta di ciascun manufatto o elemento documentata in tre dimensioni. L'uso della Stazione totale sta sostituendo sempre di più la realizzazione della griglia.

Il **sistema di scavo per quadrati di Wheeler** soddisfa le necessità di analisi sia orizzontale sia verticale conservando intatta una serie di risparmi di terreno non scavato (testimoni) tra i quadrati scavati, affinché i differenti strati possano essere individuati e correlati tra loro su tutto il sito nei loro profili verticali. Una volta accertate l'estensione complessiva e la pianta del sito, alcuni dei testimoni possono essere rimossi, riunendo così i quadrati in un'unica superficie in modo da esporre nella loro integrità quegli elementi della stratificazione che risultino di particolare interesse (per esempio un mosaico pavimentale). Il metodo di scavo per quadrati è ancora largamente utilizzato nell'Asia meridionale, dove fu introdotto da Wheeler negli anni Quaranta del secolo scorso; è tuttora diffuso perché pochi responsabili possono supervisionare il lavoro di tanta manodopera non addestrata.

I fautori dello **scavo per grandi aree** (o **scavo in estensione**), come l'archeologo inglese Philip Barker (1920-2001), criticano il metodo di Wheeler, sostenendo che i testimoni vengono spesso a trovarsi nel posto sbagliato o con un orientamento errato, e non riescono quindi a costituire sezioni effettivamente utili; inoltre, gli stessi testimoni rendono spesso impossibile cogliere la distribuzione spaziale degli elementi su grandi aree. È quindi assai meglio, affermano, non avere testimoni permanenti o semipermanenti, ma aprire grandi aree di scavo, creando sezioni verticali (orientate in qualsiasi modo si renda necessario rispetto alla quadrettatura generale del sito) dove è necessario per chiarire relazioni stratigrafiche particolarmente complesse. Oltre a queste «sezioni volanti», la dimensione verticale della stratificazione è documentata da precise misurazioni tridimensionali eseguite nel corso dello scavo e ricostruite su carta alla fine dello scavo. L'introduzione sin dai tempi di Wheeler di metodi di documentazione sempre più avanzati, inclusi i computer portatili, rende attuabile nella pratica il metodo, assai più impegnativo, dello scavo per grandi aree, che è divenuto di normale impiego, per esempio, nella maggior parte dell'archeologia britannica.

È opinione generale che l'archeologia subacquea abbia ricevuto un importante impulso nell'inverno del 1853-1854, quando un forte abbassamento del livello delle acque dei laghi svizzeri mise in luce enormi quantità di pali di legno, ceramica e altri manufatti. Questa disciplina si è da allora sviluppata come valido complemento al lavoro sul terreno, essendo in grado di indagare una grande varietà di siti, compresi pozzi, pozzi neri e sorgenti (per esempio, il grande pozzo sacrificale di Chichén Itzá, in Messico); inoltre, oggetto di ricerca possono essere insediamenti lacustri sommersi e siti marini, dai relitti di naufragi ai porti sommersi (per esempio quello di *Caesarea Maritima*, in Israele) alle città sommerse (per esempio Port Royal, in Giamaica).

Nel XX secolo invenzioni come sottomarini, sommergibili di ridotte dimensioni e, soprattutto, dell'equipaggiamento per le immersioni si sono dimostrate di immenso valore. Altre innovazioni tecnologiche, come gli autorespiratori o gli «Exosuit», permettono ai subacquei di rimanere sott'acqua per un tempo sempre maggiore e di raggiungere siti posti a profondità un tempo inaccessibili. Il risultato, negli ultimi decenni, è stato l'espansione in misura assai rilevante sia del numero sia dell'importanza delle scoperte. Solo nelle acque non molto profonde del Mediterraneo, per esempio, sono oggi noti circa 1000 relitti di naufragi, ma recenti esplorazioni che utilizzano sommergibili di profondità, come i sottomarini senza equipaggio in miniatura (ROV, *Remote Operated Vehicles*/Veicoli telecomandati), con sonar, luci ad alta potenza e videocamere, hanno rintracciato relitti romani a profondità fino a 850 m sotto il livello del mare – e due relitti fenici pieni di anfore, al largo delle coste di Israele, che sono i vascelli più antichi mai ritrovati nel mare profondo.

La ricognizione subacquea

I metodi di prospezione geofisica si rivelano utili nella localizzazione dei siti sommersi quanto lo sono in quella dei siti sulle terre emerse.

Per esempio, nel 1979 la combinazione di una rilevazione magnetometrica e l'utilizzo di un sonar a esplorazione laterale portò alla scoperta dell'*Hamilton* e dello *Scourge*, due golette armate affondate durante la guerra del 1812 a una profondità di 90 m nel Lago Ontario, in Canada. I recentissimi sonar multibeam (letteralmente multi-raggi) a scansione laterale sono in grado di restituire immagini particolarmente chiare e permettono di prendere delle accurate misure dei relitti sul fondo del mare.

Ciò nonostante, in regioni come il Mediterraneo la maggioranza dei ritrovamenti è il risultato di un metodo semplicissimo: parlare con i locali pescatori di spugne, che, complessivamente, hanno passato migliaia di ore sul fondo del mare.

Lo scavo subacqueo

Lo scavo subacqueo è un'operazione complessa e costosa (per non parlare del lavoro di analisi e di conservazione dei reperti che è necessario fare dopo lo scavo). Una volta intrapreso lo scavo, può essere necessario spostare grandi quantità di sedimento e documentare e portare alla superficie oggetti e reperti ingombranti quali anfore, lingotti metal-

3.62 Tecniche di scavo subacqueo: a sinistra, la misurazione dei reperti *in situ*; al centro, il pallone ad aria compressa per sollevare oggetti; a destra, l'aspiratore «sorbona» usato per rimuovere il sedimento.

lici e cannoni. George Bass, il fondatore dell'Institute of Nautical Archaeology nel Texas, e altri ricercatori hanno messo a punto molte apparecchiature utili: per esempio, cesti attaccati a palloni riempiti d'aria compressa per sollevare oggetti pesanti, o gli aspiratori («sorbone» nel linguaggio degli archeologi) che servono a rimuovere il sedimento (*vedi* illustrazione). Se si conserva ancora parte dello scafo dell'imbarcazione, si deve eseguirne un rilievo accurato tridimensionale, affinché gli specialisti possano in seguito ricostruire la forma complessiva dell'imbarcazione: o si fa semplicemente un disegno su carta o si realizza un modello tridimensionale a scala naturale (*vedi* Scheda 3.11). Qualche rara volta, come nel caso della nave inglese *Mary Rose* (del XVI secolo), i resti dello scafo possono essere in condizioni di conservazione così buone che è possibile riportarli in superficie, purché i fondi finanziari a disposizione lo consentano.

Gli scavi di imbarcazioni affondate non solo rivelano il modo in cui esse erano costruite, ma forniscono anche molte informazioni sulla vita di bordo, sui carichi trasportati, sulle rotte commerciali, sulla metallurgia antica e sulla fabbricazione del vetro. Esamineremo in maggior dettaglio due progetti: il relitto della Red Bay, in Canada (*vedi* Scheda 3.11), e il relitto di Uluburun, in Turchia (*vedi* Scheda 9.7).

3.61 Tre metodi di rilevamento geofisico subacqueo. (1) Il magnetometro a protoni è rimorchiato a grande distanza dal battello di rilevamento, alla ricerca di oggetti in ferro e in acciaio (per esempio cannoni o scafi in acciaio) che hanno la proprietà di distorcere il campo magnetico terrestre. (2) Un sonar a esplorazione laterale emette un fascio di onde sonore a ventaglio che permette di ottenere un'immagine grafica degli elementi superficiali (ma non di quelli sepolti) presenti sul fondo del mare. (3) Il rilevatore del profilo sotto il fondo emette impulsi sonori che vengono riflessi dagli elementi e dagli oggetti sepolti sotto il fondo.

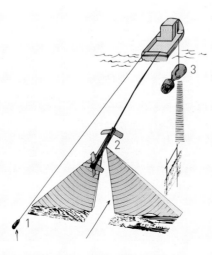

3.11 Lo scavo del relitto della Red Bay

L'archeologia subacquea, insieme con le ricerche d'archivio e con l'archeologia in terraferma, sta cominciando a fornire una descrizione dettagliata di come si svolgeva la caccia alla balena dei pescatori baschi nella Red Bay, nel Labrador, durante il XVI secolo. In quell'epoca i pescatori baschi erano i maggiori fornitori per l'Europa di olio di balena, un prodotto importante, utilizzato per l'illuminazione e per la fabbricazione del sapone.

Nel 1977, stimolato dalla scoperta fatta negli archivi spagnoli di documenti che testimoniavano che la Red Bay era stata uno dei centri più importanti della caccia alla balena, l'archeologo canadese James A. Tuck avviò uno scavo sull'isola che chiude il porto di Red Bay e individuò i resti delle strutture di trasformazione del grasso di balena in olio. L'anno successivo l'archeologo subacqueo Robert Grenier guidò un'équipe del Parks Canada in cerca del galeone basco *San Juan*: i documenti d'archivio testimoniavano che il galeone era naufragato nel porto nel corso del 1565.

Scoperta e scavo

Nel 1978 un sommozzatore trainato da una piccola imbarcazione individuò un relitto che giaceva su un fondale profondo circa 10 m e che fu creduto essere quello del *San Juan*. Uno studio di fattibilità, condotto nell'anno seguente, confermò le potenzialità del sito, e tra il 1980 e il 1984 un'équipe del Parks Canada condusse un rilevamento e uno scavo che videro impegnati 15 archeologi subacquei, affiancati da uno staff di supporto composto da 15-25 specialisti, che comprendeva restauratori, disegnatori e fotografi. Nelle acque del porto vennero rinvenuti i resti di altri tre galeoni, ma solo quelli del supposto *San Juan* furono scavati. Lo scavo fu controllato da una chiatta ancorata sulla verticale del sito, appositamente attrezzata, che conteneva un laboratorio, bagni di conservazione per i manufatti, una gru per sollevare il legname e un compressore capace di produrre una pressione di 12 atmosfere per rimuovere il sedimento del fondale. Allo scopo di mantenere costante la temperatura corporea dei sommozzatori, consentendo loro di lavorare nelle gelide acque della baia per un totale di 14 000 ore di immersione, nell'area in cui essi operavano era pompata in continuazione acqua salata preventivamente riscaldata a bordo della chiatta.

Un'importante tecnica messa a punto nel corso del progetto consisteva nell'uso di gomma a base di lattice per ricavare un calco di grandi porzioni del legname dello scavo nella posizione in cui si trovava sott'acqua, arrivando così a riprodurre con la massima precisione sia la forma dello scafo sia alcuni dettagli quali la venatura del legno o i segni lasciati dagli strumenti utilizzati per lavorarlo. I resti della nave vennero quindi portati in superficie al fine di procedere a una precisa documentazione, ma grazie ai calchi non fu necessario operare una costosa opera di conservazione del legname, che venne ricollocato sul fondale.

3.63 Il direttore della ricerca, Robert Grenier, esamina i resti di un astrolabio (strumento per la navigazione) proveniente dalla Red Bay.

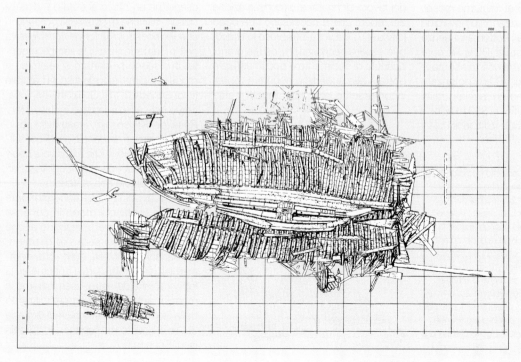

3.64 Pianta delle strutture del relitto sul fondale del porto (quadrati della griglia di 2 m di lato).

Analisi e interpretazione

Sulla base dei meticolosi disegni, e dei calchi eseguiti durante lo scavo, venne realizzato un modello in scala 1:10, da utilizzare come strumento di ricerca per ricostruire la tecnica costruttiva e l'aspetto finale della nave originale. Emersero così molti dettagli affascinanti: per esempio si scoprì che la chiglia (lunga 14,70 m) e il corso di fasciame più vicino alla chiglia erano stati ricavati – cosa inusuale per navi di queste dimensioni – da un unico tronco di faggio. Quasi tutto il resto della nave era invece stato costruito con legno di quercia. Inoltre il modello rivelò che si trattava di una nave baleniera dallo scafo sottile, ben diversa dalla forma panciuta e tozza che si pensava fosse tipica delle navi mercantili in uso nel XVI secolo. L'analisi del DNA delle ossa di balena ha dimostrato che le popolazioni basche nell'Atlantico nord-orientale cacciavano prevalentemente la Balena della Groenlandia (*Balaena mysticetus*) e non la Eubalaena come ritenuto in precedenza.

Come mostra l'elenco che pubblichiamo qui di seguito, la grande quantità di reperti rinvenuti sul relitto permette di conoscere meglio le caratteristiche del carico, dell'equipaggiamento di navigazione, dell'armamento e della vita a bordo dello sfortunato galeone. Grazie al piano integrato di ricerca di questo progetto Parks Canada – il più grande e importante mai condotto nelle acque canadesi – oggi disponiamo di molte informazioni in più circa la navigazione, la caccia alla balena e le tradizioni di costruzione delle navi proprie della marineria basca del XVI secolo. Un resoconto in 5 volumi, *The Underwater Archaeology of Red Bay* (L'archeologia subacquea di Red Bay), è stato pubblicato nel marzo del 2007.

RESTI DELLA CULTURA MATERIALE RECUPERATA A RED BAY

Le navi

Della baleniera che si presumeva essere il *San Juan*: Oltre 3000 frammenti di legname dello scafo • Equipaggiamento: argano, timone, bompresso • Attrezzatura: bigotte (casse di bozzello), bozzelli mobili, sartie, altro cordame • Ancora • Frammenti di chiodi di ferro

Tre altre navi baleniere

Sei piccole imbarcazioni, alcune utilizzate per la caccia alla balena

Manufatti recuperati

Elementi del carico: Barili in legno (oltre 10 000 pezzi) • Materiali in legno connessi con lo stivaggio: billette, bocche di rancio, cunei • Pietre di zavorra (oltre 13 t)

Strumenti di navigazione: Chiesuola • Bussola • Clessidra (orologio a sabbia) • Mulinello e barchetta di solcometro • Astrolabio

Immagazzinamento, preparazione e distribuzione del cibo: Rozza ceramica e maiolica • Frammenti di vetro • Frammenti di peltro • Stoviglie di legno: ciotole e piatti • Ceste di vimini • Rubinetto da botte in lega di rame

Elementi in relazione con il cibo: Lische di merluzzo • Ossa di mammiferi (orsi bianchi, foche, bovini e suini) • Ossa di uccelli (anatre, gabbiani, alcidi) • Gusci di noci e nocciole, noccioli di prugna e semi di mela

Elementi in relazione con l'abbigliamento: Scarpe • Frammenti di pelle conciata • Frammenti di tessuto

Oggetti personali: Monete • Pezzi da gioco d'azzardo • Pettine

Elementi in relazione con l'armamento: Proiettili di piombo • Palle da cannone • Forse freccia di legno

Elementi in relazione con gli strumenti: Manici in legno per strumenti • Spazzole • Mola

Materiali da costruzione: Frammenti di tegole in ceramica

Elementi in relazione con la caccia alla balena: Ossa di balena

3.65-66 Modello, realizzato in scala 1:10, per mostrare in quale modo potevano essere ricongiunte le parti conservatesi dello scafo del galeone. Il disegno della barca è ora parte nel logo del Congresso del 2001 sulla protezione del patrimonio culturale sottomarino.

3.66

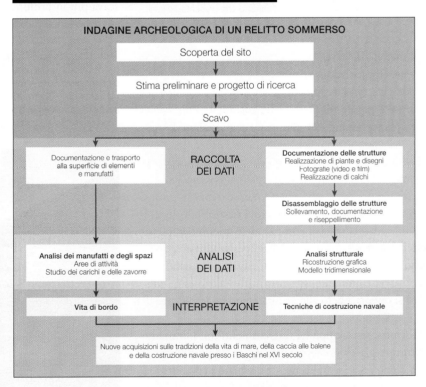

INDAGINE ARCHEOLOGICA DI UN RELITTO SOMMERSO

Scoperta del sito

Stima preliminare e progetto di ricerca

Scavo

RACCOLTA DEI DATI

Documentazione e trasporto alla superficie di elementi e manufatti

Documentazione delle strutture
Realizzazione di piante e disegni
Fotografie (video e film)
Realizzazione di calchi

Disassemblaggio delle strutture
Sollevamento, documentazione e riseppellimento

ANALISI DEI DATI

Analisi dei manufatti e degli spazi
Aree di attività
Studio dei carichi e delle zavorre

Analisi strutturale
Ricostruzione grafica
Modello tridimensionale

INTERPRETAZIONE

Vita di bordo

Tecniche di costruzione navale

Nuove acquisizioni sulle tradizioni della vita di mare, della caccia alle balene e della costruzione navale presso i Baschi nel XVI secolo

© 978.8808.82073.0

3.67 Uno scavo a trincea a gradoni sul sito indiano di Koster, nell'Illinois. Allo scopo di localizzare i piani di calpestio e le aree d'attività furono messe in luce grandi superfici orizzontali. Tuttavia, per permettere l'analisi della dimensione verticale della stratificazione anche a profondità notevoli, man mano che lo scavo procedeva vennero tagliate sezioni verticali in forma di gradoni. In questa foto, gli archeologi studiano una sezione stratigrafica che presenta 14 livelli d'occupazione, che vanno circa dal 7500 a.C. al 1200 d.C.

Il metodo dello scavo per grandi aree si rivela particolarmente efficace laddove depositi che risalgono a un unico periodo giacciono in prossimità della superficie, come nel caso, per esempio, dei resti delle cosiddette *long houses* (case a pianta rettangolare allungata) degli Indiani d'America o delle popolazioni del Neolitico in Europa. In questi casi la dimensione temporale può essere rappresentata da movimenti laterali (un insediamento può essere stato ricostruito in posizione adiacente, e non sovrapposto, a uno più antico); esporre grandi superfici orizzontali diviene quindi fondamentale per comprendere questo complesso modello di ricostruzione. Gli scavi per grandi aree sono spesso utilizzati nell'archeologia di salvataggio quando un terreno deve comunque essere distrutto – altrimenti i contadini si opporrebbero allo svuotamento di ampie aree di terreno già arato.

Talvolta, se il tempo e i finanziamenti sono limitati e le strutture giacciono abbastanza vicino alla superficie, il terreno può essere semplicemente raschiato su grandi aree, come è stato fatto con buoni risultati a Tell Abu Salabikh,

in Iraq, da Nicholas Postage, nello studiare la configurazione su larga scala di una città primitiva della Mesopotamia.

In Gran Bretagna è utilizzato un metodo conosciuto come *strip-map-and-sample* (letteralmente rimuovere un strato-mappare-e-campionare) che permette di investigare delle grandi aree e contestualmente determinare le relazioni tra gli elementi e i reperti. È particolarmente indicato in quei casi dove delle aree estese sono minacciate dallo sviluppo (di cave, per esempio, o di progetti di costruzione). La fase dello *strip* vuol dire, appunto, rimozione dello strato superficiale, spesso un terreno arato, con una ruspa meccanica: la superficie esposta viene quindi pulita manualmente e ogni elemento archeologico registrato su una mappa (utilizzando dei metodi tecnologici di ricognizione tipo GPS o Stazione totale), disegnato e fotografato. Successivamente, si procede alla stesura di un'accurata mappa dell'area in grado di mostrare le relazioni tra i reperti. Quindi si decide, in accordo con l'archeologo responsabile, quale elemento scavare (questa è la fase della campionatura).

Nessun metodo, però, risulta universalmente applicabile. Per esempio, lo scavo per rigidi quadrati predeterminati è stato impiegato raramente nell'indagine su siti molto profondi, come i *tell* del Vicino Oriente, giacché lo scavo condotto in quadrati stretti diviene presto disagevole e pericoloso quando si approfondiscono i saggi. Una soluzione comunemente adottata è quella delle **trincee a gradoni** (*step-trenching*), che consiste nell'apertura di una grande area alla superficie, che va gradualmente restringendosi attraverso una serie di larghi gradoni man mano che si scava più in profondità. Questa tecnica è stata usata con successo sul sito di Koster, nell'Illinois.

3.68 Scavo eseguito utilizzando una palancolata: il relitto, indicato dalla presenza delle bolle d'aria, di un brigantino mercantile denominato YO 88 a Yorktown, in Virginia, affondato deliberatamente nel corso della Guerra d'indipendenza americana. In questo caso la palancolata è stata utilizzata per pulire le acque torbide creando le condizioni ottimali per lo scavo sottomarino del brigantino.

3.12 La riscoperta di Jamestown: lo scavo

Il 13 maggio 1607 un centinaio di inglesi si stabilì in un insediamento sull'isola di Jamestown in Virginia. Presto furono attaccati dai nativi americani e allora costruirono un fortino di legno. Il rifornimento periodico di coloni e provviste, gli investimenti da parte delle Virginia Company di Londra e la scoperta di colture da reddito, come quella del tabacco, mantennero questa impresa attiva. In conclusione, Jamestown è stata la prima colonia inglese permanente e quindi il luogo di nascita dell'America moderna e dell'Impero britannico. Per secoli si pensò che il sito fosse stato eroso dal vicino fiume James, ma gli scavi archeologici effettuati grazie al progetto *Riscoperta di Jamestown* dal 1994 in poi hanno dimostrato che il sito, ritenuto perduto, era di fatto scampato all'erosione. Negli scavi sono stati ritrovati i resti del forte e più di 1,7 milioni di manufatti di cui almeno la metà appartiene ai primi tre faticosi anni di vita dell'insediamento.

Il progetto *Riscoperta di Jamestown* è lineare e tuttavia si occupa di diversi aspetti: scoprire, documentare e interpretare i resti di James Fort; definire la planimetria originale e del successivo sviluppo del forte; imparare il più possibile sulla vita dei coloni e dei nativi americani della Virginia e documentare le occupazioni precedenti e successive alla presenza del Forte. Sin dagli inizi era chiaro che per documentare e conservare tutto questo nel modo migliore era necessaria una strategia ibrida in grado di combinare il metodo tradizionale di scavo a quadrati e quello per grandi aree. Un aggiornamento costante della documentazione era altrettanto essenziale, sia per individuare le aree da esaminare nel futuro, sia per riconsiderare continuamente le testimonianze alla luce delle nuove e più complesse domande che emergevano col procedere degli scavi.

Le attività sul campo

All'inizio è stata impiegata una griglia di quadrati di 3 m su ogni area da scavare, per facilitare la documentazione dei manufatti nei depositi successivi al Forte (di solito terreno arato del XVIII e XIX secolo oppure depositato nel 1861 durante la costruzione di un terrapieno in occasione della Guerra Civile). Una volta venuto alla luce uno strato del XVII secolo, la griglia è stata ricollocata con un metodo di registrazione tipico di una area aperta. In questa fase i resti fisici, e le variazioni di colore e di struttura del suolo, definiscono assieme le caratteristiche delle evidenze archeologiche: le fondazioni degli edifici, i focolari, le buche per palo, le cantine, i pozzi, i fossati e le tombe. A ciascuno di questi contesti è stato assegnato un numero progressivo «JR» (*Jamestown Rediscovery*), inserito poi nella mappatura GIS del sito realizzata con l'aiuto della Stazione totale. La misura e la forma dell'area aperta dipende dal contenuto di alcuni elementi chiaramente identificati, come, per esempio, le configurazioni rettangolari delle buche per palo o altri depositi simili o correlati.

3.69 Esempi di diverse tecniche di scavo a James Fort: il sistema con griglia a quadrettatura (*in primo piano*) e a grandi aree (*sullo sfondo*).

La decisione di scavare parzialmente, o totalmente (o di non scavare), un elemento o componenti relativi a quell'elemento dipende dall'associazione con altri resti del James Fort/Jamestown (1607-1624), come le mura di confine. Elementi più recenti di solito vengono mappati, ma non scavati. Una volta stabilito che un dato elemento è probabilmente un resto dell'occupazione del Forte, lo scavo lo identifica nella sequenza culturale del deposito, indicata dalle variazioni di colore e dalla tessitura del terreno o dalle inclusioni di strati. A ogni strato è stata quindi assegnata una lettera in ordine alfabetico (a esclusione delle lettere I, O e U). In questa maniera il numero JR e la lettera codificano in modo permanente ogni singolo elemento caratteristico (e gli strati al suo interno) come contesti distinti. La maggior parte, quindi, dei contesti è stata disegnata, fotografata, archiviata sistematicamente e possibilmente collegata alla mappa GIS del sito.

I manufatti sono stati registrati in due fasi: al momento dello scavo e poi quando i singoli reperti venivano rinvenuti durante la setacciatura ad acqua oppure a secco (quest'ultima attività è manuale oppure meccanica). Il metodo specifico di setacciatura dipende dall'età e dall'integrità del contesto. I manufatti raccolti sono stati lavati, conservati e catalogati in un laboratorio in situ, e recano ciascuno, in modo chiaro e permanente, il proprio numero JR, la lettera di riferimento e anche un tipo di contesto principale, come, per esempio, «struttura 185», «buca 8», «pozzo 3» ecc.

3.70 Delicato recupero sul campo di armi e armature ritrovate in una cantina piena di oggetti lavorati in metallo pertinenti a una bottega di fabbro/panetteria, dopo che era stata stabilita una strategia di scavo su grandi aree aperte.

3.71 Manufatti come questo pozzo di James Fort osservati da visitatori del Historic Jamestowne Park mentre sono ripresi dalla Stazione totale per essere inseriti nella mappa GIS del sito.

3.72 Setacciatura ad acqua che utilizza delle pompe a pressione e una serie di setacci con maglie di grandezza differente.

Campioni di terreno sono stati raccolti e catalogati per analisi successive di flottazione e/o chimiche. Una volta che le evidenze più significative di una certa area sono state scavate e/o catalogate, quell'area viene coperta da un tessuto permeabile (tessuto geotessile, tessuto-non tessuto) e riempita, di solito, con 50 cm di terreno. Fino al 2011, circa il 15% delle testimonianze più importanti del Forte erano state parzialmente o completamente scavate, mentre il resto veniva conservato per ricerche future.

La gestione delle raccolte

Dopo la pulizia iniziale, i manufatti sono stati selezionati in base alla necessità di preservazione, bilanciando l'esigenza di un recupero immediato oppure di una loro conservazione per un lungo periodo mantenendo il loro potenziale

3.73 Mappa GIS degli scavi di James Fort del 1994-2011.

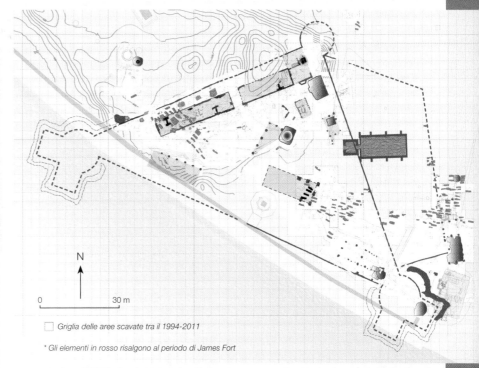

N

0   30 m

☐ *Griglia delle aree scavate tra il 1994-2011*

* *Gli elementi in rosso risalgono al periodo di James Fort*

interpretativo. Diverse tecniche, che vanno dai raggi X ai trattamenti meccanico-chimici, vengono applicate agli oggetti metallici e ai materiali organici.

Il programma di catalogazione digitale è facile e accessibile, utilizza per la ricerca un campo di attributi minimo (numero, tipo di materiale, forma e disegno), ma con la possibilità di inserire altri dati utili in un campo separato. Per facilitare le analisi e la pubblicazione, la catalogazione digitale è collegata alla mappa del sito GIS, cosicché le carte geografiche, le foto e i manufatti possono essere interpretati in una singola postazione digitale. In accordo con i loro requisiti di conservazione, tutti gli oggetti sono tenuti o archiviati in un ambiente appropriato che va da luoghi con umidità estremamente bassa a stanze con temperatura stabile a magazzini non riscaldati. Le relazioni descrittive vengono redatte ogni anno di scavo, ma l'interpretazione è limitata per via della natura in continua evoluzione del progetto.

William M. Kelso

3.74 (A destra) I materiali raccolti durante le ricerche a Jamestown, durante la catalogazione e l'analisi comparativa delle fasi dei contesti nella stanza con clima controllato.

3.75 (Sotto) Ricostruzione di James Fort basata su documenti scritti e sulle testimonianze venute alla luce in occasione degli scavi.

3.13 L'Arciere di Amesbury, lo scavo

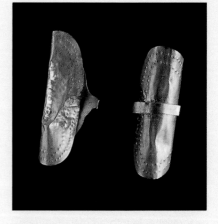

La sepoltura dell'individuo, che divenne poi noto come «l'Arciere di Amesbury», è stata ritrovata a 5 km da Stonehenge e, appartenente alla cultura dei vasi campaniformi (Età del bronzo), è una delle meglio fornite («ricche») che sia mai stata ritrovata in Europa. La testimonianza archeologica mostra che l'uomo, guerriero e fabbro, aveva 35-45 anni ed era vissuto tra il 2380 e il 2290 Cal a.C., cioè un secolo o due dopo la fase di maggior edificazione di Stonehenge.

La tomba fu ritrovata vicina, a 3 m, a un'altra (il «Compagno») in uno scavo di routine condotto dal reparto indipendente della Wessex Archaeology e finanziato dal costruttore di una scuola prima della sua realizzazione. Lo strato superficiale del terreno è stato rimosso con una ruspa meccanica e tutti gli elementi archeologici, visibili sul gesso come macchie scure, sono stati misurati con la Stazione totale.

In questa circostanza furono utilizzati dei metodi di scavo e documentazione tradizionali. Alle tombe furono assegnati dei numeri progressivi e della forma di ciascuna è stata accuratamente redatta una piantina prima dell'inizio dello scavo. Il terreno venne rimosso con una zappa finché non furono ritrovati i primi oggetti. In seguito, lo scavo fu realizzato con delle trowel (cazzuole), piccoli attrezzi di metallo e pennelli.

Nella tomba dell'Arciere di Amesbury era stato inserito un sarcofago di legno, mentre lo spazio tra questo e il gesso sottostante era stato riempito con altro gesso fatto a pezzettini. Lo scheletro venne disegnato in una pianta in scala e fu poi fotografato. Anche le sue condizioni sono state documentate. In un primo momento furono prelevati dei campioni di terreno attorno alla gola, allo stomaco, alle mani e ai piedi – un'operazione che si fa di routine quando si scavano delle sepolture per essere sicuri di non perdere delle piccole ossa (per esempio ossa delle dita) che potrebbero sfuggire durante gli scavi. Ciascun campione, a cui venne attribuito un numero unico, fu portato in laboratorio e setacciato ad acqua. Quando le ossa dello scheletro furono rimosse erano state divise anatomicamente (per esempio, «ossa del costato sinistro») e raggruppate in sacchetti, per rendere più facili le successive analisi.

Tuttavia, la scoperta di un ornamento d'oro nella tomba ha cambiato la natura dello scavo. Considerando la circostanza che questi ornamenti si ritrovano spesso in coppia e dunque c'è la probabilità di trovarsi di fronte alla tomba di un individuo appartenente a uno stato sociale elevato, si decise di conservare tutto il terreno proveniente dalla tomba, in aggiunta a quello che era già stato

3.77 Lunghi solo 22 mm, gli ornamenti d'oro provenienti dalla tomba sono alcuni degli oggetti d'oro più antichi ritrovati fino a ora in Gran Bretagna.

campionato. Il terreno, quindi, che era stato precedentemente accantonato al lato della tomba, fu di nuovo recuperato e successivamente setacciato ad acqua per il rilevamento di eventuali manufatti.

I ritrovamenti e la loro analisi

Più di 100 oggetti furono ritrovati nella tomba dell'Arciere, tra cui 18 punte di frecce in selce e 2 guardapolsi in pietra; da qui il nome che fu dato dagli archeologi all'uomo sepolto. Poiché gli oggetti erano stati deposti accanto al corpo, a

3.76 Mappatura della tomba e dei beni ritrovati nella tomba. Poiché non era stato possibile mettere in sicurezza il sito, lo scavo della sepoltura proseguì anche durante la notte.

3.78 L'Arciere di Amesbury. L'oggetto scuro è l'attrezzo in pietra per la lavorazione del metallo.

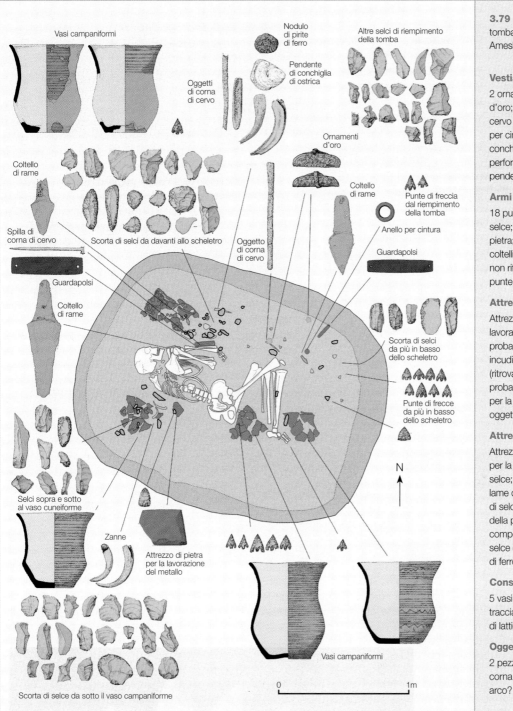

3.79 I beni ritrovati nella tomba dell'Arciere di Amesbury.

Vestiario

2 ornamenti per capelli d'oro; spilla di corna di cervo per vestiti; anello per cintura in argillite; conchiglia di ostrica perforata da portare come pendente.

Armi

18 punte di freccia in selce; 2 guardapolsi in pietra; 3 coltelli in rame; coltelli in selce; oggetto non rifinito per fare le punte di freccia.

Attrezzi da fabbro

Attrezzo in pietra per lavorare il metallo, probabilmente un incudine; 2 zanne (ritrovate con la pietra) probabilmente usate per la spazzolatura degli oggetti di metallo.

Attrezzi

Attrezzo di corna di cervo per la lavorazione della selce; coltelli di selce; lame di selce; raschietto di selce per la lavorazione della pella; set per il fuoco composto da lama di selce e nodulo di pirite di ferro.

Consumazione di cibo

5 vasi campaniformi; traccia di prodotti a base di latticini.

Oggetti non identificati

2 pezzi fatti da strisce di corna di cervo, forse un arco?

questi venne assegnato lo stesso numero di contesto dello scheletro, ma a ciascun oggetto fu attribuito un numero unico. Una scheda di registrazione è stata compilata per ciascun reperto e la loro localizzazione è stata inserita in un disegno in scala con tutte e tre le dimensioni registrate. Durante tutto il lavoro vennero scattate foto.

Dopo gli scavi, tutti i reperti furono valutati prima di essere puliti. Ciò per evitare che reperti estremamente delicati come i residui di cibo sul vasellame o i segni dell'usura sugli attrezzi di selce subissero danni accidentali. Questa fase è particolarmente importante nei ritrovamenti casuali, in quanto consente una pianificazione delle ricerca più dettaglia-

ta e di valutare i costi e i tempi necessari per l'analisi e la pubblicazione. I requisiti di conservazione e campionamento per l'analisi dei materiali furono decisi e furono eseguiti studi sugli oggetti prima e dopo la campionatura e la conservazione. Tutti i reperti vennero quindi restaurati e conservati, perfettamente pronti per essere esposti in un museo.

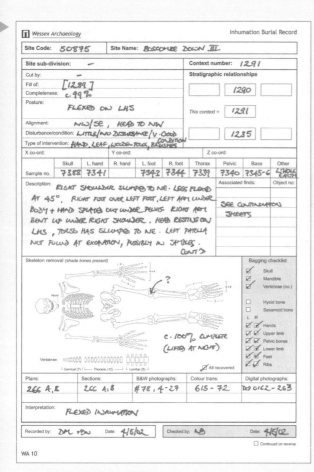

3.80 Il foglio di registrazione dell'Arciere di Amesbury.

Il foglio di registrazione dell'Arciere di Amesbury

Sepoltura

- Ossa: campionamento per la datazione al radiocarbonio e con gli isotopi (carbonio e azoto) e per indicazioni sulla dieta
- Denti: campionamento per l'analisi degli isotopi di ossigeno e stronzio per individuare i luoghi di provenienza
- Osteologia: ossa studiate per indicazioni su età, sesso, dieta, ferite e malattie

Beni nella tomba

- Selce: studio delle micro usure per identificare le tracce capaci di indicare il tipo di utilizzo
- Ceramica: analisi dei grassi per lo studio dei contenuti e sezionamento sottile per individuare il posto di provenienza
- Coltelli di rame o ornamenti d'oro: fluorescenza a raggi X (*XRF – vedi* Capitolo 9) per determinare il contenuto di metallo e le origini del metallo
- Guardapolsi in pietra dell'arciere e attrezzo di pietra per la lavorazione dei metalli: XRF per individuare il tipo di pietra e di qualsiasi traccia di metallo contenuta nella pietra per la lavorazione dei metalli
- Anello per cintura in argillite: analisi con il microscopio elettronico a scansione (*SEM*) e spettroscopia *EDS* (*Spettroscopia Energy Dispersive X-ray*) per l'individuazione della composizione chimica e l'origine
- Conservazione: identificate tracce dei manici di legno e dei coltelli di rame
- Restauro: per esposizione nel museo

L'interpretazione

Le analisi fornirono un buon numero di informazioni sui due uomini e sul loro mondo. La datazione al radiocarbonio mostrò che vissero a una o due generazioni di distanza, e una rara anomalia nelle ossa dei loro piedi ha dimostrato che erano parenti. Simili ornamenti d'oro per capelli furono ritrovati in tutte e due le tombe. Gli studi degli isotopi hanno suggerito che l'Arciere di Amesbury, che visse prima dell'altro uomo, era migrato da un clima più freddo, probabilmente la regione alpina. L'altro uomo, di età dai 20 ai 25 anni, era nato lì.

Il reperto chiave per riconoscere l'elevato stato sociale dell'Arciere è stato lo strumento per lavorare i metalli in pietra. La sua tomba è la più antica appartenente a un fabbro ritrovata a oggi in Bretagna. Provenendo dal Continente, aveva avuto accesso all'arte della lavo-razione dei metalli e ai metalli stessi. Ciò potrebbe avergli conferito questo stato sociale elevato. Inoltre studi comparativi hanno dimostrato che nell'Europa continentale le sepolture dei fabbri erano molto spesso ricche di oggetti.

I risultati degli isotopi hanno favorito una ripresa di interesse per le vicende legate alle migrazioni preistoriche e all'arrivo di queste popolazioni in Britannia, oltre ad attrarre l'interesse dei media a livello mondiale. Un resoconto, comprensivo di tutto lo scavo, è stato pubblicato nel 2011 con il nome di *The Amesbury Archer and the Boscombe Bowmen* [Gli Arcieri di Amesbury e di Boscombe].

Andrew Fitzpatrick

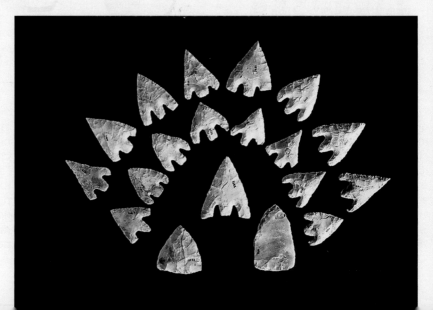

3.81 Punte di frecce di selce provenienti dalla tomba. La pietra in basso a destra è un esempio di prodotto non rifinito.

3.82

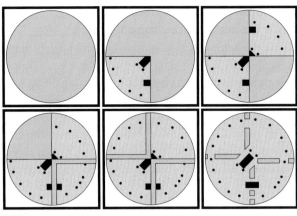

3.83

3.84

3.82-84 Metodi di scavo. (*In alto a sinistra*) Scavo di una trincea diametrale in un tumulo funerario a Moundville, in Alabama. (*Sopra*) Sei stadi successivi del metodo dei quadrati utilizzato per scavare i tumuli funerari. L'obiettivo è quello di esporre gli elementi orizzontali conservando sezioni diametrali per l'analisi stratigrafica. (*A sinistra*) Scavatori al lavoro alla Cava di Blombos in Sud Africa (*vedi* pagina 402). Gli scavi della Cava pongono numerose sfide, non da ultimo quella della scarsezza d'illuminazione degli spazi angusti. I sedimenti possono essere molto complessi con cambiamenti difficilmente percepibili tra uno strato e l'altro; una documentazione meticolosa, quindi, è necessaria.

Un'altra soluzione al problema della pericolosità degli scavi in profondità, adottata con successo negli scavi di salvataggio a Coppergate (York; *vedi* Capitolo 13) e a Billingsgate (Londra), è quella di costruire una **paratia** (*palancolata*) costituita da elementi a forma di trave appiattita (*palancole*) infissi nel terreno per foderare le pareti dell'area da scavare. Paratie di questo tipo sono state utilizzate anche per lo scavo di relitti sommersi, sia semplicemente per arginare il flusso delle acque – come nel caso del relitto di una nave della Guerra d'indipendenza americana a Yorktown, in Virginia – sia per poter estrarre integralmente l'acqua con una pompa. Questo genere di paratie sono però costose e richiedono quindi che lo scavo abbia avuto sostanziosi finanziamenti.

Ovviamente ogni sito di scavo è diverso e ciascuno richiede che ci si adatti alle sue condizioni. Per esempio, in alcuni casi è necessario seguire l'andamento degli strati geologici naturali oppure di quelli culturali piuttosto che scavare secondo strisce di terra arbitrarie o imporre una falsa regolarità là dove non c'è. Qualunque sia il metodo di scavo adottato – e le illustrazioni che accompagnano queste pagine mostrano altre tecniche impiegate, per esempio, per lo scavo di tumuli funerari e di depositi in caverne – uno scavo è tanto migliore quanto più accurato è il metodo impiegato per il recupero e la documentazione. Dato che

lo scavo comporta la distruzione di molte delle testimonianze, è un'operazione irripetibile. È quindi essenziale che vengano adottati metodi adeguati per il recupero dei materiali e tenuta un'accurata documentazione di ogni fase dello scavo.

3.85 Setacciatura: archeologi alla Cava di Haua Fteah nel nordest della Libia passano al setaccio la terra scavata per recuperare piccoli manufatti, ossa di animali e altri resti.

© 978.8808.82073.0

Il recupero e la documentazione delle testimonianze archeologiche

Come abbiamo visto in precedenza, siti diversi richiedono scelte diverse. Si può tentare di individuare e rappresentare graficamente la provenienza tridimensionale di ogni reperto su un sito che presenti una sola fase di occupazione, per esempio nel caso di siti paleolitici o neolitici; ma un tale obiettivo risulta semplicemente irraggiungibile per l'archeologo urbano. In entrambi i tipi di sito si può prendere la decisione di risparmiare tempo asportando con mezzi meccanici lo strato superiore del suolo (ricordando che il livello superficiale può contenere informazioni utili, come detto in precedenza in questo stesso capitolo), ma in seguito lo specialista di Paleolitico o di Neolitico vorrà esaminare o setacciare la maggior quantità possibile del terreno scavato allo scopo di individuare piccoli manufatti, ossa di animali e, nel caso della setacciatura ad acqua (*vedi* Capitolo 6), resti vegetali. L'archeologo urbano, invece, adotterà la setacciatura in maniera assai più selettiva, come parte di una strategia di campionamento, per esempio per esaminare quei contesti in cui ci si aspetta che possano essersi conservati resti vegetali, come nel caso di una latrina o di una fossa per rifiuti.

È necessario prendere decisioni sul tipo di setacciatura, sulla misura del setaccio e della sua rete e quale, tra la setacciatura ad acqua e quella a secco, darà migliori risultati. Naturalmente tutti questi fattori dipenderanno dalle risorse disponibili per il progetto di scavo, dalla grandezza del sito, dal tipo di ambiente (secco o impregnato d'acqua) e, infine, dal tipo di materiale che si ritiene possa esserci e quindi essere recuperato.

Una volta che un manufatto è stato messo in salvo e la sua posizione è documentata, bisogna assegnargli un numero, che viene inserito in un catalogo o in un computer portatile e registrato sul contenitore in cui deve essere immagazzinato. Il progredire dei lavori viene registrato in un diario di scavo o su schede dati predisposte con domande specifiche a cui rispondere (un procedimento che aiuta a ottenere dati uniformi idonei per una successiva analisi computerizzata).

A differenza dei manufatti, che possono essere asportati per un'analisi successiva, gli elementi e le strutture devono in genere essere lasciati dove sono stati trovati (*in situ*) oppure distrutti, quando lo scavo deve procedere e rimuovere un altro strato. È quindi necessario documentarli non semplicemente mediante una descrizione scritta nel diario di scavo, ma anche con accurati disegni in scala e fotografie; lo stesso vale per i profili verticali (le sezioni). Anche per ogni strato esposto orizzontalmente sono essenziali buone fotografie scattate dall'alto con una macchina fotografica montata su un cavalletto o installata su un pallone frenato.

Lo scavo nell'era digitale

Negli ultimi anni, lo sviluppo delle nuove tecnologie digitali ha rivoluzionato l'archeologia, in modo particolare gli scavi e la loro documentazione; la possibilità di realizzare dei modelli tridimensionali si è dimostrata particolarmente importante. Poiché lo scavo è, per sua natura, distruttivo, un metodo che sia in grado di documentare accuratamente e perciò «preservare» il sito è di grande valore. La nuova tecnologia permette all'archeologo di smarcarsi dai metodi di registrazione bidimensionali (piantine, disegni, sezioni, profili, fotografie) per aprirsi a quelli tridimensionali, che sono in grado di migliorare e arricchire la comprensione odierna, e futura, dei siti. Non c'è più bisogno dei disegni a mano, che richiedevano molto tempo e per i quali poche persone erano veramente dotate; in effetti, la documentazione archeologica sta diventando priva di carta.

Modelli tridimensionali degli scavi generati al computer vengono creati prima ancora che i lavori abbiano inizio e successivamente ciascuno stadio dei lavori viene documentato nella stessa maniera in cui si faceva con la carta. Alla fine della giornata, tutte le persone coinvolte nei lavori possono visitare il «sito virtuale», come se fossero state presenti presso il sito durante i lavori. Possono quindi esaminare i reperti nel momento in cui appaiono e arricchire con le loro competenze le interpretazioni. Contrariamente alla scansione laser tridimensionale, che richiede attrezzature specializzate e costose per produrre dei risultati di alta qualità, il nuovo metodo richiede soltanto una semplice macchina fotografica e un programma per computer. In altre parole, è economico e accessibile a tutti. Per esempio, se degli archeologi stanno scavando una sepoltura, non è più necessario riportare su una pianta disegnando a mano (una abilità tutta da acquisire) sia lo scheletro sia la tomba, ma si devono solo scattare una serie di foto (15-80) dal maggior numero di angoli possibile in ciascun momento dello scavo durante l'apertura della sepoltura. Un programma informatico, il PhotoScan, è in grado di generare il contorno tridimensionale della sepoltura, partendo dalle fotografie, assieme a una riproduzione digitale dello scheletro.

Questo metodo non deve per forza essere applicato solo a scavi su piccola scala o a elementi singoli. Recentemente è stato esteso anche a interi scavi, come è avvenuto, per esempio, al sito Boudelo-2 in Belgio, un'abbazia cistercense del XII-XIII secolo su un terreno acquitrinoso bonificato nel Medioevo. Durante la campagna di scavi nel 2012, si è proceduto alla documentazione sia con un modello tridimensionale sia tramite le tradizionali tecniche di registrazione manuale – oltre ad alcune fotografie oblique – del profilo di un terreno lungo 60 m assieme a tutte le strutture di mattoni interrate. A quel punto il lavoro è andato avanti con una documentazione tridimensionale degli scavi; tutto ciò che normalmente sarebbe stato registrato su

© 978.8808.82073.0

3.86 (*Sopra*) Il canale lungo 60 m scavato nel sito di Boudelo-2 in Belgio è stato completamente documentato utilizzando il modello tridimensionale basato sulle immagini. A sinistra si vede una ortofotografia di tutto il canale, con evidenziati gli elementi archeologici. A destra, invece, è rappresentato il corrispondente modello digitale della superficie. Solo per questo strato del sito, il modello tridimensionale è formato da circa 300 foto e 150 punti di controllo sul terreno. I dati di ciascuna giornata sono stati elaborati durante la notte permettendo, il giorno successivo e *in situ*, il controllo dei risultati delle registrazioni e l'utilizzo delle ortofotografie più recenti (in bassa risoluzione) e dei DSM al posto del piano di scavo tradizionale.

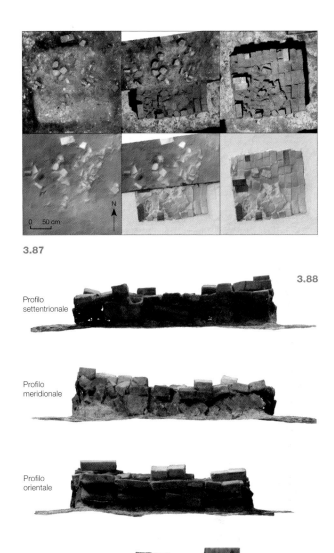

3.87-89 (*Sopra*) La documentazione di una struttura fatta di mattoni singoli a Boudelo-2: il processo di scavo viene visualizzato attraverso una serie di ortofotografie assieme a dei modelli digitali corrispondenti della superficie (*in alto*) e le ortofotografie verticali mostrano il profilo della struttura da tutti e quattro i lati. (*In basso*) Ortofotografia verticale di una sezione (con palo *in situ*) presa di lato e un disegno digitale derivato da questa immagine.

carta è stato caricato in maniera digitale. Il lavoro manuale, quindi, è stato relegato a mera riserva.

Per generare un modello tridimensionale, è necessario avere una serie di immagini ad alta risoluzione che si sovrappongono e almeno tre punti di controllo sul terreno (GCP, *Ground Control Point*), di cui sono conosciute le coordinate x, y e z (registrate con un GPS). Questo permette di eseguire una georeferenziazione completa del luogo; similmente si riescono a ottenere le informazioni metriche accurate e si possono realizzare con dei calcoli dei modelli digitali di superficie (DSM, *Digital Surface Model*). Il programma PhotoScan è in grado di generare modelli tridimensionali che vengono elaborati immediatamente dopo la registrazione. Le ortofotografie, e i modelli digitali di superficie (che aiutano lo studio delle variazioni di altezza della superficie del sito quando gli strati vengono rimossi), sono utilizzati sul campo come programma di scavo.

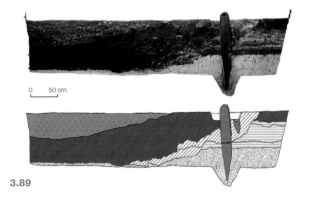

3.89

3.14 Scavo di un sito urbano

I siti archeologici situati in città e paesi che sono stati occupati senza soluzione di continuità presentano due tipi di sfide. La prima è come identificare, documentare e interpretare i resti lasciati da secoli di costruzioni e ricostruzioni. La seconda riguarda la pressione economica che proviene dagli sviluppi moderni. Nel caso della città di Londra, che è situata al di sopra della *Londinium* romana, queste sfide sono particolarmente insidiose. Il lavoro archeologico deve essere accuratamente pianificato e integrato con i programmi di costruzione e demolizione per evitare ritardi costosi.

3.90 Londra è stata romana per quasi 400 anni, e questo passato ha lasciato profondi e complessi depositi archeologici. Questi sopravvivono sotto la moderna città di Londra, e costituiscono una sfida straordinaria per gli archeologi.

Lo scavo di Bloomberg

Il sito di 3 acri si trova sopra un fiume interrato, oggi noto come Walbrook. Negli anni Cinquanta del secolo scorso alcuni scavi, di limitata estensione, hanno rivelato dei resti di un tempio romano del III secolo. Nel 2010 la multinazionale Bloomberg, che opera nel settore delle informazioni, ha deciso di ridisegnare il sito per il suo quartier generale europeo. Un project manager del MOLA (*Museum of London Archaeology*/Museo dell'archeologia di Londra) è stato integrato nel gruppo di progettazione di Bloomberg.

Pianificazione e strategia

Una ricerca a tavolino, e una eseguita dal MOLA sul sito, hanno rivelato che in alcune aree, nonostante la distruzione negli anni Cinquanta, sarebbe stato possibile salvare fino a 7 m di depositi impregnati d'acqua. Dunque era necessario scavare un'area di 650 m². La prima sfida era quella di ricercare una soluzione per mettere in sicurezza i bordi di questo scavo profondo (12 m) senza distruggere, nel procedimento, significativi depositi archeologici. Allora sono state aperte delle trincee temporanee e sono stati eseguite delle perforazioni con la trivella per rivelare l'eventuale presenza di oggetti duri ostruenti (come costruzioni in legno di epoca romana o murature medievali) che, una volta localizzati, sono stati documentati e rimossi; infine palancole di 15 m sono state inserite nel terreno lungo tutto il perimetro.

Tra gli obiettivi chiave della ricerca c'era la comprensione dei processi di

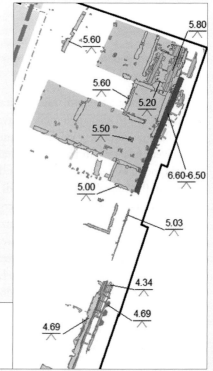

3.91 (*A sinistra*) Un'équipe di 50 archeologi del MOLA ha scavato il sito di Bloomberg di Londra per più di sei mesi. È il più importante ed esteso scavo portato a termine nella City di Londra negli ultimi vent'anni.

3.92 (*A destra*) Una mappa di una parte del sito in una determinata fase che illustra le mura romane, i legni e le superfici del terreno. La mappa è generata dalle informazioni digitali e i numeri indicano i metri dal livello del terreno.

■ Pareti in muratura
■ Legni strutturali
■ Muri in argilla
■ Pavimento a mosaico

formazione del paesaggio e di come questi avessero influenzato la scelta dei luoghi per i primi insediamenti, la gestione e l'uso del Walbrook e del territorio circostante durante l'epoca romana.

Tecniche sul campo

Il responsabile MOLA del progetto aveva la funzione di direttore principale ed era affiancato da archeologi esperti che supervisionavano specifiche aree del sito. Specialisti come i geoarcheologi si sono uniti al gruppo laddove necessario. Tutta l'équipe è stata formata specificatamente per essere in grado di documentare propriamente i legni e per identificare correttamente le ceramiche romane.

I siti urbani, con le centinaia di depositi che si collegano e si intersecano tra di loro, richiedono l'utilizzo di un unico sistema di documentazione di contesto, nel quale alle testimonianze materiali di ciascun «evento» archeologico o processo è assegnato il numero del «contesto», che viene poi riportato su un unico foglio di carta trasparente da disegno e quindi inserito sul foglio del contesto. Ciascun reperto, o ecofatto, è attribuito al suo contesto, collegando ciascun aspetto del progetto alla sua origine nel sito; ciò permette di ricostruire il lavoro

3.93-94 Una scarpa in pelle e un amuleto d'ambra per gladiatori furono tra i 14 000 piccoli reperti recuperati dai livelli romani del sito. Una volta conservati, le analisi post-scavo riveleranno ulteriori informazioni su questi oggetti straordinari.

archeologico dopo lo scavo. L'uso del *matrix* di Harris (conosciuto anche come diagramma stratigrafico o più semplicemente *matrix*, e che rappresenta la relazione stratigrafica dei contesti) è importantissimo.

La documentazione manuale rilevata sul sito costituisce ancora la maniera più efficace per cogliere la complessità di questa stratigrafia. Ciascuna mappa viene quindi digitalizzata e combinata con i dettagli del contesto, mentre le informazioni dei manufatti e degli ecofatti rimangono nella banca dati Oracle del MOLA.

L'analisi dopo gli scavi e il coinvolgimento politico

Gli scavi hanno prodotto un'enorme raccolta archeologica: 3 tonnellate di ceramiche romane, quasi 400 frammenti di tavolette di legno per scrivere e la migliore raccolta di tessuti romani della Gran Bretagna.

Il responsabile di progetto e gli esperti archeologi hanno condotto le analisi post-scavo controllando l'archivio del sito e realizzando i diagrammi stratigrafici di Harris (*matrices*) relativi a tutto il sito, per permettere la valutazione dei manufatti e dei dati ambientali. Il gruppo che lavora sulla stratigrafia sta continuando a operare sul grosso delle analisi, rimanendo a stretto contatto con gli specialisti.

La fase delle analisi porterà alla pubblicazione, nel 2017, di tre monografie che ricoprono l'intera sequenza stratigrafica (concentrandosi sul periodo romano), i reperti e le tavolette per scrivere.

Inoltre, il lavoro si è avvalso del coinvolgimento pubblico, che consistette nella creazione del blog Walbrook Discovery Programm e nella realizzazione di un video professionale degli scavi con interviste alle persone che lavoravano al sito, un racconto della storia del progetto (che include una conversazione con l'archeologo Noël Hume, il quale aveva lavorato al sito nel 1954 e più tardi aveva scavato Colonial Williamsburg in Virginia) e le memorie dei visitatori del sito negli anni Cinquanta del secolo scorso.

Sophie Jackson

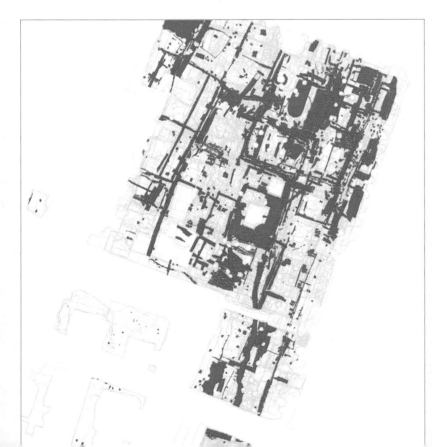

3.95 I GIS possono essere interrogati per fornire un'analisi sofisticata della distribuzione dei manufatti, degli elementi archeologici e dei materiali ambientali. In questa illustrazione sono stati evidenziati tutti i legni romani. Questi legni sono stati archeologicamente mappati sul sito e le informazioni aggiunte al GIS assieme ai dati di contesto corrispondenti e alle cronologie ottenute da analisi dendrocronologiche.

© 978.8808.82073.0

L'automatizzazione del processo, infatti, rende possibile la lavorazione dei dati durante la notte in maniera tale che siano pronti la mattina dopo sotto forma di modelli a bassa risoluzione. La realizzazione di modelli ad alta risoluzione impiega assai più tempo e può aversi solo dopo che il lavoro sul campo è finito.

Etichette, appunti, descrizioni e interpretazioni sono ancora necessari durante gli scavi; tuttavia questi aspetti più soggettivi non possono essere aggiunti subito alle registrazioni, ma devono essere conservati altrove e collegati ai documenti di scavo più tardi. Sono quindi in primo luogo archiviati sotto forma di banca dati su tablet portatili. Questi ultimi sono ormai sufficientemente sicuri ed economici per essere utilizzati sul campo e si sono già dimostrati assai preziosi in numerose occasioni, per esempio a Pompei dove gli iPad della Apple qualche anno fa hanno rimpiazzato i quaderni di appunti.

In breve, le nuove tecnologie stanno portando un significativo miglioramento nella qualità della documentazione soprattutto a confronto con i metodi tradizionali, che sono spesso soggetti a errore. L'accurata registrazione tridimensionale della forma e dell'aspetto è, infatti, molto importante in archeologia e la combinazione di misurazioni precise, modelli tridimensionali e descrizioni dettagliate produce una documentazione decisamente più oggettiva e affidabile di uno scavo, che può così anche essere «virtualmente rivisitato» (è possibile, cioè, ripercorrere di nuovo la superficie dello scavo o i suoi contorni).

Usare la modalità digitale permette di risparmiare tempo, poiché questi strumenti di documentazione registrano *in situ,* direttamente nei tablet o addirittura sugli smartphone, le informazioni, già suddivise per tipo di unità, morfologia e contenuto. In questa maniera è possibile rimpiazzare le modalità di documentazione cartacea tradizionali e i diari del sito, per produrre immediatamente grafici visivamente attraenti e che possono essere degli importanti strumenti educativi. Inoltre, i dati degli scavi tridimensionali sono confrontabili e integrabili con i risultati delle ricognizioni geofisiche fatte in precedenza.

La tecnologia dei computer si evolve così rapidamente che i nuovi programmi, assieme alla riduzione dei costi e alla potenza sempre maggiore dei computer, ottimizzerà sicuramente e migliorerà molti aspetti degli scavi in pochi anni. Tuttavia la digitalizzazione dei dati non è una panacea universale; i computer stessi potrebbero portare degli errori sistematici in termini di osservazioni e interpretazioni introducendo, conseguentemente, delle questioni specifiche di soggettività. Gli archeologi dovranno sempre considerare molto attentamente cosa una determinata elaborazione (*output*) stia effettivamente dicendo loro.

Sono i diari del sito, i disegni in scala, le fotografie e i mezzi digitali – oltre ai manufatti ritrovati, alle ossa umane e ai resti vegetali – a costituire la totalità delle documentazioni di uno scavo: base per qualsiasi interpretazione sul sito. L'analisi dopo lo scavo occuperà molti mesi, forse anni, spesso molto di più dello scavo stesso. Comunque, alcune analisi preliminari, in particolare lo smistamento e la classificazione dei manufatti, verrà fatta sul campo durante il corso degli scavi.

Trattamento e classificazione

Come lo scavo, anche il trattamento dei materiali nel laboratorio sul campo è un'attività specializzata che richiede un'attenta pianificazione e organizzazione. Per esempio, nessun archeologo dovrebbe cominciare lo scavo di un sito in ambiente umido senza avere nella sua équipe qualche esperto di conservazione del legno impregnato d'acqua e adeguate attrezzature per trattare questo materiale. Il lettore potrà trovare ulteriori indicazioni nei molti manuali oggi disponibili che trattano i problemi di conservazione che gli archeologi devono affrontare. Naturalmente non solo i manufatti vengono documentati, ma anche gli «ecofatti» (resti organici e ambientali) e vedremo come possono essere selezionati ai fini della datazione (*vedi* Capitolo 4) e per l'analisi (*vedi* Capitolo 6 e 7).

Ci sono però due aspetti dei procedimenti propri del laboratorio sul campo che devono essere discussi brevemente qui: il primo riguarda la pulitura dei reperti, il secondo la loro classificazione. In entrambi i casi vorremmo sottolineare che è necessario che gli archeologi prendano sempre in considerazione in anticipo il genere di domande cui i materiali appena scavati dovrebbero fornire una risposta. La completa pulitura dei reperti, per esempio, costituisce una pratica tradizionale tra gli archeologi di tutto il mondo. Ma molte delle nuove tecniche scientifiche che abbiamo illustrato nella Parte II indicano in modo abbastanza chiaro che i reperti non devono necessariamente essere puliti del tutto prima che uno specialista li abbia studiati. Per esempio, oggi sappiamo che nel vasellame si conservano spesso residui di cibo, e che resti di sangue compaiono altrettanto spesso sugli strumenti in pietra (*vedi* Capitolo 7). Per evitare di distruggere una testimonianza occorre dunque valutare la possibilità che si siano conservati elementi di questo genere.

Tuttavia la maggior parte dei reperti deve a un certo punto essere pulita almeno parzialmente perché sia possibile la suddivisione e la classificazione. La prima suddivisione si compie in categorie molto ampie, per esempio strumenti in pietra, ceramica, metalli ecc. Queste categorie devono in seguito essere ulteriormente suddivise o classificate, in maniera tale da creare gruppi omogenei più agevoli da analizzare in tempi successivi. La classificazione

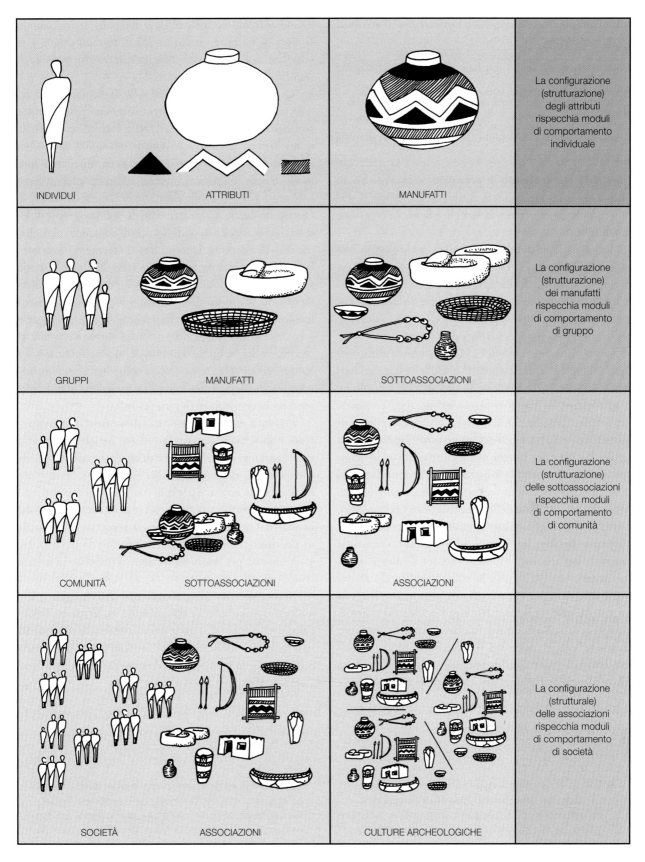

INDIVIDUI   ATTRIBUTI   MANUFATTI   La configurazione (strutturazione) degli attributi rispecchia moduli di comportamento individuale

GRUPPI   MANUFATTI   SOTTOASSOCIAZIONI   La configurazione (strutturazione) dei manufatti rispecchia moduli di comportamento di gruppo

COMUNITÀ   SOTTOASSOCIAZIONI   ASSOCIAZIONI   La configurazione (strutturazione) delle sottoassociazioni rispecchia moduli di comportamento di comunità

SOCIETÀ   ASSOCIAZIONI   CULTURE ARCHEOLOGICHE   La configurazione (strutturale) delle associazioni rispecchia moduli di comportamento di società

3.96 Termini usati nella classificazione archeologica, a partire dai singoli caratteri di un manufatto in ceramica (forma, decorazione), per arrivare a una cultura archeologica nel suo insieme, in uno schema messo a punto dall'archeologo americano James Deetz. Le colonne a sinistra e a destra forniscono il significato dei termini in relazione alle comunità umane. Nel Capitolo 12 viene discussa la questione relativa alla possibilità di ricavare da questo tipo di classificazione informazioni sul comportamento umano.

viene comunemente fatta sulla base di tre tipi di **attributi** o caratteristiche:

1) caratteristiche della superficie (inclusi la decorazione e il colore);
2) caratteristiche della forma (dimensioni e forma vera e propria);
3) caratteristiche tecnologiche (principalmente la materia prima).

I materiali che mostrano di possedere caratteristiche tra loro simili sono raggruppati in tipi; da qui deriva il termine **tipologia**, che designa semplicemente la creazione di tali tipi.

La tipologia ha dominato il pensiero archeologico fino agli anni Cinquanta del secolo scorso e svolge ancora un ruolo importante nella disciplina. La ragione è semplice: i manufatti costituiscono una grande parte dei dati archeologici e la tipologia mette gli archeologi in grado di porre ordine in questa grande quantità di informazioni. Come abbiamo visto nel Capitolo 1, C.J. Thomsen dimostrò molto tempo fa che i manufatti possono essere ordinati in un sistema di Tre Età, cioè in una sequenza di pietra, bronzo e ferro. Su questa scoperta continua ancora a basarsi l'uso della tipologia come metodo di datazione, cioè di misurazione del trascorrere del tempo (*vedi* Capitolo 4). La tipologia è stata usata anche per definire entità archeologiche relative a un momento particolare. Gruppi di tipi di manufatti (e di edifici) in un particolare momento e in un particolare luogo sono definiti **associazioni** (*assemblages*), e gruppi di associazioni sono stati utilizzati per definire le **culture archeologiche**. Queste definizioni sono ormai da lungo tempo acquisite, avendole Gordon Childe chiarite per primo, nel 1929, quando asserì che «ci sono alcuni tipi di resti – ceramiche, utensili, ornamenti, resti funerari e forme di case – che costantemente ritroviamo assieme. Un tale complesso di caratteristiche associate lo possiamo chiamare "gruppo culturale" o anche solo "cultura". Assumiamo, quindi, che un tale complesso sia la manifestazione materiale di ciò che oggi noi chiamiamo un "popolo"».

Come vedremo nella Parte II, la difficoltà arriva quando si tenta di tradurre questo lessico in termini umani e di correlare una cultura archeologica con un gruppo reale di uomini e di donne del passato.

Questo ci riporta allo scopo della classificazione. Tipi, associazioni e culture sono costrutti artificiali, che hanno lo scopo di mettere ordine tra dati archeologici disordinati. La trappola in cui caddero le passate generazioni di studiosi fu quella di lasciare che questi costrutti determinassero il loro modo di pensare il passato, invece di utilizzarli soltanto come strumento per dare forma alle testimonianze archeologiche. Ora riconosciamo più chiaramente che sono necessarie differenti classificazioni a seconda del tipo di domande cui vogliamo dare una risposta. Uno studioso di tecnologia ceramica baserebbe una classificazione sulle variazioni nella materia prima e sui metodi di fabbricazione, mentre uno studioso interessato ai vari usi della ceramica – per l'immagazzinamento, per la cottura ecc. – classificherebbe il vasellame sulla base della forma e delle dimensioni. La nostra capacità di costruire e di fare un uso corretto di nuove classificazioni è stata enormemente accresciuta dai computer, che permettono agli archeologi di confrontare l'associazione di differenti attributi in centinaia di oggetti per volta.

Il lavoro dopo lo scavo, in laboratorio o in magazzino, non si esaurisce con la pulizia, l'etichettatura e la classificazione. Anche la cura è di estrema importanza e la conservazione degli oggetti e dei materiali gioca un ruolo fondamentale non solo per la necessità di reperire magazzini a lungo termine, ma anche per la gestione delle raccolte in genere. I materiali devono essere conservati e resi facilmente disponibili per ricerche future, reinterpretazioni e, in alcuni casi, per la loro esposizione al pubblico in mostre temporanee o permanenti.

In conclusione, non si sottolineerà mai abbastanza che lo sforzo compiuto nella ricognizione, nello scavo e nell'analisi post-scavo sarà stato in gran parte inutile se i risultati non saranno pubblicati, inizialmente in forma di rapporti preliminari e in seguito in una monografia completa (*vedi* Capitolo 15).

Riepilogo

- Il primo passo di ogni scavo archeologico è lo sviluppo di un piano di ricerca che consista nella formulazione di domande chiare a cui rispondere raccogliendo e documentando i reperti, trattandoli e analizzandoli e pubblicando i risultati delle ricerche.

- Gli archeologi individuano il luogo dove si trovano i siti tramite sia la perlustrazione del terreno sia i rilevamenti aerei.

La perlustrazione del terreno può assumere diverse forme, compresa quella del rilevamento della superficie. Tale attività consiste nell'ispezionare a piedi i potenziali siti, alla ricerca di concentrazioni di elementi o manufatti, con lo scopo di raccogliere informazioni utili per una conoscenza preliminare della configurazione del sito. Il rilevamento aereo è fatto con l'aiuto delle immagini aeree, molte delle quali sono già disponibili nelle biblioteche, nelle collezioni e su Internet. Le immagini prese da droni, palloni aerostatici, aeroplani o satelliti spesso rilevano degli elementi dei siti che non sono visibili da terra. Da queste immagini possono essere tratte mappe e piantine preliminari.

■ Una buona mappatura è la chiave per una documentazione accurata della maggior parte dei dati provenienti dalla ricognizione. I GIS (*Geographic Information System*/Sistemi di informazione geografica) – un insieme di *hardware*, (parti fisiche) e *software* (programmi) del computer che gestisce ed elabora dati geografici – sono uno degli strumenti fondamentali che l'archeologo utilizza per mappare un sito.

■ Gli archeologi utilizzano molti metodi per ottenere delle informazioni su cosa nasconda la superficie del terreno prima di procedere allo scavo. Alcuni di questi metodi non sono distruttivi, vale a dire che non è necessario scavare per ricavare delle informazioni. I GPR (*Ground Penetrating* – o *Probing* – Radar/Radar per il sondaggio del suolo), per esempio, usano gli impulsi radio per individuare elementi sotto il suolo. La resistività elettrica, la ricognizione

magnetica (i metal detector) e le tecniche geochimiche sono altre tecniche utilizzate per raccogliere informazioni prima degli scavi.

■ Gli scavi svolgono un ruolo centrale nel lavoro sul campo, in quanto rivelano sia le attività umane in un particolare periodo del passato, sia i cambiamenti avvenuti nel corso del tempo. La stratigrafia si basa sulle leggi della sovrapposizione, vale a dire che se uno strato sta sopra un altro, quello che si trova sotto è stato depositato per primo. Gli scavi sono costosi e distruttivi e dovrebbero essere intrapresi se alle domande della ricerca non si può dare risposta in altro modo, cioè con tecniche di ricognizione non distruttive.

■ Manufatti che hanno in comune degli attributi sono in genere raggruppati assieme e la creazione di tali gruppi è chiamata *tipologia*. Gruppi di manufatti, risalenti a un dato arco temporale e luogo, sono chiamati *associazioni*. Queste associazioni sono spesso utilizzate per definire le culture archeologiche.

Letture consigliate

Utili introduzioni ai metodi di ricognizione e scavo si possono trovare nei seguenti testi:

Conyers L.B., 2012, *Interpreting Ground-Penetrating Radar for Archaeology*. Left Coast Press: Walnut Creek, CA.

English Heritage, 2008, *Geophysical Survey in Archaeological Field Evaluation* (2nd ed.). English Heritage: London.

Gaffney V. & Gater J., 2003, *Revealing the Buried Past. Geophysics for Archaeologists*. Tempus: Stroud.

Oswin J., 2009, *A Field Guide to Geophysics in Archaeology*. Springer: Berlin.

Wheatley D. & Gillings M., 2002, *Spatial Technology and Archaeology: The Archaeological Applications of GIS*. Routledge: London.

Wiseman J.R. & El-Baz F. (a cura di), 2007, *Remote Sensing in Archaeology* (con CD-Rom). Springer: Berlin.

Utili anche per i non specialisti, e ben illustrati:

Catling C., 2009, *Practical Archaeology: A Step-by-Step Guide to Uncovering the Past*. Lorenz Books: Leicester.

Tra i manuali più utilizzati ci sono:

Carver M., 2009, *Archaeological Investigation*. Routledge: Abingdon & New York.

Collis J., 2004, *Digging up the Past: An Introduction to Archaeological Excavation*. Sutton: Stroud.

Drewett P.L., 2011, *Field Archaeology: An Introduction*. (2nd ed.). Routledge: London.

Hester T.N., Shafer H.J. & Feder K.L., 2008, *Field Methods in Archaeology* (7th ed.). Left Coast Press: Walnut Creek. (American methods)

Roskams S., 2001, *Excavation*. Cambridge University Press: Cambridge & New York.

Scollar I., Tabbagh A., Hesse A. & Herzog I. (a cura di), 1990, *Remote Sensing in Archaeology*. Cambridge University Press: Cambridge & New York.

Zimmerman L.J. & Green W. (a cura di), 2003, *The Archaeologist's Tolkit* (7 vols.). AltaMira Press: Walnut Creek.

La rivista *Archaeological Prospection* (dal 1994).

4 | Quando?
Metodi di datazione e cronologia

Tutti gli esseri umani hanno un'esperienza del tempo. Un individuo compie direttamente l'esperienza del periodo della propria vita e, attraverso i ricordi dei suoi genitori e dei suoi nonni, può avere indirettamente esperienza anche di periodi precedenti, risalendo fino a più di 100 anni indietro. Lo studio della storia permette di conoscere – certo meno direttamente, ma spesso con la stessa intensità – centinaia di anni registrati nei documenti. Ma è solo l'**archeologia** che ci permette di cogliere aspetti quasi inimmaginabili della vita di persone vissute migliaia o anche milioni di anni fa. In questo capitolo esamineremo i vari modi in cui noi archeologi datiamo gli eventi passati all'interno di questo enorme arco di tempo.

Anche se può sorprendere, per studiare il passato non è sempre indispensabile conoscere esattamente quanti anni fa è accaduto un particolare avvenimento o in quali anni precisi si debba collocare un determinato periodo. Quello che in genere è molto utile sapere, di un evento, è semplicemente se ha avuto luogo prima o dopo un altro. Ordinando i manufatti, i depositi, le società e gli eventi in sequenza (anteponendo il prima al dopo) possiamo studiare gli sviluppi del passato, senza sapere quanto a lungo sia durata ogni fase o quanti anni prima un dato cambiamento abbia avuto luogo. Questa idea che qualcosa sia più antico (o più recente) di qualcos'altro costituisce la base della **datazione relativa**.

Alla fine, però, è necessario anche conoscere la cronologia assoluta – cioè quanti anni prima di oggi – delle diverse parti della sequenza; per farlo dobbiamo ricorrere a metodi di **datazione assoluta**. La datazione assoluta ci permette di sapere quanto velocemente avvennero cambiamenti fondamentali, per esempio l'introduzione dell'agricoltura, e se accaddero simultaneamente o in momenti differenti nelle diverse regioni del mondo. Solo negli ultimi sessant'anni si sono sviluppati metodi autonomi di datazione assoluta e ciò ha contribuito a trasformare il lavoro degli archeologi. Prima, le uniche datazioni assolute affidabili erano costituite dagli avvenimenti storici, come per esempio le date del Regno dell'antico Egitto del faraone Tutankhamon.

Misurare il tempo

Come possiamo scoprire il trascorrere del tempo? Nella nostra vita possiamo accorgerci del tempo che passa attraverso l'alternanza del giorno e della notte e attraverso il succedersi delle stagioni durante l'anno. Infatti, per la maggior parte della storia dell'umanità, questi furono gli unici modi per osservare il tempo, oltre a fare riferimento alla durata della vita umana. Come vedremo, alcuni metodi di datazione si basano ancora sul succedersi delle stagioni. Tuttavia i metodi di datazione in archeologia si vanno sempre più basando su altri processi fisici, molti dei quali non sono osservabili a occhio nudo. Il più importante di questi metodi è quello che sfrutta il decadimento di una sostanza radioattiva (metodo radioattivo).

Quando si utilizzano delle tecniche di datazione, rimane comunque sempre un margine di errore, di solito rappresentato da un arco di tempo che può estendersi su diversi secoli o addirittura millenni. In ogni caso, mentre la scienza che sviluppa i metodi di datazione diviene sempre più raffinata, la fonte di errore più comune è l'archeologo stesso, che può aver scelto in maniera non appropriata il campione da datare, può aver contaminato il campione stesso oppure ancora può interpretare erroneamente i risultati.

Se vuole essere significativa, la nostra cronologia in anni deve ancorarsi a una data di riferimento. Nel mondo cristiano questa data di riferimento è per convenzione la nascita di Gesù Cristo, avvenuta quindi nell'anno 1 d.C. (non esiste un anno 0), con gli anni contati all'indietro per l'epoca precedente (avanti Cristo: a.C.) o in avanti per l'epoca successiva (dopo Cristo: d.C.); gli Anglosassoni usano la sigla AD, abbreviazione di *Anno Domini*, che in latino significa «anno del Signore». Questo, però, non è certo l'unico modo. Per i Musulmani la data di riferimento è quella dell'*Egira*, la fuga del Profeta dalla Mecca verso Medina (che corrisponde al 622 d.C. del calendario cristiano). Come conseguenza di queste differenze, molti studiosi preferiscono utilizzare i termini BCE (*Before the Common Era*, prima dell'èra cor-

© 978.8808.82073.0

rente) e CE (*in the Common Era*, nell'èra corrente) al posto di a.C. e d.C., per evitare di ferire la sensibilità di persone appartenenti a culture non cristiane.

Per utilizzare un sistema internazionale non legato a nessuno dei calendari sopra citati, gli scienziati che ricorrono alla datazione con metodi radioattivi hanno scelto di contare gli anni all'indietro a partire dal presente (BP: *Before Present*). Ma dato che anche gli scienziati hanno bisogno di usare una data di riferimento precisa, per convenzione viene assunto come BP il «prima del 1950» (la data approssimativa della prima datazione con un metodo radioattivo, quello del radiocarbonio). Questa convenzione è facile da adottare per gli scienziati, ma può ingenerare confusione nei non addetti ai lavori: la data 400 BP non significa «400 anni fa», ma 400 anni prima del 1950. Quindi è meglio, almeno per gli ultimi millenni, convertire le datazioni BP nel sistema a.C./d.C.

Per il periodo *Paleolitico* comunque (che si estende tra o quattro milioni di anni prima del 10000 a.C.) gli archeologi usano i termini BP o «anni fa» in modo intercambiabile, poiché la differenza di una cinquantina di anni è irrilevante. Per questa epoca così remota noi datiamo *siti* o eventi, quando ci va bene, solo all'interno di diverse migliaia di anni dalla loro «vera» data. Perfino le datazioni più precise che si possono ottenere ci forniscono solo immagini fugaci di quell'epoca, con intervalli di alcune migliaia di anni; chiaramente gli archeologi non potranno mai sperare di ricostruire una storia, intesa in senso convenzionale, degli eventi risalenti al Paleolitico. D'altro canto gli archeologi che studiano il Paleolitico riescono a comprendere meglio alcuni dei grandi cambiamenti di lungo periodo che hanno determinato il modo in cui si è evoluta l'umanità moderna; una simile comprensione diretta è negata agli archeologi che lavorano su periodi di tempo più brevi, dove in ogni caso i «dettagli» possono essere troppo abbondanti perché si riesca a discernere facilmente la regolarità più generale tra i fatti particolari.

Il modo in cui gli archeologi conducono le loro ricerche dipende quindi in maniera assai rilevante dalla precisione della datazione che si può ottenere per il periodo in questione.

LA DATAZIONE RELATIVA

In molte ricerche archeologiche il primo passo, e in qualche misura anche quello più importante, consiste nell'ordinare gli elementi in sequenze (successioni). Gli elementi da porre in sequenza possono essere depositi archeologici in uno scavo stratigrafico (*vedi* pagina 99) o possono essere manufatti da porre in una sequenza tipologica. Anche i cambiamenti nel clima terrestre danno vita a sequenze ambientali locali, regionali e mondiali – la più notevole delle quali è rappresentata dalla sequenza di fluttuazioni mondiali durante l'èra glaciale. Tutte queste sequenze possono essere utilizzate nella datazione relativa.

LA STRATIGRAFIA

Come si è visto nel Capitolo 3, la **stratigrafia** è lo studio della **stratificazione**, cioè del depositarsi di strati o livelli (detti anche depositi) uno sopra l'altro. Dal punto di vista della datazione relativa, il principio importante è che lo strato che giace più in basso si è formato prima ed è quindi precedente a quello che lo sovrasta. Così, una successione di strati può fornire una sequenza cronologica relativa, dal più antico (quello posto in fondo) al più recente (quello posto in cima).

Uno scavo stratigrafico correttamente eseguito su un sito archeologico deve mirare a ottenere tale sequenza. Parte del lavoro consiste nell'individuare se nella fase successiva alla loro deposizione ci siano state forme di disturbo degli strati per opera dell'essere umano o di eventi naturali (come le fosse per rifiuti scavate dai successivi occupanti di un sito nei livelli precedenti o le gallerie scavate da animali terricoli). L'archeologo, munito di dati stratigrafici ottenuti con osservazioni accurate, può sperare di costruire un'attendibile sequenza cronologica relativa per la deposizione dei diversi strati.

Naturalmente quello che noi archeologi vogliamo arrivare a datare non sono tanto gli strati o i depositi quanto i resti materiali in essi contenuti lasciati dagli esseri umani – manufatti, strutture, resti organici – i quali, in definitiva, sono in grado di rivelare le attività svolte sul sito dall'umanità del passato. In questo senso diventa importante il concetto di **contesto** o **associazione di materiali**. Quando diciamo che due oggetti sono stati trovati associati all'interno dello stesso deposito archeologico, generalmente sottintendiamo che sono stati sepolti contemporaneamente. Ammesso che il deposito sia sigillato, cioè che non presenti intrusioni stratigrafiche da altri depositi, gli oggetti a esso associati non possono essere più tardi (cioè più recenti) del deposito stesso. Una sequenza di depositi sigillati fornisce così una sequenza – e una cronologia relativa – per l'epoca di interramento degli oggetti trovati in associazione con quei depositi.

È fondamentale afferrare bene questo concetto: infatti, se è possibile attribuire a uno di quegli oggetti una datazione assoluta – per esempio nel caso di un pezzo di legno carbonizzato, che può essere datato in laboratorio con il metodo del radiocarbonio – sarà possibile assegnare quella stessa data assoluta non solo al carbone, ma anche al deposito sigillato e agli altri oggetti che vi sono stati trovati. Una serie di date così ottenute da depositi diversi fornirà una cronologia assoluta per l'intera sequenza. È questa

4.1 Disegno, eseguito da Mortimer Wheeler, di una sezione scavata in un *tell* nella Valle dell'Indo (oggi in Pakistan). La presenza di fosse rende difficile la datazione, ma il sigillo di Harappa (la cui data è nota attraverso esemplari analoghi rinvenuti in altri siti) giace, per esempio, in un contesto non disturbato nello strato 8 e può quindi aiutare a datare lo strato e il muro a esso associato.

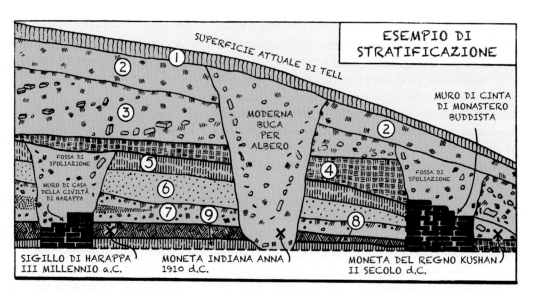

interconnessione tra la sequenza stratigrafica e i metodi di datazione assoluta che fornisce le basi più attendibili per arrivare a una datazione dei siti archeologici e dei loro reperti. Nell'esempio qui sopra, viene riportato il disegno, eseguito da Mortimer Wheeler, di una sezione scavata in un *tell* nella Valle dell'Indo (oggi in Pakistan). Il sito è stato disturbato da buche più recenti, ma la presenza degli strati è ancora visibile e il sigillo di Harappa, la cui data è nota e che giace in un contesto non disturbato nello strato 8, può aiutare a datare quello strato e il muro con cui esso confina.

Ma c'è un altro importante punto da considerare. Fin qui siamo riusciti a proporre una datazione relativa, e con un po' di fortuna assoluta, per l'epoca di formazione del deposito e dei materiali contenuti. Tuttavia, come abbiamo già detto, ciò che vogliamo in definitiva ricostruire e datare sono le attività e i comportamenti degli esseri umani che quei depositi e quei materiali rappresentano. Se uno di questi depositi è costituito da una fossa per rifiuti che contiene ceramica, il deposito stesso diventa interessante come esempio di attività umana, e la sua data coinciderà anche con la data dell'uso della fossa da parte degli esseri umani. Essa sarà anche la data del seppellimento finale della ceramica, ma *non* sarà la data dell'uso da parte di un essere umano di quella ceramica: questa potrebbe essere stata in circolazione già da decine o da centinaia di anni, prima di essere scartata, e forse era già interrata in un altro deposito e quindi scavata di nuovo per caso insieme ad altri rifiuti per essere gettata nella nuova fossa.

LE SEQUENZE TIPOLOGICHE

Quando osserviamo manufatti, edifici e in generale opere realizzate dagli esseri umani siamo spesso in grado di disporle mentalmente in una sequenza cronologica approssimativa. Un tipo di aeroplano appare più vecchio di un altro, un completo di abbigliamento più antiquato del successivo. In che modo gli archeologi sfruttano questa capacità per arrivare a una datazione relativa?

La forma di un manufatto, per esempio di un vaso di ceramica, può essere definita sulla base dei suoi specifici attributi, che riguardano la materia prima impiegata, la forma e la decorazione. Parecchi vasi con le stesse caratteristiche costituiscono un **tipo** di vaso; la **tipologia** si occupa pertanto di raggruppare i manufatti secondo questi tipi.

Altri due concetti stanno alla base della datazione relativa attraverso la tipologia. Il primo è che i manufatti prodotti in un certo periodo e in un determinato luogo hanno uno **stile** riconoscibile: la loro forma e la loro decorazione sono in qualche misura caratteristiche della società che li produsse. Gli archeologi e gli antropologi possono spesso riconoscere e classificare singoli manufatti sulla base del loro stile, e quindi assegnare loro un posto particolare nella sequenza tipologica. Il secondo concetto è che il cambiamento dello stile (forma e decorazione) dei manufatti è spesso piuttosto graduale, ossia ha un **andamento evolutivo**. In realtà questo concetto, scaturito dalla teoria darwiniana dell'evoluzione delle specie, venne ben accolto dagli archeologi del XIX secolo, che si resero conto di poterne ricavare una regola assai comoda: «Il simile va con il simile». In altre parole, manufatti particolari (per esempio i pugnali in bronzo) prodotti pressappoco nello stesso periodo saranno spesso simili tra loro, mentre quelli prodotti ad alcuni secoli di distanza saranno differenti in quanto risultato di secoli di cambiamenti. Perciò, quando ci si trova di fronte a una serie di pugnali di data sconosciuta, è logico prima di tutto disporli in una sequenza in modo che quelli più chiaramente simili tra loro siano collocati l'uno accanto all'altro. È allora probabile che questa sia la vera sequenza cronologica, perché è quella che riflette meglio il principio che «il simile va con il simile». Nell'illustrazione 4.2, di-

© 978.8808.82073.0

segni di automobili e asce preistoriche europee sono stati disposti in una sequenza cronologica relativa; la velocità di variazione (un secolo per l'automobile, millenni per l'ascia) deve essere ancora ricavata da metodi di datazione assoluta.

Per molti scopi è vero che il miglior modo per assegnare una cronologia relativa a un manufatto è quello di confrontarlo con un manufatto già inserito all'interno di un sistema tipologico ben stabilito. Le tipologie della ceramica costituiscono di norma l'ossatura del sistema cronologico e quasi ogni area ha la sua sequenza di ceramiche ben definita. Buoni esempi sono costituiti dalla sequenza ceramologica stabilita per le regioni del Sud-Ovest americano (*vedi* illustrazione 4.3). Quando questa sequenza è collegata con una sequenza stratigrafica di depositi che possano essere datati con sistemi di datazione assoluta, anche ai manufatti inseriti nella successione tipologica può essere assegnata una cronologia assoluta.

È bene notare che differenti tipi di manufatti mutano nello stile (cioè nella decorazione e nella forma) con velocità variabili, e di conseguenza mutano le distinzioni cronologiche da essi indicate. Di solito, la decorazione sulle

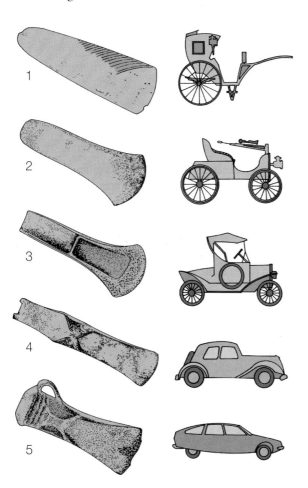

4.2 La disposizione dei tipi di manufatti in una sequenza si basa su due semplici ipotesi: la prima è che materiali prodotti in un certo periodo e in un certo luogo abbiano uno stile o caratteristiche ben precise; la seconda è che i cambiamenti in ogni stile siano graduali, ovvero evolutivi. I cambiamenti graduali della forma sono evidenti nella storia dell'automobile (*in alto*) e in quella dell'ascia preistorica europea (*qui sopra: 1, in pietra; 2-5, in bronzo*). La velocità di variazione (un secolo per l'automobile, millenni per l'ascia) deve essere ovviamente ottenuta con metodi di datazione assoluta.

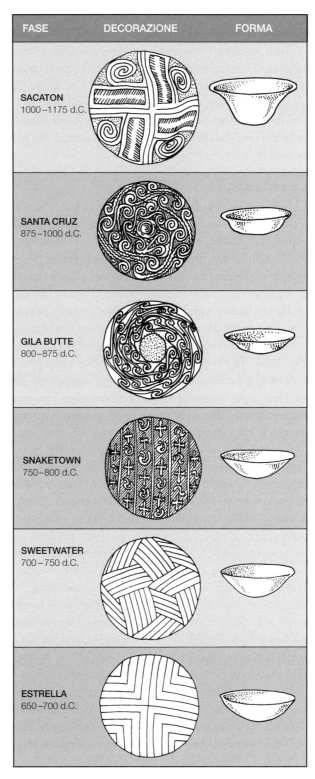

4.3 Tipologia di materiali ceramici esemplificata dalla sequenza di mutamento (nell'arco di 500 anni) della forma e della decorazione delle coppe di Hohokam (Sud-Ovest americano).

© 978.8808.82073.0

ceramiche cambia molto rapidamente (spesso nel corso di qualche decina di anni) e costituisce quindi il carattere più sensibile, dal punto di vista cronologico, per una sequenza tipologica. D'altro canto, le forme dei vasi o dei recipienti possono essere comunque molto influenzate da necessità pratiche che a volte restano le stesse per centinaia di anni (come la conservazione dell'acqua).

Altri manufatti, come gli strumenti e le armi in metallo, cambiano stile abbastanza rapidamente, diventando così utili indicatori cronologici. Per contro, si sa che gli strumenti in pietra, come le asce a mano, tendono a mutare forma lentamente, e quindi è raro che costituiscano indicatori sensibili del passare del tempo, eccetto che per periodi di una certa lunghezza.

La seriazione

Le implicazioni del principio secondo cui «il simile va con il simile» sono state sviluppate ulteriormente per essere applicate alle associazioni di reperti (contesti) piuttosto che alle forme dei singoli oggetti presi isolatamente. Questa tecnica di **seriazione** consente di disporre le associazioni di manufatti in successione, ossia in ordine seriale, che viene allora assunto come indicazione della loro successione cronologica: si tratta di un esercizio di cronologia relativa.

Pioniere di questo metodo, negli ultimi decenni del XIX secolo, fu Flinders Petrie, uno dei primi a sviluppare una tecnica per disporre le tombe di un cimitero in un ordine relativo, studiando attentamente e sistematicamente le associazioni delle varie forme delle ceramiche trovate in esse. Il suo suggerimento è stato ripreso cinquant'anni dopo da studiosi americani, i quali compresero che la frequenza di un particolare stile ceramico, come documentato dagli strati successivi di un insediamento, è in genere bassa all'inizio, aumenta fino a raggiungere un massimo quando lo stile si diffonde e quindi, successivamente, diventa di nuovo meno frequente (un andamento che produce un istogramma simile a una nave da guerra vista dall'alto, noto come «curva a nave da guerra» o *battleship curve*). Usando questa intuizione, sono riusciti a confrontare le associazioni ceramiche provenienti da differenti siti nella stessa area, ciascuna con una sequenza stratificata limitata, e a disporre questi siti in ordine cronologico, a partire dalle frequenze ceramiche che seguono un modello di crescita fino a un massimo e, successivamente, declinano.

Il disegno schematico in alto a destra mostra come questa tecnica sia stata applicata alle variazioni nella diffusione di tre tipologie decorative di pietre tombali trovate nei cimiteri del Connecticut centrale, risalenti al periodo tra il 1700 e il 1860. Le fluttuazioni nella diffusione di ogni tipologia decorativa producono «curve a nave da guerra» caratteristiche e in sequenza; come altrove nel New England, il motivo a teschio (picco di diffusione 1710-1739) fu gradualmente

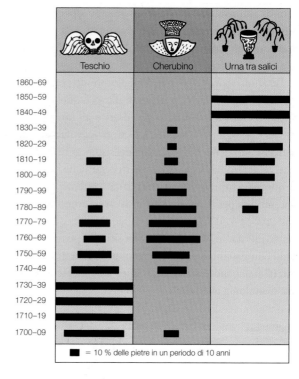

4.4-5 Seriazione di frequenza: mutamenti nella diffusione (cioè nella frequenza delle attestazioni) di tre tipologie decorative di pietre tombali nei cimiteri del Connecticut centrale tra il 1700 e il 1860. L'aumento e la diminuzione della frequenza hanno prodotto la caratteristica curva detta «a nave da guerra» (*battleship curve*), un istogramma a fuso che mostra l'alterna fortuna di ciascun tipo di decorazione. Come in altri siti del New England, il motivo a teschio (che ebbe un picco di diffusione tra il 1710 e il 1739) fu progressivamente sostituito dal cherubino (picco tra il 1760 e il 1789), che a sua volta fu rimpiazzato dall'urna tra salici (picco tra il 1840 e il 1859).

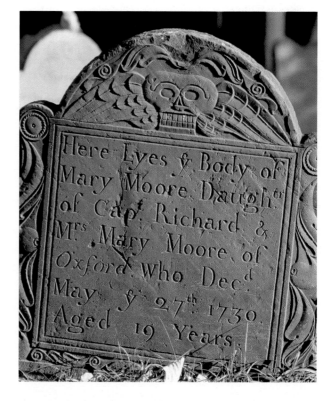

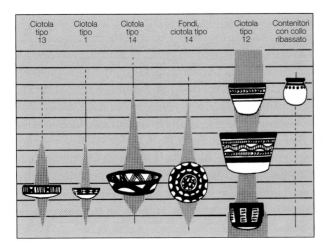

4.6 Seriazione di frequenza: in questo schema messo a punto da Frank Hole sono ordinati i tipi di coppa della produzione cosiddetta «nero su ocra» (*Black-on-Buff*) di Susiana (la zona attorno a Susa), provenienti dai siti della piana di Deh Luran, in Iran. Sono nuovamente evidenti gli istogrammi a fuso, o curve «a nave da guerra» (*battleship curves*), che indicano gli aumenti e le diminuzioni della diffusione. Gli scavi stratigrafici hanno confermato la validità di queste sequenze.

sostituito dal cherubino (picco di diffusione 1760-1789) che a sua volta fu sostituito dall'urna tra salici (picco di diffusione 1840-1859).

La seriazione è stata usata in un contesto archeologico dall'archeologo statunitense Frank Hole nei suoi scavi nella valle Deh Luran, in Iran. Le associazioni ceramiche del Neolitico che stava studiando erano ricavate da scavi stratigrafici, perciò era possibile confrontare le sequenze ottenute attraverso la seriazione di frequenza con le sequenze stratigrafiche vere scoperte negli scavi. Non sono emerse contraddizioni gravi, dimostrando di nuovo la validità del metodo.

LA DATAZIONE LINGUISTICA

Per completezza, è opportuno ricordare un interessante approccio alla questione della cronologia, in questo caso applicato non ai manufatti ma ai cambiamenti nella **lingua**, studiati attraverso la comparazione dei vocabolari di lingue tra loro correlate. In un primo tempo si era ritenuto che fosse un metodo utile per ottenere una qualche sorta di datazione assoluta, ma queste tesi sono state in larga misura, e giustamente, respinte. Il metodo rimane comunque interessante dal punto di vista della cronologia relativa (*vedi* Scheda 12.5).

Il principio fondamentale è assai semplice. Se si prendono due gruppi di persone che parlano la stessa lingua e li si separa senza consentire ulteriori contatti, entrambe le comunità continueranno senza alcun dubbio a parlare la stessa lingua. Ma in ciascun gruppo, con il passare degli anni, avranno luogo mutamenti: verranno coniate e introdotte parole nuove, mentre altre cesseranno di essere usate.

Così, dopo alcuni secoli, i due gruppi non parleranno più esattamente la stessa lingua; dopo alcune migliaia di anni, la lingua di un gruppo diverrà pressoché inintelligibile per i componenti dell'altro.

La **lessicostatistica** si propone di studiare questi cambiamenti nel vocabolario. Un'applicazione semplice del metodo è stata quella di scegliere una lista di 100 o 200 termini appartenenti al vocabolario comune e di vedere quanti di essi, nelle due lingue poste a confronto, mostrano una radice comune. La presenza di casi positivi, su 100 o 200 parole, fornisce una qualche misura di quanto le due lingue si siano differenziate dal tempo in cui erano una sola.

La disciplina piuttosto sospetta della **glottocronologia** tenta di andare oltre e di usare una formula per determinare, sulla base di questa misura di similarità, quanti anni siano passati dal momento in cui le due lingue hanno cominciato a divergere. Lo studioso americano Morris Swadesh, il principale esponente di questa metodologia, giunse alla conclusione che due lingue affini mantenevano l'86% di termini comuni dopo un periodo di separazione di 1000 anni. In realtà, non ci sono basi per supporre una velocità di variazione così costante, dato che i cambiamenti linguistici sono influenzati da molti fattori (tra gli altri, l'esistenza di una tradizione letteraria).

Recentemente metodi più sofisticati, inclusa l'**analisi del network**, vengono utilizzati per cercare una struttura nei dati storici linguistici, in modo da rendere più chiare le relazioni linguistiche. Essi potrebbero anche rendere possibili dei raffronti quantitativi più efficaci, come la «calibrazione» di tempi scala linguistici in relazione a cambiamenti accertati (registrati dalla scrittura) quali, per esempio, quelli tra il latino e le lingue romanze da esso derivate oppure tra le prime lingue semitiche e i loro più moderni rappresentanti, tra cui l'arabo. Un approccio simile è stato sviluppato recentemente usando l'analisi filogenetica per sviluppare tre grafici, per lo più ricavati da dati sul lessico, e poi confrontando sistematicamente alcuni punti nodali di date sconosciute con i punti di divergenza tra le lingue dei quali si conoscono le date storiche. Nel 2003 Russell Gray e Quentin Atkinson usarono questo tipo di approccio per datare a 9000 anni fa il momento di inizio della divergenza del gruppo delle lingue indoeuropee.

CLIMA E CRONOLOGIA

Finora abbiamo parlato di sequenze che possono essere definite stratigraficamente per singoli siti o tipologicamente per quanto riguarda i manufatti. Oltre a queste, esiste un vasto gruppo di sequenze, basate sui cambiamenti del clima terrestre, che si sono rivelate utili per giungere a una datazione relativa su scala locale, regionale e anche mondiale.

© 978.8808.82073.0

Alcune di queste sequenze ambientali possono anche essere datate attraverso diversi metodi assoluti. (L'influenza delle fluttuazioni climatiche e ambientali sulla vita umana verrà trattata in dettaglio nel Capitolo 6)

La cronologia del Pleistocene

L'idea di una grande èra glaciale (il Pleistocene), esistita in un lontano passato, risale già al XIX secolo. Quando la temperatura della Terra diminuì, le calotte glaciali – i ghiacciai – si espansero, coprendo grandi aree della superficie terrestre e abbassando il livello dei mari in tutto il mondo (parte dell'acqua rimase infatti letteralmente imprigionata nel ghiaccio). I primi geologi e i paleoclimatologi, studiando le tracce evidenti rimaste nei depositi geologici, si resero presto conto che l'èra glaciale non fu un unico lungo e ininterrotto periodo caratterizzato da un clima più freddo. Essi trovarono invece prove di quattro principali **glaciazioni**, o periodi di espansione dei ghiacciai (chiamate, dalla più antica alla più recente, di Günz, di Mindel, di Riss e di Würm, in Europa continentale, termini in voga fino agli anni Sessanta del secolo scorso; in America Settentrionale vengono indicate con nomi differenti: la glaciazione del Wisconsin, per esempio, equivale a quella di Würm). Inframmezzate a questi periodi freddi ci furono fasi più calde dette **interglaciali**. Le fluttuazioni

secondarie all'interno di questi periodi interglaciali principali furono chiamate **stadi** e **interstadi**. Fino alla scoperta, avvenuta dopo la Seconda guerra mondiale, dei metodi di datazione assoluta, come quelli radioattivi, gli archeologi, per datare il lungo periodo del Paleolitico, si basavano in gran parte su tentativi di correlare i siti archeologici con la sequenza delle glaciazioni. In regioni assai lontane dalle calotte glaciali, come nel caso dell'Africa, si fecero grandi sforzi nel tentativo di individuare un legame tra i siti e le fluttuazioni delle precipitazioni piovose (**periodi pluviali** e **interpluviali**), con la speranza che tali fluttuazioni fossero a loro volta in qualche modo legate con la sequenza delle glaciazioni.

Tuttavia, nei decenni recenti gli scienziati sono giunti alla conclusione che le fluttuazioni climatiche nel corso dell'èra glaciale furono assai più complesse di quanto si era inizialmente supposto. Dall'inizio del Pleistocene, oltre 2,6 milioni anni fa, fino a 780 000 anni fa (la fine del cosiddetto Pleistocene Inferiore), ci furono forse dieci periodi freddi intervallati da periodi più caldi. Altri otto o nove periodi di clima freddo caratterizzarono il Pleistocene Medio e Superiore, a partire da 78 000 anni fa per arrivare a 10 000 anni or sono (il periodo di clima più caldo, noto come Olocene, copre gli ultimi 10 000 anni). Gli archeologi hanno cessato di basarsi sulla complessa

ANNI FA	CLIMA		ERE GEOLOGICHE	PERIODI GEOLOGICI	GLACIAZIONI (EUROPA)	GLACIAZIONI (AMERICA SETTENTRIONALE)	FASI ARCHEOLOGICHE
	freddo	caldo					
10 000			QUATERNARIO	OLOCENE			
				PLEISTOCENE SUPERIORE	Würm (Weichsel)	Wisconsin	PALEOLITICO SUPERIORE
100 000							PALEOLITICO MEDIO
				PLEISTOCENE MEDIO	Riss (Saale)	Illinoian	
					Mindel (Elster)	Kansan	PALEOLITICO INFERIORE
780 000				PLEISTOCENE INFERIORE	Günz (Menapian)	Nebraskan	
2 600 000	incerto		TERZIARIO				

4.7 Tabella che riassume i più importanti cambiamenti climatici, la terminologia relativa alle glaciazioni e le fasi archeologiche del Pleistocene.

alternanza di espansione e di ritiro dei ghiacciai per datare il Paleolitico; tuttavia, le fluttuazioni nel clima del Pleistocene e dell'Olocene, che sono testimoniate nelle carote estratte dai fondali marini, nelle carote di ghiaccio e nei sedimenti contenenti pollini, si sono rivelate di grande utilità ai fini della datazione.

Carotaggi nel fondo dei mari e nei ghiacciai

Le testimonianze più coerenti dei cambiamenti climatici su scala mondiale sono fornite oggi dai carotaggi che si possono eseguire sul fondo del mare a grande profondità. I campioni così ottenuti contengono gusci di microscopici organismi marini noti con il nome di **foraminiferi**, depositatisi sul fondo del mare attraverso un lento e continuo processo di sedimentazione. Le variazioni dei rapporti di due isotopi dell'ossigeno nel carbonato di calcio di questi gusci costituiscono un sensibile indicatore della temperatura dell'acqua all'epoca in cui gli organismi erano vivi. Gli episodi di raffreddamento osservati nelle carote estratte dal fondo del mare testimoniano i periodi di espansione dei ghiacciai, mentre gli episodi di riscaldamento testimoniano i periodi interglaciali o interstadiali di ritiro dei ghiacciai. I gusci di foraminiferi possono essere datati anche con il metodo del radiocarbonio e dell'uranio (*vedi* più avanti) allo scopo di ottenere cronologie assolute per la sequenza (che ora si estende fino a 2,3 milioni di anni).

Come nel caso delle carote estratte dal fondo del mare, le carote estratte dai ghiacci polari dell'Artide e dell'Antartide forniscono dati utili per ricostruire sequenze che rivelano oscillazioni climatiche. Gli strati di ghiaccio compatto formano depositi annuali che possono essere contati per gli ultimi 2000 o 3000 anni, fornendo così una cronologia assoluta per questa parte della sequenza. Tuttavia, per i periodi di tempo più antichi la stratificazione annuale, che giace a grande profondità, non è più leggibile e la datazione con il metodo dei carotaggi nel ghiaccio diventa assai meno sicura. Sono state eseguite valide correlazioni con le oscillazioni climatiche desunte dallo studio dei carotaggi sul fondo dei mari.

Tracce di importanti eruzioni vulcaniche si conservano anche nei ghiacciai; ciò significa che in teoria è possibile attribuire una datazione assoluta a particolari eruzioni, come per esempio quella di grande portata dell'isola di Thera, nel mare Egeo, risalente a circa 3500 anni fa (alcuni studiosi ritenevano che questa eruzione avesse provocato la distruzione del palazzo minoico di Creta; *vedi* Scheda 4.6). In pratica, però, è difficile essere sicuri che un evento vulcanico conservato nel ghiaccio sia riferito proprio a una particolare eruzione storicamente documentata e non a una qualsiasi eruzione sconosciuta che ha avuto luogo da qualche altra parte nel mondo.

4.8 Foraminiferi. Queste minuscole conchiglie (le cui dimensioni non superano 1 mm) formano i fondali marini dell'oceano. L'analisi delle conchiglie (*vedi* pagina 228) negli strati di sedimenti che si susseguono documenta il cambiamento della temperatura marina.

La datazione pollinica

Tutte le angiosperme (piante a fiore) producono granuli pressoché indistruttibili, detti nel loro insieme polline, che sopravvivono per molte migliaia (e talvolta milioni) di anni in tutti i tipi di condizioni. La conservazione nelle paludi torbose e nei sedimenti lacustri ha consentito agli studiosi dei pollini (i palinologi) di costruire particolareggiate sequenze della vegetazione e del clima del passato. Come vedremo nel Capitolo 6, queste sequenze danno un contributo di straordinaria importanza alla conoscenza degli ambienti naturali antichi; ma esse hanno anche costituito – e in misura limitata costituiscono ancora – importanti strumenti per la datazione relativa.

Le sequenze polliniche meglio note sono quelle sviluppate per l'Europa settentrionale, dove un'elaborata successione di cosiddette *zone polliniche* copre almeno gli ultimi 18 000 anni. Attraverso lo studio dei campioni di pollini, si può inserire un determinato sito in una più vasta sequenza pollinica della zona e si può quindi assegnargli una datazione relativa. Nello stesso modo possono essere datati anche manufatti isolati e reperti quali i corpi delle torbiere (*bog-bodies*) scoperti in contesti in cui sono conservati pollini. È però importante ricordare che le zone polliniche non sono uniformi per aree molto estese. Per ogni regione devono essere stabilite delle sequenze di zone polliniche prima di poterci collegare dei siti o dei ritrovamenti. Nel caso sia possibile determinare una data con il metodo del radiocarbonio o della dendrocronologia per tutta o almeno per una parte della sequenza, si otterrà una cronologia assoluta per la regione.

Grazie alle loro eccellenti proprietà di conservazione, i granuli pollinici hanno potuto fornire dati utili per ricostruire ambienti naturali di circa 3 milioni di anni fa su alcuni siti dell'Africa orientale. Anche differenti periodi interglaciali in aree quali l'Europa settentrionale hanno rivelato sequenze polliniche caratteristiche; ciò significa che i pollini attestati su un particolare sito possono talvolta essere attribuiti a un determinato periodo interglaciale, costituendo così un utile strumento di datazione per epoche tanto remote che non possono essere datate con il metodo del radiocarbonio.

LA DATAZIONE ASSOLUTA

Malgrado la grande utilità dei metodi di datazione relativa, gli archeologi vogliono conoscere, in ultima analisi, quanto siano antichi in termini di anni i siti, le sequenze e i manufatti che sono oggetto di studio. Per giungere a questo risultato devono usare i metodi di datazione assoluta, di cui i tre più importanti e usati più frequentemente sono: i **calendari** e le **cronologie storiche**, la **dendrocronologia** (basata sugli anelli di accrescimento degli alberi) e la datazione con il **radiocarbonio**. Per il periodo Paleolitico sono fondamentali la datazione con il **metodo del potassio-argon** e dell'**uranio-piombo**. La datazione genetica, invece, è ora anche utilizzata per gli eventi che riguardano le popolazioni.

CALENDARI E CRONOLOGIE STORICHE

Fino allo sviluppo delle prime tecniche scientifiche di datazione, all'inizio del XX secolo, il problema della datazione assoluta in archeologia si basava quasi interamente su metodi storici, vale a dire sulle connessioni dei dati archeologici con le cronologie e i calendari che le popolazioni delle epoche precedenti alla nostra avevano autonomamente costruito. Questi metodi di datazione rimangono ancor oggi molto importanti. Nel mondo antico, le società che conoscevano la scrittura registravano la loro storia in documenti scritti. In Egitto, nel Vicino Oriente e in Cina, per esempio, la storia era registrata in termini di regni successivi, a loro volta organizzati in gruppi o «dinastie». Come vedremo fra poco, furono usati sistemi di calendari assai precisi anche nella Mesoamerica.

Quando si accingono a lavorare con le cronologie delle prime età storiche, gli archeologi devono avere ben chiari tre punti. In primo luogo, il sistema cronologico richiede un'accurata ricostruzione, e ogni lista di re o comunque di detentori di una carica deve essere ragionevolmente completa. In secondo luogo, la lista dei re, anche se indica la durata in anni del regno di ogni singolo monarca, deve comunque venir collegata con il nostro calendario. In terzo luogo, i **manufatti**, gli **elementi** e le **strutture** di un

particolare sito, per essere datati, vanno posti in qualche modo in relazione con la cronologia storica, per esempio associandoli con un'iscrizione che riporti il nome di chi regnava in quel momento.

Questi tre punti possono essere efficacemente illustrati dalle cronologie dei Maya e degli Egizi. La storia egizia è scandita dalla successione di 31 dinastie, a loro volta classificate in Antico, Medio e Nuovo Regno (*vedi* illustrazioni a pagina 129). La moderna concezione di questa scansione è il frutto di una sintesi basata su alcuni documenti, tra cui il cosiddetto Canone regio (o Papiro dei Re) di Torino. Questa sintesi fornisce una stima della durata in anni di ogni regno, fino a giungere alla conquista dell'Egitto da parte di Alessandro Magno, che può essere datata con sicurezza, sulla base delle notizie degli storici greci, all'anno 332 a.C. Così, le dinastie egizie possono essere datate procedendo a ritroso da questo punto, sebbene non sempre sia nota l'esatta durata di ogni singolo regno. Questo sistema può trovare conferme ed essere ulteriormente precisato utilizzando dati astronomici. La storia egiziana contiene osservazioni di alcuni eventi astronomici che possono essere datati, del tutto indipendentemente, utilizzando le attuali conoscenze in astronomia e soprattutto sapendo dove, in Egitto, vennero condotte le antiche osservazioni. Per quanto riguarda l'antico Egitto, le date sono generalmente ritenute molto affidabili a partire dal 1500 a.C., con un margine di errore di al massimo uno o due decenni, ma quando ci si sposta all'inizio del periodo delle Dinastie, attorno al 3100 a.C., gli errori si possono sommare fino a raggiungere all'incirca i 200 anni.

Per quanto riguarda i calendari della regione mesoamericana, il calendario dei Maya fu il più elaborato (*vedi* Scheda 4.1). Non si basa, come quelli europei o del Vicino Oriente, sulla registrazione di dinastie e di re. Altre aree della Mesoamerica ebbero calendari propri che si basavano su princìpi simili a quelli del calendario maya.

Uso di una cronologia storica

Risulta relativamente facile per gli archeologi utilizzare una cronologia storica quando vengono rinvenuti abbondanti manufatti che possano essere posti in stretta relazione con essa. Così, nei più importanti siti maya, quali Tikal o Copán, compaiono numerose stele con iscrizioni calendariali che spesso possono essere usate per datare gli edifici con i quali sono associate. Anche i manufatti associati agli edifici possono essere datati: per esempio, se è stata definita una tipologia della ceramica, il ritrovamento di tipi ceramici noti in questi contesti storicamente datati consente di giungere a una datazione della tipologia ceramica. Contesti ed edifici su altri siti per i quali non si dispone di iscrizioni possono essere datati, almeno in maniera approssimativa, attraverso la presenza di tipi ceramici simili.

4.9-10 (*A destra*) Riassunto delle principali tecniche disponibili per la datazione di specifici materiali archeologici. (*Sotto*) Tavola cronologica che compendia gli intervalli di tempo per i quali si possono applicare i differenti metodi di datazione assoluta.

Materiali	Metodo di datazione	Dimensione minima del campione	Precisione	Estensione
Legno (con anelli di accrescimento visibili)	Dendocrinologia		1 anno (talvolta è possibile individuare la stagione)	Fino a 5300 a.C. (Irlanda); 8500 a.C. (Germania); 6700 a.C. (Stati Uniti)
Materiali organici (contenenti carbone)	Radiocarbonio	Da 5-10 mg (AMS); 10-20 g legno/carbone o 100-200 g ossa (convenzionali)	Molti fattori di complicazione, ma spesso tra circa 50-100 anni	Fino a 50 000 BP (AMS)
Rocce vulcaniche	Potassio-argon; Argon-argon		±10%	Più vecchi di 80 000 BP
Rocce ricche di carbonato di calcio; denti	Famiglie dell'uranio		±1-2%	10 000-500 000 BP (AMS)
Ceramiche cotte, argilla, materiali litici o terreno	Termoluminescenza	200 mg/30 mm diametro/5 mm spessore	±5-10% sul sito; ±25% fuori dal sito	Fino a 100 000 BP (AMS)

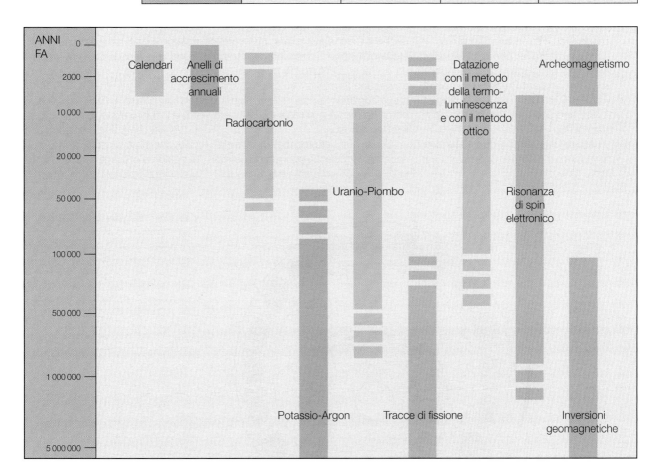

In qualche caso gli stessi manufatti riportano una data o i nomi di esponenti della classe dominante che possono essere associati a una data. È il caso, per esempio, di molte ceramiche della civiltà maya che hanno iscritti dei glifi. Per quanto riguarda le età romana e medievale in Europa, un'analoga opportunità è offerta dalle monete, che normalmente portano il nome dell'autorità emittente, che può essere associata a una data in base a iscrizioni o ad altre fonti. Ma datare una moneta o un manufatto non equivale a datare il contesto in cui sono stati trovati. La data impressa sulla moneta indica l'anno in cui la moneta venne coniata; la sua presenza all'interno di un deposito archeologico sigillato determina semplicemente un ***terminus post quem*** (cioè la «data dopo la quale»): in altri termini, il deposito non può essere antecedente alla data della moneta, ma potrebbe essere anche assai posteriore a quella data.

Il calendario maya era assai preciso e a esso si riferiscono le date che compaiono nelle iscrizioni poste su stele o colonne di pietra erette nelle città maya del Periodo classico (250-900 d.C.). La decifrazione del calendario e, in epoca più recente, dei glifi della civiltà maya fa sì che stia emergendo una storia di questo popolo basata su datazioni precise, cosa che sembrava impossibile una cinquantina di anni fa.

Per comprendere il calendario dei Maya è necessario studiare il loro sistema di numerazione e individuare i diversi glifi o i diversi segni per mezzo dei quali venivano distinti i singoli giorni, ognuno dei quali aveva un proprio nome, analogamente a quanto accade per i nostri lunedì, martedì ecc.; è inoltre necessario conoscere il modo in cui il calendario fu costruito.

I numerali maya sono relativamente chiari: una conchiglia stilizzata significa «zero», un punto «uno» e una barra orizzontale «cinque». I numeri maggiori di 19 erano scritti verticalmente in potenze di 20.

I Maya utilizzavano due sistemi di calendario: il Giro del Calendario e il Conto lungo.

Il Giro del Calendario era utilizzato per la maggior parte delle necessità quotidiane e implicava due metodi di conteggio. Il primo era costituito dal Calendario sacro di 260 giorni, che è ancora utilizzato in alcune zone montuose della regione maya. Dobbiamo immaginare due ruote dentate ingrananti tra loro, una con i numeri da 1 a 13, la seconda con i nomi di 20 giorni. Il giorno 1 (per usare la nostra terminologia) sarà il giorno 1 Imix, il giorno 2 il 2 Ik, il giorno 3 il 3 Akbal e così via fino al giorno 13, che è il 13 Ben. Ma il giorno 14 corrisponderà all'1 Ix, e così via. La sequenza si ripete identica dopo 260 giorni e un nuovo Calendario sacro comincia nuovamente con 1 Imix.

Accanto a questo calendario esisteva anche il Calendario solare, che consisteva di 18 mesi, ciascuno distinto da un nome e costituito da 20 giorni, più un periodo terminale di 5 giorni. L'anno maya cominciava con l'1 Pop (Pop è il nome del mese), il giorno successivo era il 2 Pop e così via.

Questi due cicli procedevano simultaneamente, cosicché ogni giorno poteva essere designato in entrambi i modi (per

esempio 1 Kan 2 Pop). Una specifica combinazione si ripeteva solo una volta ogni 52 anni. Questo tipo di calendario si rivelava comunque sufficiente per la maggior parte delle necessità quotidiane e il ciclo dei 52 anni aveva per i Maya un significato simbolico.

Il Conto lungo veniva utilizzato per le date storiche. Al pari di ogni sistema di calendario, aveva bisogno di una data di partenza, o data-zero, che i Maya individuarono in quella del 13 agosto 3114 a.C. (secondo la correlazione comunemente accettata con il calendario cristiano). Una data espressa in Conto lungo è formata da 5 numeri (per esempio, nel nostro sistema di notazione numerica, 8.16.5.12.7). Il primo numero rappresentava il numero delle unità più grandi trascorse, i baktun (costituite di 144 000 giorni, e quindi di circa 400 anni). Il secondo numero si riferiva ai katun (7200 giorni o 20 anni), il terzo a 1 tun di 360 giorni, il quarto a 1 uinal di 20 giorni, e infine il quinto al kin, cioè a 1 giorno.

Veniva usata una notazione posizionale, che iniziava dall'alto con il numero di baktun e proseguiva scendendo fino alle unità più piccole. Normalmente ogni

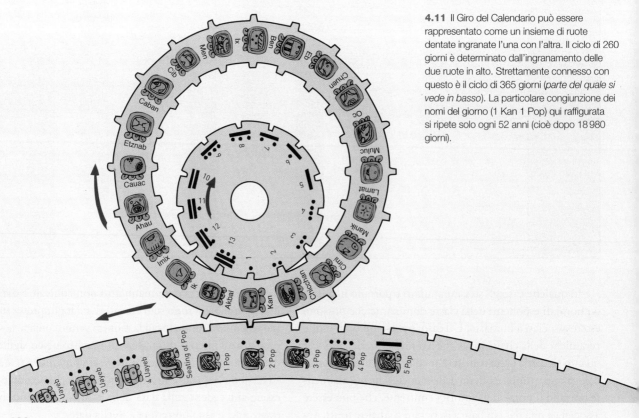

4.11 Il Giro del Calendario può essere rappresentato come un insieme di ruote dentate ingranate l'una con l'altra. Il ciclo di 260 giorni è determinato dall'ingranamento delle due ruote in alto. Strettamente connesso con questo è il ciclo di 365 giorni (*parte del quale si vede in basso*). La particolare congiunzione dei nomi del giorno (1 Kan 1 Pop) qui raffigurata si ripete solo ogni 52 anni (cioè dopo 18 980 giorni).

4.12 Il Conto lungo veniva usato per registrare le date storiche. In questo caso, si tratta della data presente in una tomba della città di Río Azul, in Guatemala. La data indicata segnata – leggendo da sinistra a destra e dall'alto in basso – è 8.19.1.9.13 4 Ben 16 Mol, ovvero 8 baktun, 19 katun, 1 tun, 9 uinal e 13 kin, con il nome del giorno 4 Ben e 16 Mol sul fondo. Tradotto in termini moderni sarebbe il 27 settembre del 417 d.C. (Da notare che tra il glifo per 4 Ben e 16 Mol ci sono cinque altri glifi che rappresentano cicli supplementari – le serie dei «nove signori della notte» e le serie lunari).

numero era seguito dal glifo dell'unità in questione (per esempio 8 *baktun*), cosicché le date sulle stele sono facilmente leggibili.

La data più antica finora nota su una stele della regione maya è posta sulla stele 29 di Tikal, ove si legge la sequenza 8.12.14.8.15. In altri termini:

8 *baktun*	1 152 000 giorni
12 *katun*	86 400 giorni
14 *tun*	5040 giorni
8 *uinal*	160 giorni
15 *kin*	15 giorni
in totale	1 243 615 giorni

a partire dalla data zero del 3114 a.C. La data espressa corrisponde dunque al 6 luglio del 292 d.C.

Secondo i Maya la fine di questo mondo sarebbe dovuta avvenire attorno al 23 dicembre del 2012 e ciò ha scatenato la realizzazione di una vera e propria valanga di libri, pubblicati su questo presupposto evento.

Una cronologia storica ben determinata per quanto riguarda una regione può essere utilizzata per datare eventi di regioni circostanti o anche di aree più lontane per le quali siano andate perdute le testimonianze storiche, ma che vengano menzionate nei testi storici della regione più ricca di tradizione storiografica. Analogamente, gli archeologi possono utilizzare le esportazioni e le importazioni di merci per estendere i legami cronologici attraverso la **datazione incrociata**. Per esempio, la presenza di ceramiche di origine straniera in contesti egiziani la cui datazione è certa stabilisce un *terminus ante quem* («data prima della quale») per la produzione di questa tipologia ceramica: essa infatti non può essere più recente del contesto in cui è stata ritrovata. Allo stesso modo, oggetti di produzione egizia, alcuni dei quali recano iscrizioni che ne consentono un preciso inserimento nella cronologia egizia, sono presenti in diversi siti fuori dall'Egitto e forniscono un valido ausilio nella datazione dei contesti in cui sono stati rinvenuti.

La datazione con metodi storici rimane il procedimento più importante per gli archeologi che operano in regioni in cui è disponibile un calendario affidabile e un significativo supporto di fonti storiche. Dove invece esistono gravi incertezze sul calendario o sulla sua relazione con i moderni

---

CRONOLOGIA DELL'ANTICO EGITTO

PERIODO PROTODINASTICO (Arcaico) (3100–2650 a.C.)
Dinastie 0–2

ANTICO REGNO (2650–2175 a.C.)
Dinastie 3–6

PRIMO PERIODO INTERMEDIO (2175–1975 a.C.)
Dinastie 7–11

MEDIO REGNO (2080–1630 a.C.)
Dinastie 11–13

SECONDO PERIODO INTERMEDIO (1630–1539 a.C.)
Dinastie 14–17

NUOVO REGNO (1539–1069 a.C.)
Dinastie 18–20

TERZO REGNO INTERMEDIO (1069–657 a.C.)
Dinastie 21–25

PERIODO TARDO (664–332 a.C.)
Dinastie 26–31

4.13 Cronologia storica per l'antico Egitto. In linea generale la terminologia storica è accettata dagli egittologi, ma la precisa definizione cronologica dei primi periodi è ancora oggetto di discussione. Il sovrapporsi delle date relative alle diverse dinastie o ai vari regni indica che nelle diverse parti della regione erano riconosciuti sovrani differenti.

© 978.8808.82073.0

calendari, spesso le correlazioni possono essere verificate, almeno nelle linee generali, con altri metodi di datazione assoluta che descriveremo tra poco.

Al di fuori delle regioni storiche e di quelle alfabetizzate, però, il sistema della datazione incrociata e quello basato sulla comparazione tipologica sono stati pressoché totalmente sostituiti dal sistema di datazione con metodi scientifici. Attraverso di essi oggi si possono assegnare date assolute a tutte le culture del mondo.

CICLI ANNUALI: VARVE, SPELEOTEMI E ANELLI DI ACCRESCIMENTO

Ogni metodo di datazione assoluta si basa sull'esistenza di un processo regolare, dipendente dal trascorrere del tempo. Il più ovvio di questi sistemi è quello che è alla base del nostro attuale calendario, cioè la rivoluzione della Terra intorno al Sole nell'arco di un anno. Dato che questo ciclo annuale produce fluttuazioni regolari nel clima, esso ha una forte influenza sulle caratteristiche dell'ambiente che in certi casi possono essere misurate per creare una cronologia. Al fine della datazione assoluta, la sequenza deve essere lunga e senza lacune, collegata al presente e suscettibile di essere correlata alle strutture o ai manufatti da datare.

Le prove di queste fluttuazioni annuali sono assai diffuse. I cambiamenti nella temperatura delle regioni polari si possono riscontrare, per esempio, nelle variazioni annuali dello spessore dei ghiacciai, che gli scienziati possono studiare attraverso carotaggi condotti nella superficie ghiacciata (*vedi* paragrafo *Clima e cronologia*). Analogamente, nelle regioni ai limiti delle zone polari, la fusione delle calotte glaciali, che avviene ogni anno nel periodo in cui le temperature si innalzano, determina la formazione di sedimenti, detti **varve**, che possono essere contati. In Scandinavia sono stati trovati considerevoli depositi di varve che rappresentano migliaia di anni; si estendono (quando collegati tra loro) dal presente fino all'inizio del ritiro delle calotte glaciali scandinave, che risale a circa 13 000 anni fa. Questo metodo ha permesso, per la prima volta, una stima abbastanza attendibile della data della fine dell'ultima èra glaciale, e ha quindi contribuito alla cronologia archeologica non soltanto in Scandinavia, ma anche in molte altre parti del mondo.

La sedimentazione nelle grotte calcaree, invece, forma degli speleotemi (depositi presenti nelle grotte i più frequenti dei quali sono le stalagtiti e le stalagmiti), spesso soggetti a fluttuazioni annuali, nei quali è possibile identificare gli strati o anelli annuali che si formano. Questi ultimi, infatti, variano in spessore a seconda dei fattori climatici, soprattutto delle precipitazioni, e quindi costituiscono delle utili testimonianze del clima. I singoli anelli possono essere datati con il metodo dell'uranio-torio (*vedi*

pagine 146-47) con una precisione sempre maggiore. È stato sostenuto che l'eruzione del vulcano Thera nel Mar Egeo possa essere riconosciuta sulla base delle maggiori concentrazioni di bromo, zolfo e molibdeno negli anelli di una stalagmite nella Grotta di Sofular nella Turchia settentrionale; a supporto di questa controversa datazione dell'eruzione «minoica» di Thera sono state portate anche delle datazioni col metodo dell'uranio-torio, che porterebbero tale eruzione fino all'incirca al 1600 a.C. (*vedi* Scheda 4.6).

Il ciclo annuale degli **anelli di accrescimento** degli alberi è giunto oggi a competere con il metodo del radiocarbonio come principale sistema di datazione per le ultime migliaia di anni in molte parti d'Europa, del Nord America e del Giappone.

La dendrocronologia

La moderna datazione con il metodo degli anelli di accrescimento degli alberi (**dendrocronologia**) fu sviluppata da un astronomo americano, A.E. Douglass, nei primi decenni del XX secolo, sebbene molti dei suoi princìpi fossero noti già da tempo. Lavorando su legnami ben conservati grazie al clima arido del Sud-Ovest americano, intorno al 1930 Douglass giunse ad assegnare date assolute

4.14 Sezione di trave di quercia da un muro di una casa di legno a Hanover, in Pennsylvania, Stati Uniti: la crescita annuale degli anelli è chiaramente visibile e in questo campione dall'alburno completo (la parte legnosa più giovane della pianta, qui nella parte superiore dell'immagine) si può stabilire che la data precisa di abbattimento fu il 1851/2.

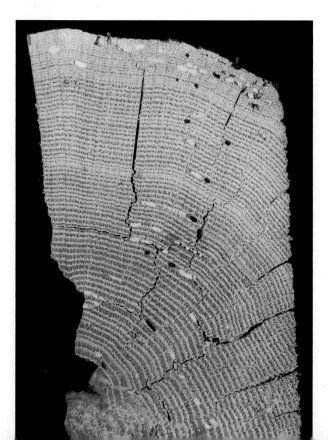

a molti dei più importanti siti di quell'area, come Mesa Verde e Pueblo Bonito. Ma fu solo alla fine degli anni Trenta del secolo scorso che la tecnica venne introdotta in Europa, e solo nel corso degli anni Sessanta l'uso di procedimenti statistici e di computer gettò le fondamenta per la definizione su base dendrocronologica delle lunghe cronologie fondamentali per la moderna archeologia. Al giorno d'oggi la dendrocronologia trova due distinti impieghi in campo archeologico: 1) come utile strumento per calibrare o correggere le date ottenute con il metodo del radiocarbonio (*vedi* più avanti); 2) come metodo indipendente di datazione.

Basi del metodo La maggior parte degli alberi produce un anello di legno nuovo ogni anno, e questi anelli di accrescimento possono essere facilmente identificati nella sezione trasversale del tronco di un albero tagliato. Gli anelli non sono di spessore uniforme; e possono variare per due ragioni: in primo luogo, gli anelli sono sempre più sottili man mano che aumenta l'età dell'albero; in secondo luogo, l'accrescimento annuale di un albero è influenzato dalle fluttuazioni del clima. Nelle regioni aride, le precipitazioni superiori alla media nel corso di un anno producono un anello annuale particolarmente spesso. Nelle regioni più temperate, la luce solare e la temperatura possono svolgere un ruolo più importante delle precipitazioni piovose nel determinare l'accrescimento

di un albero; in questi casi, un breve periodo di freddo intenso in primavera può portare alla produzione di un anello di accrescimento più sottile.

I dendrocronologi misurano e rappresentano graficamente gli anelli di accrescimento, ottenendo un diagramma che indica lo spessore degli anelli successivi in un singolo albero. Alberi della stessa specie che crescono nella stessa area mostreranno generalmente la stessa sequenza di anelli, per cui la sequenza di accrescimento può essere confrontata tra frammenti di legname progressivamente più antichi fino a ricostruire la cronologia di un'area. (Non è necessario abbattere gli alberi per studiare la sequenza degli anelli: si può estrarre un campione adatto allo scopo eseguendo un foro nell'albero senza danneggiarlo.) Confrontando le sequenze di anelli provenienti da alberi viventi di età differente con quelle tratte da legnami antichi, i dendrocronologi sono in grado di ottenere una lunga sequenza continua, come quella nell'illustrazione 4.15, che può risalire indietro nel tempo per centinaia e perfino migliaia di anni a partire dai giorni nostri. Così, quando viene rinvenuto un frammento consistente di legname antico della stessa specie, si può confrontare la sua sequenza di anelli, per esempio di 100 anni, con il tratto corrispondente della sequenza principale della cronologia stabilita. In questo modo si può determinare di solito, con un margine di errore inferiore a un anno, la data di abbattimento dell'albero da cui fu ricavato quel pezzo di legname.

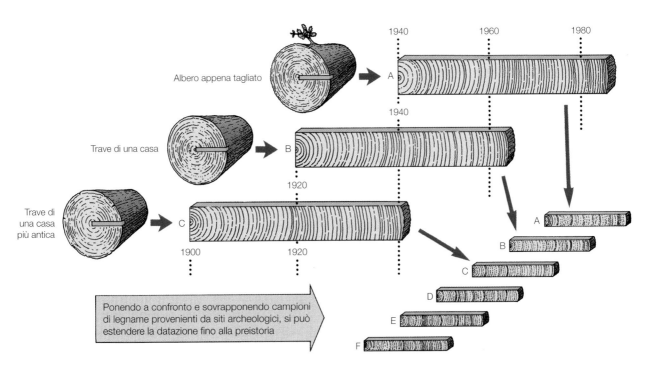

4.15 Dendrocronologia. Disegno che mostra il modo in cui gli anelli di accrescimento possono essere contati, confrontati e sovrapposti per costruire una sequenza principale. In regioni diverse del mondo queste sequenze sono divise nelle differenti specie di alberi (a seconda di cosa si è conservato): nelle regioni temperate d'Europa, la sequenza più lunga è basata sulla quercia, in Arizona sul pino dai coni setolosi (*bristlecone pines*).

© 978.8808.82073.0

Applicazioni: 1. Le sequenze principali lunghe e il radio-carbonio Il contributo più importante fino a oggi fornito dalla dendrocronologia alla datazione archeologica è stato forse lo sviluppo di lunghe sequenze di anelli di accrescimento, sulla cui base è stato possibile verificare e calibrare i dati ottenuti con il metodo del radiocarbonio. La ricerca pionieristica in questo campo fu condotta in Arizona su una particolare specie di albero, il pino hickory (*Pinus aristata*) che può vivere fino a 4900 anni. Confrontando i campioni prelevati da questi alberi viventi con gli anelli di pini morti e conservati dall'ambiente secco della regione è stato possibile costruire una sequenza ininterrotta che parte dai giorni nostri e risale indietro nel tempo fino al 6700 a.C. circa. Questa ricerca è stata ora integrata da studi condotti in Europa sulle sequenze degli anelli di accrescimento delle querce, spesso ben conservate nei depositi saturi d'acqua. Due distinte sequenze di quercia nell'Irlanda del Nord e nella Germania occidentale si spingono oggi senza interruzioni nel lontano passato, fino circa al 5300 a.C. nel caso irlandese e fino all'8500 a.C. circa nel caso tedesco. Queste sequenze possono essere utilizzate per calibrare le datazioni col metodo del radiocarbonio.

Applicazioni: 2. Datazione dendrocronologica autonoma Se gli esseri umani del passato hanno usato il legno di una certa specie di albero, per esempio la quercia, per la quale disponiamo oggi di una sequenza dendrocronologica definita, si può ottenere una datazione utile dal punto di vista archeologico confrontando il legname conservato con parte della sequenza principale. Attualmente è possibile fare questo in molte parti del mondo, escluse le regioni tropicali.

I risultati sono particolarmente interessanti nelle regioni del *Sud-Ovest americano*, dove la tecnica è applicata da lungo tempo e il legno è spesso in buone condizioni di conservazione. Qui gli indiani Pueblo costruirono le loro abitazioni utilizzando alberi quali l'abete Douglas e il pino da pinoli, che hanno fornito eccellenti sequenze di anelli. La dendrocronologia è diventata il principale metodo di datazione dei villaggi dei Pueblo, i più antichi dei quali risalgono al I secolo a.C., anche se la principale fase costruttiva è di un millennio più tarda.

Un breve esempio tratto da questa regione servirà a dimostrare la precisione e le implicazioni del metodo. Nel suo lavoro pionieristico A.E. Douglass stabilì che Betatakin, un insediamento rupestre su forte pendio (*cliff dwelling*) nel nord-ovest dell'Arizona, risaliva al 1270 d.C. circa. Tornando sul sito negli anni Sessanta del secolo scorso, Jeffrey Dean raccolse 292 campioni di sequenze di anelli di accrescimento e li utilizzò per documentare non solo la fondazione dell'insediamento nel 1267 d.C., ma anche la sua espansione, ambiente per ambiente, un anno dopo l'altro, fino a raggiungere un massimo alla metà degli anni Ottanta del XIII secolo, poco prima di essere abbandonato. La stima del numero di occupanti per ogni stanza rese anche possibile calcolare il tasso di accrescimento della popolazione di Betatakin, che raggiunse un ammontare massimo di circa 125 abitanti. La dendrocronologia può quindi portare a considerazioni più generali che vanno al di là della semplice datazione.

Nell'Europa centrale e orientale la sequenza principale della quercia permette ora una datazione ugualmente precisa delle fasi di sviluppo dei villaggi lacustri del Neolitico e dell'Età del bronzo, come nel caso del sito di Cortaillod, in Svizzera (*vedi* illustrazione 4.16). In Germania, nei pressi del villaggio di Kückhoven, la recente scoperta di tre pezzi di una cornice lignea di supporto per un pozzo ha fornito tre anelli di accrescimento del 5090, 5067 e 5055 a.C. (*vedi* pagina 243). Questi pezzi di legno sono stati associati a frammenti della cultura *Linearbandkeramik* e quindi forniscono una datazione assoluta per le prime pratiche di agricoltura nell'Europa occidentale. La più antica datazione dendrocronologica per il Neolitico inglese viene dal Sweet Track nei Somerset Levels: un camminamento di assi costruito attraverso la palude durante l'inverno del 3807-3806 a.C. o poco tempo prima (*vedi* Scheda 8.4)

In qualche caso le cronologie locali rimangono «fluttuanti», dato che non è possibile collegare le loro sequenze con quelle principali. In molte regioni del mondo le sequenze principali sono state gradualmente estese e le cronologie «fluttuanti» sono state fissate al loro interno. Nell'area dell'Egeo, per esempio, è ora disponibile una sequenza principale che risale fino all'epoca altomedievale (periodo bizantino), con una più antica sequenza «fluttuante», che si estende in alcuni casi fino al 7200 a.C. In un prossimo futuro sarà senza dubbio individuato il legame tra le due sequenze. Considerevoli passi in avanti sono stati fatti nello stabilire una cronologia lunga con gli anelli di accrescimento per l'Anatolia da parte di Peter Kuniholm e Sturt Manning della Cornell University.

Limiti del metodo A differenza del metodo con il radiocarbonio, la dendrocronologia non è un metodo di datazione applicabile su scala mondiale a causa di due limitazioni importanti:

1. può essere applicata solo ad alberi delle regioni non tropicali, dove le marcate differenze tra le stagioni producono anelli annuali di accrescimento chiaramente definiti;
2. per una datazione dendrocronologica autonoma il campo si restringe a quelle specie di alberi che (*a*) hanno consentito la costruzione di una sequenza a ritroso a partire dal presente e che (*b*) sono state realmente utilizzate dalle popolazioni del passato e dove (*c*) il campione offre una registrazione sufficientemente lunga da fornire un'unica corrispondenza.

1	1010–1009 a.C.
2	1008–1007 a.C.
3	1005–1001 a.C.
4	996–993 a.C.
5	992–989 a.C.
6	985 a.C.

15 m

4.16 La dendrocronologia dell'insediamento risalente all'Età del bronzo di Cortaillod-Est, in Svizzera, è particolarmente precisa. Fondato nel 1010 a.C. con un nucleo di quattro case (fase 1), il villaggio fu ampliato quattro volte e nel 985 a.C. venne aggiunto un recinto.

Inoltre deve essere considerata un'importante questione interpretativa. Una data dendrocronologica si riferisce alla data di abbattimento dell'albero, che è determinata dal confronto degli anelli più esterni (l'alburno) con la sequenza della regione. Se gran parte o la totalità di questi anelli esterni è andata perduta, la data di abbattimento non può essere identificata. Ma anche nel caso della determinazione di un'esatta data di abbattimento, l'archeologo – sulla base del contesto e dei processi di formazione – deve formulare un giudizio sul tempo trascorso tra l'abbattimento dell'albero e l'ingresso del legno nel deposito archeologico. Il legno può essere più antico o più recente delle strutture in cui è stato alla fine incorporato, dato che potrebbe trattarsi di materiale tratto da strutture preesistenti e riutilizzato, o anche di materiale nuovo utilizzato per il restauro di strutture già esistenti da lungo tempo. Come sempre, la soluzione migliore sta nel raccogliere diversi campioni e nel controllare accuratamente i dati sul sito. Malgrado queste precisazioni, nelle regioni temperate e in quelle secche la dendrocronologia sta diventando, insieme con il metodo del radiocarbonio, la più importante tecnica di datazione per l'arco di tempo che comprende gli ultimi 8000 anni.

GLI «OROLOGI RADIOATTIVI»

Molti dei più importanti sviluppi nella datazione assoluta dopo la Seconda guerra mondiale sono derivati dall'uso di quelli che si potrebbero chiamare «orologi radioattivi», che si basano su un fenomeno regolare e assai diffuso nel mondo naturale: il decadimento radioattivo. Il più noto dei metodi radioattivi è quello del **radiocarbonio**, che costituisce oggi il più importante strumento di datazione per gli ultimi 50 000 anni circa. I principali metodi che sfruttano la radioattività per i periodi antecedenti all'intervallo di tempo coperto dal metodo del radiocarbonio sono quelli del **potassio-argon**, dell'**uranio-piombo** e delle **tracce di fissione**. La **termoluminescenza** (TL) si sovrappone al radiocarbonio per lo stesso arco di tempo in cui questo è utilizzabile, ma offre anche la possibilità di ottenere datazioni assolute per epoche più remote, similmente alla **datazione ottica** e al metodo della **risonanza di spin elettronico** (ESR, *electron spin resonance*); tutte tecniche di datazione degli elettroni intrappolati che si basano indirettamente sul decadimento radioattivo.

La datazione con il metodo del radiocarbonio

Quello basato sul radiocarbonio costituisce certamente il metodo singolo più utile di datazione per gli archeologi. Come vedremo più avanti, ha dei limiti, sia in termini di precisione sia per l'arco di tempo in cui si può utilizzare. Talvolta sono gli archeologi stessi a commettere gravi errori, a causa dell'inadeguatezza delle procedure di campionamento e della mancanza di accuratezza nell'interpretazione. Ciò nondimeno, il radiocarbonio ha trasformato la nostra capacità di conoscere il passato, permettendo agli archeologi di stabilire per la prima volta una cronologia attendibile delle culture del mondo.

Storia e basi del metodo Nel 1949 il chimico americano Willard Libby pubblicò le prime datazioni ottenute con il metodo del radiocarbonio. Nel corso della Seconda guerra mondiale egli era stato uno degli scienziati che avevano studiato le radiazioni cosmiche, le particelle sub-atomiche che bombardano continuamente la Terra producendo neutroni ad alta energia. Questi neutroni reagiscono con gli atomi di azoto dell'atmosfera producendo atomi di carbonio-14 (^{14}C), o radiocarbonio, che sono instabili poiché possiedono otto neutroni nel nucleo invece dei sei del carbonio ordinario (^{12}C) (*vedi* Scheda 4.2). Questa instabilità determina il decadimento radioattivo del ^{14}C a un ritmo regolare. Libby stabilì che occorrevano 5568 anni perché decadesse la metà del ^{14}C contenuto in un campione – il cosiddetto **tempo di dimezzamento** –, mentre le ricerche più moderne indicano che un più preciso valore del tempo di dimezzamento è 5730 anni (per motivi di coerenza con le misure ottenute precedentemente, i laboratori continuano a usare 5568 anni come valore del tempo di dimezzamento; la differenza non costituisce un problema dal momento che, come vedremo più avanti, oggi si dispone di una scala di tempo calibrata basata sul radiocarbonio).

Libby si rese conto che il decadimento del radiocarbonio a un ritmo costante doveva essere compensato dalla sua produzione costante per opera delle radiazioni cosmiche, e che quindi la concentrazione percentuale di ^{14}C

nell'atmosfera doveva rimanere costante nel tempo. Questa concentrazione costante di radiocarbonio nell'atmosfera, inoltre, si trasferisce uniformemente in tutti gli organismi viventi attraverso l'anidride carbonica. Le piante assorbono anidride carbonica durante la fotosintesi; vengono poi consumate dagli animali erbivori, a loro volta mangiati dai carnivori. Solo quando una pianta o un animale muore viene a cessare l'assunzione di ^{14}C, e la concentrazione di ^{14}C, prima costante, comincia a diminuire per effetto del decadimento radioattivo. Così Libby si rese conto che, conoscendo il ritmo (la velocità) di decadimento del ^{14}C, detto attività del ^{14}C, misurando la quantità di radiocarbonio rimasta nel campione si poteva determinare l'età di un tessuto vegetale o di un animale morto.

Il grande risultato pratico raggiunto da Libby fu l'aver messo a punto un preciso sistema di misurazione. Le tracce di ^{14}C sono piccolissime già all'inizio e si riducono alla metà dopo 5730 anni. Dopo 23 000 anni, quindi, in un campione rimane solo un sedicesimo della già modesta concentrazione iniziale di ^{14}C. Libby scoprì che ogni atomo di ^{14}C durante il processo di decadimento emette particelle β (beta), che egli riuscì a contare con un contatore Geiger. Questa è la base del metodo tradizionale ancor oggi impiegato da molti laboratori scientifici. I campioni sono normalmente materiali organici (carbone di legna, legno, semi e altri tipi di resti vegetali, o anche ossa umane e animali), rinvenuti nei siti archeologici. La precisione della misurazione dell'attività del ^{14}C in un campione è condizionata dagli errori di conteggio, dalle radiazioni cosmiche che attraversano l'ambiente e da altri fattori che rendono imprecise le misurazioni. Ciò significa che le date ottenute con il metodo del radiocarbonio sono sempre accompagnate da una stima dell'errore probabile: ogni data è seguita dall'errore quadratico medio (o deviazione standard) a cui è premesso il segno ± (*vedi* più avanti).

Un progresso significativo rispetto ai metodi tradizionali è stato fatto, tra la fine degli anni Settanta e gli inizi degli anni Ottanta del secolo scorso, con l'introduzione in alcuni laboratori di speciali contatori a gas capaci di misurare campioni molto piccoli. Applicando il metodo tradizionale era necessario disporre di circa 5 g di carbonio, ottenuti da un processo di purificazione; ciò significa che occorreva disporre di campioni di circa 10-20 g di legno o di carbone o di 100-200 g di ossa. Le nuove speciali apparecchiature sono invece già in grado di fornire risultati con poche centinaia di milligrammi di carbone.

Molti laboratori hanno oggi adottato un metodo ancora più raffinato, la spettrometria di massa con acceleratore (AMS, *accelerator mass spectometry*), che permette di usare campioni ancora più piccoli. L'AMS è infatti in grado di contare direttamente tutti gli atomi di ^{14}C, prescindendo completamente dalla loro radioattività. Il campione minimo

Come la maggior parte degli altri elementi, il carbonio esiste in natura in più forme. Esso ha tre isotopi: ^{12}C, ^{13}C e ^{14}C. I numeri corrispondono al peso atomico di questi isotopi. In ogni campione di carbonio il 98,9% degli atomi è del tipo ^{12}C e hanno sei protoni e sei neutroni nel nucleo, mentre l'1,1% è del tipo ^{13}C con sei protoni e sette neutroni. Solo un atomo, su un milione di milioni di atomi di carbonio, è un isotopo del tipo ^{14}C con otto neutroni nel nucleo. Questo isotopo del carbonio è prodotto nella parte superiore dell'atmosfera, dal bombardamento dell'azoto (^{14}N) da parte dei raggi cosmici, e, contenendo un eccesso di neutroni, è instabile. Esso decade emettendo deboli radiazioni ß (beta) verso l'isotopo dell'azoto ^{14}N, con sette protoni e sette neutroni. Come per tutti i tipi di decadimento radioattivo, questo processo avviene con una velocità costante e indipendente dalle condizioni ambientali.

Il tempo impiegato da metà degli atomi dell'isotopo radioattivo per decadere è chiamato tempo di dimezzamento. In altri termini, dopo un tempo di dimezzamento rimarrà la metà degli atomi presenti inizialmente, dopo due tempi di dimezzamento ne rimarrà un quarto, e così via.

Nel caso del ^{14}C, il valore del tempo di dimezzamento, fissato convenzionalmente, è 5730 anni; per l'isotopo ^{238}U (uranio con massa atomica 238) il tempo di dimezzamento è 4500 milioni di anni.

Per altri isotopi il tempo di dimezzamento è una piccola frazione di secondo. In ogni caso il decadimento radioattivo segue un andamento regolare.

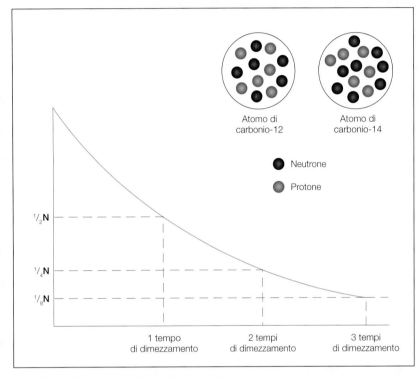

4.17 Curva di decadimento di un isotopo radioattivo.

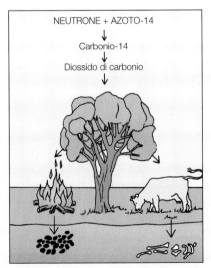

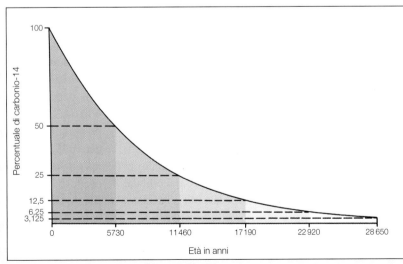

4.18 (*Sopra a sinistra*) Il radiocarbonio (carbonio-14) viene prodotto nell'atmosfera e assorbito dalle piante sotto forma di diossido di carbonio e dagli animali attraverso il consumo di piante o di altri animali. L'assorbimento di ^{14}C cessa quando la pianta o l'animale muoiono.

4.19 (*Sopra a destra*) Dopo la morte, la quantità di ^{14}C decade a una velocità nota (il 50% dopo 5730 anni ecc.). Misurando la quantità di ^{14}C rimasta in un campione si ottiene la data.

© 978.8808.82073.0

richiesto è dell'ordine di 5-10 mg, e ciò rende possibile, come vedremo più avanti, il campionamento e la datazione diretta di materiali organici preziosi come la Sacra Sindone di Torino (*vedi* pagina 145), dalla quale è stato possibile prelevare un campione che poi è stato datato direttamente con il metodo del polline. Da principio si sperò che il metodo del radiocarbonio mediante l'AMS potesse estendersi a ritroso nel tempo da 50 000 a 80 000 anni fa, ma nella pratica ciò si è dimostrato estremamente difficile, in parte a causa delle contaminazioni del campione.

Calibrazione delle date determinate con il radiocarbonio
Una delle ipotesi fondamentali del metodo del radiocarbonio è risultata non del tutto corretta. Libby ipotizzò che la concentrazione di ^{14}C nell'atmosfera fosse rimasta costante nel tempo; ma oggi si sa che è variata, in gran parte a causa di variazioni del campo magnetico terrestre e del sole. Il metodo che ha dimostrato l'imprecisione delle datazioni con il radiocarbonio – la dendrocronologia – ha però fornito anche il mezzo per correggere, o calibrare, le date stabilite con quel metodo.

Le date ottenute con il metodo del radiocarbonio dagli anelli di accrescimento degli alberi indicano che prima del 1000 a.C. circa le date espresse in anni determinati con il radiocarbonio risultano progressivamente più recenti rispetto a quelle espresse in veri anni di calendario. In altre parole: prima del 1000 a.C. gli alberi (e tutti gli altri organismi viventi) erano esposti a concentrazioni atmosferiche di ^{14}C maggiori di quelle a cui sono esposti oggi. Ottenendo sistematicamente date con il radiocarbonio dalle sequenze principali lunghe di anelli di accrescimento del *Pinus aristata* e della quercia, gli scienziati sono riusciti a rappresentare le età determinate con il radiocarbonio in funzione di quelle ottenute con la dendrocronologia (espresse in anni di calendario) e hanno così costruito curve di calibrazione che permettono di correggere o calibrare le date radiocarboniche all'interno degli anni calendaristici. Questa calibrazione (lo spostamento all'indietro di molte date) è stata chiamata la «seconda rivoluzione del radiocarbonio».

Gli alberi datati con il metodo dendrocronologico forniscono una misurazione diretta del radiocarbonio atmosferico, e quindi rappresentano il miglior materiale possibile per le curve di calibrazione. Gli anelli provengono dai pini dai coni setolosi (*balfourianae*) americani, dal pino germanico, dalla quercia e dalla quercia irlandese (*quercus petraea*) e, a oggi, queste testimonianze risalgono fino a 12 600 anni fa. Al di là di questo, gli studiosi devono affidarsi, per la calibrazione del radiocarbonio, a indicatori indiretti che provengono prevalentemente dai foraminiferi dei sedimenti marini datati con il conteggio delle varve e dai coralli puri datati con l'uranio-torio. La curva di calibrazione più recente (INTCAL$_{13}$) ora raggiunge fino a 50 000 Cal BP.

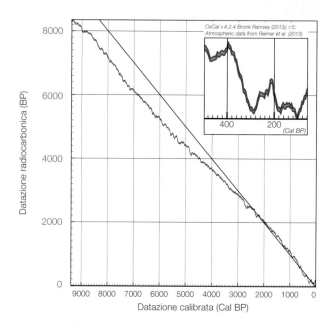

4.20 Le oscillazioni della curva di calibrazione INTCAL13 negli ultimi 9000 anni. La linea retta indica la scala ideale 1:1. Nel periodo che va all'incirca da 355 a 300 anni fa, durante quello che viene chiamato «minimo di Maunder», è stato registrato un numero di macchie solari estremamente basso che indica un'attività solare minore. Ciò ha influito a sua volta sul campo magnetico terrestre causando un aumento della produzione di radiocarbonio, come si riscontra nella sezione ripida della curva di calibrazione di questo periodo.

Di nuovo, la curva ci mostra che ci possono essere delle correzioni significative tra le datazioni radiocarboniche e gli anni del calendario che, in alcuni archi temporali, possono raggiungere dai 4000 ai 5000 anni. Risultati che irrobustiscono questa curva sono arrivati dai sedimenti datati col metodo delle varve del lago Suigetsu in Giappone e dagli alberi dell'Australasia la cui età supera i 20 000 BP.

Inoltre nella curva ci sono oscillazioni di breve periodo; in qualche caso, certi tratti della curva sono così piatti (orizzontali) che due campioni con la stessa data in anni-radiocarbonio possono in realtà risalire, in anni di calendario, a due date separate tra loro da 400 anni; questo problema si fa particolarmente sentire per il periodo tra l'800 e il 400 a.C. in anni di calendario. Per ottenere una buona precisione è necessario calibrare non solo la data centrale determinata con il radiocarbonio (per esempio il 2200 BP), ma anche il suo errore stimato (2200 ± 100 BP), il che produrrà un *intervallo cronologico* in anni di calendario. Alcuni di questi intervalli risulteranno più stretti e più precisi di altri, secondo il punto della curva in cui cade la data con il radiocarbonio con l'errore stimato associato. Sono ormai disponibili molti programmi che utilizzano una metodologia statistica per produrre calibrazioni al computer (*vedi* Scheda 4.3). I metodi bayesiani implicano ulteriori informazioni archeologiche non cronometriche che sono analizzate utilizzando metodi statistici al fine di produrre nuove distribuzioni di probabilità (*vedi* Scheda 4.4).

Sebbene i laboratori che eseguono la datazione con il metodo del radiocarbonio forniscano generalmente date calibrate dei campioni esaminati, gli archeologi devono frequentemente calibrare loro stessi le date «grezze» ottenute con il radiocarbonio, ricorrendo generalmente a una curva di calibrazione.

La curva di calibrazione basata sulla sequenza degli anelli di accrescimento degli alberi, parte della quale è mostrata a pagina 138, illustra la relazione tra anni-radiocarbonio (BP) e campioni dendrocronologici datati in veri anni solari (a.C./d.C. Cal). Le due linee della curva di calibrazione indicano l'intervallo di variazione dell'errore probabile in corrispondenza di una deviazione standard. Per ottenere l'appropriato intervallo di date calibrate di un campione di radiocarbonio, di solito si usa uno dei tanti

4.21 Questo diagramma mostra la calibrazione di una singola data di radiocarbonio con OxCal. L'asse y mostra la probabilità di distribuzione del radiocarbonio intorno a 470 ± 35 BP. L'età misurata è calibrata utilizzando la curva INTCAL09, la quale forma la nuova probabilità di distribuzione che è la data calibrata. Le variazioni d'età sono date dal 68,2% al 95,4% di probabilità.

software disponibili gratuitamente in rete (OxCal, BCal, CALIB ecc.). Con OxCal (http://c14.arch.ox.ac.uk/oxcal) viene generata una semplice rappresentazione grafica da un singolo risultato calibrato, come nel diagramma qui sotto. In questo esempio si può vedere la data del radiocarbonio 470 ± 35 BP rappresentata nella forma delle probabilità di distribuzione sull'asse delle ordinate (y). Questa distribuzione è trasformata, grazie alla curva di calibrazione, nella probabilità di distribuzione sull'asse delle ascisse (x) che rappresenta il calendario annuale. Le parti della distribuzione del radiocarbonio che hanno maggiori livelli di probabilità hanno maggiori probabilità anche sulla scala del calendario.

La curva di calibrazione è piena di parti ripide e qualche volta ondulate e comprende anche sezioni senza pendenze, dove la quantità di radiocarbonio nell'atmosfera è rimasta invariata per un lungo periodo di tempo. Qui la precisione delle calibrazioni è piuttosto ampia. Anche datando campioni con alti livelli di precisione (alcuni laboratori sono in grado di fornire datazioni fino a ± 15-20 anni) o datando campioni multipli (di cui si può calcolare la media) non si può

sostanzialmente migliorare la situazione. In alcuni casi, dove il tempo trascorso tra una serie di eventi databili è noto, è possibile ottenere una datazione molto precisa facendo combaciare le oscillazioni. Questo è applicato più frequentemente alle datazioni col radiocarbonio partendo dalle datazioni ottenute con la dendrocronologia (*vedi* esempio nella Scheda 4.4). Qualora siano possibili delle misurazioni ad alta precisione di diversi campioni di radiocarbonio con un numero di anni tra di loro noto, il modello risultante dei cambiamenti di contenuto di radiocarbonio nel tempo può essere direttamente associato con le oscillazioni nella curva di calibrazione, fornendo datazioni entro 10 o 20 anni anche per la dendrocronologia. Oppure, dove esistono altre informazioni, come quando c'è un insieme di dati numerici del radiocarbonio legati dalla stratigrafia, è allora possibile usare la statistica bayesiana (*vedi* Scheda 4.4) per combinare tutte le informazioni possibili. Ciò è stato fatto recentemente per la nuova datazione di Stonehenge. Si possono ottenere direttamente programmi e curve di calibrazione dal sito web di *Radiocarbon* all'indirizzo www.radiocarbon.org.

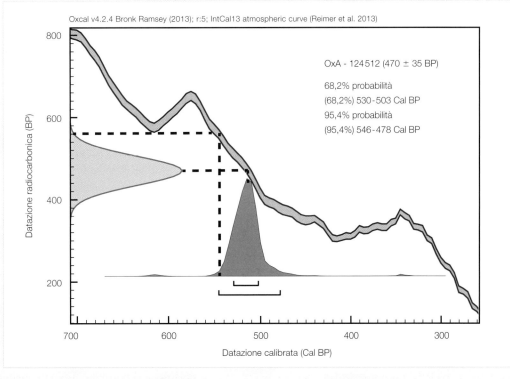

OxCal v4.2.4 Bronk Ramsey (2013); r:5; IntCal13 atmospheric curve (Reimer et al. 2013)

OxA - 124512 (470 ± 35 BP)

68,2% probabilità
(68,2%) 530-503 Cal BP
95,4% probabilità
(95,4%) 546-478 Cal BP

Datazione radiocarbonica (BP)

Datazione calibrata (Cal BP)

La pubblicazione delle date ottenute con il metodo del radiocarbonio I laboratori che effettuano datazioni con il metodo del radiocarbonio forniscono una stima dell'età di un campione misurando l'attività del radiocarbonio presente nel campione. Il valore misurato dell'attività viene convertito in una data, espressa come numero di anni intercorsi tra la morte di un organismo e il presente. Per evitare la confusione causata dal fatto che il «presente» avanza ogni anno, i laboratori che effettuano datazioni con il radiocarbonio hanno adottato quale loro «presente» il 1950 d.C., e tutte le date ottenute con il radiocarbonio sono espresse in anni BP, cioè anni *before the present* (prima del presente), cioè in «anni prima del 1950». Così, nelle pubblicazioni scientifiche, le date ottenute con il radiocarbonio sono espresse (per esempio) nella forma:

$$3700 \pm 100 \text{ BP (OxA 1735)}$$

Il primo numero indica gli anni BP, il secondo numero è l'errore probabile da cui è affetta questa data (*vedi* più avanti) e infine tra parentesi compare il codice di identificazione del laboratorio di analisi. Ogni laboratorio è designato da un codice alfa-numerico (per esempio, OxA sta per Oxford, England e GrA per Groningen, Olanda).

Come è stato detto più sopra, diversi fattori ostacolano la misurazione precisa dell'attività del radiocarbonio in un campione e, di conseguenza, tutte le date determinate con il radiocarbonio sono affette da un errore statistico o deviazione standard. Le datazioni col radiocarbonio, quindi, sono espresse con un errore di una deviazione standard. Così, quando una data determinata con il radiocarbonio viene presentata come 3700 ± 100 BP, ciò significa che c'è una probabilità del 68,2% – ossia c'è una probabilità di 2 su 3 – che la stima corretta dell'età del campione in anni determinati con il radiocarbonio sia compresa tra i 3800 e i 3600 anni BP. Poiché esiste anche una probabilità di 1 su 3 che l'età corretta del campione *non* cada in questo intervallo, ai fini della ricerca archeologica è consigliabile ampliare l'intervallo di variazione della data fino a due deviazioni standard, affinché ci sia una probabilità del 95% che l'età vera del campione cada effettivamente nell'intervallo di variazione della data. Per esempio, per una data stimata a 3700 ± 100 BP c'è una probabilità del 95% che l'età del campione determinata con il radiocarbonio sia compresa tra il 3900 (3700 +200) e il 3500 (3700 −200) BP.

Le date calibrate dovrebbero quindi essere riportate come «Cal BC/AD» o «Cal BP» ed è importante che il set di dati della calibrazione sia anch'esso riportato, poiché questi vengono periodicamente rivisti ed estesi. Quindi l'età convenzionale del radiocarbonio, cioè l'età del radiocarbonio BP, deve essere riportata assieme alla misura dell'isotopo di carbonio che lo accompagna. L'età convenzionale, una volta misurata, non cambierà, ma le calibrazioni e le date calibrate sì.

Quando l'archeologo discute in linea generale di cronologia assoluta – magari utilizzando il metodo del radiocarbonio insieme con altri metodi di datazione, inclusi quelli storici – è logico impiegare il semplice sistema a.C./d.C., purché si sia provveduto a calibrare tutte le date determinate con il radiocarbonio incorporato nella cronologia e che ciò sia dichiarato chiaramente fin dall'inizio.

Contaminazione e interpretazione dei campioni contenenti radiocarbonio Sebbene le date determinate con il radiocarbonio siano inevitabilmente affette da un certo errore, risultati alterati possono essere causati sia dall'insufficienza del campione prelevato e dalla scorretta interpretazione da parte degli archeologi sia da inadeguate procedure di laboratorio. Le principali cause di errori nel lavoro sul campo sono le seguenti.

1. *Contaminazione prima del campionamento* I problemi di contaminazione del campione mentre si trova ancora nel suolo possono essere seri. Per esempio, l'acqua freatica o i siti impregnati d'acqua rischiano di sciogliere i materiali organici e anche di farli depositare, modificando così la composizione isotopica; la formazione di concrezioni minerali attorno alle sostanze organiche può far sì che il carbonato di calcio risulti totalmente privo di radiocarbonio, aumentando in questo modo l'età apparente del campione, determinata con il radiocarbonio, per effetto di una sorta di «diluizione» del ^{14}C presente. Questi problemi possono essere affrontati in laboratorio.

2. *Contaminazione durante o dopo il campionamento* Al momento della loro individuazione tutti i campioni contenenti radiocarbonio vanno sigillati all'interno di un contenitore pulito, per esempio in un sacchetto di plastica. Devono anche essere contrassegnati all'esterno del contenitore, perché le etichette inserite all'interno possono costituire una notevole fonte di contaminazione. Il contenitore deve essere posto dentro un secondo involucro: un sacchetto di plastica ben chiuso messo in un altro sacchetto chiuso a sua volta costituisce un'efficace protezione per la maggior parte dei materiali. I frammenti di legno o di carbone che possono conservare almeno in parte la struttura degli anelli di accrescimento vanno protetti ancora più accuratamente usando contenitori rigidi. Ogni qualvolta sia possibile, occorre eliminare ogni materiale moderno contenente carbonio, per esempio la carta, che potrebbe essere fonte di problemi. Tuttavia non sempre è possibile eliminare le radici e la terra di giacitura (matrice): in questi casi è preferibile includere anche questi elementi nel campione e inviarli, insieme con una nota di accompagnamento, al laboratorio, dove sarà possibile affrontare anche questo problema.

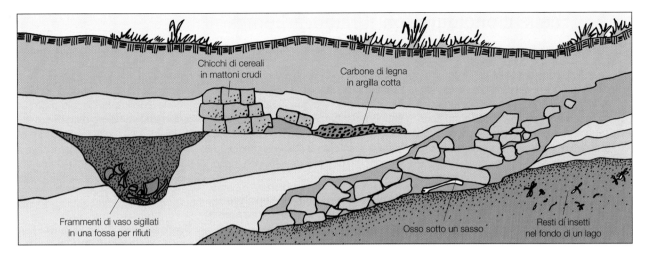

4.22 I campioni per la datazione con il radiocarbonio dovrebbero essere ottenuti, se possibile, dai tipi di contesto qui rappresentati, in strati sigillati. Il contesto stratigrafico del campione deve essere chiaramente determinato da chi scava prima che il materiale venga avviato al laboratorio per la datazione.

L'applicazione successiva di qualsiasi materiale organico – per esempio colla o carbowax (una cera poliestere) – si rivela disastrosa (anche se il laboratorio può in qualche caso essere in grado di rimediare al danno compiuto) in quanto l'attività di fotosintesi all'interno del campione prosegue: per questa ragione i contenitori in questione dovrebbero essere immagazzinati al buio. La presenza di muffa verde è tutt'altro che infrequente nei sacchetti dei campioni che giungono ai laboratori: essa indica immediatamente la contaminazione del campione.

3. ***Contesto di deposizione*** La maggior parte degli errori nelle datazioni con il radiocarbonio deriva dal fatto che chi ha condotto lo scavo non ha compreso appieno i processi di formazione del contesto in questione. Finché non si è capito come il materiale organico sia giunto nella posizione in cui è stato rinvenuto, e il come e il dove (inteso in termini di sito) fu interrato, ogni interpretazione precisa è impossibile. La prima regola fondamentale della datazione con il radiocarbonio deve essere questa: chi effettua lo scavo non deve sottoporre a datazione un campione fino a che non è sicuro del suo contesto archeologico.

4. ***Datazione del contesto*** Troppo spesso si suppone che una determinazione del radiocarbonio, eseguita per esempio su carbone di legna, fornirà automaticamente una data del contesto archeologico in cui il carbone si trova. Invece, se il carbone proviene dalle travi di un tetto, che possono essere state già antiche di centinaia di anni al momento in cui furono distrutte da un incendio, la data ottenuta si riferirà alla costruzione originaria, non al contesto di distruzione. Possono essere citati numerosi esempi di questo tipo di difficoltà: uno dei più frequenti è quello del riutilizzo di legname o anche di legni fossili (per esempio la

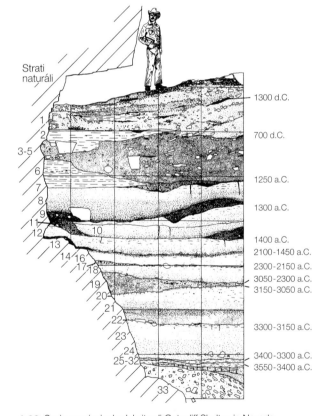

4.23 Sezione principale del sito di Gatecliff Shelter, in Nevada, disegnata da David Hurst Thomas, dove le date determinate con il metodo del radiocarbonio sono coerenti con la sequenza stratigrafica.

cosiddetta «quercia di torbiera»), la cui data ottenuta con il radiocarbonio può essere di secoli precedente a quella del contesto in questione. Per questa ragione vengono spesso preferiti campioni con una vita breve, per esempio ramoscelli di arbusti o cariossidi di cereali carbonizzate, per i quali non è ipotizzabile una lunga sopravvivenza prima dell'interramento.

La calibrazione delle datazioni con il radiocarbonio è necessaria per correggere le variazioni nel passato del contenuto di radiocarbonio presente nell'atmosfera. Tuttavia, c'è un limite alla precisione che si riesce a ottenere e dipende dal periodo in questione. Nella migliore delle ipotesi, per singoli campioni si può avere un intervallo di uno o due secoli; per alcuni periodi la risoluzione è ancora inferiore.

Questa limitazione, comunque, può essere superata se si riesce a combinare le informazioni provenienti da misurazioni del radiocarbonio non solo con i dati della curva di calibrazione, ma anche con le informazioni sull'età relativa dei campioni o dei loro raggruppamenti, di solito provenienti da scavi stratigrafici. Le statistiche bayesiane forniscono la struttura per farlo e sono disponibili dei programmi per eseguire questo tipo di analisi (per esempio OxCal e BCal).

Le analisi bayesiane possono migliorare significativamente la precisione del metodo del radiocarbonio e sono state applicate a una varietà di differenti tipi di problemi, tra i quali anche le datazioni dei singoli siti, le sequenze di sedimentazione e le cronologie regionali. In tutti i casi, le analisi fanno rientrare le datazioni con il radiocarbonio all'interno della curva di calibrazione, prendendo in considerazione le altre informazioni che si hanno a disposizione sul campione. Aumentando il numero di informazioni specifiche, e il numero delle datazioni col radiocarbonio, migliora la risoluzione. La stessa curva di calibrazione ha una risoluzione di circa un decennio e, al meglio, l'analisi bayesiana può portare le datazioni fino a questo livello. Nella maggior parte dei casi, il metodo permette al radiocarbonio di risolvere le cronologie all'interno di un secolo.

Come per tutti questi approcci statistici, il risultato dipende molto dalle assunzioni fatte e, quindi, è necessario vedere quanto sono solide le conclusioni a confronto con differenti modelli teorici.

Datazione dei Tumuli sepolcrali allungati (*Long Barrows*) risalenti al Neolitico in Gran Bretagna

Nella maggior parte dei siti archeologici, il legno molto vecchio o non si è conservato o non è associato con sufficiente chiarezza al tipo di attività che si sta indagando. Tuttavia, nei siti scavati con cura dove il legno si è preservato, come nel Neolitico in Gran Bretagna, è possibile utilizzare la relazione tra i campioni trovati in questi siti per migliorare la precisione della datazione; le informazioni stratigrafiche ci possono permettere di ricavare una sequenza di date. In quasi tutti i casi abbiamo dei gruppi di campioni che provengono da un dato periodo. Tutte queste informazioni possono essere utilizzate per costruire i modelli del sito e per confrontare le datazioni di differenti siti. Ciò è stato fatto con ragguardevoli risultati nello studio dei tumuli sepolcrali allungati (*long barrows*) del neolitico che si trovano in Gran Bretagna, dove la precisione della cronologia è tale da consentirci di capire la sequenza degli eventi al livello delle singole generazioni umane. Mentre le singole datazioni al radiocarbonio hanno dato l'impressione fuorviante che molti di questi tumuli siano stati usati a lungo, l'analisi bayesiana ha mostrato che in realtà quel tipo di monumento era utilizzato per periodi di tempo molto più corti.

Correlazione dei campioni lignei con l'eruzione di Thera

Dove gli anelli di accrescimento degli alberi non possono essere datati con la dendrocronologia, può risultare utile il metodo dell'abbinamento delle oscillazioni delle datazioni. Questo vuol dire che bisogna essere in possesso di campioni di datazioni col radiocarbonio per una sequenza di anelli di accrescimento che andranno correlati con la curva di calibrazione usando dei metodi bayesiani per determinare la miglior modellizzazione della curva stessa di calibrazione. Poiché la sequenza relativa è conosciuta, e l'ultimo o gli ultimi anelli di accrescimento possono essere identificati, qualche volta è possibile determinare una data molto precisa. Un buon esempio è costituito dalla data di eruzione di Thera (*vedi* Scheda 4.6). A Mileto, infatti, è stato trovato un legno proveniente da una sedia decorata che

4.24 Un riassunto delle distribuzioni di probabilità di eventi datati in cinque siti chiave del Neolitico nella Gran Bretagna meridionale. È da notare il breve periodo intercorso tra molte delle date iniziali e finali dell'utilizzo dei monumenti. Prima delle accurate datazioni con il radiocarbonio e la modellizzazione bayesiana, si pensava che molti di questi siti fossero stati utilizzati per centinaia di anni; ora gli archeologi hanno realizzato che in alcuni casi sono passate solo una o due generazioni di esseri umani tra la costruzione e l'abbandono.

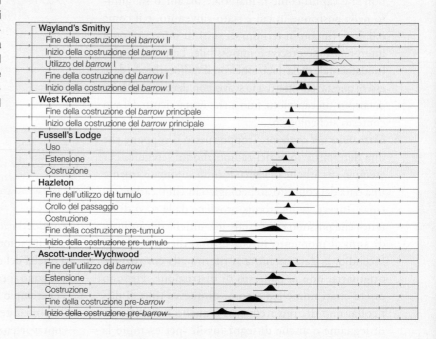

Wayland's Smithy
Fine della costruzione del *barrow* II
Inizio della costruzione del *barrow* II
Utilizzo del *barrow* I
Fine della costruzione del *barrow* I
Inizio della costruzione del *barrow* I
West Kennet
Fine della costruzione del *barrow* principale
Inizio della costruzione del *barrow* principale
Fussell's Lodge
Uso
Estensione
Costruzione
Hazleton
Fine dell'utilizzo del tumulo
Crollo del passaggio
Costruzione
Fine della costruzione pre-tumulo
Inizio della costruzione pre-tumulo
Ascott-under-Wychwood
Fine dell'utilizzo del *barrow*
Estensione
Costruzione
Fine della costruzione pre-*barrow*
Inizio della costruzione pre-*barrow*

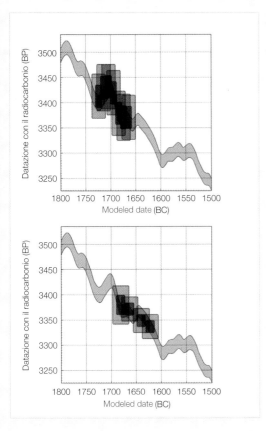

4.25 Abbinamento della serie di datazioni con il radiocarbonio per le sequenze degli anelli di accrescimento collegati all'eruzione di Thera. Il campione sopra proviene da una sedia trovata a Mileto, la quale dovrebbe fornire una cronologia anteriore all'eruzione, mentre quella sotto proviene da un albero di olivo della stessa Thera che si pensa sia cresciuto proprio fino al momento dell'eruzione. (I quadrati mostrano l'intervallo di probabilità del 68,2% e del 95,4%).

era sotto uno strato di tefra e, quindi, precedente all'eruzione. Gli anelli datati, che abbracciano sette decadi, si adattano alla forma della curva di calibrazione e indicano una data finale, per il legno più recente, nella prima metà del XVII secolo d.C. Un ramo di olivo dalla stessa Thera, che si pensa sia sopravvissuto proprio fino all'eruzione, ci ha fornito quattro datazioni col radiocarbonio che anch'esse si adattano alla curva di calibrazione e forniscono una datazione all'interno dell'ultima metà del XVII secolo d.C. (benché l'idoneità del legno di ulivo per la dendrocronologia sia ancora in discussione). In ambedue i casi, utilizzando la differenza delle date conosciute tra i campioni di carbonio, è possibile stabilire una data con una precisione di qualche decade, cosa che non sarebbe stato possibile raggiungere con una singola misurazione su materiali di breve durata.

Ogni strategia di campionamento dovrebbe basarsi sul detto secondo cui «una sola data non è una data»: ne occorrono diverse. Il migliore procedimento per giungere a una datazione è lavorare alla costruzione di una sequenza relativa interna, così come è avvenuto, per esempio, nella successione stratigrafica di un sito ben stratificato come quello di Gatecliff Shelter, nella Monitor Valley (Nevada), scavato da David Hurst Thomas e dai suoi collaboratori. Se i campioni possono essere disposti in una sequenza relativa in maniera tale che l'unità posta più in basso si riveli di data più antica e così via, si può controllare la coerenza interna delle determinazioni del radiocarbonio compiute dal laboratorio e la qualità del campionamento eseguito. Alcune delle date derivate da questa sequenza possono rivelarsi più antiche di quanto ci si aspettasse. Ciò è abbastanza plausibile; come abbiamo appena visto, alcuni dei materiali possono essere stati già «vecchi» al momento del loro interramento; ma se risultano più «giovani» (vale a dire più recenti) di quanto ci si aspetti, allora bisogna concludere che c'è qualcosa di sbagliato. In questo caso è possibile che i campioni siano stati in qualche modo contaminati, o che il laboratorio abbia commesso un grave errore o ancora, cosa non infrequente, che sia sbagliata l'interpretazione stratigrafica.

Va notato che per gli organismi marini o per i resti umani o di altri animali la cui dieta era prevalentemente basata sui prodotti del mare, le datazioni col radiocarbonio sono mediamente più vecchie di qualche centinaio d'anni rispetto alle contemporanee datazioni terrestri. In questi casi è necessario utilizzare una curva di calibrazione marina. Per i resti umani di Oronsay, sulla costa occidentale della Scozia, risalenti al Mesolitico, l'aggiustamento è dell'ordine dei 400 anni. Sfortunatamente ci sono delle variazioni locali che influiscono su quest'effetto, quindi non esiste nessuna curva di calibrazione marina applicabile universalmente; pertanto bisogna fare molta attenzione quando si confrontano delle datazioni derivate da molluschi o altri organismi marini con quelle derivate da resti organici terrestri.

Sebbene molti problemi che possono sorgere con le date ottenute mediante il radiocarbonio siano da attribuire a responsabilità del committente, elementi recentemente emersi suggeriscono che gli stessi laboratori che si occupano della determinazione possono sovrastimare la precisione delle date che forniscono. Nel corso di uno studio comparativo, lo stesso campione è stato sottoposto a datazione in 30 diversi laboratori. Mentre alcuni hanno stimato il loro margine di errore con ragionevole precisione, altri non sono stati in grado di farlo, e un laboratorio ha fornito date affette da errori sistematici di 200 anni. In generale si è potuto osservare che, sebbene i laboratori che si occupano della determinazione del radiocarbonio

© 978.8808.82073.0

indichino che le loro date sono affette da un errore di ±
50 anni, nella realtà è più facile che l'errore effettivo sia di
± 80 anni o più.

Poiché lo studio comparativo conteneva un campione
anonimo dei laboratori di tutto il mondo che si occupano di datazioni con il radiocarbonio, la comunità archeologica non dispone di alcun mezzo per stabilire quanto
sia realmente diffusa tale sottovalutazione degli errori o
quanto valga l'errore sistematico da cui sono affette le date
ottenute con il radiocarbonio da determinati laboratori.
Gli archeologi dovrebbero prestare quindi la massima attenzione a non considerare i laboratori che si occupano
della determinazione del radiocarbonio come i fornitori
di un qualsiasi servizio, e dovrebbero richiedere garanzie
sulla precisione e accuratezza che dichiarano di offrire.
Molti laboratori sono consapevoli degli errori sistematici
che hanno commesso in passato e si può chiedere loro di
indicare nuovi e più realistici errori da cui sono affette le
date fornite in precedenza.

**Applicazioni: l'importanza della datazione con il radio-
carbonio** Se si desidera ottenere una risposta alla domanda
«Quando?» in campo archeologico, il radiocarbonio indubbiamente offre la via più praticabile per raggiungere
questo scopo. Il vantaggio più grande è costituito dal fatto
che il metodo può essere impiegato ovunque, qualunque
sia il clima, purché sia disponibile materiale di origine

organica (cioè resti di organismi viventi). Il metodo si rivela efficace tanto in America Meridionale o in Polinesia
quanto in Egitto o in Mesopotamia, e può consentirci di
andare a ritroso nel tempo fino a 50 000 anni fa, anche
se, al limite opposto della sua scala di tempo, la datazione
con il radiocarbonio è troppo imprecisa per lo studio degli
ultimi 400 anni del nostro recente passato.

L'uso del metodo su di un singolo sito è stato già illustrato parlando del sito di Gatecliff Shelter, nel Nevada. Una
recente applicazione molto interessante è la datazione dei
dipinti risalenti al Paleolitico superiore scoperti nel 1994
nella grotta di Chauvet, nella Francia meridionale. Piccoli
campioni presi da diversi disegni fatti col carbone sono
stati datati producendo una serie di risultati tutti centrati
attorno al 31 000 BP, molto più vecchi, cioè, di quanto
anticipato. Quasi tutte le datazioni ottenute col metodo
del radiocarbonio riguardanti espressioni artistiche caver-
nicole dell'èra glaciale sono state fatte, finora, da un solo
laboratorio, ma poiché i piccoli campioni sono suscettibili
di contaminazione, è necessaria una verifica indipendente.
Inoltre tutti i risultati superiori a 30 000 BP sono affetti da
errori e incertezze maggiori. Poiché ci sono molti aspetti
riguardanti la produzione artistica della grotta di Chauvet –
il suo contenuto, gli stili, la sofisticazione e le tecniche – che
mettono in dubbio una sua datazione precoce, è necessario
verificare le datazioni dei lavori artistici nelle grotte utilizzando più laboratori, dividendo, se possibile, i campioni.

4.26 Un dipinto raffigurante un rinoceronte nella Grotta di Chauvet, le cui opere d'arte si sostiene possano essere datate a 31 000 anni fa; questi
risultati sono tutt'ora ancora molto controversi.

Su scala più vasta, il radiocarbonio si è rivelato ancora più importante, permettendo di stabilire per la prima volta ampie cronologie di riferimento per quelle *culture* del nostro pianeta che non disponevano di un proprio sistema di misurazione del tempo (che non avevano, per esempio, un calendario). La calibrazione delle date stabilite con il radiocarbonio ha esaltato, e non sminuito, tale successo e ha anche consentito di stabilire la validità di una cronologia autonoma per la preistoria europea, basata sulla determinazione del radiocarbonio e liberata da ogni falso legame con la cronologia storica dell'antico Egitto.

Oggi la datazione con il metodo del radiocarbonio mediante l'AMS sta aprendo nuove possibilità. Poiché sono sufficienti piccolissimi campioni di materiale, è possibile, oggi, arrivare a datare un singolo chicco di grano o il singolo seme di un frutto. Una datazione con la tecnica dell'AMS effettuata su un seme d'uva proveniente dal sito di Hambledon Hill, nell'Inghilterra meridionale, ha dimostrato che la vite – e probabilmente anche il vino – raggiunse questa regione del mondo prima del 3500 a.C., cioè circa 3000 anni prima di quanto si ritenesse in precedenza. Anche oggetti preziosi e opere d'arte possono essere datati in maniera non distruttiva. Nel 1988 la datazione con la tecnica dell'AMS ha consentito di risolvere l'annosa controversia circa l'età della Sacra Sindone di Torino, un tessuto con impressa l'immagine di un corpo umano ritenuta da molti la vera impronta del corpo di Cristo. I laboratori di Tucson, Oxford e Zurigo hanno concordemente datato il tessuto al XIV secolo d.C. e non agli inizi dell'èra cristiana, anche se la questione è ancora controversa. Il metodo dell'ASM è stato applicato a materiali organici scoperti nei dipinti preistorici: per esempio, nonostante i problemi a Chauvet e da altre parti, risultati affidabili sono stati ottenuti da alcune grotte paleolitiche della Francia e della Spagna dove il carbone è stato utilizzato come pigmento nei disegni; similmente si è lavorato sulle fibre vegetali nelle illustrazioni rupestri del Queensland e anche sulle proteine del sangue umano trovato nei dipinti nella grotta di Wargata Mina in Tasmania. Anche altri metodi di datazione delle rocce dove si trovano queste opere d'arte sono stati sperimentati: per esempio, gli strati di calcite formatisi sopra i dipinti nelle grotte possono essere datati tramite il radiocarbonio e l'uraniotorio oppure gli ossalati (sali di acido ossalico contenente carbonio organico), anch'essi provenienti da depositi, si possono datare col radiocarbonio.

Il radiocarbonio sembra destinato a mantenere la sua posizione di principale strumento di datazione dei materiali organici per l'arco di tempo che giunge fino a 50 000 anni fa. Per quanto riguarda invece i materiali inorganici, la termoluminescenza (*vedi* pagina 150) e altre nuove tecniche si stanno rivelando assai utili.

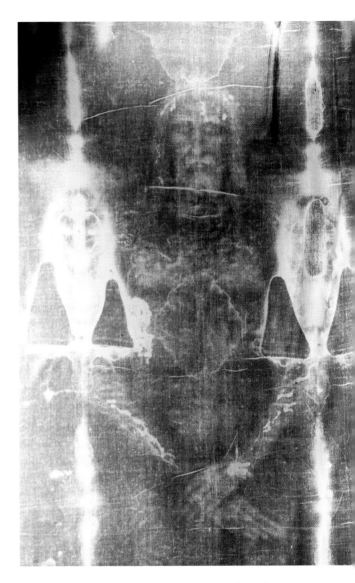

4.27 Parte della Sindone di Torino con l'immagine di un volto umano. La datazione con il radiocarbonio mediante la spettrometria di massa con acceleratore ha fornito per il tessuto un intervallo di età calibrata esteso tra il 1260 e il 1390 d.C.

Datazione con il metodo del potassio-argon (e argon-argon)

Il metodo del potassio-argon (K-Ar) è usato dai geologi per datare rocce risalenti a centinaia o anche a migliaia di milioni di anni fa, ma è anche una delle tecniche più appropriate per datare i siti dei primi esseri umani (ominidi) dell'Africa, che possono risalire fino a 5 milioni di anni fa. Il metodo si applica solamente alle rocce vulcaniche di età non inferiore a 100 000 anni.

Basi del metodo La datazione con il metodo del potassio-argon, al pari di quella con il metodo del radiocarbonio, si basa sul decadimento radioattivo: in questo caso il decadimento assai lento nelle rocce vulcaniche del potassio-40 (l'isotopo radioattivo ^{40}K), che si trasforma nel gas inerte

© 978.8808.82073.0

argon-40 (^{40}Ar). Conoscendo la velocità di decadimento (l'attività) del ^{40}K – il suo tempo di dimezzamento è di circa 1,3 miliardi di anni – una misurazione della quantità di ^{40}Ar contenuta in un campione di 10 g di roccia fornisce una stima della data di formazione della roccia.

Una variante più sensibile di questo metodo, che richiede un campione più piccolo, qualche volta un singolo cristallo estratto dalla pomice, è conosciuta come il metodo di datazione della fusione laser dell'argon-argon (datazione ^{40}Ar/^{39}Ar). Un isotopo stabile del potassio, ^{39}K, viene convertito in ^{39}Ar per effetto di un bombardamento di neutroni sul campione che deve essere datato. Entrambi gli isotopi dell'argon sono quindi misurati tramite la spettrometria di massa dopo essere stati rilasciati per effetto della fusione laser. Poiché il rapporto tra ^{40}K e ^{39}K in una roccia è costante, l'età della roccia può essere determinata dal suo rapporto tra ^{40}Ar e ^{39}Ar. Al pari di quanto accade con tutti i metodi radioattivi, è importante stabilire con chiarezza qual è il fenomeno che azzera l'«orologio radioattivo». In questo caso è la formazione delle rocce attraverso l'attività vulcanica, che elimina ogni traccia di argon presente in precedenza.

Le date ottenute in laboratorio sono in realtà date geologiche di campioni rocciosi. Per fortuna, alcune delle aree più importanti per lo studio del Paleolitico Inferiore, in particolare la Rift Valley in Africa orientale, sono aree di intensa attività vulcanica. Ciò significa che spesso i resti archeologici giacciono su strati geologici formatisi per effetto dell'azione dei vulcani e quindi sono databili con il metodo del potassio-argon. Inoltre gli strati archeologici sono spesso ricoperti da altre rocce vulcaniche, cosicché le date dei due strati geologici forniscono una sorta di «sandwich cronologico» in cui sono compresi i depositi archeologici. È stato recentemente mostrato dalle analisi col metodo argon-argon su campioni di pomice provenienti dall'eruzione del Vesuvio del 79 d.C. che il metodo ha un buon grado di precisione anche per eruzioni abbastanza recenti (è stata fornita un'età di 1925 ± 94 anni).

Applicazioni: i primi siti umani La Gola di Olduvai, in Tanzania, è uno dei siti più importanti per lo studio dell'evoluzione degli ominidi, dato che ha restituito resti fossili di *Australopithecus* (*Paranthropus*) *boisei*, di *Homo habilis* e di *Homo erectus* (*vedi* pagine 158-59), insieme a un gran numero di manufatti litici e di ossa. Situata nella Rift Valley, quella di Olduvai è un'area vulcanica e la sua cronologia di 2 milioni di anni è stata definita con sicurezza, mediante la datazione con il metodo del potassio-argon e dell'argon-argon degli spessi depositi di tufo vulcanico e di altri materiali, tra i quali sono stati rinvenuti i resti archeologici. Il metodo del potassio-argon si è rivelato molto importante anche nella datazione di altri

siti dell'Africa orientale, come nel caso di Hadar in Etiopia e di Atapuerca in Spagna (*vedi* Scheda 4.5).

Limiti del metodo I risultati della datazione con il metodo del potassio-argon sono generalmente accompagnati da una stima dell'errore, come del resto accade per tutti i metodi radioattivi. Per esempio, la data del livello Tuff IB sul sito di Olduvai è stata stimata in 1,79 ± 0,03 milioni di anni. Una stima dell'errore di 30 000 anni può sembrare grande a prima vista, ma è in realtà nell'ordine del solo 2% del totale. (Si noti che in questo e in altri casi analoghi la stima dell'errore è legata solo al conteggio in laboratorio, mentre non occorre preoccuparsi di valutare altre cause di errore derivanti dalle condizioni chimiche variabili del deposito o anche dalle incertezze nell'interpretazione archeologica.)

I limiti principali di questo metodo consistono nel fatto che può venire applicato solo per datare siti sepolti sotto rocce vulcaniche e che raramente è possibile ottenere un errore inferiore al ±10%. Ciò nonostante, la datazione con il potassio-argon è uno strumento fondamentale nelle aree in cui siano presenti materiali vulcanici idonei.

Datazione con il metodo delle famiglie dell'uranio

Questo metodo di datazione si basa sul decadimento radioattivo degli isotopi dell'uranio; si è rivelato particolarmente utile per il periodo che va da 500 000 a 50 000 anni fa, periodo che si trova al di là della portata della datazione con il radiocarbonio. In Europa, dove sono poche le rocce vulcaniche databili con il metodo del potassio-argon, quello delle famiglie dell'uranio (U-serie) può costituire il metodo principale per chiarire in quale epoca un certo sito sia stato occupato dai primi esseri umani.

Basi del metodo Due isotopi radioattivi dell'elemento uranio (^{238}U e ^{235}U) decadono secondo una successione di stadi che porta alla formazione di elementi progressivamente meno pesanti. Due di questi elementi, il torio (^{230}Th, detto anche «ionio», elemento discendente dall'^{238}U) e il protoattinio (^{231}Pa, discendente dall'^{235}U), decadono a loro volta con un tempo di dimezzamento utile per la datazione. Il punto essenziale è che gli isotopi dell'uranio progenitori sono solubili in acqua, mentre i prodotti discendenti non lo sono. Ciò significa, per esempio, che nell'acqua che filtra nelle grotte calcaree sono presenti solamente isotopi dell'uranio. Però, dopo che i soluti presenti in queste acque sono precipitati per formare strati di carbonato di calcio sulle pareti e sul fondo delle grotte (questo materiale è chiamato travertino), l'«orologio radioattivo» comincia a marciare, poiché ora i prodotti discendenti rimangono intrappolati nel travertino insieme con gli isotopi progenitori. Al momento della sua formazione il travertino contiene solo gli

4.28 Stencil di una mano dalla Grotta di El Castillo, in Spagna. La datazione con il metodo dell'uranio-torio degli strati di calcite che ricoprivano questo e altri stencil ha fornito dei risultati molto indietro nel tempo – lo stencil più antico ha un'età minima di 37 000 BP; potrebbe, quindi, essere stato fatto da un Uomo di Neanderthal.

isotopi ^{238}U e ^{235}U solubili nell'acqua: non c'è traccia degli isotopi insolubili ^{230}Th e ^{231}Pa. Poi la quantità di isotopi discendenti aumenta nel tempo al diminuire dell'uranio progenitore; misurando il rapporto tra progenitore e discendente, in genere ^{230}Th/^{238}U, può essere determinata l'età del travertino.

Gli isotopi sono misurati contando le loro emissioni α (alfa); ciascun isotopo emette una radiazione α con una frequenza caratteristica. In condizioni favorevoli, il metodo produce delle datazioni con un grado di incertezza (deviazione standard) di ±12 000 anni per un campione di circa 150 000 anni fa e di ±25 000 anni per un campione di circa 400 000 anni fa. Questi numeri possono essere largamente ridotti utilizzando la **spettrometria di massa a ionizzazione termica** (TIMS, *thermal ionization mass spectrometry*) per misurare direttamente le quantità di ciascun isotopo presente. Datazioni con una precisione così alta possono comportare un'incertezza di meno di 1000 anni per un campione di 100 000 anni.

Applicazioni e limiti del metodo Il metodo è utilizzato per datare rocce ricche di carbonato di calcio, spesso quelle che si sono depositate per azione di acque superficiali o di acque freatiche attorno a sorgenti ricche di limo o per infiltrazione in grotte calcaree. Le stalagmiti sui pavimenti delle grotte si formano in questo modo. Dato che i primi uomini utilizzavano come rifugi le caverne e le rocce sporgenti, i manufatti e le ossa restano spesso inclusi in uno strato di carbonato di calcio o in un altro tipo di sedimento interposto tra due strati di deposito calcareo.

La difficoltà di determinare correttamente l'ordine di deposizione in una grotta costituisce una delle ragioni per cui il metodo delle famiglie dell'uranio corre il rischio di dare risultati ambigui. Per questo e per altri motivi è necessario sottoporre a campionamento diversi strati di deposito di una grotta ed esaminarne meticolosamente gli aspetti geologici. Nonostante tutto, il metodo si è rivelato molto utile. Nella grotta di Pontnewydd, nel Galles settentrionale, lo strato di breccia posto più in profondità, che conteneva la maggior parte dei reperti archeologici, è stato datato con il metodo delle famiglie dell'uranio ad almeno 220 000 anni fa. Con questo metodo assieme – ad altri metodi, come quello del potassio-argon – è stato datato anche il sito degli uomini primitivi di Atapuerca in Spagna (*vedi* Scheda 4.5). Il metodo dell'uranio-torio viene usato sempre di più con gli strati di calcite che ricoprono i disegni preistorici nelle grotte. Mentre le analisi del radiocarbonio possono dare dei risultati solo per pigmenti organici come il carbone, la datazione delle concrezioni di calcite fornisce delle età minime per ogni disegno che si trova sotto. Recentemente, il metodo è stato applicato agli strati di calcite che ricoprono diversi disegni nelle grotte della Spagna settentrionale e ha prodotto delle datazioni sorprendentemente primitive: un segno rosso nel soffitto di Altamira ha almeno 35 000 anni, mentre a El Castillo uno stencil di una mano ha un'età minima di 37 300 BP e un disco rosso ne ha una di 40 800 BP. Questi risultati rendono possibile l'ipotesi che alcuni dei disegni più antichi, e forse anche lo stencil della mano, potrebbero essere attribuiti all'Uomo di Neanderthal.

La Sierra di Atapuerca, vicino a Burgos nella Spagna settentrionale, è un autentico «scrigno di tesori» di siti, soprattutto grotte che stanno riscrivendo le prime fasi della preistoria dell'Europa occidentale. I siti archeologici sono ormai noti dagli anni Sessanta del XIX secolo, ma i primi scavi alla ricerca degli manufatti e della fauna del Pleistocene avvennero negli anni Sessanta del secolo scorso, diretti dapprima da Emiliano Aguirre e successivamente da Juan Luis Arsuaga, José Maria Bermúdez de Castro e Eudald Carbonell. Finora solo una piccola parte del contenuto della Sierra è stato investigato, e dunque il lavoro continue-

rà per decadi se non secoli ancora: per questi motivi, Atapuerca è considerata una delle aree archeologiche più importanti al mondo.

La datazione di Atapuerca

Lo studio della cronologia è stato sempre all'avanguardia in questi siti man mano che livelli, sempre più antichi, sono stati portati alla luce e nonostante un disconoscimento da parte dell'establishment archeologico – molti studiosi conservatori erano inizialmente riluttanti ad abbandonare la convinzione che non ci fosse stata nessuna occupazione dell'Europa prima di 500 000 anni fa. Qui è stata utilizzata una grande varietà di tecniche di datazione: dalle analisi della microfauna al radiocarbonio, al potassio-argon, all'analisi delle famiglie dell'uranio. Tutti questi sistemi sono stati incrociati per confermare la testimonianza di un'occupazione umana che risale a più di 1 milione di anni fa. Di particolare importanza si sono rivelati i livelli TD4 e TD5 e il sito della Grande Dolina, datati da circa 800 000

a 1 milione di anni fa. I resti umani, e gli attrezzi litici ritrovati nel livello TD6 nel 1994, costituiscono la prima innegabile testimonianza di ominidi in Europa durante il Basso Pleistocene. A questi ominidi è stato dato un nome che indica una nuova specie, *Homo antecessor* (che significa «pioniere» o «precursore»).

La datazione dei denti fossili, con la risonanza di spin elettronico e con le famiglie dell'uranio, ha confermato l'età del livello TD6 risalente al Basso Pleistocene (più di 780 000 anni fa), mentre gli stessi metodi hanno collocato la parte più bassa del livello TD8 a 600 000 e i livelli TD10 e TD11 tra 380 000 e 340 000 anni fa (la numerazione dei livelli parte da quelli più bassi). Questi risultati ben si accordano con le datazioni della microfauna.

Nel sito di Galeria, i livelli più bassi (GIa) sono stati datati a più di 780 000 anni fa grazie all'archeomagnetismo, mentre quello superiore, GIIa, grazie alla risonanza di spin elettronico e alle famiglie dell'uranio, è stato assegnato a 350 000-200 000 anni fa.

4.29-30 (*Sotto a sinistra*) Mappa del sito della Sierra di Atapuerca che mostra dove sono avvenuti i ritrovamenti più importanti dei fossili ominidi. (*Sotto a destra*) Il teschio di *Homo antecessor*, trovato nella Grande Dolina, ha fornito la prima testimonianza sicura che gli esseri umani vissero in Europa durante il Basso Pleistocene, quasi un milione di anni fa, e quindi ancora prima del loro parente stretto, *Homo Heidelbergensis*.

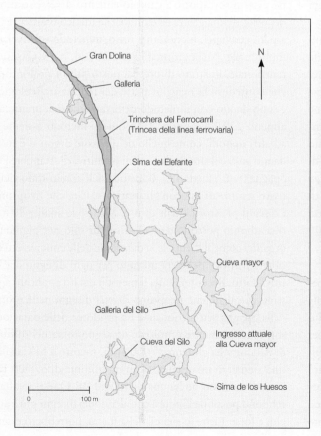

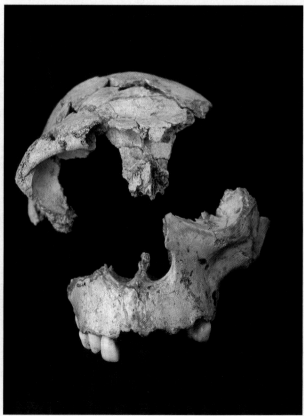

Il Sima di El Elefante ha una stratigrafia profonda: le analisi della fauna, della microfauna e archeomagnetiche hanno dimostrato che qui la parte inferiore del deposito (Fasi I e II) – che ha restituito schegge litiche lavorate dall'essere umano – è datata al Basso Pleistocene, più di 1 milione di anni fa. La significativa interruzione dell'accumulazione dei sedimenti durante questo enorme arco di tempo è probabilmente dovuta alla temporanea chiusura della grotta nella Fase III.

Nel 1998 è stato annunciato che nel livello TD9 è stata ritrovata una mandibola umana, in associazione con strumenti litici che una serie di metodi di analisi incrociati – l'analisi di roditori e insettivori, l'archeomagnetismo e le «datazioni delle sepolture» – hanno collocato tra 1,1 e 1,2 milioni di anni fa, rendendo questa la testimonianza la più antica e di datazione più sicura dell'occupazione umana in Europa.

Le analisi della microfauna, la risonanza di spin elettronico e i metodi delle famiglie dell'uranio nel sito di Sima de los Huesos (vedi Scheda 10.1) hanno stabilito che uno speleotema che copre uno strato contenente ossa umane è databile ad almeno 430 000 anni fa, mentre le datazioni accurate delle famiglie dell'uranio hanno mostrato che i corpi sono stati deposti in quei luoghi circa 600 000 anni fa.

4.31-32 (*Sotto*) Scavi alla Grande Dolina. La Sierra di Atapuerca, ora sito patrimonio dell'Unesco, è una delle aree archeologiche più studiate al mondo. (*A destra*) Ossa provenienti da Sima de los Huesos: alcuni dei 5500 fossili umani ritrovati hanno più di 430 000 anni. Sono rappresentati almeno 30 individui, per lo più adolescenti e giovani adulti. Inoltre sono state ritrovate tutte le parti dello scheletro umano.

© 978.8808.82073.0

Anche i denti possono essere datati con questo metodo, perché l'uranio solubile nell'acqua si diffonde nella dentina, anche se non è facile determinare la velocità dell'aumento dell'uranio nel tempo. Nonostante ciò, la datazione TIMS con le famiglie dell'uranio è stata utilizzata con successo per datare denti di mammiferi trovati in associazione con scheletri di ominidi nelle tre grotte di Tabun, Qafzeh e Skhul, in Israele, con datazioni che vanno da 105 000 a 66 000 anni fa.

Sempre più spesso datazioni effettuate con le famiglie dell'uranio sono utilizzate assieme a datazioni con il metodo della risonanza di spin elettronico (ERS) lavorando sugli stessi materiali (*vedi* Scheda 4.5). A Krapina, in Croazia, alcuni esemplari di Uomo di Neanderthal sono stati datati con ambedue i metodi usando lo smalto del dente; ambedue hanno fornito una datazione di circa 130 000 anni.

Datazione con il metodo delle tracce di fissione

La **datazione con il metodo delle tracce di fissione** si basa sulla fissione (o divisione) spontanea di un isotopo dell'uranio (^{238}U) – presente in una vasta gamma di rocce e minerali – che causa danni alle strutture dei minerali coinvolte. Nei materiali che contengono ^{238}U – come i vetri vulcanici o prodotti dall'essere umano e i minerali, come lo zinco e l'apatite, che si trovano nelle formazioni rocciose – questo danno è registrato sotto forma di cammini fisicamente visibili, detti *tracce di fissione*. Le tracce vengono contate in laboratorio utilizzando un microscopio ottico. Conoscendo la velocità di fissione (l'attività) dell'^{238}U si può arrivare a determinare a data di formazione della roccia o del vetro.

L'«orologio radioattivo» viene azzerato dalla formazione del minerale o del vetro, sia in natura (come nel caso dell'ossidiana o delle tectiti) sia al momento della fabbricazione (come nel caso dei vetri prodotti dall'uomo). Il metodo consente di ottenere utili datazioni da rocce particolarmente adatte, che contengono o sono vicine a reperti archeologici. Utilizzato con successo in siti del primo Paleolitico come la Gola di Olduvai, in Tanzania, ha fornito delle conferme indipendenti rispetto ad altri metodi, come per esempio del potassio-argon.

ALTRI METODI DI DATAZIONE ASSOLUTA

Vi sono parecchi altri metodi di datazione – alcuni dei quali si applicano alla risoluzione di problemi specifici e in circostanze particolari – ma in pratica nessuno è tanto importante per gli archeologi quanto quelli che abbiamo appena descritto. Molti di questi sono comunque menzionati qui di seguito, in modo da avere una visione d'insieme abbastanza completa; la descrizione tuttavia è stata deliberatamente mantenuta breve, giusto per dare l'idea di un campo che potrebbe diventare piuttosto complesso e non è direttamente attinente a gran parte dell'archeologia tradizionale. Il caso, piuttosto speciale, della datazione del DNA è di particolare interesse.

Datazione con il metodo della termoluminescenza

La **termoluminescenza** (TL) può essere impiegata per datare materiali cristallini (minerali) sepolti nel suolo e che siano stati cotti: di solito la ceramica, ma anche l'argilla cotta al forno, la pietra bruciata e, in alcuni casi, il terreno bruciato. Purtroppo è un metodo dal quale è difficile ottenere risultati precisi, quindi viene generalmente impiegato quando non se ne possono applicare altri, come la datazione al radiocarbonio.

Anche la datazione con la termoluminescenza è un metodo che si basa sul decadimento radioattivo, ma in questo caso ciò che interessa è la quantità di radioattività ricevuta dal campione a partire da una data iniziale e non la radiazione emessa dal campione stesso. Quando gli atomi situati nella struttura di un minerale vengono esposti alla radiazione emessa dal decadimento degli elementi radioattivi presenti nell'ambiente circostante, una parte di questa energia viene «intrappolata». Se la quantità di radiazione rimane costante nel tempo, allora questa energia si accumulerà ad una velocità costante e la quantità totale di energia accumulata dipenderà dal tempo totale di esposizione. Quando un campione è riscaldato ad una temperatura di 500 °C o superiore, l'energia intrappolata viene liberata sotto forma di termoluminescenza e l'«orologio radioattivo» si azzera.

Ciò significa che i manufatti archeologici, come la ceramica, hanno subìto l'azzeramento dei loro orologi quando sono stati cotti originariamente e che, scaldando di nuovo

4.33 Esempi di tracce di fissione dopo attacco chimico.

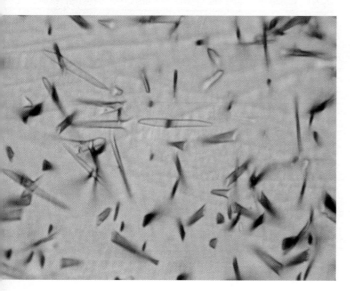

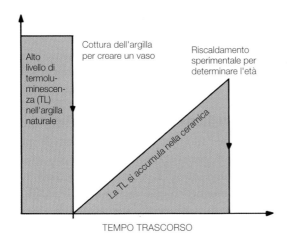

Alto livello di termoluminescenza (TL) nell'argilla naturale

Cottura dell'argilla per creare un vaso

Riscaldamento sperimentale per determinare l'età

La TL si accumula nella ceramica

TEMPO TRASCORSO

4.34-36 Datazione con il metodo della termoluminescenza. (*In alto a sinistra*) L'«orologio della termoluminescenza» nella ceramica è azzerato durante la cottura iniziale del manufatto. La termoluminescenza si accumula fino al momento in cui l'oggetto viene nuovamente riscaldato per determinarne la cronologia. (*In basso a sinistra*) Curve di luminescenza osservate in laboratorio: la curva (*a*) rappresenta la luce emessa quando il campione viene riscaldato per la prima volta; la curva (*b*) si riferisce alla luce non termoluminescente registrata nel corso di un secondo riscaldamento (si tratta della luminescenza rossa osservabile allorché si riscalda un qualsiasi frammento ceramico). La luce supplementare emessa nel corso del primo riscaldamento costituisce la termoluminescenza, che è necessario misurare per giungere a una datazione. (*Sotto*) Posizioni buone e cattive per un campione destinato alla determinazione della termoluminescenza. I risultati saranno infatti imprecisi se il suolo o la roccia posti intorno al campione presentano una sensibile differenza nel livello di radioattività rispetto alla radioattività dei materiali che riempiono la fossa.

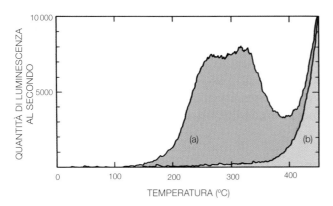

QUANTITÀ DI LUMINESCENZA AL SECONDO

10 000

5000

(a) (b)

0   100   200   300   400

TEMPERATURA (°C)

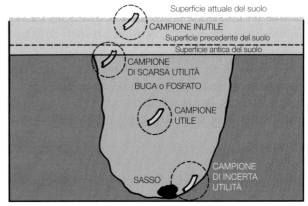

Superficie attuale del suolo

CAMPIONE INUTILE

Superficie precedente del suolo

Superficie antica del suolo

CAMPIONE DI SCARSA UTILITÀ

BUCA o FOSFATO

CAMPIONE UTILE

SASSO

CAMPIONE DI INCERTA UTILITÀ

i campioni prelevati da questi oggetti, si può misurare la termoluminescenza emessa e quindi datare il materiale. La principale complicazione di questo metodo è dovuta al fatto che il livello di radiazione di fondo a cui un campione potrebbe essere stato esposto non è uniforme: deve essere misurato per ogni campione seppellendo una piccola capsula contenente del materiale sensibile alle radiazioni o usando un contatore di radiazioni nel punto esatto un cui è stato trovato il campione. In generale, le difficoltà di esecuzione di queste misurazioni comportano che le date determinate con la termoluminescenza abbiano raramente una precisione migliore del ±10% dell'età del campione.

Un buon esempio di come la termoluminescenza sia stata applicata in archeologia è la datazione della testa di terracotta nota come Testa di Jemaa, rinvenuta nel deposito alluvionale di una miniera di stagno nelle vicinanze dello Jos Plateau, in Nigeria. Questa testa e altri esempi simili appartengono alla cultura Nok, ma tali sculture non hanno potuto essere datate attendibilmente nel sito di Nok a causa della mancanza di date radiocarboniche plausibili. La datazione della testa con la termoluminescenza ha indicato

4.37 (*A destra*) Testa di terracotta (altezza 23 cm) da Jemaa, in Nigeria, appartenente alla cultura Nok. La determinazione della termoluminescenza ha permesso di stabilire una prima data attendibile per questa e per altre terrecotte della regione Nok. Altezza 23 cm.

un'età che la fa risalire al 1520 ±260 a.C., permettendo così di attribuire per la prima volta una posizione cronologica a questa testa e ad altre simili della regione.

Metodo di datazione ottico

Simile nei princìpi a quello della termoluminescenza, il metodo di datazione ottico è tuttavia utilizzato per datare i minerali che sono stati sottoposti alla luce piuttosto che al calore. Molti minerali contengono sottogruppi di trappole di elettroni, svuotate da diversi minuti di esposizione alla luce solare. Tale esposizione è in effetti il punto di partenza. Dopo essere stati sepolti, i minerali cominciano ad accumulare elettroni a seguito dell'esposizione alla radioattività del suolo. In laboratorio si produce luminescenza otticamente stimolata (OSL, *optical stimulated luminescence*) esponendo il campione a radiazione di lunghezza d'onda visibile, ossia alla luce propriamente detta, e misurando la luminescenza risultante. Anche in questo caso si deve misurare la radiazione di fondo nel luogo di seppellimento, e pertanto la datazione ottica è soggetta a molte delle complicazioni che affliggono la datazione con la termoluminescenza. Ciò nonostante, la luminescenza ottica stimolata è stata usata con successo in congiunzione con la termoluminescenza e il radiocarbonio per datare l'antichissimo sito di Nauwalabila in Australia (*vedi* illustrazione 4.38).

Metodo della risonanza di spin elettronico

La datazione con il metodo della risonanza di spin elettronico (ESR, *electron spin resonance*) è meno sensibile di quella ottenuta con la TL, ma è più adeguata per materiali che si decompongono quando vengono riscaldati. La sua applicazione di maggior successo è stata la datazione dello smalto dei denti, che è composto quasi interamente da idrossiapatite. L'idrossiapatite appena formata non contiene elettroni intrappolati: questi cominciano ad accumularsi una volta che il dente è stato sotterrato e non è quindi più esposto a radiazioni naturali. La precisione di questo metodo, quando viene datato lo smalto dei denti, è dell'ordine del 10-20%, ma può essere tuttavia assai utile per lo studio dei primi esseri umani (*vedi* Scheda 4.5) e per il controllo incrociato con altri metodi di datazione.

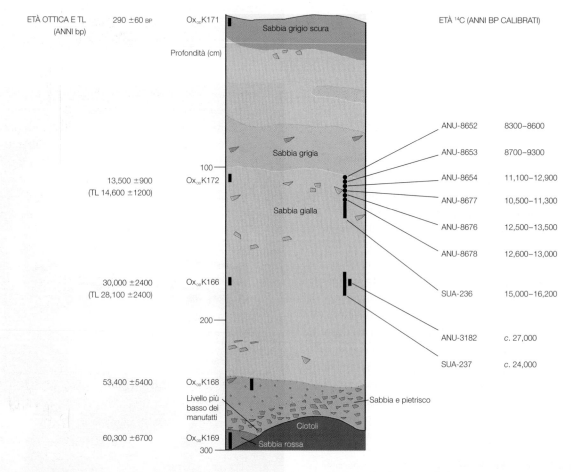

4.38 Una sezione dallo scavo di Nauwalabila, nell'Australia settentrionale, con datazioni di luminescenza (TL) e ottica sulla sinistra e datazioni calibrate ottenute col metodo del radiocarbonio sulla destra. Manufatti che contengono sabbie possono essere datati otticamente con datazioni comprese tra 53 000 e 60 000 BP. Ciò comporta importanti implicazioni per la datazione dei primi insediamenti umani nell'altopiano australiano.

DATAZIONE GENETICA

La datazione genetica può stimare degli archi temporali in termini di generazioni umane (spesso considerata di 29 anni) e solo dopo procede con inferenze in termini di anni di calendario. Tuttavia, nonostante queste limitazioni, è molto più di una tecnica di datazione relativa (che stabilisce, cioè, semplicemente relazioni del tipo più vecchio di/più giovane di) ed è sempre più utile. Per stabilire le date assolute, partendo dai dati genetici, è necessario determinare le velocità di mutazione del mtDNA, del cromosoma Y del DNA o delle eredità autosomiche in esame.

Campioni di DNA antico (aDNA) sono confrontati con esempi moderni al fine di esaminare gli «accorciamenti dei rami» nel DNA, che identificano mutazioni avvenute a partire dal comune antenato dei due campioni. Il DNA antico avrà «meno» mutazioni e il rapporto delle mutazioni nel campione antico rispetto a quello moderno indica il tempo intercorso dalla morte dell'individuo in questione.

Nel caso di un essere umano moderno (del quale si è conservato solo un singolo femore) di 45 000 anni proveniente da Ust'-Ishim, in Siberia, le tracce di incroci con l'Uomo di Neanderthal nella sequenza dell'aDNA sono state confrontate con quelle sopravvissute negli esseri umani moderni non africani. I contributi genetici dei Neanderthal ai segmenti dell'aDNA erano previsti di lunghezza maggiore di quelli degli stessi segmenti negli esseri umani odierni, dal momento che l'uomo di Ust'-Ishim era vissuto in un tempo vicino a quello dell'incrocio e i segmenti avevano avuto meno tempo per frammentarsi a causa della ricombinazione (della generazione, cioè, di progenie con differenti combinazioni di geni e di caratteristiche).

Qiaomei Fu e i suoi colleghi trovarono questo presunto DNA neandertaliano sia nel femore di Uts'-Ishim sia nel genoma dei nostri giorni e stabilirono che i frammenti ritenuti di origine neandertaliana dell'uomo di Ust'-Ishim erano sostanzialmente più lunghi di quelli di un essere umano dei giorni nostri (di un fattore che va da 1,8 a 4,2). Quindi il flusso genico neandertaliano – il trasferimento di geni da una popolazione a un'altra – è avvenuto 232-430 generazioni prima che vivesse l'uomo di Ust'-Ishim. Assumendo che una generazione dura 29 anni, e che il flusso genico è avvenuto come un singolo evento, è stato stimato che l'incrocio tra gli antenati dell'uomo di Ust'-Ishim e l'Uomo di Neanderthal sia avvenuto all'incirca da 50 000 a 60 000

4.39 Femore di 45 000 anni dell'uomo anatomicamente moderno proveniente da Ust'-Ishim.

anni BP, cioè non molto dopo la maggiore espansione degli esseri umani moderni fuori dall'Africa e dal Medio Oriente. Questa è sicuramente un'importante conclusione, che ha un peso significativo sulle origini dell'umanità moderna. È degno di nota, quindi, che il contesto di inferenza si focalizzi su un aDNA proveniente da un singolo femore di uomo antico (benché anatomicamente moderno) preso dalla riva del fiume Irtysh nella Siberia orientale.

Modelli basati su simulazioni che utilizzano dati genetici provenienti da popolazioni moderne sono ora disponibili per calcolare i tempi di divergenza di coppie di gruppi di popolazioni. Un calcolo recente di questo tipo ha stabilito una data di 110 000 BP per la divergenza tra le popolazioni Yoruba e San in Africa. Tali modelli mostrano una sofisticazione sempre crescente nel fare le inferenze su antichi eventi e processi demografici utilizzando i dati genetici derivanti dalle popolazioni moderne.

METODI RELATIVI CALIBRATI

Il decadimento radioattivo è l'unico processo conosciuto, tra quelli dipendenti dal trascorrere del tempo, che sia completamente regolare: non è influenzato infatti dalla temperatura o da altre condizioni ambientali. Esistono tuttavia altri processi naturali che, sebbene non siano completamente regolari, sono stabili nel tempo abbastanza per risultare utili agli archeologi. Abbiamo già visto che i cicli annuali naturali producono varve e anelli di accrescimento degli alberi, estremamente utili poiché forniscono date calibrate espresse in anni. Altri processi, alla base delle prime tre tecniche descritte qui di seguito, non sono calibrati in anni in natura, ma in linea di principio possono fornire date assolute, se si riesce a tarare indipendentemente la velocità di variazione intrinseca al processo servendosi di uno dei metodi assoluti di cui si è già parlato. In pratica, come vedremo, la calibrazione di ogni tecnica deve spesso essere eseguita di nuovo per ogni sito o per ogni area, dato che i fattori ambientali influenzano la velocità di variazione. Ciò rende queste tecniche difficili da usare come metodi attendibili di datazione assoluta. Possono però rivelarsi di enorme aiuto come semplici strumenti per ordinare i campioni in una sequenza relativa che distingua ciò che è più antico da ciò che è più recente.

Datazione con il metodo della racemizzazione degli amminoacidi

Applicato per la prima volta all'inizio degli anni Settanta del secolo scorso, questo metodo viene utilizzato per datare le ossa, sia umane sia animali, o i gusci. La sua importanza sta principalmente nell'essere applicabile a materiali risalenti fino a 100 000 anni fa, quindi ben al di là della portata temporale della datazione con il radiocarbonio. La tecnica si basa sul fatto che gli amminoacidi, che entrano nella costituzione delle proteine presenti in tutti gli organismi viventi, possono esistere in due forme tra di loro speculari, dette enantiomeri. Questi differiscono nella struttura chimica, che si manifesta nella loro azione sulla luce polarizzata: gli enantiomeri che fanno ruotare verso sinistra la luce polarizzata sono detti *levo*-enantiomeri o L-amminoacidi, mentre quelli che fanno ruotare verso destra la luce polarizzata sono detti *destro*-enantiomeri o D-amminoacidi.

Gli amminoacidi presenti nelle proteine degli organismi viventi contengono solo L-enantiomeri. Dopo la morte, questi si trasformano, a una velocità costante, in D-enantiomeri (cioè si racemizzano). La velocità di racemizzazione dipende dalla temperatura e quindi tende a variare da sito a sito. Ma, sottoponendo alla datazione con il radiocarbonio alcuni campioni di ossa provenienti da un particolare sito e misurando il rapporto tra enantiomero D ed enantiomero L, si può arrivare a stabilire la velocità locale di racemizzazione. Questa calibrazione viene quindi usata per datare campioni di ossa più antiche della portata temporale della datazione con il radiocarbonio. Come mezzo di datazione assoluta questo metodo dipende dall'accuratezza della sua calibrazione (come nel caso degli altri metodi relativi).

Il metodo è stato utilizzato in Australia sui gusci d'uovo provenienti da un grande uccello inabile al volo, il mihirung (*genyornis newtoni*), vissuto più di 100 000 anni fa, fino alla sua sparizione improvvisa avvenuta circa 50 000 anni fa. L'estinzione simultanea in alcuni siti di diverse regioni durante un arco di tempo nel quale non ci furono drastici cambiamenti climatici, significa che fu l'essere umano e non il clima la causa di questa scomparsa.

Essenzialmente lo stesso approccio di «aminostratigrafia» è stato utilizzato in studi sul clima del periodo Quaternario in Gran Bretagna da Kirsty Penkman e dai suoi colleghi. Sono stati ordinati in base all'età relativa campioni di cinque amminoacidi differenti del gasteropode di acqua dolce della Bitinia proveniente da 74 siti che coprono tutto il periodo del Quaternario, per creare la banca dati più completa possibile relativa al Pleistocene in Gran Bretagna.

Datazione archeomagnetica e inversioni geomagnetiche

La **datazione archeomagnetica** (o **paleomagnetica**) si è dimostrata fino a oggi di limitata utilità in campo archeologico; essa si basa sulla variazione continua, sia in orientamento sia in intensità, del campo terrestre. L'orientamento (la direzione orientata) del campo magnetico terrestre in un particolare momento è registrato in ogni struttura in argilla cotta (forni da pane, fornaci da ceramica, focolari ecc.) che sia stata riscaldata a una temperatura di 650 ÷ 700 °C. A

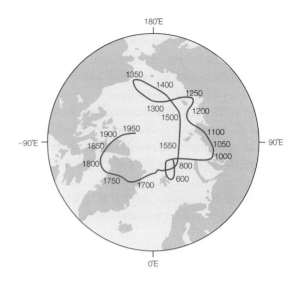

4.40 La variazione della posizione del Nord magnetico relativo alla Gran Bretagna dal 600 al 1950 d.C. In circostanze favorevoli l'argilla cotta trovata nei siti può essere datata misurando la direzione del suo campo magnetico residuale.

questa temperatura, le particelle di ferro presenti nell'argilla assumono permanentemente la direzione orientata (la direzione e il verso) e l'intensità del campo magnetico terrestre al momento della cottura; questo fenomeno è detto **magnetizzazione termoresidua** (TRM, *thermoremanent magnetism*). Si possono costruire diagrammi delle variazioni nel corso tempo, da usare per datare altre strutture di argilla cotta di epoca sconosciuta, la cui magnetizzazione termo residua viene misurata e poi associata a un particolare punto (data) della sequenza principale.

Un altro aspetto dell'archeomagnetismo, relativo alla datazione dei materiali del Paleolitico Inferiore, è il fenomeno delle inversioni complete della direzione orientata del campo magnetico terrestre (il Nord magnetico diventa il Sud magnetico e viceversa). L'inversione più recente è avvenuta intorno a 780 000 anni fa e una sequenza di tali fenomeni è stata costruita, risalendo a ritroso per alcuni milioni di anni, con l'ausilio del metodo del potassio-argon e di altre tecniche di datazione. Il rinvenimento di parti di questa sequenza di inversioni negli strati rocciosi dei siti africani abitati dai primi ominidi si è rivelato un utile strumento di controllo per gli altri metodi di datazione impiegati su quegli stessi siti e anche per il sito preistorico di Atapuerca in Spagna (*vedi* Scheda 4.5).

CORRELAZIONI CRONOLOGICHE

Uno dei più promettenti itinerari di ricerca riguardo alla cronologia è costituito dalla correlazione di differenti metodi di datazione. L'uso di un metodo assoluto a supporto di un altro metodo assoluto può condurre spesso a risultati assai interessanti. Un eccellente esempio in questo senso è costituito dal modo in cui la dendrocronologia è stata usata per sostenere e calibrare la datazione con il radiocarbonio, con il risultato che ha aumentato notevolmente sia la precisione sia l'attendibilità di quest'ultima. Considerazioni analoghe si possono fare a proposito della relazione tra datazioni relative e datazioni assolute. Sebbene le date effettive espresse in anni siano fornite dai metodi assoluti, gran parte dell'attendibilità e della coerenza interna di queste date (e di conseguenza la possibilità di individuare e di estrapolare le determinazioni cronologiche inesatte) deriva dal sistema di riferimento fornito dai metodi di datazione relativa.

I legami tra sequenze cronologiche geograficamente distanti tra loro – le cosiddette «teleconnessioni» – possono presentare difficoltà considerevoli. Le più comuni sono quelle che dipendono dal confronto delle sequenze, per esempio dalla comparazione di sequenze di larghezze degli anelli di accrescimento degli alberi. Questo tipo di comparazione si rivela certamente valido per alberi compresi in una piccola area geografica, ma su scala più ampia queste «teleconnessioni» devono essere trattate con le dovute cautele. Allo stesso modo le correlazioni tra le sequenze di varve in Scandinavia e in America Settentrionale si sono spesso rivelate controverse. Applicando questi metodi infatti c'è sempre il rischio di arrivare a una «correlazione» tra sequenze che, sebbene inizialmente plausibile, si rivela poi scorretta.

Eventi su scala mondiale

Uno dei modi più efficaci di stabilire correlazioni tra sequenze è quello di individuare all'interno di esse uno stesso evento importante, un evento che abbia avuto ripercussioni su vaste aree geografiche, persino su scala mondiale. Questi eventi sono ovviamente assai rari e, generalmente, di natura catastrofica. Può rientrare per esempio in questa categoria l'urto sulla superficie terrestre di meteoriti di grandi dimensioni.

Assai più comuni sono le grandi eruzioni vulcaniche. A brevi distanze dal vulcano questi eventi hanno effetti assai evidenti, con la creazione di colate di lava e la formazione di spessi strati di cenere, a volte con conseguenze devastanti per le popolazioni. A distanze intermedie, fino ad alcuni chilometri dall'epicentro, gli effetti possono essere ancora evidenti, con la formazione di *tsunami* (letteralmente «onde di marea», sebbene, essendo di origine sismica, non abbiano in realtà nulla a che vedere con le maree) e ricadute di tefra (ceneri vulcaniche). Gli scienziati hanno tentato di correlare i danni provocati dai terremoti con le eruzioni vulcaniche avvenute a media distanza, ma i due eventi risultano spesso indipendenti tra loro.

Le grandi eruzioni vulcaniche proiettano anche quantità notevoli di cenere vulcanica negli strati superiori dell'atmosfera, con effetti su scala globale. Questa cenere o polvere aumenta l'acidità della neve che cade nelle aree polari e lascia quindi traccia di sé negli strati profondi dei ghiacci. Sono stati osservati suoi effetti anche sugli anelli di accrescimento degli alberi: riducendo la quantità delle radiazioni solari che raggiungono la Terra (e causando così un abbassamento della temperatura), la cenere vulcanica riduce il tasso (la velocità) di accrescimento degli alberi per un tempo breve ma significativo.

La **tefracronologia**, attualmente in via di sviluppo, si sta dimostrando utile. Lo scopo è quello di distinguere inequivocabilmente, e quindi di datare, la tefra dai diversi materiali di origine vulcanica che possono essere presenti nei depositi terrestri o sui fondali marini. Il prodotto di ogni singola eruzione presenta spesso differenze significative rispetto agli altri, cosicché una misurazione dell'indice di rifrazione può rivelarsi sufficiente per distinguere una cenere vulcanica da un'altra. In altri casi, l'analisi degli elementi in tracce può aiutare a distinguere tra i vari tipi di cenere.

Quando tutti i siti e gli oggetti di un'area vengono sepolti nello stesso istante sotto uno strato di cenere vulcanica – con una sorta di effetto di «congelamento» – si ha un'occasione eccellente per correlare l'età di tutti i materiali archeologici presenti. Esempi in questo senso sono la grande eruzione del Vesuvio, che nel 79 d.C. distrusse Pompei, Ercolano e altri insediamenti romani (*vedi* Scheda 1.1) e l'eruzione del vulcano Ilopango, a El Salvador, che intorno al 175 d.C. provocò il seppellimento di alcuni insediamenti del primo Periodo classico sotto uno strato di cenere vulcanica di spessore variabile tra 50 cm e 1 m. L'eruzione dell'Ilopango deve aver causato una sospensione dei lavori agricoli per diversi anni e l'interruzione della costruzione della piramide di Chalchuapa, dove l'effetto dell'interruzione dei lavori è chiaramente visibile.

Un altro valido esempio di applicazione della tefracronologia proviene dalla Nuova Guinea, dove diversi siti sono stati posti in relazione cronologica tra loro sulla base della presenza di una dozzina di ceneri vulcaniche identificabili. Gli archeologi australiani Edward Harris e Philip Huges furono in grado di porre in relazione il sistema di orticoltura usato sul sito di Mugumamp Ridge, nella Western Higlands Province della Papua Nuova Guinea, con quelli usati sul sito della Palude di Kuk, alcuni chilometri più a sud, attraverso l'analisi delle caratteristiche della cenere vulcanica che copriva entrambi i siti. Essi ritengono che la cenere provenga dal massiccio vulcanico di Mount Hagen, posto 40 km più a ovest. Una combinazione di tefracronologia e datazione con il radiocarbonio ha permesso di stabilire che in quell'area l'orticoltura ebbe inizio già intorno al 8000 a.C. (*vedi* Scheda 6.8).

4.6 Una data per l'eruzione di Thera

Oltre 3500 anni fa l'isola vulcanica di Thera (nota anche con il nome di Santorini), nell'Egeo, fu sconvolta da un'eruzione che seppellì l'insediamento preistorico di Akrotiri, posto sulla costa meridionale dell'isola. Akrotiri – scavata a partire dagli anni Sessanta del secolo scorso dagli archeologi greci Spyridon Marinatos e, più recentemente, Christos Doumas – si rivelò essere una Pompei preistorica, con strade e case ben conservate, alcune delle quali ornate di notevoli pitture murali, sepolte sotto molti metri di cenere vulcanica. L'eruzione stessa pone interessanti problemi e opportunità di datazione.

Già nel 1939 Marinatos aveva proposto di riconoscere nell'eruzione del vulcano di Thera la causa della distruzione dei palazzi minoici di Creta (posta 110 km a sud dell'isola), gran parte dei quali fu abbandonata nella tarda Età del bronzo. Questa idea diede il via a un dibattito che continua tuttora.

In primo luogo, il problema può essere posto nei termini della cronologia relativa offerta dall'evoluzione degli stili

4.41 Dipinto murale ad Akrotiri raffigurante il cosiddetto pescatore.

ceramici. Per quanto riguarda la ceramica minoica, disponiamo di una sequenza stilistica ben definita, e su questa base si è potuto riscontrare che lo stile ceramico più recente attestato nei grandi palazzi minoici è quello cosiddetto Tardo Minoico IB. A questo era stata assegnata una cronologia assoluta in anni attraverso una datazione incrociata tra la sequenza minoica e la ben definita cronologia storica dell'antico Egitto. Su questa base, la data della fine della ceramica del tipo Tardo Minoico IB (e quindi della distruzione dei palazzi minoici) era stata fissata intorno al 1450 a.C.

Questa datazione rendeva però problematico qualsiasi legame con la distruzione di Akrotiri sull'isola di Thera, giacché su quel sito non era stata rinvenuta ceramica di tipo Tardo Minoico IB, ma abbondante materiale riferibile allo stile Tardo Minoico IA. Alcuni studiosi arrivarono dunque a concludere che l'eruzione di Thera non aveva nulla a che vedere con la distruzione dei palazzi minoici, che doveva invece essere avvenuta in un momento successivo. Proposero quindi di datare l'eruzione di Thera nell'ambito del periodo Tardo Minoico IA, forse (utilizzando ancora la cronologia della Creta minoica, basata su quella egizia) intorno al 1520 a.C.

Ciò nonostante, altri studiosi continuavano a credere che gli effetti dell'eruzione di Thera si fossero fatti sentire su un'area assai più vasta; in questa convinzione furono certamente aiutati dagli studi sulla tefra. Una serie di carotaggi condotti sui fondali marini del Mediterraneo fornì le prove della ricaduta della cenere vulcanica di Thera (e le analisi di laboratorio dimostrarono che si trattava proprio di materiali provenienti dall'eruzione di quel particolare vulcano). In seguito, tracce di cenere proveniente dall'eruzione di Thera furono identificate (attraverso lo studio degli indici di rifrazione) in campioni raccolti sui siti minoici di Creta e anche sul sito di Filacopi, nell'isola egea di Milo.

L'eruzione di Thera può ben essere considerata un evento globale che ha avuto effetti a livello mondiale, dato che la polvere che si disperde nell'atmosfera riduce le radiazioni solari che raggiungono la Terra. Questo effetto può manifestarsi come una riduzione anomala, per uno o due anni, della lar-

ghezza degli anelli in una sequenza di anelli di accrescimento. Effetti analoghi sono stati notati nella sequenza di anelli di accrescimento del pino hickory (*Pinus aristata*) della California intorno alla metà del II millennio a.C. Una sequenza di accrescimento dell'Anatolia, che presenta un anello decisamente anomalo, è stata utilizzata per supportare questa antica datazione; ma gli argomenti per associare questi anelli all'eruzione non sono conclusivi.

Analogamente, è stato dimostrato che le carote di ghiaccio rivelano un breve aumento dell'acidità in relazione con importanti eruzioni avvenute recentemente, quando queste hanno un'entità tale da avere effetti su tutto il pianeta. Ma questi metodi a lunga distanza per la datazione degli eventi globali – la dendrocronologia e i carotaggi nei ghiacciai – si sono dimostrati, fino a ora, non efficaci.

In teoria, la datazione col radiocarbonio dovrebbe risolvere la situazione. Uno studio che applica tecniche statistiche ai dati rilevanti del radiocarbonio proveniente da Thera e dal Mare Egeo (utilizzando la curva di calibrazione INTCAL98) ha concluso che l'eruzione avvenne tra il 1663 e il 1599 a.C. Inoltre, il ritrovamento nel 2006 di un ramo di olivo, sepolto proprio su Thera dalla tefra caduta – grazie alla correlazione dell'oscillazione del radiocarbonio con una sequenza del 14C degli anelli di accrescimento – fornì, con una probabilità del 95,4%, una datazione dell'eruzione tra il 1627 e il 1600 a.C. (anche se proprio questo studio è stato messo in discussione). Un'ulteriore conferma proviene da un campione di radiocarbonio sepolto sotto le ceneri dell'eruzione di Thera a Mileto nella costa occidentale della Turchia (*vedi* Scheda 4.4).

Ancora altre conferme di questa datazione antica (verso il 1620 a.C. circa) verrebbero dalla sezione di una stalagmite della Grotta di Sofular nella Turchia settentrionale dove sono state notate tracce di elementi che si immagina provengano dall'eruzione. Comunque, la datazione è stata determinata con l'analisi dell'uranio-torio (*vedi* pagina 146), la cui precisione potrebbe non essere sufficiente per poter discriminare tra differenze all'interno di un solo secolo.

Il problema è, tuttavia, che queste cronologie sono in completo disaccordo

4.42 Il vulcano di Thera è ancora saltuariamente attivo (l'attività più recente risale al 1950); il cuore dell'attività eruttiva si trova sulla piccola isola posta al centro del vulcano semisommerso.

con la datazione incrociata, basata sulla cronologia storica egiziana, che vorrebbe l'eruzione di Thera nel 1520 a.C. Tale datazione è stata formulata grazie ad alcuni reperti di pietra pomice ben stratificati (che alcune analisi dicono venire proprio da quella eruzione) provenienti dal sito egiziano di Tell Daba'a. Un nuovo importante programma di determinazioni del radiocarbonio, che utilizza dei reperti ben stratificati associati a specifici faraoni, ha prodotto delle datazioni più antiche delle stime storiche precedenti. A venir messa in discussione è l'interpretazione della sequenza di Tell Daba'a e quindi le giustificazioni delle precedenti datazioni al 1610 a.C. circa per l'eruzione, cosa che potrebbe comportare una nuova traduzione della «Stele della Tempesta» dell'egiziano Ahmose. Questa nuova traduzione potrebbe avere un effetto dirompente per la cronologia dell'Egeo della metà del secondo millennio a.C. ed è ancora fortemente controversa.

Il dibattito continua, e questa rimane una delle controversie più intriganti e misteriose di tutta la scienza archeologica.

4.43 Carta in cui sono rappresentate le isopache (curve che congiungono i punti in cui uno strato ha lo stesso spessore) per la ricaduta di tefra in seguito all'eruzione di Thera, spessore determinato grazie a carotaggi sul fondo del mare. I valori numerici tra parentesi indicano la stima dello spessore della tefra ricaduta in quell'area sulle terre emerse.

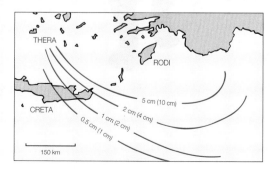

Universalmente riconosciuto come il più grande evento vulcanico degli ultimi 2 milioni di anni, l'eruzione di Toba in Indonesia avvenuta circa 74 000 anni fa è anche uno degli eventi più antichi pienamente documentati. L'eruzione del Youngest Toba Tuff (YTT) ha oscurato un'area che va dal Mar Cinese Meridionale al Mar Arabico. Costituisce, quindi, un valido marcatore cronologico una volta che le ceneri vulcaniche, provenienti dallo strato in questione, siano state microanalizzate con la sonda elettronica (*vedi* pagina 372) e sia stato stabilito, a partire dalla sua firma geochimica, che ha avuto origine dall'eruzione del Youngest Toba Tuff. Alcuni studi fatti a Jwalapuram, in India meridionale, hanno prodotto delle associazioni che sono state datate in questa maniera. La loro somiglianza con le associazioni del Mesolitico ha suggerito che potrebbero essere dei prodotti dell'essere umano moderno. Se fosse così, questa sarebbe la datazione più antica per l'umanità moderna fuori dall'Africa.

Il problema più frequentemente affrontato dalla tefracronologia riguarda però la data della grande eruzione vulcanica nell'isola di Thera, nell'Egeo, avvenuta in qualche momento tra la fine del XVII e il XVI secolo a.C., anche se trovare un accordo sulla datazione esatta sembra molto difficile (*vedi* Scheda 4.6). L'eruzione seppellì la città di Akrotiri, risalente alla tarda Età del bronzo, ed ebbe effetti notevoli anche sulle isole vicine.

LA CRONOLOGIA DEL MONDO

Quale risultato dell'applicazione delle diverse tecniche di datazione di cui si è parlato finora è possibile tracciare la cronologia archeologica del mondo.

La storia umana così come oggi la conosciamo comincia nell'Africa orientale, con la comparsa in quelle regioni dei primi ominidi del genere *Australopithecus*, come l'*Australopithecus afarensis* e forse anche il primo *Ardipithecus*, attorno ai 4,5 milioni di anni fa. A circa 2,3 milioni di anni fa risalgono i primi chiari resti fossili del primo rappresentante noto del nostro genere, *Homo habilis*, testimoniate su siti quali Koobi Fora (Kenya) e la Gola di Olduvai (Tanzania). I primi strumenti in pietra (provenienti da Hadar, in Etiopia) risalgono a circa 2,6 milioni di anni fa, ma non sappiamo quale ominide li abbia fabbricati, poiché non sono stati ancora ritrovati resti fossili così antichi di *Homo habilis*. È possibile che gli australopitechi avessero una cultura degli strumenti prima o durante l'epoca di *Homo habilis*. I più antichi strumentari comprendenti strumenti lavorati su scheggia e *pebble-tools* (semplici strumenti in pietra ottenuti a partire da un grosso ciottolo con qualche colpo di percussore) sono collettivamente definiti «industria litica olduviana», dal nome della gola dove sono particolarmente ben rappresentati.

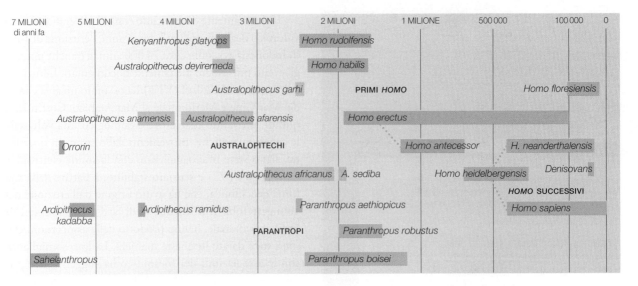

| 7 MILIONI di anni fa | 5 MILIONI | 4 MILIONI | 3 MILIONI | 2 MILIONI | 1 MILIONE | 500 000 | 100 000 | 0 |

Kenyanthropus platyops   *Homo rudolfensis*

Australopithecus deyiremeda   *Homo habilis*

Australopithecus garhi   **PRIMI HOMO**   *Homo floresiensis*

Australopithecus anamensis   *Australopithecus afarensis*   *Homo erectus*

Orrorin   **AUSTRALOPITECHI**   *Homo antecessor*   *H. neanderthalensis*

Australopithecus africanus   *A. sediba*   *Homo heidelbergensis*   *Denisovans*

HOMO SUCCESSIVI

Ardipithecus kadabba   *Ardipithecus ramidus*   *Paranthropus aethiopicus*   *Homo sapiens*

PARANTROPI   *Paranthropus robustus*

Sahelanthropus   *Paranthropus boisei*

4.44 I paleoantropologi hanno punti di vista assai differenti su come i resti fossili possano essere interpretati in termini di evoluzione umana. Questo albero genealogico presenta le prove disponibili sotto forma di quattro irradiazioni adattative: australopitechi, parantropi, primi *Homo* e *Homo* successivi. *Astralopithecus deyiremeda* e *Homo naledi*, ambedue scoperti nel 2015, sono le ultime aggiunte a questo albero genealogico; la datazione di *Homo naledi* rimane ancora incerta.

Circa 1,9 milioni di anni fa fece la sua comparsa nell'Africa orientale il successivo stadio dell'evoluzione umana, *Homo erectus*. Questi ominidi avevano un encefalo più grande di quello di *Homo habilis*, il loro probabile progenitore, e producevano i caratteristici strumenti a forma di goccia, in pietra scheggiata su ambo i lati, chiamati asce a mano acheuleane. Questi manufatti costituiscono la forma di strumento dominante nel Paleolitico Inferiore. Prima che *Homo erectus* si estinguesse (100 000 anni fa, o forse anche fino a 50 000 anni fa), la specie aveva colonizzato il resto dell'Africa, l'Asia meridionale, orientale e occidentale, e anche l'Europa centrale e occidentale. Recenti scoperte nell'isola di Flores suggeriscono che i loro presunti remoti discendenti (ora designati come *Homo floresiensis*) sembra siano sopravvissuti in Indonesia fino all'epoca straordinariamente recente di 17 000 anni fa.

Il Paleolitico Medio – da circa 200 000 a circa 40 000 anni fa – vide l'emergere di *Homo sapiens*. Gli Uomini di Neanderthal, che venivano generalmente classificati come sottospecie di *Homo sapiens* (*Homo sapiens neanderthalensis*), vissero in Europa e nell'Asia occidentale e centrale tra 400 000 e 40 000 anni fa circa. Tuttavia, a seguito delle analisi di un DNA antico di Neanderthal, sembra che siano cugini più distanti e vengono visti ora come una specie diversa, *Homo neanderthalensis*, anche se potrebbero aver dato un contributo al DNA di *Homo sapiens* tramite un contatto (*vedi* pagine 153, 480-82). Come risultato degli studi sul DNA sembra chiaro che *Homo sapiens* si sviluppò in Africa e che ci fu un'importante espansione «fuori dall'Africa», tra i 50 000 e i 60 000 anni fa, di questi uomini e queste donne, antenati di tutti gli uomini e le donne di oggi. L'Australia

4.45 L'Uomo di Neanderthal. Ricerche recenti sul DNA di Neanderthal hanno dimostrato che questi ominidi sono gli antenati della nostra specie *Homo sapiens* discendente da un comune antenato che visse in realtà molto recentemente, cioè 700 000 anni fa. Inoltre, informazioni genomiche ci dicono che dall'1,2 all'2,4 per cento dei DNA è arrivato a noi dai neandertaliani tramite degli incroci circa 60 000 anni fa.

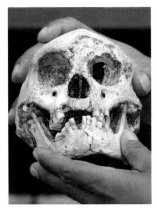

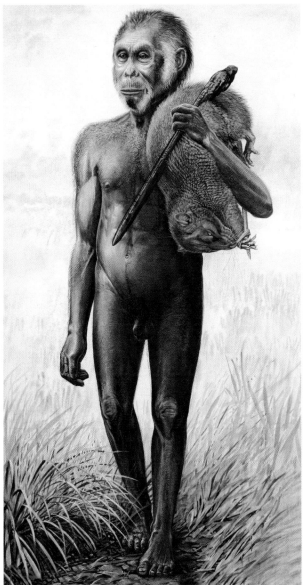

4.46-48 (*Sopra a sinistra*) Teschio di *Homo floresiensis* scoperto in una grotta nell'isola di Flores in Indonesia nel 2004. Questa specie probabilmente discende dall'*Homo erectus* e gli adulti (come ricostruito sotto) erano alti solo 1 metro. (*Sopra a destra*) Teschio vecchio 2 milioni di anni scoperto in Sud Africa nel 2008. È stato provvisoriamente ascritto a una nuova specie, *Australopithecus sediba*, che potrebbe rappresentare una fase di transizione tra gli australopitechi e gli ominidi.

fu colonizzata almeno 50 000 anni fa (la data è attualmente oggetto di un acceso dibattito) e l'Europa e l'Asia almeno 45 000 anni fa. Potrebbe esserci stata una diffusione ancora precedente di esseri umani moderni arcaici che raggiunsero il Mediterraneo orientale da circa 100 000 a 90 000 anni fa, ma probabilmente i discendenti di questi non sono sopravvissuti.

Non è stato ancora accertato quando i primi esseri umani passarono dall'Asia nord-orientale nell'America Settentrionale attraverso lo Stretto di Bering, per proseguire verso l'America Centrale e Meridionale. Le prime date sicure per le popolazioni paleoamericane risalgono a circa 14 000 anni fa, ma esistono controverse testimonianze di un popolamento del continente in una fase ancora precedente. Il riparo in roccia di Pedra Furada in Brasile (*vedi* Scheda 8.1) ha recentemente restituito, per esempio, discusse testimonianze di un'occupazione umana risalente a circa 30000 anni fa.

Prima del 10 000 a.C. la maggior parte delle terre emerse del pianeta, tranne i deserti e l'Antartide, erano popolate. L'eccezione più cospicua sembra costituita dalla regione del Pacifico: la Polinesia Occidentale, a quanto pare, non fu colonizzata fino al I millennio a.C. e la Polinesia Orientale fino al 300 d.C. circa. Prima del 1000 d.C. la colonizzazione dell'Oceania era completa.

Quasi tutte le società fin qui menzionate si possono considerare come società di cacciatori-raccoglitori, costituite da gruppi relativamente piccoli (*vedi* Capitolo 5).

Quando si esamina la storia o la preistoria del mondo su scala mondiale, uno degli aspetti più significativi è costituito dallo sviluppo della produzione del cibo, basata sulle specie vegetali domesticate e anche (sebbene in alcune aree in misura minore) sulle specie animali domesticate. Uno dei fatti più sorprendenti nella preistoria del mondo è che la transizione dalla caccia-raccolta alla produzione del cibo sembra essere avvenuta indipendentemente in diverse aree, in ogni caso dopo la fine dell'èra glaciale, cioè a partire da circa 10 000 anni or sono.

Nel Vicino Oriente si possono individuare le origini di questa transizione già prima di quest'epoca, dato che il processo dovette essere graduale, come conseguenza (e anche a causa) del ristrutturarsi dell'organizzazione sociale delle società umane. In ogni caso, un'agricoltura radicata basata sulla coltivazione di frumento e orzo e sull'allevamento di pecore e capre (e in seguito di bovini) può essere individuata in quest'area prima dell'8000 a.C. L'agricoltura si diffuse in Europa prima del 6500 a.C. ed è documentata nell'Asia meridionale (a Mehrgarh, nel Belucistan in Pakistan) all'incirca nella stessa epoca.

Uno sviluppo separato, basato all'inizio sulla coltivazione del miglio, sembra essersi realizzato prima del 5000 a.C. in Cina, nella valle dello Huang Ho. La coltivazione

© 978.8808.82073.0

4.49 Prima colonizzazione del mondo a opera dell'essere
umano moderno, con date molto approssimative (in anni BP)
e livello dei ghiacci e dei mari riferito a 18 000 BP circa.
Molti studiosi ritengono che i primi abitanti
delle Americhe vi si siano insediati
già nel 30 000-15 000 BP.

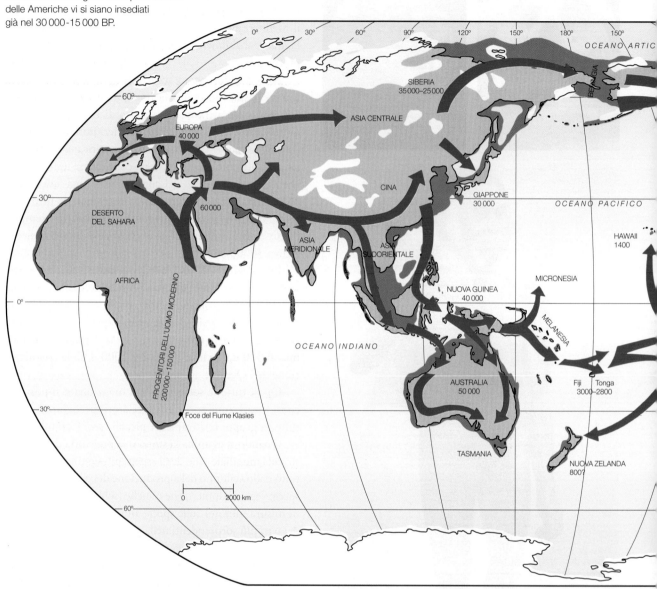

del riso cominciò all'incirca nello stesso periodo nella valle dello Yangtze in Cina e da lì si diffuse anche nel sud-est dell'Asia. La situazione dell'Africa posta a sud del Sahara è più complicata a causa della diversità degli ambienti naturali, ma il miglio e il sorgo erano coltivati prima del III millennio a.C. L'uso della coltivazione di piante da radice e da frutto nell'area del Pacifico occidentale (Melanesia) si sviluppò certamente prima di quell'epoca: ci sono infatti tracce assai più antiche di lavori di drenaggio del terreno per la coltivazione di piante da radici.

Nelle Americhe si trova una differente gamma di piante da raccolto. La coltivazione dei fagioli, delle zucche, dei peperoni e di alcune graminacee sembra aver avuto inizio prima del 7000 a.C. o addirittura dell'8000 a.C. in Perú, ed era certamente in atto in quelle regioni e nei territori della Mesoamerica intorno al VII millennio a.C. Altre specie sudamericane, comprendenti la manioca e la patata, si aggiunsero presto a questa lista, ma la pianta che ebbe la maggiore influenza sull'agricoltura americana fu il mais, la cui coltivazione ebbe inizio in Messico intorno al 5600 a.C., anche se recentemente si pensa che forse sia stata coltivata prima nell'Argentina nord-occidentale.

Queste innovazioni in campo agricolo furono rapidamente adottate in alcune aree (per esempio in Europa), mentre in altre, come nell'America Settentrionale, la loro influenza fu meno immediata. Agli inizi dell'èra cristiana

le economie basate sulla caccia-raccolta costituivano certamente una piccola minoranza.

Non è facile arrivare a una generalizzazione sulle diverse società di primi agricoltori nelle differenti parti del mondo, ma in generale possono essere chiamate, almeno ai loro inizi, **società segmentali** (*vedi* Capitolo 5): piccole comunità sedentarie indipendenti senza alcuna organizzazione fortemente centralizzata. In generale, sembrano essere state comunità relativamente egualitarie; in alcuni casi erano collegate con le popolazioni vicine da legami tribali, mentre in altri casi tali legami non esistevano.

Ogni area appare assai diversa dalle altre in ragione del diverso sviluppo dell'agricoltura. In molti casi l'economia

agricola subì un processo di intensificazione, in cui metodi di coltivazione più produttivi furono accompagnati da un aumento della popolazione. In questi casi si ebbe di solito un aumento dei contatti tra aree differenti, associato con uno sviluppo degli scambi. Spesso le società divennero anche meno egualitarie, mostrando differenze nello status sociale e nell'importanza degli individui. Gli antropologi hanno usato per queste società la definizione di **società gerarchizzate** (*ranked societies*). In qualche caso è appropriato l'uso del termine *chiefdom* (*vedi* Capitolo 5).

Questi termini sono comunque normalmente limitati alle società non-urbane. La rivoluzione urbana, la successiva importante trasformazione che possiamo individuare su larga scala, non costituisce semplicemente un cambiamento nelle tipologie insediative, ma riflette profondi cambiamenti sociali. Tra questi, particolarmente rilevante è lo sviluppo delle *società statuali*, che mostrano istituzioni amministrative più chiaramente differenziate rispetto ai *chiefdom*. Molte società statuali conoscevano l'uso della scrittura. Le prime sorsero nel Vicino Oriente intorno al 3500 a.C., appena un po' più tardi in Egitto e intorno al 2500 a.C. nella Valle dell'Indo. Nel Vicino Oriente il periodo delle città-stato mesopotamiche fu segnato dall'ascesa di siti famosi, quali Ur, Uruk e, in seguito, Babilonia, e fu seguito nel I millennio a.C. da un'epoca di grandi imperi, in particolare quello assiro e quello dei Persiani Achemenidi. In Egitto, attraverso l'età delle piramidi dell'Antico Regno e quella del potere regale del Nuovo Regno, è possibile ricostruire lo sviluppo continuo delle tradizioni politiche e culturali su un arco di tempo superiore a 2000 anni.

All'estremità occidentale del Vicino Oriente si svilupparono altre civiltà: quelle minoica e micenea in Grecia e nell'Egeo nel corso del II millennio a.C., quelle etrusca e romana nel millennio successivo. Al limite opposto dell'Asia, società statuali con centri urbani comparvero in Cina prima del 1500 a.C., segnando gli inizi della civiltà Shang. All'incirca nello stesso tempo la Mesoamerica vide l'affermarsi degli Olmechi, la prima di una lunga sequenza di civiltà centroamericane che comprende i Maya, i Zapotechi, i Toltechi e gli Aztechi. Lungo la costa sudamericana del Pacifico le civiltà Chavín (dal 900 a.C.), Moche e Chimu gettarono le fondamenta per il sorgere del vasto e potente impero degli Inca, fiorito nel XV secolo d.C.

Gli sviluppi successivi ci sono più familiari grazie alla letteratura storica: sorgono il mondo classico greco-romano e quello cinese, quindi si affermano l'Islam, il Rinascimento europeo e lo sviluppo delle potenze coloniali. A partire dal secolo XVIII e fino a oggi si realizza l'indipendenza delle antiche colonie, prima nelle Americhe e poi in Asia e in Africa. Per queste epoche non possiamo parlare semplicemente di società statuali ma di Stati nazionali e, particolarmente nell'epoca coloniale, di imperi.

© 978.8808.82073.0

4.50

4.51

© 978.8808.82073.0

4.50-54 Monumenti costruiti da società-stato nel mondo: (*nella pagina a fronte in alto*) lo ziggurat di Ur, nell'odierno Iraq, 2000 a.C. circa; (*nella pagina a fronte in basso*) elaborato rilievo a Persepoli, in Iran, circa 515 d.C.; (*a destra*) il tempio di Ramsete II (circa 1279-1213 a.C.) ad Abu Simbel, in Egitto; (*sotto a sinistra*) il sito inca di Machu Picchu, XV secolo d.C.; (*sotto a destra*) una gigantesca testa olmeca, probabilmente il ritratto di un regnante, in Messico, circa 1200-600 a.C.

4.52

4.53   **4.54**

© 978.8808.82073.0

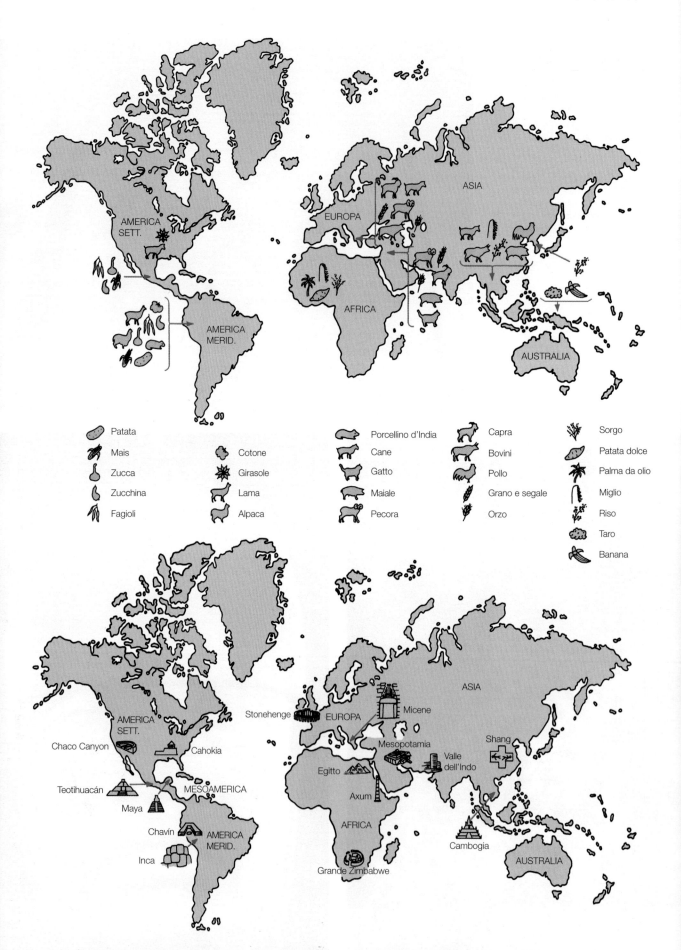

Patata

Mais

Zucca

Zucchina

Fagioli

Cotone

Girasole

Lama

Alpaca

Porcellino d'India

Cane

Gatto

Maiale

Pecora

Capra

Bovini

Pollo

Grano e segale

Orzo

Sorgo

Patata dolce

Palma da olio

Miglio

Riso

Taro

Banana

ANNI (a.C. / d.C.)	VICINO ORIENTE	EGITTO E AFRICA	MEDITERRANEO	EUROPA SETT.	ASIA MERIDIONALE	ASIA OR. E PACIFICO	MESO-AMERICA	AMERICA MERIDIONALE	AMERICA SETT.
1500		Grande Zimbabwe			DINASTIA MOGHUL		AZTECHI	INCA	
1000			IMPERO BIZANTINO	Stati medievali	Stati medievali	Insediamento in Nuova Zelanda	TOLTECHI	CHIMU	Cahokia Chaco PUEBLOS
500	ISLAM	Città (Africa) AXUM			DINASTIA GUPTA	Stati (Giappone)	MAYA TEOTIHUACAN	MOCHE	
d.C. / a.C.			IMPERO ROMANO	IMPERO ROMANO		Grande Muraglia (Cina)			HOPEWELL
500	PERSIA BABILONIA	PERIODO ANTICO	GRECIA CLASSICA		Scrittura DINASTIA MAURYA				
1000	ASSIRIA	NUOVO REGNO	Ferro	ETÀ DEL FERRO	Città / Ferro	Ghisa (Cina)		CHAVÍN	Mais (Sud-Ovest)
1500	HITTITI / Ferro	MEDIO REGNO	MICENE		Megaliti	Lapita (Polinesia) / SHANG (Cina)	OLMECHI	Patata (Perú)	
2000		ANTICO REGNO (piramidi)	CIVILTÀ MINOICA	ETÀ DEL BRONZO (Stonehenge)		Zucche (Cina)	Ceramica Girasole (Messico)		Girasole Chenopodium Ceramica Zucchina
2500	SUMERI				Scrittura INDO			Mound-templi	
3000	Scrittura / Città	Banane (Uganda)			Città / Banane	Villaggi fortificati (Cina)		Lama, cotone	
3500	Veicoli su ruote	PERIODO PROTO-DINASTICO							
4000		Città (Egitto)			Centri abitati		Peperoni (Panama)	Peperoni (Ecuador)	
4500			Rame (Balcani)	Megaliti	Rame		Manioca (Panama)	Manioca	
5000	Irrigazione			Agricoltura Ceramica		Taro, banana (Nuova Guinea)	Mais (Panama)		
5500	Bovini (Turchia)				Ceramica	Miglio Maiali (Cina)		Quinoa (Perú) Mais	
6000							Fagioli		
6500	Rame	Bovini (Africa sett.)	Agricoltura Ceramica		Bovini Agricoltura	Orticoltura (Nuova Guinea)	Mais (Messico)	Nocciole, Fagioli, Cotone (Perú)	
7000	Ceramica							Ceramica (Brasile)	
7500	Grano						Zucchina	Zucchina (Ecuador)	
8000	Capre (Zagros)								
8500	Maiali? (Turchia)					Riso (Corea, 13 000 a.C.)		Mais? (Argentina)	
9000	Pecore?					Ceramica (Siberia or., 11 000 a.C.;			
9500	Fichi (Israele)					Giappone 14 000 a.C.;			
10 000		Ceramica (Mali)				Cina 18 000 a.C.)			
11 000	Segale (Siria)					Cani? (13 000 a.C.)			

4.55-56 La nascita dell'agricoltura e della civiltà. (*Nella pagina a fronte, in alto*) Località in cui furono domesticate per la prima volta le specie animali e vegetali più importanti per l'alimentazione umana. (*Nella pagina a fronte, in basso*) Localizzazione di alcuni degli esempi più antichi di architettura monumentale in varie regioni del mondo. (*In questa pagina*) Tavola cronologica che riassume gli sviluppi culturali su scala mondiale, comprendenti le prime domesticazioni di piante e animali.

© 978.8808.82073.0

Riepilogo

■ Il primo passo, e in qualche misura anche quello più importante, consiste nell'ordinare gli elementi in sequenze (successioni) o di datare gli uni rispetto agli altri. Attraverso i metodi di datazione relativa gli archeologi possono determinare l'ordine in cui una serie di eventi è avvenuta, ma non stabilire quando. La stratigrafia è un fattore fondamentale nella datazione relativa perché una sequenza di depositi sigillati dà origine a una cronologia relativa. Una datazione relativa può essere fatta anche tramite una seriazione tipologica, la quale parte dal presupposto che i manufatti risalenti a un dato tempo e luogo abbiano uno stile riconoscibile e che il cambiamento di questo stile sia nel tempo graduale ed evolutivo.

■ Per sapere quanti anni di calendario siano associabili alle sequenze, ai siti e ai manufatti è necessario utilizzare metodi di datazione assoluta. La datazione assoluta si affida a processi regolari che dipendono dal tempo. Il più ovvio di questi, la rotazione della terra attorno al sole, è stata ed è la base della maggior parte dei calendari. Nelle culture che posseggono una scrittura, le cronologie storiche possono spesso essere utilizzate per datare siti e oggetti.

■ Prima della scoperta dei metodi di datazione radioattivi, le varve (i depositi annuali di sedimenti) e la dendrocronologia (l'analisi degli anelli di accrescimento degli alberi) costitui-

vano lo strumento più accurato per la datazione assoluta. Oggi, tuttavia, il radiocarbonio è il metodo più efficace. Il radiocarbonio dell'atmosfera viene trasmesso uniformemente a tutti gli esseri viventi e poiché questa assunzione di radiocarbonio cessa dopo la morte, gli isotopi, da quel momento in poi, cominciano a decadere in maniera costante. L'ammontare di radiocarbonio residuo in un campione indica, in questo modo, l'età del campione. Poiché i livelli di radiocarbonio nell'atmosfera non sono sempre stati costanti, una datazione al radiocarbonio deve essere calibrata per poter fornire una datazione di calendario corretta.

■ Per l'èra paleolitica, che è precedente a ciò che è possibile datare con il radiocarbonio, le tecniche del potassio-argon (o argon-argon) e delle serie dell'uranio sono le più utili. Sono disponibili anche altri metodi di datazione come, per esempio, la termoluminescenza e la risonanza di spin elettronico, ma tendono a essere meno precisi o utilizzabili solo in circostanze specifiche.

■ Una strada promettente per gli studi futuri sulla cronologia è la correlazione di differenti metodi di datazione. Uno dei modi più efficaci per stabilire una relazione tra sequenze è attraverso la verifica di eventi geologici su scala regionale o mondiale; le eruzioni vulcaniche ne sono un ottimo esempio.

Letture consigliate

Le seguenti letture forniscono una buona introduzione ai principali metodi di datazione impiegati dagli archeologi:

Aitken M.J., Stringer C.B. & Mellars P.A. (a cura di), 1993, *The Origin of Modern Humans and the Impact of Chronometric Dating*. Princeton University Press: Princeton.

Biers W.R., 1993, *Art, Artefacts and Chronology in Classical Archaeology*. Routledge: London.

Brothwell D.R. & Pollard A.M. (a cura di), 2005, *Handbook of Archaeological Science*. John Wiley: Chichester.

Manning S.W. & Bruce M.J. (a cura di), 2009, *Tree-Rings, Kings and Old World Chronology and Environment*. Oxbow: Oxford and Oakville.

Pollard A.M., Batt C.M., Stern B. & Young S.M.M., 2007, *Analytical Chemistry in Archaeology*. Cambridge University Press: Cambridge.

Speer J.H, 2010, *Fundamentals of Tree-Ring Research*. University of Arizona Press: Tucson.

Taylor R.E. & Aitken M.J. (a cura di), 1997, *Chronometric Dating in Archaeology*. Plenum: New York.

Alcuni testi di riferimento per la cronologia del mondo:

Haywood J., 2011, *The New Atlas of World History*. Thames & Hudson: London; Princeton University Press: Princeton.

Fagan B., 2009, *People of the Earth: An Introduction to World Prehistory* (13th ed.). Pearson Education: New York.

Renfrew C. & Bahn P. (a cura di), 2014, *The Cambridge World Prehistory*. Cambridge University Press: Cambridge & New York.

Scarre C. (a cura di), 2013, *The Human Past*. (3rd ed.). Thames & Hudson: London & New York.

Stringer C. & Andrews P., 2011, *The Complete World of Human Evolution* (2nd ed.). Thames & Hudson: London & New York.

Taylor R.E. & Bar-Yosef O., 2013, *Radiocarbon Dating: An Archaeological Perspective*. Left Coast Press: Walnut Creek, CA.

Parte II
Alla scoperta della varietà dell'esperienza umana

Nella Parte I di questo libro sono stati affrontati alcuni problemi fondamentali. Sono stati definiti i metodi con cui si può stabilire la struttura spazio-temporale del passato. Ora abbiamo bisogno di sapere dove le cose sono accadute e quando. Questo è sempre stato, e rimane tuttora, uno degli obiettivi primari dell'archeologia.

Per l'archeologia tradizionale questo era in realtà il compito principale. Come abbiamo visto nel Capitolo 3, sembrava infatti sufficiente classificare i vari reperti in diversi insiemi, che potevano a loro volta essere raggruppati per definire culture archeologiche. A Gordon Childe, e alla maggior parte dei suoi seguaci, sembrò plausibile che queste culture costituissero i resti materiali di gruppi di individui distinti, che oggi potremmo chiamare gruppi etnici, non nel senso razziale, ma come gruppi di esseri umani accomunati da propri peculiari modi di vita e identità. Come scrisse nel 1929 lo stesso Childe:

> Troviamo determinati tipi di resti – ceramiche, strumenti, ornamenti, sepolture, forme di abitazioni – che compaiono sempre insieme. Possiamo definire questo insieme di caratteri regolarmente associati «gruppo culturale» o semplicemente «cultura». Ipotizziamo che tale insieme costituisca l'espressione materiale di ciò che oggi sarebbe chiamato «popolo».

Tuttavia, verso la fine del XX secolo, ci si rese conto che questa maniera convenzionale di trattare il passato si rivelava limitante. Il concetto di cultura archeologica è infatti essenzialmente uno strumento di classificazione, e non è necessariamente in relazione con una realtà presente nei reperti archeologici. E certo anche il semplice far corrispondere tali immaginarie «culture» a «popoli» appare oggi estremamente rischioso. Su questi concetti torneremo ancora nel Capitolo 12.

Ciò di cui gli archeologi si sono finalmente resi conto è che, per fare progressi, bisogna porsi un diverso tipo di domande. Queste domande formano la base sulla quale è organizzata la Parte II del libro e riguardano la natura di una società, o di una cultura, e il modo in cui le società cambiano con il trascorrere del tempo.

Per semplificare, si può considerare che una società sia costituita da alcune parti connesse tra loro, come indica il disegno nella pagina seguente.

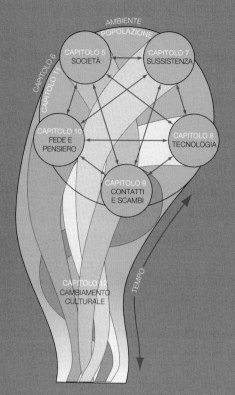

AMBIENTE
POPOLAZIONE
CAPITOLO 6
CAPITOLO 11
CAPITOLO 5
SOCIETÀ
CAPITOLO 7
SUSSISTENZA
CAPITOLO 10
FEDE E
PENSIERO
CAPITOLO 8
TECNOLOGIA
CAPITOLO 9
CONTATTI
E SCAMBI
CAPITOLO 12
CAMBIAMENTO
CULTURALE
TEMPO

Modello delle componenti
correlate di un sistema
sociale; questo schema è alla
base della organizzazione
della Parte II.

L'archeologo britannico Christopher Hawkes, scrivendo nel 1954, affermò che in campo archeologico è facile recuperare dati circa la tecnologia o le abitudini alimentari, mentre è assai più difficile individuare l'organizzazione sociale o farsi un'idea di ciò che gli esseri umani del passato pensavano e credevano. Alcuni archeologi pensarono quindi di dover partire dall'analisi di aspetti della società quali la tecnologia o le abitudini alimentari. Noi non accettiamo questa posizione: come si vedrà nel Capitolo 5, è infatti indispensabile prima di tutto avere una qualche idea dell'organizzazione sociale dei gruppi oggetto di studio, se vogliamo essere in grado di proseguire ponendo le giuste domande su altri aspetti. Per esempio, le società organizzate in bande, che si procurano i mezzi di sostentamento con la caccia e la raccolta di alimenti vegetali e che si spostano continuamente, non rimangono mai in un luogo abbastanza a lungo da costruirvi città grandi o piccole: l'ammontare della loro popolazione non è abbastanza grande e la loro organizzazione sociale ed economica non è abbastanza complessa per permettere questo tipo di insediamenti. Sarebbe quindi inutile attendersi di trovare città grandi o piccole presso queste società, ma occorre ugualmente studiare le strutture che costruirono e imparare a leggere le tracce che hanno lasciato nelle testimonianze archeologiche. Gli studiosi moderni sono di solito portati a sottovalutare le capacità delle società più semplici, e possono credere per esempio – come del resto faceva una volta la maggior parte degli archeologi – che il famoso monumento di Stonehenge, nell'Inghilterra meridionale, potesse essere stato costruito solo da popolazioni esterne provenienti dalla civiltà di Micene, in Grecia. (Nel Capitolo 5 sarà spiegato quale tipo di società è oggi ritenuta responsabile dell'erezione di Stonehenge.)

Partiremo quindi con la domanda «Com'erano organizzate le società?» nel Capitolo 5, e, nei capitoli successivi, prenderemo in considerazione l'ambiente e la dieta, prima di rivolgerci agli strumenti e alla tecnologia, ai contatti e agli scambi tra società, al modo di pensare delle persone e al modo in cui i popoli si trasformano e colonizzano il mondo (antropologia biologica e popolamento). Nel Capitolo 12 ci chiederemo «Perché le cose erano così come erano?» e «Perché mutarono?», e anche per quale ragione queste sono le domande più interessanti in assoluto. Nella loro *History of American Archaeology* (*Storia dell'archeologia americana*), Gordon Willey e Jeremy Sabloff hanno dimostrato come negli anni Sessanta l'archeologia abbia abbandonato un periodo essenzialmente dedicato alla classificazione, alla descrizione e alla funzione delle cose, per entrare nella fase della spiegazione. Di sicuro la spiegazione è ora considerata da molti come l'obiettivo fondamentale della ricerca archeologica.

5 | Com'erano organizzate le società?
L'archeologia sociale

Alcune delle domande più interessanti che possiamo porci circa le prime società sono di carattere sociale. Sono questioni che riguardano i popoli e le relazioni tra popoli, l'esercizio del potere, la natura e la scala dell'organizzazione.

Come generalmente accade in archeologia, i dati non parlano da soli: dobbiamo porre le domande giuste e individuare i mezzi per dar loro una risposta. Su questo punto c'è una differenza rispetto all'antropologia sociale o culturale, nel cui ambito il ricercatore può osservare direttamente la società che studia e trarre rapidamente conclusioni circa le sue strutture sociali e la gestione del potere prima di esaminare altri aspetti, per esempio i dettagli del sistema di parentela o i particolari dei comportamenti rituali. L'archeologo sociale deve invece lavorare sistematicamente per ricavare dettagli anche minimi, ma il premio per questa fatica è ricco: la conoscenza dell'organizzazione sociale non solo delle società del presente o del passato assai vicino (come nel caso dell'antropologia culturale), ma anche di società situate in periodi del tempo assai differenti, con tutto il contributo che questo offre allo studio dei processi di cambiamento. Solo l'archeologo può raggiungere questa prospettiva e da lì tentare una qualche spiegazione dei processi di cambiamento di lungo periodo.

Differenti forme di società necessitano di differenti tipologie di domande e le metodologie di investigazione necessariamente varieranno a seconda della natura delle testimonianze. Non è possibile approcciare un campo di cacciatori-raccoglitori del Paleolitico alla stessa maniera di una capitale di uno stato primitivo. Conseguentemente, le domande che poniamo e i metodi che adottiamo per rispondere a esse devono essere adattate al tipo di comunità che stiamo studiando.

La prima domanda che ci si deve porre riguarda le dimensioni o la **scala** della società. L'archeologo si trova spesso a scavare un singolo sito: era un'unità politicamente indipendente, come una città-stato maya o greca, o un'unità più semplice, come il campo base di un gruppo di cacciatori-raccoglitori? O era invece la rotella di un grande ingranaggio, l'insediamento secondario di qualche grande impero, come quello degli Inca del Perù? Ogni sito che prendiamo in considerazione ha un suo territorio, l'area di approvvigionamento (*catchment area*) per la popolazione che vi abita. Ma a noi interessa andare oltre quest'ambito locale, per comprendere come questo sito si articolasse con gli altri. Dal punto di vista del singolo sito – che spesso è una prospettiva utile – si possono porre domande circa la **dominanza**: il sito era autonomo, politicamente indipendente? O, se faceva invece parte di un più vasto sistema sociale, aveva un ruolo dominante (come nel caso della capitale di un regno) o subordinato?

Se la prima domanda spontanea riguarda la scala della società, la successiva concerne certamente la sua organizzazione interna. Che tipo di società era? Gli individui che la costituivano erano tutti più o meno sullo stesso piano sociale, o c'erano invece grandi differenze di status, rango e prestigio, magari una suddivisione in classi? E a proposito delle professioni: c'erano artigiani specializzati? E nel caso, erano posti sotto il controllo di un qualche sistema centralizzato, come in alcune economie di palazzo del Vicino Oriente e dell'Egitto, o si trattava invece di un sistema economico più libero, con scambi fiorenti attraverso cui i mercanti potevano operare liberamente facendo i propri interessi?

Queste domande possono essere concepite come domande «dall'alto verso il basso», guardano cioè la società dall'alto e cercano di capire la sua organizzazione. Da qualche tempo, però, si preferisce seguire un'altra prospettiva, che parte dall'individuo e dal modo in cui definisce la sua identità nella società. In questa prospettiva «dal basso verso l'alto», le domande precedenti riguarderanno il modo in cui costrutti sociali importanti come il genere, lo status sociale e anche l'età vengono a costituirsi; sempre più archeologi sono convinti che questi costrutti non sono «dati», cioè non sono realtà interculturali prive di problematiche, ma sono piuttosto specifici di ciascuna società. Queste prospettive aprono nuovi campi d'indagine: l'archeologia dell'individuo e l'archeologia dell'identità.

© 978.8808.82073.0

L'identità ha diverse dimensioni, alcune individuali (come l'età), alcune collettive (come l'etnicità); e altre ancora personali e tuttavia, allo stesso tempo, socialmente costruite. Queste includono la professione, il ceto sociale e il genere e ciascuna può essere riconosciuta in maniere diverse nei documenti archeologici.

Questo capitolo, quindi, si occupa prima delle società più piccole e più semplici, poi di quelle più grandi e complesse. Alcune questioni, quali l'archeologia degli insediamenti o lo studio delle sepolture, sono perciò esaminate nel contesto di ciascun tipo di società. Alla fine del capitolo verranno trattati gli argomenti «dal basso verso l'alto», per porci domande di rilevanza generale sull'individuo e sull'archeologia dell'identità e del genere.

DETERMINARE LA NATURA E LA SCALA DELLA SOCIETÀ

Il primo passo nell'archeologia sociale è tanto ovvio da essere spesso trascurato: è chiedersi quale è stata la scala della più grande unità sociale e di quale società, in senso molto lato, si trattasse.

L'ovvio non è sempre semplice ed è necessario domandarsi più chiaramente cosa intendiamo per «la più grande unità sociale», che chiameremo **entità politica**. Questo termine non implica di per sé alcuna particolare complessità organizzativa; può essere applicato tanto a una città-stato, quanto a una banda di cacciatori-raccoglitori, a un villaggio di agricoltori, o a un grande impero. Un'entità politica è un'unità sociale autonoma o politicamente indipendente, che può comprendere, come nel caso di società complesse quali quelle statuali, molte componenti minori. Così, nel mondo moderno, gli stati nazionali possono essere suddivisi in regioni, distretti o province, ognuno dei quali può contenere un gran numero di città e villaggi. Lo stato nel suo insieme costituisce l'entità politica. All'altra estremità della scala, un piccolo gruppo di cacciatori-raccoglitori può prendere autonomamente le proprie decisioni e non riconoscere nessun'altra autorità superiore: anche questo gruppo costituisce un'entità politica.

Talvolta le comunità possono legarsi l'una all'altra a costituire qualche forma di federazione, e in questo caso dobbiamo domandarci se queste comunità siano ancora entità politiche autonome o se invece la federazione nel suo insieme costituisca ora la vera organizzazione in cui sono prese le decisioni. Questi punti non sono ancora materia specificamente archeologica, ma illustrano quanto sia importante essere espliciti su ciò che ci si propone di conoscere del passato.

In termini di ricerca sul campo, la domanda trova spesso le risposte migliori nello studio di un insediamento; infatti sia la natura e la scala dei **singoli siti** sia le loro relazioni

possono essere determinate attraverso l'analisi del **modello d'insediamento**. Ma non bisogna dimenticare che le **testimonianze scritte**, nel caso delle società che conoscevano e usavano la scrittura, la **tradizione orale** e l'**etnoarcheologia** – lo studio da un punto di vista archeologico delle società contemporanee – possono essere ugualmente utili per stabilire la natura e la scala della società oggetto di studio.

Prima, tuttavia, dobbiamo disporre di un sistema di riferimento, di una classificazione ipotetica delle società rispetto alla quale confrontare le nostre idee.

Classificazione delle società

L'antropologo americano Elman Service ha messo a punto una classificazione delle società in quattro tipi, che molti archeologi hanno trovato utile, anche se da allora la terminologia è stata modificata. A ogni tipo di società sono associati siti e di modelli d'insediamento specifici. Alcuni archeologi mettono in dubbio il valore di classificazioni ampie come *chiefdom;* questa è senza dubbio abbastanza semplice da poter coprire l'intera gamma delle società umane di tutti i tempi. Il concetto di *stato*, d'altro canto, è utilizzato ampiamente e la visione d'insieme generale rimane comunque utile in via preliminare se la si considera come un primo passo verso un'analisi più approfondita.

Gruppi mobili di cacciatori-raccoglitori (talvolta detti «bande»)
Sono società su piccola scala di cacciatori e raccoglitori, in genere costituite da meno di 100 individui, che si spostano secondo un ritmo stagionale per sfruttare le risorse alimentari selvatiche (cioè non-domesticate) offerte dai diversi territori. La maggior parte dei gruppi di cacciatori-raccoglitori che ancora sopravvive sono bande di questo tipo, per esempio gli Hadza della Tanzania o i San dell'Africa meridionale. I membri della banda sono generalmente imparentati tra loro per discendenza o per matrimonio. Nelle bande non ci sono *leaders* formalmente riconosciuti, così come non ci sono differenze economiche o differenze di status sociale tra i membri.

Dato che queste bande sono costituite da gruppi mobili di cacciatori-raccoglitori, i loro siti consistono principalmente in campi occupati stagionalmente e in altri siti di minori dimensioni e più specializzati: siti di uccisione (*killing sites*) o di macellazione – in cui vengono uccisi e talvolta macellati grandi mammiferi – e siti di lavoro – dove vengono fabbricati strumenti o svolte altre attività specifiche. Il campo base di queste bande può restituire resti di abitazioni precarie o di ripari provvisori insieme ai segni di un'occupazione residenziale.

Per quel che riguarda l'età paleolitica (prima di 12 000 anni fa), la maggior parte dei siti archeologici appartiene a una di queste categorie – accampamenti, siti di macellazione, siti di lavoro – e gli archeologi di solito operano in base

12 000 a. C.

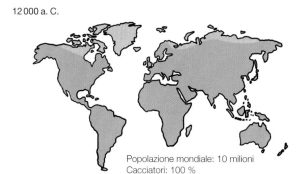

Popolazione mondiale: 10 milioni
Cacciatori: 100 %

1960

Popolazione mondiale: 3 miliardi
Cacciatori: 0,001 %

5.1 Prima dell'avvento dell'agricoltura (comprendente l'allevamento di animali), tutte le società umane erano costituite da bande di cacciatori-raccoglitori. Oggi sopravvivono solo poche bande.

all'ipotesi che la maggior parte delle società paleolitiche fosse organizzata in bande di questo genere. L'etnoarcheologia (*vedi* più avanti) ha dedicato grande attenzione allo studio delle odierne bande di cacciatori-raccoglitori, ricavandone informazioni preziose sul passato più remoto.

Società segmentarie (talvolta dette «tribù») Le tribù sono generalmente più grandi delle bande, ma raramente sono costituite da più di qualche migliaio di individui; la loro dieta, e più in generale i loro mezzi di sussistenza, si basano in gran parte su piante coltivate e animali domesticati. Di solito sono formate da agricoltori stanziali, ma talvolta da pastori nomadi con un'economia assai diversa, mobile e basata sullo sfruttamento intensivo del bestiame. Sono generalmente società multicomunitarie, nelle quali le singole comunità si integrano in una società più vasta attraverso legami di parentela. Sebbene alcune tribù annoverino individui con cariche ufficiali, e perfino una «capitale», ossia un'autorità di governo, queste cariche non dispongono della base economica necessaria per esercitare un vero e proprio potere.

Il tipico modello di insediamento delle tribù è costituito da una serie di *homesteads* (edifici abitativi con terreno circostante) o villaggi agricoli. Un dato caratteristico è che nessuno degli insediamenti domina sugli altri nella regione; anzi, nel caso di tribù gli archeologi trovano testimonianze di insediamenti isolati e occupati continuativamente, sia

che si tratti di abitazioni isolate (*modello insediativo sparso*) sia che si tratti di villaggi (*modello insediativo nucleato*). I villaggi possono essere costituiti da un insieme di case indipendenti, come gli insediamenti dei primi agricoltori nella valle del Danubio intorno al 4500 a.C., oppure raggruppamenti di edifici, o **agglomerati**, come i *pueblos* del Sud-Est americano, o il villaggio agricolo – o la piccola città – di Çatalhöyük, in Turchia, che risale al 7000 a.C. circa (*vedi* Scheda 1.8).

Chiefdom Questo tipo di società si basa sul principio della gerarchia sociale (*ranking*), cioè delle differenze di status sociale tra gli individui che la compongono. Diversi lignaggi (un lignaggio è un gruppo che sostiene di discendere da un comune progenitore) sono disposti secondo una scala di prestigio, e il lignaggio più autorevole, e quindi la società nel suo complesso, è governata da un capo (*chief*). Il prestigio e lo status sociale del singolo individuo sono determinati dal suo grado di parentela con il capo, senza che esista una vera e propria stratificazione in classi sociali. Il ruolo del capo è fondamentale.

Spesso si crea una specializzazione locale nella produzione artigianale, e la sovrapproduzione di tali materiali, insieme con le eccedenze alimentari, viene periodicamente versata come tributo al capo. Egli utilizza queste risorse per il mantenimento dei suoi dipendenti e può anche ridistribuirle ai suoi sottoposti. Il *chiefdom* presenta generalmente un centro del potere, spesso con templi, residenze del capo e della sua corte, e con laboratori artigianali specializzati. I *chiefdom* possono variare molto nelle dimensioni, ma comprendono generalmente tra i 5000 e i 20 000 individui.

Un elemento caratteristico del *chiefdom* è l'esistenza di un centro permanente rituale e cerimoniale che agisce come punto focale dell'intero sistema. Non si tratta di un centro urbano permanente (di una vera e propria città), con un apparato burocratico ben definito come si trova invece nelle società statuali, ma nei *chiefdom* si hanno indicazioni del fatto che alcuni siti furono più importanti di altri (gerarchia di siti), come vedremo più avanti in questo capitolo. Esempi in questo senso sono Moundville, in Alabama (Stati Uniti), che fiorì intorno al 1000-1500 d.C., e i monumenti neolitici del Wessex, nell'Inghilterra meridionale, che comprendono il famoso centro cerimoniale di Stonehenge (*vedi* figura 5.2).

La gerarchia sociale caratteristica di un *chiefdom* si manifesta anche in altri aspetti, oltre che nei modelli di insediamento: per esempio nei corredi funebri assai ricchi, che si trovano spesso nelle sepolture dei capi defunti.

I primi stati Questo tipo di società conserva molte delle caratteristiche dei *chiefdom*, ma chi detiene il potere (probabilmente un re o in qualche caso una regina) possiede la

5.2 Classificazione delle società in quattro tipi, basata su quella di Elman Service.

	GRUPPI MOBILI DI CACCIATORI-RACCOGLITORI	SOCIETÀ SEGMENTALE	*CHIEFDOM*	STATO
	Cacciatori San, Sudafrica	Uomo intento ad arare, Valcamonica, Italia settentrionale	Cavaliere, Calderone di Gundestrup	Esercito di terracotta, sepoltura del primo imperatore cinese
NUMERO TOTALE DI INDIVIDUI	Meno di 100	Fino a 1000	5000-20 000 e oltre	Generalmente oltre 20 000
ORGANIZZAZIONE SOCIALE	Egualitaria Leadership informale	Società segmentale Associazioni pantribali Incursioni di piccoli gruppi	Gerarchia basata sui rapporti sottoposti a un capo per diritto ereditario Guerrieri di status sociale elevato	Gerarchia basata su classi sociali sottoposte al potere di un re o di un imperatore Eserciti
ORGANIZZAZIONE ECONOMICA	Cacciatori-raccoglitori mobili	Agricoltori stanziali Pastori transumanti	Accumulazione e ridistribuzione centralizzate Qualche specializzazione artigianale	Burocrazia centralizzata Organizzazione basata su tributi Imposizione fiscale Leggi
MODELLO DI INSEDIAMENTO	Campi temporanei	Villaggi permanenti	Centri fortificati Centri rituali	Urbano: città grandi e piccole Difesa delle frontiere Strade
ORGANIZZAZIONE RELIGIOSA	Sciamani	Dignitari religiosi Rituali di calendario	Capo (*chief*) per diritto ereditario con compiti religiosi	Classe di religiosi Religione panteistica o monoteista
ARCHITETTURA	Ripari temporanei Tenda paleolitica in pelle, Siberia	Capanne permanenti Tumuli funerari Santuari Santuario neolitico Çatalhöyük, Turchia	Monumenti di grandi dimensioni Stonehenge, Inghilterra Aspetto della fase definitiva	Palazzi, templi e altri edifici pubblici Piramidi di Giza Castillo di Chichén Itzà, Messico
ESEMPI ARCHEOLOGICI	Tutte le società paleolitiche, compresi i Paleoidiani	Tutti i primi agricoltori allevatori (periodo neolitico e arcaico)	Molti dei primi popoli capaci di lavorare i metalli e società del Periodo formativo	Tutte le civiltà antiche, per esempio in Mesoamerica, Perù, Vicino Oriente, India e Cina; Grecia e Roma
ESEMPI MODERNI	Inuit San, Africa meridionale Aborigeni australiani	*Pueblos* del Sud-Ovest degli Stati Uniti d'America Popoli delle montagne della Nuova Guinea Nuer e Dinka dell'Africa or.	Indiani americani della costa nord-occidentale *Chiefdom* polinesiani del XVIII sec. a Tonga, a Tahiti, nelle Hawaii	Tutti gli stati moderni

riconosciuta autorità di emanare leggi e di farle rispettare ricorrendo a un esercito permanente. La società non si basa più totalmente sulle relazioni di parentela, ma è invece stratificata in differenti classi. I lavoratori agricoli o servi della gleba e gli abitanti poveri delle città costituiscono le classi più basse; più in alto stanno gli artigiani specializzati, mentre i sacerdoti e i famigliari di chi governa occupano i gradini più alti della scala sociale. Le funzioni amministrative sono spesso separate da quelle religiose: il palazzo è ben distinto dal tempio. La società è intesa come un territorio di proprietà del lignaggio dominante e popolato da affittuari che hanno l'obbligo di pagare le tasse. La capitale centrale ospita un'amministrazione burocratica, gestita da funzionari; uno dei loro compiti principali è quello di raccogliere le entrate (spesso in forma di imposte e dazi) e di distribuirle all'autorità di governo, all'esercito e agli artigiani specializzati. Molti tra i primi stati svilupparono complessi sistemi di ridistribuzione per finanziare i loro servizi essenziali.

Le prime società statuali mostrano generalmente un caratteristico modello di insediamento urbano, in cui le **città** svolgono un ruolo molto importante. La città è tipicamente un centro con una grande popolazione (spesso oltre 5000 abitanti), con importanti edifici pubblici, tra cui quelli destinati al culto e quelli destinati a ospitare le attività della burocrazia amministrativa. Spesso si ha una rilevante gerarchia di insediamenti, con la città capitale come centro principale e con centri sussidiari o regionali e villaggi locali.

Questa tipologia sociale piuttosto semplice non dovrebbe essere usata in maniera automatica. Alcuni studiosi ritengono che il concetto di tribù sia piuttosto vago e preferiscono parlare di «società segmentali» (*segmentary societies*). Il termine «tribù», che implica l'esistenza di un raggruppamento più grande di unità di minori dimensioni, suppone che queste comunità condividano una comune identità etnica e una comune consapevolezza di sé, cosa che invece generalmente non accade. Il termine «società segmentale» si riferisce a un gruppo relativamente piccolo e autonomo, costituito di solito da agricoltori, che regola autonomamente i propri rapporti: in alcuni casi essi può collegarsi a altre società segmentali simili per formare più vaste unità etniche o «tribù»; in altri ciò non avviene. Nel seguito di questo capitolo preferiremo il termine **società segmentali** a quello di «tribù». Quelle, invece, che nella classificazione di Service venivano chiamate «bande» si preferisce ora chiamarle «gruppi mobili di cacciatori-raccoglitori».

Dare troppa importanza ai quattro tipi di società fin qui definiti, o dedicare troppo tempo a dibattere la questione se uno specifico gruppo possa essere classificato in una di queste categorie piuttosto che in un'altra, sarebbe di certo un errore. E altrettanto sbagliato sarebbe supporre che una qualsiasi società debba inevitabilmente evolvere dallo stadio di banda a quello di società segmentale o da *chiefdom* a stato. Uno dei difficili problemi che deve affrontare l'archeologia è spiegare perché alcune società diventino progressivamente più complesse e altre invece no; sul fondamentale aspetto della «spiegazione» in archeologia torneremo nel Capitolo 12.

La tipologia di Service ci aiuta comunque a organizzare il pensiero, anche se non deve distoglierci da ciò che

realmente stiamo cercando: i cambiamenti nel tempo delle differenti istituzioni di una società, sia nella sfera sociale sia nell'organizzazione della ricerca del cibo, nella tecnologia, nei contatti, negli scambi e nella vita spirituale. Infatti l'archeologia ha il vantaggio ineguagliabile di permettere lo studio dei processi di cambiamento su un arco di migliaia di anni, e sono questi processi che dobbiamo tentare di isolare. Per fortuna, tra le società più semplici e quelle più complesse esistono differenze sufficientemente marcate da permetterci di svolgere questo compito.

Come abbiamo visto descrivendo i quattro tipi di società individuati da Service, le società complesse presentano, in particolare, una maggiore specializzazione nei differenti aspetti della loro cultura o una maggiore separazione fra di essi. Nelle società complesse i singoli individui non svolgono contemporaneamente i compiti di procurare il cibo, produrre strumenti o celebrare riti religiosi, ma si specializzano in una sola di queste funzioni, ossia diventano agricoltori, artigiani o sacerdoti a tempo pieno. Con lo sviluppo tecnologico, per esempio, gruppi di individui possono acquisire una particolare abilità nella produzione di ceramiche o nella metallurgia, diventando **artigiani specializzati**, che lavorano a tempo pieno e occupano aree distinte nei centri urbani, lasciando quindi differenti tracce a disposizione degli archeologi. Allo stesso modo, lo sviluppo dell'agricoltura e la crescita della popolazione possono portare all'aumento della quantità di cibo che si può ottenere da un dato appezzamento di terra (la produzione alimentare, cioè, si *intensificherà*), attraverso l'introduzione dell'aratura o dell'irrigazione. Con l'affermarsi della specializzazione e dell'intensificazione alcuni individui diventeranno più ricchi e avranno un'autorità maggiore di altri; è così che si sviluppano le differenze nello status sociale e quindi la **gerarchia sociale**.

È la ricerca degli indicatori di tali processi di crescente specializzazione, intensificazione e organizzazione gerarchica che ci permette di identificare nel dato archeologico la presenza di società più complesse, cioè di quelle società che sono state qui definite per praticità *chiefdom* o stati. Per quanto concerne i gruppi più semplici o le società segmentali, per identificarli l'archeologia deve far ricorso ad altri metodi, come diremo più avanti.

La scala di una società

Tenendo presenti questi concetti generali, si può ideare una strategia per rispondere alla prima e fondamentale domanda: qual è la scala di una società? Una prima risposta può venire dalla conoscenza del modello di insediamento usato, e ciò può derivare solo da una ricognizione (*vedi* più avanti).

In prima approssimazione, può darsi che sia tuttavia superfluo un elaborato progetto di attività sul campo, per esempio se ci stiamo occupando di resti archeologici data-

© 978.8808.82073.0

bili a oltre 12 000 anni fa circa, cioè se ci occupiamo di una società del Paleolitico. Sulla base dei reperti di cui disponiamo attualmente, quasi tutte le società note di quel periodo di tempo enormemente lungo – dell'ordine di centinaia di migliaia di anni – erano costituite da cacciatori-raccoglitori, che occupavano accampamenti temporanei con ritmo stagionale. Quindi, se troviamo tracce di un insediamento permanente, si tratterà di una società segmentale di villaggi agricoli, o di qualcosa di ancor più complesso.

All'altro estremo della scala, se esistono importanti centri urbani, la società avrà probabilmente assunto la forma di uno stato. Centri di dimensioni più modeste, o centri cerimoniali senza la presenza di insediamenti urbani, possono indicare l'esistenza di un *chiefdom*. L'uso di questa terminologia classificatoria è un utile primo passo nell'analisi sociale, purché si tenga sempre presente che si tratta solo di categorie molto generali, destinate ad aiutarci nella formulazione di metodi appropriati per studiare le società in questione.

Quando è chiaro che ci si trova di fronte a comunità con un'economia mobile (cioè a cacciatori-raccoglitori o anche a nomadi) si dovranno usare tecniche di ricognizione molto intensive, dato che le tracce lasciate dalle comunità mobili sono generalmente assai scarse. Se invece ci si trova di fronte a comunità sedentarie, sarà opportuno programmare una ricognizione a carattere più estensivo, che abbia come obiettivo prioritario quello di definire la **gerarchia degli insediamenti**.

La ricognizione

Le tecniche di ricognizione sul campo sono state esaminate nel Capitolo 3. Le ricognizioni possono rispondere a scopi differenti: nel nostro caso, lo scopo è scoprire la gerarchia degli insediamenti. Siamo particolarmente interessati a localizzare i centri più importanti (perché siamo interessati a studiarne l'organizzazione) e a stabilire la natura di quelli di dimensioni più modeste. Ciò implica una doppia strategia di campionamento. A livello di ricognizione intensiva può essere sufficiente l'esame sistematico di transetti accuratamente selezionati, anche se sarebbe di gran lunga preferibile una ricognizione a tappeto dell'intera area. Un campionamento casuale stratificato, come quello descritto nel Capitolo 3, che abbia come oggetto le diverse aree ambientali nell'ambito della regione, potrà offrire dati sufficienti circa i siti più piccoli. Il solo campionamento casuale, se isolato, potrebbe tuttavia rivelarsi assai fuorviante e soggetto a quello che Kent Flannery ha definito «effetto Teotihuacán». Teotihuacán è l'enorme sito urbano nella Valle del Messico che fiorì nel corso del I millennio d.C. (*vedi* pagine 86-87). Se si impiegasse solo un campionamento casuale stratificato sarebbe facile lasciarsi sfuggire un centro di tale importanza, e di conseguenza compromettere ogni possibile analisi sociale.

L'altro obiettivo della strategia deve quindi essere quello di cercare di individuare il centro: devono essere adottati tutti gli strumenti necessari per individuare i resti del più grande centro della regione e del maggior numero possibile di centri minori. Per fortuna, se il centro della regione era costituito da una città o era comunque dotato di edifici pubblici monumentali, è possibile scoprirlo anche nel corso di una ricognizione non-intensiva, che può anche fornire una buona visione d'insieme dell'intera area. Nella maggior parte dei casi l'esistenza di un sito così cospicuo sarà già ben nota alla popolazione locale, o comunque già registrata nella letteratura antiquaria o archeologica disponibile. Si devono studiare tutte queste fonti, inclusi gli scritti dei primi viaggiatori nella regione, in modo da sfruttare al massimo la possibilità di individuare i centri più importanti.

Questi centri possedevano di solito i monumenti e i manufatti più interessanti; per questo è fondamentale condurre sopralluoghi su tutti i più importanti monumenti della regione e sfruttare le circostanze di tutti i più importanti ritrovamenti compiuti. Se lo si ritiene opportuno, si possono impiegare anche i metodi di prospezione e di telerilevamento descritti nel Capitolo 3.

Modelli d'insediamento

Ogni ricognizione produrrà una carta delle aree sottoposte ad analisi intensiva e un catalogo dei siti scoperti, entrambi con indicazioni dettagliate su ciascun sito: dimensioni, cronologia (determinata, ove possibile, sulla base di reperti superficiali come la ceramica) ed elementi architettonici. Lo scopo è quindi quello di ottenere una qualche classificazione dei siti in base a queste informazioni. Le possibili categorie di siti comprendono: il centro regionale, il centro locale, il villaggio nucleato, il villaggio disperso e il nucleo isolato.

Il primo uso che possiamo fare delle informazioni circa il modello d'insediamento consiste nell'identificazione dei territori politici e sociali posti intorno ai centri, in modo da poter determinare l'organizzazione politica del territorio. Molti degli approcci archeologici si rifanno in questo caso alla cosiddetta «teoria del sito centrale» (*Central Place Theory*, *vedi* più avanti), che presenta a nostro avviso alcuni limiti. Questa teoria si basa sull'ipotesi che i siti di una determinata regione si possano dividere nettamente in categorie sulla base delle loro dimensioni. Tutti i centri di primaria importanza dovrebbero appartenere a una stessa categoria dimensionale, tutti i centri secondari alla successiva e così via. Questa teoria, però, non riesce a spiegare la realtà delle cose: talvolta i centri secondari di una determinata regione sono di dimensioni maggiori dei centri primari di un'altra.

Ricerche più recenti hanno individuato una strada per superare questa difficoltà (la cosiddetta tecnica XTENT), ma qui ci occuperemo prima della teoria del sito centrale.

5.1 Analisi delle reti

L'analisi delle reti, che è parte della teoria matematica dei grafi, è stata usata in archeologia fin dai primi giorni dell'analisi di prossimità ravvicinata, dall'attività pionieristica di John Cherry, che ricostruì la geografia della provincia micenea di Messenia utilizzando la frequenza di occorrenze di nomi di luoghi nelle tavolette della Lineare B recuperati dal palazzo a Pylos. Questo tipo di approccio è stato oggetto di rinnovato interesse nell'ultima decina di anni.

Nella teoria dei grafi, i punti sono chiamati vertici o nodi, e le linee che li congiungono sono chiamati spigoli (*edges*) o archi (*ties*). Negli studi sociologici, i nodi sono frequentemente usati per rappresentare gli individui, e le linee indicano le interazioni tra loro. In alcuni casi archeologici i nodi riflettono la rappresentazione spaziale dei siti archeologici o degli insediamenti e le linee indicano diverse interazioni tra i siti.

Un esempio recente è costituito dal modello delle interazioni marittime durante la media Età del bronzo nel Mar Egeo, portata a termine da Knappett, Evans e Rivers. In questo caso i siti conosciuti della media Età del bronzo sono rappresentati nella loro localizzazione geografica (il diametro indica la dimensione del sito) e l'importanza dei collegamenti tra loro è resa con il differente spessore e la tonalità delle linee. Il collegamento tra Creta e le isole Cicladi emerge fortemente quando si dà più peso al parametro dei benefici del commercio. La presenza di molte ceramiche importate del Minoico medio, trovate durante gli scavi di Akrotiri, è una conferma della correttezza dell'attribuzione di una considerevole importanza ai benefici del commercio. La distruzione vulcanica di Akrotiri nella tarda Età del bronzo (*vedi* Scheda 4.6) ha alterato radicalmente la rete delle interazioni marittime, le cui implicazioni sociali, così come riportate nel modello, richiedono ulteriori considerazioni sia politiche sia commerciali.

Non è comunque necessario che la forma di queste interazioni debba indicare le coordinate spaziali dei nodi, come accade di solito quando questi sono dei siti archeologici. Nell'analisi delle reti sociali (*Social Network Analysis*, SNA) i nodi sono spesso individui e le interazioni possono essere di varia natura. Per la Teoria dell'Actor Network (ANT), sia le persone sia gli oggetti possono essere attivi nelle relazioni sociali e i manufatti possono essere anch'essi dei nodi. In questi casi le coordinate delle localizzazioni non devono per forza essere rilevanti e lo «spazio» della rete è relazionale e non deve per forza essere geografico.

5.3 Un modello della rappresentazione del Mar Egeo durante la media Età del bronzo, dove ogni cerchio è posizionato in corrispondenza della localizzazione geografica di un sito, e il raggio ne riflette proporzionalmente la grandezza. Lo spessore e il colore più scuro del collegamento rappresentano la forza delle interazioni. (I siti da 1 a 9 e da 21 a 22 sono a Creta e Cnosso è il numero 1. I siti dal 27 al 29 sono sulla terraferma della Grecia. I siti dal 10 al 14 e dal 23 al 25 sono sulle isole Cicladi). Il collegamento tra le Cicladi (Akrotiri è il numero 10) e la parte settentrionale di Creta è importante al fine di tenere la rete assieme. È comunque uno dei primi a scomparire quando il commercio è «penalizzato» dal cambiamento dei pesi dei parametri inseriti.

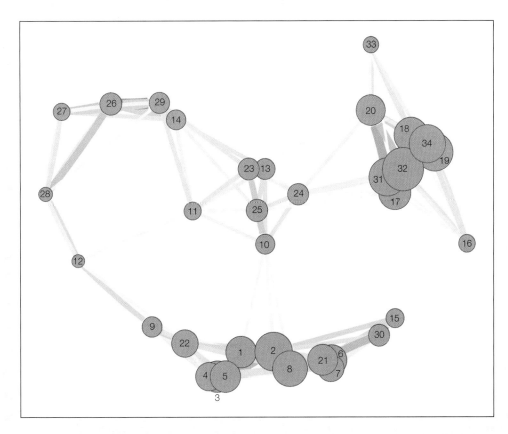

© 978.8808.82073.0

La teoria del sito centrale　Questa teoria venne sviluppata dal geografo tedesco Walter Christaller negli anni Trenta del secolo scorso per spiegare la disposizione spaziale e le funzioni delle grandi e delle piccole città nella Germania del suo tempo. Egli sosteneva che in un paesaggio uniforme – privo di montagne o fiumi e di variazioni nella distribuzione dei suoli e delle risorse – la distribuzione spaziale degli insediamenti sarebbe stata perfettamente regolare. Luoghi o insediamenti centrali (città grandi o piccole) della stessa natura e delle stesse dimensioni si sarebbero disposti in maniera equidistante gli uni dagli altri, circondati da una costellazione di centri secondari dotati a loro volta di centri-satellite di dimensioni ancora minori. In tali condizioni ideali il territorio «controllato» da ciascun centro assumerebbe una forma esagonale e i centri di differenti livelli darebbero origine, nel loro insieme, a un intricato reticolo di insediamenti.

Queste condizioni ideali, ovviamente, non si trovano in natura; ciò nonostante è possibile individuare una qualche rispondenza con la teoria del sito centrale nella distribuzione delle città antiche e moderne. L'elemento fondamentale è che ogni centro importante sarà posto a una certa distanza da quelli vicini e circondato da un anello di insediamenti più piccoli in una catena (*nested pattern*) gerarchica. In termini politici ed economici, il centro maggiore fornirà all'area circostante alcuni beni e alcuni servizi, ottenendone in cambio altri beni e servizi.

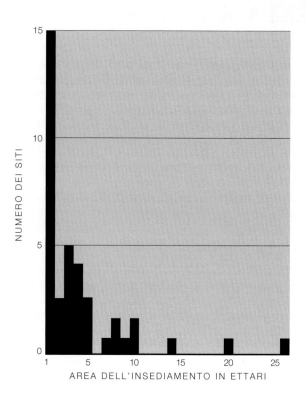

5.5 Gerarchia dei siti degli insediamenti del Primo periodo dinastico (circa 2800 a.C.) in Mesopotamia. I siti in questa regione hanno una dimensione che va da 60 a poco più di 0,25 acri e possono essere divisi in cinque categorie, chiaramente distinguibili sul diagramma, a seconda della loro dimensione: in questo particolare studio queste categorie sono state chiamate *grandi città*, *città*, *grandi paesi*, *paesi* e *villaggi*.

Gerarchia di siti　Nonostante le riserve che abbiamo espresso a proposito della teoria del sito centrale, l'analisi delle dimensioni dei siti rimane un utile approccio. Negli studi archeologici i siti vengono di solito ordinati gerarchicamente in base alle dimensioni (cioè in una gerarchia di siti) e vengono poi presentati sotto forma di istogramma (*vedi* illustrazione sopra). In un sistema di insediamento compare normalmente un numero maggiore di piccoli villaggi e di nuclei isolati che non di città grandi o piccole. Gli istogrammi consentono di istituire confronti tra le gerarchie di siti di differenti regioni, periodi e tipi di società. Nei gruppi mobili di cacciatori-raccoglitori, per esempio, si osserverà di solito soltanto uno stretto intervallo di variazione nelle dimensioni dei siti e questi saranno sempre relativamente piccoli. Nelle società statuali, invece, avremo la contemporanea presenza sia di nuclei isolati e di fattorie sparse sia di città grandi e piccole. Attraverso questo tipo di analisi risulterà inoltre evidente quanto sia dominante un singolo sito nell'ambito di un sistema di insediamento, e l'organizzazione di tale sistema apparirà spesso come diretto riflesso dell'organizzazione della società che l'ha creato. In linea generale, quanto più gerarchico è il modello d'insediamento, tanto più gerarchica sarà la società che a questo modello ha dato origine.

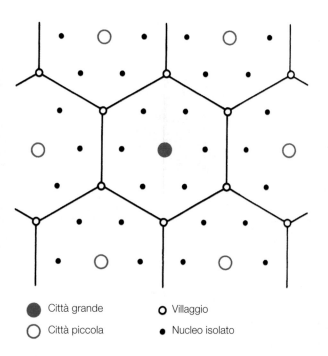

5.4 Teoria del sito centrale: in un territorio pianeggiante, senza corsi d'acqua e variazioni nelle risorse, un sito centrale (una città grande o piccola) dominerà un territorio esagonale, con centri secondari (villaggi o nuclei isolati) posti tutt'intorno a distanze regolari.

ALTRE FONTI DI INFORMAZIONE SULL'ORGANIZZAZIONE SOCIALE

Se il primo approccio archeologico allo studio dell'organizzazione sociale deve passare attraverso l'indagine sugli insediamenti e sul modello di insediamento, ciò non esclude altre possibili vie, tra cui l'uso delle fonti scritte, della tradizione orale e dell'etnoarcheologia.

È il momento di menzionare la tesi di Lewis Binford: per colmare il divario tra i resti archeologici e le società che li rappresentano, dobbiamo formulare un insieme sistematico di nozioni, che egli ha definito **teoria del campo intermedio** (*Middle Range Theory*). Per il momento, però, riteniamo che sia difficile giustificare la divisione della teoria archeologica in alta, media e bassa; scegliamo quindi di non usare la locuzione «teoria del campo intermedio».

Alcuni studiosi hanno anche attribuito grande importanza al concetto di **analogia**. Il ragionamento per analogia si basa sull'opinione che, quando certi processi o certi materiali sono simili tra loro sotto qualche aspetto, possono esserlo anche sotto altri. Si possono perciò utilizzare dettagli provenienti da un insieme di dati per riempire le lacune presenti in un altro insieme dove tali dettagli sono andati perduti. Alcuni hanno considerato l'analogia un aspetto fondamentale del ragionamento archeologico. Dal nostro punto di vista enfatizzarla è fuorviante. È vero che gli archeologi utilizzano le informazioni derivanti dallo studio di una società (sia essa vivente o appartenente al passato) per cercare di conoscere altre società, ma questo procedimento appartiene all'ambito delle osservazioni e delle comparazioni generali più che a quello delle specifiche analogie.

L'analogia resta comunque un potente mezzo per la formulazione di generalizzazioni. In anni recenti, per esempio, il concetto di personalità è stato studiato più attentamente, e confronti con società più recenti in India e Malesia hanno fornito suggerimenti applicabili in modo efficace alle società preistoriche in Europa e altrove.

Le fonti scritte

Per le società alfabetizzate – quelle cioè che usavano la scrittura, per esempio tutte le grandi civiltà della Mesoamerica, della Cina, dell'Egitto e del Vicino Oriente – le notizie storiche possono fornire una risposta a molte delle domande sulla società che sono state poste all'inizio di questo Capitolo. Per l'archeologo che si occupi di queste società è quindi importante trovare testi adeguati. In molti casi nei primi scavi su grandi siti del Vicino Oriente la scoperta più significativa sono stati gli archivi di documenti su tavolette d'argilla. Rinvenimenti di questa portata si sono avuti ancora in anni assai recenti; per esempio, nell'antica città di Ebla (Tell Mardikh), in Siria, nel corso degli anni Settanta del secolo scorso è stato portato alla luce un archivio di circa 5000 tavolette d'argilla, scritte in un antico dialetto accadico (babilonico).

5.6 Alcune delle 5000 tavolette di argilla scoperte nel palazzo di Ebla (l'odierna Tell Mardikh in Siria), databili a partire dal tardo III millennio a.C. Le tavolette costituivano parte degli archivi di stato e registrano oltre 140 anni della storia di Ebla. Originariamente erano conservate su scaffali di legno, che crollarono quando il palazzo fu saccheggiato.

© 978.8808.82073.0

L'ampia varietà delle testimonianze storiche

5.7-8 Gli scribi godettero di un'alta considerazione sociale nelle antiche civiltà. Presso i Maya, un dio in forma di coniglio (*sopra*) è rappresentato come scriba in un vaso dipinto dell'VIII secolo d.C. Scribi militari egizi (*a destra*) registrano su rotoli di papiro la sottomissione dei nemici del Nuovo Regno egizio, in un rilievo proveniente da Saqqara.

5.9 Uno scrittore pensieroso proveniente da un affresco romano a Pompei.

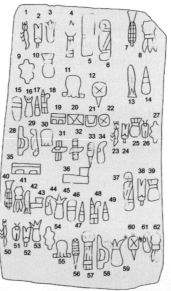

5.10 Le Americhe. (*Sopra*) La pietra di Cascajal, 900 a. C. circa, è una delle testimonianza più antiche della scrittura nelle Americhe. L'iscrizione olmeca non è stata ancora decifrata, ma il fatto che ricorrano alcuni simboli, molti dei quali sono simili a elementi conosciuti dell'iconografia olmeca, e alcuni in sequenza (tipo 1-2 e 23-24), suggerisce che sia una vera forma di scrittura.

5.11 (*A sinistra*) Gli Inca non possedevano un sistema di scrittura, ma registravano i conti e altre transazioni per mezzo di cordicelle annodate dette quipu.

5.12 Sigillo cilindrico accadico del 2400 a.C. circa con rilievi che, sviluppati, mostrano uomini armati, probabilmente cacciatori. L'iscrizione in lingua cuneiforme, come il codice delle leggi di Hammurabi, rivela che il proprietario del sigillo era Kalki, un servitore di Ubilistar, fratello del re (che non è nominato ma era probabilmente Sargon Akkad). Tali sigilli venivano utilizzati per marcare la proprietà e l'autenticità. Diverse migliaia di sigilli sono stati ritrovati nei siti della Mesopotamia.

5.13 Documenti medievali. (*A destra*) La famosa scena, tratta dall'Arazzo di Bayeux dell'XI secolo, che documenta la morte di Harold Godwinson, re di Inghilterra, nella battaglia di Hastings nel 1006. I documenti storici, come la maggior parte delle testimonianze archeologiche, richiedono un'attenta interpretazione.

5.14 Monete. (*Sotto*) Un immenso tesoro di argento vichingo ritrovato a Spillings nell'isola di Gotland, in Svezia nel 1999, contiene circa 500 braccialetti e 14 300 monete per lo più arabe. La moneta più recente è stata datata al 870/871 d.C. Le iscrizioni sulle monete possono dare delle informazioni non solo in merito all'autorità che le ha coniate, ma anche alla datazione (*vedi* Capitolo 4) e al commercio (*vedi* Capitolo 9).

5.15 Iscrizioni. (*A destra*) Il famoso codice di leggi del re babilonese Hammurabi, databile intorno al 1750 a.C. Il testo delle leggi è scolpito in 49 colonne verticali su una stele di basalto nero alta 2,25 m. In questo particolare si vede il re al cospetto di Shamash, il dio della giustizia, seduto sul trono. Si veda anche il testo del capitolo (*vedi* pagina 180).

© 978.8808.82073.0

In ognuna delle antiche società alfabetizzate l'uso della scrittura aveva scopi e funzioni particolari. Le tavolette d'argilla della Grecia micenea, che risalgono al 1200 a.C. circa, sono praticamente quasi tutte documenti relativi a transazioni commerciali (beni in entrata o in uscita) dei palazzi micenei. Ci forniscono notizie su diversi aspetti dell'economia micenea, qualche idea sull'organizzazione artigianale (attraverso i nomi delle differenti categorie di artigiani), nonché una lista di nomi degli uffici statali. Ma in questo, come in altri casi, possono essere importanti gli eventi fortuiti della conservazione. Può infatti darsi che i Micenei scrivessero su tavolette d'argilla solo i documenti commerciali e utilizzassero invece altri materiali più deperibili per testi letterari o storici andati perduti. Ciò è certamente vero per le civiltà greco-classica e romana, delle quali si sono conservati soprattutto i decreti ufficiali incisi nel marmo. I fragili rotoli di papiro – l'antenato della carta – che contenevano preziosi testi letterari, si sono di solito conservati intatti solo nell'ambiente secco dell'Egitto, o quando sono finiti sepolti dalla cenere vulcanica che ricoprì Pompei (vedi Scheda 1.1).

Un'importante fonte scritta che non deve essere trascurata è costituita dalle monete. I ritrovamenti di monete forniscono interessanti indicazioni di carattere economico circa i commerci (vedi Capitolo 9); ma le iscrizioni che vi compaiono ci informano sulle autorità emittenti, siano esse le città-stato (come nell'antica Grecia) o il sovrano di un territorio (come nel caso della Roma imperiale o dei re dell'Europa medievale).

La decifrazione di un'antica lingua trasforma la nostra conoscenza della società che la utilizzò. Nel primo Capitolo abbiamo ricordato il brillante lavoro di Champollion, che nel XIX secolo scoprì la chiave per decifrare i geroglifici egizi. In anni recenti, una delle maggiori conquiste nell'archeologia mesoamericana è stata la lettura di molti dei simboli (geroglifici o semplici glifi) incisi sulle stele in pietra dei maggiori centri cerimoniali. Si pensava che le iscrizioni maya riguardassero soltanto il calendario, o argomenti di carattere religioso, in particolare le gesta delle divinità. Anche se i cicli dei calendari e le questioni religiose erano certamente fondamentali in alcuni di questi testi, la completa decifrazione delle iscrizioni ci ha fornito ora, in molti casi, una documentazione storica riguardante eventi avvenuti durante la vita di re, regine e nobili maya (vedi Schede 4.1 e 10.4). Per mezzo di questo strumento possiamo ora cominciare a dedurre quali territori appartenessero ai singoli centri maya (vedi Scheda 5.6) e la storia di questo popolo ha così assunto una nuova dimensione. Comunque, nonostante i numerosi tentativi, diversi importanti sistemi di scrittura rimangono ancora non decifrati; tra questi possiamo citare la scrittura indu (altrimenti detta Harappa) dell'Asia meridionale, quella zapoteca ed

epiolmeca (nota anche come istmiana) del Mesoamerica e la lineare A a Creta.

L'esempio più chiaro dell'importanza delle fonti storiche nella ricostruzione dell'archeologia sociale è la Mesopotamia, dove si sono conservate un gran numero di notizie su Sumer e Babilonia (circa 3000-1600 a.C.), principalmente in tavolette d'argilla. Gli usi della scrittura in Mesopotamia possono essere così sintetizzati:

Registrazione di notizie da tramandare
  – Testi amministrativi
  – Codificazione di leggi
  – Formulazione di una tradizione sacra
  – Annali
  – Testi dotti

Comunicazione di notizie correnti
  – Lettere
  – Editti reali
  – Annunci pubblici
  – Testi per l'istruzione degli scribi

Comunicazione con gli dei
  – Testi sacri, amuleti ecc.

La lista dei re sumeri fornisce un esempio eccellente di annali destinati alla registrazione di notizie da tramandare. Si rivela di grande utilità per gli studiosi moderni ai fini della datazione, ma ci fa anche intuire come i Sumeri concepivano l'esercizio del potere, per esempio attraverso la terminologia usata per definire i diversi ranghi sociali. Analogamente, le iscrizioni su statue regali (come quelle di Gudea, signore di Lagash) ci consentono di farci un'idea del modo in cui i Sumeri vedevano la relazione tra i loro signori e gli immortali. Questo importante genere di notizie sul modo in cui le società concepivano sé stesse e il mondo – le informazioni **cognitive** – verrà discusso più dettagliatamente nel Capitolo 10.

Di importanza ancora maggiore per la conoscenza della struttura della società sumera sono le tavolette trovate nei centri lavorativi od organizzativi, che in quella società erano spesso templi. Per esempio, le 1600 tavolette provenienti dal tempio di Bau a Tello consentono di conoscere a fondo le funzioni svolte dal tempio; in esse sono infatti elencati campi e raccolti, artigiani ed entrate, o uscite, di beni quali cereali o bestiame.

I testi che fra tutti evocano più direttamente la società cui appartengono sono forse i codici legislativi; l'esempio più imponente è costituito dal Codice di Hammurabi di Babilonia, scritto in lingua accadica (in caratteri cuneiformi) intorno al 1750 a.C. Il signore è rappresentato (figura 5.15) nella parte alta della stele, di fronte a Shamash, il dio della giustizia. Le leggi sono promulgate, come lo stesso

Hammurabi afferma, «affinché il potente non possa opprimere il debole e per difendere i diritti degli orfani e delle vedove». Queste leggi riguardano molti aspetti della vita: agricoltura, transazioni commerciali, vita familiare, diritto ereditario, condizioni di impiego per diverse categorie di artigiani e pene per crimini quali l'adulterio e l'omicidio.

Solenne e ricco di notizie com'è, il Codice di Hammurabi non è di facile interpretazione e mette in evidenza la necessità per l'archeologo di ricostruire integralmente il contesto sociale che conduce alla stesura di un testo. Come ha sottolineato lo studioso inglese Nicholas Postgate, il Codice non è completo e sembra coprire solo quelle aree del diritto in cui erano nate incertezze. Inoltre Hammurabi aveva appena conquistato alcune città-stato rivali, e quindi il Codice era probabilmente destinato a facilitare l'integrazione dei nuovi territori nel suo impero.

Le testimonianze scritte contribuiscono quindi in maniera determinante alla nostra conoscenza della società in esame. Ma non devono essere accolte acriticamente, come se avessero valore assoluto. Non bisogna dimenticare la distorsione introdotta dall'evento fortuito della conservazione e il particolare uso che in una società si poteva fare dell'alfabetizzazione. Il grande rischio che si corre utilizzando le fonti scritte è che esse possano imporre il proprio punto di vista, cominciando a fornire non solo le risposte alle nostre domande, ma anche a determinare in maniera spesso inavvertibile la natura stessa delle domande e anche i nostri concetti e la nostra terminologia. Un buon esempio in questo senso è costituito dalla questione della regalità nell'Inghilterra anglosassone. La maggior parte degli antropologi e degli storici pensa a un «re» come al capo di una società statuale. Così, quando le prime notizie circa l'Inghilterra anglo-sassone, contenute nella *Cronaca anglo-sassone*, che assunse la sua forma definitiva intorno al 1155 d.C., riferiscono di re intorno al 500 d.C., è facile per gli storici pensare che in quel periodo esistessero re e stati. Ma attendibili dati archeologici suggeriscono che una società pienamente organizzata come stato non si affermò che al tempo del re Offa di Mercia, intorno al 780 d.C., o forse al tempo del re Alfredo di Wessex nell'871. È quindi abbastanza chiaro che i primi «re» furono in generale figure meno significative di quelle di alcuni dominatori nell'Africa o nella Polinesia di epoca recente, che gli antropologi definirebbero «capi».

Quindi, se gli archeologi devono utilizzare le testimonianze storiche insieme ai resti materiali, è essenziale in primo luogo che le domande siano formulate accuratamente e che il vocabolario sia ben definito.

La tradizione orale e le «etnostorie»

Nelle società non alfabetizzate importanti notizie sul passato, anche su quello remoto, sono spesso racchiuse nella tradizione orale: poemi, inni o narrazioni tramandatisi di generazione in generazione. In qualche caso si può trattare di materiali piuttosto antichi. Un buon esempio è costituito dagli inni del *Rigveda*, i primi testi religiosi indiani, scritti in una lingua arcaica, che si sono conservati in forma orale per centinaia di anni prima di essere codificati da sacerdoti alfabetizzati alla metà del I millennio d.C. Analogamente, i poemi incentrati sulla guerra di Troia scritti da Omero intorno all'VIII secolo a.C. sono forse basati su materiali tramandati oralmente già da alcuni secoli, e molti studiosi ritengono che rispecchino un'immagine del mondo miceneo del XII o XIII secolo a.C.

5.16 La tradizione orale. Scene tratte dal *Ramayana*, poema epico indù, su un paramento decorato del XVII secolo, ora conservato nella British Library. La storia descrive le gesta di un grande signore (Rama) che tenta di salvare la sua sposa portata nello Sri Lanka da un re demone. La leggenda può avere le sue origini nei movimenti migratori verso sud delle popolazioni indù dopo l'800 a.C., ma – come accade sempre con le tradizioni orali – le difficoltà maggiori sorgono quando si tenta di separare la storia dal mito.

© 978.8808.82073.0

Poemi epici quali l'*Iliade* e l'*Odissea* offrono certamente notizie interessanti sull'organizzazione sociale, ma, come accade assai spesso nella tradizione orale, il vero problema è dimostrare a quale periodo si riferiscano, per poter giudicare quanto siano antichi e quanto riflettano invece un mondo assai più recente. Ciò nondimeno, in Polinesia, in Africa e in altre aree che si sono alfabetizzate solo in epoca recente, il primo passo nell'indagine sull'organizzazione sociale dei secoli più antichi è quello di studiare la tradizione orale. Questa è spesso conservata nelle «etnostorie» prodotte da quei coloni che avevano competenze letterarie e che si sono messi a trascrivere le tradizioni orali delle popolazioni, oppure anche da scrittori indigeni come avvenne, per esempio, dopo l'arrivo dei conquistatori spagnoli nell'America centrale e meridionale nel XVI secolo.

L'etnoarcheologia

Un metodo di approccio fondamentale per gli archeologi che si occupano dello studio della società è l'etnoarcheologia. Questa disciplina studia l'uso e i significati di manufatti, edifici e strutture all'interno delle società contemporanee e il modo in cui questi elementi materiali finiscono per trasformarsi in reperti archeologici, cioè quello che accade loro quando vengono scartati come rifiuti o, nel caso degli edifici e delle strutture, demoliti o abbandonati. Si tratta quindi di un approccio di tipo **indiretto** alla conoscenza di una società del passato.

Non c'è nulla di nuovo nell'idea di esaminare le società contemporanee per interpretare meglio il passato. Nel XIX e agli inizi del XX secolo gli archeologi europei trassero spesso ispirazione dalle ricerche condotte dagli etnografi sulle società primitive dell'Africa e dell'Australia, ma i cosiddetti «paralleli etnografici» che ne risultavano – spesso gli archeologi si limitavano a confrontare semplicemente e rozzamente le società del passato con quelle attuali – tendevano più a soffocare che non a promuovere i nuovi modi di pensare. Negli Stati Uniti gli archeologi dovettero fin dall'inizio confrontarsi con la vivente realtà delle complesse società degli Indiani d'America, e ciò li condusse a una riflessione ancora più profonda sul modo di utilizzare l'etnografia a sostegno dell'interpretazione archeologica. Ciò nondimeno, una vera etnoarcheologia ha avuto pieno sviluppo solo negli ultimi 40 anni. La differenza fondamentale è che ora sono gli archeologi, e non gli etnografi o gli antropologi, a condurre direttamente le ricerche nelle società contemporanee.

Un buon esempio è costituito dalle ricerche condotte da Lewis Binford tra gli eschimesi Nunamiut, un gruppo di cacciatori-raccoglitori che vive in Alaska. Negli anni Sessanta del secolo scorso Binford era impegnato nel tentativo di interpretare i siti archeologici risalenti al Paleolitico Medio in Francia (quelli del cosiddetto periodo Musteriano, da 180 000 a 40 000 anni fa). Era convinto che solo attraverso uno studio diretto del modo in cui gruppi *moderni* di cacciatori-raccoglitori usavano e scartavano ossa e strumenti, o si spostavano da un sito all'altro, si sarebbe potuto cominciare a comprendere i meccanismi che stavano alla base della creazione dei materiali archeologici del periodo Musteriano, che erano quasi certamente il prodotto di un'economia nomade basata sulla caccia e la raccolta. Tra il 1969 e il 1973 Binford visse per lunghi periodi presso i Nunamiut, osservandone i comportamenti. Studiò, per esempio, il modo in cui i resti ossei venivano prodotti e scartati dagli uomini nei campi di caccia stagionali (il sito di Mask, ad Anaktuvuk Pass, in Alaska); notò che quando la comunità era raccolta intorno al fuoco e frantumava le ossa per estrarne il midollo, si creava una «zona di caduta» dove andavano a cadere i frammenti piccoli delle ossa. I pezzi più grandi, che erano gettati via dagli uomini di proposito, creavano una «zona di lancio» posta sia di fronte sia dietro di loro (*vedi* illustrazione a fronte).

Questo tipo di osservazioni apparentemente banali costituisce la materia prima dell'etnoarcheologia. I Nunamiut potevano non costituire un preciso «parallelo etnografico» per le società del periodo Musteriano, ma Binford comprese che esistono alcune azioni o funzioni che sembrano essere comuni a tutti i gruppi di cacciatori-raccoglitori, poiché, nel caso delle ossa, i gesti sono dettati dall'adozione del procedimento più conveniente quando si è seduti intorno al fuoco del campo. I frammenti di osso scartati lasciano intorno al focolare una configurazione caratteristica che gli archeologi possono individuare e interpretare. Partendo da questo tipo di analisi è stato possibile proseguire nelle deduzioni fino a stabilire il numero di individui che costituivano il gruppo e la durata della fase di occupazione del sito. Sono questioni assai importanti per conoscere l'organizzazione sociale (e anche il numero dei componenti) dei gruppi di cacciatori-raccoglitori.

Con l'aiuto delle osservazioni condotte sul sito di Mask, Binford fu in grado di reinterpretare la pianta del sito paleolitico francese di Pincevent, occupato nel corso dell'ultima glaciazione, circa 15 000 anni fa. Secondo André Leroi-Gourhan, l'archeologo che aveva compiuto lo scavo, i resti indicavano l'esistenza di una complessa tenda in pelle che copriva tre focolari. Sul sito di Mask, Binford aveva notato che quando cambiava la direzione del vento le persone sedute all'aperto vicino a un focolare si erano girate e avevano allestito un nuovo focolare sottovento, in modo da non essere infastidite dal fumo. La distribuzione dei detriti intorno ai focolari di Pincevent suggerì a Binford che due dei focolari erano il risultato di un evento analogo: un focolare sostituiva l'altro allorché il vento cambiava direzione e le persone sedute si giravano.

5.17-18 Etnoarcheologia: le ricerche di Lewis Binford. (*A destra*) Dalle osservazioni condotte presso la moderna comunità degli eschimesi Nunamiut, in Alaska, Binford ricavò questo modello per la frantumazione delle ossa intorno a un focolare allestito all'aperto. I frammenti ossei piccoli cadono in una «zona di caduta» intorno agli uomini, mentre i pezzi più grandi sono gettati sia davanti sia dietro le loro spalle in due «aree di lancio». (*Sotto, al centro*) Sul sito paleolitico di Pincevent, in Francia, databile a partire da circa 15 000 anni fa, Leroi-Gourhan, l'archeologo che effettuò lo scavo, interpretò tre focolari come testimonianza dell'esistenza di una tenda complessa in pelli (ricostruzione al centro e a destra). (*In basso*) Binford applicò il suo «modello di focolare esterno» ai tre focolari di Pincevent e dedusse dalla distribuzione delle ossa che il suo modello si adattava alla realtà dei dati meglio di quello elaborato da Leroi-Gourhan: per esempio nel fatto che i focolari fossero posti all'aperto, e non dentro una tenda. (*In basso a destra*) Classica disposizione a semicerchio intorno a un focolare all'aperto di un gruppo di boscimani Gwi a Ganzi, nel Botswana (anni Ottanta del XX secolo).

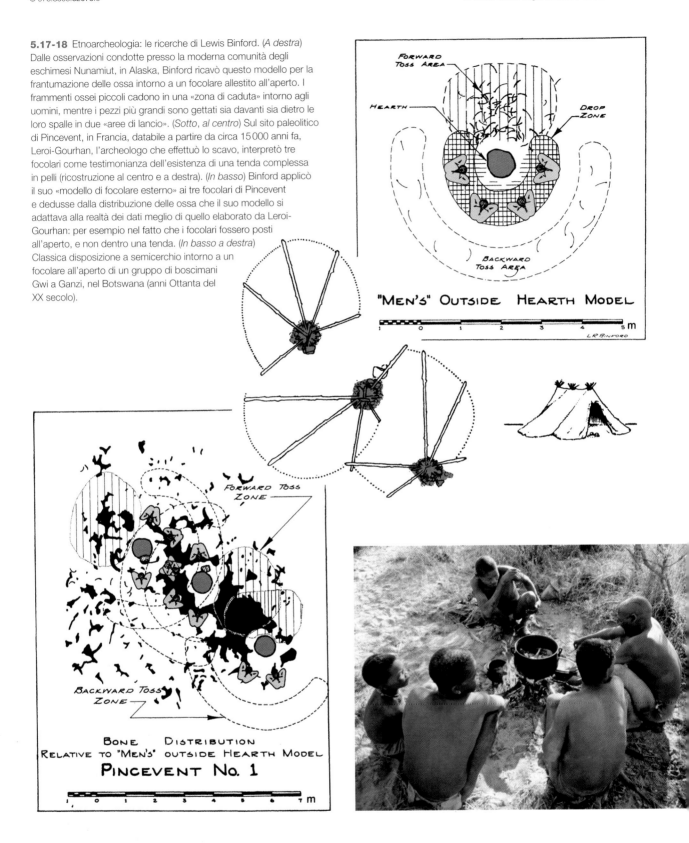

Egli concluse inoltre che questo tipo di comportamento aveva un senso solo se i focolari si trovavano all'esterno, e che quindi la ricostruzione della tenda fatta dall'archeologo che aveva effettuato lo scavo era inverosimile. Recenti analisi, comunque, suggeriscono che questi focolari avevano funzioni leggermente differenti. Il lavoro svolto a Pincevent e in altri siti simili nell'area parigina stanno fornendo informazioni utili, evidenziando anche errori sia nelle interpretazioni specifiche di Leroi-Gourhan sia nelle osservazioni generalizzate di Binford.

© 978.8808.82073.0

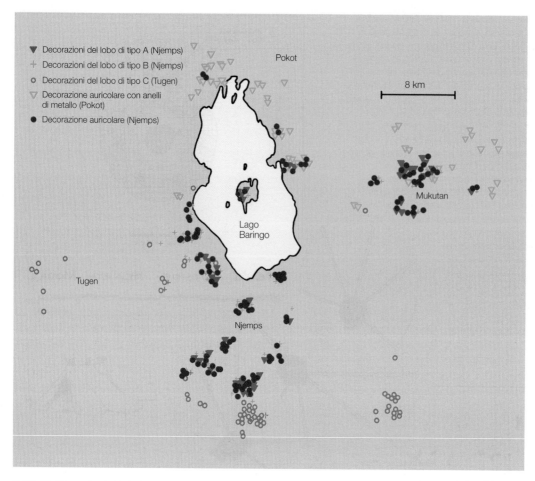

5.19-20 Etnoarcheologia: le ricerche di Ian Hodder. Nell'area del Lago Baringo, in Kenya, Hodder studiò le decorazioni auricolari femminili presso le tribù Tugen (*sotto a destra*), Njemps e Pokot, e mostrò su una carta (*sopra a sinistra*) che queste decorazioni erano usate per rendere evidenti le distinzioni tribali. Altri elementi della cultura materiale (per esempio il vasellame e gli strumenti) mostrano una diversa distribuzione spaziale.

L'etnoarcheologia non si limita a osservazioni su scala locale. L'archeologo britannico Ian Hodder, nel suo studio sulla decorazione delle orecchie usata dalle donne di diverse tribù nell'area del Lago Baringo, in Kenya, intraprese uno studio su scala regionale per determinare le dimensioni dell'area in cui la cultura materiale (nel caso specifico la decorazione della persona) era utilizzata per esprimere differenze fra le tribù. In parte grazie ai risultati di questo lavoro, gli archeologi non possono più presumere che sia facile prendere contesti archeologici e raggrupparli in «culture» regionali, e quindi dare per scontato che ciascuna «cultura» così definita rappresenti un'unità sociale (*vedi* Capitolo 12). Un procedimento del genere può, in realtà, funzionare abbastanza bene per la decorazione delle orecchie studiata da Hodder, dato che gli individui in questione scelgono di usare proprio questo carattere per dichiarare la loro appartenenza tribale, ma, come lo stesso Hodder ha dimostrato, se si prendono in esame altri elementi della cultura materiale, per esempio la ceramica o gli strumenti, si nota che non necessariamente viene seguito lo stesso schema. Questo esempio dà una lezione importante: la

cultura materiale non può essere usata dagli archeologi con leggerezza e senza adeguata riflessione per ricostruire supposti gruppi etnici.

Tutta la questione dell'etnicità è strettamente legata al ruolo del linguaggio, come vediamo meglio nella Scheda 5.2. A questo punto è opportuno considerare il modo in cui ci si può realmente porre alla ricerca sistematica delle testimonianze dell'organizzazione sociale contenute nei resti archeologici, utilizzando le tecniche e le fonti di notizie fin qui delineate. Tratteremo prima delle società mobili di cacciatori-raccoglitori, poi delle società segmentali, e infine dei *chiefdom* e degli stati.

5.2 Etnicità antica e lingua

L'etnicità, cioè l'esistenza di gruppi etnici, inclusi quelli tribali, è difficile da individuare a partire dai dati archeologici. Per esempio, l'ipotesi che le associazioni di strumenti musteriani rappresentino differenti gruppi sociali, avanzata da François Bordes, è stata sottoposta a critica (*vedi* Capitolo 10); e il concetto che elementi quali la decorazione ceramica costituiscano automaticamente un segno di affiliazione etnica è anch'esso messo in discussione. Questo è un campo in cui l'etnoarcheologia sta cominciando solo ora a compiere passi importanti.

Lo studio delle lingue, un campo di informazioni di cui un tempo gli archeologi hanno abusato, in anni recenti è stato assai trascurato. Non c'è dubbio che i gruppi etnici siano spesso correlati con aree linguistiche e che confini etnici e confini linguistici finiscano spesso per coincidere. Ma occorre anche ricordare che possono benissimo esistere società umane senza legami di affiliazione etnica o tribale: non c'è alcun bisogno reale di dividere il mondo sociale in distinti gruppi di persone contrassegnati da un nome.

Il concetto di etnicità non va confuso con quello di razza, che, ammesso che esista (*vedi* Capitolo 11), definisce un attributo fisico e non sociale. Il gruppo etnico, o *etnia*, può essere definito come «un saldo aggregato di individui, storicamente insediati su un determinato territorio, che hanno in comune peculiarità di lingua e di cultura relativamente stabili, riconoscono la propria unità e la propria diversità rispetto ad altre formazioni analoghe (consapevolezza di sé) ed esprimono ciò attraverso un nome che autonomamente si attribuiscono (etnonimo o nome etnico)» (Dragadze 1980, 162).

Questa definizione ci permette di notare i seguenti fattori, tutti legati alla nozione di etnicità:

1 terra o territorio condiviso
2 «sangue» o discendenza comune

3 linguaggio comune
4 comunanza dei costumi o della cultura
5 comunanza di credenze o religione
6 autocoscienza, autoidentità
7 un nome (etnonimo) per esprimere l'identità del gruppo
8 origine storica (o mitica) condivisa che descrive l'origine o la storia del gruppo.

Il ruolo del linguaggio

Sembra probabile che in alcuni casi l'estensione (la scala) dell'area in cui una lingua fu parlata abbia influenzato l'ammontare (la scala) del gruppo etnico che si è formato in seguito. Per esempio, nella Grecia del VII e VI secolo a.C. l'assetto politico era basato sull'esistenza di piccole città-stato indipendenti (e di alcune più vaste aree tribali). Ma nell'area ben più allargata nella quale si parlava il greco c'era già la consapevolezza che solo gli abitanti di quelle regioni fossero Elleni (cioè Greci): solo i Greci erano ammessi a partecipare ai grandi giochi Panellenici che si tenevano ogni quattro anni a Olimpia in onore di Zeus. Fu solo più tardi, con l'espansione di Atene nel V secolo a.C. e poi con le conquiste di Filippo di Macedonia e di suo figlio Alessandro Magno nel secolo successivo, che l'intero territorio occupato dai Greci fu unito in un'unica nazione. La lingua è una componente importante dell'etnicità.

Per quanto riguarda la Mesoamerica, Joyce Marcus ha attinto alle testimonianze linguistiche nell'analizzare lo sviluppo delle culture zapoteca e mixteca. La studiosa ha notato che le lingue di queste culture appartengono alla famiglia dell'otomangueano (ceppo linguistico di Messico e Guatemala) e ha accettato l'ipotesi che tale relazione implichi un'origine comune. La stessa Marcus e Kent Flannery, nel loro importante libro *The Cloud People* (*Il popolo delle nuvole*), del 1983, hanno tentato di tracciare attraverso i secoli «l'evoluzione

divergente di Zapotechi e di Mixtechi da una comune cultura ancestrale e la loro evoluzione generale attraverso livelli successivi di evoluzione sociopolitica» (Flannery e Marcus, 1983, p. 9). Essi hanno individuato in alcuni elementi condivisi dalle due culture la comune ascendenza suggerita dall'analisi linguistica.

Utilizzando la glottocronologia (*vedi* Capitolo 4), la Marcus ipotizza la data del 3700 a.C. circa per l'inizio della divergenza tra Zapotechi e Mixtechi, cercando quindi di correlare questo dato con i ritrovamenti archeologici.

Etnicità fittizie

L'intero tema dell'etnicità nell'archeologia è ormai pronto per essere riesaminato. È stato già ampiamente rivisto per il caso dell'antica Grecia e lavori recenti hanno messo in discussione l'intera questione dei «Celti». Autori classici hanno utilizzato questo termine per riferirsi alle tribù del nord-ovest europeo, ma non c'è nessuna evidenza che qualcuna di queste popolazioni abbia mai utilizzato questo termine per fare riferimento a sé stessa, quindi il nome non è un vero etnonimo. Dal XVIII secolo il termine è stato applicato in maniera sistematica e scolastica alle lingue celtiche (il gaelico, l'irlandese, il bretone, la lingua dell'isola di Man e quella parlata in Cornovaglia), che chiaramente formano una famiglia di lingue (o una sottofamiglia all'interno della famiglia indoeuropea). Ma la nozione di «discesa dei Celti» (parallelamente a quella di «discesa dei Greci») è sempre più messa in discussione. Recenti studi quantitativi sulle lingue celtiche della Gran Bretagna e dell'Irlanda suggeriscono che queste lingue possano essersi divise da quelle celtiche continentali addirittura nel 3000 a.C. Però il considerare l'identità linguistica di quel tempo (se si accetta questa data così antica) come indice di identità etnica è una questione molto più complessa.

TECNICHE DI ANALISI PER LE SOCIETÀ ORGANIZZATE IN BANDE

Nelle società mobili di cacciatori-raccoglitori l'organizzazione economica e, in misura ancora maggiore, quella politica sono esclusivamente a livello locale: non ci sono centri amministrativi permanenti. La natura di queste società può essere indagata in diversi modi.

Indagine sulle attività all'interno di un sito

Dopo aver identificato diversi siti impiegando i metodi delineati nel Capitolo 3, il primo approccio consiste nel concentrarsi solo su uno, con un'indagine sulla variabilità *all'interno del sito*. (L'archeologia al di fuori del sito sarà trattata nel prossimo paragrafo.) Lo scopo sarà quello di comprendere la natura delle attività che vi si svolsero e del gruppo sociale che lo utilizzò.

La scelta dell'approccio migliore dipende dalla natura del sito. Nel Capitolo 3 abbiamo definito un sito come un luogo dove degli esseri umani svolgono un'attività, generalmente indicata da una concentrazione di manufatti e di materiali scartati. È importante avere chiaro che sui siti delle comunità sedentarie (in linea generale quelle composte da individui che producono il cibo che consumano e che vivono in strutture permanenti) i resti presentano caratteri differenti da quelli associati agli accampamenti temporanei di comunità mobili, sia che si tratti di cacciatori-raccoglitori sia che si tratti di pastori nomadi. Le comunità sedentarie saranno considerate in un paragrafo successivo. Obiettivo di questo sono invece le comunità mobili, particolarmente quelle di cacciatori-raccoglitori del Paleolitico. In questo caso l'arco temporale che ci interessa è così ampio che devono essere tenuti in conto anche gli effetti dei processi geologici sul sito.

Tra le comunità mobili si deve distinguere fra i **siti in grotta** e i **siti all'aperto**. Nei siti in grotta l'estensione spaziale dell'occupazione umana è definita in gran parte dai rifiuti dispersi all'interno della grotta stessa e nelle sue immediate vicinanze. I depositi d'occupazione sono di solito di spessore rilevante, e indicano generalmente la presenza intermittente di attività umane in un arco di migliaia o decine di migliaia di anni. Per questa ragione è fondamentale scavare e interpretare accuratamente la stratificazione del sito, cioè i diversi strati che si sovrappongono. Sono necessari controlli meticolosi, tra cui la registrazione tridimensionale della posizione di ogni oggetto (manufatto o osso) e la setacciatura di tutta la terra rimossa per individuare anche i frammenti più piccoli. Osservazioni analoghe si possono fare anche sui siti all'aperto: in questo caso si deve considerare che i depositi, privi della protezione offerta dalla grotta, possono aver sofferto una maggiore erosione.

Se è possibile distinguere le singole, brevi fasi di occupazione umana di un sito, si può passare a esaminare la distribuzione dei manufatti e dei frammenti di ossa all'interno e intorno agli elementi e alle strutture (fondamenta di capanne, resti di focolari) per cogliere l'eventuale presenza di uno schema fisso. Il modo in cui questi materiali furono scartati può gettar luce sul comportamento della piccola banda che occupò il sito in quella fase. È su questo terreno che l'etnoarcheologia ha dimostrato la sua grande importanza. Le già citate ricerche di Lewis Binford presso gli eschimesi Nunamiut hanno dimostrato per esempio che le bande di cacciatori-raccoglitori distribuiscono attorno al focolare le ossa scartate secondo uno schema caratteristico. Il comportamento umano documentato presso gli attuali Nunamiut ci aiuta quindi a spiegare l'analogo comportamento che diede origine a una simile dispersione di ossa attorno ai focolari su siti del Paleolitico.

Spesso non è possibile distinguere le singole brevi fasi di occupazione, ma gli archeologi individuano invece le tracce lasciate da ripetute attività su di uno stesso sito in un lungo periodo di tempo. All'inizio ci possono anche essere dubbi circa la distribuzione osservata: è il risultato di un'attività umana sul luogo (*in situ*) o invece i materiali sono stati trasportati dal flusso dell'acqua e rideposidati? In alcuni casi, specialmente nel caso di resti di ossa, la distribuzione può essere il risultato dell'azione di animali predatori e non di esseri umani. Questioni di questo genere, che hanno a che fare con i processi di formazione, sono state esaminate nel Capitolo 2.

Lo studio di argomenti di questo genere richiede raffinate strategie di campionamento e analisi molto approfondite. Il lavoro dell'équipe di Glynn Isaac sul sito di Koobi Fora, risalente al primo Paleolitico, posto sulla sponda orientale del Lago Turkana, in Kenya, fornisce un'indicazione delle tecniche di recupero e di analisi che è necessario mettere in atto. Il primo elemento essenziale fu un procedimento di scavo molto controllato che prevedeva, all'interno delle aree scelte per un campionamento particolareggiato, la registrazione precisa delle coordinate di ogni pezzo di osso o di pietra rinvenuto. La rappresentazione grafica della densità dei ritrovamenti costituì il primo passo nell'analisi. Un problema importante fu decidere se l'associazione di reperti era primaria, cioè *in situ*, o se invece si trattava di un accumulo secondario, risultato di movimenti causati dalle acque di un fiume o di un lago. A Koobi Fora si rivelò utile lo studio dell'orientamento delle ossa lunghe degli arti: se le ossa fossero state depositate o disturbate dal fluire delle acque, avrebbero dovuto presentare lo stesso orientamento. In questo caso si stabilì che i resti erano essenzialmente *in situ*, e che presentavano solo un limitato disturbo post-deposizionale.

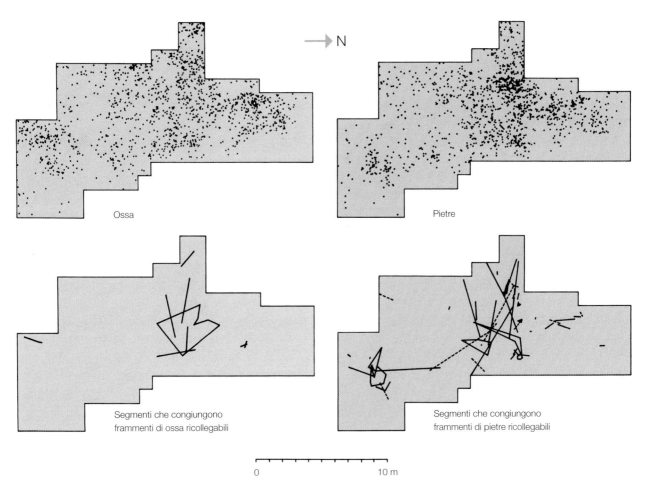

5.21 Le ricerche di Glynn Isaac sul sito risalente al primo Paleolitico di Koobi Fora, in Kenya. (*In alto*) Posizioni delle ossa e dei manufatti litici individuati sul sito FxJj 50. (*In basso*) Segmenti rettilinei che congiungono i frammenti ossei e litici che hanno potuto essere ricomposti; questi segmenti indicano forse aree di attività, dove le ossa venivano frantumate per estrarne il midollo o dove la pietra veniva percossa per ricavarne strumenti.

L'équipe diretta da Isaac fu anche in grado di ricongiungere tra loro diversi frammenti di osso. La presenza di frammenti che combaciano potrebbe indicare che si trattava di aree dove gli ominidi rompevano le ossa per estrarne il midollo, le cosiddette *aree di attività*. (Tecniche differenti devono essere applicate per tentare di determinare se realmente furono ominidi e non animali predatori a rompere le ossa. Questo importante e specialistico campo di studi, detto tafonomia, cioè studio della trasformazione dei corpi dopo la morte, sarà esaminato più dettagliatamente nel Capitolo 6). Un'analoga analisi degli attacchi tra i manufatti in pietra si rivelò remunerativa. Le reti di linee tracciate a congiungere i punti di rinvenimento dei diversi manufatti furono interpretate come indicazioni di aree di attività in cui le pietre venivano lavorate. Si riuscì così a ricavare dal sito notizie importanti circa le attività umane specifiche.

Questioni interpretative di più largo respiro sorgono dall'esame degli accampamenti delle moderne comunità di cacciatori-raccoglitori. Uno degli elementi è costituito dalla stima della popolazione sulla base della superficie dell'accampamento. Sono stati proposti diversi modelli, confrontati con esempi etnografici presso i cacciatori-raccoglitori !Kung San del Deserto del Kalahari. Un'altra questione è quella della distribuzione degli spazi in rapporto alle relazioni tra gli individui (in termini di rapporti di parentela): studi recenti hanno dimostrato una stretta correlazione tra la distanza nei rapporti di parentela e la distanza fisica tra le capanne.

Al momento queste aree di ricerca hanno un carattere ancora ipotetico, ma cominciano a essere oggetto di indagini sistematiche. Questo tipo di deduzioni stanno diventando parte integrante dei ferri del mestiere dell'archeologo che si occupi del Paleolitico.

Indagine sul territorio nelle società mobili

Nel caso di un gruppo mobile, lo studio dettagliato di un singolo sito può rivelare solo un aspetto del comportamento sociale; per avere una visione più ampia è necessario considerare l'intero territorio in cui il gruppo o la banda operava e le relazioni tra i diversi siti.

© 978.8808.82073.0

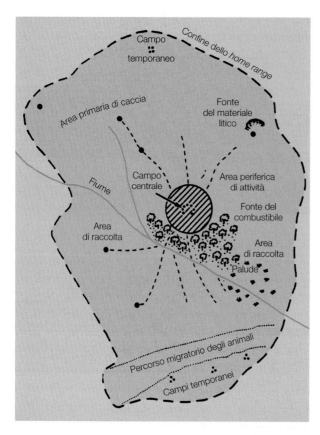
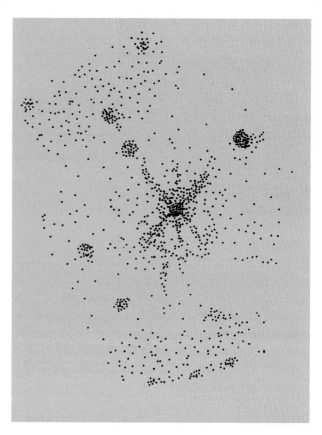

5.22 Il modello, costruito dall'antropologo inglese Robert Foley (*a sinistra*), per sintetizzare le attività all'interno dell'area annuale di una banda di cacciatori-raccoglitori e (*a destra*) la distribuzione sul terreno dei manufatti prodotti. Si noti che i manufatti compaiono sia nell'area tra il campo principale e i campi temporanei sia all'interno di essi. Il diametro nord-sud dello *home range* può raggiungere 30 km circa negli ambienti tropicali, ma può essere molto più lungo a latitudini maggiori.

Ancora una volta è l'etnoarcheologia che ha consentito di determinare il quadro di riferimento dell'analisi, cosicché si può pensare in termini di *home range* annuale (vale a dire all'intero territorio visitato dal gruppo nel corso di un anno) e ai siti specifici all'interno di esso, quali il campo base (limitatamente a una determinata stagione), i campi transitori, i territori di caccia, i siti di macellazione o di uccisione degli animali, i depositi di provviste e così via. Tali questioni sono fondamentali nell'indagine archeologica sui gruppi di cacciatori-raccoglitori, e una prospettiva regionale si rivela essenziale se si vuole avere una visione completa del ciclo annuale di vita del gruppo e del suo comportamento. In termini archeologici ciò significa che, in aggiunta ai siti normali (cioè quelli con un'alta concentrazione di manufatti), si devono considerare anche i siti con una debole concentrazione di manufatti, vale a dire quelli con una percentuale pari a uno o due reperti in ogni quadrato di 10 m di lato usato nella ricognizione (per tali siti si usano spesso i termini di archeologia *non-site* e *off-site*, vedi Capitolo 3). Occorre anche studiare l'ambiente regionale nel suo complesso (*vedi* Capitolo 6) e il modo in cui gli esseri umani lo hanno sfruttato per la caccia e la raccolta.

Un buon esempio di ricerca archeologica condotta al di fuori dei siti tradizionalmente intesi è fornito dal la-voro dell'antropologo inglese Robert Foley nella regione di Amboseli, nel Kenya meridionale. Foley ha raccolto e documentato 8531 strumenti in pietra provenienti da 257 luoghi campione all'interno di un'area indagata di circa 600 km^2. Basandosi su questi dati Foley è riuscito a calcolare il tasso di scarto degli strumenti in pietra entro zone differenti per ambiente e per vegetazione e a interpretare le modalità di distribuzione facendo riferimento alle strategie e agli spostamenti dei gruppi di cacciatori-raccoglitori. In uno studio successivo ha sviluppato un modello generale di distribuzione degli strumenti in pietra basato sull'analisi di numerose bande di cacciatori-raccoglitori in diverse parti del mondo. Una conclusione è stata che un solo gruppo di circa 25 individui poteva arrivare a scartare fino a 163 000 manufatti all'interno del proprio *home range* annuale nel corso di un anno. Questi manufatti erano distribuiti su tutto il territorio, ma presentavano significative concentrazioni nei campi base e nei campi temporanei. Secondo tale modello, tuttavia, solo una percentuale assai piccola del totale dei manufatti scartati nel corso di un anno sarebbe stata recuperata da archeologi che avessero lavorato su un singolo sito; è quindi di importanza vitale che le associazioni di materiali provenienti da un sito siano interpretate come parte di una distribuzione più vasta.

TECNICHE DI ANALISI PER LE SOCIETÀ SEGMENTALI

Le società segmentali operano su una scala più vasta rispetto alle bande. Sono formate di solito da agricoltori che abitano villaggi, cioè comunità permanenti sedentarie. Il modello d'insediamento è quindi l'aspetto di tali società che deve essere indagato per primo. Come vedremo, tuttavia, anche i cimiteri, i monumenti pubblici e le attività artigianali specializzate costituiscono per queste società utili aree di studio.

L'indagine sugli insediamenti nelle società sedentarie

Il caso ideale per un'analisi sarebbe un insediamento occupato per un solo periodo e integralmente scavato, ma spesso non è così. Si possono però ricavare molte notizie anche dalla ricognizione intensiva degli elementi di superficie, e da scavi campione. L'obiettivo iniziale è quello di indagare le strutture del sito e le funzioni delle diverse aree identificate. In un insediamento permanente si svolgono molte più funzioni che in un campo temporaneo di cacciatori-raccoglitori, ma tale sito non può essere considerato isolatamente; come nel caso delle bande di cacciatori-raccoglitori, è necessario prendere in considerazione lo sfruttamento dell'intero territorio. Un mezzo per ottenere questo risultato è costituito dalla cosiddetta *site catchment analysis* («analisi dell'area di approvvigionamento») che implica la stima della capacità produttiva del territorio immediatamente circostante al sito che, per le società sedentarie, si presume abbia un raggio di 5 km.

Una ricognizione intensiva della superficie del sito può fornire buone indicazioni anche sulle variazioni esistenti nei depositi al di sotto della superficie. Questa fu la tecnica utilizzata da Lewis Binford nel 1963 ad Hatchery West, un sito dell'Illinois frequentato nella tarda epoca Woodland (circa 250-800 d.C.). Dopo che un agricoltore locale aveva arato lo strato superficiale del terreno e dopo che le piogge estive avevano dilavato la superficie esponendo i manufatti, vennero raccolti i materiali superficiali su quadrati di 6 m di lato. Le carte di distribuzione così ottenute fornirono utili indicazioni sulla struttura del sito sottostante. C'erano depositi di rifiuti (mondezzai), dove si riscontrava un'alta densità di frammenti ceramici e, inframmezzate a essi, aree con una bassa densità di frammenti, interpretabili come abitazioni. I caratteri indicati dalle carte di distribuzione furono sottoposti a verifica mediante scavo.

Hatchery West rappresenta un caso favorevole: il suolo sopra i reperti è poco profondo e c'è una stretta relazione tra i reperti dispersi sulla superficie e le strutture sottostanti. Anche le tecniche di prospezione e telerilevamento, in particolare la fotografia aerea (*vedi* Capitolo 3), possono dimostrarsi utili per rivelare la struttura del sito e possono essere efficacemente impiegate anche nella preparazione dello scavo. Sul sito risalente al tardo Neolitico di Divostin (ex Iugoslavia), Alan McPherron ha utilizzato il magnetometro a protoni (*vedi* Capitolo 3) per localizzare le pavimentazioni in argilla cotta delle case del villaggio, arrivando così a costruire una pianta approssimativa prima dell'inizio dello scavo. Spesso, tuttavia, le condizioni operative non sono favorevoli per l'impiego di tali metodi. Il sito oggetto d'indagine può essere assai più vasto di quello di Hatchery West (che aveva una superficie inferiore a 2 ha) e i materiali di superficie, in particolare la ceramica, possono essere abbondanti. In questi casi può essere necessario adottare un metodo di ricognizione per campioni, per esempio un campionamento casuale stratificato (*vedi* Capitolo 3). Su un sito di grandi dimensioni bisognerà ricorrere al campionamento anche durante lo scavo. Ci sono però alcuni svantaggi nell'utilizzare piccole unità di campionamento: esse consentono di scavare un campione assai vario delle diverse parti di un sito, ma non permettono di portare alla luce gran parte delle strutture in questione (case ecc.). In altre parole, non ci sono valide alternative a un buono scavo condotto per grandi aree.

Per condurre un'analisi attendibile di una comunità nel suo insieme occorre scavare completamente alcune strutture e campionare le restanti in maniera sufficientemente estensiva, così da avere un'idea della varietà delle strutture presenti, indicando se si tratta di unità abitative ripetitive o invece di edifici più specializzati.

In generale gli insediamenti saranno o agglomerati o dispersi. Un insediamento agglomerato è costituito da una o da parecchie grandi unità (*cluster*) con molti ambienti. Un insediamento disperso presenta unità abitative separate e autonome, di solito di minori dimensioni. Nel caso delle strutture agglomerate si pone il problema iniziale di identificare all'interno di esse le unità sociali ripetute (per esempio famiglie o nuclei di convivenza) e le funzioni degli ambienti.

Nell'ambito di un'analisi dell'insediamento concentrato di Broken K Pueblo, in Arizona, pubblicata nel 1970 e oggi divenuta celebre, James Hill intraprese uno studio dettagliato delle funzioni di questo sito del XIII secolo d.C. In primo luogo rappresentò graficamente l'associazione di differenti tipi di manufatti con differenti ambienti. Quindi, nel corso di uno studio etnografico sugli indiani Pueblo contemporanei, identificò per il periodo moderno tre diversi tipi di ambienti – per le attività domestiche (cottura, consumo del cibo, riposo ecc.), per l'immagazzinamento e per le cerimonie – e fece una distinzione tra ambienti di uso esclusivamente maschile e ambienti di uso femminile. Da questi dati etnografici trasse 16 ipotesi di lavoro da confrontare con i dati archeologici per scoprire se tali

© 978.8808.82073.0

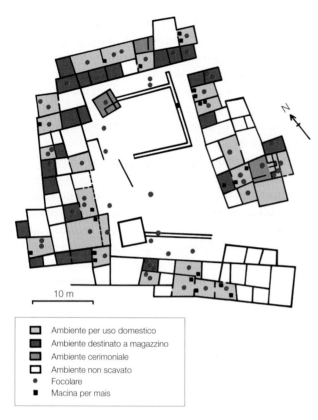

5.23 Broken K Pueblo, in Arizona: la ricerca ha permesso di mettere in relazione gli ambienti contenenti focolari e macine da mais con le attività domestiche, gli ambienti più piccoli con i magazzini e due ambienti aventi il pavimento sotto il livello del suolo con momenti cerimoniali.

distinzioni potessero essere riconosciute o no a Broken K Pueblo. Le sue verifiche confermarono che la distribuzione dei manufatti indicava in realtà l'esistenza a Broken K di un'analoga distinzione.

In anni recenti sono state mosse alcune critiche alle conclusioni di Hill. Nuove ricerche hanno fatto ritenere che debbano essere i caratteri dell'architettura degli indiani Pueblo, e non i manufatti rinvenuti nei singoli ambienti, a fare da guida per capire le funzioni degli ambienti in epoca preistorica. E anche l'analogia tra le distinzioni di uso maschile/femminile nell'epoca preistorica e in quella contemporanea non sembra sufficientemente dimostrata. Lo studio dei siti cimiteriali (*vedi* più avanti) può fornire una migliore correlazione tra sesso e particolari tipologie di manufatti. Ma l'approccio tentato da Hill risulta pionieristico e interessante nell'ambito dell'archeologia sociale, e i metodi da lui utilizzati sono stati correttamente resi pubblici, così che altri studiosi hanno potuto fare le loro valutazioni critiche (nel Capitolo 12 questo tema sarà trattato più in dettaglio).

Un altro utile esempio di analisi di un insediamento è offerto dalla reinterpretazione, condotta da Todd Whitelaw, del sito della prima età minoica (circa 2300 a.C.) di Myrtos, nella parte meridionale dell'isola di Creta. Peter

Warren, che guidò lo scavo, aveva ipotizzato l'esistenza di una comunità centralizzata con una certa specializzazione produttiva (*vedi* più avanti). Il rapporto pubblicato da questo studioso era così completo da permettere a Whitelaw di avanzare un'ipotesi differente, secondo la quale ci sarebbe stata un'organizzazione domestica della produzione piuttosto che una specializzazione produttiva. Attraverso l'attento studio delle funzioni degli ambienti (reso possibile dai resti e dagli elementi in essi rinvenuti) e della loro organizzazione planimetrica, lo studioso fu in grado di dimostrare che sul sito erano presenti 5 o 6 gruppi familiari, ognuno dei quali costituito da 4-6 individui. Ogni gruppo disponeva di aree destinate alla cottura dei cibi, all'immagazzinamento, al lavoro e in generale alle attività domestiche, mentre non c'erano reperti a sostegno di una centralizzazione o di una specializzazione produttiva.

Lo studio delle comunità sedentarie si rivela assai più agevole quando fin dall'inizio possono essere individuate unità abitative separate. Negli anni Venti del secolo scorso Gordon Childe scavò il villaggio neolitico straordinariamente ben conservato di Skara Brae, nelle Isole Orcadi, a nord della Scozia. Egli trovò un insediamento, oggi datato intorno al 3000 a.C., le cui dotazioni interne (per esempio letti e ripostigli) erano ancora ben conservate, essendo realizzate in pietra. In questi casi l'analisi della comunità e la stima dell'ammontare della popolazione è molto più facile.

L'analisi della gerarchia sociale sulla base delle sepolture individuali e comuni

In archeologia l'individuo singolo si osserva fin troppo raramente. Le informazioni più significative su un individuo e sul suo status sociale sono offerte dalla scoperta di resti umani – lo scheletro o le ceneri – accompagnati dai manufatti deposti nella sepoltura. L'esame dei resti scheletrici, condotto da un antropologo fisico (*vedi* Capitolo 11), potrà spesso rivelare il sesso e l'età al momento della morte e forse anche le carenze alimentari o altre condizioni patologiche. Le sepolture comuni o collettive (quelle cioè che contengono più di un individuo) possono essere di difficile interpretazione, poiché non è sempre chiaro il rapporto tra gli elementi del corredo e i singoli defunti. È quindi dalle sepolture individuali che si può ricavare la quantità maggiore di informazioni.

Nelle società segmentali, e nelle società che presentano una differenziazione sociale relativamente limitata, un'analisi accurata dei corredi funebri può rivelare svariati elementi circa le differenze di status sociale. Bisogna tener presente che ciò che viene sepolto insieme al defunto non è l'esatto equivalente dello status sociale o dei beni materiali che possedeva o usava in vita. Le sepolture sono effettuate da persone ancora in vita, che le usano più per esprimere e influenzare le proprie relazioni con altri viventi che non per simboleggiare o servire il defunto. Ciò nonostante, c'è spesso una relazione tra il ruolo e lo status sociale in vita del defunto e la maniera in cui i resti sono collocati e accompagnati da manufatti.

L'analisi cercherà di determinare se ci sono differenze tra le sepolture degli uomini e quelle delle donne, e di stabilire se queste differenze riflettono distinzioni in termini di ricchezza o di status sociale. L'altro fattore normalmente collegato con il rango o lo status sociale è l'età, e deve essere data per scontata la possibilità che le differenze d'età si riflettano sistematicamente nel trattamento dei defunti. Nelle società relativamente egualitarie si incontra abbastanza comunemente uno status sociale per così dire «conquistato» – vale a dire lo status elevato raggiunto attraverso i successi individuali (per esempio nella caccia) conseguiti in vita – che si riflette nella pratica funeraria. Ma gli archeologi devono chiedersi, sulla base dei dati disponibili, se il caso che stanno esaminando sia quello di uno status sociale conquistato o non si tratti piuttosto di un rango acquisito per nascita. Distinguere tra le due possibilità non è facile. Un criterio utile è vedere se in alcuni casi i bambini defunti sono accompagnati da un ricco corredo funebre – o da altre indizi che siano stati oggetto di attenzioni preferenziali. In questo caso può esistere una struttura ereditaria dello status sociale nella gerarchia sociale, essendo improbabile che il bambino abbia potuto, in età così giovane, raggiungere uno status sociale così elevato attraverso l'affermazione personale.

Una volta che le sepolture di un'area cimiteriale siano state datate, il primo passo consiste, nella maggior parte dei casi, nella costruzione di una distribuzione di frequenza (istogramma) del numero dei differenti tipi di manufatti in ogni sepoltura. Per procedere a ulteriori analisi è tuttavia più interessante cercare qualche indicazione più chiara di ricchezza o di status sociale particolare, in modo da dare maggior peso agli oggetti significativi e minor peso a quelli di uso comune. Ciò fa nascere il problema del riconoscimento del valore (perché non conosciamo in partenza quale valore fosse attribuito ai diversi oggetti nell'epoca in questione); questo importante argomento sarà trattato

più in dettaglio nei Capitoli 9 e 10. Dal punto di vista delle questioni sociali si rivela utile il lavoro dell'archeologa inglese Susan Shennan. In uno studio innovativo delle sepolture nell'area cimiteriale di Branč, in Slovacchia, risalente all'Età del rame, la studiosa assegnò ai singoli manufatti un punteggio secondo una scala delle «unità di ricchezza», ipotizzando che gli oggetti più preziosi fossero quelli che richiedevano un maggior tempo di lavorazione, o che erano realizzati in materiali portati da lontano o difficili da ottenere. Ciò le permise di costruire un diagramma della ricchezza delle sepolture di quell'area cimiteriale in relazione all'età e al sesso. Alcuni individui, in particolare di sesso femminile, avevano corredi funebri assai più elaborati di altri. Su questa base la studiosa arrivò alla conclusione che dovevano esistere una o più famiglie dominanti e che lo status sociale era ereditario e seguiva la linea maschile, mentre le donne ottenevano forse i loro ricchi corredi solo attraverso il matrimonio.

Per analizzare la distribuzione dei manufatti in un'area cimiteriale si possono utilizzare anche raffinate tecniche quantitative, tra cui l'analisi fattoriale (o analisi dei fattori) e l'analisi dei gruppi (o *cluster analysis*). L'analisi fattoriale cerca di identificare le variazioni tra i tipi di manufatti all'interno di un'associazione. L'analisi dei gruppi, invece, identifica similarità e differenze tra intere associazioni. Ambedue i metodi statistici utilizzano rigorosamente procedure numeriche standard.

Lo status nella gerarchia sociale non si esprime solamente nei corredi funerari, ma anche nell'insieme dei caratteri della sepoltura. Alcuni ricercatori, tra cui Joseph A. Tainter, hanno messo a punto un tipo di approccio più raffinato che tiene conto di una gamma di variabili assai più ampia. Per esempio, nello studio condotto su 512 sepolture della media età Woodland (circa 150 a.C. - 400 d.C.), localizzate in due gruppi di tumuli nella bassa valle del fiume Illinois, Tainter ha individuato 18 variabili che ciascuna sepoltura può presentare o meno. Egli ha utilizzato l'analisi dei gruppi per studiare le relazioni tra le sepolture e ha concluso di trovarsi di fronte a gruppi sociali assai differenti. È opportuno citare le variabili utilizzate da Tainter, dato che potrebbero essere adattate a molti casi diversi:

Lista delle variabili nelle sepolture
1. Non cremato/Cremato
2. Articolato/Disarticolato
3. Disteso/Non disteso
4. Pareti in terra/Pareti in legno
5. Presenza/Assenza di rampe
6. Sulla superficie/Sotto la superficie
7. Coperta in legno/Non coperta in legno
8. Coperta con lastra/Non coperta con lastra
9. Presenza/Assenza di lastre nella sepoltura

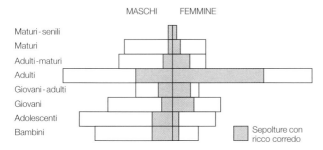

5.24 Branč (ex Cecoslovacchia): distribuzione delle sepolture per età e sesso.

10. Sepolto in posizione centrale/Non sepolto in posizione centrale
11. Supino/Non supino
12. Singola/Multipla
13. Presenza/Assenza di ocra
14. Ossa animali miste/Nessun osso
15. Presenza/Assenza di ematite
16. Elementi sociotecnici importati (indicatori di status sociale, per esempio corona regale)
17. Elementi sociotecnici prodotti localmente
18. Beni economici tecnici (oggetti d'uso, per esempio strumenti)

Questa lista di variabili illustra un altro punto importante: ciò che si deve cercare di studiare è l'insieme della struttura sociale, non semplicemente lo status di un singolo nella gerarchia sociale. In vita, e in qualche caso anche da morta, una persona riveste una serie di ruoli e di status sociali che dobbiamo cercare di identificare e spiegare. Disporre gli individui in un semplice ordine lineare basato su una sola variabile, o su una sola combinazione di variabili, può essere una semplificazione eccessiva e la differenziazione «orizzontale», così come la classificazione gerarchica («verticale»), può essere individuata nei dati.

Lavoro collettivo e azioni della comunità

Non sempre le società segmentali seppellivano i loro defunti in aree cimiteriali, e gli archeologi non possono quindi dare per scontata la disponibilità di tale fonte. Allo stesso modo, può capitare che gli insediamenti si rivelino difficili da localizzare e i resti appaiano dispersi. La superficie originale del terreno magari è stata distrutta dalle arature, o dall'erosione naturale, e così i pavimenti e le strutture delle abitazioni sono andati perduti. Tutto quello che resta delle abitazioni e delle altre strutture domestiche relative al periodo dei primi coltivatori nell'Europa settentrionale, per esempio, si riduce spesso a qualche buca per palo (cioè le buche in cui erano inseriti i pali in legno che costituivano gli elementi portanti verticali delle abitazioni) e i livelli più bassi di qualche fossa per rifiuti. In tutti questi casi, l'archeologo che cerchi testimonianze dell'assetto sociale deve necessariamente volgersi a un'altra fonte primaria: i monumenti pubblici.

Forse tutti noi abbiamo in mente importanti monumenti come i templi dei Maya o le piramidi d'Egitto eretti da società statuali centralizzate. Ma anche moltissime società più semplici, a livello di *chiefdom* o di tribù, hanno costruito solide e cospicue strutture. Pensiamo per esempio ai grandi monumenti di pietra dell'Europa occidentale (i cosiddetti «megaliti»; *vedi* Scheda 12.8) o alle gigantesche statue di pietra dell'Isola di Pasqua nell'Oceano Pacifico. Per la verità, monumenti come le figure dell'Isola di Pasqua

sono stati erroneamente interpretati in passato come sicuri segni di «civilizzazione». E dal momento che la società indigena non mostrava altre caratteristiche di «civilizzazione», vennero avanzate spiegazioni fantastiche, ivi comprese migrazioni da grandi distanze, continenti scomparsi e perfino invasioni da altri pianeti. Parleremo ancora di queste ipotesi prive di fondamento nei Capitoli 12 e 14. Per quanto riguarda l'argomento di cui ci stiamo occupando, possiamo invece esaminare le tecniche che gli archeologi adottano quando cercano di trarre notizie di carattere sociale da questi monumenti, in particolare nel caso delle società segmentali; essi si pongono domande circa le dimensioni (scala) dei monumenti, la loro distribuzione spaziale sul territorio, e le tracce che rivelano lo status sociale degli individui sepolti in determinati monumenti.

Quanto lavoro fu necessario per realizzare un monumento? Per cominciare, deve essere presa in considerazione la scala del monumento, in termini di ore di lavoro necessarie per costruirlo, utilizzando dati provenienti non solo dalla struttura stessa, ma anche dall'archeologia sperimentale, di cui si parla nei Capitoli 2 e 8. Come è spiegato nella Scheda 5.3, la costruzione dei più grandi monumenti del primo Neolitico nella regione del Wessex, nell'Inghilterra meridionale (i cosiddetti *causewayed camps* o *causewayed enclosures*, ossia «recinti a fossati interrotti») sembra aver richiesto circa 100 000 ore di lavoro, vale a dire il lavoro di 250 persone che operino insieme per circa 6 settimane. Questo dato non suggerisce un livello di organizzazione molto complesso e può indicare l'esistenza di una società tribale o segmentale. La cronologia della realizzazione di questi recinti con strade rialzate è stata ricostruita nel dettaglio utilizzando numerose datazioni col radiocarbonio, e successivamente interpretata alla luce delle analisi statistiche bayesiane, che forniscono una spiegazione assai più dettagliata. Ma la costruzione di uno dei più grandi monumenti del tardo Neolitico, il grande tumulo di Silbury Hill, richiese circa 18 milioni di ore di lavoro e, come lo scavo ha dimostrato, venne eretto in circa 2 anni. Alla sua costruzione lavorarono dunque per questo periodo di tempo all'incirca 3000 persone, il che suggerisce un tipo di mobilitazione delle risorse caratteristico di una società più centralizzata, cioè di un *chiefdom*.

In che modo i monumenti sono distribuiti sul territorio? È di grande utilità anche l'esame della distribuzione spaziale dei monumenti che si indagano, in relazione ad altri monumenti, a insediamenti e a resti di sepolture. Per esempio, i tumuli sepolcrali allungati (*long barrows*) dell'Inghilterra meridionale (*vedi* Scheda 5.3) del periodo compreso tra il 4000 e il 3000 a.C. circa richiesero tra le 5000 e le 10 000 ore di lavoro. La loro distribuzione in distretti ben definiti può essere rilevata tracciando intorno a essi dei poligoni di Thiessen e prendendo in considerazione l'uso del terreno, come la relazione tra i tumuli e le aree di suolo calcareo più friabile e di conseguenza più adatto all'agricoltura primitiva. È stato ipotizzato che ogni tumulo costituisse il punto focale del territorio di un gruppo di individui insediati in modo stabile in quel distretto, una sorta di centro simbolico per la comunità.

Anche la creazione di un'area fissa per la deposizione dei defunti in tempi successivi implica un concetto di permanenza nella stessa area. L'archeologo americano Arthur Saxe ha avanzato l'ipotesi che, nei gruppi in cui il diritto di utilizzare il terreno è stabilito in base alla asserita discendenza da antenati defunti sepolti in quel terreno, alcune aree saranno destinate formalmente ed esclusivamente alla deposizione dei morti. In questa ipotesi, la sepoltura collettiva in tombe monumentali non riflette semplicemente una credenza religiosa, ma ha piuttosto un significato sociale. La maggior parte delle tombe megalitiche dell'Europa occidentale potrebbero essere lette come emblemi territoriali di società segmentali, dal momento che la loro distribuzione spaziale non suggerisce l'esistenza di un più alto livello di organizzazione. Queste e altre ipotesi a proposito dei megaliti saranno discusse più in dettaglio nel Capitolo 12.

Un tipo differente di analisi della distribuzione dei monumenti, in particolare della loro visibilità e della visibilità reciproca, è stata resa possibile dall'uso dei GIS (*Geographic Information Systems*, *vedi* Capitolo 3). Uno studio di questo tipo è stato fatto dall'archeologo britannico David Wheatley sui tumuli sepolcrali allungati neolitici del Wessex, in Inghilterra. Utilizzando i GIS ha prodotto, per ciascun tumulo sepolcrale nei gruppi di Stonehenge e Avebury, una mappa *viewshed*. Queste mappe mostrano i luoghi visibili in linea retta da (e quindi anche a) ciascun monumento calcolati con un modello digitale di elevazione del paesaggio (*vedi* illustrazione a fianco). Wheatley ha analizzato l'area teoricamente visibile da ciascuna locazione sepolcrale ed è stato in grado di mostrare statisticamente che, in generale, le aree visibili dal gruppo di Stonehenge sono tendenzialmente più ampie di quanto ci si potrebbe aspettare. Ciò non avviene per il gruppo di tumuli di Avebury. Sviluppando ulteriormente questa considerazione, egli mise insieme le mappe *viewshed* di ciascun monumento per ottenere l'intervisibilità all'interno di un certo gruppo di monumenti. Un test statisticamente significativo confermò che i tumuli del gruppo di Stonehenge tendono a trovarsi in posizioni dalle quali sono visibili un gran numero di altri tumuli; mentre la stessa cosa non può essere dimostrata per il gruppo di Avebury.

Nonostante questi risultati siano suggestivi, non dimostrano definitivamente che i tumuli sepolcrali loca-

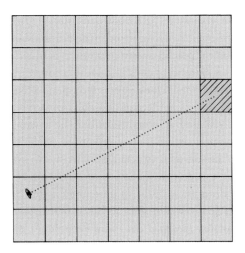

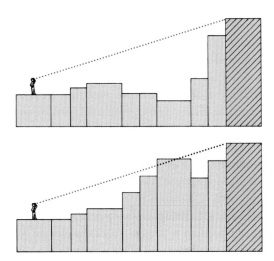

5.25 Linea di visione: una linea è tracciata tra due celle di un modello digitale in prospetto per vedere se esiste una linea di visione oppure no.

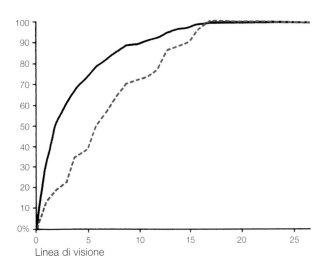

Linea di visione

5.26 L'analisi *viewshed* cumulativa per la intervisibilità dei tumuli del gruppo di Stonehenge: la percentuale di intervisibilità proiettata (linea continua) viene confrontata con quella attuale (linea tratteggiata). Il risultato suggerisce che c'è una intervisibilità più grande tra i tumuli in questo gruppo rispetto a quella che ci si aspetterebbe dalla media probabilistica.

lizzati nella pianura di Salisbury siano stati deliberatamente posizionati per rendere ottimale la loro visibilità o intervisibilità, poiché questo può essere benissimo un risultato non pianificato della loro localizzazione piuttosto che la sua ragione. Questi studi, inoltre, non tengono conto degli effetti che i terreni boschivi possono avere avuto sulla visibilità. È tuttavia possibile che la scelta della posizione per costruire un tumulo fosse parzialmente guidata dal desiderio di associare dei riferimenti visivi ai monumenti esistenti. In questo modo, durante i riti di sepoltura al nuovo tumulo, la permanenza dell'ordine sociale prevalente sarebbe stata visibile tutt'attorno. Sulla base dell'analisi *viewshed* dei tumuli sepolcrali di Stonehenge i monumenti possono essere interpretati meglio come foci sociali per intere comunità più che come segni territoriali per gruppi familiari distinti e individuali (in questo caso ci si potrebbe aspettare che le loro *viewsheds* non si sovrappongano con frequenza). Interpretazioni simili sono state avanzate anche per la disposizione delle ossa all'interno di alcune camere tombali e per la disposizione architettonica delle camere e del cortile anteriore nel tumulo di West Kennet.

Quali individui sono associati con i monumenti? Infine è necessario indagare la relazione esistente tra individui e monumenti. Quando il monumento è associato con un individuo socialmente importante, esso può indicare che quella persona occupava un rango elevato, e può quindi suggerire l'esistenza di una società centralizzata. Questo non avviene nel caso di un monumento associato con sepolture multiple di individui di status sociale apparentemente simile. Per esempio, nella tomba a camera di Quanterness, nelle Isole Orcadi, al largo della costa settentrionale della Scozia, databile al 3300 a.C. circa, sono stati rinvenuti resti di un gran numero di persone, forse 390. Maschi e femmine erano presenti in percentuali pressoché uguali e la distribuzione delle età rappresentava in generale l'andamento della mortalità nella popolazione; ciò significa che l'età di morte degli individui sepolti nella tomba può essere, in termini percentuali, la stessa dell'intera popolazione (46% al di sotto dei 20 anni e 47% tra i 20 e i 30 anni; questo significa che, come documentato i casi storici ed etnografici nelle società di piccole dimensioni, il 40-50% della popolazione moriva a circa 20 anni, prima di raggiungere cioè l'età della maturità riproduttiva). Gli archeologi che si occuparono dello scavo conclusero che si trattava di una tomba a disposizione della maggior parte dei settori della comunità, e che rappresentava una società segmentale e non una società gerarchizzata, come invece era stato inizialmente supposto sulla base della raffinata architettura della tomba.

Osservazioni analoghe possono valere per monumenti rituali diversi dalle tombe, che in genere forniscono anch'essi notizie circa l'organizzazione sociale. Lo stesso può accadere con altre importanti opere collettive, siano esse legate all'agricoltura o alla difesa.

Relazioni tra società segmentali

Le società segmentali agricole intrattengono un'intera gamma di relazioni con quelle vicine: legami matrimoniali, scambi ecc. Il primo passo dell'archeologo che indaga queste relazioni è ricercare i centri rituali usati per gli incontri periodici di determinati gruppi. In seguito si può condurre uno studio sulla provenienza di alcuni dei manufatti trovati in questi centri (le tecniche verranno spiegate nel Capitolo 9), allo scopo di indicare l'estensione geografica della rete di contatti rappresentata da ogni centro.

Alcuni importanti monumenti pubblici dell'Inghilterra meridionale esaminati nel paragrafo precedente sembrano essere appunto centri rituali di questo genere. In particolare, i grandi recinti a fossati interrotti del primo Neolitico sono stati interpretati come luoghi centrali d'incontro: centri sociali e rituali per i gruppi tribali del territorio in cui si trovano e anche per incontri periodici più allargati, con partecipanti che provenivano da un'area assai più estesa. Le asce in pietra rinvenute su questi siti sono originarie di regioni assai lontane e lasciano immaginare quanto fossero estesi i rapporti sociali in quest'epoca così antica.

Il consumo pubblico di cibo e bevande è stato sempre un elemento rilevante degli incontri periodici, specialmente se di natura rituale, indipendentemente dal fatto che siano o meno associati a monumenti importanti. L'intera questione dei banchetti è recentemente ritornata al centro delle discussioni degli archeologi; in favorevoli circostanze i reperti materiali possono ancora offrire notevoli spunti all'investigazione.

Le similarità e le differenze nello stile e nell'aspetto di alcuni tipi di manufatti – per esempio la ceramica decorata – possono costituire un indizio importante delle interazioni tra società. Tuttavia, come abbiamo visto in un paragrafo precedente, Ian Hodder ha dimostrato che mentre alcuni elementi della cultura materiale sono utilizzati per mantenere le distinzioni tribali, altri non sono da intendersi in questo modo. Fino a oggi gli archeologi non hanno ancora trovato un sistema attendibile per individuare, nell'ambito dei dati archeologici, tali simboli di differenziazione etnica e per «leggerli» correttamente, distinguendoli per esempio dai simboli di una posizione sociale o di una qualche altra specializzazione, o ancora da semplici esempi di decorazioni personali. Le convenzioni della comunicazione sono ulteriormente considerate nel Capitolo 10.

Nel Wessex preistorico (che corrisponde alle attuali contee di Wiltshire, Dorset, Hampshire e Berkshire, nell'Inghilterra meridionale) esiste una grande quantità di monumenti che risale al periodo dei primi agricoltori, ma solo pochi resti di insediamenti. Ma già l'analisi delle dimensioni e della distribuzione dei monumenti permette di ricostruire aspetti importanti dell'organizzazione sociale e illustra uno dei possibili approcci allo studio delle prime relazioni sociali. È inoltre l'area preferita di studio dei primi archeologi post-processuali.

Nella **prima fase** della costruzione dei monumenti (il più antico Neolitico, circa 4000-3000 a.C.), i monumenti di gran lunga più frequenti sono i tumuli sepolcrali in terra di forma allungata, detti *long barrows* («tumuli allungati»), la cui lunghezza arriva a 70 m. Essi si trovano particolarmente sui suoli calcarei del Wessex, i quali, essendo friabili, erano adatti per l'agricoltura primitiva.

Gli scavi mostrano che i monumenti contenevano di solito una camera sepolcrale in legno, in alcuni casi sostituita da una camera in pietra. A ogni gruppo di tumuli è associato un monumento circolare di dimensioni maggiori, con fossati concentrici, detto *causewayed camp* o *causewayed enclosure* («recinto a fossati interrotti» o «recinto a passaggi rialzati»).

L'analisi della distribuzione spaziale e delle dimensioni dei *long barrows* suggerisce una possibile interpretazione: un reticolato formato da rette tracciate tra ogni coppia di tumuli contigui divide la regione in territori aventi all'incirca la stessa area. Ogni monumento, a quanto pare, era il punto focale delle attività so-

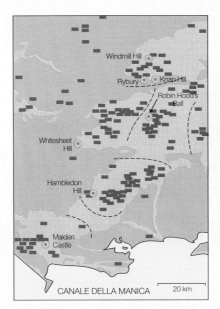

5.27 Nella prima fase i gruppi (*clusters*) di tumuli funerari determinano un paesaggio sociale, con ogni gruppo dotato di un proprio *causewayed enclosure*. L'analisi indica che ogni tumulo era il centro territoriale per un piccolo gruppo di agricoltori. Si trattava di una società segmentale, in cui nessun gruppo di individui era dominante.

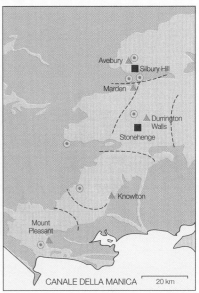

5.28 Nella fase più tarda i *causewayed enclosures* vennero sostituiti da monumenti più importanti. Le dimensioni di questi monumenti fanno presupporre un'organizzazione centralizzata, e di conseguenza la probabile esistenza di un *chiefdom*. I due grandi monumenti di Stonehenge e di Silbury Hill furono eretti in quest'epoca.

5.29 Il tumulo allungato (*long barrow*) di West Kennet è uno dei monumenti più grandi nella sua tipologia.

5.30 Stonehenge, realizzata con pietre Sarsen e pietre blu più piccole, è il più grande tra i monumenti del Wessex. Aveva già ampiamente raggiunto la sua fisionomia attuale intorno al 2500 a.C.

ciali e il luogo di sepoltura della comunità di agricoltori che abitava il relativo territorio. Un gruppo di 20 individui avrebbe impiegato circa 50 giorni di lavoro per costruire un *long barrow*.

La distribuzione di questi *long barrows* è stata anche studiata usando i GIS per produrre mappe *viewshed*, cioè della intervisibilità dei monumenti (vedi testo di questo capitolo, pagine 192-193). I primi costruttori dei monumenti stavano costruendo un paesaggio

sociale e quindi un mondo diverso da quello dei raccoglitori del Mesolitico che rimpiazzarono.

Per quanto riguarda la prima fase ci sono pochi indizi di una gerarchia di siti o di individui: si trattava quindi di una società egualitaria. I *causewayed enclosures* forse servivano come centri rituali e luoghi di incontro periodico del gruppo di persone più numeroso, rappresentato da un intero gruppo di *long barrows*. (Le 100 000 ore di lavoro necessarie per la costruzione di uno di questi recinti potevano essere fornite da 40 giornate lavorative di 250 individui.) Ci troveremmo di fronte a quella che gli antropologi definiscono una società tribale o segmentale.

I *long barrows* e i *causewayed camps* caddero in disuso dopo il 3600-3400 a.C. e furono sostituiti da monumenti dei *Cursus*. Nella **fase più tarda** (il tardo Neolitico, circa 3000-2000 a.C.) al posto di questi ultimi cominciarono a vedersi dei recinti rituali di dimensioni maggiori. Si trattava di grandi monumenti circolari delimitati da un fossato con un terrapieno posto generalmente all'esterno, chiamati *henges*. La costruzione di uno di questi recinti avrebbe richiesto 1 milione di ore lavorative, e l'impiego di una quantità così grande di lavoro suggerisce la mobilitazione delle risorse di un intero territorio. Sarebbe stato infatti necessario impegnare circa 300 persone a tempo pieno per almeno 1 anno, fornendo loro il cibo necessario per evitare che la costruzione si protraesse troppo a lungo.

Il grande tumulo di terra di Silbury Hill venne eretto nel tardo Neolitico (circa 2800 a.C.). Secondo l'archeologo che ne condusse lo scavo, tale costruzione richiese 18 milioni di ore di lavoro e fu completata in 2 anni. Alcuni secoli più tardi (circa 2500 a.C.) assunse la sua forma definitiva il grande monumento di Stonehenge, con il suo enorme recinto di pietre di Sarsen portate da 30 km di distanza. È stato stimato che per questo lavoro siano state impiegate 30 milioni di ore lavoro, uno sforzo collettivo immane.

5.31 L'analisi delle dimensioni dei monumenti del Wessex, in termini di ore di lavoro necessarie per costruirli, suggerisce l'emergere nella fase più tarda di una gerarchia, che può rispecchiare uno sviluppo nelle relazioni sociali e la nascita di una società gerarchica. Nel primo Neolitico le dimensioni dei monumenti sono compatibili con una società segmentale egualitaria.

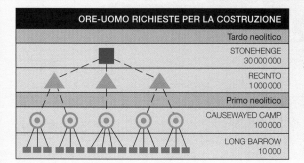

ORE-UOMO RICHIESTE PER LA COSTRUZIONE	
	Tardo neolitico
	STONEHENGE 30 000 000
	RECINTO 1 000 000
	Primo neolitico
	CAUSEWAYED CAMP 100 000
	LONG BARROW 10 000

LEGENDA
■ Stonehenge
▲ Recinto (*henge*)
◉ *Causewayed camp*
■ *Long barrow*

Due recenti progetti che hanno lavorato su Stonehenge e le sue pietre blu hanno portato a due interpretazioni molto discordanti del monumento: come luogo per onorare gli antenati oppure per prendersi cura dei vivi. Di ambedue le interpretazioni viene data ampia illustrazione presso il nuovo punto informazioni che dal 2013 accoglie i visitatori a Ovest di Stonehenge.

Stonehenge come luogo per onorare gli antenati

Avvalendosi anche di analogie etnografiche, Mike Parker Pearson e Ramilisonina nel 1998 hanno proposto che Stonehenge fosse un monumento per gli antenati collegato, dal suo viale e dal fiume Avon, al «regno dei vivi», che ruota attorno ai cerchi di travi di legno di Woodhenge e Durrington Walls. Sono arrivati a questa idea partendo da un'analogia con la tradizione recente dei monumenti funebri megalitici in Madagascar. Tra il 2003 e il 2009 il Riverside Project di Stonehenge (SRP), sotto la guida di Parker Pearson, ha portato a termine 45 scavi, in e attorno a Stonehenge, per studiare questa ipotesi ed è stato scoperto che Stonehenge fu costruito per la prima volta nel 2990-2755 a.C. come un cimitero chiuso, situato nella parte più a sud di una formazione morfologica naturale di tre dorsali coincidentalmente allineate lungo l'asse del solstizio (proprio quello che più avanti sarà evidenziato dalla composizione delle pietre Sarsen di Stonehenge). Questa caratteristica geologica era nota anche nella preistoria e due di queste dorsali diventeranno le sponde del viale di Stonehenge. Potrebbe essere stato considerato come un «axis mundi», un asse del mondo. Il Riverside Project ha trovato prove che confermerebbero che le pietre blu del Galles sono state erette a Stonehenge nel 2990-2755 a.C., andando a formare un cerchio in quell'area che è chiamata le Buche di Aubrey.

Stonehenge, secondo la loro interpretazione, fu utilizzato per 500 anni come cimitero per tombe del tipo a cremazione. Nel 2580-2475 a.C. fu eretto il cerchio, formato dalle pietre di Sarsen e da triliti, mentre le pietre blu furono riposizionate all'interno di questo nuovo monumento. Durante questo periodo furono costruite delle controparti di legno – Woodhenge e il Cerchio che sta a sud – all'interno di un importante insediamento a Durrington Walls dove un viale, che portava al fiume Avon, fu allineato all'asse del solstizio opposto a quello di Stonehenge. Resti di animali indicano che, durante l'inverno, in quest'area ci furono dei banchetti.

Gli studiosi sostengono che la scoperta di un altro cerchio di pietre chiamato «Bluestonehenge», risalente al 3000 a.C., alla fine del viale di Stonehenge, e di tre monumenti in travi lignee lungo la sponda del fiume a Durrington, dimostra il ruolo del fiume come collegamento tra il settore di pietra dei morti e il settore di legno dei vivi.

5.32 (*A sinistra*) Una Buca di Aubrey durante gli scavi del Riverside Project di Stonehenge nel 2008. Questi buchi per le pietre formano un cerchio attorno al monumento e un tempo contenevano le pietre blu. Quando a Stonehenge fu data nuova forma nel 2500 a.C. circa, si pensa che le pietre provenienti dalle Buche di Aubrey e Bluestonehenge siano state messe assieme e riutilizzate.

5.33 (*Sotto*) Un modo differente di intendere il paesaggio attorno a Stonehenge basato sul lavoro di Mike Parker Pearson. Egli distingue due aree, associate l'una ai vivi e l'altra ai morti, che corrispondono all'uso di differenti materiali per la costruzione (legno e pietra) e differenti tipi di ceramiche.

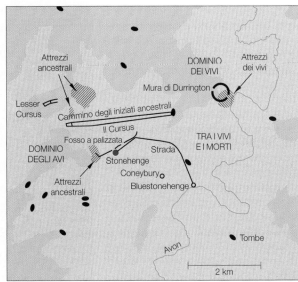

Le pietre blu del Galles

Circa 43 delle pietre di Stonehenge sono «pietre blu» che vengono da circa 220 km a Ovest, e precisamente dalle Montagne Preseli nella parte nord del Pembrokeshire nel Galles occidentale. Composte da un assortimento di diabase, riolite, tufo e arenaria, queste pietre blu furono utilizzate durante tutto il periodo di vita strutturale del monumento. Nella prima fase, dal 2990-2755 a.C., formavano probabilmente un cerchio nelle 56 Buche di Aubrey con, in molti casi, tombe a cremazione ricoperte di detriti di gesso attorno a ciascuna pietra. Nella seconda fase di Stonehenge (2580-2475 a.C.) furono risistemate in un doppio arco tra i triliti di pietra Sarsen e il cerchio composto anch'esso da pietre Sarsen. Nella terza fase (2475-2280 a.C.) le circa 24 pietre blu di «Bluestonehenge» potrebbero avere formato un nuovo cerchio nel mezzo di Stonehenge. Le 80 pietre blu furono quindi riarrangiate (2280-2020 a.C.) in un ovale più interno e in un cerchio più esterno; infine, alcune pietre blu furono rimosse dall'ovale per formare un elemento a forma di ferro di cavallo.

Ricerche geochimiche e petrografiche condotte da Richard Bevins e Rob Ixer hanno localizzato tre delle aree di provenienza delle pietre blu. Una di queste è un affioramento di riolite a Craig Rhosyfelin, in una valle a nord delle Montagne Preseli. L'équipe di Parker Pearson ha,

5.34 (*Sopra*) Bluestonehenge: membri del Riverside Project di Stonehenge sistemati per marcare le posizioni dei buchi per le pietre al culmine degli scavi nel 2009.

5.35 (*Sotto*) Gli affioramenti a Craig Rhosyfelin, una delle fonti delle pietre blu di Stonehenge nelle Montagne Perseli. Gli scavi hanno rivelato segni dell'estrazione preistorica di pietre, ivi incluso un monolite abbandonato e il buco dal quale un altro monolite è stato estratto.

quindi, scavato qui e trovato un monolite di 3,96 m abbandonato nella cava assieme a un incavo, dal quale fu estratta una delle pietre blu attorno o poco prima del 3000 a.C. Le altre pietre blu provengono da diabasi con formazione di macchie che sono stati individuati a Carn Goedog e Cerrigmarchogion, due affioramenti sul crinale settentrionale delle Montagne Perseli a 3 km all'interno della valle che parte da Craig Rhosyfelin.

Stonehenge come luogo di cura

Timothy Darvill e Geoff Wainwright, d'altro canto, condividono una visione molto differente di Stonehenge, che loro chiamano «l'ipotesi della cura». Da un loro recente lavoro sul campo hanno dedotto che Stonehenge fosse un monumento per i vivi dove venivano compiute cerimonie di guarigione e riti di passaggio. Partendo dalla constatazione che Stonehenge fu costruito su un antico luogo sacro, sostennero che ciò che veramente distingueva il sito dagli altri grandi monumenti cerimoniali costruiti nell'Inghilterra meridionale durante il III millennio a.C. era certamente che le pietre blu fossero state trasportate dal Pembrokeshire settentrionale, situato nel Galles occidentale (*vedi*, tuttavia, pagina 322).

Nel centro di Stonehenge c'erano cinque triliti di pietra Sarsen che, secondo gli studiosi, erano rappresentazioni di divinità ancestrali che presiedevano il «*sanctum*» centrale circondato da un anello di 30 pietre Sarsen in posizione eretta unite dagli architravi. All'interno del Circolo delle pietre Sarsen c'erano circa 80 pietre blu importate per la maggior parte dalle Montagne Preseli del Pembrokeshire a circa 220 km a Ovest. Composte da un assortimento di diabase, riolite, tufo e arenaria, queste pietre blu furono utilizzate durante tutto il periodo di vita strutturale del monumento e culminavano in un ovale composto da pilastri di diabase nel centro, circondato a sua volta da un anello di pietre di provenienza geologica mista. Questa composizione riflette, come un microcosmo, il paesaggio dal quale le pietre provengono.

Inoltre, durante l'Età del bronzo, le fonti sorgive nelle Montagne Perseli aumentarono e, nel contempo, si riteneva che le loro acque fossero salutari, con poteri guaritori; lo stesso potere si riteneva avessero anche le pietre di Stonehenge dal XII secolo d.C. in avanti.

5.36 Gli scavi a Stonehenge nel 2008 diretti da Timothy Darvill e Geoff Wainwright.

Se si accetta che questi antichi racconti perpetuano delle tradizioni orali che hanno le radici nel passato remoto, uno dei ruoli originali di Stonehenge avrebbe potuto essere quello di centro di guarigione sia per la popolazione locale sia per i pellegrini. Gli scavi di Darvill e Wainwright nel 2008 non solo hanno dimostrato che le pietre blu rivestivano un ruolo fondamentale in riferimento al significato del monumento, ma anche che, probabilmente, dei pezzi venivano presi e portati via come talismani o come oggetti dal magico potere di guarigione. Lo scavo inoltre ha confermato che Stonehenge continuò a essere un centro per le ce-

rimonie e i riti ancora durante tutta la prima età moderna.

Stonehenge come luogo per il culto degli antenati oppure come luogo di guarigione: interpretazioni differenti, che si basano entrambe su recenti lavori sul campo. Non tutte le visioni di questi gruppi di lavoro, però, sono in conflitto. Essenzialmente, un'interpretazione per essere ben bilanciata dovrà conciliare le diverse osservazioni e poi prendere posizione in merito alle due affermazioni che sono in contrasto: se, cioè, le popolazioni preistoriche lì ci vivevano oppure se il luogo era dedicato agli antenati morti.

Metodi di coltivazione e specializzazioni artigianali

Nelle società segmentali l'esistenza di villaggi, cimiteri, monumenti pubblici e centri rituali indica una complessità sociale maggiore che non nelle società di gruppi mobili di cacciatori-raccoglitori. Per misurare il modo in cui le società cominciano a mostrare una complessità ancora maggiore si possono esaminare i metodi di coltivazione e lo sviluppo delle specializzazioni artigianali. In questo Capitolo ci occuperemo delle implicazioni sociali; il modo in cui gli archeologi studiano gli aspetti della coltivazione legati alle abitudini alimentari e gli aspetti tecnologici della produzione artigianale sarà trattato rispettivamente nei Capitoli 7 e 8. Il crescente bisogno delle comunità di scambiarsi beni in conseguenza dello sviluppo della produzione artigianale sarà argomento del Capitolo 9.

Dato che l'agricoltura si diffuse in diverse parti del mondo meno di 10 000 anni fa, molte aree geografiche offrono testimonianze di una graduale **intensificazione della produzione di cibo**, che si manifesta attraverso l'introduzione di nuovi metodi di coltivazione quali l'aratura, il terrazzamento e l'irrigazione, la messa a coltura anche di terreni di qualità inferiore – dato che quelli migliori erano insufficienti – e per la prima volta lo sfruttamento dei cosiddetti «prodotti secondari» quali il latte e la lana (la carne è il «prodotto primario» degli animali domesticati). Il modo in cui gli archeologi possono identificare tali testimonianze sarà esaminato nei Capitoli 6 e 7. Ciò che noteremo qui è che tutti i progressi di cui si è appena parlato richiedevano un sempre maggiore impegno di risorse umane – si tratta cioè di **tecniche a uso intensivo di lavoro** – e nuovi e diversi tipi di specializzazione. L'aratura, per esempio, permette di mettere a coltura terreni di scarsa qualità prima considerati improduttivi, ma richiede un impiego di tempo e di energie superiore a quello necessario per coltivare terreni di qualità superiore senza ricorrere all'aratura. Inoltre, attività come il terrazzamento implicano uno sforzo di cooperazione da parte di un'intera comunità. Queste attività possono essere esaminate per misurare il numero di ore lavorative e di lavoratori che avranno probabilmente richiesto. Come nel caso dei monumenti pubblici, un incremento realmente significativo delle risorse impiegate (per esempio per introdurre l'irrigazione) suggerirebbe un'organizzazione delle forze di lavoro in qualche misura più centralizzata, segnalando forse la transizione da un tipo di società segmentale non gerarchica a uno assai più centralizzato quale un *chiefdom*.

Parlando poi della **specializzazione artigianale** come fonte di notizie sociali, si può fare un'utile distinzione tra società segmentali e società centralizzate. Nelle società segmentali la produzione artigianale è essenzialmente organizzata a livello familiare, secondo quello che l'antropologo americano Marshall Sahlins, nel suo libro del 1972 *Stone Age Economics* (*Economia dell'Età della pietra*), ha chiamato «modo di produzione domestico». D'altro canto, nelle società più centralizzate, quali i *chiefdom* e gli stati, benché le unità familiari possano ancora svolgere un ruolo importante, gran parte della produzione sarà spesso organizzata a un livello più alto e più centralizzato, anche se molti artigiani si specializzarono solo per una parte del loro tempo, continuando a lavorare stagionalmente nei campi.

Questa distinzione è utile anche nella pratica della ricognizione e dello scavo. Nelle società segmentali anche i piccoli villaggi mostreranno segni di una produzione artigianale su scala familiare, per esempio fornaci per ceramica o forse anche scorie derivanti dalla lavorazione dei metalli. Ma solo nelle società centralizzate si trovano città grandi o piccole con alcuni quartieri destinati pressoché interamente alla produzione artigianale specializzata. Nella grande metropoli di Teotihuacán (*vedi* pagine 86-87), vicino a Città del Messico, nel I millennio d.C. la produzione specializzata di strumenti in ossidiana (o vetro vulcanico) aveva luogo in aree della città destinate specificamente a questo scopo.

Le cave e le miniere per l'estrazione delle materie prime necessarie alla produzione artigianale si svilupparono contemporaneamente a quest'ultima, e costituiscono un altro indicatore dell'intensificazione dell'economia e del passaggio a un'organizzazione sociale centralizzata. Le cave di selce dei primi agricoltori dell'Inghilterra (circa 4000 a.C.) richiedevano, per esempio, un'organizzazione produttiva meno specializzata di quella necessaria allo sfruttamento della successiva miniera di selce di Grimes Graves, nell'Inghilterra orientale (circa 2500 a.C.), con i suoi 350 pozzi che scendevano fino a 9 m di profondità e una complicata rete di gallerie (*vedi* pagina 321).

TECNICHE DI ANALISI PER I *CHIEFDOM* E PER GLI STATI

La maggior parte delle tecniche di analisi adatte alle società segmentali resta valida per lo studio dei *chiefdom* e degli stati centralizzati, che incorporano in sé la maggior parte delle forme sociali e dei modelli d'interazione osservati nelle società più semplici. Assai utili sono le indagini compiute sulle famiglie e sul grado di differenziazione nei villaggi rurali, così come l'analisi del grado di intensificazione dell'agricoltura. La necessità di mettere in campo altre tecniche di indagine specifiche nasce dalla centralizzazione della società, dalla gerarchia dei siti, nonché dai mezzi di organizzazione e di comunicazione che caratterizzano i *chiefdom* e gli stati. Ancora una volta è la natura di questi mezzi a interessarci, e non semplicemente la classificazione della società in una forma piuttosto che in un'altra.

Identificazione dei centri primari

Le tecniche di studio dei modelli insediativi sono già state esaminate in questo capitolo. Come si è detto, il primo passo da compiere sulla base dei risultati della ricognizione sul campo è quello di esaminare le dimensioni del sito, sia in termini assoluti sia in termini di distanze tra i centri principali, al fine di determinare quali siano quelli dominanti e quali invece quelli subordinati. Ciò conduce alla costruzione di una carta in cui siano indicati i principali centri indipendenti e anche l'estensione approssimativa dei territori che li circondano.

Nel determinare quali siano i siti principali basarsi semplicemente sulla dimensione può essere fuorviante ed è quindi necessario prendere in considerazione altre indicazioni. La via migliore è quella di tentare di scoprire il modo in cui la società in questione considerava sé stessa e i suoi territori. Questo potrebbe apparire un obiettivo impossibile da raggiungere se non si ricordasse che per la maggior parte delle società statuali a ogni livello esistono testimonianze scritte, alla cui immensa utilità ai fini della ricerca archeologica abbiamo già accennato. Qui ne andrà sottolineata l'importanza non tanto per conoscere ciò che le persone pensavano e credevano – che sarà argomento del Capitolo 10 –, ma per ottenere indizi su quelli che furono i centri principali. Le fonti scritte possono menzionare diversi siti, definendo la loro posizione all'interno di una gerarchia. Il compito dell'archeologia è quindi quello di identificare i siti citati dalle fonti, di solito grazie alla scoperta di un'iscrizione con il nome del sito stesso; si può per esempio sperare di trovare iscrizioni di questo genere in ogni importante città dell'Impero Romano. In anni recenti la decifrazione dei geroglifici maya ha aperto la strada allo sfruttamento di una nuova fonte di informazioni di questo tipo (*vedi* Schede 5.5 e 4.1).

In alcuni casi, tuttavia, i testi non forniscono dirette ed esplicite indicazioni della gerarchia dei siti, ma i toponimi contenuti negli archivi possono talvolta essere usati per costruire una carta ipotetica mediante lo *scaling* multidimensionale, una tecnica informatica in grado di sviluppare una struttura spaziale a partire da dati numerici, facendo l'ipotesi che i nomi che ricorrono insieme più frequentemente nelle fonti scritte siano quelli di siti più vicini l'uno all'altro. L'archeologo britannico John Cherry ha elaborato una carta di questo genere per i territori dello stato protomiceneo di Pilo in Grecia (circa 1200 a.C.).

Anche i miti e le leggende possono essere talvolta utilizzati in maniera sistematica per costruire un panorama geografico coerente. Per esempio, il cosiddetto «catalogo delle navi» contenuto nell'*Iliade* di Omero, che indica quante navi furono inviate alla guerra di Troia da ciascuna città greca, fu usato da Denys Page per disegnare un'approssimativa carta politica del tempo (*vedi* illustrazione qui sotto). Confrontando questa carta con una analoga, realizzata utilizzando invece solo dati puramente archeologici riferibili a siti fortificati e a centri palaziali della Grecia micenea, si nota che l'immagine archeologica e quella storica coincidono con ottima approssimazione.

Di solito, però, la gerarchia dei siti deve essere ricavata attraverso metodi più specificamente archeologici, senza basarsi sulle fonti scritte. La presenza di un centro di «ordine più alto» di tutti gli altri, come la città capitale di uno stato indipendente, si può dedurre meglio da indicazioni dirette di un'organizzazione centrale, su una scala non superata altrove e confrontabile con quella di altri centri «di ordine più alto» in stati equivalenti.

Un'indicazione in questo senso è data dall'esistenza di un archivio (anche se non si comprende nulla di quello che vi è scritto) o di altre indicazioni che sono il simbolo

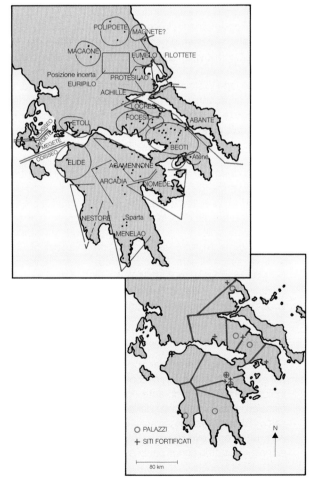

5.37 Tarda Età del bronzo in Grecia. La carta dei territori ricavata dall'*Iliade* di Omero (*in alto*) si accorda bene con quella (*in basso*) costruita basandosi solamente sui reperti archeologici.

Copan   Tikal   Calakmul   Palenque   Caracol   Naranjo   Piedras Negras

Le pianure del territorio Maya meridionale del Periodo classico, dal 250 al 900 d.C. circa, erano un'area densamente popolata con diversi importanti centri abitati inframmezzati da villaggi rurali, campi agricoli e una varietà di altri ecosistemi. I primi indizi riguardo alla loro organizzazione politica ci sono giunti con la scoperta dei cosiddetti «glifi-emblema», geroglifici composti che all'inizio si credette identificassero singole città. È ora noto che queste combinazioni sono i titoli dei re maya e descrivono ciascuno come il «signore santo» di una particolare unità politica. Anche se sono spesso identificabili con dei luoghi permanenti, le corti reali potevano anche essere divise in due, nel caso in cui nuovi lignaggi istituissero nuove unità politiche, i cui governanti mantenevano lo stesso glifo della dinastia da cui provenivano. L'esempio più importante è il regno di Tikal, un principe dal quale ebbe origine una nuova dinastia (che utilizza lo stesso glifo come simbolo) a Dos Pilas. Questo principe dichiarò guerra alla sua stessa patria di provenienza, giocando un ruolo importante nella sollevazione che portò a più di un secolo di declino per Tikal. Le corti reali potevano anche muoversi, apparentemente, tutte assieme, da una sede dinastica all'altra. Questo potrebbe essere stato il caso della potente dinastia «Kaan» («serpente») quando si spostò da Dzibanche a Calakmul.

Un sistema «egemonico»

La distribuzione dei siti, ai governanti dei quali fu accordato un simbolo glifo, indica che le pianure durante il periodo classico erano divise in un denso «mosaico» di numerosi piccoli stati. Eppure non tutti i regni avevano uguali dimensione e non tutti i «signori santi» avevano una uguale autorità. In realtà, la distribuzione del potere politico gravitava attorno a grandi centri i cui governanti molto probabilmente combinavano il successo

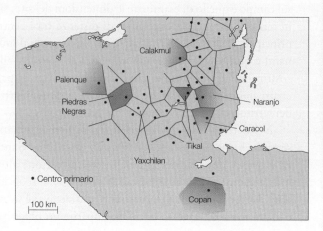

5.38 I glifi-emblema (in alto) delle sette città maya più importanti, riportate anche nella mappa (a destra) che riproduce la ripartizione politica del territorio maya nel Periodo classico del 790 d.C. circa. (I poligoni Thyssen sono basati sulla distribuzione dei glifi-emblema e non riflettono l'influenza più importante di Tikal e Calakmul).

militare con astute manovre politiche. La decifrazione, tutt'ora in corso, dei geroglifici maya ha rivelato vari tipi di relazioni tra le grandi e le piccole unità politiche, contribuendo a una comprensione sorprendentemente dettagliata della storia di quest'area. Eppure questo non riflette la vera distribuzione del potere politico, che gravitava specialmente attorno a grandi centri militarmente potenti. Nel primo modello, proposto da Simon Martin e Nikolai Grube, i potenti stati maya, come Copán, Tikal, Calakmul, Palenque e Caracol, erano il centro di sistemi «egemonici» debolmente strutturati, che esercitavano il loro controllo sugli altri stati senza cercare di assorbirli in entità unitarie più grandi.

Lo studio delle differenze del territorio

Nonostante tutte le popolazioni che vissero in questi regni durante il periodo classico siano chiamate «i Maya» dagli archeologi, esse appartenevano in realtà a gruppi diversi, con differenti modelli culturali. Le élite regnanti avevano in comune dei modelli di architettura regale, la tipologia delle iscrizioni e la concezione della regalità, ma tutta la pianura maya non era, nel suo insieme, rappresentata da una sola cultura.

Le ricerche di Charles Golden, Andrew Scherer e dei colleghi guatemaltechi sui regni di Yaxchilan e Piedras Negras hanno evidenziato alcune pratiche che queste popolazioni usavano, più o meno consciamente, per differenziarsi le une dalle altre. Durante gran parte del periodo classico due dinastie furono in competizione per il controllo di un territorio che ora si trova a cavallo tra il Guatemala e il Messico. Dal VII secolo a.C. esisteva un confine definito con frontiere difese, come quelle settentrionali del regno dello Yaxchilan, controllate da una serie di avamposti e palazzi i cui sovraintendenti erano nobili che consegnavano al sovrano prigionieri come tributo.

Gli studi hanno rivelato che, da ambedue i lati della frontiera, la popolazione si distingueva da quella del regno limitrofo nei riti, nella cultura materiale e nelle pratiche quotidiane, vissute da una parte in maniera fortemente pubblica e dall'altra, invece, profondamente privata. Anche le tecnologie e gli stili ceramici erano significativamente differenti non solo a livello di gusto, ma anche a livello più generale, riflettendosi in radicate tradizioni tecniche di produzione.

Gli assi primari degli insediamenti e delle costruzioni monumentali nei due regni erano perpendicolari gli uni agli

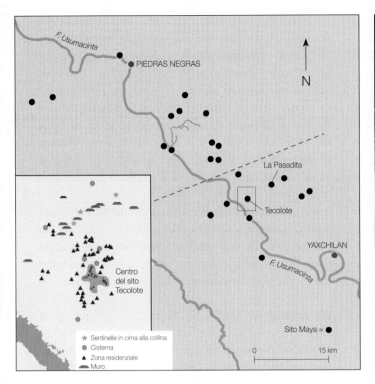

altri (30 gradi a Piedras Negras e 120 a Yaxchilan). Anche le tombe erano allineate lungo questi stessi assi e all'interno delle tombe i defunti erano accompagnati da corredi funerari specifici di ciascuna cultura.

Queste differenze non dovrebbero essere una sorpresa. Infatti, ancora oggi, in Guatemala, in Messico, nel Belize e nell'Honduras, ci sono milioni di persone, tutte appartenenti alla stessa famiglia maya, che parlano 30 differenti lingue e vivono in comunità con identità, storie e abitudini notevolmente differenti.

5.39-41 (*Sopra a sinistra*) La linea tratteggiata nella mappa indica quello che potrebbe essere il confine tra Yaxchilan e Piedras Negras nel VIII secolo a.C. (*Nel riquadro*) A Tecolote, un centro secondario della unità politica di Yaxchilan, un sistema di fortificazioni realizzato per resistere agli attacchi da parte di Piedras Negras si estende a nord del sito. (*In alto a destra*) La parte ovest dell'acropoli di Yaxchilan. (*A destra*) Da un architrave proveniente da La Pasadita, un prigioniero di Piedras Negras in ginocchio viene offerto in dono a Uccello Giaguaro IV, signore di Yaxchilan nella metà del VIII secolo.

5.42-43 Parte delle difese a nord di Tecolote. Il muro di pietra, che si stendeva di traverso alla piccola valle tra le due colline, serviva da fondamenta per una palizzata di legno.

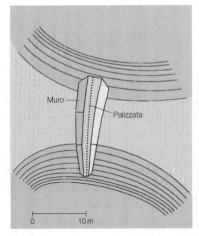

© 978.8808.82073.0

di un'organizzazione centralizzata. Molte economie sottoposte a controllo utilizzavano, per esempio, sigilli da imprimere nell'argilla per indicare la proprietà, la provenienza o la destinazione (un sigillo è riprodotto nell'illustrazione a pagina 179). Il ritrovamento di una grande quantità di questi materiali può indicare un'attività organizzata: la pratica della lettura e della scrittura, e dell'espressione simbolica, occupa un posto talmente importante nell'organizzazione che tali indicazioni sono di grande importanza.

Un'ulteriore indicazione di un'organizzazione centrale è data dalla presenza di edifici di forma standardizzata noti per essere associati a funzioni centrali di ordine elevato. Nella Creta minoica, per esempio, va interpretato in questo senso il «palazzo» che si articola attorno a un cortile centrale. Di conseguenza, a un sito palaziale relativamente piccolo (come Zakros) viene riconosciuto uno status che non spetta invece a un insediamento di maggiori dimensioni, che non abbia però edifici di questo genere (come Palaikastro).

La stessa considerazione vale anche per gli edifici con funzione rituale, giacché in gran parte delle prime società il controllo dell'amministrazione e quello della pratica religiosa erano strettamente collegati. Per questo, una grande *ziggurat* nella Mesopotamia di epoca sumera o una grande *plaza* con templi piramidali nelle terre maya contraddistinguono un sito di status elevato.

In mancanza di tali evidenti indicatori gli archeologi debbono volgersi a manufatti capaci di suggerire le funzioni di un centro importante. Ciò è particolarmente necessario per le ricognizioni di superficie, dove le piante degli edifici possono non essere chiare. Così, nel corso di ricognizioni in Iraq, alcuni ricercatori che studiavano il primo periodo dinastico, Robert Adams e Gregory Johnson, hanno usato le decorazioni murali in terracotta a forma di pigna quali indicatori di uno «status più alto di quello atteso» per i siti di minori dimensioni in cui venivano rinvenute. Le pigne, che fanno parte dell'apparato decorativo di templi e di altri edifici pubblici in grandi siti della regione, suggeriscono che quei piccoli siti potrebbero essere stati centri amministrativi specializzati.

Tra gli altri elementi archeologici spesso usati per indicare lo status di un sito vanno ricordate le fortificazioni e l'esistenza di zecche, almeno per quelle regioni in cui si usava battere moneta.

Chiaramente, quando si studia la gerarchia degli insediamenti i siti non possono essere presi in considerazione isolatamente, ma solo in relazione con gli altri, mettendo in atto un esercizio di geografia politica antica.

Funzioni dei centri

In una società organizzata gerarchicamente è sempre utile studiare da vicino le funzioni dei centri, prendendo in considerazione possibili fattori quali la regalità, l'organizza-

zione burocratica, la ridistribuzione e l'immagazzinamento dei beni, l'organizzazione del rituale, la specializzazione artigianale e i rapporti commerciali con altre regioni. Tutti questi fattori danno la possibilità di cogliere aspetti del funzionamento della società.

In questo caso, come nei precedenti, il giusto punto di partenza è costituito da una ricognizione intensiva dell'area occupata dal centro e delle sue immediate vicinanze, insieme con uno scavo condotto su scala il più possibile vasta. Ancora una volta si pone il problema di eseguire un campionamento, poiché l'obiettivo della comprensione storico-archeologica deve essere confrontato con la disponibilità di tempo e di risorse. Nel caso di piccoli centri con un'estensione di pochi ettari una ricognizione intensiva si rivela perfettamente adeguata, ma per i siti di dimensioni maggiori è necessario un approccio di tipo diverso.

Siti abbandonati Molti dei più ambiziosi progetti di indagine su insediamenti urbani sono stati condotti su siti abbandonati o su siti che attualmente non sono centri urbani, in modo che non ci siano interferenze determinanti con la conduzione della ricerca (i problemi connessi con l'archeologia nei centri urbani contemporanei saranno esaminati in seguito). Il primo elemento necessario, difficile da ottenere in caso di siti boscosi, è una buona carta topografica in scala intorno all'1:1000, anche se questa scala si rivela poco adatta per quei siti che si sviluppano in estensione per chilometri. Questa carta riporterà l'ubicazione delle principali strutture visibili sulla superficie e alcune di esse verranno prescelte per essere analizzate da vicino con l'ausilio di piante più dettagliate. Sui siti in cui siano già stati condotti scavi estensivi potranno essere incluse nella pianta generale anche le strutture emerse in quell'occasione.

Tra le iniziative dell'archeologia moderna, queste carte topografiche sono quelle a cui va riconosciuto il miglior rapporto costo-risultato. Uno degli esempi più interessanti è costituito dalla ricognizione condotta da Salvatore Garfie sul sito di Tell el-Amarna, la città capitale del faraone egizio Akhenaton, nell'ambito del progetto britannico di ricognizione e scavo dell'area. Il sito fu occupato per soli 13 anni nel XIV secolo a.C. e fu poi abbandonato. Gli edifici erano in mattoni crudi e non sono ben conservati a livello della superficie; la pianta si basa quindi in larga misura sui risultati degli scavi condotti nel corso dell'ultimo secolo. Nel Nuovo Mondo sono stati realizzati alcuni progetti su scala confrontabile; uno dei più notevoli è costituito dalla pianta a grande scala della città maya di Tikal eseguita dai ricercatori della University of Pennsylvania, mentre lavori analoghi sono in corso su diversi siti maya. Il progetto forse più ambizioso di tutti è tuttavia costituito dalla ricognizione sistematica sul sito del più grande centro urbano del Messico precolombiano, Teotihuacán (*vedi* pagine 86-87).

5.44 Una via nella città di Akrotiri, sepolta sotto la cenere vulcanica nella grande eruzione di Thera avvenuta circa nel 1600 a.C. (ora protetta da una struttura moderna in acciaio), è in grado di rendere in maniera vivida la vita urbana dell'epoca.

La preparazione di una carta topografica è solo il primo passo. L'interpretazione dei resti archeologici in termini sociali presuppone che si debba stabilire la funzione di ogni struttura rinvenuta. Ciò comporta lo studio dei più importanti edifici pubblici e cerimoniali – i templi hanno al tempo stesso funzione religiosa e sociale – e degli altri componenti della città, quali le aree per la produzione artigianale specializzata e le strutture residenziali. Le differenze nello standard delle abitazioni riveleranno le differenze tra ricchi e poveri e quindi un aspetto della gerarchia sociale.

Spesso, tuttavia, è difficile stabilire la funzione di un edificio vasto e presumibilmente destinato a uso pubblico, e c'è sempre la tentazione di attribuirgli una destinazione sulla base di congetture. Sir Arthur Evans, che scavò il palazzo di Cnosso a Creta, attribuì per esempio nomi quali «megaron della regina» ad alcuni ambienti, senza disporre di alcun valido elemento per farlo. Similmente Sir Mortimer Wheeler diede nomi tipo «college» oppure «salone dell'assemblea» a edifici all'interno della «cittadella» di Mohenjodaro (nell'attuale Pakistan), senza fornire nessuna prova che effettivamente venissero utilizzate a tale fine.

Uno dei modi per intraprendere uno studio particolareggiato della città è quello di condurre un campionamento intensivo dei materiali di superficie. A Teotihuacán la carta topografica (in scala 1:2000) fu usata come base per il campionamento dei reperti. Gli archeologi operarono una ricognizione sistematica sull'intera superficie del sito, camminando a distanza di alcuni metri l'uno dall'altro e raccogliendo tutti gli orli, i fondi e le anse di vasellame,

nonché tutti gli altri frammenti e oggetti particolari visibili. I dati della ricognizione di Teotihuacán sono stati elaborati da George Cowgill nell'ambito di un ambizioso progetto computerizzato. In questo modo è stato possibile redigere carte della distribuzione spaziale di particolari tipi di manufatti e avanzare ipotesi sui caratteri dell'insediamento nelle diverse fasi.

Un passo in avanti rispetto al campionamento intensivo di superficie può essere la combinazione di ricognizione di superficie e di scavo selettivo portata avanti sul sito di Tell Abu Salabikh da Nicholas Postgate, che consentì la scoperta della più vasta area di insediamento residenziale finora nota tra i siti del III millennio a.C. nell'Iraq meridionale. Di solito, tuttavia, per un centro importante come una città è necessario uno scavo su larga scala. Alcuni dei più famosi scavi dell'inizio del secolo, da quello di Mohenjodaro nella Valle dell'Indo (Pakistan) a quello della città biblica di Ur (Iraq), sono stati di questo tipo.

Con un po' di fortuna le condizioni di conservazione delle strutture dell'ultimo periodo di occupazione saranno buone. Se il sito è posto nelle vicinanze di un vulcano, quest'ultimo periodo può essere stato conservato in maniera eccellente dalla lava e dalla cenere vulcanica. Nei primi Capitoli di questo libro sono state citate come esempi di città sepolte e conservate per i posteri Pompei (*vedi* Scheda 1.1) e Akrotiri (*vedi* Scheda 4.6), sull'isola vulcanica di Thera (oggi Santorini) nell'Egeo; ma ce ne sono altre: per esempio Cuicuilco, che fu la grande rivale di Teotihuacán nella Valle del Messico fino all'eruzione

© 978.8808.82073.0

vulcanica che la distrusse circa 2000 anni fa. Ma in tali circostanze estreme può non essere possibile realizzare una carta topografica del sito del tipo descritto, dato che le strutture saranno sepolte troppo profondamente per rivelarsi alla superficie.

Siti occupati I problemi sono simili, ma assai più difficile è la loro risoluzione pratica quando si ha a che fare con siti occupati continuativamente: quei siti antichi presentano non solo una complessa sequenza stratigrafica, ma anche edifici moderni costruiti sopra o intorno al sito da indagare. Per questo genere di siti l'approccio deve essere impostato sul lungo periodo, per trarre il massimo profitto dai lavori connessi alle nuove costruzioni allo scopo di arricchire il panorama dei ritrovamenti, che finirà per assumere un aspetto coerente. Questa è stata in larga misura la storia dell'archeologia urbana in Gran Bretagna e in Europa, dove le città romane e medievali sono generalmente sepolte sotto quelle moderne. In qualche misura anche in questo caso si può parlare di un'indagine condotta per campioni, dove però l'ubicazione del singolo campione non è determinata dalla volontà dell'archeologo ma dalla disponibilità delle aree.

Il lavoro condotto tra il 1961 e il 1971 dalla Winchester Research Unit nell'Inghilterra meridionale ne è un buon esempio. In questo caso, scavando al di sotto della catte-drale attuale fu possibile ricostruire la storia delle strutture più antiche. I dati desunti da precedenti ricerche archeologiche, sommati a quelli degli scavi più recenti, hanno consentito di ricostruire un'immagine soddisfacente della città romana, sassone e medievale che giace sotto l'attuale centro di Winchester. Un altro buon esempio è la città di York, di cui ci occuperemo in dettaglio nel Capitolo 13. L'argomento dell'archeologia di recupero o di salvataggio in siti urbani e non urbani minacciati di distruzione sarà affrontato nel Capitolo 15.

L'amministrazione fuori dai centri primari

È necessario non restringere l'indagine dei meccanismi organizzativi ai soli centri primari o capitali. Fuori da questi centri possono infatti trovarsi molti indizi circa un'amministrazione centralizzata. Per esempio è utile la ricerca di **manufatti legati all'amministrazione**. I manufatti di questo tipo più evidenti sono forse i sigilli su argilla trovati nei centri di secondaria importanza nei quali si amministrava il sistema di ridistribuzione. Ugualmente utili sono altri marchi legati all'autorità centrale, come i sigilli imperiali o gli emblemi reali, per esempio i cartigli (il nome del sovrano disposto in una caratteristica forma ovale) di un faraone egizio, o ancora uno stemma del re. Né è necessario che l'esistenza di una giurisdizione centrale sia indicata direttamente da veri e propri emblemi

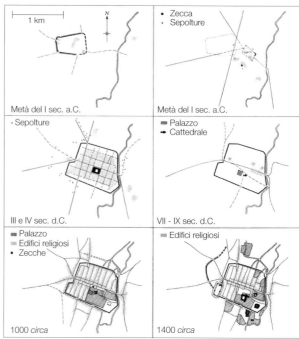

5.45-46 Sito occupato: Winchester, Inghilterra meridionale. (*A sinistra*) Scavi in corso sotto la cattedrale. (*Sotto*) Le grandi tappe dello sviluppo della città fino al 1400 d.C., sulla base di un decennio di scavi e di molti anni di analisi post-scavo. Le aree abitate sono evidenziate in colore.

5.47 La via Appia. Iniziata nel 312 a.C. e parte del grande sistema di strade dell'antica Roma, è visibile nella periferia di Roma dove è ancora possibile passeggiare sulla pavimentazione, ammirando le tombe e i monumenti che si trovano lungo i lati.

del potere: una pietra miliare romana su una strada, per esempio, porta in sé un messaggio preciso, perché è parte di un sistema di grandi strade imperiali amministrato dal centro.

Un secondo metodo d'indagine è lo studio della **standardizzazione dei pesi e delle misure** (per una trattazione più dettagliata, *vedi* pagine 412-14). Tale standardizzazione si ritrova nella maggior parte dei sistemi economici amministrati centralmente; in molti casi le unità di misura definite furono utilizzate anche al di fuori dei confini del singolo stato.

L'esistenza di un'efficiente **rete stradale** è importante per l'amministrazione di ogni impero di grande estensione, mentre è meno importante per stati nazionali di minori dimensioni che potrebbero essere attraversati a piedi da un esercito nel giro di un paio di giorni. Nel caso dell'Impero Romano la rete stradale fornisce una delle più chiare prove dell'esistenza di un'amministrazione centrale, e ciò accadrebbe anche se non fosse disponibile alcuna testimonianza storica (la rete stradale costruita dagli Inca dimostra il livello di organizzazione di quella società, anche se non esistono testimonianze storiche in proposito).

Indicazioni chiare dell'esercizio di un potere militare possono offrire una delle immagini più fedeli e dirette della realtà amministrativa: spesso infatti il controllo del territorio dipendeva dalla potenza militare. Anche le opere difensive su vasta scala offrono indicazioni analoghe e dimostrano l'esistenza di confini stabili. La Grande Muraglia cinese, iniziata nel tardo III secolo a.C., è forse l'esempio più noto.

L'indagine sulla gerarchia sociale

L'elemento essenziale di una società e di una pubblica amministrazione centralizzate è costituito dalle disparità tra ricchi e poveri nella proprietà e nell'accesso a risorse, servizi e status sociale. L'analisi dell'organizzazione sociale nelle società complesse è quindi in larga misura l'analisi della loro gerarchia sociale.

Residenze dell'élite Le strutture residenziali possono indicare profonde differenze nello status sociale. Grandi e imponenti edifici, o «palazzi», sono un elemento comune di molte società complesse e possono aver ospitato i membri delle élite sociali. La difficoltà sta nel dimostrare che ciò sia realmente avvenuto. Recenti ricerche hanno infatti dimostrato che presso i Maya, per esempio, il termine «palazzo» è assai generale e designa varie strutture con funzioni diverse. Forse la soluzione migliore sta nel combinare studi dettagliati della struttura (architettura, collocazione dei diversi manufatti) con ricerche etnoarcheologiche o etnostoriche. David Freidel e Jeremy Sabloff hanno adottato con successo questo metodo nello studio dell'isola di Cozumel, al largo delle coste orientali della penisola dello Yucatán, in Messico. Usando descrizioni spagnole, risalenti al XVI secolo, di residenze della élite, essi furono in grado di identificare strutture architettonicamente simili nei materiali archeologici precolombiani risalenti a un paio di secoli prima. Alcuni scavi di saggio permisero di chiarire le funzioni svolte dagli edifici.

Grande ricchezza Possedere grandi ricchezze, quando si può dedurne l'associazione con singoli individui, costituisce una chiara indicazione di un alto status sociale. Per esempio, i tesori scoperti nel 1873 da Heinrich Schliemann nella seconda (così ritenne l'archeologo) città a Troia indicano una considerevole disparità nella proprietà della ricchezza. Il tesoro comprende infatti gioielli in oro e argento assieme a prezioso vasellame da mensa, probabilmente destinati a un uso personale, forse in occasioni pubbliche.

Immagini dell'élite Forse ancora più significative della ricchezza sono le immagini che ritraggono personaggi di status sociale elevato, sia nella scultura a tutto tondo sia nei rilievi, nella decorazione parietale o altrove. L'iconografia del potere sarà ulteriormente discussa nel Capitolo 10, ma costituisce in molti casi il nostro più immediato approccio alle questioni sociali. Sebbene tali immagini non siano molto frequenti, è però tutt'altro che raro trovare

© 978.8808.82073.0

emblemi simbolici dell'autorità, come nel caso dei cartigli egizi, cui si possono aggiungere manufatti come gli scettri o le spade regali.

Sepolture Le testimonianze più abbondanti dell'esistenza di una gerarchia sociale nelle società centralizzate – e anche in quelle non centralizzate – derivano indubbiamente dalle sepolture e dai corredi funerari loro annessi. Come abbiamo già visto nel paragrafo dedicato alle società segmentali, un modo proficuo di affrontare il problema è quello di prendere in considerazione la quantità di lavoro necessaria alla costruzione del monumento sepolcrale e le implicazioni sociali connesse. I più grandi e famosi monumenti funebri al mondo sono le piramidi d'Egitto, oltre 80 delle quali si sono conservate fino a oggi. A un'analisi diretta, esse rappresentano la manifestazione evidente della ricchezza e del potere dei componenti di rango più elevato della società egizia: i faraoni. Ma le affascinanti nuove ricerche condotte, tra gli altri, dall'archeologo britannico Barry Kemp e dall'archeologo americano Mark Lehner, stanno cominciando a gettare nuova luce sulle implicazioni sociali e politiche di questo colossale impiego di energie; nel caso della grande piramide di Giza fu necessario trasportare, durante i 23 anni di regno del faraone Cheope (o, in egizio, Khufu, morto nel 2550 a.C.), circa 2 300 000 blocchi di calcare, ciascuno dei quali pesava 2,5-15 tonnellate. Come mostra il disegno, per quanto riguarda le piramidi egiziane ci fu un breve periodo di febbrile attività costruttiva, al cui confronto le fasi precedente e successiva quasi scompaiono. Il periodo di massima attività indica che uno stato fortemente centralizzato aveva impiegato enormi risorse. Ma cosa accadde in seguito? Kemp ha sostenuto che la riduzione nell'attività di costruzione delle piramidi coincide in maniera significativa con un trasferimento delle risorse economiche e sociali nelle province, lontano dall'area principale su cui sorgevano le piramidi.

Le piramidi e gli altri monumenti sepolcrali non costituiscono la sola fonte di informazioni circa l'organizzazione e l'articolazione della società dell'antico Egitto e nel Medio Oriente. Spesso sono stati rinvenuti magnifici corredi tombali, come i manufatti scoperti nel 2002 nella tomba regale a Qatna in Siria o il tesoro appartenente al giovane faraone Tutankhamon (*vedi* Scheda 2.3). Nel Nuovo Mondo si pensi al Tempio delle Iscrizioni di Palenque, sotto il quale giace la tomba del signore della città maya, Pacal (più precisamente K'inich Janaab Pakal I), che morì nel 683 d.C. e fu sepolto con la sua bellissima maschera a mosaico di giada (*vedi* illustrazione 9.7). Analogamente, i grandi scavi condotti a Copán, in Honduras, hanno recentemente rivelato la splendida tomba di un nobile maya, posta al di sotto della famosa Scalinata dei Geroglifici, e la tomba del fondatore della dinastia, ubicata nelle fondazioni del tempio 16.

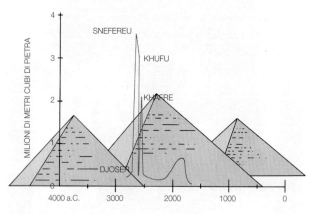

5.48 Il colossale sforzo costruttivo richiesto per erigere le piramidi riflette la centralizzazione del potere nelle mani di faraoni quali Gioser, Snefru, Cheope e Chefren.

In molte delle prime civiltà il grandissimo potere e l'altissima posizione del capo defunto erano sottolineati dall'uccisione rituale dei suoi servitori, che venivano sepolti con il signore. Questi riti funerari sono stati individuati nelle Tombe dei re sumeri di Ur (Iraq) e nelle sepolture della dinastia Shang ad Anyang, in Cina. L'enorme esercito di guerrieri di terracotta sepolto vicino alla tomba del primo imperatore cinese, Qin Shi Huangdi, rappresenta uno sviluppo di questa pratica: le figure in terracotta a grandezza naturale prendono il posto dei membri del vero esercito imperiale. La mancanza di sepolture reali degne di nota nelle civiltà indù dell'India e del Pakistan ha da sempre sconcertato gli archeologi, alcuni dei quali sono addirittura arrivati alla conclusione che nei cimiteri pubblici la ricchezza e la posizione sociale possano essere state deliberatamente mascherate, come scelta ideologica.

Anche tra le società statuali e i *chiefdom* più piccoli ci sono diversi esempi di sepolture elitarie. Uno degli scavi condotti con maggiore abilità negli anni recenti nella Germania occidentale è stato quello della tomba di un comandante celtico a Hochdorf, risalente al VI secolo a.C., dove Jorg Biel ha pazientemente recuperato i frammenti di un carro, vasellame da mensa e molti altri elementi del corredo, tra cui un giaciglio in bronzo su ruote su cui era deposto il capo defunto, coperto di gioielli d'oro dalla testa ai piedi. Le tombe a pozzo di Micene e la nave-sepolcro di Sutton Hoo in Inghilterra sono scoperte analoghe compiute da archeologi delle generazioni passate.

Tuttavia tutte queste importanti sepolture appartengono a individui che detenevano un potere eccezionale all'interno delle società di cui facevano parte. Per ottenere un'immagine più completa di una società gerarchica occorre prendere in considerazione le consuetudini funerarie della società nel suo complesso. In svariati casi è stato possibile scoprire alcuni aspetti delle élite che nella gerarchia sociale occupavano un grado appena inferiore a quello del signore; le ricerche condotte nel corso di molti anni a Spiro, nell'Oklahoma orientale, ne sono un buon esempio (*vedi* Scheda 5.6).

Lo studio delle aree cimiteriali si rivela dunque indubbiamente più utile nell'indagine sulle strutture sociali delle società gerarchiche. Fino a oggi, come abbiamo visto nel paragrafo precedente, gli studi più approfonditi sulle aree cimiteriali sono invece stati dedicati alle società meno centralizzate. I dati forniti dallo studio delle sepolture del primo periodo storico nel Vecchio Mondo di solito sono stati presi in considerazione allo scopo di verificare le notizie contenute nei testi storici esistenti o di perfezionare gli schemi tipologici in funzione della cronologia o dello studio della storia dell'arte. Solo ora l'attenzione si va spostando verso lo studio delle differenze di status sociale.

Testimonianze del potere elitario nelle sepolture

5.49 (*A sinistra*) Le statue di basalto, ritrovate sotto il palazzo reale nel regno di Syrian tra il 1900 e il 1350 a.C., erano posizionate come offerte nelle tombe di persone con uno status sociale elevato.

5.50 (*In basso*) L'esercito di terracotta: circa 8000 statue ad altezza naturale formano parte del vasto complesso funerario di Qin Shi Huangdi, primo imperatore della Cina.

5.51 (*Sotto*) Spaccato del Tempio delle Iscrizioni di Palenque, in Messico, che lascia vedere alla base la camera sepolcrale nascosta di Pacal, dominatore della città maya che morì nel 683 d.C., come attesta un'iscrizione rinvenuta sul sito.

5.6 Un esempio di un'importante gerarchizzazione a Spiro sul Mississippi

Nessun sito del Nord America può competere con Spiro, nell'Oklahoma orientale, per l'abbondanza di manufatti di raffinata lavorazione associati a sepolture. Inoltre, nessuno ispirò così tanti e pionieristici studi sulla cura dei defunti e sul rapporto di quest'ultima con l'organizzazione sociale e i sistemi di credenze.

Il sito di Spiro, appartenente alla cultura del Mississippi, è stato individuato per la prima volta nel 1935 quando degli sciacalli misero in luce un ambiente scavato nelle profondità del Craig Mound riempito di ossa umane, con alcuni oggetti accumulati sopra un buon numero di conchiglie. Tra gli straordinari manufatti ritrovati c'erano anche delle coppe formate da conchiglie marine sculpite, diverse grandi pipe configurate, maschere di legno e figure umane, asce di rame, ceste con coperchio contenenti piatti di rame e tessuti vari. Poiché l'accesso a questo ambiente era avvenuto attraverso tunnel, questa circostanza ha causato la distruzione di molti di questi oggetti preziosi, e soprattutto la perdita delle relazioni degli uni con gli altri.

La Grande camera mortuaria

Gli scavi controllati che seguirono portarono un po' di ordine alle scoperte del Craig Mound. Ora si è capito che si tratta di un deposito collettivo di ossa e manufatti, che è stato chiamato Grande camera mortuaria, sovrastato dalla tomba successiva di un singolo individuo.

La cavità, che ha suscitato così grande interesse all'inizio, si pensa ora sia stata intenzionalmente costruita come un alveare, con un diametro alla base e un'altezza di 4,5 m. All'interno furono ritrovati i resti di una persona accompagnata da un ricco corredo funebre, composto da oggetti dal forte significato simbolico e disposti in maniera accurata.

I manufatti sottratti dagli sciacalli e dispersi tra collezioni private e pubbliche, assieme ad annotazioni sul campo e materiali provenienti da lavori successivi, sono alla base di innumerevoli studi, tra i quali il più significativo è quello di James A. Brown. Il suo lavoro, che è durato più di quarant'anni, ha chiarito cosa fosse accaduto alla Grande camera mortuaria nel corso di più di un secolo, fino ad arrivare all'ultima sepoltura, che

risale al XV secolo d.C. Le interpretazioni di questo incredibile contesto sono cambiate, poiché ora sono disponibili ulteriori informazioni e questi materiali funerari raccontano storie molto più complesse di quello che si credeva in principio.

Organizzazione sociale

Il primo studio sistematico dei materiali della camera mortuaria del Craig Mound ha coinciso con il riconoscimento, avvenuto nel 1970 circa, che le aree sepolcrali forniscono sull'organizzazione sociale prospettive che è difficile ottenere da altri tipi di dati archeologici. Nella Grande camera mortuaria c'erano disparità nella disposizione e nella completezza degli scheletri e una vasta gamma di manufatti e ossa sparse sul pavimento in associazione a cesti di bambù e scarti di cedro. Le differenze di trattamento degli scheletri furono collegate alle differenze di rango. La dimostrazione dell'esistenza di queste gerarchie era il frutto dell'allora nuovo interesse a usare i contesti funerari per ricostruire le strutture delle società del passato, in questo caso un *chiefdom*. Gli oggetti, e specialmente le elaborate incisioni sulle tazze di con-

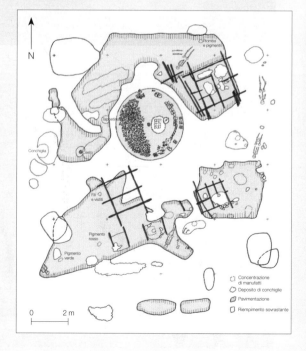

5.52-53 (*Sopra*) Craig Mound, Spiro. (*A destra*) Mappa della Grande camera mortuaria con le successive stanze cave circolari al centro.

5.54 Gli scavi negli anni Trenta del XX secolo con un palo di cedro in posizione verticale e tunnel/cavità visibili.

chiglia marina, mostravano diversi temi tra cui il più frequente era la guerra. Le immagini sottolineavano quanto fosse importante, per le persone appartenenti alle classi sociali più elevate, essere un buon guerriero.

Più avanti, la differenza di conservazione negli scheletri, la presenza di parti rotte e di tracce di terreno attaccato alle ossa e ai manufatti furono riconosciute come indicazioni che una buona parte dei depositi della Grande camera mortuaria erano formati da materiali raccolti in altri posti. Sembra che l'intento fosse quello di creare, figurativamente e letteralmente, una storia genealogica raccogliendo assieme i resti di persone importanti. Modificare le connessioni ancestrali per legittimare i lignaggi delle classi sociali più elevate, e tra queste delle persone più importanti, è una procedura frequente tra le società umane. Il deposito non è stato vissuto una sola volta, ma anzi è stato ripulito e ricostruito un numero imprecisato di volte.

Prove di cambiamenti sociali

I documenti provenienti da questo contesto rivelano che degli oggetti im-

5.58 Frammento tessile trovato a Spiro, tessuto con pelo di coniglio tinto e intrecciato con fibre vegetali rigide.

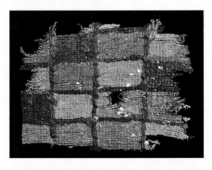

portanti, e simbolicamente significativi, tra i quali pipe molto grandi e statue di legno, erano posizionati secondo uno specifico rituale in luoghi significativi all'interno di questo ambiente. I depositi devono dunque essere interpretati assieme: la disposizione complessiva di tutti gli oggetti riflette princìpi cosmologici che non sono ancora stati compresi interamente.

L'attenzione ora riposta alla stanza cava ha chiarito la sua relazione con la Grande camera mortuaria. Sembra che la cavità, che si trova all'interno di una cupola di argilla rivestita di pali di cedro, fosse una tomba costruita sopra il deposito della Grande camera mortuaria dopo che questa fu sigillata. All'interno si trovava un individuo con ricco corredo, provvisto di numerosi oggetti sacri intatti. Questo indica, nel periodo tardo della storia della comunità di Spiro, un importante cambiamento sociale e cioè il passaggio da un governo condiviso, rappresentato da sepolture comuni, a una struttura diretta da un gruppo più ristretto.

Nell'interpretazione c'è stato dunque un cambiamento: da un'attenzione rivolta alle identità sociali delle persone sepolte nel mound si è passati ad analizzare e considerare i comportamenti di coloro che erano responsabili della disposizione dell'area funeraria, a ciò che volevano comunicare a un più grande pubblico riguardo alla sfera naturale e soprannaturale.

Il recente chiarimento di come la Grande camera mortuaria, e più tardi la tomba, fossero collegate una all'altra sottolinea le differenze che esistevano nella struttura di governo delle società del Mississippi, e dei *chiefdom* in genere, e come questa struttura potesse mutare nel tempo anche all'interno di singole comunità.

5.55-57 (*Sopra*) Una sofisticata maschera in legno di cedro con corna di cervo. (*A destra*) Una pipa-configurata, in pietra saponaria, raffigurante un guerriero che finisce la sua vittima. (*Sotto*) Una coppa ricavata da una conchiglia con incisioni di un guerriero.

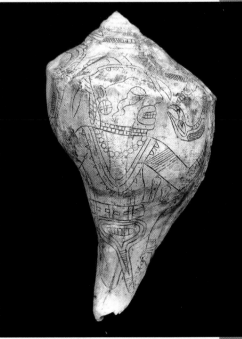

© 978.8808.82073.0

L'indagine sulla specializzazione economica

Le società centralizzate differiscono da quelle non centralizzate per molti importanti aspetti. In generale, una struttura più centralizzata consente una maggiore specializzazione economica, e questa a sua volta porta a un aumento di efficienza nella produzione. La centralizzazione si associa spesso con un'intensificazione dell'agricoltura, perché non solo le società centralizzate presentano normalmente una maggiore densità di popolazione, ma devono anche produrre un surplus sufficiente a mantenere artigiani specializzati a tempo pieno (differentemente da quelli part-time). Il maggior grado di specializzazione artigianale è reso possibile solo dalla capacità organizzativa di una società più centralizzata, in grado di gestire e promuovere un aumento della produttività agricola.

Agricoltura intensiva L'inizio dello sviluppo di nuovi metodi di coltivazione allo scopo di intensificare la produzione alimentare è stato già esaminato nel paragrafo dedicato alle società segmentali. Nelle società centralizzate il processo è portato a uno stadio più avanzato, con un'attenzione ancora maggiore alle tecniche a uso intensivo di lavoro, quali per esempio l'aratura. Inoltre, spesso si intraprendono per la prima volta grandi opere pubbliche, come la costruzione di canali d'irrigazione, rese possibili dall'esistenza del potere coercitivo e organizzativo di un'autorità centrale. Un altro indicatore di crescente intensificazione può essere costituito dalla riorganizzazione del paesaggio rurale in unità più piccole, dato che la popolazione tende ad aumentare e la quantità di terreno disponibile per ogni insediamento produttivo tende di conseguenza a diminuire.

Imposizione fiscale, immagazzinamento e ridistribuzione Un importante indicatore di controllo centralizzato di una società è costituito dall'esistenza di strutture di deposito permanenti per gli alimenti e i beni, cui l'autorità centrale può periodicamente attingere per nutrire, remunerare e quindi indirettamente controllare i propri guerrieri e la popolazione locale. Ne consegue che nelle società centralizzate ci sarà un sistema di imposizione fiscale, per esempio sotto forma di prodotti con cui rifornire i magazzini di stato, in mancanza del quale l'autorità centrale non avrebbe ricchezze da ridistribuire. Nel *chiefdom* l'imposizione fiscale può assumere la forma di offerte al capo, ma nelle società più complesse l'obbligo è generalmente formalizzato. Gran parte della burocrazia statale sarà destinata all'amministrazione del sistema impositivo, come del resto viene documentato da indicazioni dirette, quali i sistemi di registrazione e di calcolo.

Un buon esempio di progetto di ricerca che ha chiarito questa interazione tra imposizione fiscale, immagazzinamento e ridistribuzione in un'area del mondo è costituito

dal lavoro dell'archeologo americano Craig Morris (1936-2006) sulla città di Huánuco Pampa, un capoluogo di provincia dell'impero inca sulle Ande. Questa città, abitata da circa 10 000-15 000 persone, era stata costruita *ex novo* dagli Inca come centro amministrativo sulla strada reale verso Cuzco, la capitale imperiale. Sappiamo dai resoconti dei primi scrittori di cronache spagnoli che i dominatori Inca riscuotevano le imposte sotto forma di lavoro nelle terre statali e nelle costruzioni di edifici pubblici, inclusi quelli della stessa Huánuco Pampa.

Molti dei beni così prodotti venivano conservati in magazzini di stato; ma a quale scopo? Un'analisi accurata condotta da Morris su un campione pari a circa il 20% degli oltre 500 magazzini di Huánuco e su altre strutture della città ha indicato che le patate e il mais immagazzinato servivano in primo luogo per approvvigionare la città, che sorgeva a grande altitudine e dove quindi la produzione di cibo risultava difficoltosa. Ma nell'enorme piazza centrale della città si svolgevano anche cerimonie assai complesse, durante le quali aveva luogo la libagione rituale e festosa della birra di mais, e quindi avveniva una ridistribuzione alla popolazione locale di gran parte delle ricchezze immagazzinate. Come lo stesso Morris ha sottolineato, questo aspetto cerimoniale dell'amministrazione sembra essere stato assai importante nelle prime società statuali. La distribuzione di cibo e bevande rafforzava l'idea che far parte dell'impero fosse qualcosa di più del semplice lavorare nei campi statali o del combattere una guerra lontana.

Artigiani specializzati L'accresciuta importanza degli artigiani specializzati è un ulteriore indicatore a livello archeologico dell'esistenza di una società centralizzata. Gli artigiani specializzati a tempo pieno lasciano tracce ben definite, poiché ogni produzione comporta una propria tecnologia particolare e viene generalmente praticata in un settore differente dell'area urbana.

Huánuco Pampa ne è ancora un utile esempio. Sebbene la produzione artigianale fosse qui assai meno sviluppata che in molte città antiche di altre regioni del mondo, Morris ha identificato un nucleo di 50 edifici destinati alla produzione di birra e di abiti. Le tracce archeologiche erano costituite da migliaia di particolari orci in ceramica e da decine di fusaiole e attrezzi per tessitura; le testimonianze etnostoriche collegavano questi materiali con la produzione di birra e tessuti, e in particolare con una determinata classe sociale di donne inca note come *aklla*, che erano tenute segregate dal resto della popolazione.

Morris fu in grado di dimostrare che le particolari caratteristiche architettoniche del nucleo di edifici – circondati da un muro con un'unica porta d'ingresso – e la densità dei resti materiali suggerivano la presenza di artigiane specializzate *aklla* che vivevano permanentemente segregate in quell'area.

Archeologia dei conflitti

Le origini e l'estensione della pratica della guerra nella preistoria è stata un argomento frequentemente analizzato negli ultimi anni. Da tempo ormai si ritiene concordemente che la pratica della guerra sia stata un elemento ricorrente nelle prime società stato. Ciò è ampiamente documentato negli scritti provenienti dalla Grecia e da Roma, e per la Cina del periodo più antico, nei «Sette classici militari» (che comprendono *L'arte della guerra*), testi che risalgono al IV secolo a.C., periodo che è stato appropriatamente definito «Periodo degli stati in guerra».

Rilievi decorativi dei palazzi dei re assiri attorno al 700 a.C. ritraggono scene di guerra, mentre iscrizioni registravano le vittorie e le gesta dei condottieri. Scene simili sono riportate nei rilievi egiziani

5.60 (*Sopra*) Rilievo sulla cosiddetta stele di Vulture, da Lagash (Telloh), in Iraq, che mostra alcune scene di guerra sumera nel III millennio a.C.

5.59 (*Sotto*) Le sei buche per palo, relative a un'antica palizzata a San José Mogote (Oaxaca), in Messico, suggeriscono che la pratica della guerra fosse già presente nel Primo periodo formativo.

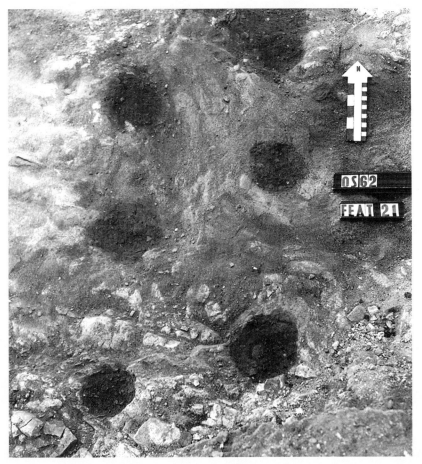

risalenti a un millennio prima. La stele di Vulture della civiltà sumera mostrava già nel III millennio a.C. scene di prigionieri uccisi sotto i piedi dell'esercito vincitore, e immagini simili decoravano uno dei primi monumenti in Messico (a Oaxaca, *vedi* Capitolo 13, pagina 520) nel Periodo formativo della civiltà zapoteca.

Recentemente datazioni ottenute col metodo del radiocarbonio hanno portato Kent Flannery e Joyce Marcus a ipotizzare che le incursioni tra villaggi siano cominciate almeno al momento in cui nella regione si svilupparono le prime società segmentarie, e quindi pochi secoli dopo la stabilizzazione della vita dei villaggi. È chiaro, inoltre, che le iscrizioni sulla maggior parte delle stele del Periodo classico maya (*vedi* Scheda 5.5) sono correlate all'espansione dei territori e che la competizione tra gli stati si esprimeva spesso con la guerra.

Il «buon selvaggio»

Per i tempi più antichi, tuttavia, era più comune pensare nei termini del «buon selvaggio» (*noble savage*), amante della pace, la cui idilliaca esistenza prima delle preoccupazioni della civiltà fu celebrata dal filosofo francese Jean-

Jacques Rousseau nel XVIII secolo. Da sempre, tuttavia, c'è stato qualcuno che ha contrastato questa opinione. Per esempio il filosofo inglese Hobbes sostenne, nel XVII secolo, che le tribù native erano guerriere e conducevano esistenze «solitarie, povere, brutte, brutali e corte».

Fino a poco tempo fa tra gli archeologi era diffusa la tendenza a schierarsi con Rousseau, nonostante i frequenti rinvenimenti di armi sotterrate, come in Europa nelle tombe dell'Età del bronzo. Queste armi venivano interpretate spesso come manufatti di prestigio dal valore essenzialmente simbolico. Molti recenti studi hanno però portato a un radicale ripensamento di questa posizione.

Il primo di essi è dovuto a Lawrence Keeley. Il suo lavoro sul campo, dedicato allo studio del periodo Neolitico nel nord-est del Belgio, ha dimostrato che le recinzioni con fossati, risalenti al periodo che va dal 5000 al 2000 a.C. circa, non avevano semplicemente un significato simbolico (di separazione dell'ambiente domestico da quello selvaggio), ma sono vere e proprie fortificazioni. In un suo studio cita i resti dell'uccisione in massa di Talheim, in Germania, risalente al 5000 a.C.: «i corpi di diciotto adulti e sedici bambini sono stati buttati in una larga fossa: il teschi intatti mostrano che le vittime sono state uccise da colpi di almeno sei asce differenti» (Keeley 1997, 38). Egli sottolinea che c'è anche ampia evidenza nel nord Europa di morti violente tra i resti degli ultimi cacciatori-raccoglitori del precedente periodo Mesolitico.

Lo studio attento di Keeley suggerisce che nel primo periodo preistorico la guerra non fosse tanto un'eccezione quanto la norma. Una nuova prova proveniente da Oaxaca supporta l'interpretazione che la guerra, o piuttosto le incursioni locali, fossero una caratteristica delle prime comunità di villaggi.

Il lavoro recente nell'America sud-occidentale di Steven LeBlanc, ispirato parzialmente dagli argomenti di Keeley, si sviluppa nella stessa direzione. La guerra è diventata più intensa durante quello che viene chiamato il Periodo tardo (dal 1250 al 1540 d.C. circa) che coincide con l'introduzione dell'arco ricurvo. LeBlanc ha anche documentato l'esistenza della guerra nel Primo periodo (dall'1 al 900 d.C. circa), anche se nel Periodo di mezzo sembra essere scoppiata la pace. Uno studio di C. e J. Turner, dal sinistro titolo *L'uomo mais* (*Man Corn*), ha presentato prove dettagliate di cannibalismo nell'America del sud-ovest. Un'operazione del genere significa rivalutare una visione che nel passato è sempre stata criticata dalla maggior parte degli antropologi: la controversia è ancora aperta (*vedi* pagina 460 e la Scheda 11.4).

È riconosciuto che le motivazioni per la guerra possono variare; nella Nuova Guinea odierna la guerra è parte di una competizione tra tribù e non genericamente motivata da mire di espansione territoriali. Per gli Aztechi, in Messico, uno scopo era quello di procurarsi prigionieri da sacrificare nei loro elaborati riti religiosi. Il cannibalismo, benché non sia una caratteristica che accompagna la guerra, può non essere così raro come si pensava. Le ricerche più recenti suggeriscono che tra queste società pre-stato non c'erano né una pace continua né una guerra senza sosta – un quadro, quindi, con più sfumature di quelle che Rousseau o Hobbes avessero ipotizzato.

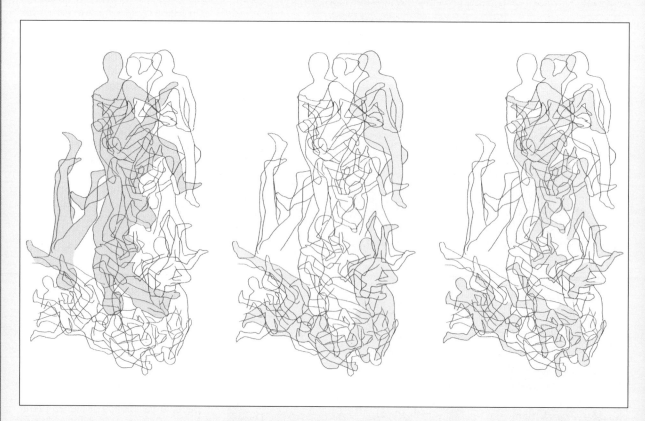

5.61 Scheletri ritrovati in una fossa a Talheim, in Germania, del 5000 a.C. circa. Il ritrovamento testimonia uccisioni di massa che contraddicono la visione delle prime società agricole come pacifiche (da sinistra a destra: uomini, donne e bambini).

Ricerche archeologiche di questo tipo sono oggi in corso in molte parti del mondo, particolarmente per quel che riguarda la produzione specializzata di ceramica, metallo, vetro e materiali litici quali l'ossidiana (di queste produzioni tratteremo nel Capitolo 8). Il lavoro di un archeologo italiano, Maurizio Tosi, sul sito di Shahr-i-Sokhta, nell'attuale Iran, è un caso esemplare e fornisce un'immagine del livello della specializzazione artigianale e della sua relazione con l'amministrazione centrale nell'altopiano iraniano nel corso del III millennio a.C. Studiando le testimonianze relative alla produzione artigianale in diverse parti del sito, Tosi ha dimostrato che alcune attività (in particolare la tessitura e la lavorazione delle pelli) si svolgevano nelle aree residenziali, mentre altre (per esempio la lavorazione di strumenti in pietra, di lapislazzuli e di calcedonio) erano fortemente rappresentate nelle aree destinate ai laboratori specializzati.

Relazioni tra società centralizzate

I contatti esterni tra società centralizzate non possono essere intesi semplicemente in termini di scambio di beni: sono anche relazioni sociali. Queste sono state tradizionalmente esaminate, se mai, all'interno del sistema di riferimento dei modelli di dominanza, dove viene presa in considerazione l'«influenza» di un centro primario nel tracciare i contorni delle aree secondarie, spesso in quella che è stata definita «diffusione» della cultura (vedi Capitolo 12). Gran parte delle interazioni tra società si svolgono tuttavia tra vicini di grandezza e potenza pressoché uguali, e sono perciò state definite interazioni tra società paritarie. Dal punto di vista archeologico tali relazioni devono essere studiate più attentamente di quanto non si sia fatto finora, e in questa sede potremo elencare uno o due temi principali.

Il ruolo della **guerra** nelle società più antiche richiede uno studio più approfondito, come illustrato nella Scheda 5.7. Per la maggior parte delle società la guerra territoriale consisteva in un complesso insieme di rituali: la conquista del territorio, la vendetta e l'adozione di una politica violenta. La **competizione** costituisce un elemento frequente nei rapporti tra società, talvolta all'interno di un quadro rituale. Lo studio dei luoghi in cui si svolgevano i giochi, o anche quello di alcune aree cerimoniali, rivela che molte delle interazioni tra società assumevano una forma competitiva. Questo sembra essere il caso dei campi per il gioco della palla in Mesoamerica, e fu certamente così per i grandi giochi Panellenici dell'antica Grecia, i più famosi dei quali erano i giochi Olimpici.

Uno dei caratteri che più frequentemente accompagnano la competizione è l'**emulazione**: le consuetudini, gli edifici e i manufatti di una società tendono ad assumere la forma di quelli in uso nelle società vicine. Ciò si verifica pressoché in tutte le regioni, ma questi aspetti relativi allo stile e alle forme simboliche sono ancora scarsamente affrontati dagli archeologi. Dal momento che implicano l'uso di simboli, e quindi una considerazione su ciò che gli esseri umani pensavano oltre che su ciò che facevano, saranno di nuovo affrontati nel Capitolo 10.

L'ARCHEOLOGIA DELL'INDIVIDUO E DELL'IDENTITÀ

Finora la discussione in questo capitolo si è sviluppata partendo dalla società e dalla sua organizzazione. È una scelta precisa di questo libro: prima di porsi domande relative alla varietà dell'esperienza umana, si fornisce una visione della società e della sua complessità, e successivamente si raggiunge una visione olistica. D'altro canto questo approccio può essere criticato perché «dall'alto verso il basso», dove si comincia con domande relative all'organizzazione, alla gerarchia, al potere e alla centralizzazione, e solo in seconda battuta si prende in considerazione l'individuo che vive veramente nella società, il suo ruolo e il suo status sociale, e *come* veramente dovesse essere vivere in quel luogo, in quel tempo e in quel contesto sociale.

Sarebbe stato egualmente valido cominciare con l'individuo e con le relazioni sociali, tra cui i rapporti di parentela, e andare poi verso l'esterno, con un approccio che si potrebbe definire «dal basso verso l'alto». Questa impostazione è stata seguita da Clive Gamble nel suo lavoro sul periodo paleolitico. Gamble è in disaccordo con due visioni antropologiche differenti: con l'approccio cognitivista, che richiede rappresentazioni mentali delle strutture sociali, e con l'approccio fenomenologico, che sottolinea il coinvolgimento attivo delle persone con il loro ambiente. Quest'ultimo, in particolare, può essere visto come operante al livello dell'individuo. «I ritmi e i gesti del corpo nello svolgersi della vita sociale, le azioni abituali del vivere, significano che la memoria sociale non viene tramandata in modalità né testuali né linguistiche» (Gamble 1998, 429). Queste esperienze vengono elaborate attraverso contatti individuali e interpersonali che sono attuati tramite lo sviluppo delle reti di comunicazione. «L'elaborazione delle reti di comunicazione estese attraverso le risorse simboliche ha portato a un paesaggio sociale regionale» (Gamble 1998, 443).

Questa vorrebbe essere anche la tendenza di molti antropologi sociali, sociologi, e anche di quegli economisti interessati alle transazioni personali a livello microeconomico. Nel Capitolo 10, «Che cosa pensavano», dove si comincia con una considerazione della mappa cognitiva dell'individuo, questa è la prospettiva adottata, seguendo il punto di vista filosofico che viene lì identificato come «individualismo metodologico».

In un certo senso questo approccio assomiglia inizialmente, anche se su basi filosofiche diverse, a quello adottato dagli archeologi interpretativi della scuola postprocessuale. Essi sottolineano, seguendo in parte il lavoro del sociologo francese Pierre Bourdieu, che i concetti sociali, come le categorie che usiamo abitualmente quando parliamo per esempio di genere o di classe sociale, sono costrutti della nostra stessa società, e in ultima istanza di noi stessi. Questo punto è esemplificato più avanti in relazione al genere, dove viene fatto notare il fatto apparentemente ovvio che il genere biologico come categoria oggettiva sia da distinguere dai ruoli sociali che noi ascriviamo agli uomini, alle donne, ai guerrieri, alle levatrici ecc. Questi ruoli sono sicuramente collegati al genere, ma quando confrontiamo una specifica società con un'altra, si vede come sono in effetti costrutti concepiti in maniera molto differente.

Archeologi come Julian Thomas e Roberta Gilchrist hanno applicato il concetto di Bourdieu di *habitus* (che possiamo definire come princìpi strutturanti costituiti socialmente, o disposizioni operanti in ciascun individuo: una nozione abbastanza astratta, ma tuttavia utile) rispettivamente all'archeologia e alla cultura materiale del Neolitico (il primo periodo di agricoltura) e al mondo medievale. La cosa interessante, riguardo ai documenti archeologici, con le loro lunghe traiettorie temporali, è che ci permettono di cogliere la nascita e lo sviluppo nel mondo di concetti completamente nuovi, per esempio quelli di valore e ricchezza (come sono discussi in relazione alla sepoltura preistorica di Varna, nel Capitolo 10), di proprietà privata, di regno, più quelli con cui organizziamo i nostri pensieri. Bourdieu (1977, 15) parla di:

> una disposizione permanente, radicata proprio nel corpo degli agenti in forma di disposizioni mentali, schemi di percezione e pensiero [...] come quelle che dividono il mondo conformemente alle opposizioni tra uomo e donna, est e ovest, futuro e passato ecc [...] e anche, a un livello più profondo, nella forma di posture, atteggiamenti corporali [...] modi di stare in piedi, di sedere, di guardare, di parlare e di camminare.

Queste cose, nonostante ci possano sembrare «date», sono, in effetti, culturalmente specifiche: si sono sviluppate e sono state adottate all'interno della società. Si potrebbe, quindi, vedere l'*habitus* come una ideologia informativa che è comunicata e riprodotta attraverso il processo di socializzazione o acculturamento, nel quale la cultura materiale gioca un ruolo attivo.

Julian Thomas, John Barrett e altri archeologi della scuola «Neo-Wessex» hanno enfatizzato che le convenzioni e i rituali, come quelli praticati presso i monumenti neolitici del Wessex nel III millennio a.C. (*vedi* Scheda 5.3),

hanno aiutato a dar forma alla visione del mondo, alle disposizioni e sicuramente all'*habitus* dei primi agricoltori, alla stessa maniera in cui l'ambiente dei conventi, sia materiale sia spirituale, discusso da Gilchrist, ha dato forma all'*habitus* delle comunità di suore. Gli edifici in cui si vive e il loro uso abitudinario influiranno sui modelli della vita quotidiana dell'individuo, nonché sulla sua esperienza e sulle sue aspettative. A un livello differente, l'esperienza frequente di una pratica rituale, fino al punto in cui diventa naturale e normale, governa le aspettative e le assunzioni della vita di tutti i giorni. Queste idee ci portano a vedere fino a quale profondità le categorie sociali e i ruoli sono veramente costrutti proprio della società che li utilizza.

Non bisogna considerare questi concetti assodati: tuttavia le tecniche dell'archeologia ci aiutano a vedere quando viene data per la prima volta forma materiale a questi costrutti (come nella differenziazione delle decorazioni nei vestiti degli uomini e delle donne in Europa durante l'Età del bronzo o nei primi simboli di prestigio mostrati da individui che noi possiamo identificare come capi).

Ci sono molte dimensioni o vettori dell'identità. Come verrà specificato più avanti, il genere è stato il più discusso in questi ultimi anni, ma anche l'età e i livelli di età sono finiti recentemente al centro dell'attenzione. I problemi legati al riconoscimento del prestigio e di un alto status sociale sono stati già discussi con il concetto di gerarchia (che appartiene sia a una discussione «dall'alto al basso» sia a una «dal basso all'alto»). Negli ultimi anni anche l'etnicità è tornata alla ribalta (*vedi* Scheda 5.2), non fosse altro che per l'uso scorretto dell'archeologia da parte di gruppi politici mossi unicamente dai loro interessi contingenti (*vedi* Capitolo 14).

L'archeologia della personalità

In anni recenti la nozione di «individuo» come persona autonoma, che può essere concepita isolatamente, è stata vista come una semplificazione. Come ha sottolineato il poeta John Donne «No man is an island, entire of itself» («nessun uomo è un'isola, completo in sé stesso») e gli esseri umani sono animali sociali. Il ruolo, lo status, l'etnicità e sicuramente anche il genere sono intesi in maniera differente a seconda delle varie società. Questi sono vincoli sociali.

Come Chris Fowler sostiene nel suo libro *The Archaeology of Personhood* (*L'archeologia della personalità*), differenti società costruiscono la persona in maniere molto differenti. Prendiamo per esempio in esame il caso della «bellezza del guerriero», una nozione ideale del maschio (*vedi* pagina 229), nozione che ricopre ruoli molto differenti in Europa nella tarda Età del bronzo o nel Messico degli Aztechi. Questi temi verranno di nuovo affrontati nel Capitolo 10, dove saranno prese in considerazione le mappe cognitive e dei simboli di potere, e nel Capitolo 12, dove invece esamineremo l'individuo e l'azione (*agency*).

5.62 Un prete donna Yoruba e un prete Khamite svolgono una libagione rituale in memoria degli avi sulla tomba di un defunto sepolto nell'African Burial Ground a Manhattan, New York.

L'organizzazione delle società si basa spesso sulla classificazione degli individui e sicuramente sulla divisione in classi sociali, in maniera sia verticale (gerarchica) sia orizzontale. Queste categorie sono sovente rappresentate da simboli, e l'iconografia del potere la prenderemo in considerazione con più attenzione nel Capitolo 10. Ana-

lizzare e cercare di capire come tutti questi aspetti della società interagiscono è sicuramente uno degli aspetti più affascinanti dell'archeologia.

Il tema dell'archeologia che tratta le disuguaglianze sociali forse non è ancora stato esaminato con la necessaria attenzione, ma nel campo dell'archeologia storica ci sono stati studi sistematici della cultura materiale di alcuni gruppi svantaggiati; tra questi ricerche interessanti sono state avviate su aree di città che, stando ad alcune documentazioni, sarebbero da considerarsi povere.

Five Points, il quartiere povero e malfamato della bassa Manhattan a New York, descritto da scrittori del primo Ottocento tra i quali Charles Dickens, è stato studiato in occasione degli scavi a Foley Square. L'area scavata ha incluso un bordello sotterraneo al numero 12 di Baxter Street, documentato storicamente (nell'atto di accusa verso il suo proprietario nel 1843) come una «casa disordinata; nido di prostitute e altri figuri di cattiva fama». Gli scavi rivelarono altri elementi basati sulla cultura materiale:

la qualità degli oggetti casalinghi trovati nella latrina dietro al numero 12 di Baxter Street era di gran lunga superiore rispetto a quella degli oggetti trovati in qualsiasi altra parte dell'isolato. Le prostitute vivevano bene, almeno quando erano al lavoro. Sicuramente la

5.63-64 Vista degli scavi di salvataggio nell'area di Five Points a Manhattan, New York (XIX secolo). L'analisi di un bordello sotterraneo ha fornito diverse informazioni sulla vita quotidiana dei suoi abitanti. Benché appartenenti a un livello sociale basso, le prostitute disponevano di un servizio di porcellana cinese (*nel riquadro*) per il tè pomeridiano.

possibilità di vivere con un tenore di vita che sarte, lavandaie e cameriere non potevano permettersi doveva costituire un'attrazione. Il tè pomeridiano al bordello era servito con un servizio coordinato di porcellana cinese che includeva tazze da tè e da caffè, piattini e piatti, una ciotola per i fondi del tè e un barattolo per il tè. I pranzi comprendevano bistecche, vitello, prosciutto, molluschi e vari tipi di pesce. Fu ritrovata una varietà di manufatti più vasta nel bordello che nelle altre parti dell'isolato del palazzo di giustizia. (Yamin 1997, 51)

Non lontano da Foley Square, un altro scavo, quello dell'African Burial Ground, precedentemente noto come Negros Burial Ground, riportato in una mappa del 1755, si è dimostrato ricco di informazioni e ha avuto ampie ripercussioni. Nel 1991 lo scavo di salvataggio degli scheletri che vi fu condotto, suscitò lo scandalo dalla comunità afroamericana, che ritenne di non essere stata adeguatamente consultata, e portò alla costituzione a New York City, del Museum of African and African-American History. Non c'erano lapidi per le tombe e, a parte il legno, i chiodi delle bare e le spille dei sudari, furono trovati pochi altri manufatti. Studi degli scheletri hanno combinato l'analisi del DNA con misurazioni del cranio, studi morfologici e informazioni storiche per scoprire da dove venivano queste persone. Un gran numero di campioni permetteranno lo studio delle abitudini alimentari e delle patologie. I resti di 419 individui dissotterrati durante gli scavi furono risotterrati con una cerimonia funebre nell'ottobre del 2003, dopo essere stati portati in processione per le strade di Broadway.

Sicuramente la controversia e gli scavi sono stati uno stimolo per lo sviluppo dell'archeologia afro-americana, già ben definita per via degli studi nei siti delle piantagioni.

L'EMERGENZA DELL'IDENTITÀ E DELLA SOCIETÀ

Le prime indicazioni dell'identità personale finora riconosciute nei resti archeologici sono le perline e gli ornamenti personali che risalgono al periodo paleolitico. Queste diventano ancora più importanti nel Paleolitico Superiore con la comparsa dell'*Homo sapiens* e sono particolarmente visibili nelle sepolture. È difficile dubitare che una identità personale ben definita non sia una caratteristica generale della nostra specie, anche se non è sempre facile riconoscerlo dai resti materiali che sono rimasti. Con l'inizio del sedentarismo, tuttavia, l'utilizzo degli ornamenti personali diventa molto più marcato. Studi recenti hanno documentato l'aumento impressionante di reperti di ornamenti per il corpo nell'Asia occidentale al principio del Neolitico, o anche parecchio tempo prima, dal periodo della cultura Natufiana in poi.

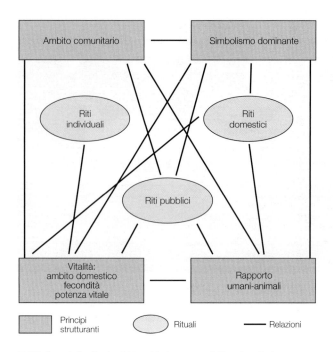

5.65 Il modello rituale di Marc Verhoeven, relativo al periodo preceramico del Neolitico, che unisce l'individuo, la casa e la comunità. È applicabile sia ai riti relativi alla morte e alla sepoltura sia ai riti quotidiani e periodici.

È interessante osservare che il diffondersi di lapidi strettamente personali avviene contemporaneamente a quello di altri due indicatori sociali assai importanti: lo sviluppo dell'attività rituale e la costruzione di edifici monumentali. Il muro che circonda la Gerico neolitica del periodo preceramico aveva chiaramente la funzione di regolare le relazioni all'interno del gruppo. A questo proposito si è sostenuto che, a un livello intra-gruppo, l'attività di costruzione fondò e regolò nuovi tipi di relazioni socio-economiche. Le nuove forme di impegno con il mondo materiale erano strumentali nella formazione di nuove relazioni sociali. Indicazioni di nuove categorie di identità negli ornamenti personali mostrano perciò, allo stesso tempo, anche la creazione di nuove relazioni all'interno del gruppo.

Nello stesso periodo anche nell'Asia occidentale nuove ideologie si formano attraverso la pratica di nuovi rituali. Marc Verhoeven ha sviluppato il concetto di **contestualizzazione** (*framing*), definito come la maniera in cui le persone e/o le attività e/o gli oggetti vengono distinte per ragioni rituali, non domestiche. La contestualizzazione viene raggiunta principalmente creando un luogo e un tempo speciale e tramite l'uso di oggetti non ordinari. Le sepolture, ovviamente, sono tra gli ambienti più contestualizzati e rituali.

Le identità e i gruppi sociali nascono tramite le interazioni tra gli individui nello svolgersi delle attività condivise, siano esse comuni (come la costruzione di edifici pubblici) o rituali, oppure di entrambi i tipi. Le attività hanno spesso ciò che si potrebbe definire un ruolo ideativo, oltre che funzionale, e l'aspetto cognitivo è spesso la controparte di quello pratico. Lo sviluppo di nuove categorie cognitive (*vedi* pagina 45) si realizza con le nuove relazioni sociali.

Processi simili avvengono anche nella formazione dell'identità e delle relazioni sociali in periodi successivi. Ciò che vale per la Gerico neolitica del periodo preceramico vale anche per la Grecia durante la transizione dall'Età del bronzo a quella del ferro. Nella sua descrizione degli oggetti ritrovati in una ricca sepoltura nell'edificio rituale o di culto di Lefkandi, nell'isola Eubea in Grecia, James Whitley tratta in effetti un caso di contestualizzazione attraverso la sepoltura di oggetti speciali in un contesto molto speciale. In questo caso gli oggetti personali, il possesso personale, i rituali e un importante edificio pubblico ancora una volta si sono trovati insieme nel processo di formazione di nuove identità individuali e di gruppo, che hanno posto le basi per le società dell'antica Grecia.

L'INDAGINE SUL GENERE E SULL'INFANZIA

Un importante aspetto dello studio dell'archeologia sociale, che rientra negli scopi dell'archeologia dell'identità, è l'indagine sul genere. Inizialmente si pensò che essa si potesse sovrapporre all'archeologia femminista, che spesso aveva lo scopo esplicito di denunciare e correggere l'androcentrismo (il pregiudizio maschile) dell'archeologia (*vedi* Capitolo 1). Non c'è dubbio che nel mondo moderno il ruolo delle donne professioniste, incluse le archeologhe, sia sempre stato difficile. Per esempio, a Dorothy Garrod, la prima donna professoressa di archeologia in Gran Bretagna (*vedi* pagina 16), fu offerta una cattedra nel 1937 quando ancora le studentesse della sua università (Cambridge) non avevano il diritto di ottenere una laurea alla fine dei loro corsi, come invece accadeva ai loro colleghi maschi, ma solo un diploma. C'era, e c'è ancora, uno sbilanciamento da aggiustare nel mondo accademico e questo era uno dei primi obiettivi dell'archeologia femminista. Il secondo era di mettere meglio in evidenza il ruolo delle donne archeologhe del passato, che in parecchi casi non era stato adeguatamente considerato, e di riequilibrare il pregiudizio maschile, presente in tanti testi archeologici.

Questi obiettivi erano giustificati, ma non hanno definito i problemi in maniera sufficientemente chiara; le impostazioni iniziali furono criticate dai successivi archeologi del genere come poco più di un «aggiungere le donne e mischiare». Lo studio del genere, infatti, è molto più dello studio delle donne. Presto la distinzione tra sesso e genere divenne un'idea centrale. Si disse che il sesso (maschio o femmina) lo si poteva considerare come determinabile biologicamente e anche ricavabile archeologicamente dai resti dello scheletro. Il genere, invece (nella sua formulazione più semplice: donna o uomo), è un concetto sociale che coinvolge i ruoli degli individui legati al sesso. I ruoli legati al genere variano notevolmente nelle diverse società sia da un luogo all'altro sia attraverso il tempo. I sistemi di parentela, di matrimonio (compresi la poligamia e la poliandria), di ereditarietà e di divisione del lavoro sono tutti correlati al sesso biologico, ma non determinati da esso (*vedi* Scheda 5.8). Queste prospettive hanno permesso un lavoro proficuo nella seconda fase degli studi del genere, ma sono stati ora criticati da una nuova «terza ondata» di femminismo come «essenzialisti», in quanto enfatizzavano delle supposte differenze «innate» tra l'uomo e la donna e sottolineavano i legami delle donne al mondo naturale attraverso la riproduzione.

Il lavoro di Marija Gimbutas sulla preistoria del sud-est europeo viene ora criticato da studiosi appartenenti all'archeologia del genere come ricadenti in questa tendenza «essenzialista». Nel suo lavoro pionieristico Marija sostenne che l'abbondanza di figurine femminili ritrovate nel sud-est dell'Europa e in Anatolia, risalenti al Neolitico e all'Età del rame, dimostrava l'importanza dello status sociale delle donne a quei tempi. Marija Gimbutas aveva un'idea della Vecchia Europa influenzata dai valori femminili che poi è scomparsa con la successiva Età del bronzo, caratterizzata dalla predominanza di una gerarchia maschile incentrata sulla guerra e introdotta, si supponeva, dai guerrieri indoeuropei nomadi che provenivano dall'est. Questi concetti continuano a dominare gli studi indoeuropei, dove la proposta che la lingua protoindoeuropea possa essere stata introdotta in Europa durante il Neolitico (*vedi* Scheda 12.5) è stata criticata adducendo come motivazione che le società indoeuropee erano dominate dagli uomini, e quindi avevano un carattere guerresco, mentre le rappresentazioni iconografiche del periodo neolitico erano essenzialmente femminili.

Marija Gimbutas è diventata a modo suo una personalità e il suo lavoro a supporto del concetto di una grande Dea Madre che rappresenta il principio di fertilità è stato accolto dalle moderne «ecofemministe» e dai seguaci della New Age. Gli scavi ancora in corso nel sito di Çatalhöyük in Turchia, risalenti al primo Neolitico, dove figurine femminili di argilla cotta sono state effettivamente trovate (*vedi* Scheda 1.8), sono ora visitati da devote della Dea Madre, i cui punti di vista sono rispettosamente ascoltati, anche se non condivisi, dagli addetti agli scavi. Ci sono anche delle voci scettiche: Ian Hodder, per esempio, ha sostenuto che «l'elaborato simbolismo femminile del primo periodo Neolitico esprimeva la subordinazione delle donne... forse le donne, piuttosto che gli uomini, erano mostrate come oggetti perché loro, diversamente dagli uomini, erano diventate oggetto di possesso e desiderio da parte degli uomini». Lo studio molto attento di Peter

5.8 Le relazioni di genere nel Primo periodo intermedio in Perú

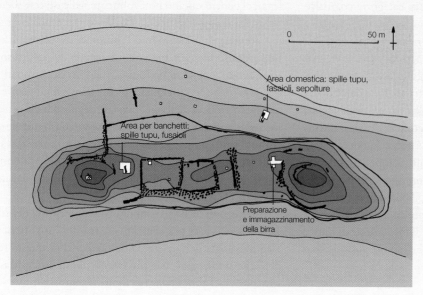

5.66 Queyash Alto: la mappa del sito mostra le prove, fornite dagli scavi, di aree funzionalmente distinte.

Un buon esempio di come i dati archeologici possano essere in grado di interpretare ruoli legati al genere è fornito dalle ricerche di Joan Gero nel sito di Queyash Alto, nella regione montuosa del Perú, durante il Primo periodo intermedio (EIP, dal 200 a.C. al 600 d.C. circa).

Il sito di Queyash Alto è localizzato su uno stretto crinale terrazzato e consiste in una serie di stanze e cortili aperti allineati. Gli scavi condotti da Gero hanno identificato tre aree funzionalmente distinte: una domestica e due non domestiche. Una terrazza superiore conteneva strutture dalla pavimentazione sopraelevata, che mostrava tracce di un utilizzo domestico, probabilmente di alto livello sociale, a giudicare dalla presenza di ceramiche decorate, di conchiglie importate, di statuette e di spille di rame tupu. Queste spille erano utilizzate esclusivamente dalle donne andine per acconciare i vestiti sia al tempo degli Inca sia in tempi più recenti. Poiché il rame fu utilizzato per la prima volta per produrre manufatti nel Primo periodo intermedio, la disponibilità di tali oggetti di prestigio sta a indicare l'alto status sociale del proprietario.

Ulteriore prova della presenza di donne in quest'area è rappresentata dalla presenza di fusaiole. Benché la filatura non sia necessariamente un'occupa-zione femminile, ci sono ampie testimonianze di donne filatrici nella regione. Solo le donne vengono sepolte sotto la pavimentazione più bassa della casa, probabilmente come ave o madri fondatrici lungo la linea materna.

Banchetti

In contrasto con le terrazze residenziali, i materiali provenienti dal livello superiore hanno suggerito attività non domestiche, indicando un'area di produzione e immagazzinamento della birra e una coorte aperta che sembra essere stata un luogo destinato a celebrazioni rituali. Abbondanti reperti di vasi per servire e bere sono stati ritrovati in questo luogo assieme a mestoli e a cucchiai. Attrezzi di pietra, che sono stati associati alla preparazione della carne, e una profusione di strumenti musicali a fiato completano il quadro di un luogo di consumazione comune. Inoltre, anche qui sono state ritrovate spille e fusaiole, a indicare che donne appartenenti a un alto status sociale potevano partecipare a questi banchetti.

Il profilo formale del sito, sul piano architettonico, con le restrizioni agli accessi e ai movimenti, indica che i banchetti erano qualcosa di più che una semplice riunione comune per celebrare o per propiziarsi un buon raccolto. Gero ha suggerito che questi banchetti avvenissero sullo sfondo del contesto politico competitivo del Primo periodo intermedio, caratterizzato dall'emergere di una società più gerarchizzata e dal consolidamento del potere nelle mani di pochi individui, forse i capi di lignaggio.

Fu questa apparenza di nuove relazioni di potere gerarchizzato che rinforzò l'idea che a Queyash Alto debbano essere stati celebrati dei riti. Un gruppo di parentela può così dimostrare di avere sufficienti risorse economiche e uno status sociale tale da convocare altri lignaggi, forse per fare una buona impressione, ripagare la loro fatica o creare ulteriori obbligazioni. Le donne appartenenti a un alto livello sociale prendevano parte a queste feste politiche; probabilmente sia come ospiti sia come appartenenti al gruppo che ospitava il banchetto.

Per tentare di chiarire la natura della partecipazione femminile a questi banchetti, Gero ha cercato prove nell'iconografia delle ceramiche di stile Recuay del Primo periodo intermedio documentato nella stessa valle. Vasi raffiguranti figure umane comprendevano entrambi i sessi e i vestiti, benché chiaramente differenti secondo il genere, erano ugualmente elaborati e prestigiosi. Inoltre, sia i maschi sia le femmine sono rappresentati da soli piuttosto che in coppia (salvo che nelle scene di accoppiamento), suggerendo che le donne del Primo periodo

5.67 Due delle cinque spille di rame tupu da Queyash Alto. Queste spille erano utilizzate per assicurare i vestiti e sono state in uso fino a tempi recenti.

5.68 Un vaso Recuay raffigurante un'autorevole figura femminile, apparentemente ornata da spille tupu.

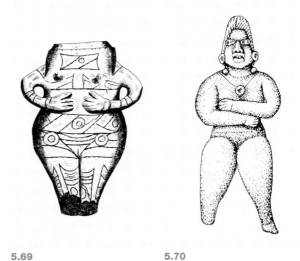

5.69   **5.70**

5.69-71 Differenti immagini che simboleggiano il potere femminile? (*In alto a sinistra*) Vaso neolitico antropomorfo raffigurante una figura femminile, da Vidra, Romania; (*in alto a destra*) una figurina zapoteca proveniente da San José Mogote (Oaxaca), in Messico; (*qui sopra*) una figura seduta in pietra del tardo Neolitico proveniente da Hagar Qim e Malta, originariamente con una testa removibile che poteva essere azionata con dei lacci (alta 23,5 cm).

intermedio avessero anch'esse diritti e autorità, senza dover dividere o derivare il loro potere dal «marito».

L'iconografia di questi vasi ci permette anche l'identificazione di diverse aree di attività e forse di controllo e di potere, per gli uomini e le donne Recuay. Gli uomini sono raffigurati con armi e strumenti musicali, e assieme a lama e ad altri animali, mentre le donne sono rappresentate assieme a bambini che tengono le mani in avanti o con oggetti rituali come conchiglie, tazze, specchi, oppure in piedi di guardia sul tetto. Da ciò, Gero ha dedotto l'inutilità di cercare di determinare chi, tra gli uomini e le donne, avesse uno status sociale più alto: evidentemente sia gli uomini sia le donne partecipavano a un «mosaico» di potere.

Sia le pratiche dei banchetti a Queyash Alto, sia l'elaborata tradizione ceramica Recuay, coincidono con un' intensificazione delle relazioni di potere gerarchico nella zona montuosa centro-settentrionale del Perù durante il Primo periodo intermedio. Queste prove delineano due fili conduttori che vedono i temi del potere e dei riti inseparabilmente legati con un complesso sistema di genere. Sembra poco dubbio, inoltre, che l'intensificazione della gerarchia abbia richiesto cambiamenti nell'ideologia del genere e nell'alto status sociale a cui le donne appartenevano.

Ucko su materiali simili dell'Egeo ha mostrato che molte di queste figurine mancavano di elementi dai quali si potesse dedurre il sesso o il genere; questa visione è supportata da ritrovamenti più recenti fatti a Malta. Studi di figurine simili in argilla cotta risalenti al Periodo formativo di Oaxaca, in Messico (dal 1800 al 500 a.C.), hanno portato a risultati assai diversi, suggerendo che queste figurine fossero fatte da donne per l'utilizzo in riti riguardanti gli antenati. Seguendo questa impostazione le figurine possono essere viste come rappresentanti di antenati piuttosto che di divinità. L'idea che rappresentino una Dea Madre in questo caso mancherebbe di adeguate prove di supporto. Ann Lynn Meskell, in una dichiarata critica femminista,

© 978.8808.82073.0

ha parlato di «pseudofemminismo» in riferimento alla metanarrativa della Dea Madre, considerando il lavoro della Gimbutas come:

> imbevuto, nella struttura epistemologica da *establishment* di opposti polari, di rigidi ruoli del genere, invasioni barbariche e stadi culturali che sono ora considerati fuori moda. È un peccato che molti archeologi interessati al genere siano attratti dalla finzione storica e dalla narrativa emotiva […] in queste condizioni una saggia scuola femminista deve astenersi da scorciatoie metodologiche, dal sessismo al contrario, da informazioni mescolate a pura fantasia […] (Meskell 1995, 83).

La terza fase dello sviluppo dell'archeologia del genere, in linea con la «terza ondata» femminista degli anni Novanta del secolo scorso, ha una visione differente del genere in due sensi. Primo, nel senso più stretto, «portato avanti da donne di colore, femministe lesbiche, teorici eccentrici e femministe postcoloniali» (Meskell, 1999), riconosce che il campo e le differenze del genere sono più complesse di una semplice polarità tra maschio e femmina e che è necessario riconoscere altri elementi di distinzione. Certamente il riconoscimento di una semplice opposizione strutturale tra maschio e femmina è, anche nella nostra società, una rappresentazione troppo semplicistica di questi concetti. In molte società i bambini non sono intesi come socialmente maschi o femmine fintantoché non raggiungono la pubertà; in greco moderno, per esempio, mentre gli uomini e le donne hanno grammaticamente un genere maschile e femminile, le parole relative ai bambini appartengono di solito al genere neutro.

Questo porta al secondo punto, che cioè il genere sia parte di una più grande struttura sociale, parte del processo sociale; per dirla con le parole di Margaret Conkey: «un modo in cui le categorie sociali, i ruoli, le ideologie e le pratiche sono definite e giocate fino in fondo». Allo stesso tempo il genere è, in ogni società, un sistema di classificazioni, parte di un più grande sistema che opera simultaneamente lungo diversi vettori di differenza sociale, tra i quali l'età, la ricchezza, la religione, l'etnicità e via di seguito. Inoltre questi non sono concetti stabili, ma fluidi e flessibili, costruiti e ricostruiti nella pratica, o per meglio dire *praxis*, della vita quotidiana. Queste esperienze danno forma all'*habitus* dell'individuo in relazione alla sua sessualità, al suo genere, e in relazione alla percezione dei ruoli del genere da parte degli altri.

La complessità nell'analizzare le informazioni sepolte in relazione al genere è evidenziata dallo studio di Bettina Arnold sulla sepoltura della cosiddetta «Principessa di Vix», nella Francia centro-orientale. La tomba contiene resti di uno scheletro che l'analisi ha rivelato essere di femmina, ma i corredi funebri erano costituiti da vari oggetti di pre-

stigio normalmente considerati appartenenti a un maschio. Questa sepoltura eccezionalmente ricca del V secolo a.C. fu inizialmente interpretata come quella di un prete travestito, perché era assolutamente inconcepibile che una donna potesse essere onorata in una simile maniera. La rianalisi molto attenta, da parte della Arnold, dei corredi funebri ha confermato l'interpretazione del sepolcro come quello di una femmina appartenente all'élite. Questo potrebbe portare a una nuova valutazione del ruolo potenzialmente forte, occasionalmente sovrano, giocato dalle donne nell'Europa dell'Età del ferro. Questo lavoro potrebbe portare a una considerazione più ampia delle distinzioni di genere nell'Età del ferro, in un ambito che potrebbe ridefinire quanto sia appropriato per individui di status sociale molto alto il tradizionale concetto bipolare di genere.

Il processo di «costruzione del genere attraverso l'apparenza» è stato preso in considerazione da Marie Louise Stig Sørensen in relazione ai sepolcri danesi dell'Età del bronzo. Marie Louise sostiene, in modo convincente, che nella natura dei corredi funebri che mutano nel tempo non soltanto vediamo il riflesso dei ruoli del genere che cambiano nella società, ma possiamo anche ottenere delle informazioni su come questi stessi ruoli erano costituiti o costruiti modificando le apparenze (in termini di forma dei vestiti, dei materiali usati per i vestiti, degli ornamenti e dell'uso di tutti questi elementi insieme). Il suo lavoro coinvolge i ruoli di genere sia dell'uomo sia della donna, e ci ricorda che in archeologia un approccio maschilista può coesistere con uno femminista. Certo lo studio di Paul Treherne dal titolo *La bellezza del guerriero: il corpo maschile e l'autoidentità nell'Europa dell'Età del bronzo* può essere considerato come uno studio «maschilista», non perché il suo proposito sia quello di escludere le femmine, ma perché comincia a tracciare il ruolo del guerriero e del maschio ideale sia durante l'Età del bronzo in Europa sia nelle tarde rappresentazioni dell'Età del bronzo.

L'obiettivo di collocare l'analisi del genere, in archeologia, all'interno del contesto più ampio di varie dimensioni della vita sociale, tra cui età e status sociale, benché vantato in articoli programmatici e in un certo numero di volumi dedicati all'archeologia del genere, non può ancora essere esemplificato in casi di studio numerosi. Uno di questi è l'analisi di Lynn Meskell delle relazioni sociali (incluse le relazioni di genere) all'interno del villaggio egiziano di lavoratori di Deir el-Medina, costruito attorno al 1500 a.C. per facilitare il lavoro di costruzione delle tombe faraoniche della Valle dei Re e utilizzato per circa quattro secoli. La conservazione è eccellente e, poiché questa era una società che utilizzava la scrittura, abbiamo delle testimonianze scritte. Il villaggio fu costruito con precise finalità e con piante delle case stereotipate; questa regolarità, assieme a una grande quantità di reperti e di

centrata sui maschi di alto status sociale» della casa. Meskell riuscì a descrivere molto dettagliatamente l'uso dello spazio in queste abitazioni, in relazione alla preparazione del cibo e ad altre attività; inoltre alcuni riferimenti scritti sembravano indicare la presenza di stati sociali differenti, anche all'interno di villaggi che, dal punto di vista del faraone e dei suoi funzionari, erano interamente composti da persone con uno status sociale relativamente basso. L'esistenza di sepolture ben conservate, alcune delle quali riportano iscrizioni con i nomi, hanno fornito una ulteriore dimensione all'analisi, permettendo una dettagliata considerazione della vita e del lavoro dei singoli artigiani e delle loro compagne.

Mentre l'archeologia del genere, nell'ultimo decennio, è stata oggetto di grandi studi, è solo da poco tempo che l'infanzia in quanto tale è diventata oggetto di ricerca. Il tema strettamente collegato dell'apprendimento è di cruciale importanza quando si prendono in considerazione la trasmissione culturale, la stabilità oppure il cambiamento a lungo termine. Alcuni segni su reperti archeologici possono costituire del materiale di studio; anche se una imperfezione nell'esecuzione di un compito altrimenti ritenuto normale non può essere considerata automaticamente come un indice della presenza di un apprendistato, e quindi dello status di principiante e probabilmente dell'infanzia. Per esempio, uno studio condotto nel sito di Solvieux, in Francia, risalente al Paleolitico Superiore, ha comportato l'analisi del riassemblaggio, scheggia per scheggia, di un

5.72-73 (*In alto*) Ricostruzione parziale della sepoltura della «Principessa di Vix». Un corpo femminile adorno di gioielli deposto su un carro le cui ruote sono state appoggiate alla parete di una camera funeraria. (*Sopra*) Questo grande cratere di bronzo, alto 1,64 m, faceva parte del corredo funerario.

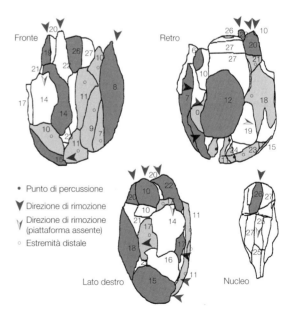

5.74 Diagramma diacritico (secondo Grimm) del reperto ricomposto da Solvieux, in Francia, risalente dal Paleolitico Superiore. Errori esecutivi, come martellate troppo potenti (corrispondenti a punti di percussione fortemente marcati), e la particolare forma di schegge staccate stanno a indicare che lo spaccapietre era alle prime armi, probabilmente un ragazzo.

installazioni, ha facilitato l'analisi della funzione delle stanze. Si è potuto identificare il primo ambiente dalla strada come «teoricamente orientato verso le donne, centrato attorno alle donne fertili della casa, appartenenti all'élite, sposate e sessualmente potenti», mentre la seconda stanza sembrava essere «ancora più predisposta alla ritualità, particolare frammento di materiale derivato da un singolo pezzo. Questo ha rivelato molti errori nell'esecuzione tipica di un lavoro di taglio da associare a una condizione di apprendistato, comprese alcune grossolane rimozioni di materiale che avevano compromesso profondamente il pezzo originario. Questo studio sistematico dei processi di apprendimento è esso stesso, all'interno dell'archeologia, allo stadio di infanzia.

LA GENETICA MOLECOLARE DEI GRUPPI SOCIALI E DEI LIGNAGGI

La genetica molecolare ha avuto un impatto su diverse branche dell'archeologia, così come si vedrà meglio nel Capitolo 11 (pagine 477-83) e, in relazione alle dinamiche e ai mutamenti delle popolazioni, nel Capitolo 12 (*vedi* Scheda 12.2). Ci sono applicazioni utili anche nel campo dell'archeologia sociale, per quanto sia chiaro che le relazioni stabilite sono essenzialmente biologiche: per usare la terminologia del paragrafo precedente, la discussione non è tanto riguardo al genere quanto al sesso.

Al momento ci sono due tipi di approcci: il primo esamina le relazioni genetiche a livello individuale, mentre il secondo esamina la storia genetica a lungo termine di un gruppo sociale più ampio, o «tribù», nel caso in cui questo termine sia applicabile.

Quando le tecniche per lavorare con antichi DNA saranno ancora più progredite, potremo aspettarci notevoli sviluppi nell'archeologia sociale delle sepolture, per quanto riguarda le relazioni familiari. Un campione di DNA antico preso da un osso può raramente essere utilizzato per determinare il sesso di un inumato, ma la potenzialità di studiare le relazioni familiari va molto oltre. Per esempio, nello studio delle sepolture con mummie di faraoni egiziani, dovrebbe essere possibile determinare se una mummia A sia la madre della mummia B sulla base del DNA mitocondriale (mtDNA), ereditato solo dalla madre (*vedi* Capitolo 11, pagina 478), anche se sarà sempre necessario un riferimento cronologico affidabile perché la determinazione, se positiva, non escluderebbe la possibilità contraria, cioè che B sia la madre di A. Modalità simili per la paternità, e in generale la relazione di parentela da parte del maschio, sono possibili con degli studi che utilizzano il cromosoma Y, anche se una conservazione adeguata del DNA nucleare è ancora più problematica di quella del DNA mitocondriale.

Mentre non ci sono state finora accurate analisi di questo tipo, nelle quali usare DNA antico per stabilire relazioni familiari (cioè genetiche), la stessa tecnica è stata utilizzata per il cromosoma Y di campioni di DNA di individui viventi di religione ebraica per ricostruire relazioni di considerevole antichità. È questo il lavoro fatto da Mark Thomas, David Goldstein e colleghi per studiare, tramite il DNA, il grado di osservanza nel tempo del requisito della religione ebraica secondo il quale i preti (Cohanim) seguono strettamente la linea ereditaria paterna (la discendenza viene tracciata dalla linea maschile). Campioni sono stati presi da 306 maschi ebrei di Israele, Canada e Regno Unito. I Cohamin del campione condividevano tutti uno specifico aplotipo del cromosoma Y, indicativo di comuni avi nella linea maschile, e il periodo nel quale i cromosomi furono derivati da un comune cromosoma ancestrale è stato stimato attorno a 2650 anni fa, una data che gli autori suggeriscono possa essere associata a quella della storica distruzione del Primo Tempio di Gerusalemme nel 586 a.C. e alla diaspora dei preti. Mentre la datazione può difficilmente essere precisa a sufficienza da garantire una specifica associazione di questo tipo, l'esempio dà un'idea della potenzialità di quest'approccio.

Un altro lignaggio del cromosoma Y molto interessante è stato identificato da Tatiana Zerjal e dai suoi colleghi tra 16 popolazioni viventi capillarmente diffuse in Asia centrale, dove è presente nell'8% della popolazione maschile. Gli studiosi hanno notato un'alta frequenza di un gruppo di lignaggi strettamente collegati, chiamato «gruppo stella», e hanno dedotto che il lignaggio si sia originato in Mongolia circa 1000 anni fa. Sostengono, inoltre, che questa rapida diffusione non possa essere avvenuta per caso, ma deve per forza essere il risultato di una selezione. Hanno quindi identificato, come causa, gli invasori mongoli e il loro capo Genghis Kahn: «il lignaggio è portato avanti da probabili discendenti maschi di Genghis Kahn e quindi suggeriamo che sia stata la diffusione di una nuova forma di selezione sociale basata sul loro comportamento». Anche se gli autori sono troppo garbati evitando la crudezza di alcune espressioni, ciò a cui si riferiscono, quando parlano di «nuova forma di selezione sociale», è in effetti lo stupro e il saccheggio, tramite i quali la progenie di Genghis Kahn, e dei suoi parenti, ha finito per caratterizzate in pochi anni i caratteri genetici di una così ampia parte della popolazione.

Di più ampia applicazione è lo studio di ciò che può essere chiamato «polimorfismo popolazione-specifico», dove viene analizzato il DNA di membri di un gruppo sociale, per esempio un gruppo tribale o un gruppo indigeno definito sulla base del linguaggio. Il lavoro di Antonio Torroni e colleghi su campioni di membri di un gruppo dell'America centrale definito in questo modo ha rivelata una consistenza all'interno del gruppo molto alta. Poiché i campioni in questione erano di mtDNA, essi implicano o un alto grado di endogamia all'interno del gruppo (matrimoni all'interno del gruppo) oppure un modello di residenza strettamente matrilocale (le coppie sposate vivono con il gruppo della madre della sposa).

5.75 Uno studio del DNA di popolazioni viventi: Mark Thomas e David Goldstein hanno esaminato il DNA di sacerdoti di religione ebraica (Cohanim), che nella foto vediamo in preghiera presso il Muro del Pianto a Gerusalemme. Il fatto che il sacerdozio nella religione ebraica sia ereditato per via maschile significa che i Cohanim esaminati condividevano tutti un aplotipo del cromosoma Y. Ciò ha permesso ai ricercatori di rintracciare una mutazione ancestrale che risaliva a 2650 anni fa circa, all'epoca della distruzione del Primo Tempio di Gerusalemme.

In Europa è stato osservato che quando si studia la distribuzione di uno specifico polimorfismo all'interno di una popolazione, l'aplogruppo del DNA mitocondriale (cioè la linea femminile) è in generale meno spazialmente localizzato nella popolazione di quanto non lo siano i confrontabili polimorfismi nel cromosoma Y (cioè la linea maschile). Sarebbe interessante scoprire perché le cose stanno così. Un'ipotesi è che un modello di residenza patrilocale stabile favorirebbe nel tempo degli elementi locali genetici, e quindi diversità spaziale, nei cromosomi Y (e per converso, la matrilocalità può essere collegata con la diversità spaziale nella distribuzione degli aplotipi di mtDNA). Una spiegazione alternativa potrebbe essere che, mentre il numero medio di maschi nati e di femmine nate della popolazione deve essere approssimativamente lo stesso, la varianza è probabilmente più grande per i maschi, specialmente nelle società gerarchizzate, dove i maschi di alto livello sociale possono avere un accesso preferenziale alle donne.

L'analisi più significativa di DNA antico finora condotta su un cimitero preistorico proviene dal cimitero di Norris Farm, nell'Illinois, relativo alla cultura Oneota (circa 1300 a.C.), dove sono stati riportati alla luce 264 scheletri. Le condizioni locali hanno favorito la conservazione del DNA, e Anne Stone e Mark Stoneking sono riusciti a ottenere risultati del DNA mitocondriale dal 70% dei campioni, e dati del DNA nucleare (cromosoma Y) dal 15% dei campioni. Oltre a identificare il sesso per mezzo del DNA nucleare, hanno usato i dati raccolti per riconsiderare le differenti opinioni correnti sul popola-

mento delle Americhe (*vedi* Capitolo 11, pagine 477-78), dichiarandosi favorevoli all'ipotesi dell'«andata singola» con una espansione compresa tra 37 000 e 23 000 anni fa. Una sequenza del mtDNA ha mostrato una considerevole diversità all'interno del lignaggio femminile. Ancora bisogna lavorarci, ma potrebbe essere che la comunità – che ha sofferto pesantemente per degli attacchi durante i quali ha perso un terzo dei propri adulti – ha cercato di mantenere i propri numeri con ogni mezzo possibile.

5.76 Uno studio del DNA di una popolazione del passato: l'analisi degli scheletri in un cimitero Oneota a Norris Farm, nell'Illinois, ha fornito una grande quantità di informazioni.

© 978.8808.82073.0

Riepilogo

■ Le società possono essere grossolanamente suddivise in quattro gruppi. I gruppi mobili di cacciatori-raccoglitori sono composti da meno di 100 individui e formalmente non hanno capi. Le società segmentarie raramente sono composte da più di qualche migliaia di individui che sono, tipicamente, degli agricoltori stanziali. I *chiefdom* funzionano sulla base di gerarchie con la differenziazione in status sociali. Gli stati conservano molti degli elementi dei *chiefdom*, ma i capi hanno il potere di stabilire e far rispettare le leggi.

■ La comprensione della grandezza della società deriva dalla comprensione della modalità di insediamento, che può essere determinata solamente tramite ricognizione.

■ L'analisi degli edifici e delle altre testimonianze relative all'amministrazione di un centro fornisce utili notizie circa l'organizzazione sociale, politica ed economica della società, oltre a dare un'idea della vita dei membri dell'élite dominante. Le reti stradali e i centri amministrativi di ordine inferiore forniscono ulteriori informazioni in merito alla struttura politica e sociale. L'analisi delle differenze nel trattamento accordato ad alcuni individui al momento della morte, in termini di quantità e ricchezza delle offerte funebri, può rivelare l'intera gamma di differenze di status sociale in una comunità.

■ Altre fonti possono fornire ulteriori informazioni sulla organizzazione sociale. Società alfabetizzate ci hanno lasciato informazioni scritte che possono rispondere a molte delle domande poste dagli archeologi. La tradizione orale può fornire delle informazioni utili in merito a un passato ancora più remoto. L'etnoarcheologia, inoltre, è un metodo fondamentale per gli archeologi sociali poiché alcune società contemporanee funzionano in maniera simile a quelle del passato.

■ L'identità personale è un elemento di carattere generale delle nostra specie, ma non è sempre facile ricostruirla da ciò che rimane. In una società, l'uso di oggetti meramente personali tende a corrispondere allo sviluppo dell'attività rituale e alla costruzione di edifici monumentali. Il genere è diventato un aspetto importante dello studio archeologico dell'identità, poiché è un costrutto sociale che coinvolge i ruoli legati al sesso degli individui nella società.

■ Lo studio della genetica molecolare è, inoltre, un campo potenzialmente nuovo nello studio degli individui e dei gruppi sociali.

Letture consigliate

I libri seguenti illustrano alcuni dei metodi con cui gli archeologi tentano di ricostruire l'organizzazione sociale:

Binford L.R., 2002, *In Pursuit of the Past.* University of California Press: Berkeley & London.

Diaz-Andreu M., Lucy S., Babić S. & Edwards D.N., 2005, *The Archaeology of Identity.* Routledge: London.

Fowler C., 2004, *The Archaeology of Personhood: An Anthropological Approach.* Routledge: London.

Hodder I., 2009, *Symbols in Action.* (Ristampa) Cambridge University Press: Cambridge & New York.

Janusek J.W., 2004, *Identity and Power in the Ancient Andes.* Routledge: London & New York.

Jones S., 1997, *The Archaeology of Ethnicity: Constructing Identities in the Past and Present.* Routledge: London.

Journal of Social Archaeology (Dal 2001).

Meskell L., 2006, *A Companion to Social Archaeology.* Wiley-Blackwell: Oxford.

Pyburn K.A. (a cura di), 2004, *Ungendering Civilization.* Routledge: London & New York.

Renfrew C. & Cherry J.F. (a cura di), 1986, *Peer Polity Interaction and Socio-political Change.* Cambridge University Press: Cambridge & New York.

6 | Qual era l'ambiente?

L'archeologia ambientale

L'archeologia ambientale è oggi una disciplina autonoma e ben sviluppata, che concepisce l'animale umano come una parte del mondo naturale, che interagisce con le altre specie dell'**ecosistema**. L'ambiente governa la vita umana: latitudine e altitudine, morfologia del suolo e clima determinano la vegetazione, che, a sua volta, determina la vita animale. Tutti questi elementi, considerati nel loro insieme, determinano il dove e il come l'essere umano ha vissuto, almeno fino a epoca molto recente.

Salvo poche eccezioni, fino a qualche decennio fa gli archeologi hanno dedicato poca attenzione ai dati ambientali – cioè a quelli non attinenti a manufatti (ecofatti) – e i siti, invece di essere considerati nel contesto del paesaggio di cui facevano parte, erano considerati più o meno come agglomerati autonomi di dati. Oggi si riconosce invece l'importanza di studiare la collocazione dei siti, prendendo in considerazione i processi geomorfologici e biologici che si svolgono al loro interno e nell'ambiente circostante. L'ambiente è adesso visto come una variabile, e non come qualcosa di costante e omogeneo nello spazio e nel tempo.

La ricostruzione dell'ambiente richiede in primo luogo una risposta a domande generali circa la cronologia e il clima. Dobbiamo sapere quando si svolsero le attività umane che stiamo studiando facendo riferimento alla successione generale dei climi su scala mondiale: si tratta quindi in qualche misura di una questione di cronologia. Una datazione affidabile ci permette, per esempio, di determinare se il contesto appartiene a un periodo glaciale o a un periodo interglaciale, e quale doveva essere probabilmente la temperatura in quella parte del pianeta. A questa domanda si ricollega, tra le altre, la questione del livello dei mari.

Ci porremo poi una serie di domande più precise, che sono particolarmente importanti per i contesti postglaciali, vale a dire a partire da circa 10 000 anni fa. Gli archeologi, in questo caso, si rivolgono alle testimonianze offerte dalla vegetazione di allora: sia dai pollini sia da resti vegetali di altro genere si possono ricavare informazioni circa la vege-

tazione presente sui siti in una certa epoca, e ciò consente di ricavare ulteriori dati sul clima.

Il successivo passo logico è quello di occuparsi della fauna (cioè dei resti animali), in primo luogo della microfauna – insetti, molluschi e roditori, sensibili indicatori dei cambiamenti climatici. Al pari di alcuni resti vegetali, sono indicatori anche del microambiente, cioè delle particolari condizioni ambientali del sito. Alcune di queste condizioni sono ovviamente il risultato dell'attività degli esseri umani, che erigono strutture e trasformano in altro modo l'ambiente immediatamente circostante per assicurarsi sopravvivenza e comodità.

A causa del cattivo stato di conservazione di molte testimonianze archeologiche e a causa della distorsione dei campioni da analizzare non potremo mai giungere a ricostruire i fatti «veri» accaduti negli ambienti del passato. Nessun metodo è in grado di fornire un'immagine adeguata – tutte risulteranno in un modo o nell'altro distorte – e sarà quindi necessario utilizzare tanti metodi quanti ne consentiranno i dati e i finanziamenti disponibili per arrivare a costruire un'immagine composita.

Nonostante queste difficoltà, la ricostruzione dell'ambiente è fondamentale, perché se vogliamo capire gli esseri umani e le loro comunità dobbiamo prima conoscere com'era fatto il mondo in cui vivevano. Naturalmente, come l'accesa discussione sul riscaldamento globale ci ricorda, donne e uomini non sono sempre stati in balia del loro ambiente, ma anzi spesso essi stessi lo hanno modificato, attraverso interventi sulla vegetazione, lo sfruttamento o iper-sfruttamento delle risorse, lo spostamento dei corsi dei fiumi e l'inquinamento di vario tipo.

L'INDAGINE AMBIENTALE SU SCALA MONDIALE

Il primo passo nella determinazione delle condizioni ambientali del passato è quello di esaminarle su scala mondiale. I cambiamenti locali hanno poco senso se non sono osservati contro questo «sfondo» climatico generale. Dato che l'acqua copre i tre quarti circa della superficie terrestre, dovremmo cominciare con i dati circa i climi del passato che si possono ottenere dallo studio delle acque. È ora possibile non solo scavare relitti e siti sommersi, ma anche trarre dallo studio del fondo del mare dati che sono di grande interesse per la ricostruzione degli ambienti del passato, soprattutto per i periodi più antichi.

Dati ricavati dagli oceani e dal ghiaccio

I sedimenti del fondo del mare si accumulano assai lentamente (pochi centimetri ogni migliaio di anni) e in talune aree consistono in un sedimento organogeno di microfossili, come i gusci dei foraminiferi planctonici, piccoli organismi marini unicellulari che vivono nelle acque superficiali degli oceani e dei mari e si depositano sul fondo al momento della morte. Come in una stratigrafia archeologica, studiando le carote estratte dal fondo del mare e le variazioni quantitative e qualitative nelle specie rappresentate, nonché la morfologia (la forma fisica) delle singole specie presenti nella sequenza, si possono ricostruire i cambiamenti avvenuti nelle condizioni ambientali nel corso del tempo (*vedi* Scheda 6.1).

Fino a oggi sono state estratte dal fondo del mare e studiate migliaia di carote, che hanno fornito importanti risultati e costituiscono un prezioso contributo ai dati ottenuti dalle terre emerse (*vedi* più avanti). Per esempio, un carotaggio condotto fino alla profondità di 21 m sui fondali dell'oceano Pacifico ha offerto una registrazione del clima in un intervallo di tempo di oltre 2 milioni di anni. Le analisi condotte da Robert Thunell sui foraminiferi presenti in campioni di sedimento del Mediterraneo orientale hanno consentito di stimare la temperatura e la salinità (concentrazione di sale) della superficie del mare in diversi periodi. Thunell ha stabilito che circa 18 000 anni fa, all'epoca dell'ultima glaciazione, la temperatura invernale era di circa 6 °C più bassa di quella attuale, mentre quella estiva era inferiore di 4 °C. Il Mar Egeo era del 5% meno salato rispetto a oggi, forse perché acque fredde e poco saline giungevano all'Egeo dai grandi laghi d'acqua dolce che ricoprivano parte dell'Europa orientale e della Siberia occidentale.

Le carote marine possono anche fornire dati sul clima attraverso l'analisi delle molecole organiche presenti nel sedimento. Alcune di queste molecole, e specialmente i cosiddetti lipidi grassi, possono rimanere relativamente intatte e fornire informazioni riguardo al clima, perché le cellule adattano la composizione in grassi dei loro lipidi ai cambiamenti di temperatura: a basse temperature la percentuale di lipidi insaturi negli organismi marini tende a crescere, a temperature elevate cresce la percentuale dei lipidi saturi. Le carote di sedimento estratte dal fondo del mare hanno indicato che, nel tempo, sono avvenute variazioni nel rapporto tra lipidi saturi e lipidi insaturi; queste variazioni, secondo il chimico inglese Simon Brassell e i suoi colleghi, sembrano potersi correlare piuttosto bene con i cambiamenti nella temperatura del mare nel corso degli ultimi 500 000 anni, noti attraverso il metodo degli isotopi dell'ossigeno (*vedi* Scheda 6.1).

Utilizzando una tecnica simile si possono ottenere carote anche dalle calotte glaciali stratificate, e anche in questo caso la composizione isotopica dell'ossigeno può fornire qualche indicazione riguardo alle oscillazioni climatiche. I risultati dei carotaggi condotti in Groenlandia, in Antartide e nei ghiacciai delle Ande e del Tibet non solo sono compatibili con quelli dei carotaggi eseguiti sul fondo del mare, ma tuttavia aggiungono ulteriori dettagli. Il carotaggio Vostok in Antartide ha raggiunto la profondità di 3623 m risalendo fino a 420 000 anni fa; il carotaggio EPICA (*European Project for Ice Coring in Antartica*, Progetto europeo di carotaggio in Antartica) ha raggiunto la profondità di 3200 m e quindi risale fino a 740 000 anni fa.

La datazione ottenuta con gli isotopi dell'ossigeno dal GRIP (*Greenland Ice Core Project*) e dal GISP2 (*Greenland Ice Sheet Project 2*) – due carote lunghe 3 km e distanziate tra di loro 28 km, che contengono almeno 200 000 strati di crescita annuali – mostra che l'ultima glaciazione ha avuto diverse fasi fredde lunghe da 500 a 200 anni; tutte sono cominciate abbastanza all'improvviso (forse in qualche decina di anni) e poi finite gradualmente. Da principio si pensava che la temperatura fosse di 12-13°C più fredda rispetto a quella quella attuale, ma recenti analisi di bolle di gas metano intrappolate nel ghiaccio (originate dalla decomposizione delle piante, che è sensibile alle variazioni di temperatura e di umidità) ha rivelato che le temperature erano due volte più rigide. Un ulteriore ritorno al freddo glaciale, in un periodo compreso fra 12 900 e 11 600 anni BP (non calibrato), fu seguito da un rapido e improvviso aumento della temperatura (la temperatura in Groenlandia aumentò di 7 °C in cinquant'anni). Nelle carote si possono vedere oscillazioni anche maggiori, come per esempio quando sembra che la temperatura sia salita di 12 °C in soli uno o due anni! Gli ultimi 10 000 anni sono stati stabili, a parte la piccola glaciazione nell'Età di mezzo. I risultati dall'estremo Nord e dall'estremo Sud sono stati confermati da carotaggi effettuati nelle Ande e dalle analisi di sedimenti e di coralli in altre regioni; questi risultati hanno evidenziato come i Tropici (con metà delle terre emerse complessive e gran parte della popolazione terrestre) hanno reagito a questi mutamenti climatici che hanno interessato e coinvolto tutto il mondo.

La stratigrafia del sedimento che giace sul fondo del mare si ottiene dalle carote estratte dal fondo stesso. Le navi utilizzano una carotatrice a pistone per estrarre una sottile colonna di sedimento, di solito lunga 10-30 m. La carota può essere successivamente analizzata in laboratorio.

Attraverso l'impiego di tecniche diverse (metodo del radiocarbonio, paleomagnetismo o metodo delle serie dell'uranio; *vedi* Capitolo 4) è possibile attribuire una data ai diversi strati. I cambiamenti nelle condizioni ambientali del passato possono quindi essere dedotti sulla base di due tipi di indagini da condurre sui fossili microscopici di piccolissimi organismi unicellulari, detti foraminiferi, che si trovano nel sedimento. In primo luogo gli scienziati studiano semplicemente la presenza, l'assenza e le fluttuazioni delle diverse specie di foraminiferi. In un secondo momento analizzano, impiegando uno spettrometro di massa, le fluttuazioni del rapporto di isotopi stabili dell'ossigeno (ossigeno-18 e ossigeno-16) nel carbonato di calcio dei gusci dei foraminiferi. Le variazioni individuabili attraverso questi due test riflettono non solo le variazioni nella temperatura, ma anche le oscil-

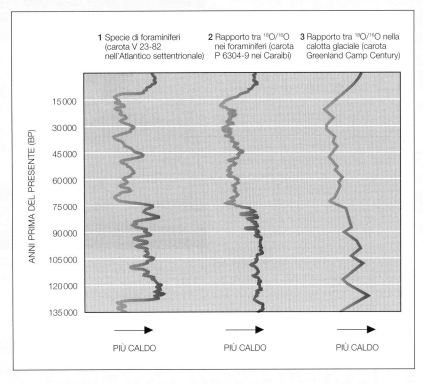

1 Specie di foraminiferi (carota V 23-82 nell'Atlantico settentrionale) **2** Rapporto tra $^{18}O/^{16}O$ nei foraminiferi (carota P 6304-9 nei Caraibi) **3** Rapporto tra $^{18}O/^{16}O$ nella calotta glaciale (carota Greenland Camp Century)

ANNI PRIMA DEL PRESENTE (BP)

15 000
30 000
45 000
60 000
75 000
90 000
105 000
120 000
135 000

PIÙ CALDO   PIÙ CALDO   PIÙ CALDO

6.2 Tre tracciati rappresentativi del clima a confronto. *Da sinistra a destra*: percentuali di differenti specie di conchiglie in una carota estratta dal fondo del mare; rapporto tra ossigeno-18 e ossigeno-16 in conchiglie presenti in una carota estratta dal fondo del mare; rapporto tra gli isotopi dell'ossigeno in una carota di ghiaccio. La similarità dei tre tracciati è una valida testimonianza di variazioni climatiche di lungo periodo avvenute su scala mondiale.

6.1 Fossili microscopici del foraminifero *Globorotalia truncatulinoides*, che si avvolge verso sinistra durante i periodi freddi e verso destra durante quelli caldi.

lazioni nei ghiacciai continentali. Per esempio, quando i ghiacciai crebbero l'acqua rimase «imprigionata» in essi, il livello dei mari si abbassò e aumentarono la densità e la salinità del mare, causando di conseguenza dei cambiamenti nelle profondità alle quali vivevano alcune specie di foraminiferi. Allo stesso tempo aumentò la percentuale di ossigeno-18 nell'acqua del mare. Quando i ghiacciai si sciolsero, durante i periodi di clima più caldo, la percentuale di ossigeno-18 diminuì.

Una tecnica analoga può essere impiegata per estrarre carote dalle attuali calotte glaciali della Groenlandia e dell'Antartide. Anche in questo caso la variazione nella composizione isotopica dell'ossigeno a differenti profondità del carotaggio fornisce alcune indicazioni sui cambiamenti del clima nel passato. Questi risultati concordano bene con quelli forniti dai carotaggi eseguiti sul fondo del mare. In aggiunta, livelli alti di carbonio e

metano (i cosiddetti «gas serra») indicano periodi di riscaldamento globale.

I carotaggi suggeriscono che il prossimo periodo di glaciazione dovrebbe essere fra circa 15 000 anni; tuttavia, la stabilità del nostro clima è stata compromessa dall'attività umana e la formazione dei ghiacci ci mostra che la concentrazione dei gas serra oggi è la più alta degli ultimi 440 000 anni. Nelle carote di ghiaccio, ad aumenti anche molto più piccoli dei livelli dei gas sono seguite crescite significative delle temperature globali, ma l'attuale tasso di crescita dei gas serra è 100 volte più veloce di qualsiasi altra crescita registrata nell'ultimo mezzo milione di anni. Durante questo periodo gli strati di ossido di carbonio variano tra 200 parti per milione (ppm) nelle ere glaciali e 280 ppm nei periodi interglaciali. Tuttavia dalla rivoluzione industriale i livelli sono aumentati a 375 ppm, cosa che preoccupa gli scienziati.

È noto da tempo che il clima della terra ha un andamento ciclico, a partire dalle stagioni annuali fino ad arrivare alla crescita e diminuzione delle calotte polari. Alcuni cicli climatici si estendono sull'arco di diversi millenni, sfuggendo in questo modo alla durata della vita umana, ma mantenendo comunque un'influenza sulle attività dell'essere umano. I dati dei carotaggi GSP2 in Groenlandia e dei sedimenti marini hanno evidenziato un'intera gamma di tali cicli, da quelli di 40 000 e 23 000 anni causati dalle oscillazioni dell'asse terrestre, fino ad arrivare ai cicli di 11 100, 6100 e 1450 anni. Il ciclo di 1450 anni corrisponde a informazioni fornite dagli anelli di accrescimento degli alberi e sembra coincidere con un cambiamento improvviso del clima che potrebbe essere collegato a variazioni dell'attività solare, per quanto la cosa non sia sicura.

I mutamenti improvvisi di clima più famosi sono i riscaldamenti delle aree tropicali del Pacifico, noti come manifestazioni del Niño, che prendono il nome da Gesù bambino perché avvengono nel periodo di Natale.

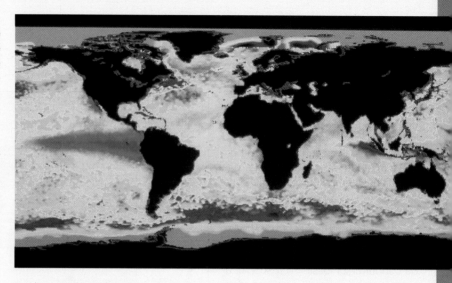

6.4 In questa immagine a falsi colori delle temperature degli oceani, l'acqua calda provocata dal fenomeno di El Niño può essere vista con chiarezza nell'oceano Pacifico verso la costa orientale dell'America del Sud.

Le prime avvisaglie si hanno con un indebolimento dei venti alisei che normalmente spingono acque calde superficiali verso ovest, a partire dalle coste sudamericane del Pacifico, richiamando verso queste coste correnti di acqua fredda che risalgono dalle profondità dell'oceano. La riduzione di tale circolazione comporta la presenza di acque calde tropicali presso le coste sudamericane e la diminuzione di pesci d'acqua fredda, alimento indispensabile per le specie ittiche dell'area. Pesci tropicali, crostacei e molluschi senza vita invadono le coste peruviane; il Pacifico occidentale e le Ande sono colpiti da siccità, mentre le coste del Perú e dell'Ecuador sono inondate da piogge. I monsoni si abbattono sull'India, la siccità colpisce l'Australia e l'Africa e tempeste si riversano sulle coste della California e del Messico.

Gli eventi del Niño (noti come ENSO o *El Niño/Southern Oscillation*) mostrano che anche una modesta ridistribuzione nella temperatura delle acque marine tropicali può influenzare il clima a livello globale. Sembra che questi cambiamenti siano sempre avvenuti, influenzando il clima, le temperature degli oceani e quindi le specie costiere. Recentemente la geoarcheologia e le associazioni faunistiche rilevate nei siti sulla costa occidentale del Sud America hanno confermato che le serie moderne di ENSO sono iniziate con un drastico mutamento climatico circa 5000 anni fa, poiché i siti risalenti a 8000 da oggi

BP contenevano in maniera predominante specie caratteristiche di acque tropicali stabilmente calde, mentre i siti risalenti a 5000 BP e a epoche successive includevano anche specie di climi temperati.

È pensabile quindi che il manifestarsi di eventi ENSO possa aver favorito lo sviluppo di civiltà attorno al Pacifico e in particolar modo sulla costa del Sud America: con le piogge che davano sostegno alle colture, che stimolavano l'aumento della popolazione e la formazione di templi e società più complesse.

Informazioni sul clima sono state recentemente ottenute da sedimenti sul fondo del Lago Pallcacocha, a 4000 m di altitudine, nelle Ande ecuadoregne: strati chiari poveri di resti organici si alternano a strati scuri di resti organici causati dalle piogge torrenziali associate a El Niño. I sedimenti confermano che gli episodi di ENSO erano inesistenti o molto scarsi tra 12 000 e 5000 anni fa: durante gli ultimi 5000 anni il lago ha registrato piogge molto forti ogni 2-8 anni, secondo il modello degli ENSO attuali, mentre nei precedenti sette millenni queste piogge si scatenavano solo ogni qualche decina d'anni o addirittura a 75 anni di distanza. Tuttavia, informazioni climatiche di periodi ancora precedenti, derivate da coralli del Pacifico occidentale e dai sedimenti nel Great Lake mostrano che gli ENSO operavano più o meno come ai nostri giorni. Il fenomeno, quindi, cresce e diminuisce nel corso dei millenni.

6.3 Gli scheletri di persone sacrificate a Huaca de la Luna, Moche, in Perù, durante l'episodio di El Niño, che ebbe luogo tra la fine del VI e l'inizio del VII secolo. Queste persone venivano poi sepolte nel fango prodotto dallo scioglimento, a causa delle piogge torrenziali associate all'evento, dei muri di mattoni cotti al forno, nella Plaza-3-A.

Venti antichi Gli isotopi possono dunque essere utilizzati non solo per studiare la temperatura, ma anche per ottenere dati circa le precipitazioni. E dato che sono soprattutto le differenze di temperatura tra regioni polari e regioni equatoriali a determinare la frequenza e la violenza delle perturbazioni meteorologiche, gli studi sugli isotopi possono dirci qualcosa a proposito dei venti nelle diverse epoche. Mentre l'aria si sposta dalle basse latitudini alle regioni più fredde, l'acqua che perde sotto forma di pioggia o di neve si arricchisce di ossigeno-18, uno dei due isotopi stabili dell'ossigeno, mentre il vapor acqueo residuo si arricchisce di ossigeno-16, l'altro isotopo stabile dell'ossigeno. Così, in base al rapporto dei due isotopi (rapporto isotopico) nelle precipitazioni su una particolare area, si può calcolare la differenza di temperatura tra quell'area e la regione equatoriale.

Impiegando questo metodo sono state studiate le variazioni del rapporto isotopico per gli ultimi 100 000 anni nei carotaggi compiuti in Groenlandia e in Antartide. I risultati dimostrano che durante i periodi glaciali la differenza di temperatura tra le regioni equatoriali e quelle polari aumentava del 20-25%, e che quindi la circolazione dei venti doveva essere assai più violenta. Una conferma è giunta dai carotaggi compiuti al largo delle coste dell'Africa occidentale, la cui analisi ha consentito di stimare la forza dei venti negli ultimi 700 000 anni. A quanto pare, durante ogni periodo glaciale la forza dei venti era il doppio di quella attuale, e la loro velocità era maggiore del 50% rispetto ai periodi interglaciali. In futuro, le analisi dei minuti detriti vegetali presenti in queste carote potranno fornire altri dati a questa storia dell'andamento dei venti.

È stato anche osservato che le precipitazioni dovute a un uragano hanno più ossigeno-16 della pioggia normale e questo lascia delle tracce negli strati di stalagmiti – come è avvenuto per esempio nelle grotte in Belize – e anche negli anelli di accrescimento degli alberi. In questa maniera è stato possibile individuare gli uragani degli ultimi 200 anni e dovrebbe anche essere possibile usare le stalagmiti più vecchie per stabilire e documentare tutti quelli avvenuti nelle ultime decine di migliaia di anni, permettendo così di comprenderne i cambiamenti di modalità, luoghi e intensità. Il passato, quindi, con le informazioni che riesce a trasmetterci può chiarire i possibili collegamenti del riscaldamento globale con queste condizioni climatiche estreme.

Ma perché gli archeologi dovrebbero interessarsi ai venti nell'antichità? Perché i venti hanno una grande influenza sulle attività umana. Per esempio, si ritiene che l'aumento della frequenza e della violenza delle tempeste all'inizio di un periodo freddo abbia costretto i Vichinghi ad abbandonare le rotte nell'Atlantico settentrionale. Analogamente, alcune delle grandi migrazioni polinesiane del XII e XIII secolo d.C. sembrano aver coinciso con l'inizio di un breve periodo di clima leggermente più caldo, durante il quale le tempeste violente erano rare. Queste migrazioni ebbero termine alcuni secoli dopo, quando una piccola èra glaciale può aver causato un brusco aumento della frequenza delle tempeste. Se i Polinesiani avessero potuto proseguire le loro migrazioni avrebbero probabilmente superato la Nuova Zelanda per colonizzare Tasmania e Australia.

Antiche linee di costa

L'antica vita sul mare riveste certamente un interesse archeologico, ma i dati sui climi del passato sono importanti per l'archeologia soprattutto per ciò che ci dicono degli effetti sulle terre emerse e sulle risorse di cui l'uomo aveva bisogno per sopravvivere. L'effetto più evidente del clima si può leggere nella pura e semplice quantità di terra disponibile in ogni periodo, misurabile attraverso lo studio delle antiche linee di costa. Queste sono continuamente cambiate nel corso del tempo, anche in periodi relativamente recenti, come si può vedere nel circolo di ortostati neolitico di Er Lannic (in Bretagna), che giace ora semisommerso su un'isola che in epoca neolitica era una collina di terraferma, o nei villaggi medievali dello Yorkshire orientale (in Inghilterra), che sono finiti in mare negli ultimi secoli a mano a mano che il Mare del Nord si è aperto la strada verso ovest erodendo le colline. Viceversa, i silt depositati dai fiumi fanno indietreggiare il mare, creando nuove terre, come nel caso di Efeso, nella Turchia occidentale, che fu porto costiero in epoca romana e che è oggi a circa 5 km dalla linea di costa.

Uno studio dei recinti per pesci, costruiti al largo delle coste italiane dagli antichi romani, ha rivelato che il livello del mare circa 2000 anni fa era 1,35 m più basso di ora. Poiché i processi geologici hanno spinto la terra su di 1,22 m da allora, i restanti 13 cm sono un risultato da riferirsi al XX secolo, che indica un'accelerazione a partire all'incirca dal 1900 (sulla base delle registrazioni del mareografo). Questi risultati combaciano con l'aumento del volume degli oceani causato dal riscaldamento globale che scioglie i ghiacciai in questa nostra epoca industriale.

Gli archeologi che studiano i lunghi periodi di tempo del Paleolitico devono prendere in considerazione variazioni nelle linee di costa assai più grandi. L'espansione e il ritiro dei ghiacciai continentali, cui abbiamo già accennato, causarono enormi e irregolari innalzamenti e abbassamenti del livello del mare in tutto il mondo. Quando aumentò lo spessore delle calotte glaciali si abbassò il livello del mare, dato che l'acqua rimase imprigionata nei ghiacciai; invece, quando il ghiaccio si fuse il livello del mare salì di nuovo. Quando il livello del mare si abbassò, spesso affiorarono importanti *bracci di terra*, come quelli che collegano l'Alaska all'Asia nord-orientale e la Gran Bretagna all'Europa nord-occidentale (*vedi* Scheda 6.4); si tratta di un fenomeno che ha avuto effetti molto importanti non solo sulla colo-

© 978.8808.82073.0

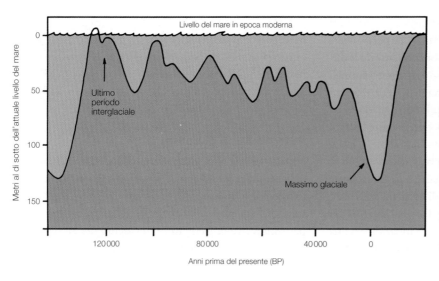

6.5-6 Livello dei mari e bracci di terra. (*A sinistra*) Variazioni su scala mondiale nel livello dei mari nel corso degli ultimi 140 000 anni, sulla base dei dati ricavati dall'innalzamento delle scogliere madreporiche nella Penisola Huon (Nuova Guinea), correlati con quelli ricavati dalla determinazione degli isotopi dell'ossigeno contenuti nei sedimenti del fondo del mare (*vedi* pagine 125-28). (*A destra*) L'abbassamento del livello del mare creò un braccio di terra tra la Siberia e l'Alaska, conosciuto come Beringia. Nel periodo più freddo dell'ultima glaciazione (il cosiddetto «massimo glaciale»), circa 20 000 anni or sono, il livello del mare si abbassò di 120 metri.

nizzazione umana del pianeta, ma anche sull'ambiente nel suo insieme: la flora e la fauna delle aree isolate o insulari ne furono modificate radicalmente e spesso in maniera irreversibile. Tra l'Alaska e l'Asia oggi si trova lo Stretto di Bering, che è così poco profondo che un abbassamento del livello del mare di soli 46 m lo trasformerebbe in un braccio di terra. Quando le calotte glaciali erano alla loro massima estensione, circa 18 000 anni fa (il cosiddetto «massimo glaciale»), si pensa che l'abbassamento del livello delle acque in quella zona sia stato di circa 120 m: questo bastò a dare vita non solo a un braccio di terra, ma a una vasta pianura, larga un migliaio di chilometri da nord a sud, che è stata chiamata Beringia. L'esistenza della Beringia (e capire se presentava le condizioni per la vita umana) costituisce uno dei punti essenziali nel dibattito su quando e come l'essere umano ha colonizzato il Nuovo Mondo (*vedi* Capitolo 11).

Per determinare gli innalzamenti e gli abbassamenti del livello del mare nel passato bisogna studiare i paleosuoli

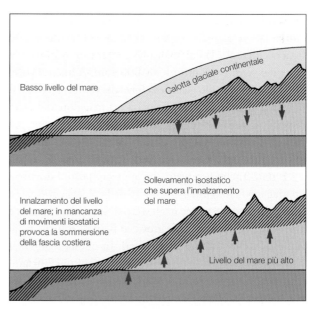

6.8 Princìpi del sollevamento isostatico. Quando il livello del mare è basso e l'acqua è imprigionata nei ghiacciai continentali, il terreno che giace sotto lo strato di ghiaccio viene compresso dal peso del ghiaccio stesso. Quando i ghiacciai si sciolgono, il livello del mare si innalza, ma altrettanto fa il terreno che in precedenza era stato compresso.

al largo delle coste attuali e le spiagge soprelevate lungo le coste. Le spiagge soprelevate sono resti di antiche linee di costa poste a un livello più alto dell'attuale e visibili, per esempio, lungo la costa californiana a nord di San Francisco (*vedi* illustrazione). L'altezza di una spiaggia soprelevata sull'attuale linea di costa, tuttavia, non fornisce generalmente una chiara indicazione di un precedente livello del mare. Nella maggioranza dei casi le spiagge giacciono a un livello più alto perché la terra si è letteralmente rialzata

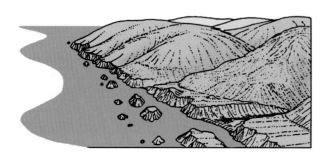

6.7 Spiagge soprelevate lungo la costa californiana a nord di San Francisco. Queste spiagge giacciono a un livello superiore rispetto a quello attuale a causa del sollevamento isostatico delle terre emerse.

in seguito a *sollevamenti isostatici* o *movimenti tettonici*. Il sollevamento isostatico delle terre emerse si produce quando diminuisce il peso dei ghiacciai, che alla fine di un'èra glaciale si sciolgono per l'aumento della temperatura; nel periodo postglaciale questo fenomeno ha riguardato per esempio tratti di costa in Scandinavia, Scozia, Alaska e Terranova. I movimenti tettonici si producono in conseguenza dello spostamento delle zolle che costituiscono la crosta terrestre: il sollevamento delle spiagge nel Mediterraneo nel corso del medio e del tardo Pleistocene è un esempio di tali movimenti. Per capire se le spiagge sopraelevate sono connesse con i precedenti livelli delle acque è necessaria quindi l'analisi di uno specialista. Per l'archeologo le spiagge sopraelevate hanno un'importanza pari, se non superiore, a quella delle località dove i primi siti costieri possono essere facilmente accessibili; i siti costieri in aree più stabili o soggette a subsidenza sono stati sommersi dall'innalzamento del livello del mare.

Oltre alla grande importanza dei sollevamenti isostatici e dei movimenti tettonici, anche le eruzioni vulcaniche possono interessare a volte le linee di costa. Per esempio, in seguito all'eruzione del 79 d.C. quelle che erano un tempo le città costiere di Pompei ed Ercolano giacciono oggi a circa 1,5 km dal mare, dato che la precedente linea di costa è sepolta sotto la lava e il fango vulcanici. Lungo la costa nord-orientale della Scozia, a un'altitudine di 8 o 9 m sul livello del mare, uno strato di sabbia bianca marina che ricopre gli insediamenti del Mesolitico risalenti all'VIII millennio BP sembra indicare che circa 8000 anni fa l'area sia stata colpita da uno *tsunami* o da un'onda anomala.

Ricostruzione dei paleosuoli sommersi La topografia delle piane costiere sommerse può essere ricostruita al largo della costa con il sondaggio ultrasonico o con la tecnica strettamente correlata della registrazione dei profili sismici, che a una profondità di 100 m può consentire di penetrare per oltre 10 m nel fondo del mare. Questi dispositivi acustici sono analoghi a quelli impiegati nella localizzazione dei siti descritti nel Capitolo 3. Applicando queste tecniche nella baia posta di fronte all'importante sito preistorico della Grotta Franchthi, in Grecia, i geomorfologi Tjeerd van Andel e Nikolaos Lianos hanno scoperto che il fondo della baia è piatto e presenta una serie di piccole scarpate (le posizioni delle antiche linee di costa) a profondità diverse, fino a raggiungere i 118-120 m, che corrispondono alla linea di costa durante l'ultima glaciazione. Attraverso questo rilevamento è stato possibile ricostruire la linea di costa per l'intera sequenza di occupazione della grotta preistorica (23 000-5000 anni fa). Come vedremo in seguito (*vedi* Scheda 6.6), questo genere di ricostruzioni fa capire i cambiamenti avvenuti nello sfruttamento delle risor-

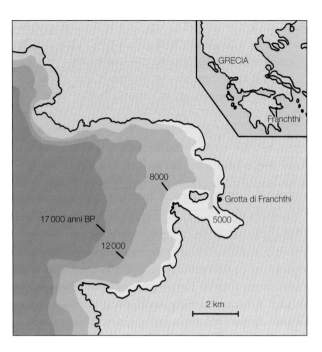

6.9 La Grotta di Franchthi, in Grecia. Rappresentando graficamente le profondità dei fondali marini intorno a Franchthi e correlando questi dati con le fluttuazioni note del livello del mare (*vedi* illustrazione 6.5-6), Van Andel e i suoi collaboratori hanno ottenuto questa carta delle variazioni locali della linea di costa.

se marine, e consente di stabilire quali molluschi marini erano disponibili per l'alimentazione e l'ornamentazione nei diversi periodi sulla base dei rinvenimenti compiuti in una serie di ambienti nell'odierna area di Franchthi. La mancanza di conchiglie nei depositi della grotta anteriori a 11000 anni fa sta a indicare che in quell'epoca la spiaggia era lontana. In seguito la linea di costa si avvicinò a poco a poco al sito e le conchiglie divennero comuni nei depositi di occupazione. Quando il livello del mare si innalzò alla fine dell'èra glaciale, le acque sommersero quasi mezzo chilometro di terre emerse ogni millennio; a partire da 8000 anni fa questo processo ha rallentato a meno di 100 m per ogni millennio. Oggi il sito di Franchthi giace a pochi metri dal mare.

Spiagge sopraelevate e accumuli di rifiuti (*middens*) Le spiagge sopraelevate sono spesso superfici ricoperte di sabbia, ciottoli o dune, talvolta contenenti conchiglie di animali marini (per esempio molluschi) o anche accumuli di rifiuti (*middens*) ricchi di gusci e di ossa di animali marini consumati dagli esseri umani. In realtà la posizione degli accumuli di rifiuti può costituire un preciso indicatore delle precedenti linee di costa. Nella Baia di Tokyo, per esempio, accumuli di conchiglie datati con il radiocarbonio al periodo Jomon indicano la posizione della spiaggia al tempo della massima inondazione per opera del mare (6500-5500 anni fa), quando, in seguito a movimenti tettonici, le acque erano di 3-5 m più alte di quanto siano oggi rispetto all'attuale

© 978.8808.82073.0

massa di terre emerse del Giappone. L'analisi delle conchiglie, condotta da Hiroko Koike, conferma i cambiamenti avvenuti nella topografia marina, poiché soltanto nel corso di questa «fase di massimo» sono presenti alcune specie di molluschi subtropicali, la cui presenza è indice di una più alta temperatura dell'acqua.

A volte le spiagge possono comparire non in una stratigrafia verticale, ma in una stratigrafia orizzontale. A Cape Krusenstern, in Alaska, una serie di 114 piccoli relitti di terrazzi costieri, lunga fino a 13 km, formano una penisola che si estende nel Mare Chukchi. L'archeologo americano J. Louis Giddings cominciò a lavorare su questo sito nel 1958 e i suoi scavi sotto il soprassuolo congelato che copre queste dorsali rivelarono l'esistenza di insediamenti e di sepolture che risalivano a epoca preistorica e storica. Egli scoprì che gli abitanti avevano abbandonato le spiagge via via che le mutate condizioni dell'oceano ne formavano un'altra davanti alla precedente. L'attuale linea di costa è sulla Spiaggia 1, mentre la duna più antica (n. 114) è oggi a circa 5 km all'interno. In questo modo, 6 millenni di occupazione del sito si sono stratificati orizzontalmente: la Spiaggia 1 è stata frequentata nel XIX secolo d.C., si sono trovati materiali della cultura Thule Occidentale (circa 1000 d.C.) circa cinque spiagge all'interno, materiali Ipiutak (2000-1500 anni fa) sulla Spiaggia 35, un villaggio dell'antica cultura Whaling (circa 3700 anni fa) sulla Spiaggia 53, e così via.

Le scogliere madreporiche Nelle regioni tropicali le scogliere madreporiche («coralline») fossili forniscono testimonianze simili a quelle delle spiagge sopraelevate. Dato che le madrepore («coralli» costruttori di scogliere) crescono negli strati superficiali dell'acqua e tendono ad affiorare, esse indicano la posizione delle precedenti linee di costa, e le varie specie forniscono dati sull'ambiente marino locale. La Penisola Huon, sulla costa nord-orientale di Papua Nuova Guinea, offre per esempio una sequenza spettacolare di linee di costa, che comprendono una serie di terrazzi madreporici soprelevati prodotti dal sollevamento della costa e dall'abbassamento del livello del mare durante i periodi glaciali. Gli scienziati J.M.A. Chappell e Arthur Bloom hanno studiato, insieme ad altri loro colleghi, più di venti complessi di scogliere madreporiche della Penisola Huon, databili fin oltre 250 000 anni fa, e hanno calcolato il livello del mare nei diversi periodi; per esempio, 125 000 anni fa era 6 m più alto dell'attuale, 82 000 anni fa era 13 m più basso e 28 000 anni fa era 41 m più basso. La misurazione degli isotopi dell'ossigeno ha fornito ulteriori dati sull'espansione e il ritiro dei ghiacciai. I risultati ottenuti in Nuova Guinea si sono rivelati sostanzialmente in accordo con quelli ottenuti da analoghe formazioni ad Haiti e nelle Barbados.

Arte rupestre e linee di costa Una tecnica interessante, utile non tanto per ottenere dati precisi circa la linea di costa quanto per avere chiare indicazioni dei cambiamenti avvenuti negli ambienti costieri, è costituito dallo studio dell'arte rupestre ideato per l'Australia settentrionale da George Chaloupka. Quando il mare si solleva provoca modificazioni nella flora e nella fauna locali, modificazioni che comportano cambiamenti nella tecnologia, i quali a loro volta si riflettono nell'arte della regione. Quindi le variazioni dedotte circa il livello del mare sono importanti anche per datare le espressioni artistiche.

Le raffigurazioni del periodo Pre-Estuarino di Chaloupka, che grosso modo coincide con il massimo dell'ultima glaciazione, mostrano specie non marine, tra cui alcune che sono state interpretate come specie animali oggi estinte. Nel periodo Estuarino (che ebbe inizio 6000 o 7000 anni fa, in una fase in cui era cessato l'innalzamento postglaciale del livello del mare) si trovano immagini di nuove specie quali *Lates calcifer* (un pesce perciforme gigantesco) e il coccodrillo marino (*Crocodylus porosus*), la cui presenza può essere spiegata con lo straripamento delle acque del mare che avevano parzialmente invaso valli e insenature, creando un ambiente paludoso salmastro. Contemporaneamente altre specie, quali i piccoli marsupiali, che un tempo avevano abitato le piane pre-estuarine, si spostavano più all'interno e scomparivano dall'arte costiera, al pari del boomerang, l'arma da getto che gli uomini utilizzavano per cacciarli. Infine, il periodo dell'Acqua dolce (circa 1000 anni fa) portò un altro grande cambiamento ambientale; si formarono zone umide di acqua dolce che ospitavano specie di uccelli acquatici e nuove specie vegetali che potevano essere usate come piante alimentari quali le gigliacee e il riso d'acqua (*Zizania aquatica*), che si trovano tutte raffigurate nell'arte rupestre.

Tutte queste fonti di dati archeologici – paleosuoli sommersi, spiagge sopraelevate, scogliere madreporiche, arte rupestre – ci forniscono una quantità rilevante di

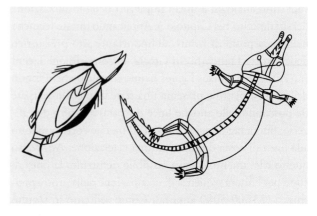

6.10 Un *Lates calcifer* e un coccodrillo marino (*Crocodylus porosus*) raffigurati nell'arte rupestre dell'Australia settentrionale.

informazioni circa le antiche linee di costa. Ma bisogna tener presente che la maggior parte di questi dati riguardano solo singole regioni: correlare i dati di vaste aree è difficile, giacché le date perdono compatibilità e ci sono notevoli discrepanze nei dati sul livello del mare su scala mondiale.

Si tratta di un problema ricorrente negli studi paleoclimatici: gli avvenimenti non hanno luogo nello stesso momento in tutte le aree. Ciò nonostante, sono stati fatti tentativi per ottenere dati paleoclimatici validi su scala mondiale; un importante esempio è costituito dal progetto CLIMAP, nell'ambito del quale sono state pubblicate carte basate sui risultati ottenuti attraverso molte delle tecniche qui citate, che riportano le temperature della superficie del mare in diverse parti del pianeta in vari periodi.

STUDIARE IL PAESAGGIO: LA GEOARCHEOLOGIA

Avendo stabilito in linea di massima quanta terra su cui abitare era disponibile per l'essere umano nei diversi periodi, possiamo ora passare ai metodi per determinare gli effetti dei cambiamenti climatici sul suolo. La **geoarcheologia** è una disciplina che utilizza i metodi e i concetti delle scienze della Terra per esaminare non solo i tipi di terreni e sedimenti, ma anche i processi di formazione.

Al giorno d'oggi sarebbe impensabile intraprendere lo studio di un sito senza aver compiuto un'approfondita indagine dei suoi sedimenti e del paesaggio circostante. Lo scopo è di arrivare alla ricostruzione più completa possibile dell'area in cui si trova il sito (natura del terreno, disponibilità periodica o permanente di acqua, condizioni dell'acqua freatica, suscettibilità all'inondazione ecc.) e di collocarla poi nel contesto della regione, per poter capire quale ambiente circondava gli abitanti del sito nei diversi periodi e anche per farsi un'idea della possibile perdita di siti a causa dell'erosione, di fenomeni di seppellimento sotto il sedimento o di inondazioni.

Inoltre, è molto importante determinare che cosa è accaduto in un paesaggio prima di interrogarsi sulle possibili ragioni per cui cambiò e sul modo in cui gli esseri umani si adattarono alle nuove condizioni. Questo lavoro è in gran parte di competenza degli specialisti in scienze della Terra, ma diversi di loro hanno spinto gli archeologi a tentare di applicare direttamente alcune di queste tecniche. Alcuni grandi cambiamenti nel paesaggio risultano evidenti perfino ai profani: per esempio, quando in aree oggi desertiche sono visibili antichi canali di irrigazione; o dove le profondità dei pozzi sono ora a livello del terreno a causa di una massiccia erosione del terreno circostante; oppure ancora quando le eruzioni vulcaniche hanno coperto il suolo con strati di cenere o lava.

Paesaggi glaciali

Alcuni degli effetti più evidenti ed estesi dei cambiamenti climatici su scala mondiale in un paesaggio sono stati prodotti dalla formazione dei ghiacciai. Lo studio dei movimenti e dell'estensione degli antichi ghiacciai si basa sulle tracce che hanno lasciato in aree quali la regione dei Grandi Laghi nell'America Settentrionale e le Alpi e i Pirenei in Europa. Qui si possono vedere le caratteristiche valli a forma di U, le rocce levigate e striate e, ai limiti dell'espansione dei ghiacciai, i cosiddetti depositi morenici, che spesso contengono rocce estranee all'area, ma portate fin lì dai ghiacciai (sono note come massi erratici). In alcune aree la glaciazione finale nasconde le tracce di quelle che l'hanno preceduta.

Esempi di fenomeni glaciali dell'èra glaciale si possono facilmente osservare in regioni del presente ricche di ghiacciai, quali l'Alaska e la Svizzera, mentre le numerose aree periglaciali moderne (quelle in cui parte della superficie del suolo è permanentemente gelata formando il permafrost) danno un'idea delle risorse potenziali delle regioni poste alla fronte degli antichi ghiacciai. La distribuzione dei feno-

6.11 Paesaggi glaciali: questa valle a forma di U nelle Montagne di San Juan in Colorado (USA) è stata erosa da un ghiacciaio che lentamente nel corso dei millenni gli ha dato questa fisionomia molto tipica.

6.12 Ghiacciai attuali: simile a un grande fiume di ghiaccio, il ghiacciaio Aletsch nelle Alpi Svizzere è lungo circa 23 km con un deposito morenico di rocce e altri materiali alla fronte.

meni periglaciali, quali i cunei di ghiaccio fossile, possono aiutare a conoscere le condizioni del passato; perché si formi un cuneo di ghiaccio è necessaria una temperatura media annuale da −6 a −9 °C: si formano quando il terreno congela e si contrae dando luogo alla formazione di fessure che vengono riempite dai cunei di ghiaccio. I cunei fossili costituiscono la prova di un raffreddamento del clima nel passato e della profondità raggiunta dal permafrost.

Varve

Tra i fenomeni periglaciali più utili ai fini dei dati paleoclimatici vanno annoverate le varve, della cui importanza per la datazione si è parlato nel Capitolo 4. Nei laghi profondi posti alla fronte dei ghiacciai della Scandinavia si deposita uno strato di sedimento a ogni primavera, quando i ghiacci si sciolgono. Strati più spessi indicano anni più caldi, con una maggiore fusione dei ghiacci; strati più sottili indicano invece condizioni ambientali più fredde. Oltre a costituire un valido strumento per la datazione, le varve contengono spesso pollini che, come vedremo più avanti, fanno aumentare le informazioni di carattere climatico ricavabili dal sedimento. Purtroppo il metodo delle varve si può usare poco al di fuori della Scandinavia, dato che la maggior parte dei laghi sono poco profondi e le loro varve possono essere disturbate, mentre nuove varve possono essere create da altri fattori, come violente tempeste. Datazioni climatiche possono anche essere ottenute tramite la composizione isotopica dell'ossigeno nei sedimenti delle varve; a Deep Lake, nel Minnesota, per esempio le varve hanno rivelato un marcato raffreddamento del clima nel periodo che va da 8900 a 8300 anni fa.

Fiumi

Fin qui abbiamo parlato dell'acqua gelata e di quella stagnante: ma quali sono gli effetti dello *scorrimento* delle acque sul paesaggio? La ricostruzione dei paesaggi del passato intorno ai grandi fiumi – che sono aree in rapida evoluzione a causa dell'erosione e del deposito di sedimenti lungo il corso e alla foce dei fiumi – si rivela particolarmente utile ai fini archeologici, perché tali ambienti costituirono molto spesso un'area preferenziale di occupazione da parte degli esseri umani. In alcuni casi, come lungo il Nilo, il Tigri-Eufrate e l'Indo, le pianure alluvionali furono di importanza fondamentale per il nascere delle colture irrigue e della civiltà urbana.

Molti fiumi hanno realmente cambiato il proprio corso nei diversi periodi, attraverso complessi processi di erosione, di deposizione di silt e di variazione delle pendenze. L'alveo dell'Indo, nell'attuale Pakistan, non è scavato profondamente nella pianura come quello della maggior parte dei fiumi e tende quindi a cambiare il suo corso di tanto in tanto. Nel suo basso corso l'Indo è poco profondo, con una

6.13 Un meandro profondo del fiume Colorado conosciuto come *Horseshoe Bend* (curva a ferro di cavallo), nello Utah (USA). In alcune regioni i meandri abbandonati dei corsi dei fiumi sono stati utilizzati per ricavare una cronologia locale.

dolce pendenza, e nel suo alveo si depositano quindi grandi quantità di materiale alluvionale, che ne alzano l'alveo al di sopra del livello della pianura circostante; ne consegue una frequente rottura degli argini e grandi aree sono inondate e ricoperte di limo (silt fertile), che era vitale per esempio per l'agricoltura dell'antica città di Mohenjodaro.

Analogamente, la bassa Valle del Mississippi conserva numerose tracce dei cambiamenti dei meandri avvenuti nel corso di un lungo periodo. Questi letti abbandonati sono stati identificati e rappresentati cartograficamente, attraverso il rilevamento e la fotografia aerea (*vedi* Capitolo 3), per quel che riguarda il periodo tra il 1765 e il 1940 d.C. Utilizzando questi dati è stato elaborato un modello di cambiamento dei meandri del corso del fiume ogni 100 anni per gli ultimi due millenni. Al pari dell'indagine sulle linee di costa fossili in Alaska (*vedi* più sopra), questa sequenza ha costituito la base per una cronologia di riferimento per i siti posti lungo determinati alvei abbandonati.

Siti in grotta

Un tipo diverso di alveo abbandonato è costituito dalle grotte calcaree, una categoria di sito che ha avuto un'importanza enorme per l'archeologia in virtù della grande varietà di testimonianze che vi si sono conservate, relative non solo alle attività di uomini e donne, ma anche al clima e all'ambiente locale.

Grotte e ripari in roccia, sebbene di enorme interesse archeologico, costituiscono ciò nonostante solo dei casi particolari. La loro importanza come luoghi di abitazione è sempre stata sovrastimata negli studi preistorici a spese dei siti all'aperto, per loro natura meno conservati. Che cosa sappiamo del vasto ambiente esterno in cui l'umanità ha passato la maggior parte del tempo?

Sedimenti e suoli

Lo studio dei sedimenti (termine che designa l'insieme dei materiali depositati sulla superficie terrestre) e dei suoli (gli strati superiori di tali sedimenti, degradati per opera degli agenti meteorici, degli agenti chimici e degli organismi viventi e capaci di sostenere la vita) può fornire molti dati circa le condizioni prevalenti al momento della loro formazione. I resti organici che possono contenere saranno esaminati in successivi paragrafi dedicati alle piante e agli animali, ma la base stessa che costituisce il suolo fornisce molte informazioni a proposito delle erosioni subite, e quindi a proposito dei tipi di suolo e dell'utilizzo del terreno nel passato.

La **geomorfologia** (lo studio della forma e dello sviluppo del paesaggio) include specializzazioni quali la sedimentologia, che a sua volta comprende la petrografia sedimentaria e la granulometria. Queste scienze combinate conducono a un'analisi dettagliata: della composizione e della struttura dei sedimenti (i quali possono essere costituiti da ghiaia e sabbia – che lasciano percolare liberamente l'acqua – o da argilla – che invece trattiene l'acqua); delle dimensioni delle particelle che costituiscono i sedimenti (da ciottoli a sabbia o silt); del grado di consolidamento, che può variare da incoerente a cementato. In alcuni casi l'orientamento dei ciottoli fornisce qualche indicazione sulla direzione di scorrimento dei corsi d'acqua, dei pendii o dei depositi glaciali. Come vedremo nei Capitoli 8 e 9, la tecnica della diffrazione dei raggi X può essere utilizzata per identificare specifici materiali argillosi, e quindi la specifica fonte da cui deriva un sedimento.

La **micromorfologia del suolo** (l'uso di tecniche microscopiche per studiare la natura e l'organizzazione dei componenti del suolo) sta diventando una parte sempre più importante degli scavi e dell'analisi di un sito. Un blocco integro prelevato come campione da un contesto conosciuto viene in primo luogo reso solido con della resina e quindi ne viene asportata una piccola sezione. Questa sezione viene poi esaminata usando un microscopio polarizzatore. La sequenza osservata di sviluppo del suolo può rivelare molti aspetti della storia del sito o del territorio non altrimenti visibili. Si possono distinguere tre fondamentali caratteristiche: quelle legate alla fonte del sedimento, quelle legate al processo di formazione del suolo e quelle che sono state prodotte o modificate dagli esseri umani, sia deliberatamente sia accidentalmente. Come l'archeologo ambientale Karl Butzer ha notato, uomini e donne hanno influito sul suolo e sui sedimenti ritrovati nei siti anche a un livello microscopico.

Butzer ha distinto tre gruppi di depositi culturali. I **depositi culturali primari** sono quelli provenienti dall'attività umana che si accumulano sulla superficie, come molti strati di cenere. I **depositi culturali secondari** sono depositi primari che hanno subìto delle modifiche sia perché sono stati spostati fisicamente sia a causa del cambiamento di utilizzo dell'area di attività. I **depositi culturali terziari** sono quelli che sono stati completamente rimossi dal loro contesto originale e possono anche essere stati riutilizzati (per esempio per costruire un terrazzamento).

La micromorfologia del suolo può produrre risultati degni di nota in due aree molto importanti. In primo luogo può essere d'aiuto in una ricostruzione ambientale, su scala regionale o anche a livello del sito. Un'area di studio può essere, per esempio, la valutazione degli effetti che gli esseri umani hanno prodotto sul suolo per mezzo della deforestazione e delle pratiche agricole. In secondo luogo la micromorfologia può essere utilizzata nell'archeologia contestuale: quando viene combinata con l'approccio tradizionale dello studio dei manufatti può rendere molto più completa l'idea che si ha del sito e delle attività lì svolte nel passato.

Gli studi micromorfologici si sono dimostrati molto utili, inoltre, nel distinguere i sedimenti che ancora sono *in situ* da quelli che non sono più nella loro locazione originaria, e anche per distinguere tra le influenze umane e quelle naturali sul suolo e sui sedimenti; le cause dell'erosione del suolo possono essere infatti diverse e, tra queste, quella umana, non è che una. Gli studi di sezioni sottili, per esempio, permettono di distinguere nei depositi delle grotte le accumulazioni naturali da quelle dovute agli esseri umani, che altrimenti all'osservazione risulterebbero molto simili. Anche l'assenza di tracce di interferenza umana è in grado di fornirci informazioni, per esempio può dimostrarci che i manufatti non erano nel contesto primario. In ogni caso è necessaria un'esauriente raccolta di campioni di riferimento per permettere il confronto tra le situazioni reali, sperimentali e archeologiche.

Una grande varietà di attività umane può ora essere riconosciuta attraverso i segni micromorfologici da esse lasciati nel suolo e nei sedimenti. Per esempio, dovrebbe essere teoricamente possibile, nello studio di un insediamento, identificare e distinguere, tramite l'esame di sezioni sottili, i fuochi all'aperto da quelli al chiuso, le aree di cottura da quelle dove il cibo veniva consumato, le aree di attività, di deposito e di passaggio. L'archeologo ambientale inglese Wendy Matthews sta portando a termine degli studi micromorfologici molto dettagliati sui depositi del pavimento nelle strutture in quattro siti neolitici del Vicino Oriente. Questi hanno indicato l'utilizzo dello spazio in alcuni edifici sia prima sia dopo il loro abbandono. Ovviamente non è possibile studiare l'intero sito in questa maniera, ed è necessario che chi conduce lo scavo faccia delle scelte circa la campionatura del suolo e i contesti più rappresentativi ai fini dell'analisi.

I sedimenti in grotta

I sedimenti che si trovano sui pavimenti delle grotte sono costituiti da materiali introdotti attraverso le aperture frontali e le fessure nel soffitto dal vento, dall'acqua, dagli animali e dall'essere umano. Una sezione del pavimento di una grotta, o di un riparo in roccia, mostra normalmente un certo numero di strati: la composizione di questi strati può indicare variazioni della temperatura nel corso del tempo. Le infiltrazioni d'acqua possono, per esempio, smuovere e staccare dalle pareti e dal soffitto frammenti tondeggianti, un tipo di erosione questa che deve essere associata a un clima caldo e umido. In condizioni fredde, l'acqua presente nelle fessure delle rocce si trasforma in ghiaccio il cui aumento in volume comporta una pressione sugli strati rocciosi superficiali che possono spaccarsi in frammenti spigolosi e appuntiti di circa 4-10 cm di lunghezza. Così, dopo ripetute fasi di congelamento e scongelamento, si produrranno nell'imboccatura delle grotte e nei ripari in roccia strati alternati di frammenti tondeggianti e spigolosi.

Sebbene esistano altre cause che possono produrre strati di breccione, per esempio i terremoti o l'attacco effettuato da microrganismi, è dato generalmente accettato che uno studio dei cambiamenti delle dimensioni del breccione possa fornire informazioni circa le variazioni dell'ambiente. Per esempio, nella Grotta di Cave Bay, in Tasmania, l'archeologa australiana Sandra Bowdler ritenne che il grande accumulo di detriti spigolosi, formatosi tra 18000 e 15000 anni fa e derivante dalla frantumazione del soffitto, fu causato dai cunei di ghiaccio formatisi al momento culminante dell'ultima glaciazione. D'altro canto, nella caverna poco profonda di Colless Creek, nel Queensland tropicale, i marcati cambiamenti individuabili nei sedimenti dei 20000 anni d'occupazione sembrano essere stati causati da fluttuazioni nella piovosità: i livelli inferiori (antecedenti a 18000 anni fa) apparivano compatti e chiaramente erano stati modificati dal movimento dell'acqua, il che ha suggerito l'esistenza di un clima più umido.

L'analisi in pratica

In generale l'analisi inizia con un esame visivo. I campioni devono essere presi da diverse parti della grotta, per riuscire a cogliere tutte le considerevoli differenze che potrebbero esserci (per esempio la presenza di un grande focolare può aver avuto un'influenza significativa sulla temperatura delle pareti in alcuni periodi). Le setacciature successive e l'esame in laboratorio delle dimensioni dei frammenti, nonché del colore e della struttura del sedimento, possono modificare o ampliare le stime iniziali. Normalmente tutti i frammenti di dimensioni più grandi vengono documentati e rimossi: ciò che rimane viene quindi passato attraverso una serie di setacci. Tanto maggiore è il numero dei frammenti grossolani e dei granuli contenuti in uno strato, tanto più rigido sarà stato il clima in quel periodo.

Studiosi come l'archeologo francese Yves Guillien hanno sottolineato che è necessario compiere esperimenti sul calcare di una grotta prima di tentare di interpretarne il riempimento. La simulazione in laboratorio delle naturali successioni di congelamento/scongelamento fornisce una qualche idea della friabilità delle rocce sotto l'azione di condizioni climatiche analoghe a quelle che causarono le frantumazioni vere.

Stalagmiti e stalattiti

Le grotte presentano spesso strati di stalagmiti e di calcare (travertino) depositati dall'acqua che si carica di carbonato di calcio in soluzione mentre attraversa gli strati di calcare presenti nel suolo. Questi strati indicano generalmente fasi climatiche di temperatura mite e, in qualche caso, condizioni

6.14 Sezione generale e particolare di un ipotetico sito in grotta.

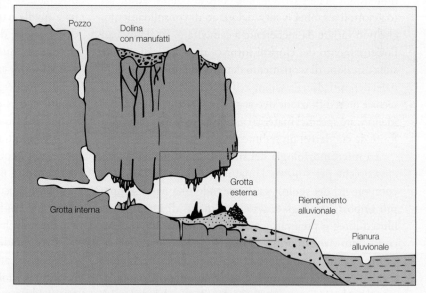

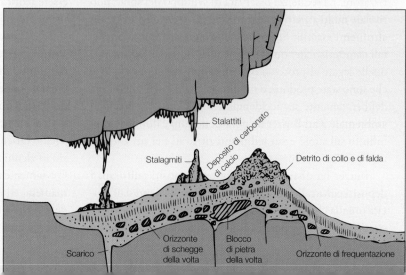

di umidità. Le stalagmiti e le stalattiti (nel loro insieme note come speleotemi) possono essere usate anche per determinare precisamente il clima del passato con il metodo degli isotopi dell'ossigeno. Visti in sezione trasversale, gli speleotemi presentano una serie di anelli di accrescimento concentrici che possono essere datati con il radiocarbonio. Ogni anello conserva la composizione isotopica dell'ossigeno tipica dell'acqua che lo ha formato e quindi delle precipitazioni atmosferiche e della temperatura media all'epoca della sua costituzione. Dato che, in ultima analisi, la fonte dell'acqua piovana è la superficie degli oceani e dei mari, questo metodo costituisce un potenziale complemento dello studio delle carote estratte dal fondo del mare.

Uno studio di un pezzo di stalagmite lungo 1,2 m proveniente dalla grotta di Wanxihang, in Cina, ha fornito una cronologia precisa delle variazioni minime, nell'isotopo dell'ossigeno, che riflettono i cambiamenti nelle precipitazioni durante gli ultimi 1810 anni. Esso ha mostrato che le tre dinastie, i Tang, i Yuan e i Ming, sono finite diversi decenni dopo delle stagioni caratterizzate da un brusco cambiamento nei monsoni, diventati più deboli e aridi.

Dato che la velocità di deposizione, al centimetro quadrato, del carbonato di calcio sugli speleotemi può essere assai più elevata che non la deposizione dei sedimenti sul fondo del mare, questo metodo può fornire indicazioni più precise circa gli andamenti della temperatura rispetto ai carotaggi condotti sul fondo del mare: è infatti possibile individuare variazioni della temperatura dell'ordine di soli 0,2 °C.

Le grotte di ghiaccio

Le informazioni che provengono dai carotaggi della calotta polare (*vedi* pagina 228) offrono poche informazioni sulla storia del clima delle regioni temperate, anche se, in alcune grotte di queste regioni, è possibile trovare strati di ghiaccio che possono aiutarci.

Studiarli è complesso per il fatto che la loro formazione può essere stagionale o annuale, ed è di età incerta, ma se contengono resti organici, come foglie o insetti, possono essere datati col radiocarbonio. Queste specie di archivi costituiscono sicuramente un'area potenzialmente molto ricca per future ricerche sul clima.

La micromorfologia del suolo è ormai una parte integrante del processo di scavo; richiede lavoro in laboratorio e una strumentazione specializzata, ma un numero crescente di archeologi ha acquisito una sufficiente esperienza e arriva a determinare sul campo le caratteristiche generali dei sedimenti semplicemente strofinando tra le dita un po' di sedimento asciutto; ne verifica poi la plasticità inumidendolo e formando una pallina sul palmo della mano. Tuttavia per una valutazione più accurata è essenziale l'esperienza di uno specialista. Di fondamentale importanza si rivelano anche descrizioni accurate e standardizzate del colore del suolo, che sono normalmente eseguite utilizzando l'assai diffuso sistema Munsell per i colori dei suoli (che si usa anche nella descrizione degli strati archeologici).

Un'analisi precisa della tessitura di un suolo incoerente richiede l'uso di una serie di setacci, con dimensioni delle maglie decrescenti da circa 2 mm a 0,06 mm, allo scopo di separare le diverse classi di particelle, e l'uso dell'idrometro o del sediografo (che determina la densità dei liquidi) per quantificare le proporzioni di frazioni di silt e argilla comprese nel suolo. Informazioni simili possono essere ottenute utilizzando tecniche micromorfologiche o sezioni sottili. L'analisi strutturale del suolo fornisce informazioni sul tipo di suolo, sul potenziale utilizzo della terra e sulla sua suscettibilità all'erosione, specialmente se supportate da informazioni micromorfologiche e idrologiche. Tutti questi studi contribuiscono allo studio della storia del paesaggio.

Una tecnica per compiere uno studio accurato dei sedimenti, messa a punto prima della Seconda guerra mondiale, richiede l'applicazione di una pellicola di gomma o «lacca» alla sezione stratigrafica (i materiali moderni hanno perfezionato enormemente questo metodo). Nell'accampamento risalente al Paleolitico Superiore di Pincevent, vicino a Parigi, Michel Orliac ha usato una pellicola sottile di lattice sintetico che è stata spalmata su una sezione piana e accuratamente pulita. Quando il lattice asciuga conserva un'impronta della stratificazione che risulta assai più facile da esaminare in dettaglio rispetto all'originale. L'impronta, costituita da uno strato sottilissimo di sedimento che aderisce al lattice, rivela infatti un numero di elementi assai maggiore di quello che può essere distinto nella sezione originale. Dopo il distacco, l'impronta può essere conservata distesa o arrotolata, e consente quindi agli archeologi di conservare o esporre una fedele documentazione del profilo strutturale del suolo.

Le analisi dei terreni e dei sedimenti possono fornire dati sui processi di deposizione e di erosione avvenuti nel passato. Per esempio, il modo in cui i sedimenti sono stati trasportati dall'erosione dai pendii al fondo delle valli è stato largamente studiato nelle regioni del Mediterraneo, dove il processo ha determinato spostamenti nell'insediamento: a causa della diminuzione dello spessore dei suoli

© 978.8808.82073.0

6.15 Lo studio dei sedimenti: nel sito di Pincevent, in Francia, una pellicola di lattice è stata spalmata su una sezione stratigrafica e quindi staccata dopo l'essiccazione, ottenendo un'immagine del profilo del suolo.

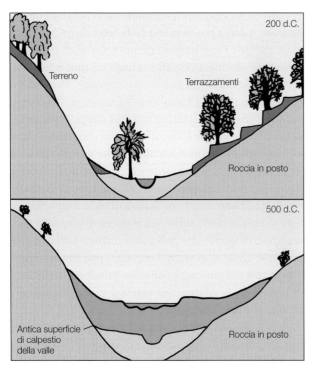

6.16 Sedimenti, erosione e mutamento dei modelli d'insediamento. Una tipica vallata che in epoca romana subì l'erosione dei terreni collinari per l'effetto combinato della deforestazione, dell'agricoltura intensiva e del sovrappascolo. L'insediamento umano finì per spostarsi dal fianco della collina sul fondo della valle.

coltivabili, gli insediamenti agricoli posti sui pendii furono abbandonati, mentre andarono aumentando gli insediamenti di fondovalle. Le analisi dei sedimenti suggeriscono che il cattivo uso del paesaggio in alcune regioni del Mediterraneo risale a cinque millenni or sono, almeno alla prima Età del bronzo. A Cipro, per esempio, una combinazione di deforestazione, agricoltura intensiva e pastorizia destabilizzò, nella prima Età del bronzo, la già sottile copertura di suolo sui pendii e condusse a un rapido spostamento degli strati sedimentari lungo le valli costiere. Nell'Argolide meridionale, in Grecia, un grande progetto di ricerca portato avanti da Tjeerd van Andel e Curtis Runnels e dai loro collaboratori ha rivelato l'esistenza di almeno quattro fasi di insediamento, erosione e abbandono tra il 2000 a.C. e il Medioevo. In alcuni casi l'erosione del suolo sembra essere dovuta a un disboscamento sconsiderato, mentre in altri fu causata dal parziale abbandono o avvenne perché furono trascurate le opere di terrazzamento e quindi non ci si preoccupò della conservazione del suolo.

Recentemente un'équipe danese ha utilizzato un nuovo metodo in grado di realizzare delle ricostruzioni dettagliate del paleo-ecosistema anche in assenza di macrofossili tramite l'estrazione del DNA delle piante e degli animali dagli antichi sedimenti. Questa tecnica del DNA «sporco» è stata già utilizzata in Siberia, nel Nord America, in Groenlandia e in Nuova Zelanda.

Il loess Un pedologo (lo specialista di suoli), attraverso l'esame del profilo strutturale del sedimento, della sua composizione e delle sue variazioni di tessitura e di colore, può stabilire se è stato depositato dall'acqua, dal vento o dall'azione umana, e può anche farsi una prima idea sul tipo di alterazioni che ha subìto, e quindi sul tipo di clima esistito in quell'area nel corso dei secoli. Un importante sedimento trasportato dal vento che si incontra spesso in alcune parti del mondo è il loess, una polvere giallastra costituita da particelle delle dimensioni del silt che, trasportate dal vento, si depositarono sulle terre emerse appena libere dai ghiacci o su aree riparate. Il loess ricopre circa il 10% della superficie delle terre emerse del pianeta: in Alaska, nelle valli del Mississippi e dell'Ohio, nell'Europa centrale e nord-occidentale, e in particolare in Cina, dove ricopre oltre 440 000 km², pari a circa il 40% delle terre arabili del paese. Il loess è importante per gli specialisti del periodo Paleolitico come indicatore delle antiche condizioni climatiche, mentre tutti gli studiosi che si occupano di agricoltura nel Neolitico imparano ad associarlo con i primi insediamenti agricoli.

Il loess funge da indicatore climatico perché si depositò solo nel corso di periodi di clima relativamente freddo e secco, quando le finissime particelle di silt furono trasportate dal vento lontano dai paesaggi steppici delle regioni periglaciali, troppo povere di vegetazione o di umidità per

6.4 Doggerland

Le acque che oggi costituiscono il Mare del Nord ricoprono un terreno che è più grande dell'attuale Regno Unito e che è lentamente sprofondato tra il 18 000 e il 5000 a.C. in seguito al riscaldamento globale che alzò il livello del mare.

Questa vasta pianura si estendeva dalla Manica fino a quasi tutta la costa norvegese ed era ricca di vita animale; le barche danesi «pescano» in queste acque ogni anno delle ossa di mammut e altre specie dell'Era glaciale. Deve essere stata quindi una zona densamente popolata nel Paleolitico Superiore e nel Mesolitico.

Fino a poco tempo fa non si conosceva molto dell'archeologia di questa zona. Nel 1931 un peschereccio ripescò un arpione di osso ricoperto di torba e l'analisi della torba rivelò che quella un tempo era stata terraferma. Nel 1998, l'archeologo Bryony Coles radunò tutte le prove archeologiche che sono state rinvenute nel Mare del Nord e produsse una serie di mappe ipotetiche di quest'area che chiamò Doggerland, per i Dogger Banks situati nella parte meridionale del Mare del Nord. In ogni caso, da un punto di vista archeologico, questa terra rimane ancora sconosciuta.

In anni più recenti, tuttavia, dei ricercatori dell'Università di Birmingham, sotto la guida di Vince Gaffney, si resero conto che i dati sismici, raccolti in occasione dell'intensiva ricerca del petrolio nel Mare del Nord, potevano essere usati per localizzare degli elementi sotterrati

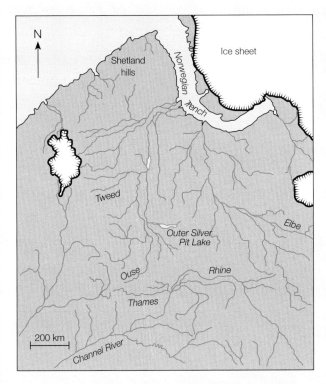

6.17 Doggerland nel 15 000 a.C. circa, più o meno 3000 anni dopo che lo strato di ghiaccio aveva cominciato a sciogliersi.
A quel tempo i fiumi Tamigi e Reno erano tributari del fiume del Canale (ora diventato il Canale della Manica). L'Elba, e i fiumi nella Britannia settentrionale, attraversavano tutta Doggerland fino a riversarsi nel Canale della Norvegia.

6.18-19 (In basso a sinistra) A partire dall'8000 a.C. circa, l'innalzamento dei livelli dei mari ha cominciato a definire il profilo della penisola britannica. (In basso a destra) Dal 6000 a.C. circa il Canale della Manica e il Mare del Nord hanno separato la penisola britannica dal resto del continente europeo e dalle colline a bassa quota dell'isola di Dogger. Dal 5000 a.C. anche questa fu sommersa dalle acque.

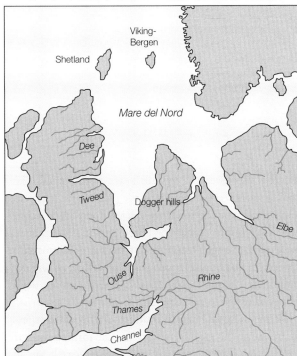

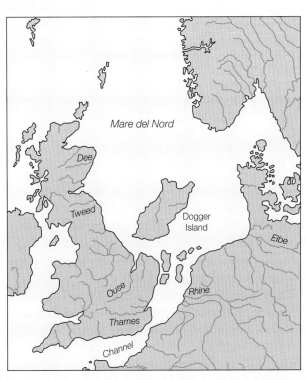

6.20 Punta di arpione mesolitica ritrovata nel 1931.

sotto il fondo del mare. Da uno studio, quindi, delle informazioni riguardanti circa 43 000 km², essi furono in grado di mappare un'area grande quanto l'Olanda, tracciando colline, fiumi, torrenti e linee di costa. Sulla base di questi primi risultati, è possibile dire, con buona probabilità, dove le popolazioni del Mesolitico potrebbero aver vissuto e quindi pianificare delle esplorazioni dettagliate di queste aree.

Sfortunatamente lavorare con dei sommozzatori e con dei sommergibili telecomandati è complesso e costoso e le mappe non sono ancora sufficientemente dettagliate per permetterlo, poiché l'elemento più piccolo che è stato individuato è di circa 10 m di altezza e 25 m di larghezza.

Come sottolineato dai ricercatori, l'effetto sugli abitanti del graduale sprofondamento di queste terre deve essere stato drammatico: ora che hanno un'idea di come fosse ondulato il terreno, sono in grado di capire come e quanto velocemente il livello del mare si sia alzato.

Probabilmente si è alzato di 1-2 m per secolo e quindi il fenomeno deve essere stato visibile anche nell'ambito di una generazione. Questi cambiamenti furono la conseguenza di un mutamento climatico equivalente alla velocità che è stata predetta da alcuni specialisti per i prossimi 100 anni. In

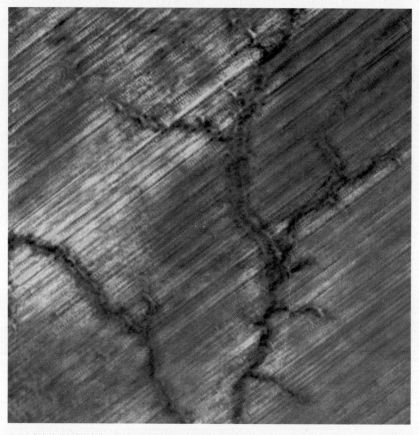

6.21 I dati sismici dello studio del Mare del Nord mostrano molto chiaramente un antico fiume-canale. La linea scura nel mezzo della valle è proprio il fiume.

altre parole, il destino di queste terre e dei suoi abitanti non è solo interessante come evento di un passato lontano, ma anche come avvertimento di quanto potrebbe accadere in un futuro assai prossimo.

consolidare il sedimento. La «pioggia» di loess cessò quando il clima diventò più umido e più caldo. Le sezioni del sedimento ricavate in aree dell'Europa centrale mostrano quindi strati di loess alternati ai cosiddetti «suoli forestali», a loro volta indicatori di un miglioramento del clima e di un temporaneo ritorno della vegetazione.

Classiche sequenze di questo genere si trovano a Paudorf e a Göttweig, in Austria: la prima dà il suo nome alla Formazione di loess di Paudorf (27 000-23 000 anni fa) associata con i famosi siti all'aperto di Dolní Věstonice e di Pavlov, nella Repubblica Ceca. Analogamente, nella regione parigina François Bordes (1919-1981) ha determinato una sequenza,

risalente al Pleistocene, di strati di loess e di strati più caldi e umidi, associati con diverse industrie paleolitiche, che può essere correlata con le sequenze glaciali note. Studi recenti sulle oscillazioni climatiche che si possono identificare nelle sequenze lunghe osservate in Cina hanno dimostrato l'esistenza di una buona correlazione con le fluttuazioni dei foraminiferi d'acqua fredda e con le determinazioni degli isotopi dell'ossigeno nei sedimenti del fondo del mare.

Oltre a essere un buon indicatore del paleoclima (spesso contiene anche molluschi terrestri, che forniscono dati di conferma), il loess ebbe un ruolo fondamentale anche nell'agricoltura del Neolitico. Ricchi di minerali, uniformi nella struttura e dotati di buone proprietà di drenaggio, i suoli costituiti da loess offrivano un terreno fertile e facilmente lavorabile, ideale per la tecnologia semplice delle prime comunità di agricoltori. I siti caratterizzati dalla *Linearbandkeramik* (LBK: il Neolitico più antico dell'Europa centrale) presentano un'associazione estremamente stretta con suoli formati nel loess: almeno il 70% dei siti LBK di una determinata area sono posti su loess.

Superfici sepolte Intere superfici terrestri possono in alcuni casi conservarsi intatte al di sotto di certi tipi di sedimenti. Suoli e paesaggi antichi sono stati per esempio scoperti sotto la torba nei Fenlands, regione di pianura dell'Inghilterra sud-orientale, mentre a Behy, in Irlanda, dalla torba è emerso un paesaggio agricolo di età neolitica con muri di sostegno in pietra. Torneremo su questo tema più avanti nel paragrafo *Tracce di aratura* a pagina 264.

Le superfici sepolte più spettacolari sono certamente quelle dovute a eruzioni vulcaniche. Nei capitoli precedenti ci siamo già soffermati sulle città sepolte di Pompei ed Ercolano o di Akrotiri, nell'isola greca di Thera; ma, dal punto di vista dei dati ambientali, i paesaggi naturali conservati in seguito all'attività dei vulcani sono ancora più rivelatori. Nel 1984, a Miesenheim (in Germania) furono rinvenuti i resti di una foresta preistorica. Era già noto che un'eruzione risalente a circa 11 000 anni fa aveva sepolto sotto parecchi metri di cenere i vicini insediamenti di Gönnersdorf e di Andernach (risalenti al tardo Paleolitico Superiore), ma la scoperta di una foresta di quell'epoca costituì una ricompensa speciale per il lavoro degli archeologi. La cenere aveva permesso la conservazione, in uno strato impregnato d'acqua di 30 cm di spessore, di parti di alberi (tra cui salici), muschi e funghi; erano

presenti anche conchiglie di molluschi, piccoli e grandi mammiferi e perfino un uovo di uccello. La foresta sembra essere stata relativamente fitta, con un ricco sottobosco, e questo elemento è stato confermato dall'analisi pollinica (*vedi* Scheda 6.5); lo studio degli anelli di accrescimento degli alberi fornirà ulteriori dati circa le variazioni climatiche in quel periodo.

Alberi sommersi possono fornire informazioni anche sul clima: in California e in Patagonia, Scott Stine ha esaminato dei tronchi tagliati di alberi immersi nell'acqua sul limitare di laghi, aquitrini e fiumi. Essi hanno indicato che il livello dell'acqua in passato era più basso, e che successivamente seguì una inondazione. La datazione con il metodo del radiocarbonio dell'anello più esterno degli alberi può indicare quando l'inondazione ebbe luogo e l'intervallo di tempo secco può essere calcolato contando gli anelli precedenti. I risultati di Scott Stine hanno rivelato l'esistenza di alcuni lunghi periodi di siccità, per esempio dall'892 al 1112 d.C. e dal 1209 al 1350 d.C.; quest'ultimo periodo può essere collegato con il declino degli Anasazi, che abitavano le scogliere, nel 1300 circa.

È inoltre possibile studiare i paesaggi sommersi dall'acqua: nel Mar Baltico, alcuni archeologi tedeschi stanno studiando numerose zone di caccia che sono sprofondate circa 8000 anni fa, quando il livello del mare si alzò. Il fondale marino povero in ossigeno ha preservato una foresta sommersa di tronchi di albero e ceppi, oltre a manufatti di legno come le lance per le anguille. La topografia antica (valli, colline, letti dei fiumi e baie) può essere individuata facilmente tramite ricognizioni con dei sonar. Similmente, sono stati identificati dei villaggi preistorici a 11 m sotto il mare al largo dell'Isola di Wight in Inghilterra e inoltre sono stati mappati in dettaglio tramite la geofisica (*vedi* pagine precedenti) 23 000 km² di terra sommersa nel Mare del Nord.

Anelli di accrescimento degli alberi e clima

L'accrescimento degli anelli degli alberi, al pari di quello delle varve (*vedi* più sopra), varia con il clima: è maggiore in primavera e rallenta fino ad arrestarsi in inverno; inoltre, più elevata è l'umidità, più grande sarà lo spessore dell'anello annuale. Come abbiamo visto nel Capitolo 4, queste variazioni nello spessore degli anelli di accrescimento costituiscono la base di un importante metodo di datazione. Lo studio di una particolare sequenza di anelli di accrescimento può fornire anche importanti dati sull'ambiente, a seconda per esempio se l'accrescimento sia lento (il che implica l'esistenza di una foresta locale fitta) o veloce (indice invece di una foresta rada). L'accrescimento di un albero è un processo complesso che può essere influenzato da molti fattori interni ed esterni, ma la temperatura e l'umidità del suolo sono quelli predominanti. Per esempio, un intervallo record

6.22 Alberi e altri materiali vegetali di epoca preistorica conservati in uno strato saturo d'acqua per una ricaduta di cenere vulcanica circa 11 000 anni fa a Miesenheim (Germania occidentale). I rari ritrovamenti di questo genere forniscono importanti dati sul carattere dei paesaggi antichi.

© 978.8808.82073.0

di temperatura per un periodo di 3620 anni è stato ottenuto da anelli di accrescimento nel Cile meridionale, con temperature al di sopra e al di sotto della media regionale.

Variazioni annuali o da una decade all'altra sono molto più chiare negli anelli di accrescimento che nelle carote di ghiaccio; inoltre gli anelli di accrescimento possono anche registrare cambiamenti drammatici e repentini del clima. Per esempio, da informazioni provenienti dalla Virginia, negli Stati Uniti, sappiamo che l'allarmante mortalità e il quasi abbandono della colonia di Jamestown (il primo insediamento permanente bianco in America) avvenne durante un periodo di siccità eccezionale: l'episodio, durato 7 anni, di clima più secco in 770 anni (1606-1612 d.C., *vedi* Scheda 3.12).

Lo studio della relazione tra anelli di accrescimento degli alberi e clima (dendroclimatologia) ha fatto progressi anche grazie all'uso delle misurazioni ai raggi X delle dimensioni e della densità delle cellule quali indicatori della produttività ambientale. Più recentemente, dagli anelli di accrescimento degli alberi sono stati tratti dati sulle temperature nell'antichità attraverso la determinazione dei rapporti tra gli isotopi stabili del carbonio ($^{13}C/^{12}C$) contenuti nella cellulosa. Un kauri vecchio di 1000 anni in Nuova Zelanda è stato analizzato in questo modo e i risultati si avvicinano parecchio a quelli relativi allo stesso periodo ottenuti dagli speleotemi della Nuova Zelanda; si tratta cioè di una serie di fluttuazioni della temperatura media annua, con una fase più calda nel XIV secolo, seguita da una fase più fredda e quindi da un ritorno alle attuali condizioni. Gli isotopi di carbonio e di ossigeno nella cellulosa di tamerici, impiegate per la rampa in legno che i Romani utilizzarono per conquistare la cittadella ebraica di Masada nel 73 d.C., hanno rivelato agli archeologi israeliani che il clima a quel tempo era più umido e più adatto all'agricoltura di quello odierno.

L'importanza degli anelli di accrescimento degli alberi nasce dal fatto che si tratta di resti organici che più di ogni altro sono in grado di offrire una vasta gamma di dati utili per la ricostruzione dell'ambiente. Nel paragrafo seguente ci occuperemo più in dettaglio delle tracce di piante e di animali che si sono conservate.

LA RICOSTRUZIONE DELL'AMBIENTE VEGETALE

Il nostro primario interesse ambientale negli studi sulle piante è tentare di ricostruire la vegetazione che l'umanità del passato può aver incontrato in un particolare periodo di tempo e in un particolare luogo, ma non dobbiamo dimenticare che le piante costituiscono la base della catena alimentare terrestre. Le comunità vegetali presenti su una certa area in un determinato periodo forniranno anche indi-

zi circa la vita di esseri umani e animali in quell'area, perché riflettono anche le condizioni del suolo e del clima. Alcuni tipi di piante reagiscono in modo relativamente rapido ai cambiamenti climatici (sebbene meno rapidamente degli insetti, per esempio), e le variazioni latitudinali e altitudinali delle comunità vegetali costituiscono indicatori tra i più chiari dei cambiamenti climatici avvenuti nel corso dell'èra glaciale.

In archeologia gli studi sulle piante sono sempre passati in secondo piano rispetto all'analisi faunistica, semplicemente perché negli scavi le ossa sono più evidenti dei resti vegetali: le ossa possono talvolta conservarsi meglio, ma di solito i resti vegetali sono presenti in numero maggiore. Negli ultimi decenni le piante sono finalmente giunte alla ribalta, grazie alla scoperta che alcune delle loro parti costitutive resistono alla decomposizione molto più di quanto si credesse, e che in realtà conservano un'enorme quantità di dati diversi che possono fornirci informazioni sulla vegetazione del passato. Come nel caso di molte delle specializzazioni cui l'archeologia può far ricorso, queste accurate analisi richiedono una grande disponibilità di tempo e denaro.

Alcune delle tecniche in grado di fornire più informazioni per una valutazione globale delle comunità vegetali in un particolare periodo si basano non sull'analisi dei resti di maggiori dimensioni, ma piuttosto su quella dei resti più piccoli, specialmente dei pollini.

Resti microbotanici

Analisi pollinica La palinologia, cioè lo studio dei granuli pollinici (*vedi* Scheda 6.5), si sviluppò per opera di un botanico svedese, Lennart von Post, all'inizio del XX secolo. Essa si è rivelata di enorme importanza per l'archeologia, dato che può essere applicata a una vasta gamma di siti e fornisce informazioni tanto sulla cronologia quanto sull'ambiente; infatti fino all'arrivo dei metodi cronologici isotopici l'analisi pollinica era utilizzata essenzialmente per la datazione (*vedi* Capitolo 4).

Sebbene la palinologia non possa dare un quadro esatto degli ambienti naturali del passato, essa è però in grado di fornire qualche dato circa le variazioni della vegetazione nel tempo – quali che ne possano essere state le cause – e questi dati possono essere confrontati con i risultati ottenuti con altri metodi. L'applicazione più conosciuta dell'analisi pollinica si riferisce all'epoca postglaciale o Olocene (a partire da 12 000 anni fa), per la quale i palinologi hanno delineato una serie di *zone polliniche* nel tempo, ciascuna delle quali è caratterizzata da differenti comunità vegetali (specialmente specie arboree), sebbene ci sia poco accordo sul sistema di numerazione da usare e sul numero totale di zone. Ma gli studi sui pollini possono fornire anche notizie assai utili su ambienti naturali molto antichi, come quello dei sedimenti dell'Hadar e della valle dell'Omo in Etiopia,

GRUPPI DI RESTI DI PIANTE

Tipo di resti	Tipo di sedimento	Informazioni ricavabili dall'analisi	Metodo di estrazione e di esame	Volume di materiale da raccogliere
Suolo	Tutti	Descrizione dettagliata sul modo e sulle condizioni ambientali del deposito	(Meglio l'esame diretto sul sito da parte di un gruppo di specialisti delle discipline ambientali)	Descrizione dettagliata sul modo e sulle condizioni ambientali del deposito
Polline	Superfici sepolte, depositi impregnati d'acqua	Vegetazione, uso del terreno	Estrazione in laboratorio e microscopio a forte ingrandimento (400×)	0,05 litri o campione a colonna
Fitoliti	Tutti i sedimenti	Come sopra	Come sopra	Come sopra
Diatomee	Depositi sommersi	Salinità e livelli di inquinamento delle acque	Estrazione in laboratorio e microscopio a forte ingrandimento (400×)	0,10 litri
Resti vegetali non carbonizzati (semi, muschi, foglie)	Da secco a impregnato d'acqua	Vegetazione, dieta, materiali vegetali usati nelle attività costruttive, tecnologia e combustibile	Setacciatura in laboratorio a 300 µm	10-20 litri
Resti vegetali carbonizzati (cereali, paglia, carbone di legna)	Tutti i sedimenti	Vegetazione, dieta, materiali vegetali usati nelle attività costruttive, tecnologia, combustibile, lavorazione dei raccolti e comportamento	Flottazione fino a 300 µm	40-80 litri
Legno (carbone)	Da secco a impregnato d'acqua, carbonizzato	Dendrologia, clima, materiali e tecnologie costruttive	Microscopio a basso ingrandimento (10×)	Raccolta manuale in laboratorio

6.23 La tabella riassume i metodi di raccolta dei resti vegetali macroscopici e microscopici, con un'indicazione dei vari tipi di dati ricavabili per ciascuna categoria.

che risalgono a circa 3 milioni di anni fa. Di solito si ritiene che queste regioni siano sempre state aride come lo sono oggi, ma l'analisi pollinica condotta dallo scienziato francese Raymond Bonnefille ha dimostrato che erano assai più umide e verdi fra 3,5 e 2,5 milioni di anni fa, quando erano presenti perfino alcune piante tropicali. L'Hadar, che oggi è un semideserto con alberi e arbusti radi, era una ricca prateria aperta, con fitte foreste a parco intorno ai laghi e lungo i fiumi. Il passaggio a condizioni più aride, avvenuto circa 2,5 milioni di anni fa, si può vedere nella diminuzione del polline delle specie arboree e nell'aumento di quello delle graminacee.

In generale, le variazioni testimoniate per i periodi postglaciali e specialmente per l'epoca storica sono di piccole dimensioni se confrontate con quelle avvenute in precedenza, e quando rivelano una regressione della foresta occorre tener sempre presente che è possibile che il clima non ne sia la sola causa (*vedi* pagine 260-68).

Cuticole fossili La palinologia si rivela particolarmente utile per le regioni forestate, ma la ricostruzione della vegetazione del passato negli ambienti erbosi come quelli dell'Africa tropicale è ostacolata in misura notevole dal fatto che i granuli pollinici delle graminacee sono quasi indistinguibili l'uno dall'altro, anche se esaminati al microscopio elettronico a scansione (SEM, *scanning electron microscope*). Fortunatamente le cuticole fossili ci possono aiutare. La cuticola è un sottile strato protettivo, costituito da cutina, che impregna e riveste la parete esterna delle cellule epidermiche delle foglie o dei fili d'erba; la cutina è una sostanza molto complessa e resistente che conserva la forma delle cellule epidermiche sottostanti, che hanno forme caratteristiche. Perciò le cuticole conservano le «impronte» di cellule silicizzate di differenti forme, nonché di peli e di altri caratteri diagnostici.

Patricia Palmer ha trovato molti frammenti carbonizzati di cuticole in carote estratte dai sedimenti dei laghi dell'Africa orientale. Tali frammenti si erano depositati in seguito ai frequenti incendi della copertura erbosa per cause naturali durante la stagione secca; i campioni prelevati risalivano almeno a 28 000 anni fa. Molti dei frammenti sono sufficientemente grandi da presentare caratteri diagnostici ben conservati che, esaminati al microscopio ottico o al microscopio elettronico a scansione, hanno consentito

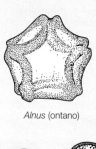
Alnus (ontano)

Betula (betulla)

Corylus (nocciolo)

Hedera helix (edera)

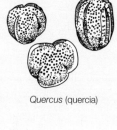
Quercus (quercia)

Salix (salice)

Tilia (tiglio)

Ulmus (olmo)

6.24 Morfologia di alcuni differenti granuli pollinici osservati al microscopio.

Tutti coloro che soffrono di febbre da fieno conoscono bene la «pioggia» di pollini che può affliggerli in primavera e in estate. I granuli pollinici – cioè le piccolissime particelle riproduttive maschili delle angiosperme – hanno un rivestimento esterno (esina) pressoché indistruttibile, che può conservarsi in determinati sedimenti per decine di migliaia di anni. Nell'analisi pollinica le esine vengono estratte dal terreno, studiate al microscopio e identificate sulla base della forma e di una sorta di decorazione superficiale tipica dell'esina delle diverse famiglie e generi di piante. Una volta quantificate, queste identificazioni sono rappresentate come curve su un diagramma pollinico. Le variazioni nella curva per ogni categoria di piante può essere presa in considerazione quale indizio di cambiamento climatico o disboscamento e messa a coltura da parte dell'uomo.

Conservazione

I sedimenti che conservano meglio i pollini sono gli ambienti acidi e poco aerati delle torbiere e del fondo dei laghi, dove non avviene l'attività batterica e i granuli vengono rapidamente seppelliti. Anche i sedimenti all'interno di grotte si rivelano normalmente utilizzabili grazie all'umidità e alla temperatura costante. Altri contesti, per esempio i sedimenti sabbiosi o i siti aperti ed esposti alla degradazione meteorica, conservano invece male i pollini.

Nei siti umidi, o nelle aree non scavate, i campioni vengono estratti in forma di lunghe carote, mentre nei siti secchi una serie di campioni separati possono essere raccolti dalle sezioni. Nel corso di uno scavo archeologico si provvede di solito a estrarre piccoli campioni a intervalli regolarmente stratificati. Grande cura deve essere posta nell'evitare contaminazioni dovute agli strumenti utilizzati o al contatto con l'atmosfera. Si possono trovare pollini anche nei mattoni crudi, nel vasellame, nelle tombe, nelle bende delle mummie, nel canale alimentare di corpi conservati, nei coproliti (*vedi* Capitolo 7) e in molti altri contesti.

Esame e conteggio

Le provette sigillate contenenti i campioni vengono esaminate in laboratorio, dove una piccola porzione di ogni campione viene studiata al microscopio nel tentativo di identificare alcune centinaia di granuli all'interno del campione. Ogni famiglia e quasi ogni genere di piante produce granuli pollinici particolari, distinguibili per la forma e l'aspetto della superficie, ma è difficile andare oltre e giungere a identificare le singole specie. Ciò impone alcuni limiti alla ricostruzione dell'ambiente, dato che differenti specie all'interno dello stesso genere possono avere esigenze assai diverse quanto a suolo, clima ecc.

Dopo l'identificazione, viene calcolata la quantità di polline per ogni tipo di pianta presente in ciascuno strato – di solito in percentuale rispetto al totale dei granuli presenti nello strato – e questo dato viene quindi espresso con un diagramma. Le curve possono essere viste come riflesso delle variazioni climatiche all'interno della sequenza, usando come guida l'attuale tolleranza di queste piante.

È però necessario fare alcuni aggiustamenti. Specie diverse producono quantità diverse di polline (i pini, per esempio, producono molto più polline delle querce) e possono quindi essere sovra- o sottorappresentate nel campione. Occorre tenere presente anche la modalità di impollinazione. Il polline di tiglio trasportato dagli insetti deriva probabilmente da alberi che crescono nelle vicinanze, mentre il polline di pino, trasportato dal vento, si può trovare a centinaia di chilometri di distanza. Anche l'orientamento dei siti, e specialmente quello degli ingressi delle caverne, può avere effetti notevoli sul loro contenuto pollinico, così come la posizione dei siti stessi, la durata e il tipo di occupazione.

È necessario assicurarsi che non ci sia stata commistione di strati (oggi si sa che l'intrusione è un problema frequente) e tener conto dell'impatto umano; i campioni dovrebbero essere prelevati tanto all'esterno quanto all'interno dei siti. Nei depositi archeologici urbani, per esempio, i pollini presenti nei riempimenti e negli spazi aperti vi sono giunti principalmente attraverso il trasporto e la deposizione naturali, e riflettono quindi l'area rurale circostante. I pollini presenti nelle aree di vita urbana, invece, derivano principalmente dalla preparazione del cibo e da molte altre utilizzazioni delle piante da parte dell'uomo.

In uno studio delle associazioni polliniche provenienti da una serie di città romane e medievali in Gran Bretagna, James Greig scoprì che i siti romani erano ricchi di graminacee ma poveri di cereali; mentre i depositi medievali restituiscono un'immagine opposta. La ragione non è di carattere economico, ma igienico: i Romani disponevano di sistemi fognari per le città, che erano mantenute pulite e che, ovviamente, erano circondate da prati che dominano nelle associazioni polliniche. In epoca medievale i rifiuti si accumulavano nelle città in misura tale che i resti alimentari sono oggi analizzabili dagli archeologi, e i campioni di rifiuti superano quindi i campioni pollinici.

In linea di principio, i pollini in terreni posti lontano dagli insediamenti umani tendono a riflettere la vegetazione locale, mentre le torbiere conservano pollini che provengono da un'area assai più vasta. I risultati ottenuti dall'analisi dei pollini contenuti nella profondità delle torbiere confermano di solito le variazioni climatiche di lungo periodo dedotte sulla base dei carotaggi condotti sui fondi marini e nei ghiacciai, come è stato spiegato nel testo del capitolo.

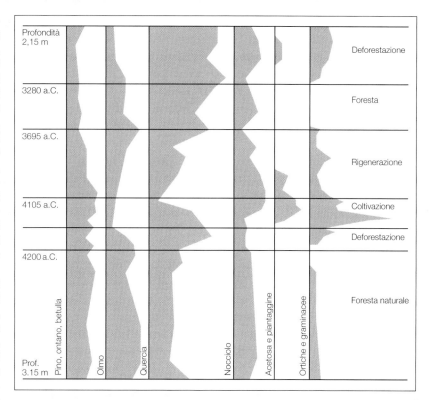

6.25 Un carotaggio pollinico postglaciale da Fallahogy, nell'Irlanda del Nord, rivela l'impatto provocato sulla regione dai primi colonizzatori. La deforestazione è indicata, intorno al 4150 a.C., da una diminuzione dei pollini delle specie arboree e da un notevole aumento di quelli di specie di campagna e di campo, come le graminacee, l'acetosa e la piantaggine. Il successivo rigenerarsi della copertura forestale, seguito da una nuova fase di deforestazione, testimonia della natura non intensiva delle prime coltivazioni nella regione.

6.26 Le sequenze di lungo periodo dell'èra glaciale mostrano la stretta correlazione tra i dati derivanti da un carotaggio pollinico condotto nella penisola iberica (*a destra*) e le curve degli isotopi dell'ossigeno (*a sinistra*) ottenute dal carotaggio SU 8132 eseguito sul fondo del mare nel Golfo di Biscaglia.

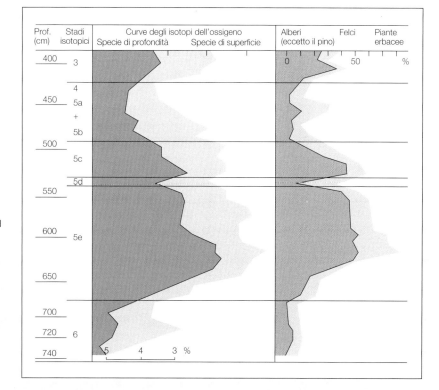

alla studiosa di identificarli a livello di sottofamiglia o addirittura di genere, e quindi di ricostruire i cambiamenti nella vegetazione nel corso di questo lungo periodo. L'analisi delle cuticole costituisce un utile supporto alla palinologia quando è necessario identificare piante o parti di piante; ed è interessante notare che le cuticole possono anche essere prelevate dallo stomaco o dalle feci degli animali.

Fitoliti Una branca degli studi microbotanici più conosciuta e in rapido sviluppo riguarda i fitoliti, che furono riconosciuti componenti dei contesti archeologici già nel 1908, ma che sono stati studiati sistematicamente solo negli ultimi decenni. Si tratta di piccole particelle di silice derivate dalle cellule delle piante, sopravvissute dopo che il resto dell'organismo si è decomposto o è stato bruciato; sono comuni nei focolari e negli strati di cenere, ma possono essere rinvenuti anche nella ceramica, nello stucco e perfino sugli strumenti in pietra e sui denti degli animali: fitoliti di graminacee sono stati rinvenuti per esempio in Europa attaccati ai denti di erbivori su siti dell'Età del bronzo, dell'Età del ferro e del Medioevo.

Questi cristalli si rivelano assai utili perché, al pari dei granuli pollinici, sono molto numerosi, si conservano bene nei sedimenti antichi e presentano miriadi di forme

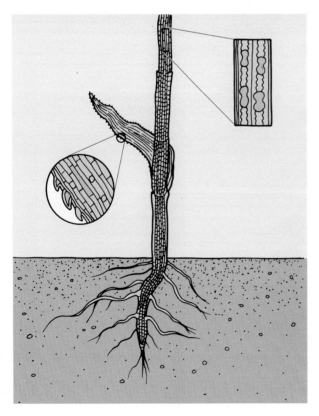

6.27 I fitoliti sono particelle minute di silice, presenti nelle cellule delle piante, che sopravvivono anche dopo che il resto della pianta si è decomposto. Alcune sono specifiche di certe parti della pianta (per esempio del fusto o della foglia).

e dimensioni diverse che variano a seconda del tipo. Essi ci dicono essenzialmente che gli esseri umani usavano determinate piante, ma la loro semplice presenza arricchisce l'immagine dell'ambiente offerta da altre fonti.

In particolare, una combinazione di analisi dei fitoliti e di analisi pollinica può essere un potente strumento per la ricostruzione dell'ambiente, dato che i due metodi hanno pregi e difetti che si compensano. La studiosa americana Dolores Piperno ha analizzato le carote estratte nel Gatun Basin (Panama), il cui contenuto pollinico aveva già rivelato una sequenza di cambiamento della vegetazione tra 11300 anni fa e il presente. La Piperno scoprì che i fitoliti presenti nelle carote confermavano la sequenza pollinica, con l'eccezione che le testimonianze dell'agricoltura e della deforestazione (cioè la comparsa del mais e l'aumento delle specie erbacee a svantaggio di quelle arboree) appaiono nei fitoliti circa 4850 anni fa, vale a dire circa 1000 anni prima che nei pollini. Questa testimonianza così precoce è da ricollegare probabilmente con disboscamenti limitati che non sono registrati nei diagrammi pollinici perché i granuli provenienti dalla foresta circostante inquinano i campioni.

Inoltre, i fitoliti spesso sopravvivono in sedimenti che sono ostili alla conservazione dei pollini fossili (a causa dell'ossidazione o dell'attività microbica) e possono dunque fornire l'unica testimonianza disponibile del paleoambiente o dei cambiamenti nella vegetazione. Un altro vantaggio è che, mentre il polline di tutte le graminacee si assomiglia, i fitoliti, sempre delle graminacee, possono essere distinti in gruppi ecologicamente differenti. Recentemente è stato scoperto che gli ioni di alluminio nei fitoliti possono essere utilizzati per differenziare la vegetazione delle foreste da quella erbacea, mentre le firme degli isotopi di ossigeno e idrogeno nei fitoliti forniranno anche importanti informazioni sull'ambiente.

L'analisi delle diatomee Un altro metodo di ricostruzione dell'ambiente attraverso l'uso di microfossili vegetali è l'analisi delle diatomee. Le diatomee sono alghe unicellulari che presentano parete cellulare di silice anziché di cellulosa; la silice sopravvive alla morte dell'alga. Le pareti silicizzate si accumulano in gran quantità sul fondo dello specchio d'acqua in cui vivono le alghe; alcune sono state rinvenute nelle torbiere, ma la maggior parte provengono dai sedimenti lacustri e costieri.

Le diatomee sono state individuate, identificate e classificate da più di 200 anni. Il procedimento di identificazione e di conteggio è analogo a quello usato in palinologia, così come è analoga la raccolta dei campioni sul campo. Le loro forme e i loro disegni caratteristici consentono una identificazione piuttosto precisa e le loro associazioni riflettono direttamente la composizione floristica e la produttività delle comunità di diatomee presenti nell'acqua,

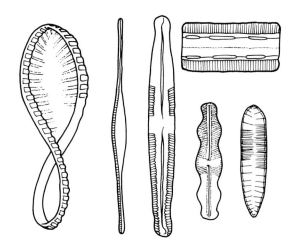

6.28 Un'ampia varietà di diatomee, alghe unicellulari microscopiche, le cui pareti cellulari intrise di silice si conservano in molti sedimenti dopo la morte dell'organismo. Lo studio della variazione delle specie in un deposito può aiutare gli scienziati a ricostruire le fluttuazioni degli ambienti nel passato.

e, indirettamente, la salinità, l'alcalinità e il contenuto di sostanze nutritive dell'acqua. Sulla base delle esigenze ambientali delle diverse specie (in termini di habitat, salinità e sostanze nutritive) si può arrivare a determinare quali erano le condizioni dell'ambiente locale nei vari periodi.

Il botanico J.P. Bradbury studiò associazioni di diatomee provenienti da nove laghi del Minnesota e del Dakota: riuscì a dimostrare che la qualità delle loro acque era divenuta «eutrofica» (più nutriente) da quando gli Europei si erano stabiliti intorno ai laghi nel corso del secolo scorso, per gli effetti determinati dalla deforestazione e dal taglio del legname, dall'erosione del suolo, dall'agricoltura e dall'aumento dei rifiuti umani e animali.

Dato che le associazioni di diatomee possono testimoniare anche se l'acqua era dolce, salmastra o salata, sono state utilizzate per determinare il periodo in cui i laghi si sono separati dal mare nelle aree di sollevamento tettonico, per localizzare la posizione delle antiche linee di costa, per indicare le trasgressioni marine (avanzamenti del mare su terre prima emerse) e per rivelare il livello d'inquinamento delle acque. Per esempio, la sequenza delle diatomee nei sedimenti del sito dell'antico Lago Wevershoof, a Medemblick (in Olanda), dimostra che in questa zona, intorno all'800 d.C., ebbe luogo una trasgressione che travolse quello che era stato un lago di acqua dolce e provocò un'interruzione nell'occupazione dell'area immediatamente circostante da parte dell'uomo.

La «vernice» del deserto Anche i frammenti più minuti di materiale vegetale possono fornire dati sull'ambiente. La «vernice» presente sulle rocce dei deserti del tardo Pleistocene in molte zone dell'America Settentrionale, del Medio Oriente e dell'Australia è costituita da aggregazioni naturali di

ossidi di manganese e di ferro, minerali argillosi e materiale organico. Però, meno dell'1% della «vernice» è costituito da materiale organico e per poter effettuare un'analisi valida è necessario disporre di migliaia di centimetri quadrati.

Il motivo che spinge a condurre l'analisi è la stretta correlazione che è stata notata tra il rapporto degli isotopi stabili del carbonio ($^{12}C/^{13}C$) presenti in campioni moderni e i diversi ambienti da cui questi provengono (desertico, semiarido, montano-umido e così via). I rapporti degli isotopi stabili del carbonio contenuti nel materiale organico conservato nei vari strati di «vernice» presente sulle rocce possono così fornire dati sul cambiamento delle condizioni, e specialmente sulla quantità dei diversi tipi di piante nella vegetazione circostante. Gli studiosi americani Ronald Dorn e Michael DeNiro hanno prelevato campioni degli strati, superficiali e non, di «vernice» presenti su depositi del tardo Pleistocene nella California orientale e hanno scoperto che gli strati inferiori, rispetto a quelli superficiali, si erano formati quando c'era più umidità, il che conferma l'ipotesi che il Sud-Ovest degli Stati Uniti fosse meno arido all'epoca dell'ultima èra glaciale che non durante il successivo Olocene. Analogamente, campioni prelevati nella Valle di Timna, nel deserto del Negev, hanno rivelato una sequenza di periodi aridi, umidi e ancora aridi. L'applicazione di questa tecnica rimane tuttavia ancora difficile, soprattutto perché gli strati sono così sottili che non è semplice individuarne la sequenza; ricerche future potranno però risolvere il problema.

Il DNA delle piante I componenti più piccoli delle piante sono i loro DNA, che ora possono essere localizzati e individuati in alcuni contesti: per esempio, le feci fossilizzate di un bradipo di circa 20 000 anni fa, ritrovate nella grotta di Gypsum, nel Nevada (USA), sono state analizzate chimicamente e si è scoperto che contenevano un'ampia varietà di DNA vegetale. Ciò ha dato dettagliate informazioni non solo sulla dieta del bradipo (graminacee, yucca, uva, menta ecc.), ma anche sulla vegetazione disponibile allora in quel luogo.

Tutte queste tecniche microbotaniche – studio dei pollini, delle cuticole, dei fitoliti, delle diatomee, della «vernice» del deserto e del DNA – sono chiaramente dominio degli specialisti. Un contatto assai più diretto con le testimonianze di carattere ambientale è però offerto agli archeologi dai resti vegetali di dimensioni maggiori che possono trovare e conservare durante lo scavo.

Resti macrobotanici

Una grande varietà di resti vegetali di maggiori dimensioni è recuperabile nel corso delle ricerche archeologiche e fornisce importanti dati circa le piante che crescevano

© 978.8808.82073.0

nelle vicinanze del sito, che erano usate o consumate dalle popolazioni, e così via. Tratteremo i problemi legati all'uso di tali piante da parte dell'essere umano nel Capitolo 7; qui rivolgeremo l'attenzione al contributo fondamentale dato dai resti macrobotanici all'indagine sulle condizioni dell'ambiente locale.

Recupero sul campo Il recupero di elementi vegetali dai sedimenti è stato semplificato dallo sviluppo di tecniche di setacciatura e flottazione, che separano i granuli minerali dai materiali organici sfruttando le loro differenti dimensioni (setacciatura) e densità (flottazione). Gli archeologi possono scegliere tra una grande varietà di dispositivi diversi, tenendo conto della posizione dello scavo, dei finanziamenti a disposizione e degli obiettivi da conseguire.

I sedimenti non costituiscono la sola fonte di resti vegetali; questi ultimi sono stati trovati anche nello stomaco dei mammut congelati e degli uomini delle torbiere (*bog bodies*); nei coproliti (feci fossilizzate) di esseri umani, iene, megateri ecc.; sui denti dei mammut ecc.; sugli strumenti in pietra, e nei residui contenuti all'interno del vasellame. I resti stessi sono piuttosto vari.

Semi e frutti Dei semi e dei frutti antichi spesso si possono identificare le specie cui appartenevano, nonostante i cambiamenti avvenuti nella loro forma perché bruciati o impregnati d'acqua. In alcuni casi i resti si sono disintegrati, ma hanno lasciato la loro impronta: piuttosto comuni sono le impronte di cereali sulla ceramica, e sono note anche impronte lasciate da foglie; esistono anche impronte su materiali che vanno dallo stucco al tufo, alla pelle e al bronzo corroso. L'identificazione dipende naturalmente dal tipo e dalla qualità delle tracce. Non tutti questi ritrovamenti significano necessariamente che una particolare pianta crescesse sul luogo; i semi d'uva, per esempio, possono derivare da frutti importati, mentre le impronte sui frammenti ceramici possono trarre in inganno, perché la ceramica poteva giungere assai lontano rispetto al suo luogo di produzione.

Residui vegetali Le analisi chimiche dei resti vegetali nel vasellame – condotte essenzialmente con la cromatografia – saranno trattate nel contesto della dieta dell'essere umano nel Capitolo 7, ma i risultati possono offrire qualche idea delle specie disponibili. Anche nella ceramica possono essere incorporate fibre vegetali (oltre a tracce di conchiglie, penne di uccelli o sangue) usate come materiale antiplastico (o dimagrante), e l'analisi microscopica consente talvolta di identificare questi resti; uno studio sulle prime ceramiche della Carolina del Sud e della Georgia ha rivelato per esempio la presenza di fibre del gambo di *Tillandsia usneoides*, una pianta delle bromeliacee.

Resti di legno Lo studio del **carbone di legna** (legno che è stato bruciato per qualche ragione) sta dando un crescente contributo alla ricostruzione archeologica degli ambienti e dell'uso che gli esseri umani facevano del legno. Materiale assai durevole, il carbone di legna è un reperto comune negli scavi archeologici. Una volta che i frammenti siano stati setacciati, selezionati e lasciati asciugare, possono essere esaminati al microscopio da specialisti, al fine di identificare (grazie alla morfologia del legno) di solito il genere e talvolta anche la specie d'appartenenza. Dato che non è necessario usare agenti chimici, il carbone di legna si è anche rivelato il materiale più adatto dal quale trarre campioni per la datazione con il radiocarbonio (*vedi* Capitolo 4).

Molti campioni di carbone derivano dalla legna da ardere, ma altri possono derivare dalle strutture in legno, dagli arredi e dalle attrezzature bruciate a un determinato punto della storia di un sito. I campioni tendono quindi inevitabilmente a riflettere la scelta dei legnami compiuta dall'essere umano piuttosto che l'intera gamma delle specie che cresceva intorno al sito. Ciò nondimeno, il numero totale di esemplari di ogni specie dà un'idea di una parte della vegetazione in un determinato periodo.

In qualche caso, l'analisi dei carboni può venir combinata con testimonianze di altro tipo e fornire informazioni non solo sull'ambiente locale, ma anche sull'adattamento umano all'ambiente. A Boomplaas Cave, nella Provincia del Capo meridionale (Sudafrica), lo scavo di spessi depositi eseguito da Hilary Deacon e dai suoi collaboratori ha portato alla scoperta di tracce di occupazione umana che risalgono fino a circa 70 000 anni fa. Su questo sito si riscontra una chiara differenza tra i carboni relativi a tutte le età glaciali e quelli successivi. Nei periodi estremamente freddi, quando il clima era anche più secco, come tra 22 000 e 14 000 anni fa circa, sia nei pollini sia nei carboni si riscontra una scarsa diversificazione delle specie vegetali, mentre nei periodi di maggiore piovosità e/o di temperatura più alta questa diversificazione aumenta. Un dato analogo si riscontra anche a proposito dei piccoli mammiferi.

All'epoca del freddo e della siccità più intensi, la vegetazione intorno a Boomplaas Cave era composta principalmente da arbusti e da piante erbacee con pochi frutti e cormi che potevano essere utilizzati dagli esseri umani. La fauna dei grandi mammiferi nel corso dell'èra glaciale era dominata dagli erbivori, che comprendevano specie «giganti» di bufali, cavalli e alcelafi (*Alcelaphus*); esse si estinsero circa 10 000 anni fa (l'estinzione su scala mondiale dei grandi mammiferi sarà discussa in un paragrafo più avanti).

I carboni di Boomplaas riflettono il graduale cambiamento del clima e della vegetazione che portò alla scomparsa dei grandi erbivori, cui corrispose un cambiamento nelle pratiche legate alla sussistenza degli occupanti della

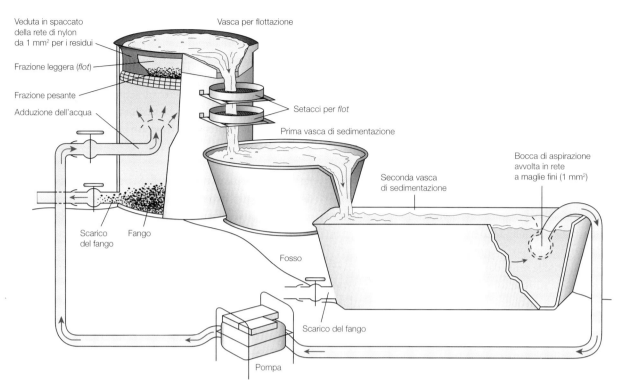

Veduta in spaccato
della rete di nylon
da 1 mm² per i residui

Vasca per flottazione

Frazione leggera (*flot*)

Frazione pesante

Adduzione dell'acqua

Setacci per *flot*

Prima vasca di sedimentazione

Bocca di aspirazione
avvolta in rete
a maglie fini (1 mm²)

Seconda vasca
di sedimentazione

Scarico
del fango

Fango

Fosso

Scarico del fango

Pompa

6.29 Flottazione ad acqua per il recupero di materiali vegetali: il sistema di acqua corrente, che utilizza acqua riciclata, messo a punto da Gordon Hillman partendo dal metodo approntato per la prima volta dal British Institute of Archaeology di Ankara. I materiali più leggeri dell'acqua galleggiano sulla superficie e sono raccolti dai setacci, mentre i materiali più pesanti sono raccolti da una reticella di nylon.

grotta. L'analisi dei carboni permette di individuare anche cambiamenti più difficili da identificare, per esempio quelli che riflettono uno spostamento della stagione di massima piovosità. La vegetazione arborea della Valle del Cango è oggi dominata dall'*Acacia karroo*, caratteristica di vaste aree dell'Africa meridionale, dove il clima è relativamente asciutto e le piogge cadono principalmente in estate. Il carbone di *Acacia karroo* (*vedi* illustrazione 6.31) è assente nei campioni dell'èra glaciale a Boomplaas, ma fa la sua comparsa circa 5000 anni or sono, e da circa 2000 anni co-

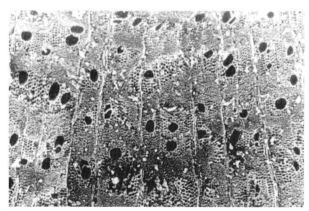

6.31 Fotografia al microscopio elettronico a scansione (50×) del carbone di legno di *Acacia karroo* proveniente dalla Grotta di Boomplaas. La comparsa di questa specie a Boomplaas, a partire da 5000 anni fa, indica un passaggio a estati più calde e relativamente umide.

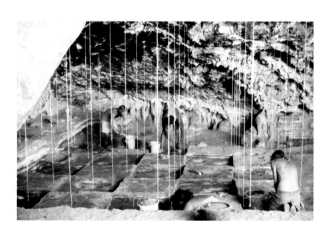

6.30 Gli scavi nella Grotta di Boomplaas, nella Provincia del Capo, in Sudafrica nel 1975. Sono stati necessari meticolosi controlli sul sistema di documentazione, compiuti utilizzando una griglia sospesa al soffitto della grotta mediante fili.

stituisce la specie dominante, indicando un cambiamento verso estati più calde e relativamente umide. Con l'incremento delle specie legate alle piogge estive, gli abitanti della grotta usarono in maggior quantità nuove gamme di frutti di cui nel sito si sono conservati alcuni semi.

Ma non solo il legno carbonizzato può essere sottoposto a questo tipo di analisi. Dai siti umidi in molte parti del mondo si vanno recuperando quantità sempre maggiori di **legno impregnato d'acqua** (*vedi* il prossimo paragrafo, dedicato all'ambiente umano, e i Capitoli 2 e 8). In alcune condizioni, come quelle molto fredde o molto secche, frammenti di **legno essiccato** si possono conservare anche se non sono combusti o saturi d'acqua.

Altre fonti di dati Una grande quantità di dati circa la vegetazione nei periodi meno remoti studiati dagli archeologi può essere ricavata dalle opere d'arte, dai testi (per esempio gli scritti di Plinio il Vecchio, i trattati romani sull'agricoltura, i resoconti e le illustrazioni dei primi esploratori come il Capitano Cook) e perfino dalle fotografie.

Una sola categoria di testimonianze però non può fornirci un'immagine completa della vegetazione di un sito o di una regione, delle tendenze di breve periodo o dei cambiamenti di lungo periodo: ognuna produce una versione parziale delle realtà del passato. È necessario sfruttare i dati offerti da tutte le fonti disponibili e, come vedremo più avanti, questi debbono essere combinati con i risultati ottenuti da altre forme di dati studiate in questo Capitolo, in modo da ricostruire con la migliore approssimazione possibile un ambiente del passato.

LA RICOSTRUZIONE DELL'AMBIENTE ANIMALE

I resti animali furono i primi reperti usati dagli archeologi del XIX secolo per caratterizzare il clima dei periodi preistorici individuati nel corso dei loro scavi. Si comprese che specie differenti erano assenti, presenti o particolarmente abbondanti in alcuni strati e quindi in alcuni periodi, e si ipotizzò che ciò riflettesse cambiamenti delle condizioni climatiche.

Oggi, se vogliamo utilizzare i resti faunistici come guida ambientale, dobbiamo studiare i reperti con occhio più critico rispetto a quello dei pionieri del XIX secolo, e cercare di capire la complessa relazione che lega gli animali attuali e il loro ambiente. Dobbiamo anche cercare di capire come i resti animali siano giunti in un sito – se naturalmente o a opera di animali carnivori o di esseri umani (*vedi* Scheda 7.5) – e quindi quanto siano rappresentativi della varietà faunistica del periodo in cui gli animali erano vissuti.

Microfauna

I piccoli animali (microfauna) costituiscono indicatori climatici e ambientali più importanti delle specie maggiori: infatti essi sono assai sensibili alle fluttuazioni e vi si adattano in maniera relativamente veloce, mentre i grandi animali hanno un campo di tolleranza relativamente più ampio. Inoltre, dato che la microfauna tende ad accumularsi su un sito in maniera naturale, riflette l'ambiente immediatamente circostante con più precisione che non i grandi animali, i cui resti sono spesso accumulati come prede degli esseri umani o degli animali. Come i pollini, i piccoli animali,

e specialmente gli insetti, sono più numerosi nei reperti rispetto agli animali più grandi, e ciò aumenta la significatività statistica dell'analisi fatta su di loro.

È essenziale estrarre un buon campione per mezzo di una setacciatura a secco e/o ad acqua; in caso contrario un'enorme quantità andrebbe perduta nel corso dello scavo.

Sui siti archeologici si trova una grande varietà di microfauna.

Insettivori, roditori e pipistrelli Si tratta delle specie che si incontrano più frequentemente. Uno specialista può ricavare una grande quantità di informazioni ambientali dallo studio delle associazioni e delle variazioni apparentemente insignificanti di questi animali, dato che la maggior parte di essi è presente nei siti archeologici spontaneamente, e non perché l'essere umano l'abbia sfruttata.

È necessario assicurarsi per quanto possibile che le ossa siano contemporanee allo strato in cui sono conservate e che non si tratti invece di animali morti in tana. Occorre anche avere ben presente che, anche se i reperti non sono intrusivi, essi non indicano l'ambiente *immediatamente circostante*; se derivano per esempio dalle feci di un rapace, possono essere stati catturati ad alcuni chilometri di distanza; ciò nonostante, il contenuto delle feci degli uccelli può essere molto utile per ricostruire l'ambiente locale.

Al pari dei grandi mammiferi, alcune specie di piccoli animali possono essere indicative di condizioni ambientali del tutto particolari. Richard Klein, della Stanford University, ha notato una forte correlazione tra la piovosità e la mole del moderno batiergo marittimo (*Bathiergus suillus*), un roditore che abita i terreni sabbiosi del Sudafrica; i batiergi sembrano crescere di più in corrispondenza di un generale aumento della densità della vegetazione dovuta a un aumento di piovosità. La sua analisi della fauna della Grotta di Elands Bay, in Sudafrica (*vedi* Scheda 6.6), ha rivelato che i batiergi provenienti da strati databili tra 11 000 e 9000 anni fa erano chiaramente più grandi di quelli dei sette millenni precedenti, e questo elemento è stato assunto come prova di un aumento delle precipitazioni alla fine del Pleistocene.

Uccelli e pesci Le ossa di uccelli e pesci sono particolarmente fragili, ma assai utili per lo studio dell'ambiente; per esempio possono essere usate per determinare le stagioni in cui un sito era abitato (*vedi* Capitolo 7). Gli uccelli sono sensibili ai cambiamenti climatici e l'alternanza di specie «adattate al freddo» e specie «adattate al caldo» nell'ultima èra glaciale si è rivelata di grande aiuto nello studio degli aspetti ambientali, sebbene a volte sia difficile decidere se un uccello è presente naturalmente o è stato portato da un essere umano o da un animale predatore.

Molluschi terrestri Le conchiglie di carbonato di calcio dei molluschi terrestri si conservano in molti tipi di sedimenti. Esse rispecchiano le condizioni locali e possono fornire dati circa i cambiamenti del microclima, in particolar modo quelli relativi alla temperatura e alle precipitazioni. Ma occorre tener presente che molte specie hanno una tolleranza assai grande, e la loro reazione ai cambiamenti è relativamente lenta, per cui «resistono» nelle aree con clima avverso e solo lentamente si disperdono nelle aree dal clima nuovamente accettabile.

Come di consueto, è necessario stabilire se le conchiglie sono deposte *in situ* o invece sono state trasportate dall'acqua o dal vento. Il campione di conchiglie deve essere non-distorto; la setacciatura assicurerà che non vengano raccolti solo gli esemplari grandi e colorati che sono visti facilmente da chi scava, ma l'intero contesto nel suo insieme. La qualità della conservazione è importante, perché la forma e il disegno della conchiglia sono elementi essenziali per identificare le specie. Una volta che siano state stabilite le associazioni, se ne possono ricostruire i cambiamenti nel tempo e quindi studiare il modo in cui la popolazione dei molluschi è cambiata in risposta alle oscillazioni ambientali.

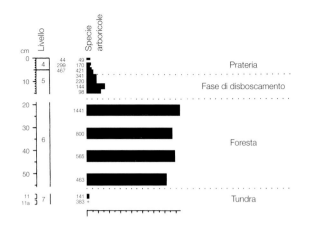

6.33 Istogramma che sintetizza le attestazioni di molluschi terrestri negli scavi di Avebury, nell'Inghilterra meridionale. Il variare della percentuale delle specie di chiocciole che vivono nei terreni boschivi rivela un cambiamento avvenuto circa 10 000 anni fa da area aperta (tundra) a bosco e infine a prateria.

Una grande mole di lavoro è stata condotta a questo proposito dallo specialista britannico John Evans (1925-2011) e da alcuni suoi colleghi su un gran numero di siti preistorici in Gran Bretagna. Ad Avebury le percentuali relative delle specie individuate negli strati di suolo al di

GRUPPI DI RESTI DI ANIMALI				
Tipo di resti	Tipo di sedimento	Informazioni ricavabili dall'analisi	Metodo di estrazione e di esame	Volume di materiale da raccogliere
Ossa di piccoli mammiferi	Tutti tranne quelli molto acidi	Fauna naturale, ecologia	Setacciatura fino a 1 mm	75 litri
Ossa di uccelli	Come sopra	Vedere ossa di grandi e piccoli mammiferi	Come sopra	Come sopra
Ossa, scaglie e otoliti di pesce	Come sopra	Dieta, tecnologia della pesca, attività stagionali	Come sopra	Come sopra
Molluschi terrestri	Alcalino	Vegetazione del passato, tipo di terreno, storia deposizionale	Setacciatura in un laboratorio a 500 µm	10 litri
Molluschi marini (crostacei)	Alcalino e neutro	Dieta, commercio, stagione di raccolta, allevamento dei crostacei	Classificazione manuale, scavo del sedimento con paletta e setacciatura	75 litri
Resti di insetti (carbonizzati)	Tutti i sedimenti	Clima, vegetazione, condizioni di vita, commercio, dieta umana	Setacciatura in laboratorio e flottazione a paraffina a 300 µm	10-20 litri
Resti di insetti (non carbonizzati)	Da secco a impregnato d'acqua	Come sopra	Come sopra	Come sopra
Ossa di grandi mammiferi	Tutti tranne quelli molto acidi	Fauna naturale, dieta, allevamento, macellazione, malattia, status sociale, tecniche artigianali	Raccolta manuale, sedimento scavato con una paletta e setacciatura	Intero contesto scavato con una paletta tranne che nel caso si prendano campioni di grandi dimensioni

6.32 La tabella riassume i metodi di raccolta dei resti macrofaunistici e microfaunistici, con un'indicazione dei vari tipi di dati ricavabili per ciascuna categoria.

sotto del terrapieno del sito indicano la presenza di un ambiente di tundra circa 10 000 anni fa, di foresta a parco tra 8000 e 6000 e di foresta a volta chiusa tra 6000 e 3000 anni fa, seguita da una fase di disboscamento e di aratura e infine dall'attuale prateria (*vedi* illustrazione 6.33).

Molluschi marini   Come abbiamo già visto in questo Capitolo, gli accumuli (*middens*) di molluschi marini possono in qualche caso aiutarci a delineare le antiche linee di costa, mentre il cambiamento delle percentuali relative di presenza delle diverse specie nel tempo può rivelarci qualcosa sulla natura del microambiente costiero – per esempio se era sabbioso o roccioso – attraverso lo studio dell'ambiente attualmente preferito dalle specie rappresentate. I cambiamenti climatici suggeriti da queste variazioni della presenza o dell'abbondanza delle diverse specie si possono confrontare con i risultati dell'analisi degli isotopi dell'ossigeno delle conchiglie; una forte correlazione tra i due metodi è stata individuata da Hiroko Koike nel corso delle sue ricerche sui *middens* di Jomon, nella Baia di Tokyo, dove, per esempio, la scomparsa delle specie tropicali implica una fase fredda intorno a 5000 o 6000 anni fa, che è stata confermata da un aumento dell'ossigeno-18 (e quindi da una diminuzione della temperatura dell'acqua) circa 5000 anni or sono. Nel Capitolo 7 vedremo come le variazioni dell'accrescimento delle conchiglie dei molluschi possono indicare stagionalità.

Insetti   È possibile trovare anche una grande varietà di insetti in forma di adulti, di larve e (nel caso dei ditteri) di pupari. Lo studio a fini archeologici degli *insetti* (paleoentomologia) è stato piuttosto trascurato fino a circa cinquant'anni or sono; a partire da allora è stata condotta a termine una grande mole di lavoro pionieristico, particolarmente in Gran Bretagna.

Dal momento che conosciamo la distribuzione e le necessità ambientali dei loro moderni discendenti, spesso è possibile utilizzare i resti degli insetti come precisi indicatori delle condizioni climatiche (e in qualche misura anche della vegetazione) prevalenti in determinati periodi e in particolari aree. Alcune specie hanno precise esigenze circa il luogo ove riprodursi e il tipo di cibo necessario per le larve. Tuttavia, piuttosto che usare una singola «specie guida» per ricostruire un microambiente, è più sicuro studiare le diverse specie (il clima antico doveva ricadere nell'area di sovrapposizione dei loro attuali intervalli di tolleranza).

In ragione della loro rapida reazione ai cambiamenti climatici gli insetti sono utili indicatori della cronologia e della scala di tali avvenimenti e delle temperature medie stagionali e annuali. Alcuni reperti di insetti risalgono perfino all'èra glaciale e mostrano alcuni tipi che riuscirono a sopravvivere nelle aree periglaciali.

I coleotteri si rivelano insetti particolarmente utili per gli studi microambientali: il capo e il torace di questi insetti sono spesso ben conservati; quasi tutti i coleotteri noti nel Pleistocene esistono tuttora; essi sono sensibili indicatori dei climi del passato, dato che reagiscono rapidamente alle modificazioni dell'ambiente (particolarmente a quelle della temperatura); e infine costituiscono un gruppo vario con intervalli di tolleranza ben definiti.

In uno studio sono stati rappresentati graficamente gli intervalli di tolleranza climatica di 350 coleotteri che sono presenti come fossili nel Pleistocene; il metodo del campo climatico comune è stato poi applicato a 57 faune di coleotteri provenienti da 26 siti britannici. Si è scoperto che ci furono incrementi assai rapidi di temperatura 13 000 e 10 000 anni fa, con una prolungata tendenza al raffreddamento del clima a partire da 12 500 anni fa (quando le condizioni erano le stesse di oggi, con una temperatura media in luglio intorno a 17 °C) e fino a 10 500 anni or sono, associati con un gran numero di oscillazioni minori.

In qualche caso la scoperta di insetti nei depositi archeologici può avere importanti ramificazioni. Per fare un esempio evidente, i resti del coleottero *Scolytus scolytus* trovati in depositi di epoca neolitica ad Hampstead (Londra) compaiono in uno strato che è cronologicamente antecedente al rapido calo nella presenza del polline di olmo, datato appena prima di 5000 anni fa sulla base dei carotaggi eseguiti nei sedimenti lacustri e nelle torbiere dell'Europa nord-occidentale. Questa brusca diminuzione, ben nota in archeologia, fu inizialmente attribuita a cambiamenti climatici o al degrado dei suoli, e in seguito ai disboscamenti a opera dei primi agricoltori che avevano bisogno di campi per il foraggio (*vedi* Capitolo 12). Tuttavia, *Scolytus scolytus* è il coleottero che trasmette il fungo patogeno che

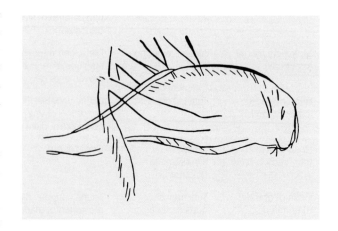

6.34 Raffigurazione di una cavalletta incisa su un frammento di osso risalente alla tarda èra glaciale (Magdaleniano), proveniente dal sito di La Madeleine, in Dordogna, Francia. Gli insetti reagiscono rapidamente ai cambiamenti climatici e costituiscono sensibili indicatori della cronologia e dell'ampiezza delle variazioni ambientali.

causa la moria dell'olmo, e quindi fornisce una spiegazione alternativa e naturale del declino dell'olmo avvenuta 5000 anni fa. L'attuale esplosione di moria dell'olmo in Europa ha consentito agli scienziati di sorvegliare gli effetti della malattia sui pollini. Hanno potuto appurare che in realtà la diminuzione del polline di olmo è di proporzioni simili a quella che si verificò nel Neolitico; non solo, ma il contemporaneo aumento di pollini di piante infestanti (malerbe) causato dall'apertura della volta della foresta è il medesimo in entrambi i casi. Questo fatto, insieme con la nota presenza del coleottero in epoca neolitica, costituisce un importante indizio dell'esistenza di una malattia dell'olmo in quel periodo.

Insetti sono venuti alla luce anche negli scavi di York (*vedi* il caso di studio nel Capitolo 13), dove i legnami di epoca vichinga sembrano essere stati crivellati da coleotteri xilofagi come gli anobidi e da molluschi bivalvi come le teredini. In città, una fogna romana del III secolo d.C. è stata trovata piena di una fanghiglia che presentava concentrazioni di ditteri delle acque luride in due canali laterali che la collegavano alle latrine. Sulla base della sua posizione si stabilì che la fanghiglia derivava da un edificio termale militare, ma i resti di coleotteri granivori e di *Niptus hololeucus* presenti nella fanghiglia dimostrano che la fogna era collegata anche a un granaio, come confermano le ossa di toporagno, topo e arvicola che ivi foraggiavano.

Gli insetti si rivelano dunque d'importanza straordinaria per la quantità e la qualità delle notizie che possono fornire agli archeologi, non solo sul clima e sulla vegetazione, ma anche sulle condizioni di vita all'interno e intorno ai siti archeologici.

Macrofauna

I resti di grandi animali rinvenuti nei siti archeologici possono aiutarci in maniera determinante a ricostruire la dieta di uomini e donne del passato (*vedi* Capitolo 7). Come indicatori ambientali i grandi animali si sono rivelati invece meno attendibili di quanto si credesse in passato, in primo luogo perché non sono tanto sensibili ai cambiamenti ambientali quanto lo sono invece gli animali più piccoli, ma anche perché i loro resti furono assai probabilmente deposti in un contesto archeologico dall'azione diretta di persone o altri animali. Le ossa provenienti da animali uccisi dagli uomini o dai carnivori sono state in qualche misura selezionate e non possono quindi rispecchiare in maniera precisa l'intera varietà della fauna presente nell'ambiente. Ideale sarebbe dunque trovare accumuli di resti animali prodotti da eventi o catastrofi naturali: per esempio animali intrappolati da un'improvvisa inondazione, o sepolti da un'eruzione vulcanica, oppure congelati nel permafrost. Ma si tratta di ritrovamenti del tutto eccezionali, assai diversi dai normali accumuli di ossa animali che incontrano gli archeologi.

Raccolta e identificazione delle ossa sul campo Normalmente le ossa si conservano solamente quando sono sepolte entro breve tempo, prima di subire gli effetti della degradazione meteorica e l'azione degli animali spazzini. Le ossa si conservano anche, in uno stato rammollito, nei siti saturi d'acqua non acidi. In alcuni casi possono aver bisogno di un trattamento sul campo prima di rimuoverle senza danneggiarle. All'interno dei sedimenti esse si impregnano lentamente di minerali, e il loro peso, la solidità e la durezza aumentano, come pure la loro durata.

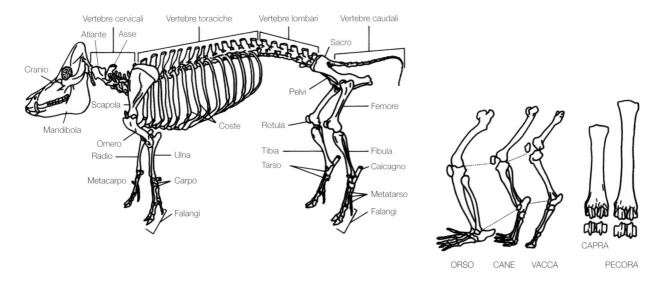

6.35 Identificazione delle ossa animali. (*A sinistra*) Ossa dello scheletro di un tipico animale domesticato, il maiale. (*Al centro*) Confronto della struttura delle ossa degli arti di mammiferi. Negli orsi (e nell'essere umano), l'intero piede tocca il suolo, mentre nei carnivori, come per esempio i cani, toccano solo le dita. Gli erbivori, come i bovini, camminano «in punta di piedi», con le sole estremità delle dita che toccano il suolo. (*A destra*) Le ossa di capra e quelle di pecora sono notoriamente difficili da distinguere, sebbene tra di loro ci siano sottili differenze, per esempio nella struttura del metacarpo.

© 978.8808.82073.0

Dopo la raccolta, il primo passo consiste nell'identificare quanti più frammenti possibile, sia per ricostruire il corpo sia per determinare la specie cui le ossa appartenevano. Si tratta di un lavoro per zoologi o per zooarcheologi, che sono sempre più numerosi, anche se ogni archeologo dovrebbe essere in grado di riconoscere almeno le ossa e le specie principali. Le liste e le associazioni di specie che ne risultano possono in qualche caso costituire un aiuto per la datazione dei siti paleolitici. Nuove analisi del collagene, la proteina delle ossa, rendono ora possibile identificare le specie di ogni singolo pezzetto di ossa fossilizzate; è perfino possibile distinguere un osso di pecora da quello di una capra.

Una volta che sia stata completata la quantificazione dell'associazione di ossa (*vedi* Scheda 7.6), quali saranno le informazioni che essa potrà fornirci circa l'ambiente dell'epoca?

Ipotesi e limiti L'anatomia, e in special modo la dentatura, dei grandi animali può fornirci informazioni circa la loro dieta e, di conseguenza, nel caso degli erbivori, circa il tipo di vegetazione preferita. Tuttavia, la maggior parte delle informazioni a proposito dell'habitat deriva dagli studi sulle specie moderne, e si basa sull'ipotesi che dal periodo in questione il comportamento degli animali non sia cambiato in maniera rilevante. Questi studi dimostrano che i grandi animali possono tollerare – vale a dire hanno la possibilità di coesistere o di sfruttare – un intervallo termico e un ambito di caratteristiche ambientali assai più ampi di quanto si era creduto. Ciò significa che non si può più sostenere, come facevano gli archeologi di una volta, che specie del Pleistocene quali il rinoceronte villoso o l'orso delle caverne indichino necessariamente un clima più rigido; la presenza di queste specie dovrebbe essere intesa solo come prova della loro capacità di tollerare le basse temperature.

Se è quindi difficile mettere in relazione le variazioni nella macrofauna di un sito con le variazioni della **temperatura**, possiamo almeno affermare che le variazioni nelle **precipitazioni** possono talvolta rispecchiarsi abbastanza direttamente nelle variazioni nei resti animali. Alcune specie per esempio differiscono tra loro sulla base dello spessore della neve che possono tollerare, e questo elemento incide sulle associazioni faunistiche invernali di quelle regioni del mondo in cui uno spesso strato di neve ricopre la terra per gran parte dell'inverno.

I grandi mammiferi non sono generalmente indicatori attendibili della **vegetazione**, dato che gli erbivori possono prosperare in una grande varietà di ambienti e cibarsi di molte piante diverse. Per questa ragione le singole specie non possono normalmente essere definite caratteristiche di un particolare habitat. Ci sono però delle eccezioni. Nel corso dell'ultima èra glaciale, per esempio, le renne raggiunsero la Spagna settentrionale, come dimostrano non solo le ossa, ma anche l'arte rupestre. Questi grandi spostamenti rispecchiano chiaramente un cambiamento climatico. Anche nell'arte rupestre del Sahara si possono cogliere chiare testimonianze della presenza di specie che non potrebbero sopravvivere oggi in quell'area a causa delle enormi modificazioni ambientali sopravvenute.

Come vedremo nel Capitolo 7, la fauna può essere usata anche per stabilire in quali stagioni dell'anno un sito fosse frequentato. Nei siti costieri, compresi quelli della Spagna cantabrica, o nei siti intorno alle rive del Mediterraneo (si veda il citato caso della Grotta di Franchthi), o ancora sulla costa del Capo in Sudafrica (*vedi* Scheda 6.6), le risorse marine e i resti di erbivori possono alternarsi all'interno della sequenza archeologica a seconda che le variazioni del livello del mare provocassero un'estensione o un restringimento della pianura costiera, mutando di conseguenza la vicinanza al mare dei siti e la disponibilità di pascoli.

Ma si deve tenere sempre presente che le fluttuazioni faunistiche possono avere altre cause oltre al clima e alle attività dell'uomo; gli altri fattori possono essere la competizione, le epidemie o le fluttuazioni nel numero dei predatori. Anche limitate variazioni locali di clima e di condizioni atmosferiche possono avere enormi effetti sul numero e sulla distribuzione degli animali selvatici, tanto che malgrado la sua alta capacità di resistenza una specie può passare nel giro di pochi anni da un'estrema abbondanza fino a una quasi estinzione.

Le estinzioni dei grandi animali cacciati dall'uomo In molte isole della Polinesia, ai Caraibi e anche altrove i primi gruppi umani che vi si insediarono devastarono la flora e la fauna indigene. Ma in altre parti del mondo la questione dell'estinzione degli animali e del se e come vi sia coinvolto l'essere umano costituisce ancora oggi un importante argomento di dibattito archeologico. Ciò è particolarmente vero per le estinzioni dei grandi animali cacciati dall'uomo nel Nuovo Mondo e in Australia alla fine dell'èra glaciale, quando le perdite furono assai più pesanti che non in Asia e in Africa e compresero non solo i mammut e i mastodonti, ma anche altre specie, come il cavallo nelle Americhe.

Nel dibattito sulle grandi estinzioni ci sono due posizioni principali. Un gruppo di studiosi, capeggiati dallo scienziato americano Paul Martin (1928-2010), pensa che a causare le estinzioni nel Nuovo Mondo e in Australia fu l'arrivo degli esseri umani, con il conseguente sovrasfruttamento delle prede. Nuovi dati dall'Australia hanno avvalorato questa opinione, poiché le datazioni col metodo della racemizzazione degli amminoacidi di gusci d'uovo di *Genyornis*, un grande uccello inabile al volo, da tre regioni climatiche differenti, mostrano che questa specie è sparita

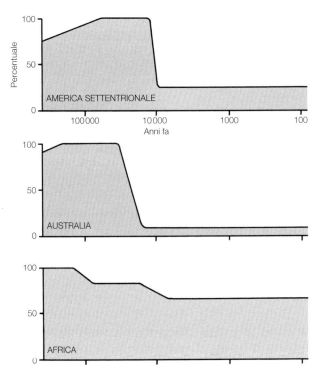

6.36 Un diagramma costruito da Paul Martin per illustrare il rapido declino delle specie dei grandi animali in America Settentrionale e in Australia intorno all'epoca della colonizzazione di quei territori da parte dell'uomo, posto a confronto con la situazione africana, dove i grandi animali si adattarono più a lungo alla predazione umana.

improvvisamente, circa 50 000 anni fa, al momento in cui gli esseri umani arrivarono in questo continente. L'estinzione simultanea di *Genyornis* in tutti i luoghi durante un periodo di cambiamenti climatici modesti fa pensare che l'arrivo dell'essere umano sia stato il fattore principale della sua estinzione. Questa opinione non tiene tuttavia conto dell'estinzione, avvenuta pressappoco nello stesso tempo, di specie di mammiferi e uccelli che non erano direttamente predate dall'uomo o che l'uomo non era in grado di uccidere. In ogni caso non si conosce ancora la precisa data di ciascuna estinzione, mentre la data della comparsa dell'umanità nei due continenti è ancora incerta (*vedi* Capitolo 11).

L'altro punto di vista, rappresentato dall'antropologo Donald Grayson e da altri, sostiene che la causa principale vada ricercata nel cambiamento del clima. Ma questo non spiega perché cambiamenti assai simili avvenuti in periodi precedenti non abbiano prodotto gli stessi effetti, e in ogni caso molte delle specie che scomparvero avevano una vasta distribuzione geografica e un'ampia tolleranza climatica. Inoltre, gli effetti indiretti sulla vegetazione hanno probabilmente avuto un impatto sugli animali uguale a quello derivato dal cambiamento di clima stesso.

Estinzioni determinate da cambiamenti nel clima erano già avvenute in precedenza, ma avevano sempre tendenzialmente riguardato in egual misura tutti i mammiferi sia grandi sia piccoli, e quelli che scomparvero furono rimpiazzati dalla migrazione o dallo sviluppo di nuove specie; questo non accadde nelle estinzioni del Pleistocene. Tutte le specie cacciate dall'uomo di grandi mammiferi che da adulti pesavano oltre 1000 kg (i cosiddetti megaerbivori) scomparvero dal Nuovo Mondo, dall'Europa e dall'Australia, e lo stesso accadde al 75% dei generi di erbivori che pesavano 100-1000 kg, ma solo al 41% delle specie che pesavano tra 5-100 kg, e a meno del 2% degli animali più piccoli.

Una teoria di compromesso che tiene conto di tutti questi fattori e combina le due maggiori ipotesi è stata elaborata dallo studioso sudafricano Norman Owen-Smith. Questi pensa che il sovrasfruttamento determinato dagli esseri umani condusse alla scomparsa dei megaerbivori, il che comportò un cambiamento della vegetazione, che a sua volta condusse all'estinzione degli erbivori di media taglia.

Se ci si basa sui tremendi effetti che i moderni elefanti dell'Africa orientale e meridionale hanno sulla vegetazione – abbattono e danneggiano gli alberi, aprono radure per gli animali più piccoli e trasformano le savane alberate in praterie – è certo che la scomparsa dei megaerbivori deve aver modificato radicalmente l'ambiente del Pleistocene. Recentemente è stato anche proposto che l'impatto con una enorme cometa, circa 13 000 anni fa, possa aver cau-

6.37 Altri studiosi sottolineano l'importanza dei fattori ambientali anche nella scomparsa della megafauna, come (*da sinistra a destra*) il mastodonte, il castoro gigante, il dromedario e il cavallo (tutti nell'America Settentrionale), nonché lo *Sthenurus* in Australia.

6.6 La grotta di Elands Bay

AFRICA

Elands Bay

6.38 L'odierno estuario del Verlorenvlei. Circa 15 000 anni fa, la linea di costa era più di 20 km al largo di quella che è oggi.

Posta vicino alla bocca dell'estuario del Verlorenvlei sulla costa sud-occidentale della Provincia del Capo, in Sudafrica, la Grotta di Elands Bay fu occupata per migliaia di anni ed è particolarmente importante per documentare le variazioni nella linea di costa e nelle pratiche di sussistenza alla fine dell'èra glaciale. Le ricerche condotte da John Parkington e dai suoi colleghi hanno chiaramente dimostrato che, tra 6000 e 7000 anni fa, l'aumento del livello del mare trasformò il territorio del sito da interno e fluviale in estuariale e costiero.

Nel corso del periodo compreso tra circa 13 600 e 12 000 anni fa le pratiche per procurare i mezzi di sussistenza rimasero relativamente stabili sebbene la linea di costa si dovesse essere avvicinata a circa 12 km dal sito, secondo quello che mostrano oggi i profili dei fondali costieri. I resti faunistici lasciati dagli occupanti della grotta sono dominati da un'associazione di grandi erbivori (rinoceronti, equidi, bufali ed elani), il che lascia supporre che l'ambiente naturale circostante fosse dominato dalla prateria piuttosto aperta. La quantità assai bassa di componenti di origine marina tra i resti rispecchia la considerevole distanza dalla costa, che era ancora oltre le due ore di cammino, considerate un normale raggio d'azione per la maggior parte dei cacciatori-raccoglitori e ancora troppo lontana per rendere economico il trasporto dei crostacei. Gli uccelli ritrovati sono di specie fluviali, soprattutto anatre.

Intorno a 11 000 anni fa la costa si era avvicinata fino a circa 5-6 km a ovest del sito, entro il raggio d'azione dei cacciatori-raccoglitori: ora nella sequenza stratigrafica della grotta compare il primo sottile strato di crostacei. Nei tre millenni successivi il mare arrivò a circa 2 km dal sito, inondando gradualmente le propaggini più basse della valle del Verlorenvlei, trasformandole in estuario e quindi in linea di costa.

La scomparsa degli habitat necessari ai grandi erbivori pascolatori ebbe effetti radicali sull'ambiente faunistico. Almeno due animali (il cavallo gigante e il bufalo gigante) si estinsero, e altri grandi animali quali il rinoceronte e il bufalo cafro sono assenti o estremamente rari nei depositi della grotta posteriori a 9000 anni or sono. Essi sono rimpiazzati sul sito e in altre parti della regione da erbivori più piccoli quale l'antilope nana, erbivori brucatori anziché pascolatori, il che implica un diverso ambiente vegetale, probabilmente collegato a un cambiamento nel regime delle precipitazioni.

Nello stesso periodo, tra 11 000 e 9000 anni fa, si registra un chiaro aumento degli animali marini, e la sequenza

6.39 L'innalzamento del livello dei mari alla fine dell'èra glaciale sommerse la pianura costiera che un tempo si estendeva a ovest della Grotta di Elands Bay.

13 000 anni fa

Oceano Atlantico

Proto-Verlorenvlei

PIANURA COSTIERA

Elandsbaai

Grotte di Elands Bay

Verlorenvlei

~ 90 m

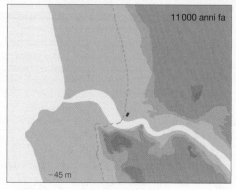

11 000 anni fa

~ 45 m

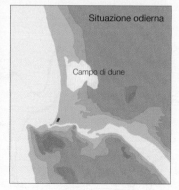

Situazione odierna

Campo di dune

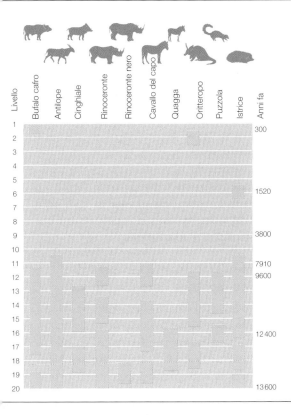

6.40 Il declino degli animali di prateria si riflette nei resti faunistici rinvenuti nella Grotta di Elands Bay. Intorno a 9000 anni fa, quando il mare era giunto a circa 3 km dal sito, questi animali cessarono praticamente di essere sfruttati nella grotta.

stratigrafica della grotta si trasforma da una serie di loam bruni contenenti sottili strati di conchiglie in una successione di veri e propri accumuli di conchiglie (*shell middens*). Si registra anche un'altissima frequenza (rispetto alle specie terrestri) di cormorani, pesci marini, scillaridi del genere *Palinurus* e focidi, a partire da 9500 anni fa, epoca in cui la costa distava solo poco più di 3 km. L'inondazione della valle a partire da 11 000 anni fa si rispecchia nell'abbondanza di ippopotami e di uccelli che frequentano le acque poco profonde come i fenicotteri e i pellicani. In quest'epoca l'estuario era certamente all'interno dell'area sfruttabile. Circa 9000 o 8500 anni or sono la grotta era grosso modo equidistante tra la costa e l'estuario, ma a partire da 8000 anni fa la costa era più vicina, fino a raggiungere l'attuale posizione circa 6000 anni or sono.

sato questa imponente estinzione degli animali di grande taglia. Tuttavia questa tesi è ancora dibattuta e la maggior parte degli studiosi ritiene che non ci siano prove a sufficienza per supportarla. Similmente, anche la teoria della «grande malattia» è soggetta a critiche a causa dell'improbabilità che un singolo microbo sia virulento a sufficienza da eliminare dozzine di specie che non hanno legami tra loro.

Gli studi più recenti suggeriscono un complesso mosaico di cause che differiscono ampiamente sia nel tempo sia nello spazio, laddove alcuni animali sono scomparsi nel Pleistocene, ma altri (come la renna gigante nel Vecchio Mondo) sopravvissero fino all'Olocene. In Australia, per esempio, la caccia praticata dagli uomini potrebbe senz'altro essere la causa di alcune estinzioni, ma insieme ai cambiamenti climatici e, forse in misura maggiore, ad altre modificazioni dell'ambiente sempre dovute all'essere umano, come il disboscamento delle foreste. Diversi studi suggeriscono che il clima ha avuto una grande importanza nell'Eurasia settentrionale, mentre nelle Americhe furono gli esseri umani ad avere un impatto maggiore. Paul Martin ha sostenuto che l'assenza di estinzioni in Africa e Asia meridionale fosse legata a una longeva coesistenza con gli esseri umani in queste aree; questa teoria è interessante, ma difficile da dimostrare.

Nuove promettenti tecniche Infine, con l'ausilio di nuove tecniche, possiamo trarre dalle ossa dati ambientali più specifici; informazioni sulla storia della temperatura e dell'umidità possono per esempio derivare dalle analisi isotopiche dello smalto dei denti e delle ossa o dall'analisi degli amminoacidi nel collagene delle ossa. Il lavoro di M.A. Zeder sugli elementi in tracce presenti nelle ossa di pecore e capre dell'Iran ha condotto alla scoperta che il calcio, il magnesio e lo zinco si trovano in concentrazioni significativamente differenti in animali provenienti da contesti diversi: attraverso analisi simili condotte su ossa antiche dovrebbe quindi essere possibile ottenere notizie sulle condizioni ambientali del passato.

Allo stesso modo, Tim Heaton e i suoi collaboratori hanno scoperto in Sudafrica che il rapporto degli isotopi dell'azoto nelle ossa può costituire un utile strumento per lo studio delle variazioni climatiche nel passato. Campioni di scheletri umani di età preistorica e protostorica e campioni di erbivori provenienti da una grande varietà di habitat e di zone climatiche in Sudafrica e nella Namibia sono stati sottoposti ad analisi per valutarne il rapporto $^{15}N/^{14}N$. Campioni provenienti dalle zone più interne o che rispecchiavano il consumo soltanto di piante terrestri hanno prodotto risultati simili a quelli provenienti dalle regioni costiere. In breve, il rapporto $^{15}N/^{14}N$ sembra essere legato alle variazioni climatiche, con un aumento dell'aridità che si riflette nell'aumento del ^{15}N.

© 978.8808.82073.0

Altre fonti di dati attinenti agli animali Le ossa non sono le sole fonti di notizie sulla macrofauna; sono state già menzionate le carcasse congelate e le testimonianze artistiche. In alcuni siti sono state scoperte delle **orme**. Gli esempi vanno dalle orme dei primi ominidi o di animali – oltre 10 000, inclusi uccelli e insetti – rinvenute a Laetoli, in Tanzania (*vedi* Capitolo 11), alle orme su suoli dell'Età del bronzo (*vedi* Capitolo 7), alle orme di zampe su tegole romane (*vedi* Capitolo 7). Le grotte sono particolarmente ricche di tali tracce, e le orme delle iene e degli orsi delle caverne sono ben note in Europa; si possono trovare anche segni di artigli e tane di orsi delle caverne. Segni lasciati da denti di castoro sono stati rinvenuti su legnami risalenti al Neolitico provenienti dai Somerset Levels, in Inghilterra.

In molte grotte dal microclima secco si sono conservati anche **escrementi fossili** (coproliti), che possono contenere molti dati sulla fauna e sulla flora (*vedi* più sopra). La Grotta di Bechan, nel Sud-Est dello Utah, ha restituito per esempio 300 m³ di sterco disidratato di mammut, mentre altre specie hanno lasciato loro coproliti in altre grotte americane.

Oltre ovviamente a rivelare quali animali fossero presenti in ogni periodo, gli escrementi rivelano anche che cosa mangiavano, e contribuiscono perfino al dibattito sulle estinzioni nel Pleistocene (*vedi* più sopra). Paul Martin, un pioniere nello studio degli escrementi fossili, ha dimostrato che il contenuto dei coproliti del megaterio di Shasta (località della California), ora estinto, non è mai cambiato fino al momento della sua estinzione; Jim Mead è giunto alla stessa conclusione con lo sterco di mammut e della capra di montagna, anch'essa estinta. Questi ritrovamenti suggeriscono quindi che almeno le estinzioni nel Nuovo Mondo non furono causate da un cambiamento della vegetazione o della dieta.

Altre fonti di dati comprendono il grasso di cavallo e di renna, identificabili chimicamente nei residui presenti nei sedimenti, e i resti di sangue di vari animali trovati sugli strumenti in pietra (*vedi* Capitolo 7). Altre informazioni si possono ricavare anche dagli scritti e dalle illustrazioni dei primi esploratori o dalle opere di geografia degli scrittori romani. Anche i manufatti in osso possono costituire talvolta chiari indicatori climatici: in depositi di epoca anglo-normanna a York, in Inghilterra, sono stati trovati una grande quantità di pattini in osso consunti e lucidati, il che lascia supporre che gli inverni fossero così rigidi che il fiume Ouse gelava.

LA RICOSTRUZIONE DELL'AMBIENTE UMANO

Tutti i gruppi umani producono un effetto sul loro ambiente, sia localmente sia su scala più vasta. Uno degli effetti più importanti legati all'interferenza umana – la domesticazione di piante e animali – sarà esaminato nel Capitolo 7. Qui concentreremo l'attenzione su come gli esseri umani sfruttarono e gestirono il territorio e le risorse naturali. L'elemento fondamentale dell'ambiente umano è il sito, e di conseguenza i fattori che influenzano la scelta di una località. Molti di questi fattori sono facilmente individuabili, sia a occhio nudo (vicinanza all'acqua, posizione strategica, orientamento) sia attraverso apposite misurazioni. Il microclima delle caverne e dei ripari in roccia, per esempio, si può determinare studiando le temperature, l'ombra e l'esposizione alla luce solare, l'esposizione ai venti nelle diverse stagioni, dal momento che sono questi i fattori che determinano l'abitabilità di una caverna.

L'ambiente immediatamente circostante: l'essere umano modifica l'area in cui vive

Uno dei primi modi in cui l'umanità ha modificato i luoghi in cui viveva è stato attraverso l'uso controllato del fuoco. Gli archeologi hanno dibattuto per decenni su quando fu usato per la prima volta il fuoco. C.K. Brain e Andrew Sillen hanno scoperto resti di ossa animali apparentemente bruciate nella Grotta di Swartkrans, in Sudafrica, in strati che si possono datare a circa 1,5 milioni di anni or sono. Allo scopo di confermare se quelle ossa siano state realmente alterate dal fuoco, Brain e Sillen hanno condotto esperimenti con nuove ossa, esaminando la struttura cellulare e le modificazioni chimiche che avvengono quando le ossa vengono riscaldate a diverse temperature. L'analisi microscopica ha dimostrato che queste modificazioni sono assai simili a quelle presenti nelle ossa fossili, lasciando supporre che queste ultime siano state probabilmente riscaldate su un fuoco di legna a temperature che vanno da meno di 300 a 500 °C. Questo è stato successivamente confermato dalle misurazioni dei gradi di carbonizzazione ottenuti tramite la risonanza di spin elettronico. I resti dei primi ominidi trovati negli strati delle grotte hanno fornito significative indicazioni in merito a chi si occupava del fuoco. I semi, i pezzi di legno e le selci bruciate provenienti dal sito all'aperto di Gesher Benot Ya'aqov, in Israele, hanno indicato che ci potesse essere un fuoco custodito già 790 000 anni fa. Recentemente, l'analisi al microscopio dei sedimenti provenienti dal pavimento della Grotta di Wonderwerk, in Sud Africa, ha portato alla luce cenere e tracce di ossa bruciate a 30 m dall'entrata, in strati che si sono depositati 1 milione di anni fa.

Le prove di focolari nei primi accampamenti preistorici sono sempre stati difficili da riconoscere, ma recentemente è stata messa a punto una nuova tecnica per individuare la cenere nei sedimenti, perché minerali differenti emettono spettri caratteristici quando sono illuminati da radiazioni infrarosse. Quindi antichi focolari possono essere ora individuati anche dopo essere stati distrutti quasi completamente. Molti minerali di cenere cambiano nel tempo, ma circa il 2% rimane relativamente stabile. In questa maniera nella grotta di Hayonim (250 000 BP), in Israele, sono stati individuati dei focolari facendo un confronto con i focolari ben definiti della vicina grotta di Kebara (70 000 BP). Quando questa tecnica fu applicata alla grotta di Zhoukoudian in Cina, che da tempo si pensava avesse la più antica prova di un fuoco controllato, risalente a 500 000 anni fa, la «firma» chimica della cenere non fu trovata nella parte di grotta analizzata. Alcune ossa della caverna sono state certamente bruciate, ma rimane ancora da stabilire se si sia trattato di fuoco naturale o controllato. Recentemente, un focolare usato più volte e risalente al Pleistocene medio (circa 300 000 anni fa) è stato rinvenuto nel centro della Grotta Qesem, in Israele.

Gli archeologi sono in grado di dimostrare anche in altri modi che nel Paleolitico Superiore gli esseri umani si adattarono alla vita in caverna. Un'ispezione diretta permette di individuare tracce di impalcature in alcune grotte decorate, quali quelle di Lascaux in Francia. Altrove gli scavi hanno riportato alla luce tracce di ripostigli e di pavimentazioni in lastre di pietra. Resti di grasso animale analizzati da Rolf Rottländer nella grotta risalente al Paleolitico Superiore di Geissenklösterle, nella Germania occidentale, hanno rivelato una percentuale così grande di grasso da far pensare che il pavimento era probabilmente coperto di pelli di grandi mammiferi.

Resti di giacigli di 23 000 anni fa sono stati trovati in un riparo paleolitico a Ohalo II, in Israele: i giacigli di fieno erano costituiti da steli parzialmente bruciacchiati e foglie sistemati sul pavimento attorno al focolare. Giacigli ancora più antichi e risalenti al Paleolitico medio sono stati ora ritrovati nella grotta Esquilleu, in Spagna, individuati grazie alle tracce dei fitoliti; essi indicano che il fieno era a più riprese ammassato vicino al focolare; mentre nel riparo in roccia del Mesolitico di Sibudu, in Sud Africa, è stato rinvenuto il materiale per giacigli composto da fieno, carice, giunchi e foglie per proteggersi dagli insetti in strati risalenti da 77 000 anni fa in poi.

Gli archeologi possono studiare le testimonianze che provengono dai siti all'aperto – tende, protezioni frangivento e altri resti di costruzioni – e che sono indicativi del modo in cui gli esseri umani del Paleolitico modificarono l'ambiente immediatamente circostante. Per i periodi successivi questo tipo di testimonianza aumenta enormemente, e si entra nel dominio dell'architettura vera e propria e della pianificazione urbana, che sono trattati in altri paragrafi (*vedi* Capitoli 5 e 10).

La modificazione dell'ambiente immediatamente circostante è certamente fondamentale per la cultura umana. Ma come possiamo saperne di più circa i diversi modi in cui gli esseri umani manipolarono il mondo che si stendeva tutt'intorno?

L'essere umano sfrutta un ambiente più vasto

Metodi per studiare l'utilizzazione del terreno L'esame delle aree circostanti le abitazioni umane può essere condotto dove siano state esposte delle sezioni o dove la superficie del terreno originario sia messa a nudo sotto un monumento. Per ricostruire l'utilizzazione del terreno da parte degli esseri umani, gli specialisti possono percorrere vie diverse, combinando tra loro tutti i metodi cui si è accennato nei paragrafi precedenti. Tuttavia, è necessaria l'applicazione di un metodo nuovo per i casi in cui l'area intorno al sito debba essere determinata sulla superficie del suolo.

Questo tipo di analisi extra-sito è stata in origine sviluppata sistematicamente da Claudio Vita-Finzi e da Eric Higgs (1908-1976) nel loro lavoro su siti in Israele, ed è stata da allora largamente adottata, anche se con modifiche e varianti. I GIS (*Geographic Information Systems*) si sono dimostrati utili nello studio e nella stesura di mappe di antichi ambienti come, per esempio, nel progetto di George Milner a Cahokia negli Stati Uniti (*vedi* Scheda 6.7).

Colture orticole L'archeologia delle colture orticole, fossero esse decorative o destinate alla produzione di cibo, è una sottodisciplina che si è affermata solo di recente. Gli esempi che si possono citare vanno dai complessi di collinette, terrazze e mura che costituivano gli orti dei Maori della Nuova Zelanda, ai giardini di rappresentanza della villa imperiale di Nara, in Giappone, che risale all'VIII secolo d.C., fino a giungere a quelli delle ville romane, come quello di Fishbourne, nell'Inghilterra meridionale. I più conosciuti sono probabilmente quelli conservati dall'eruzione vulcanica che investì Pompei e gli insediamenti adiacenti. Nella maggior parte dei casi, come a Nara, una combinazione di scavo e di analisi dei resti vegetali ha condotto a una precisa ricostruzione; ma a Pompei l'identificazione delle specie non deriva solo dallo studio dei pollini, dei semi e del legno carbonizzato, ma anche dalle impronte lasciate dalle radici degli alberi, per le quali possono essere ricavati calchi analoghi a quelli ottenuti per i corpi umani (*vedi* Capitolo 11). Questi calchi possono fornire perfino dettagli sulle tecniche di coltivazione: per esempio, la base di un albero di limone in un orto della villa di Poppea a Oplonti, vicino a Pompei, dimostra chiaramente che l'albero era stato innestato, un metodo ancor oggi usato nella regione per ottenere nuovi alberi di limone. Similmente, nella «Pompei mesoamericana», cioè nel sito di Corén (El Salvador), ricoperto da cenere vulcanica nel 595 d.C. (*vedi* pagina 43), l'iniezione di gesso liquido nelle cavità ha prodotto degli interessantissimi calchi di piante, tra i quali steli di mais piantati nei campi, pannocchie di mais conservate in una culla, ramoscelli di peperoncino e un intero orto casalingo di 70 piante di agave.

STATI UNITI
Cahokia

Ricostruire un ambiente preistorico umano richiede una conoscenza dettagliata dell'ambiente naturale, specialmente la distribuzione, la produttività e l'affidabilità delle risorse edibili. Per gestire dati così complessi, gli archeologi si servono sempre più spesso di sistemi di mappatura che si basano su programmi informatici (GIS, *Geographic Information Systems*) per studiare come gli insediamenti erano distribuiti in relazione gli uni agli altri e agli elementi del paesaggio come i fiumi, la topografia, i suoli e la vegetazione.

Lo sviluppo dei GIS permette l'organizzazione di complessi dati spaziali arrangiandoli come una serie di strati separati, uno per ciascun tipo di informazione: i siti, i suoli, l'elevazione e via di seguito (*vedi* Capitolo 3). Le relazioni tra i dati dei vari strati possono così essere analizzate permettendo agli archeologi di concentrarsi sulle domande riguardanti l'utilizzo del terreno da parte dell'uomo con un gran numero di siti e molti dettagli ambientali.

La stesura della mappa di Cahokia

Proprio questo tipo di lavoro viene condotto nella vallata del Fiume Mississippi negli Stati Uniti. Quest'area è particolarmente ricca di siti preistorici, il più spettacolare dei quali è Cahokia. Quasi un millennio fa, Cahokia era l'insediamento principale di una delle società più complesse che mai siano esistite nel Nord America preistorico. Il sito una volta comprendeva più di 100 *mounds* (tumuli), ivi incluso un immenso *mound* alto 30 m che torreggiava sulla comunità circostante. Molti di questi *mounds* e ciò che rimane di un'area residenziale piuttosto estesa sono sopravvissuti fino alla nostra epoca. Benché gli archeologi abbiano già lavorato molto nell'area di Cahokia, diverse questioni rimangono aperte. Quante persone vivevano nell'area? Come era organizzata questa società? Perché la gente preferiva alcune locazioni piuttosto che altre? Come è cambiato nel tempo l'utilizzo del terreno?

George Milner della Pennsylvania State University ha dato vita, nell'area, a un progetto di ricerca che si propone tre obiettivi principali: 1) identificare i cambiamenti nella superficie di calpestio della valle che possono aver causato la distruzione o il sotterramento del sito; 2) valutare la disponibilità di risorse differenti in aree differenti; 3) determinare il motivo per il quale i siti sono stati ubicati dove si trovano.

Il lavoro è cominciato con l'esame sistematico della documentazione esistente sul sito per determinare la locazione degli insediamenti conosciuti. Manufatti raccolti nei musei sono stati studiati per stabilire quando questi luoghi furono occupati. Le mappe e le ricognizioni del terreno vecchie fino a 200 anni sono state utilizzate per documentare i movimenti del fiume e le locazioni delle terre asciutte che una volta ricoprivano gran parte della superficie di calpestio della valle.

La prima mappa dettagliata del fiume e dei territori circostanti fu prodotta dai sorveglianti del General Land Office (GLO) nei primi anni del XIX secolo. La locazione di fiumi, ruscelli e paludi nelle notazioni e mappe del GLO sono state controllate con le altre informazioni sulla forma del terreno della valle, e in seguito sono state convertite nel formato elettronico GIS. I percorsi successivi del fiume sono stati dedotti dalle carte di navigazione del Corps of Engineers.

Il paesaggio naturale durante il periodo di massima fioritura di Cahokia è stato modellato mettendo l'attenzione in primo luogo sulle caratteristiche più importanti della pianura alluvionale: l'estensione, la disposizione e la natura della palude. Utilizzando le varie sorgenti di informazioni – le informazioni delle ricognizioni del GLO, altre mappe storiche e descrizioni della valle, mappe recenti e fotografie aeree – è possibile stimare la distribuzione delle risorse e quindi il grado di attrazione dei diversi luoghi.

La distribuzione spaziale di grandi e piccoli insediamenti viene analizzata per identificare i fattori naturali e sociali che

6.41 Ricostruzione del sito di Cahokia e dell'ambiente circostante (circa 1100 d.C.).

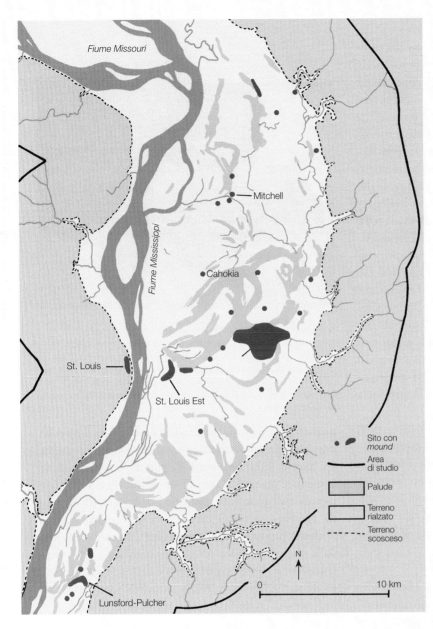

Le locazioni dei siti preistorici in relazione ai solchi dei vecchi canali indicano che in molti punti il fiume è rimasto all'interno di un corridoio relativamente stretto per l'ultimo migliaio d'anni o più. Il altre parti, tuttavia, il fiume si è mangiato vaste aree della pianura alluvionale, distruggendo tutte le possibili tracce dei siti preistorici. Quindi alcune lacune nella distribuzione degli insediamenti possono semplicemente corrispondere a luoghi nei quali l'attività del fiume ha distrutto il sito.

Il progetto GIS ha quindi contribuito a ricostruire il paesaggio di migliaia di anni fa e ha indicato una forte propensione per le terre umide come modello di insediamento nel periodo di maggior fioritura di Cahokia, che si spiega con una dieta prevalentemente a base di pesce. Il lavoro iniziale è sufficientemente incoraggiante da garantire ulteriori studi sistematici, inclusi nuovi lavori archeologici e geomorfologici sul campo, per raggiungere una prospettiva migliore su come l'aspetto del terreno e l'utilizzo di quest'area da parte dell'uomo sono cambiati nel corso di migliaia di anni.

6.42-43 (*In alto a sinistra*) Cahokia è di gran lunga il più grande di diversi centri di *mounds* dispersi su parte della pianura alluvionale conosciuta come American Bottom. Nel passato era coperta dall'acqua per parte dell'anno oppure durante tutto l'anno; il terreno ricoperto d'acqua era una preziosa fonte di cibo. (*Sotto*) L'imponente Monk's Mound alto 30 m.

hanno determinato il posizionamento del sito. Gli ambienti ecologici dell'insediamento possono essere studiati guardando all'ammontare relativo dei differenti tipi di suolo – terreno secco, area occasionalmente inondata d'acqua o palude permanente – nei luoghi dove la gente viveva. Per esempio, i siti più grandi sono per la maggior parte localizzati su terreni ben drenati, adiacenti a sponde ripide lungo le paludi permanenti. La gente era quindi in grado di trarre vantaggio sia dai terreni secchi per l'agricoltura sia dalle acque per la pesca. I dati degli insediamenti sono complementari alle informazioni sulle pratiche di sussistenza: le coltivazioni, specialmente di mais, e il pesce erano i fondamenti della dieta.

© 978.8808.82073.0

La gestione del terreno attraverso il sistema dei campi La gestione del terreno si può indagare in diversi modi. Le testimonianze più chiare sono costituite dalle diverse tracce visibili sulla superficie del suolo, come nel caso dei 300 ettari di campi di epoca maya, collegati da una fitta rete di canali, nel Pulltrouser Swamp, nel Belize; o degli spettacolari terrazzamenti montani degli Inca; o dei *chinampas* (fertile terreno di riporto, costituito da fanghiglia drenata dai canali) degli Aztechi; o ancora dagli analoghi, ma assai più antichi, fossati di drenaggio e dei fertili orti della Palude di Kuk, in Nuova Guinea (*vedi* Scheda 6.8).

Allo stesso modo, gli archeologi britannici hanno riportato alla luce muri di confine dell'Età del bronzo, noti come *reaves*, a Dartmoor, e sistemi di campi e *lynchets* (piccoli muri di contenimento eretti contro i confini dei campi su pendii) in molte altre aree. In Giappone sono state scoperte circa 500 risaie antiche, risalenti specialmente al periodo Yayoi (400 a.C.-300 d.C.) assieme ai loro sistemi di irrigazione: dighe di legno, fossi di drenaggio e terrapieni. Campi di riso ancora più antichi sono stati portati alla luce in Cina a Chengtoushan, nella provincia di Hunan e risalgono fino a 6500 anni fa.

Anche i manufatti e le testimonianze artistiche possono costituire un'utile fonte di notizie per comprendere lo sfruttamento del terreno nell'antichità. I siti della dinastia cinese degli Han, per esempio, hanno restituito modelli in ceramica di risaie, alcuni dei quali con uno stagno per l'irrigazione e una chiusa mobile al centro di una diga, usata per regolare il flusso dell'acqua all'interno del campo.

L'inquinamento dell'acqua e dell'aria Gli effetti delle attività umane sulle risorse idriche non hanno ancora ricevuto adeguata attenzione da parte degli archeologi, ma dati recenti indicano chiaramente che l'inquinamento dei fiumi non è affatto un problema limitato alla nostra epoca. Gli scavi nella città di York, nell'Inghilterra nord-orientale, hanno rivelato cambiamenti nella popolazione dei pesci d'acqua dolce nel corso degli ultimi 1900 anni, con un chiaro spostamento dalle specie che hanno bisogno di acqua particolarmente pulita, quali il salmone e il temolo, a specie che tollerano meglio l'acqua inquinata, quali il pesce persico e il leucisco rosso. Questo cambiamento avvenne intorno al X secolo d.C., quando la città vichinga subì un rapido sviluppo, causando forse un crescente inquinamento del fiume Ouse (*vedi* Capitolo 13).

Nemmeno l'inquinamento dell'aria è un fenomeno tutto moderno: carote dai ghiacci della Svezia e una torbiera nelle montagne svizzere del Giura hanno rivelato che il livello di piombo aumentò, per la prima volta, 5500 anni fa, quando l'agricoltura incrementò i suoli battuti dal vento e poi, in modo ancora più marcato, 3000 anni fa

6.44 Un importante aspetto della gestione dell'ambiente è l'approvvigionamento artificiale di acqua, sia tramite cisterne di deposito, sia tramite acquedotti o semplici pozzi. Un pozzo di tavole di legno è stato ritrovato in un sito neolitico a Kückhoven, in Germania. La struttura, in tavole di quercia, è stata datata col metodo della dendrocronologia al 5090 a.C. (la struttura esterna) e al 5050 a.C. (la struttura interna).

quando i Fenici cominciarono a commerciare il piombo estratto dalle miniere spagnole ed ebbe inizio la fusione dei metalli. L'inquinamento da piombo è continuato ad aumentare quando i Greci hanno cominciato a rilasciare piombo nell'atmosfera attraverso l'estrazione dell'argento dai metalli; e ancora di più all'epoca dei Romani, quando venivano prodotte 80 000 tonnellate di piombo all'anno dalle miniere europee. Le carote di ghiaccio della Groenlandia non solo confermano questi dati riguardanti il piombo, ma registrano anche un marcato inquinamento provocato dal rame fuso dai Romani e nel Medioevo, specialmente in Europa e in Cina.

Tracce di aratura L'indagine sui tumuli, incluse le analisi dei pollini e dei molluschi in essi contenuti, e specialmente lo studio dei suoli e delle superfici antiche che giacciono sotto di essi, può rivelare se ci sia stata qualche forma di coltivazione nelle fasi precedenti la loro erezione. In qualche caso gli archeologi sono perfino così fortunati da scoprire superfici antiche che conservano le tracce lasciate dall'**aratro** (*plough*) o dall'**aratro semplice** (*ard*) (traccia il solco, ma non rivolta il terreno). Le tracce rinvenute sotto il tumulo funerario di età neolitica di South Street, in Inghilterra, costituiscono un buon esempio. Sebbene le testimonianze provenienti dai tumuli funerari danesi facciano pensare che queste tracce non siano in realtà funzionali (cioè prodotte nel corso della coltivazione del terreno) ma facciano parte del rituale di costruzione dei tumuli, ciò nonostante forniscono indicazioni circa le tecniche di gestione del terreno in differenti periodi e su differenti terreni.

Kuk

AUSTRALIA

La Palude di Kuk è un territorio di 283 ha nella Wahgi Valley, nelle vicinanze del Monte Hagen, a un'altitudine di 150 m negli altipiani della Nuova Guinea. Essa contiene elementi che sono stati interpretati come testimonianze di alcune delle più antiche colture orticole del mondo. Gli studi cominciarono nel 1972 a seguito di un lavoro di bonifica per una coltivazione di tè. I nuovi canali, disposti a maggiore distanza tra loro e scavati in anni successivi per un nuovo utilizzo agricolo dell'area, fornirono ai ricercatori molti chilometri di sezioni trasversali, utili per uno studio della stratificazione. I livelli di cenere derivanti dalle eruzioni vulcaniche avvenute lungo la costa settentrionale della Nuova Guinea, che si incontravano di tanto in tanto nelle sezioni, poterono essere datati, e fornirono una base cronologica generale. Le graminacee di palude vennero estirpate per mettere in luce gli elementi presenti sulla superficie del terreno, tra cui 40 case (alcune delle quali vennero scavate) e i profili di antichi canali colmati.

I risultati hanno messo in evidenza i segni di cinque periodi separati di utilizzo agricolo della palude, che rimandano a 7000-6400 anni fa circa: canali di drenaggio larghi (con sezione fino a 2×2 m) e lunghezza superiore a 750 m, e colture agricole distinte su ciascuna superficie bonificata.

Questi cinque periodi di bonifica hanno depositato ciascuno uno strato di argilla grigia tra i 10 000 e 7000-6400 anni fa. Elementi come fossati e buche per pali erano presenti sotto il livello di argilla associati a un innegabile canale artificiale, che, per analogia, è stato interpretato come testimonianza di una sesta, più vecchia, fase di coltura orticola della palude. Inoltre, confrontata con la storia precedente della palude, l'argilla grigia presentava un incremento talmente forte di depositi da essere interpretata come il segno di una nuova pratica di utilizzazione della terra, quella dell'agricoltura a rotazione.

L'apparire di queste innovazioni nell'immediato risveglio del miglioramento climatico dopo la fine della glaciazione ha suggerito la loro introduzione già pienamente formata a un'altitudine più bassa, assieme a un gruppo di colture tropicali: il taro, alcuni tipi di igname e di banano che, stando ad altre prove, erano presenti nella regione della Nuova Guinea.

Interpretazione dei dati

Lavori recenti hanno prodotto informazioni multidisciplinari che comprendono non solo dati archeologici e datazioni col radiocarbonio, ma anche analisi stratigrafiche e reperti paleobotanici tra cui diatomee, insetti, fitoliti, pollini e grani di amido. Elementi archeologici come buche per palo e canali che ben si adattano alla piantagione, al raccolto e alla bonifica, sono stati datati a circa 10 000 anni fa e sono stati messi in relazione a periodi di alternanza nelle coltivazioni sul bordo della zona umida. Alcune coltivazioni più organizzate, che richiedono tumuli di terra regolarmente distribuiti atti all'areazione del suolo in aree poco drenate, sono state datate a un periodo che va da 7000 a 6400 anni fa circa, un reticolato di fossi è stato costruito circa 4400-4000 anni fa.

Questi ritrovamenti confermano che l'agricoltura fiorì in Nuova Guinea più o meno nello stesso tempo che in altre regioni del mondo. Sicuramente ci sono sempre più indizi che due delle piante coltivate più preziose, lo zucchero di canna e la banana, hanno avuto origine in Nuova Guinea, dato che la banana è stata coltivata in questo luogo già 7000 anni fa.

Non è sicuro che il taro cresca naturalmente sugli altipiani della Nuova Guinea; se però così fosse la presenza di amido di taro a Kuk sugli attrezzi di pietra indicherebbe la presenza di coltivazione del taro già da 10 000 anni fa. Ciò potrebbe indicare i primi stati della coltivazione di questo alimento base. La transizione dal foraggiamento all'agricoltura, quindi, sembra aver impiegato qui diverse migliaia di anni.

La trasformazione ambientale verificatasi circa 7000-6400 anni fa è stata vista come il risultato di una progressiva deforestazione, testimoniata dai reperti pollinici, che ha sostituito un sistema di coltivazione mobile a maggese con raccolti di alimenti base, che si presume fossero il taro e l'igname, intolleranti di suoli degradati. Questa situazione portò a una serie di innovazioni nella tecnologia agricola volte a sostenere la produttività delle coltivazioni su terra asciutta in ambienti di prateria.

I canali scavati per dar vita a una moderna piantagione di tè sono stati dunque importanti per avviare il progetto di ricerca, ma le bonifiche delle zone paludose intraprese per fini economici di questo tipo minacciano ora la sopravvivenza – sia a Kuk sia in siti analoghi della regione – di alcune delle testimonianze di pratiche agricole più antiche del mondo.

6.45 Il paleosuolo con *mound* a Kuk, risalente a 7000-6400 anni fa.

Gestione del bosco e della vegetazione Molte delle tecniche impiegate per analizzare i resti vegetali cui si è accennato in precedenza in questo Capitolo possono essere utilizzate per dimostrare quanto l'essere umano sia intervenuto sul bosco e sulla vegetazione in generale.

Il **legno impregnato d'acqua**, rinvenuto in grande quantità nei depositi archeologici dei Somerset Levels, in Inghilterra, da John e Bryony Coles, è stato usato per dimostrare i primi esempi conosciuti di capitozzatura e di ceduazione, risalenti a circa il 4000 a.C. (*vedi* Scheda 8.4).

Frammenti di **carbone di legna** sono stati scoperti nelle zolle erbose usate dai costruttori del Neolitico per edificare il tumulo funerario di Dalladies, in Scozia. La presenza di carbone di legna indica che le zolle sono state ricavate dal terreno erboso formatosi subito dopo l'incendio della foresta. È interessante riflettere anche sul fatto che gli agricoltori sacrificassero 7300 m² di terreno ricco per costruire il loro monumento.

L'**analisi pollinica** è un altro metodo molto importante per dimostrare l'abbattimento volontario del bosco. Lo studioso americano David Rue ha analizzato il polline ricavato da carotaggi condotti vicino alla città maya di Copán, in Honduras, allo scopo di delineare il processo di abbattimento della foresta e il processo di coltivazione del terreno così ottenuto. Dato che non c'è alcuna testimonianza di un qualsiasi cambiamento climatico significativo nella tarda epoca postglaciale nell'America Centrale, Rue ha potuto attribuire con sicurezza il cambiamento nel diagramma pollinico all'attività umana. Questi ritrovamenti confermano che lo stress ecologico e la degradazione del suolo furono probabilmente fattori importanti nel declino di città come questa. (Nel Capitolo 12 prenderemo in considerazione le possibili cause della decadenza e della morte di città e civiltà.)

Gli effetti prodotti dall'essere umano sull'ambiente delle isole

L'impatto umano più devastante per l'ambiente avvenne nelle isole in cui i colonizzatori introdussero piante e animali nuovi. Mentre alcuni di questi «paesaggi trasferiti» divennero esattamente quel che i coloni si aspettavano, in altri casi il calcolo si rivelò tragicamente errato.

Gli esempi più significativi si possono trovare in Polinesia. I primi esploratori europei che arrivarono in queste isole partirono dal presupposto che gli ambienti naturali che vedevano fossero rimasti sempre uguali, nonostante la prima colonizzazione a opera dei Polinesiani. Tuttavia una combinazione di palinologia, analisi dei macro e microresti vegetali e animali e di molte altre tecniche cui abbiamo accennato in precedenza ha rivelato una drammatica immagine di cambiamento. I primi arrivati nella fase di insediamento sfruttarono assai pesantemente le risorse naturali del luogo: la documentazione faunistica mostra un'immediata e massiccia riduzione della carne utilizzabile, come i crostacei e le tartarughe. La maggior parte di queste risorse alimentari non si rigenerarono e molte scomparvero del tutto.

La causa principale di estinzione fu la gamma delle nuove specie introdotte nelle isole dai coloni. Oltre ai suini domestici, ai cani, al pollame e alle piante da raccolto, introdussero, senza saperlo, clandestini quali il ratto della Polinesia, i gechi e ogni sorta di piante infestanti e di invertebrati (è perfino possibile che il ratto sia stato introdotto intenzionalmente). Questi predatori nuovi e assai competitivi e queste piante infestanti ebbero un effetto drastico sul vulnerabile ambiente insulare. Nelle Hawaii, decine di specie indigene di uccelli vennero spazzate via assai rapidamente, mentre nella Nuova Zelanda scomparvero circa 11 specie di moa, un grande uccello inetto al volo, insieme con altre 16 specie di uccelli.

Tuttavia, la predazione costituisce solo una parte del quadro; la distruzione dell'habitat fu probabilmente il killer principale. Pollini, fitoliti, carboni e molluschi terrestri nelle Hawaii, in Nuova Zelanda e altrove concorrono a rivelare una rapida e massiccia deforestazione dei bassopiani, che diede vita nel corso di pochi secoli alla formazione di grandi praterie. Inoltre, l'abbattimento della vegetazione d'alto fusto sui pendii collinari per metterli a coltura determinò un aumento dell'erosione: alcuni siti primitivi sono stati coperti da metri di terreno alluvionale.

In altri termini, i coloni trasportarono in queste isole i propri «paesaggi», alterandole in modo rapido e irreversibile. L'analisi della storia ambientale di questa parte del mondo rende evidente che (a parte le eruzioni vulcaniche)

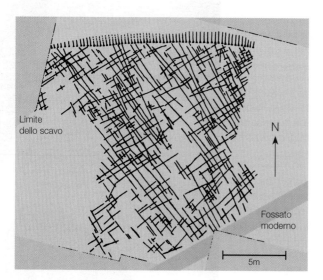

6.46 Paleosuolo posto in luce sotto il tumulo funerario neolitico di South Street, nell'Inghilterra meridionale; è possibile vedere la fitta intersezione dei solchi lasciati da un aratro semplice (*ard*), un tipo di aratro che non ribalta il terreno.

Limite dello scavo

N

Fossato moderno

5m

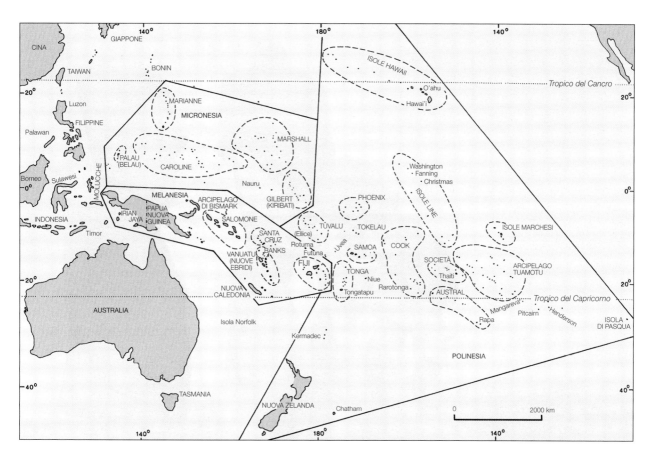

6.47 L'impatto dell'essere umano sull'ambiente delle isole è particolarmente evidente nella regione del Pacifico, dove la colonizzazione umana giunse relativamente tardi (*vedi* mappa a pagina 160-1), ma spesso con effetti devastanti sulla vegetazione e sulla fauna indigene. Le testimonianze floristiche e faunistiche dimostrano che la predazione umana, la deforestazione e le specie competitive di nuova introduzione causarono vaste distruzioni.

6.48 In Nuova Zelanda si estinsero 11 specie di grandi moa inetti al volo (due di essi sono raffigurati qui sopra insieme con l'assai più piccolo kiwi, che sopravvive ancora).

le catastrofi naturali quali uragani, terremoti e maremoti non ebbero alcun effetto sulla vegetazione. I cambiamenti nel paesaggio e nelle risorse disponibili si sono prodotti solo con l'arrivo degli esseri umani: 1000 anni fa in Nuova Zelanda, 2000 anni fa nelle Hawaii, 3000 anni fa nella Polinesia Occidentale.

L'Isola di Pasqua L'esempio estremo di questo processo di devastazione si verificò nell'Isola di Pasqua, la terra abitata più isolata del mondo. Qui i coloni provocarono un danno ambientale che è forse unico sia per l'estensione sia per le conseguenze sociali e culturali. Gli studi condotti dal palinologo britannico John Flenley e dai suoi collaboratori sui pollini provenienti da carotaggi condotti nei laghi vulcanici dell'isola ci hanno rivelato molto sulla storia della vegetazione dell'isola, e in particolare che fino all'arrivo degli esseri umani, nel 700 d.C. circa (o forse anche dopo), era coperta di foreste, in maggioranza grandi palme.

A partire dal XIX secolo ogni albero presente sull'Isola di Pasqua è stato abbattuto, e oggi prevale la prateria. È chiaro che il responsabile di questo fenomeno fu l'essere umano – anche se una siccità locale oppure la piccola gla-

© 978.8808.82073.0

6.49-50 L'impatto dell'essere umano sull'Isola di Pasqua. Questa remota isola del Pacifico è famosa da lungo tempo per le sue statue gigantesche, ma solo di recente i palinologi hanno scoperto che il suo territorio, fino a poco tempo fa completamente privo di alberi, era ricco di foreste di grandi palme prima dell'arrivo degli esseri umani (*in alto a destra*, polline di palma; *in basso a destra*, endocarpi di palma).

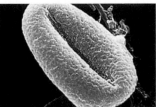

ciazione possono aver contribuito. È probabile che gran parte del legname sia stato usato per trasportare sull'isola le centinaia di statue giganti. Inoltre, la popolazione si cibava probabilmente dei frutti della palma e, dato che i frutti ritrovati sono tutti intaccati dai roditori, è certo che se ne cibò anche il ratto della Polinesia, introdotto qui come altrove dai coloni. La perdita totale del legname fu probabilmente una delle principali ragioni dell'interruzione relativamente improvvisa, verso la metà del XVII secolo d.C., della scultura delle statue, dal momento che non potevano più essere trasportate. Inoltre, non fu più possibile costruire buone canoe, il che dovette provocare una diminuzione radicale dello sfruttamento del pesce, la fonte principale di proteine oltre il pollame. La deforestazione causò anche l'erosione del suolo (rintracciabile nell'analisi chimica delle carote tratte dal fondo dei laghi) e una minore resa delle colture dovuta alla perdita di fertile suolo forestale. Il caso più evidente di deforestazione tra quelli rintracciabili nella documentazione archeologica condusse alla fame e al collasso culturale, che culminarono dopo il 1500 d.C. nella schiavitù e nel costante stato di guerra.

Riepilogo

■ Per capire come agiva l'umanità nel passato dobbiamo ricostruire il mondo in cui vivevano. L'archeologia ambientale è lo studio dell'interazione umana con il mondo naturale. Per studiare l'ambiente su scala mondiale gli archeologi utilizzano le informazioni raccolte con tecniche come quella dei carotaggi dei fondali marini, che ci forniscono informazioni attraverso l'analisi delle molecole organiche nei sedimenti.

■ La geoarcheologia utilizza diversi metodi per determinare gli effetti dei cambiamenti climatici nel terreno. Da questo, gli archeologi possono stabilire il tipo di ambiente con cui dovevano confrontarsi gli abitanti di un sito in determinati periodi. L'approccio geoarcheologico può essere combinato con gli scavi tradizionali e consentire così una comprensione del sito più ampia.

■ Molte informazioni sull'ambiente del passato possono essere raccolte dai resti microbotanici (cioè resti di piante visibili solo con il microscopio). La palinologia, lo studio degli antichi granuli pollinici, può dare agli archeologi un'idea delle fluttuazioni nei tipi di vegetazione nel tempo. Anche i fitoliti, le particelle di silice provenienti dalle cellule delle piante che sono sopravvissute una volta che la pianta si è decomposta, possono essere utilizzati per raccogliere informazioni del genere. I fitoliti spesso sopravvivono nei sedimenti dove il polline non riesce a conservarsi. I resti macrobotanici, quelli cioè che possono essere visti dall'occhio umano (come i semi, i frutti e il legno), forniscono informazioni sulle piante che erano consumate dagli esseri umani.

■ Anche i resti animali aiutano a ricostruire le condizioni climatiche del passato. Quelli dei grandi animali ritrovati in scavo, conosciuti come macrofauna, ci aiutano soprattutto a farci un'idea della dieta delle donne e degli uomini nel passato. La microfauna, come i roditori, i molluschi e gli insetti, sono indicatori migliori per ricostruire l'ambiente, più di quanto non siano le specie più grandi, in quanto maggiormente sensibili e più velocemente adattabili ai cambiamenti climatici.

■ Tutti i gruppi umani hanno avuto un impatto sull'ambiente: la domesticazione delle piante e degli animali, l'uso controllato del fuoco, l'inquinamento dell'aria e dell'acqua e l'utilizzo dei sistemi agricoli sono solo alcune delle maniere attraverso le quali l'essere umano ha modificato il mondo attorno a sé. È chiaro che tale modifica dell'ambiente immediatamente circostante è un tratto fondamentale della cultura umana.

Letture consigliate

Introduzioni generali all'archeologia ambientale possono essere fornite dai seguenti testi:

Dincauze D.F., 2000, *Environmental Archaeology.* Camdridge University Press: Cambridge.
O'Connor T. & Evans J.G., 2005, *Environmental Archaeology. Principles and Methods.* (2nd. ed.) Tempus: Stroud.
Reitz E. & Shackley M., 2012, *Environmental Archaeology.* Springer: New York.

Libri sull'ambiente in generale:

Anderson D.E., A.S. Goudie & A.G. Parker, 2007, *Global Environments through the Quaternary: Exploring Environmental Change.* Oxford University Press: Oxford.
Bell M. & Walker M.J.C., 1992, *Late Quaternary Environmental Change. Physical and Human Perspectives.* Longman: Harlow.
Brown A.G., 1997, *Alluvial Geoarchaeology.* Cambridge University Press: Cambridge.
Fagan B.M. (a cura di), 2009, *The Complete Ice Age.* Thames & Hudson: London & New York.

Rapp G. & Hill C.L., 1978, *Geoarchaeology: The Earth-Science Approach to Archaeological Interpretation.* Yale University Press: New Haven & London.
Roberts N., 1998, *The Holocene: An Environmental History.* (2nd ed.). Blackwell: Oxford.

Libri sull'ambiente vegetale:

Dimbleby G., 1978, *Plants and Archaeology.* Paladin: London.
Schweingruber F.H., 1996, *Tree Rings and Environment: Dendroecology.* Paul Haupt Publishers: Berne.

Per l'ambiente animale buoni punti di partenza sono:

Davis S.J.M., 1987, *The Archaeology of Animals.* Batsford: London; Yale University Press: New Haven.
Klein R.G. & Cruz-Uribe K., 1984, *The Analysis of Animal Bones from Archaeological Sites.* University of Chicago Press: Chicago.
O'Connor T., 2000, *The Archaeology of Animal Bones.* Sutton: Stroud.

7 | Che cosa mangiavano?
Sussistenza e dieta

Dopo aver esaminato i metodi che ci consentono di ricostruire l'ambiente del passato, rivolgiamo ora l'attenzione agli studi che ci permettono di scoprire quali prodotti le popolazioni traevano dall'ambiente, su cosa si basava la loro sussistenza, in altre parole come funzionava la ricerca del cibo.

Nell'affrontare la questione della sussistenza dell'umanità primitiva è utile distinguere tra **pasti**, testimonianza diretta di vario tipo di ciò che la gente mangiava in un determinato momento, e **dieta** (o **regime alimentare**), termine che designa l'insieme degli alimenti e delle bevande consumati regolarmente durante un lungo periodo di tempo.

Per quanto concerne i pasti, le fonti di dati sono diverse: sia le testimonianze scritte, quando sopravvivono, sia le rappresentazioni artistiche possono indicare alcuni dei prodotti di cui donne e uomini si alimentavano. I resti di cibo realmente consumato sono, è naturale, fonte di informazione diretta, ma anche la moderna etnoarcheologia contribuisce a individuare che cosa gli esseri umani del

passato *avrebbero potuto* mangiare, ampliando la nostra conoscenza sulla gamma di scelte a loro disposizione. Tuttavia, mentre è relativamente facile determinare la gamma di alimenti consumati, è più difficile capire il loro contributo alla dieta.

Rispetto alla dieta, la questione è invece assai più complessa, e per la sua indagine esistono oggi numerose tecniche. Alcuni metodi si concentrano sullo studio delle ossa umane: come si dice in questo capitolo, le analisi isotopiche dei resti degli scheletri di una popolazione possono rivelare la proporzione di alimenti di origine marina e di alimenti di origine terrestre presenti nella dieta, e possono anche mostrare le differenze nutrizionali tra membri più o meno privilegiati di una stessa società.

Sono tuttavia i resti di ciò che fu consumato la fonte di informazioni più importante e diretta sulla sussistenza primitiva. La **zooarcheologia** (o archeozoologia), cioè lo studio di come gli esseri umani utilizzarono gli animali nel passato, ha oggi un ruolo molto importante nella ricerca archeologica, tanto che sono ormai pochi gli scavi nei quali non sia prevista la presenza di uno specialista che studi le ossa animali rinvenute. Il riparo sotto roccia paleo-indiano di Meadowcroft, in Pennsylvania, ha restituito circa 1 milione di ossa animali (e quasi 1,5 milioni di esemplari vegetali) e in siti medievali e moderni le

7.1-2 Questi spaghetti di miglio, i più antichi conosciuti (risalenti a circa 4000 anni fa), si erano conservati in una ciotola rovesciata ritrovata nel sito di Lajia nella Cina nord-occidentale. Scoperti nel 2005, questi resti appartengono a un normale pasto di miglio nella dieta del tardo Neolitico in Cina. Tale cibo si otteneva da un impasto, che veniva più volte allungato e ripiegato a mano, per ricavarne dei fili che venivano cotti in acqua bollente.

quantità di materiale recuperato possono essere ancora più eccezionali. Anche la *paleoetnobotanica* (o archeobotanica), cioè lo studio dell'uso che l'essere umano fece delle piante nel passato, è una disciplina che si sta sviluppando e impiega anch'essa numerose tecniche per determinare le specie vegetali rinvenute. In entrambi i campi la coscenza puntuale delle condizioni di conservazione sul sito (*vedi* Capitolo 2) è il primo requisito per assicurare l'impiego della tecnica di recupero più idonea. Chi scava deve decidere, per esempio, se un osso prima di essere rimosso ha bisogno di essere consolidato, o se materiale vegetale può essere meglio recuperato con la flottazione (*vedi* Capitolo 6). In ambedue i campi, inoltre, l'attenzione della ricerca si è rivolta verso lo studio non solo delle specie consumate, ma anche del modo in cui esse venivano trattate; il processo di domesticazione sia delle piante sia degli animali è attualmente uno degli argomenti di maggior rilievo nella ricerca archeologica.

L'interpretazione dei resti alimentari richiede procedimcnti piuttosto sofisticati. In un primo momento possiamo ricostruire il «menu» disponibile nell'ambiente circostante (*vedi* Capitolo 6), ma l'unica prova incontrovertibile che una particolare specie vegetale o animale fosse davvero consumata è la sua presenza, anche in tracce, all'interno dello stomaco o nei coproliti (feci fossilizzate), come si vedrà più avanti nel paragrafo dedicato ai resti umani. In tutti gli altri casi bisogna fare deduzioni dal contesto o dalle condizioni dei ritrovamenti, come nel caso di granelli di cereali carbonizzati rivenuti all'interno di un forno, di ossa tagliate o bruciate, o di residui in un recipiente. Bisogna capire in quale momento del loro trattamento sono stati depositati i resti vegetali; i resti di ossa devono invece essere considerati con riferimento alle pratiche di macellazione. È necessario inoltre tener presente che le piante che costituivano gli elementi base della dieta possono essere sottorappresentate, in genere perché i resti vegetali conservati sono scarsi, così come le ossa di pesce, che possono non conservarsi affatto.

Oltre a questi problemi, l'archeologo deve valutare quanto i resti di cibo rinvenuti in un sito siano rappresentativi di un regime alimentare globale. Diventa allora necessario stabilire la funzione del sito e le modalità della sua occupazione, cioè se fosse abitato una sola volta o di frequente, per brevi o lunghi periodi, senza regolarità o stagionalmente (la stagione di occupazione può talvolta essere dedotta proprio dai resti vegetali e animali presenti nel sito). È più probabile che un insediamento permanente fornisca resti alimentari più rappresentativi di quelli recuperati da un campo specializzato o da un *kill site* (sito di abbattimento di animali). In linea di principio, tuttavia, gli archeologi, prima di formulare giudizi circa l'alimentazione, dovrebbero campionare resti da una varietà di contesti o di siti la più ampia possibile.

CHE COSA POSSONO DIRCI SULLA DIETA I CIBI VEGETALI?

Resti macrobotanici

I resti vegetali si presentano all'archeologo per lo più in forma di resti macrobotanici, solitamente essiccati (solo in ambienti totalmente asciutti come i deserti o le alte montagne), impregnati d'acqua (solo in ambienti che sono rimasti umidi permanentemente durante tutto il tempo dalla loro deposizione) o carbonizzati. In casi eccezionali l'eruzione vulcanica può conservare resti botanici come a Cerén, El Salvador (*vedi* Capitoli 2 e 6), dove ne furono ritrovati un'ampia varietà sia carbonizzati sia come impronte in numerosi contenitori. Può darsi che questi resti vegetali si siano conservati per essere stati in parte o completamente rimpiazzati dai sali minerali che sono percolati attraverso i sedimenti, un processo che si verifica di solito in luoghi con grandi concentrazioni di sali, come i pozzi neri. I resti carbonizzati vengono recuperati prevalentemente con la flottazione (*vedi* Capitolo 6), quelli impregnati d'acqua con la setacciatura umida, quelli essiccati tramite la setacciatura a secco e i resti mineralizzati tramite la setacciatura umida o a secco a seconda dei contesti. Il fattore che determina la buona conservazione dei resti organici è l'assenza di umidità o di aria, in quanto tale assenza impedisce l'attività dei microrganismi della putrefazione, ma quasi ovunque, e soprattutto in siti abitati, è la carbonizzazione la principale o l'unica causa di conservazione.

Solo di rado un singolo campione restituirà una grande quantità di materiale. Nel caso della fattoria dell'Età del bronzo rinvenuta a Black Patch, nell'Inghilterra meridionale, furono recuperati da un solo silos a pozzo più di 27 kg di orzo, frumento e altre piante carbonizzate. Un tale campione può fornire indizi circa l'importanza relativa di diversi cereali, dei legumi e di certe piante infestanti, ma di solito riflette semplicemente la situazione di un determinato momento. Ciò di cui l'archeologo ha davvero bisogno è disporre di un più ampio numero di campioni (ognuno preferibilmente di più di 100 chicchi) relativi a un singolo periodo del sito e, se possibile, a diversi tipi di deposito, al fine di ottenere dati attendibili sulle specie sfruttate, sulla loro importanza e sul loro uso durante il periodo di tempo in questione. Sono in primo luogo le celle di flottazione (*vedi* pagina 251) che rendono possibile ottenere questo tipo di campioni.

Dopo aver raccolto campioni sufficienti, è necessario quantificare i resti vegetali; ciò può essere fatto pesandoli e contandoli, oppure utilizzando l'equivalente della tecnica del numero minimo di individui impiegata per lo studio delle ossa (*vedi* più avanti, Scheda 7.6). Alcuni studiosi hanno suggerito di abbandonare i calcoli delle percentuali, sistemando invece i resti vegetali di un sito secondo un

© 978.8808.82073.0

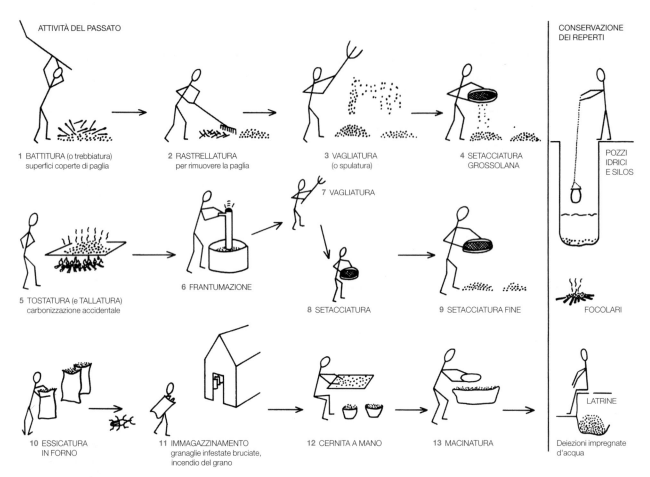

ATTIVITÀ DEL PASSATO

CONSERVAZIONE DEI REPERTI

1 BATTITURA (o trebbiatura) superfici coperte di paglia

2 RASTRELLATURA per rimuovere la paglia

3 VAGLIATURA (o spulatura)

4 SETACCIATURA GROSSOLANA

POZZI IDRICI E SILOS

5 TOSTATURA (e TALLATURA) carbonizzazione accidentale

6 FRANTUMAZIONE

7 VAGLIATURA

8 SETACCIATURA

9 SETACCIATURA FINE

FOCOLARI

10 ESSICATURA IN FORNO

11 IMMAGAZZINAMENTO granaglie infestate bruciate, incendio del grano

12 CERNITA A MANO

13 MACINATURA

LATRINE

Deiezioni impregnate d'acqua

7.3 Le diverse fasi del trattamento dei cereali: i prodotti di scarto derivati da molte delle fasi illustrate possono conservarsi come resti carbonizzati o impregnati d'acqua.

ordine apparente di abbondanza; la frequenza numerica può essere però fuorviante. Lo ha dimostrato, a proposito del materiale proveniente dall'insediamento neolitico di Sitagroi in Grecia, la studiosa britannica di archeobotanica Jane Renfrew, rilevando che la specie vegetale più rappresentata all'interno del campione può essersi conservata per caso (per esempio per un evento fortuito nel corso della cottura) ed essere quindi sovrarappresentata. Analogamente, specie che producono semi o chicchi in abbondanza possono apparire nel documento archeologico di importanza esagerata: a Sitagroi 19 000 semi di *Polygonum aviculare* (correggiola) riempivano appena un ditale, e ha poco senso mettere sullo stesso piano una ghianda e un chicco di un qualsiasi cereale o un seme di veccia, non tanto per le differenze nelle dimensioni, quanto piuttosto per il diverso contributo da loro fornito alla dieta.

L'interpretazione del contesto Per l'archeologo o per lo specialista è fondamentale cercare di capire la natura del contesto archeologico da cui proviene un campione botanico. In passato l'attenzione era concentrata in primo luogo sulla storia botanica delle piante, sulla loro morfologia, il loro luogo di origine e la loro evoluzione. Attualmente

l'interesse degli archeologi è rivolto soprattutto a cercare di conoscere meglio l'uso che l'essere umano faceva delle piante all'interno di economie basate su attività di caccia e raccolta e sull'agricoltura, per sapere quali specie rivestivano un ruolo importante nella dieta e in che modo erano raccolte o coltivate, trattate, immagazzinate, cucinate. Tutto ciò significa comprendere le diverse fasi del trattamento delle piante, riconoscere l'effetto che i diversi procedimenti hanno sui resti rinvenuti e identificare nel documento archeologico i vari contesti. In alcuni casi sono proprio i resti vegetali a rivelare la funzione del sito dove sono stati recuperati, e quindi la natura del contesto, piuttosto che il contrario.

In un'economia agricola il trattamento delle piante avviene attraverso diverse fasi. I cereali, per esempio, prima di essere consumati devono essere battuti (trebbiati), vagliati e mondati per separare i chicchi dalla paglia, dalla pula e dalle piante infestanti. È vero, d'altra parte, che le sementi devono anche essere immagazzinate per la semina dell'anno successivo e che le granaglie, per limitare i danni causati dagli organismi nocivi, si possono anche conservare senza trebbiarle, per venire invece battute solo al momento in cui se ne rende necessario il consumo. Molte di queste attività

7.1 La paleoetnobotanica: un caso di studio

Un buon modo per gettare uno sguardo sui metodi applicati dalla paleoetnobotanica, o archeobotanica, è esaminare in dettaglio un caso di studio di successo.

Wadi Kubbaniya

Fred Wendorf ha scavato, presso la località di Wadi Kubbaniya a nord-ovest di Assuan nell'Alto Egitto, quattro siti datati tra 19 000 e 17 000 anni fa, i quali hanno restituito il più diverso insieme di resti di piante alimentari mai recuperato da scavi paleolitici nel Vecchio Mondo. Il materiale, che deve il suo buono stato di conservazione al rapido seppellimento nella sabbia e al clima particolarmente arido della regione, è concentrato intorno a focolari di carbone di legna ed è dominato da frammenti carbonizzati di ortaggi. La flottazione (vedi Capitolo 6) si dimostrò inutile nel recupero di questo tipo di materiale, in quanto i resti seccati ed estremamente fragili si disintegravano a contatto dell'acqua; fu allora necessario impiegare il setaccio a secco. In quelle che sembravano essere le feci di un bambino furono rinvenuti anche piccoli semi arrostiti.

Le analisi dei resti carbonizzati condotte da Gordon Hillman e dai suoi colleghi presso il London's Institute of Archaeology hanno consentito il rico-

noscimento di oltre 20 specie diverse di piante alimentari portate sul sito; ciò sta a indicare che la dieta degli abitanti era fortemente differenziata. La specie di gran lunga più abbondante erano i tuberi di cipero odoroso (*Cyperus rotundus*), ma erano attestati anche altri tuberi, canne, frutti della palma dum (*Hyphaene thedaica*) e vari semi. Si decise allora di studiare quale contributo avessero potuto realisticamente dare i tuberi di cipero odoroso alla dieta del Paleolitico.

L'indagine sui luoghi dove cresce oggi il cipero odoroso, sulle sue rese e sul suo valore nutrizionale ha suggerito che si potessero facilmente ottenere ogni anno tonnellate di tuberi utilizzando semplicemente un bastone da scavo. Il raccolto annuale stimola la rapida produzione di abbondanti tuberi giovani; poiché gli esseri umani preistorici avranno certamente notato questo fenomeno, non è impossibile che avessero sviluppato un sistema, che potremmo definire proto-orticoltura, per provocarlo.

Testimonianze etnografiche si potevano trovare solo in luoghi assai lontani. Tra le popolazioni che praticano l'agricoltura nell'Africa occidentale, in Malesia e in India i tuberi di cipero odoroso sono diventati alimento da carestia e sono consumati solo quando i raccolti vengono a mancare. In alcune aree desertiche dell'Australia, invece, i cacciatori-raccoglitori aborigeni sfruttano i tuberi come risorsa principale; purché vengano cotti per essere resi digeribili e non tossici, possono diventare la fonte primaria di calorie durante i mesi in cui sono disponibili. I dati etnografici mostrano inoltre che i tuberi sono preferiti ai semi in quanto

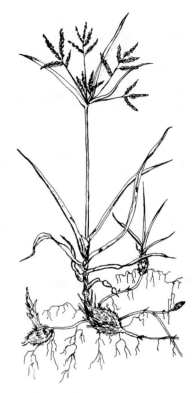

7.5-6 Cipero odoroso (*Cyperus rotundus*). Schizzo della pianta attuale, con i tuberi commestibili. (*A destra*) Uno dei tuberi carbonizzati rinvenuti nel Sito E-78-3, durante gli scavi presso Wadi Kubbaniya.

richiedono meno lavoro di trattamento.

Il passo successivo nelle ricerche su Wadi Kubbaniya fu l'utilizzazione dei dati forniti dai resti vegetali per determinare se l'occupazione del sito fosse stagionale o durasse tutto l'anno. Probabilmente i tuberi di cipero odoroso erano disponibili per un periodo di almeno sei mesi;

7.4 Le possibili stagioni di sfruttamento dei principali alimenti vegetali a Wadi Kubbaniya nel tardo Paleolitico, quando non esisteva alcuna forma di immagazzinamento delle derrate. La diversa ampiezza delle fasce indica le variazioni stagionali nella disponibilità (e nel probabile sfruttamento) di ogni pianta, calcolate in base alle moderne modalità di accrescimento e alle preferenze note in comunità di moderni cacciatori-raccoglitori. Per due mesi all'anno le inondazioni coprivano probabilmente la maggior parte delle piante, per cui in quel periodo non si potevano raccogliere.

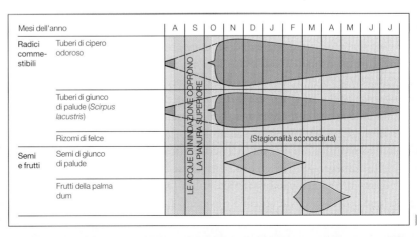

Mesi dell'anno		A	S	O	N	D	J	F	M	A	M	J	J
Radici commestibili	Tuberi di cipero odoroso												
	Tuberi di giunco di palude (*Scirpus lacustris*)												
	Rizomi di felce						(Stagionalità sconosciuta)						
Semi e frutti	Semi di giunco di palude												
	Frutti della palma dum												

LE ACQUE DI INONDAZIONE COPRONO LA PIANURA SUPERIORE

tuttavia essi sono più gustosi durante il periodo di crescita attiva, da ottobre a gennaio. A Wadi Kubbaniya non è stata trovata alcuna testimonianza in favore di una qualche pratica di immagazzinamento, che avrebbe potuto prolungare la disponibilità dei tuberi; d'altra parte il loro periodo di crescita e quello delle altre specie vegetali riconosciute sul sito avrebbero assicurato scorte di cibo sufficienti per l'intero anno. Ciò non prova che l'occupazione non fosse stagionale, ma dimostra che un'occupazione annuale del sito era possibile sulla base delle sole risorse vegetali.

Infine, bisognerebbe notare che anche le risorse di origine animale, attestate per esempio da lische di pesce e molluschi, occupavano un posto rilevante e che molte piante oggi importanti nell'area (altri tipi di frutti della palma, rizomi, foglie e radici), pur non essendo documentate nei resti, potrebbero aver avuto un certo rilievo. Quel che è certo è che i tuberi di cipero odoroso costituivano la risorsa prevalente – si tratta infatti dell'unica pianta presente in tutti gli strati di tutti e quattro i siti – e quindi, con grande probabilità, erano uno dei principali elementi della dieta, se non addirittura la principale risorsa.

7.7 Lo scavo di uno dei quattro siti di Wadi Kubbaniya (Sito E-78-3).

sono ben documentate dall'agricoltura del nostro recente passato, prima che nelle campagne si imponesse la meccanizzazione, e possono tuttora essere osservate da un punto di vista etnoarcheologico in culture con differenti gradi di efficienza e di capacità tecnologiche. Inoltre, nel campo del trattamento dei raccolti sono state compiute numerose ricerche sperimentali, dalle cui osservazioni si è imparato che certe attività lasciano residui caratteristici confrontabili con i campioni archeologici provenienti sia da forni, da livelli di frequentazione e da latrine sia da silos a pozzo.

Ci sono due modi fondamentali di studiare i resti dei raccolti. La maggior parte degli archeologi ora fa riferimento alla «evidenza esterna» e procede dalle osservazioni etnografiche delle attività di lavorazione delle piante, eventualmente anche con esperimenti, a un esame dei resti archeologici e dei contesti. In alcuni casi, tuttavia, l'archeologo usa una «analisi interna» concentrandosi quasi esclusivamente sui dati archeologici. Così ha fatto, per esempio, l'archeologo britannico Robin Dennell nel suo studio del materiale vegetale rinvenuto nel sito neolitico di Chevdar in Bulgaria (VI millennio a.C.), notando che i campioni provenienti da forni avevano

subìto, come ci si poteva aspettare, un trattamento: al momento della loro accidentale carbonizzazione erano già stati cucinati oppure essiccati per l'immagazzinamento. I campioni provenienti dai livelli di frequentazione contenevano invece una più alta percentuale di semi di piante infestanti, ma nessuna spighetta (piccola spiga delle infiorescenze delle graminacee; *vedi* illustrazione a pagina 280): ciò significa che quei cereali si trovavano ancora in una fase di trattamento, pur essendo già stati battuti e vagliati. Il numero e la varietà delle specie di piante infestanti presenti può fornire indicazioni circa l'efficacia del trattamento. La maggior parte dei campioni è una sorta di miscela di diversi raccolti, elemento che gli archeologi devono tenere ben presente nell'interpretare i dati, poiché le diverse specie potrebbero essere state mischiate al momento della semina in una strategia antirischio: si faceva crescere tutto insieme nella speranza che almeno qualcosa giungesse a maturazione.

In breve, è auspicabile, come si è già detto, che si esegua il campionamento sull'area di un sito la più vasta possibile, e da una certa varietà di contesti; in questo modo, a una specie che apparirà dominante in un certo numero di campioni e contesti potrà essere riconosciuta la dovuta importanza all'interno dell'economia di un sito. I cambiamenti avvenuti nel tempo possono essere valutati con precisione solo confrontando campioni provenienti da contesti simili e da fasi di trattamento simili, in quanto i resti vegetali recuperati in un sito non hanno una composizione casuale e non riflettono necessariamente l'intera economia di raccolto. Ciò è particolarmente vero nel caso di campioni carbonizzati, poiché molte piante alimentari possono non essere mai state carbonizzate. Le piante che vengono bollite, consumate crude o utilizzate per i succhi e per fare bevande possono non subire mai la carbonizzazione, e saranno perciò sottorappresentate o totalmente assenti in un insieme. Se la carbonizzazione è causata da un evento fortuito, il campione potrebbe non essere rappresentativo neanche del raccolto di quella stagione, per non parlare dell'economia del sito. Sicuramente, in alcuni siti, come quello di Adu Hureyra, in Siria, molti dei semi carbonizzati potrebbero provenire dallo sterco di animale che è stato bruciato come combustibile. Ciò sottolinea ancora una volta quanto sia importante ottenere un'ampia varietà di campioni.

La ricostruzione dell'insieme delle specie coltivate che hanno prodotto i campioni oggi disponibili è compito particolarmente arduo, in quanto sistemi completamente differenti che utilizzano però le stesse risorse possono produrre quadri molto simili nel documento archeologico. Inoltre, è assai probabile che gran parte dei rifiuti vegetali venisse lasciata sui campi oppure utilizzata come combustibile o come mangime per gli animali. In questo modo, e in mancanza di testimonianze scritte, non potremmo mai sapere per certo quale preciso sistema di maggese o di rotazione delle colture fosse impiegato in un particolare sito. Le ricerche sperimentali che si stanno svolgendo a Butser Farm, nell'Inghilterra meridionale (*vedi* Scheda 7.2), e presso altri complessi simili in Danimarca, Olanda, Germania e Francia, cominciano tuttavia a fornire dati interessanti sulle diverse tecniche agricole sperimentate, ovvero sulla coltivazione con e senza concimazione, sulle varie alternanze di colture e di maggese, e così via. Saranno però necessari anni per ricavare da questo lavoro risultati validi a lungo termine; ciò nonostante, alcuni esperimenti a breve termine hanno già fornito dati preziosi riguardo alla resa delle colture, ai diversi tipi di silos a pozzo, all'uso di falcetti e così via.

Resti microbotanici

Anche i resti microbotanici possono essere d'aiuto nel ricostruire alcuni aspetti dell'alimentazione del passato. Alcune minute particelle di silice dette *fitoliti* (*vedi* Capitolo 6) sono, per esempio, elementi peculiari di certe parti di una pianta – come le radici, il fusto o il fiore – sicché la loro pre-

senza può gettare luce sulla particolare tecnica di mietitura o trebbiatura impiegata per quella specie. Come si vedrà più oltre, i fitoliti possono anche aiutare a distinguere le specie selvatiche da quelle domesticate. I fitoliti ritrovati nei sedimenti nella Grotta di Amud, in Israele, sono l'unica prova diretta dell'uso di piante che è sopravvissuta nel sito e indica che i Neandertaliani raccoglievano i semi delle graminacee, probabilmente per servirsene come cibo. Sono anche importanti per provare lo sfruttamento di determinate specie, come per esempio le banane, che, nella documentazione archeologica, non si conservano di solito bene.

Lo scienziato giapponese Hiroshi Fujiwara ha rinvenuto fitoliti di riso (*Oryza sativa*) incorporati nella più tarda ceramica Jomon (500 a.C. circa), il che dimostra che la coltivazione del riso esisteva in Giappone già in quell'epoca. Lo stesso studioso ha anche localizzato antiche risaie attraverso il recupero di fitoliti di riso da campioni di suolo e ha utilizzato analisi quantitative dei fitoliti per stimare la profondità e l'estensione dei campi, nonché la loro rcsa totale di riso.

Bisogna aggiungere che i fitoliti trovati ancora attaccati ai tagli di strumenti litici possono indicarci le piante sulle quali gli strumenti venivano utilizzati, anche se tali piante potrebbero poi non aver fatto parte dell'alimentazione, diversamente dai fitoliti estratti dalla superficie dei denti di persone o di animali.

Nei coproliti si conservano spesso **granuli pollinici**, ma la maggior parte furono probabilmente inalati più che ingeriti, e così vanno semplicemente ad aggiungersi al quadro della ricostruzione dell'ambiente, come si è visto nel Capitolo 6.

Residui chimici nei resti vegetali

Diversi elementi chimici sopravvivono proprio nei resti delle piante e forniscono una fonte alternativa per la loro identificazione. Questi composti comprendono le proteine, i lipidi grassi e anche il DNA. I lipidi, analizzati utilizzando la spettroscopia a raggi infrarossi, la cromatologia di ripartizione gas-liquido e la spettrometria di massa gascromatografica, si sono dimostrati, finora, i più utili nella distinzione di diverse specie di cereali e legumi; sempre, tuttavia, in combinazione con criteri morfologici. Il DNA offre la prospettiva nel futuro di un'identificazione risolutiva a un livello ancora più dettagliato e forse la possibilità di tracciare gli alberi genealogici delle piante e le modalità di commercio dei prodotti vegetali.

Impronte di resti vegetali

Le impronte di resti vegetali sono piuttosto comuni nell'argilla cotta e provano almeno che la specie in questione era presente nel luogo dove l'argilla veniva lavorata. In Giappone uno studio condotto con il metodo della

7.2 La fattoria sperimentale dell'Età del ferro di Butser

Nel 1972 Peter Reynolds avviò un progetto di ricerca a lungo termine a Butser Hill (Hampshire), nell'Inghilterra meridionale, il cui fine era quello di creare una versione funzionante di una fattoria dell'Età del ferro del 300 a.C. circa: un laboratorio di ricerca vivente all'aperto, su un'area di 6 ha. I risultati dovevano poi essere confrontati con i dati provenienti da scavi archeologici. Da allora la fattoria è stata spostata nelle vicinanze, ma il progetto continua.

Vengono indagati tutti gli aspetti di una fattoria dell'Età del ferro – le strutture, le attività artigianali, le colture e gli animali domesticati – e sono utilizzati solo gli strumenti attestati per quel periodo. Analogamente, sono state seminate solo varietà di piante da raccolto già esistenti nell'epoca preistorica o i loro equivalenti più affini, ed è stato allevato solo bestiame già esistente a quell'epoca.

In base alle piante dedotte dalla disposizione delle buche per palo, che costituiscono le nostre uniche informazioni sulla forma delle capanne dell'Età del ferro, sono state costruite numerose capanne di tipi diversi. In questo modo si è appreso moltissimo sulla quantità di legname necessario (più di 200 alberi nel caso di una capanna di grandi dimensioni) e sull'impressionante solidità di queste strutture, i cui tetti di paglia e i cui muri di canne intrecciate tra paletti verticali hanno resistito a venti fortissimi e a piogge torrenziali.

Si è potuto stabilire che le rese del frumento vanno ben oltre quelle considerate verosimili per l'Età del ferro, anche in anni di siccità, e questo potrebbe

7.9 Ricostruzione di una capanna rotonda dell'Età del ferro a Butser.

determinare una revisione radicale delle stime sulla popolazione. Si è inoltre scoperto che le specie di frumento che venivano coltivate, quali il farro piccolo o spelta minore (*Triticum monococcum*), il farro (*Triticum dicoccum*) e il granfarro o spelta maggiore (*Triticum spelta*), producono una quantità di proteine due volte maggiore di quella delle specie moderne, e possono crescere in campi infestati da malerbe senza la necessità di impiegare i moderni fertilizzanti.

I numerosi campi appartenenti alla fattoria sono stati dissodati in modi diversi, per esempio con un aratro semplice (*ard*), copiato da un esemplare ritrovato in una torbiera danese, che smuove il terreno superficiale senza però capovolgerlo. Sono stati provati vari sistemi di

rotazione e di maggese, entrambi con e senza l'impiego di concime e con semine primaverili e autunnali. È stata realizzata con successo la copia di un *vallus*, mietitrice che data al 200 d.C., formata da un veicolo a due ruote trainato da un animale da tiro e guidato da un uomo.

L'équipe di Peter Reynolds ha eseguito esperimenti anche per stimare quali effetti può provocare sulle granaglie la conservazione in pozzi di diversi tipi. Una conclusione, sostenuta anche da osservazioni etnografiche compiute in Africa e altrove, è che se la chiusura è impermeabile, anche le granaglie non essiccate possono conservarsi per lunghi periodi senza deteriorarsi e mantenendo intatta la proprietà di germinare.

Per quanto riguarda gli animali, sono state portate nella fattoria da isole scozzesi alcune pecore di razza Soay, dal nome di una delle Isole Ebridi (una razza rimasta pressoché inalterata per 2000 anni), ma sono sorte difficoltà a causa della loro capacità di saltare le staccionate; sono stati introdotti anche bovini di razza Dexter, simili nella mole e nella potenza alla razza estinta dello *shorthorn celtico*, e due di essi sono stati addestrati per la trazione (per tirare un aratro semplice).

Il Progetto Butser, che è aperto al pubblico, ci lascia dunque intravedere un'Età del ferro riportata in vita, offrendoci una valida interpretazione del passato.

7.8 Pecore di razza Soay a Butser.

replica, utilizzando del silicone dentale per ricostruire i piccoli fori nelle ceramiche antiche, ha rivelato non solo grani e lolla di riso, ma anche fagioli e miglio e addirittura, in una ceramica di Jomon risalente a 10 500 anni fa, la calandra del grano (*Sitophilus zeamais*) più vecchia al mondo. Tali impronte, comunque, non dovrebbero essere considerate rappresentative dell'economia o dell'alimentazione del sito, poiché costituiscono un campione molto asimmetrico, e solo i semi o i chicchi di cereali di media grandezza lasciano un'impronta. Per quanto riguarda le impronte presenti su frammenti ceramici, bisogna essere particolarmente cauti, perché la ceramica può essere scartata lontano dal luogo di produzione, e in ogni caso molti vasi venivano volutamente decorati con impronte di chicchi di cereali, esagerando in questo modo l'importanza di una specie. Le impronte su altri oggetti possono essere di maggior aiuto, come per esempio quelle sui mattoni di argilla del III millennio a.C. rinvenuti ad Abu Dhabi, sul Golfo Persico, che documentano non solo la coltivazione dell'orzo distico, ma anche una delle più antiche tracce note del cereale sorgo. È interessante notare che grandi quantità di paglia nei mattoni crudi possono costituire una prova attendibile della presenza di una coltivazione locale di cereali. In Africa si è visto che dei segni di abrasione sul vasellame di ceramica possono indicare indirettamente la lavorazione del grano.

Abbandonando ora una tale testimonianza «passiva», consideriamo invece ciò che si può acquisire dagli oggetti che venivano davvero utilizzati nel trattamento delle piante.

Gli strumenti usati nel trattamento delle piante

Gli strumenti possono costituire la prova, o almeno suggerire, che in un certo sito le piante venivano sottoposte a vari tipi di trattamento; in rare occasioni possono addirittura indicare la specie interessata e l'uso che se ne faceva. In alcune parti del mondo, la mera presenza fra le testimonianze archeologiche di ceramica, falcetti o macine in pietra è prova dell'esistenza di cerealicolture e di un'agricoltura stanziale. Tuttavia quegli elementi sono di per sé indicatori inadeguati e necessitano di testimonianze aggiuntive quali, per esempio, i resti di piante domesticate; i falcetti, infatti, potrebbero anche essere state utilizzati per recidere canne o piante selvatiche (una lucidatura o il residuo di silice su di esse è talvolta ritenuto indice di un tale uso), mentre le macine potrebbero essere state impiegate per trattare piante selvatiche, carne, cartilagine, sale o pigmenti. Gli oggetti provenienti da culture più recenti hanno spesso funzioni più chiare, come nel caso dei forni da pane (contenenti ancora pani rotondi) nel panificio di Modestus a Pompei, dei mulini per la produzione di farina e dei torchi da vino nella stessa città, o dei grandi frantoi in una casa ellenistica di Praisos, nell'isola di Creta.

Analisi dei residui vegetali sui manufatti

Poiché la maggior parte degli strumenti costituisce una testimonianza muta, ne segue che possiamo trarre maggiori informazioni circa la loro funzione – o almeno circa la loro ultima funzione prima di diventare documento archeologico – da qualsiasi residuo rimasto su di essi. Oltre ottant'anni fa lo scienziato tedesco Johannes Grüss, mentre analizzava residui di questo tipo al microscopio, identificò in due corni potori provenienti da una torbiera della Germania settentrionale sostanze quali la birra di frumento e l'idromele. Oggi questo tipo di analisi va assumendo un'importanza sempre maggiore.

Come vedremo nel Capitolo 8, l'analisi delle microsure presenti sulla lama di uno strumento permette di stabilire con una discreta precisione se fu utilizzato per tagliare carne, legno o altro materiale, mentre la scoperta di fitoliti può mostrare, è già stato detto, quale tipo di graminacee fu reciso dallo strumento. Anche l'analisi al microscopio può rivelare la presenza di fibre vegetali e identificarne la specie. Recentemente sono stati identificati, nella Grotta di Kilu situata nelle Isole Salomone (Melanesia), dei residui di amido su degli attrezzi in pietra, alcuni dei quali risalgono a 28 700 anni fa e costituiscono la prova più vecchia della consumazione di vegetali con radici (il taro). Un altro metodo consiste nell'analisi chimica dei residui rimasti sul taglio degli strumenti, poiché si è scoperto che utilizzando certi reagenti chimici si può verificare la presenza di residui vegetali su strumenti o all'interno di recipienti: lo ioduro di potassio, per esempio, diventa blu in presenza di amido e giallo-marrone in presenza di altre sostanze vegetali. La presenza di amido può essere individuata anche con il microscopio e, per esempio, è stato estratto con un ago dalla superficie di pietre preistoriche per macinare provenienti da Aguadulce Shelter, a Panama. Dai grani si possono distinguere fin le diverse specie e quindi mostrare che i tuberi come la manioca e l'*arrowroot* (*Maranta arundinacea*) – che in genere non lasciano resti fossilizzati riconoscibili – erano qui coltivate nel 5000 a.C. circa; si tratta dell'esempio documentato più antico della manioca nelle Americhe.

Nel sito è stato ritrovato anche amido di mais e questa tecnica è fondamentale per provare la presenza di mais in strutture o siti dove non sono rimasti dei resti carbonizzati: per esempio, grani di amido di mais e fotoliti di pannocchie sono stati rilevati in strumenti litici e sedimenti datati al 2800-2400 a.C. nel villaggio di Real Alto (Ecuador) risalente al primo Periodo Formativo. In Cina, dei residui di amido su alcune pietre utilizzate per macinare, appartenenti alla cultura di Peiligang del primo Neolitico (circa 7000-5000 a.C.), hanno mostrato che queste erano utilizzate principalmente per lavorare le ghiande. Grani di amido sono stati recuperati anche

© 978.8808.82073.0

da una larga e piatta roccia di basalto in una capanna di Othalo II, in Israele, antica di circa 23 000 anni. Era chiaramente una macina e i grani di orzo, grano e avena mostrano che i cereali selvatici erano già lavorati a quell'epoca. Recentemente, grani di amido recuperati dalla superficie di pietre risalenti al Mesolitico hanno dimostrato che almeno 105 000 anni fa il primo *Homo sapiens* consumava semi di graminacee.

I grani di amido possono addirittura essere recuperati dal tartaro dei denti umani; per esempio grani di arachidi, zucca, fagioli, frutta e noci sono stati trovati sui denti di un antico individuo peruviano, vissuto in un periodo compreso tra l'8210 e il 6970 BP, a indicare una dieta ampiamente a base di vegetali. La placca su un dente dell'*Australopitecus sediba* del Sudafrica, datato a 2 milioni di anni fa, conteneva dei fitoliti provenienti da corteccia, foglie, graminacee e carice.

L'indagine chimica condotta sui grassi conservati all'interno dei recipienti è un altro campo di ricerca nel quale si stanno compiendo sensibili progressi. Si è infatti scoperto che gli acidi grassi, gli amminoacidi (i costituenti delle proteine) e altre sostanze simili sono molto stabili e si conservano benissimo nel tempo. L'analisi consiste nell'estrarre dai residui alcuni campioni che, una volta purificati, centrifugati ed essiccati, vengono analizzati con uno spettrometro e con la cromatografia, la quale separa i principali elementi costitutivi dei grassi. L'interpretazione dei risultati si basa sul confronto con una raccolta di riferimento di cromatogrammi di sostanze diverse.

Le ricerche svolte dal chimico tedesco Rolf Rottländer sono esemplificative di questo tipo di studi. Lo scienziato ha identficato su alcuni frammenti ceramici, compresi alcuni esemplari provenienti da abitazioni lacustri del Neolitico, senape, olio d'oliva, oli di semi, burro e altre sostanze; lavorando sui frammenti provenienti dall'insediamento d'altura fortificato dell'Età del ferro di Heuneburg (Germania), è riuscito a provare che alcune anfore – recipienti usati di solito per conservare liquidi – contenevano effettivamente olio d'oliva e vino, mentre nel caso di un'anfora romana il residuo nero simile a carbone contenuto nel recipiente non era un liquido, ma farina di frumento. Questa importante tecnica, dunque, non solo fornisce utili testimonianze per ricostruire quali fossero le principali componenti della dieta, ma aiuta anche a definire la funzione dei recipienti con i quali i grassi sono associati. Tecniche sempre più raffinate sono al momento in via di perfezionamento per identificare le specie di cibo dalle proteine, dai grassi e dall'analisi biochimica del DNA di piccoli frammenti di materiali vegetali. Il DNA estratto da due anfore recuperate in un relitto al largo dell'isola greca di Chio, vecchie 2400 anni, ha addirittura rivelato che probabilmente contenevano olio di oliva aromatizzato alle erbe. L'analisi dei grassi di un deposito carbonizzato all'interno di alcuni recipienti risalenti al tardo Pleistocene in Giappone (circa 15 000-12 000 anni fa) hanno dimostrato che erano utilizzate per cucinare.

Tracce di antiche bevande   Dalle condizioni dei granuli di amido nei residui di vasi egiziani, lo scienziato britannico Delwen Samuel è riuscito a ricostruire il processo utilizzato per ottenere il malto e quindi precisare come gli egiziani producevano la birra nel 1500 a.C. circa. Infatti, una casa produttrice di birra inglese, che aiutò la ricerca sponsorizzandola, utilizzò poi la ricetta per produrre una birra che risultò essere «deliziosa, con un lungo e complesso retrogusto». Delwen Samuel ha inoltre scoperto con precisione come gli antichi egiziani cuocevano il pane, analizzando al microscopio ottico e a quello elettronico a scansione dei granuli di amido da pani originali essiccati e riproducendo poi lei stessa un pane simile.

L'analisi spettroscopica chimica e a raggi infrarossi ha identificato come acido tartarico un residuo giallastro ritrovato all'interno di un vaso di ceramica proveniente dal sito neolitico di Hajji Firuz Tepe, in Iran, che risale al 5400-5000 a.C. Tale acido si trova in natura quasi esclusivamente nell'uva; il fatto di aver trovato anche della resina costituisce la prova che si trattasse di vino resinato, il primo al mondo, 2000 anni più vecchio di quel che si pensava. Similmente la tomba di uno dei primi re egizi, Abydos, risalente al 3150 a.C., disponeva di tre stanze riempite con 700 vasi; l'analisi chimica della crosta gialla rimasta all'interno ha confermato che contenevano potenzialmente 5455 litri di vino. L'analisi chimica delle parti organiche che sono state assorbite dai vasi di ceramica del villaggio di Jiahu, nella provincia cinese di Henan e risalente all'inizio del Neolitico, ha rivelato che una

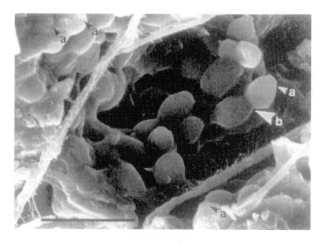

7.10 Cellule di lievito da un antico residuo di fermentazione in un vaso di ceramica proveniente da Deir el-Medina, a Tebe. Su alcune cellule sono ancora visibili segni di gemma (a), mentre altre cellule erano nel processo di gemmazione (b).

bevanda fermentata di riso, miele e frutta (possibilmente uva) veniva prodotta già 9000 anni fa. Il «vino di riso» cinese, quindi, risulta essere il più antico che conosciamo.

Analisi isotopica dei residui organici Un'altra tecnica d'analisi chimica è l'analisi isotopica dei residui organici, in particolare l'analisi dei rapporti tra gli isotopi dell'azoto e gli isotopi del carbonio. È noto che i fagioli e altre leguminose si procurano l'azoto grazie alla fissazione dell'azoto atmosferico per opera di batteri azotofissatori, mentre tutte le altre piante traggono l'azoto dal suolo. Poiché tutte le leguminose crescono sulla terra e le piante marine non fissano l'azoto atmosferico come le leguminose (ma hanno un rapporto caratteristico degli isotopi del carbonio), ne segue che in base all'analisi isotopica le piante si possono dividere in tre gruppi: leguminose, piante terrestri non-leguminose e piante marine.

Questo metodo, che consente di caratterizzare anche residui vegetali prima non identificabili, è stato applicato da Christine Hastorf e da Michael DeNiro al materiale preistorico (200 a.C.-1000 d.C.) proveniente dalla Valle del Mantaro Superiore nelle Ande peruviane centrali. Poiché tale materiale, raccolto con la flottazione, era troppo bruciato per essere identificato sulla base della morfologia, si prelevò della sostanza organica rimasta incrostata su alcuni frammenti ceramici: l'analisi al microscopio elettronico a scansione indicò che non si trattava di frammenti ossei, suggerendo che si fosse in presenza di materiale vegetale. I risultati dell'analisi isotopica del carbonio e dell'azoto furono messi a confronto con i valori conosciuti per le piante della regione, e rivelarono che i residui provenivano da tuberi, patate comprese, che erano stati bolliti e schiacciati prima della carbonizzazione. Ciò riguardava la distribuzione uniforme dell'incrostazione sui vasi, mentre il fatto che fosse limitata ai tipi più semplici di ceramica suggeriva che questo tipo di cibo era probabilmente caratteristico dell'alimentazione quotidiana. Questo è un buon esempio di un caso in cui, grazie a una nuova tecnica, materiale fino a poco tempo fa inutile per l'archeologo rivela adesso dati importanti sull'alimentazione e sui procedimenti di cottura dei cibi. I risultati delle analisi corrispondevano bene alle moderne abitudini alimentari della regione.

Come abbiamo visto per il vino di riso, non è necessario che i residui presenti in un recipiente siano visibili a occhio nudo; sappiamo infatti che i depositi di oli e di resine si infiltrano nel manufatto d'argilla e vi rimangono per sempre. Un frammento di ceramica può dunque essere polverizzato e poi trattato con solventi al fine di isolare qualsiasi tipo di residuo organico intrappolato al suo interno; tale residuo viene quindi analizzato con lo spettrometro e la cromatografia, che rivelano le più minute quantità dei contenuti del recipiente. Utilizzando queste tecniche, il chimico britan- nico Richard Evershed e i suoi colleghi hanno individuato la presenza di vegetali con foglia (probabilmente cavolo) nelle ceramiche che si trovavano nel sito di West Cotton, nel Northamptonshire (Gran Bretagna) datati al IX-XIII secolo d.C.; mentre un altro chimico inglese, John Evans, è riuscito a scoprire tracce di oppio in un vaso cipriota di 3500 anni fa, mostrando così che i nostri progenitori del Neolitico erano interessati alle sostanze stupefacenti come lo siamo noi oggi, e suggerendo l'esistenza a quel tempo di un commercio di droghe nel Mediterraneo orientale.

Strategie nell'uso delle piante: stagionalità e domesticazione

Poiché molte piante sono disponibili solo in certi perio- di dell'anno, la loro presenza su un sito può indicarne la stagione di occupazione, come nel caso del sito di Muldbjerg, in Danimarca, datato al primo Neolitico, dove sono state rinvenute trappole da pesca realizzate con ramoscelli di salice e nocciolo di meno di due anni, tagliati all'inizio di giugno. I resti vegetali possono an- che fornirci indicazioni su che cosa si mangiasse in una determinata stagione, in quanto i semi maturi indicano il periodo del raccolto e molti frutti sono disponibili solo in certe stagioni. Ovviamente tali indicazioni di **stagionalità** devono essere estrapolate dalle attestazioni moderne delle piante in questione, mentre testimonianze dell'immagazzinamento del cibo possono indicare l'oc- cupazione continuata di un sito oltre le stagioni in cui erano disponibili particolari risorse.

Uno dei campi più dibattuti nell'archeologia moder- na riguarda la questione delle strategie d'uso delle piante da parte dell'essere umano. Un fattore fondamentale è lo status delle specie in questione, cioè se fossero piante sel- vatiche o piante *domesticate*. Questo ci può aiutare a fare un po' di luce su un aspetto cruciale della storia umana: la transizione da una modalità di vita nomade (cacciatori-rac- coglitori) e una stanziale (agricoltori). Può essere difficile, impossibile o addirittura irrilevante cercare di distinguere se alcune specie fossero selvatiche o domesticate, poiché molti tipi di coltivazione non cambiano la morfologia della pianta, e anche nei casi in cui un cambiamento avviene non sappiamo quanto tempo impieghi a manifestarsi. Tuttavia, misurazioni sulla velocità di domesticazione del grano sel- vatico e dell'orzo in condizioni di coltivazione primitiva suggeriscono che la transizione da selvatico a domesticato può essersi completata solo in un periodo compreso tra i 20 e i 200 anni, senza una selezione consapevole da parte del contadino, ma in pratica sembra averci messo circa un millennio. In questo modo, qualsiasi linea tracciata tra piante selvatiche e piante domesticate non corrisponde ne- cessariamente a una distinzione tra un sistema di semplice raccolta e un sistema propriamente agricolo.

© 978.8808.82073.0

Esistono tuttavia casi in cui si può delineare una netta separazione tra forme selvatiche e forme pienamente domesticate: i resti macrobotanici giocano allora un ruolo di massima utilità. A questo proposito si può citare l'esempio dell'archeologo americano Bruce Smith, il quale ha recentemente scoperto che 50 000 frutti carbonizzati di *Chenopodium* (chenopodio), provenienti da Russell Cave (Alabama) e datati a circa 2000 anni fa, presentavano una serie di caratteri morfologici interrelati che provavano la domesticazione. Lo studioso ha così potuto aggiungere questa specie dai semi ricchi d'amido al breve elenco di piante coltivate – che include zucca del pellegrino (*Lagenaria leucantha*), zucca, girasole e tabacco disponibili negli orti delle Woodlands Orientali prima dell'introduzione del mais intorno al 200 d.C.

In anni recenti si è svolto un dibattito sulla possibilità o meno di distinguere le leguminose selvatiche da quelle domesticate in base alla morfologia, ma i più recenti lavori di archeobotanica condotti dalla studiosa britannica Ann Butler mostrano che non esiste un modo assolutamente sicuro per farlo, anche utilizzando un microscopio elettronico a scansione. I cereali invece, soprattutto se ben conservati, sono più eloquenti, e la domesticazione può essere individuata da elementi quali la perdita di caratteri anatomici, come la fragile rachide che facilita la dispersione del seme per opera degli agenti naturali. In altre parole, gli esseri umani, una volta che cominciarono a coltivare i cereali, svilupparono gradualmente varietà in grado di trattenere i propri semi fino al momento della raccolta.

7.11 Cereali selvatici e cereali domesticati. *Da sinistra a destra*: farro selvatico e domesticato, mais domesticato, mais selvatico estinto. Il farro selvatico perde le proprie spighette, che si spezzano facilmente per la fragilità della rachide alla base di ciascuna spighetta. Munita di una rachide più resistente, la forma domesticata si frantuma solo con la battitura.

Anche i fitoliti possono diventare un elemento utile, in quanto sembrano essere di dimensioni maggiori in alcune piante moderne domesticate rispetto ai loro progenitori selvatici. Deborah Pearsall ha utilizzato la comparsa di una concentrazione di fitoliti molto grandi come criterio per determinare l'introduzione di mais domesticato a Real Alto (Ecuador), a partire dal 2450 a.C. Questo principio è stato confermato anche dai resti macrobotanici provenienti da altre regioni, ma è possibile che altri fattori, per esempio i cambiamenti climatici, siano coinvolti nei processi di mutamento delle piante, interessando anche le dimensioni dei fitoliti. Inoltre, in collaborazione con Dolores Piperno, Pearsall ha misurato i fitoliti della zucca dal sito 80 di Vegas, sulla costa meridionale dell'Ecuador, che hanno mostrato un drastico aumento nella grandezza, suggerendo la domesticazione delle zucche in questo luogo già 10 000 anni fa (circa 5000 anni prima di quello che si riteneva precedentemente), rivaleggiando con le prime datazioni della zucca proveniente da Guilá Naquitz, in Messico (*vedi* Capitolo 13, pagine 521-22).

Negli studi sulla domesticazione i granuli pollinici risultano di poca utilità in quanto, fatta eccezione per alcuni tipi di cereali, non possono essere utilizzati per distinguere le due categorie di selvatico e domesticato; possono comunque fornire indicazioni sulla crescita della coltivazione nel tempo. La scoperta di polline fossile di grano saraceno (*Polygonum fagopyrum*) e un improvviso aumento di frammenti di carbone vegetale in campioni databili a circa 6600 anni fa, ottenuti da carotaggi eseguiti nella torbiera giapponese di Ubuka, suggeriscono che l'agricoltura cominciò in questa parte del mondo 1600 anni prima di quanto non si fosse ritenuto fino a quel momento.

La genetica molecolare è ora nella posizione di contribuire sia alla distinzione tra specie selvatiche e specie domesticate sia alla questione sull'origine della domesticazione. Manfred Heun e i suoi collaboratori hanno portato a termine in maniera elegante uno studio sul farro selvatico e domesticato nell'Asia occidentale, utilizzando 1362 campioni di grano contemporanei sia selvatici sia domesticati. Il loro studio ha mostrato che il DNA delle sequenze ottenute è in grado di distinguere tra farro selvatico e domesticato. Inoltre la relazione tra le analisi dà una chiara indicazione che la varietà disponibile allora si può equiparare a una varietà che cresce ai giorni nostri nelle montagne del Karacadag nel sud-est della Turchia (*vedi* Scheda 7.3).

Negli ultimi anni è diventato possibile utilizzare il DNA antico dei primi siti agricoli per confermare questi risultati. È interessante osservare che l'uso di moderni campioni ha permesso di concludere che le origini della coltivazione risalgono all'incirca a 13 000 anni fa. Inoltre, mentre diversi studiosi ora localizzano le prime coltivazioni dei cereali nel Levante (Giordania, Israele e Libano), nel caso del farro si deve concludere che anche l'Anatolia meridionale ha avuto un ruolo importante.

Pasti e cottura dei cibi

Oggi è possibile calcolare perfino la temperatura alla quale una pianta venne cotta. I campioni di sostanze recuperate nello stomaco dell'Uomo di Lindow, il corpo scoperto in una palude del Cheshire (Gran Bretagna) nel 1984, sono stati identificati dallo studioso britannico di archeobotanica Gordon Hillman – grazie alla caratteristica morfologia della cellula visibile al microscopio – come crusca e pula bruciacchiate. Questi campioni sono stati poi sottoposti alla prova di risonanza di spin elettronico (*vedi* Capitolo 4), una tecnica che misura la temperatura più alta a cui il materiale è stato esposto nel passato. Qualche anno fa è stato scoperto che la combustione di materiale organico produce un cosiddetto radicale carbonio che sopravvive a lungo nel tempo e che rivela non solo la massima temperatura del precedente riscaldamento (si può distinguere la bollitura a 100 °C dalla cottura in forno a 250 °C), ma anche la durata di quel riscaldamento e la sua antichità. Nel caso dell'Uomo di Lindow questa tecnica ha rivelato che qualsiasi cosa egli abbia mangiato era stata cotta, su una superficie piatta e riscaldata, per almeno mezz'ora e solo a 200 °C. Ciò suggerisce, data anche l'abbondanza di pula d'orzo, che i resti non derivino da una zuppa (porridge), ma provengano da pane non lievitato o da una focaccia di farina integrale cucinata in una teglia.

Testimonianze sul mondo delle piante nelle società alfabetizzate

Gli archeologi che studiano i primordi della coltivazione, o l'uso delle piante tra i cacciatori-raccoglitori, devono fare assegnamento sul tipo di documentazione scientifica delineata più sopra, alla quale possono affiancare, facendone un uso prudente, i risultati della ricerca etnoarcheologica e degli esperimenti moderni. Per chi studia invece l'alimentazione nelle società alfabetizzate, in modo particolare nelle grandi civiltà, un'enorme ricchezza di dati si può trovare nei documenti scritti e nelle manifestazioni artistiche, per quanto riguarda sia la domesticazione delle piante sia le pratiche agricole sia molti altri aspetti dell'alimentazione. Per l'età classica, per esempio, Strabone è una miniera di notizie, mentre lo storico giudaico Giuseppe ci informa sull'alimentazione dell'esercito romano (il pane era l'alimento principale della dieta). Le *Georgiche* di Virgilio e il trattato sull'agricoltura (*De re rustica*) di Varrone consentono di gettare uno sguardo sui metodi agricoli praticati dai Romani; conosciamo inoltre il libro di cucina di Apicio e possediamo una grande quantità di documenti sulla produzione, il consumo e i prezzi dei cereali presso Greci

7.12 Raccolta e trattamento di un cereale: scene dipinte sulle pareti di una tomba del Regno Nuovo a Tebe, in Egitto.

e Romani. Anche le lettere scritte sulle tavolette di legno rinvenute nella fortezza di Vindolanda, lungo il Vallo di Adriano, inviate alle proprie famiglie dai soldati in servizio, menzionano molti tipi di cibo e bevande, tra i quali la birra celtica, la salsa di pesce e il lardo.

Erodoto ci offre numerose notizie sulle abitudini alimentari del V secolo a.C., soprattutto per quanto concerne l'Egitto, una civiltà per la quale disponiamo di numerosi documenti relativi al cibo e all'alimentazione in generale. Per l'epoca dei faraoni la maggior parte delle testimonianze è costituita dai dipinti e dai resti di alimenti presenti nelle tombe, che testimoniano quindi un quadro limitato alle classi superiori; ma dati relativi all'alimentazione delle classi inferiori si possono ricavare dai resti vegetali provenienti dai villaggi abitati prevalentemente da lavoratori, come quello di Tell el-Amarna, e dai geroglifici. Per il tardo periodo tolemaico esistono documenti che parlano di assegnazioni di grano ai lavoratori, come per esempio i conti databili al III secolo a.C. relativi al grano distribuito ai braccianti di un'azienda agricola del Faiyum. Talvolta persino le piccole statuette in terracotta diventano testimonianze ricche di informazioni sulla preparazione del cibo: la tomba di Meketre, un nobile della XII Dinastia (2000-1790 a.C.), ne conteneva una serie in legno, alcune delle quali raffigurano donne che impastano la farina in pani e altre che preparano la birra. Tre tavolette di argilla babilonesi provenienti dall'Iraq che risalgono a 3750 anni fa, il cui testo cuneiforme è stato recentemente decifrato, contengono 35 ricette di spezzatini di carne, e costituiscono quindi il più vecchio libro di cucina del mondo.

7.3 La ricerca sulla nascita dell'agricoltura nel Vicino Oriente

La nascita dell'agricoltura, intesa come coltivazione di piante e allevamento di animali, è stata riconosciuta come uno dei passi decisivi nella storia dell'uomo da Gordon Childe, il quale intorno alla metà degli anni Trenta del secolo scorso coniò il termine «rivoluzione neolitica». In questa sede il nostro interesse, come quello di Childe, si concentra sul Vicino Oriente, ma è necessario non dimenticare che simili sviluppi ebbero luogo, in modo indipendente, come oggi siamo in grado di stabilire, anche in altre parti del mondo.

Negli anni successivi alla Seconda guerra mondiale si è cercato di trovare, con una serie di spedizioni a carattere multidisciplinare, testimonianze archeologiche che sostenessero le idee delineate da Childe, eventualmente ampliandole. Robert J. Braidwood in Iraq, Frank Hole in Iran, Kathleen Kenyon in Palestina e James Mellaart in Turchia condussero quella che si potrebbe definire la prima ondata di ricerca. Insieme, i loro progetti di ricerca sul campo abbracciarono «i fianchi collinosi della mezzaluna fertile», secondo la defini-

zione di Braidwood; ovvero, i declivi dei Monti Zagros a est, la Pianura del Levante a ovest, e a nord le colline del Tauro e oltre. Gli enormi progressi fatti negli ultimi decenni nel campo del recupero e dell'analisi dei resti vegetali e animali hanno trasformato la nostra conoscenza della rivoluzione agricola: ora essa viene vista come un insieme complesso di processi regione-specifici che hanno avuto luogo per oltre 4000 anni a partire dalla fine dell'Era glaciale nel 10000 a.C.

Da Jarmo a Gerico

Nel 1948 Robert J. Braidwood, dell'Oriental Institute di Chicago, condusse la prima di numerose spedizioni in Iraq, ponendo le basi di nuovi modelli di ricerca sul campo mirata alla comprensione di specifici problemi. Braidwood si rese conto che per capire le origini dell'agricoltura la questione principale era quella della domesticazione. Quando e dove si erano sviluppate, dai loro prototipi selvatici, le prime specie domesticate (frumento e orzo, pecore

e capre)? Braidwood pensò, correttamente, che tale fenomeno potesse essere avvenuto soltanto in quei luoghi dove erano attestate le forme selvatiche, o nelle loro vicinanze. Alla fine degli anni Quaranta la migliore guida all'odierna distribuzione di tali specie era costituita dalle carte delle precipitazioni piovose e della vegetazione. Braidwood sapeva però che per stabilire l'esistenza nella preistoria di varietà selvatiche o domesticate egli avrebbe dovuto scavare depositi stratificati in un sito archeologico adatto.

Dopo una ricognizione di superficie e alcuni saggi di scavo Braidwood scelse il sito di Jarmo, nell'Iraq settentrionale. Nel suo progetto iniziale, pubblicato nel 1960, elencò la collaborazione di numerosi specialisti: il primo era Fred Matson, cui erano affidati gli **studi tecnici sulla ceramica** (le sezioni sottili; *vedi* Capitoli 8 e 9) e anche la raccolta di campioni per il metodo allora nuovo della **datazione con il radiocarbonio**.

Il geomorfologo Herbert E. Wright Jr condusse lo **studio paleoclimatico**, che a quel tempo fu basato soprattut-

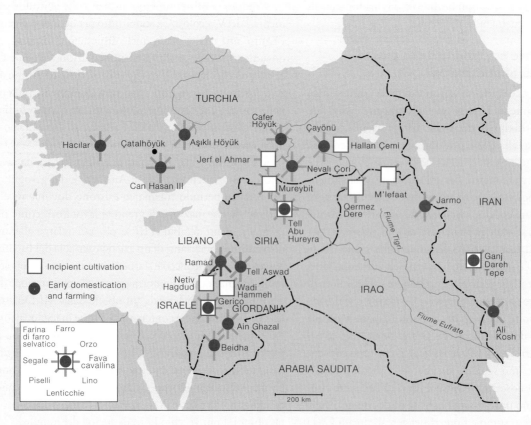

7.13 La carta mostra l'ubicazione dei principali primi villaggi agricoli scavati nel Vicino Oriente e le piante da raccolto domesticate che vi sono state rinvenute.

to su campioni di suolo; in un secondo momento il palinologo olandese W. van Zeist ottenne **sequenze polliniche** dal Lago Zeribar che offrirono un quadro più dettagliato e comprensibile dei cambiamenti climatici. Questo lavoro consentì di stabilire le caratteristiche e la natura dell'ambiente.

Uno dei contributi più significativi al progetto di Jarmo venne da Hans Helbaek, specialista in **paleoetnobotanica**, il quale fu in grado di riconoscere dai resti carbonizzati non solo le prime specie di cereali domesticati, ma anche i loro prototipi selvatici. Charles A. Reed esaminò invece le prove relative alla domesticazione degli animali nel Vicino Oriente primitivo, utilizzando in parte il materiale faunistico proveniente da Jarmo; in questo modo anche l'*archeozoologia* contribuì a dare forma al quadro emergente.

I risultati di questi studi erano poi integrati dal lavoro che si svolgeva allora nel Levante – in Giordania, Israele, Siria e Libano – dove fu scavato un certo numero di siti appartenenti al periodo immediatamente precedente la nascita dell'agricoltura (la cultura cosiddetta «Natufiana»). Le ricerche mostravano che in questi luoghi si era stabilita una vita comunitaria, di villaggio, già prima che si attuasse la domesticazione di piante e animali. A Gerico Kathleen Kenyon scoprì un ampio insediamento cinto da mura databile già alla prima epoca agricola e a un periodo anteriore all'uso della ceramica; le sue dimensioni presupponevano importanti implicazioni sociali, mentre la scoperta di crani sepolti, con volti rappresentati in gesso modellato, indicava credenze religiose più evolute rispetto a quelle espresse dalle statuette di terracotta trovate a Jarmo.

Çatalhöyük e Ali Kosh

Questa impressione di una storia alquanto più complessa fu rafforzata dagli scavi di James Mellaart eseguiti negli anni Sessanta del secolo scorso a Çatalhöyük, un sito sulla Pianura di Konya in Turchia che, con la sua estensione di 13 ha, poteva ragionevolmente dirsi una città (*vedi* Scheda 1.8).

Ancora negli anni Sessanta del secolo scorso la questione delle origini dell'agricoltura fu posta più coerentemente in una **prospettiva ecologica** grazie alle ricerche di Frank Hole e Kent Flannery, i quali studiarono il modello regionale dell'area di Deh Luran, in Iran, e vi scavarono il sito di Ali Kosh. La loro attenzione si concentrò sull'evoluzione della pecora; lo specialista in archeozoologia Sandor Bökönyi dedusse che la varietà senza corna attestata nei livelli più antichi poteva essere considerata una forma domesticata. Hans Helbaek ebbe modo di fare significativi progressi nei metodi di recupero, introducendo l'uso di **tecniche di flottazione** per i componenti più leggeri, in particolare per i resti vegetali carbonizzati.

Retrodatazione dei confini

Alla fine degli anni Sessanta del secolo scorso l'archeologo Eric Higgs, della University of Cambridge, sostenne che si stava dando troppa importanza alla distinzione tra selvatico e domesticato, e che ciò che si stava studiando erano i cambiamenti nel lungo periodo nella **relazione di sfruttamento** tra esseri umani e animali e nel modo in cui l'essere umano utilizzava le piante. Propose inoltre uno spostamento a un'epoca assai più antica del periodo neolitico di molti dei più importanti cambiamenti del comportamento: la gazzella, per esempio, potrebbe essere stata sfruttata in maniera intensiva ben prima che assumessero importanza pecore e capre.

Negli ultimi vent'anni sono stati compiuti notevoli progressi anche per quanto riguarda l'indagine di certi siti chiave. Il sito umido di Ohalo II sul Lago di Galilea, ha restituito i chicchi di cereali più vecchi al mondo: centinaia di resti di grano e orzo selvatici carbonizzati vecchi 19 000 anni assieme a molte altre piante e frutti e una ricca associazione di animali che indicano un'economia ad ampio spettro basata sulla pesca, la caccia e la raccolta.

Anche la genetica molecolare, inoltre, ci ha fornito delle prove significative che suggeriscono come la domesticazione del farro sia avvenuta nelle montagne di Karacadag, in Turchia sud-orientale. L'archeologo israeliano Ofer Bar-Yosef da ciò ha inferito che la raccolta dei cereali ha le sue radici nel periodo Natufiano (12 000-10 000 anni fa), intensificandosi gradualmente fino ad arrivare alla coltivazione intenzionale (già nel 1932 Dorothy Garrod, che scoprì la cultura Natufiana, suggerì la sua importanza per le origini dell'agricoltura). I sedimenti a Gerico e in altri luoghi, come Jerf el Ahmar (*vedi* Scheda 7.9), del Neolitico preceramico A (circa X millennio a.C.) contengono già le prove delle coltivazioni su piccola scala di cereali selvatici in molte aree del Levante; ma la domesticazione morfologica dei cereali è avvenuta più tardi. Alcune ricerche in corso, tra cui studi sul DNA sulla domesticazione delle capre e anche gli scavi a Sheikh-e Abad, nei monti iraniani Zagros, suggeriscono che i primi stadi dell'allevamento degli animali, e la loro domesticazione, precedette ogni uso significativo dei cereali nella Mezzaluna Fertile orientale. Fu, quindi, la combinazione di sviluppi avvenuti separatamente (nella regione dei Tauro-Zagros e nel Levante) a dare origine al fenomeno agricolo completo di domesticazione sia degli animali sia dei cereali che si diffuse verso Nord e verso Ovest attraverso l'Anatolia fino all'Europa sud-orientale nel corso di diversi millenni a partire dal 9000 a.C. circa.

Fattori demografici e simbolici

In un articolo del 1968 anche Lewis Binford volse la propria attenzione alle tendenze di lungo periodo e sottolineò l'importanza dei fattori demografici, suggerendo che sia stata la vita sedentaria dei villaggi della fase preagricola a creare pressioni di popolazione tali da condurre allo sfruttamento intensivo, e alla conseguente domesticazione, di piante e animali (*vedi* Scheda 12.3).

Barbara Bender nel 1978 suggerì che la spinta motivante fu di tipo sociale: la competizione tra gruppi locali che tentavano di dominare sui loro vicini con l'offerta di banchetti e la consumazione delle risorse. Jacques Cauvin, in un lavoro recente, si è spinto anche oltre sostenendo che la «rivoluzione neolitica» fu fondamentalmente un *processo cognitivo*, dove le nuove strutture concettuali, ivi incluse le credenze religiose, giocarono un ruolo importante nello sviluppo delle nuove società sedentarie che precedettero la transizione che portò alla produzione di cibo. Un buon numero di ritrovamenti simbolici del periodo neolitico che precedette la ceramica (comprese le maschere litiche di Hebron e Nahal Hemar in Israele e le statuette di terracotta di 'Ain Ghazal in Giordania, *vedi* pagina 420), assieme a un santuario straordinariamente antico a Göbekli Tepe nella Turchia sud-orientale (*vedi* Scheda 10.5), rafforzano l'ipotesi di Cauvin che la «rivoluzione neolitica» fu un «mutamento mentale».

© 978.8808.82073.0

All'altro capo del mondo antico, in Cina, gli scavi condotti a Luoyang, capitale orientale della dinastia T'ang (VII-X sec. d.C.), hanno messo in luce più di 200 vasti granai sotterranei, alcuni dei quali contenevano semi decomposti di miglio; sui muri compaiono iscrizioni che registrano a chi era affittato il granaio, la fonte di provenienza del cereale immagazzinato, la sua varietà e quantità, e la data dell'immagazzinamento, offrendoci così dati interessantissimi sulla situazione economica di quel periodo. In un paragrafo successivo vedremo che le tombe di alcuni nobili cinesi contenevano una serie di cibi già preparati e conservati in recipienti di varie forme.

Per quanto riguarda il Nuovo Mondo, gran parte delle nostre conoscenze sui raccolti, sulle pratiche di pesca e sulla storia naturale degli Aztechi è dovuta agli scritti di inestimabile valore di Bernardino de Sahagún, studioso francescano del Cinquecento, basati sulle sue personali osservazioni e sulla testimonianza dei suoi informatori indigeni.

Si dovrebbe sempre ricordare, comunque, che l'arte e i documenti scritti tendono a restituire una visione immediata e puntuale delle pratiche legate alla sussistenza, ma che solo l'archeologia può guardare all'alimentazione delle donne e degli uomini, come a molti altri aspetti del passato, con una prospettiva di lungo periodo.

DATI FORNITI DALLE RISORSE ANIMALI

Anche se i cibi di origine vegetale hanno sempre costituito la parte principale della dieta – tranne in circostanze particolari o ad alte latitudini come in Artide – la carne è stata considerata più importante, sia come cibo sia come dimostrazione di abilità del cacciatore o dello status sociale del pastore. Inoltre, i resti animali di solito si conservano meglio e, a differenza dei resti vegetali, sono stati studiati fin dai primordi dell'archeologia.

Dopo la Seconda guerra mondiale, i resti animali hanno raggiunto un grado di importanza tale che l'**archeozoologia**, o zooarcheologia, si è conquistata un ruolo di sottodisciplina a sé stante. Oggi si fa grande attenzione non solo all'identificazione e alla quantificazione delle specie animali di un sito, ma anche al modo attraverso il quale i resti vi sono giunti e a quel che essi possono dirci riguardo a numerose questioni quali la sussistenza, la domesticazione, la macellazione e la stagionalità.

Il primo problema che l'archeologo deve affrontare quando si trova a interpretare resti animali è decidere se sono presenti nel contesto per effetto dell'azione umana o non piuttosto per l'attività di altri predatori (come nel caso della tana di un carnivoro o in presenza di animali scavatori, e così via) o per cause naturali. Gli animali potrebbero anche essere stati sfruttati su un sito per scopi diversi da quelli alimentari, per esempio per ricavarne pelli per confezionare abiti, o ossa e corna per fabbricare utensili; per questo motivo, come nel caso dei resti vegetali, bisogna essere particolarmente attenti nell'esaminare il contesto e il contenuto dei campioni faunistici. Se questi elementi sono generalmente chiari in siti di periodi recenti, nel Paleolitico e soprattutto nel Paleolitico Inferiore la questione diventa cruciale; in anni recenti lo studio della tafonomia – ovvero di ciò che accade alle ossa nel tempo che intercorre tra il momento del seppellimento e quello dello scavo – ha cominciato a fornire alcune salde linee guida (*vedi* Scheda 7.5).

Metodi per accertare lo sfruttamento degli animali da parte degli esseri umani nel Paleolitico

In passato, l'associazione di ossa animali e strumenti litici è stata spesso considerata una prova del fatto che gli esseri umani fossero responsabili della presenza di resti faunistici, o almeno dello sfruttamento degli animali. Oggi sappiamo che questa non è sempre un'ipotesi corretta (*vedi* Scheda 7.5) e poiché, in ogni caso, molte ossa con segni d'uso non sono associate a strumenti, gli archeologi sono andati alla ricerca di prove più decisive analizzando sistematicamente i segni lasciati sulle ossa dagli strumenti litici. Un grosso sforzo è attualmente teso a provare l'esistenza di questi segni e a scoprire la maniera per distinguerli da altre tracce: graffi e trafitture provocate dai denti di altri animali, dall'azione delle radici e delle particelle sedimentarie o dall'erosione post-deposizionale e anche, in ultima analisi, dai danni causati dagli strumenti di scavo. Tutto questo fa parte, nell'ambito dell'attuale dibattito sugli studi del Paleolitico, della ricerca di testimonianze attendibili che ci aiutino a comprendere se gli esseri umani primitivi erano veri e propri cacciatori o piuttosto semplici *scavengers* («spazzini»), ossia consumatori di carne delle carcasse di animali uccisi da altri predatori, come sostengono Lewis Binford e altri studiosi.

Una particolare attenzione è stata rivolta alle ossa rinvenute nei famosi siti del Paleolitico Inferiore della Gola di Olduvai e di Koobi Fora, nell'Africa orientale, risalenti a più di 1,5 milioni di anni fa. Pat Shipman e Richard Potts ritennero che per identificare i segni lasciati dagli strumenti sul materiale era necessario usare il microscopio ottico e anche il microscopio elettronico a scansione, poiché a occhio nudo non è possibile distinguere le minime differenze tra un segno e l'altro. I due studiosi sostengono inoltre di essere in grado di riconoscere i diversi tipi di azione svolti dagli strumenti, come per esempio affettare, raschiare e spaccare; il loro metodo consiste nel realizzare un calco in gomma molto preciso della superficie dell'osso, calco che viene poi utilizzato per eseguire una replica in resina epos-

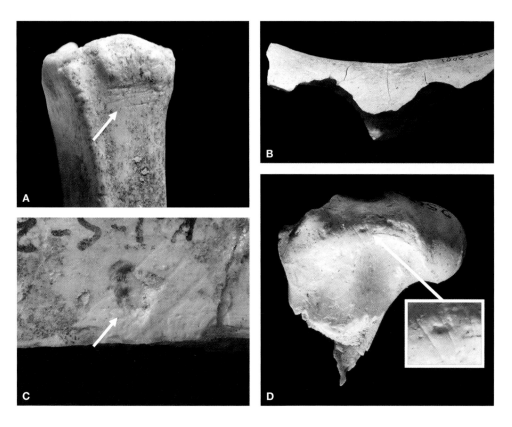

7.14 Ossa di animali provenienti da Kanjera South, vicino alla spiaggia del lago Vittoria in Kenya, vecchie circa 2 milioni di anni; recano le tracce più antiche che conosciamo di un ominide carnivoro. Negli esempi riportati nell'illustrazione i segni dei tagli sono visibili nelle ossa di bovini (A) e (D) e di un omero di bovino (B); un frammento di arto di un mammifero (C) mostra dei segni dovuti a percussione visibili come incavi, buchi e strie (lievi solchi). (Inoltre, le ossa B e C hanno anche dei tagli, sebbene non siano visibili nelle immagini.)

7.15 (*Sotto*) Ossa della discordia: segni su due ossa di animali da Dikka, in Etiopia; alcuni studiosi ritengono siano stati fatti dagli Australopitechi con strumenti di pietra circa 3,4 milioni di anni fa, all'incirca nello stesso periodo dei primi attrezzi litici che sono stati ritrovati (3,3 milioni di anni fa) provenienti da Lomekwi 3, in Kenya. I segni, analizzati al microscopio e con analisi chimiche, sono stati chiaramente fatti prima che le ossa si fossilizzassero: la loro morfologia è conforme a uno strumento molto più che a dei denti.

sidica da esaminare al microscopio. Questo procedimento evita la manipolazione ripetuta di ossa molto fragili; le impronte in resina sono inoltre ben più facili da trasportare, da immagazzinare e da esaminare al microscopio.

Ship-man e Potts hanno confrontato i propri risultati con i segni prodotti su ossa moderne da procedimenti noti; in questo modo hanno scoperto che molte delle ossa di Olduvai presentano sia segni provocati da strumenti sia graffiature di carnivori, suggerendo che vi fosse una

qualche competizione tra gli esseri umani e gli altri animali predatori per appropriarsi della carcassa. Talvolta i segni lasciati dai carnivori erano chiaramente sovrapposti a quelli degli strumenti, ma nella maggior parte dei casi i carnivori sembrano essere arrivati per primi! Le tracce lasciate dai carnivori compaiono soprattutto sulle ossa di parti ricche di carne, mentre i segni degli strumenti si trovano sia su queste sia su ossa di parti prive di carne (per esempio la parte inferiore delle zampe di zebra), la qual cosa indicherebbe che forse gli esseri umani utilizzavano anche i tendini e le pelli.

Secondo Shipman e Potts, l'elemento caratteristico di un taglio prodotto da un'azione di affettamento è un solco a forma di V, con una serie di linee parallele longitudinali sul fondo; studi più recenti suggeriscono invece che segni assai simili possono essere prodotti anche da altre cause. Le ricerche svolte da James Oliver a Shield Trap Cave, nel Montana, indicano che le tracce di «tagli» e scalfitture possono essere prodotte anche dal calpestio avvenuto all'interno della grotta, che produce delle abrasioni; a simili conclusioni sono giunte anche le analisi condotte da Kay Behrensmeyer e dai suoi colleghi. Ciò dimostra che gli elementi microscopici non costituiscono da soli una testimonianza sufficiente a provare l'intervento umano; è necessario osservare attentamente anche il contesto di ritrovamento e la posizione dei segni presenti sulle ossa.

Studi di questo tipo non sono nuovi. Già nel 1863 il geologo Charles Lyell ricordava il problema della distinzione tra i tagli prodotti sulle ossa da strumenti e quelli provocati dagli istrici. I potenti microscopi oggi a disposizione degli scienziati e la più profonda conoscenza dei processi tafonomici e del comportamento degli animali carnivori hanno consentito negli ultimi anni di compiere grandi progressi. Nonostante questo, è necessario svolgere ulteriori ricerche prima di poter in questo modo provare con sicurezza una primitiva attività umana e di identificare gli episodi in cui i nostri progenitori agirono in qualità di veri cacciatori piuttosto che di *scavengers*. Tre associazioni di ossa bovine provenienti dalla parte meridionale di Kanjera, in Kenya, datati a circa 2 milioni di anni fa, riportano dei tagli che provano che la carne era stata rimossa e che i primi ominidi erano carnivori.

7.16 Lo sfruttamento delle ossa da parte degli esseri umani nel Paleolitico. Ricostruzione di un'abitazione realizzata con le ossa di un mammut, scavata a Mezhirich in Ucraina, e datata a circa 18 000 anni fa. Nella costruzione vennero utilizzate più di 95 mandibole di mammut.

Esistono comunque altri tipi di testimonianze che possono fornire una prova del trattamento delle ossa da parte degli esseri umani; esse comprendono le concentrazioni artificiali di ossa in luoghi particolari, come per esempio la catasta di scapole di mammut nella grotta di La Cotte de St Brelade, nel Jersey, datata al Paleolitico Medio, o l'utilizzazione di ossa di mammut per la costruzione di capanne nel Paleolitico nel centro e nell'est dell'Europa. La combustione di ossa è un'altra chiara indicazione di trattamento da parte di un essere umano; nel caso di ossa di uccelli può essere addirittura l'unica prova dell'intervento umano, dato che le ossa non bruciate potrebbero essere state portate sul sito da animali predatori o provenire da uccelli che popolavano il sito o i suoi dintorni (spesso l'identificazione della specie può rispondere a quest'ultimo punto).

Dopo aver dimostrato, per quanto possibile, che i resti animali rinvenuti sono il frutto dell'azione umana, l'archeologo può procedere nel tentativo di rispondere a domande quali: che cosa mangiavano le donne e gli uomini nelle diverse stagioni? Come cacciavano e macellavano gli animali? E, ancora, gli animali erano domesticati?

L'INDAGINE SULLA DIETA, SULLA STAGIONALITÀ E SULLA DOMESTICAZIONE IN BASE AI RESTI ANIMALI

I residui animali più abbondanti e al tempo stesso quelli che ci forniscono più dati sono i **macroresti**, ovvero le ossa, i denti, le corna, le conchiglie e così via. Oggi gli specialisti dispongono di numerose tecniche per trarre da tali residui dati importanti.

Come per i resti vegetali, occorre che l'archeologo tenga presente che le ossa ritrovate potrebbero rappresentare soltanto una parte di ciò che era originariamente presente sul sito; le ossa, infatti, potrebbero essere state portate via, oppure bollite per farne brodo, utilizzate come utensili, mangiate dai cani o dai maiali, o addirittura essere state mangiate a scopo rituale; per esempio alcuni Indiani della California, per evitare di mancare di rispetto al salmone, non ne scartavano mai le lische, ma le facevano seccare per poi polverizzarle pestandole in un mortaio e infine le consumavano. Dobbiamo inoltre considerare che alcuni cibi, come i vermi, o l'uso di bere il sangue, non lasciano alcuna traccia, e che le nostre interpretazioni sono influenzate dalle preferenze della nostra cultura. Sebbene gli erbivori, integrati da pesci e uccelli, abbiano generalmente costituito per donne e uomini la base dell'alimentazione di natura animale, non si può escludere che in certe culture altri animali, quali insetti, roditori e carnivori, abbiano dato un valido contributo alla dieta. Più volte sono state trovate tracce che si è voluto interpretare come dimostrazione di cannibalismo, tuttavia non c'è nessuna prova che il contributo della carne umana alla dieta di tutti i giorni sia stato qualcosa di più che minimo e sporadico, addirittura insignificante se confrontato con quello fornito da altri animali, soprattutto dai grandi erbivori.

L'analisi di un'associazione di ossa di macrofauna

Quando si analizza un'associazione di ossa bisogna anzitutto identificare le ossa stesse (*vedi* Capitolo 6), poi quantificarle, in termini sia di numero di animali sia di peso di carne (*vedi* Scheda 7.6); la quantità di carne rappresentata da un osso dipenderà dal sesso e dall'età dell'animale, dalla stagione della morte e dalla variazione nelle dimensioni e nella nutrizione secondo la posizione geografica.

Un recente esempio è fornito dal sito di Garnsey, un sito nel Nuovo Messico risalente al XV secolo d.C. destinato all'abbattimento dei bisonti, dove John Speth ha rinvenuto più crani di maschi che di femmine, ma più arti di femmine che di maschi. Poiché l'uccisione aveva luogo in primavera, quando le femmine che hanno partorito e allattano sono sotto stress nutrizionale, lo squilibrio tra i sessi riscontrato nei resti suggerisce che le ossa con la maggior quantità di carne e di grasso in quel periodo dell'anno, e cioè gli arti dei maschi, venissero portate via dal sito, mentre il resto non veniva utilizzato. La variazione della stagione e del sesso era presa in considerazione nelle decisioni nutrizionali fatte sul sito; ne segue che dove è necessario valutare l'originario rapporto dei sessi in un insieme di ossa, le ossa che portano carne daranno probabilmente un quadro fuorviante; solo le ossa senza alcun valore nutrizionale saranno indicative.

Ma se si deve tener conto dei fattori di età, sesso e stagione della morte, come vengono stabiliti questi fattori?

Strategie d'uso: la deduzione di età, sesso e stagione di morte dalla macrofauna

La determinazione del **sesso di un animale** è compito assai semplice nei casi in cui soltanto il maschio possiede corna (come per alcuni cervi) o grandi canini (nei maiali), o dove è presente un osso peniale (per esempio nei cani), oppure nei casi in cui la femmina ha una struttura pelvica differente. Le misure di certe ossa, come il metapodio dei bovidi (ossa delle zampe), possono fornire due insiemi di risultati distinti, attribuiti rispettivamente ai maschi (misure maggiori) e alle femmine (misure minori), anche se in molti casi i dati relativi a maschi giovani o castrati possono confondere il quadro.

Le varie specie di mammiferi mostrano un grado differente di tale dimorfismo sessuale. Nella capra è assai marcato e la misurazione delle ossa può servire per distinguere il maschio dalla femmina anche quando le ossa non sono completamente adulte. Brian Hesse ha utilizzato questo metodo per mostrare un'eliminazione controllata di capre

nel sito di Ganj Dareh Tepe, in Iran, nel quale molti maschi venivano eliminati quando erano ancora giovani mentre le femmine venivano lasciate vivere fino all'età adulta. Questa differenza di sopravvivenza secondo il sesso e l'età fa pensare a una gestione del gregge, in uno dei primi esempi di domesticazione. Nei bovini la separazione tra maschi e femmine tramite la misurazione delle ossa può qualche volta essere utile, soprattutto quando si misurano ossa che successivamente si saldano (bisogna tener presente però che il quadro può essere reso poco chiaro dalla presenza di manzi). Altri mammiferi come la pecora, il cervo nobile, il capriolo sono più problematici, in quanto le lunghezze delle ossa nei due sessi si sovrappongono molto significativamente.

L'**età** di un animale può essere determinata sulla base di elementi quali il grado di saldatura delle suture nel cranio o, in una certa misura, la fusione tra le ossa lunghe degli arti e le rispettive epifisi, che può essere studiata più a fondo con l'ausilio dei raggi X. L'età viene allora calcolata attraverso il confronto con i dati relativi agli stessi elementi in popolazioni moderne, sebbene sia piuttosto difficile dare il giusto peso alle inevitabili differenze di carattere geografico e nutrizionale tra esemplari moderni e antichi. Valutazioni più precise si possono ottenere analizzando l'eruzione e lo stato di usura dei denti. Questo si può fare studiando l'altezza della corona dei denti (*vedi* Scheda 7.8), per quanto questo metodo sia più efficace con i denti che hanno una corona spessa, in specie animali come i cavalli e le antilopi. La stima dell'età per quelle specie che hanno una corona dei denti sottile è in genere basata sullo stato di eruzione e di usura della superficie mordente, specialmente quando dei buoni campioni moderni di età nota sono disponibili per un confronto. Le mandibole sono attribuite a una di una serie di classi di età e il numero di campioni in ciascuna può essere utilizzato per costruire un «modello di macellazione» che mostrerà la distribuzione di età all'interno della popolazione di animali eliminata. Questo potrà fornirci delle informazioni riguardo alle strategie di caccia e può anche dirci molto riguardo alla maniera in cui si riuscì a domesticare i mammiferi.

Se la determinazione dell'età ci consente di intravvedere quali fossero le preferenze nell'alimentazione e quali le tecniche di sfruttamento del bestiame, anche la **stagione di morte** è da considerarsi un fattore cruciale. Esistono numerosi metodi per studiare la stagionalità sulla base dei resti animali, come per esempio il riconoscimento di specie disponibili solo in certi periodi dell'anno. Se si conosce il periodo dell'anno nel quale i piccoli di una specie erano partoriti, allora i resti di feti o le ossa di un piccolo appena nato possono determinare con esattezza una stagione di occupazione (*vedi* Scheda 7.7); bisogna però sottolineare che, mentre è talvolta possibile provare in questo modo la presenza umana in alcune stagioni, è molto raro che se ne possa confutare con certezza la presenza in altri periodi dell'anno.

7.4 Stagionalità a Star Carr

Sito risalente al Mesolitico, il più famoso della Gran Bretagna, Star Carr (il nome viene dal nome danese di «palude di carice») è un campo all'aperto sulle rive di un largo paleolago nella valle di Pickering, nell'Inghilterra nord-orientale. Scoperto per la prima volta nel 1948, diventò famoso in tutto il mondo dopo gli scavi del famoso studioso di preistoria, Grahame Clark, dal 1949 al 1951. Datato a circa 11 000 anni fa, il sito deve la sua notorietà alla ottima conservazione dei materiali organici, poiché tutto il territorio così come era è stato sepolto sotto uno spesso strato di torba. Clark portò alla superficie degli alberi di betulla distesi e una «piattaforma fatta da materiali sottoboschivi». Egli ritenne che gli alberi fossero stati abbattuti per pulire il passaggio e creare delle fondamenta asciutte sulle quali fosse possibile costruire delle capanne. I suoi scavi, inoltre, portarono alla luce diversi manufatti litici e ossei, tra i quali non meno di 191 punte spinate fatte da corna di cervo nobile, grani di ambra e argillite e, cosa ancora più interessante, 21 «copricapi» di teschi/palchi di cervo nobile che si pensa siano stati utilizzati per mimetizzarsi durante la caccia oppure nelle pratiche rituali. Sicuramente questo co-

7.17 Star Carr si trova sulla costa del paleolago di Flixton nell'Inghilterra nord-orientale. Circa 7000 anni fa il lago è diventato una torbiera con poca acqua stagnante, se non proprio assente.

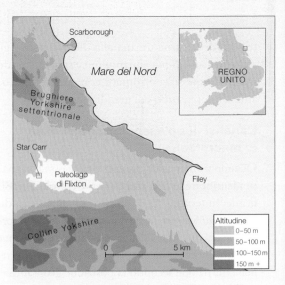

stituisce ancora il più grande insieme di materiali di un sito britannico risalente all'inizio del Mesolitco; comprende infatti anche l'80% di tutte le punte spinate che conosciamo.

Nel suo lavoro pionieristico Clark ha utilizzato anche l'analisi dei pollini e una ricognizione dell'area circostante per ricostruire la prima storia ambientale della valle di Pickering e dei dintorni. Nella sua ormai classica monografia su Star Carr del 1954, egli ha ipotizzato che tre o quattro famiglie hanno vissuto in quell'area per più di sei anni durante l'inverno. Nel 1972, egli ritornò sui reperti e spiegò la sua interpretazione: si

trattava di un campo dove la gente si radunava per cacciare i cervi nobili. In questo modo legò il sito a una modalità di utilizzo, che prevedeva migrazioni annuali, durante le quali in estate le persone si spostavano sulle colline circostanti seguendo i cervi.

Nel 1976, ripresero i lavori al sito, che permisero di tracciare la vecchia linea di costa del lago, e furono eseguiti degli scavi anche nel sito lì vicino, Seamer Carr. Nel 1985, si tornò ancora una volta a lavorare a Star Carr e si scoprì che il sito era molto più grande di quello che Clark aveva ipotizzato. Gli scavi portarono alla luce parte di una

7.18-19 (*In basso*) Recenti scavi a Star Carr. (*Sulla destra*) La mappa mostra l'estensione dell'area dei depositi archeologici mesolitici e le aree scavate fino a oggi.

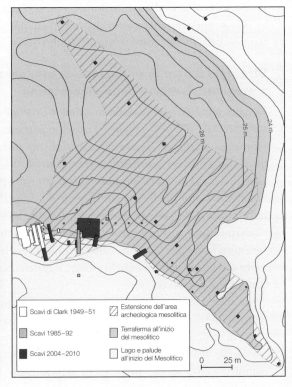

7.20-21 (*Sopra*) Uno splendido copricapo formato da un palco di cervo nobile proveniente dal sito. (*A destra*) Un frammento di arpione di osso.

larga piattaforma, o tracciato di travi, divise e lavorate che recavano dei segni lasciati da delle asce e prove di una sofisticata lavorazione del legno: la testimonianza del lavoro di carpenteria più vecchio d'Europa. Gli studi sul polline e sul carbone hanno mostrato che degli strati di canne sono stati deliberatamente bruciati per lunghi periodi presso la riva del lago, forse per facilitare l'accesso delle imbarcazioni e per favorire la crescita di nuove piante. La datazione al radiocarbonio di questi resti bruciati ha segnalato un'occupazione del sito di più di 300 anni più o meno tra il 9300 e l'8400 a.C.

Il lavoro svolto negli anni Ottanta ha mostrato che la torba stava cominciando a seccarsi e ciò metteva in pericolo i materiali archeologici lì ancora custoditi; quindi, dei nuovi scavi furono avviati nel 2004. Ricognizioni tramite archeologi che hanno camminato su tutto il campo

hanno mostrato che i materiali di selce ricoprono 20 000 m² e che i tracciati o piattaforme si estendevano per almeno 30 m lungo la costa. Sulla terraferma, giusto un po' più in alto del lago, gli scavi hanno portato alla luce una depressione con delle buche per palo che potrebbero essere i resti di una «casa» del 9000 a.C. circa, la più vecchia in Gran Bretagna.

L'ipotesi di occupazione invernale di Clark si basava sul ciclo di crescita annuale delle corna del cervo rosso (questi cambiano il loro palco durante l'inverno, quindi i ritrovamenti di corna non cambiate indicavano questa stagione). Altri hanno sostenuto che le corna sono state portate al sito da altrove e quindi con un collegamento con le stagioni sarebbe molto blando. Delle corna di capriolo non cambiate, ritrovate sul sito, non furono utilizzate per dei manufatti e quindi indicano una

occupazione dell'inizio dell'estate. Una successiva nuova analisi dei resti animali – e specialmente dei denti degli animali giovani – fatta da Tony Legge e Peter Rowley-Conwy mostrò, infatti, che molti erano stati cacciati durante la tarda primavera o verso l'inizio dell'estate, cioè tra aprile e maggio. Il ritrovamento di alcune ossa di uccelli che possono essere stati presenti solo in estate e anche alcuni resti provenienti da piante bruciate ci indicano l'estate (da fine aprile ad agosto). Poiché le informazioni sono incomplete (molte ossa di animali non furono tenute da Clark e il sito, più grande, potrebbe avere dei luoghi di macellazione da qualche altra parte), Star Carr potrebbe essere stato un campo base visitato ripetutamente in differenti stagioni.

7.23 Una ricostruzione di Star Carr come avrebbe potuto essere durante il Mesolitico.

7.22 Questa depressione circondata da buche per palo potrebbe essere la casa britannica più vecchia che conosciamo.

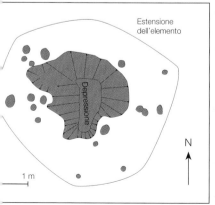

7.5 La tafonomia

La tafonomia è la determinazione di ciò che è accaduto a un osso nel periodo di tempo intercorso tra la sua deposizione e il suo ritrovamento. Sebbene le ossa abbiano una maggiore possibilità di conservarsi rispetto al materiale vegetale, esse sopravvivono soltanto in presenza di speciali condizioni, per esempio se vengono sepolte entro breve tempo o se vengono deposte in grotte. Le ossa che non vengono distrutte dai carnivori, dalla degradazione meteorica, dall'acidità del suolo e così via, e riescono a conservarsi abbastanza a lungo, si mineralizzano attraverso la lenta percolazione dell'acqua freatica; molte vengono trasportate dai corsi d'acqua e ridepositate in contesti secondari, con modalità che variano secondo la velocità della corrente e la densità, la misura e la forma delle ossa. Qualsiasi tipo di analisi deve anche considerare che gli eventi tafonomici del passato erano identici a quelli osservati oggi.

Lo studio dell'accumulo e della frammentazione delle ossa da parte dei carnivori è stato ampiamente sviluppato con la speranza che possa essere trovato il modo di distinguere gli insiemi di ossa prodotti dall'essere umano da quelli prodotti dagli animali. Questo implica l'osservazione etnoarcheologica di gruppi diversi di esseri umani e di carnivori, lo scavo di tane di animali (per

7.24-26 I primi ominidi erano cacciatori o prede? Lo scavo del complesso di grotte sotterranee a Swartkrans, in Sudafrica (*sopra*), ha restituito i resti di oltre 130 esemplari di *Australopithecus*, associati a quelli di animali carnivori ed erbivori. In un primo momento si pensò che gli ominidi avessero cacciato gli altri animali; poi C.K. Brain riuscì a mettere in relazione i canini inferiori di una mandibola di leopardo trovata nella grotta con i buchi presenti sul cranio incompleto di un giovane *Australopithecus* (*a sinistra*). Questo ominide era stato quindi preda anziché predatore.

Brain osservò anche che i leopardi moderni trascinano le loro vittime sugli alberi, fuori dalla portata delle iene; probabilmente i resti dello sfortunato ominide, una volta che la carne era stata consumata, caddero da un albero dentro la grotta.

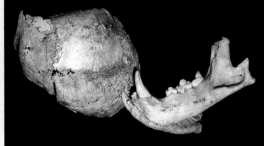

studiare le ossa accumulate da animali quali la iena) e la rottura sperimentale delle ossa con e senza strumenti litici.

Il pioniere negli studi di questo tipo è C.K. Brain, il cui lavoro svolto in Sudafrica ha rivelato gli effetti provocati dai carnivori, quali leopardi, iene e istrici, sulle carcasse degli animali, ma ha anche dimostrato che nelle grotte di calcare del Transvaal le fratture precedentemente attribuite a primitivi «uomini-scimmia assassini» erano state causate dalla pressione di rocce soprastanti e terra. Brain ha in effetti chiarito che, in siti in grotta come quello di Swartkrans, gli ominidi primitivi (gli australopitechi), ben lontani dall'essere cacciatori, erano probabilmente essi stessi vittime dei carnivori. Alcuni teschi di ominidi, come il Bambino di Taung, recano dei tagli e delle impronte di artigli che indicano che, probabilmente, fu ucciso da grandi rapaci.

Gli studi di tafonomia non si limitano all'Africa. Lewis Binford, per esempio, ha condotto osservazioni simili in Alaska e nell'America sud-occidentale, prendendo in considerazione gli effetti causati sulle ossa da lupi e cani. Binford tenta di distinguere l'interferenza umana da quella dei carnivori per mezzo della relazione tra il numero di frammenti d'osso e il numero di epifisi intatte, dato che gli animali masticatori attaccano prima le epifisi, lasciando soltanto diafisi e un certo numero di frammenti. Una raccolta di ossa formata da un grande numero di diafisi e da un piccolo numero di ossa con epifisi intatte è perciò probabilmente il risultato dell'attività di animali carnivori o di *scavengers* («spazzini»). John Speth ha applicato questi princìpi alle ossa provenienti dal sito di Garnsey, un luogo di abbattimento di bisonti nel Nuovo Messico, che risale al XV secolo d.C.; l'estrema rarità di diafisi indicava che c'era stata una minima distruzione da parte degli animali *scavengers* e che l'insieme di ossa poteva essere considerato il risultato di un'attività esclusivamente umana.

Bisogna tuttavia essere cauti nell'applicare il comportamento dei carnivori oggi viventi alla formazione delle associazioni preistoriche, che potrebbero essere state prodotte da una specie carnivora magari oggi estinta. Poiché esistono considerevoli variazioni tra le specie viventi, i modelli di comportamento delle specie estinte non sono facilmente accertabili; inoltre alcuni animali, come le iene, possono formare associazioni faunistiche simili a quelle create dall'essere umano, mostrando schemi di frattura notevolmente omogenei e frammenti assai simili nella forma. Questo non sorprende, in quanto i modi in cui può rompersi un osso sono limitati.

Tutti questi fattori, che possono apparire scoraggianti, cominciano invece a essere di grande aiuto nella creazione di una base assai più solida per una precisa interpretazione delle associazioni di ossa.

I metodi utilizzati per determinare la stagione di morte a partire dalle ossa di mammiferi sono molto simili a quelli utilizzati per costruire i profili di età, ma sono in genere limitati all'osservazione di mutamenti rapidi nel mammifero non ancora adulto come lo stadio di eruzione dei denti, lo stato di diafisi delle ossa o il ciclo annuale della crescita e perdita delle corna. Le ossa e i denti dei mammiferi passano attraverso dei cambiamenti prefissati nella loro crescita e questi cambiamenti possono fornire importanti informazioni riguardo a un campione osseo archeologico.

Nei giovani mammiferi la maggior parte della crescita delle ossa avviene alla fine della diafisi e le superfici articolari delle ossa sono congiunte solo dalla cartilagine. Quando si raggiunge la dimensione dell'adulto, le estremità delle ossa si «saldano» alla diafisi e la cartilagine viene rimpiazzata da un osso solido. Tutto questo avviene secondo un ordine noto e a età grosso modo accettate nelle specie di mammiferi. La misurazione della lunghezza della diafisi di ossa ancora non adulte può fornire informazioni utili sulla stagione di occupazione di un sito archeologico. Nelle latitudini temperate la maggior parte dei mammiferi terrestri più grandi partorisce durante una breve stagione. Nel mammifero appena nato le ossa degli arti sono corte e la maggior parte delle terminazioni articolari non sono ancora saldate alle diafisi. I giovani esemplari crescono a una velocità grosso modo simile e diventano adulti all'incirca alla stessa età. Ci sono buone ragioni climatiche per sostenere che specie come i cervi partorivano nel passato in determinate stagioni, così come avviene oggi, al fine di assicurare una maggiore possibilità di sopravvivenza ai propri cuccioli. Ne segue che le lunghezze delle ossa degli arti provenienti da un sito occupato in maniera permanente saranno di tutte le misure, da quelle degli animali appena nati e quelle degli adulti, mentre le ossa degli arti ritrovate in un sito occupato solo in una stagione dell'anno avranno delle lunghezze che ricadono solo entro determinate classi.

Con un'attenta misurazione e con l'ausilio di nuove tecniche d'analisi si possono perciò ottenere dati piuttosto precisi riguardo all'età, al sesso e alla stagione di morte, elementi fondamentali per valutare come e quando l'essere umano sfruttava le risorse che aveva a disposizione. In alcune circostanze i denti possono fornire da soli tutte queste informazioni (*vedi* Scheda 7.4 sull'analisi a Star Carr).

La questione della domesticazione degli animali

I metodi appena descritti consentono di gettare luce sul rapporto creatosi tra l'essere umano e le vaste risorse animali a sua disposizione, sulla composizione dei branchi e sulle tecniche di sfruttamento degli animali. Tuttavia, per arrivare a determinare lo status degli animali, se cioè fossero selvatici o domesticati, è necessario applicare una serie di metodi completamente diversi. In alcuni casi, dove animali non indigeni sono stati introdotti in isole da parte degli esseri umani, come per esempio i bovini, le pecore, le capre, il cane e il gatto a Cipro, è piuttosto ovvio. Un criterio per definire la domesticazione è rappresentato dall'interferenza umana con le abitudini riproduttive naturali di certe specie, interferenza che ha determinato in loro modificazioni anatomiche rispetto allo stato selvatico. Tuttavia ci sono anche altri criteri e gli specialisti non sono unanimi nel definire quali modificazioni anatomiche siano indicazioni certe di domesticazione. Un'importanza esagerata data all'antitesi selvatico/domesticato potrebbe inoltre mettere in ombra un'intera gamma di rapporti possibili tra essere umano e animale, come per esempio la gestione dei branchi senza un allevamento selettivo. Malgrado le diverse definizioni, è certo che la domesticazione è avvenuta in molti luoghi del pianeta autonomamente; per questo è necessario che gli archeologi distinguano tra animali del tutto selvatici e animali pienamente domesticati, per indagare poi il processo di domesticazione. In che modo viene svolta tale indagine?

I resti animali rinvenuti con maggiore abbondanza nei siti archeologici sono, lo si è già detto, le **ossa** e i **denti**; per questo motivo gli specialisti hanno tradizionalmente cercato di determinare la domesticazione attraverso modificazioni

morfologiche quali la riduzione nelle dimensioni delle mascelle e l'aumento del numero dei denti. Questi elementi, però, non si sono dimostrati criteri pienamente affidabili, poiché fino a oggi non si sa quanto tempo è necessario dopo l'inizio del processo di domesticazione perché queste modificazioni avvengano; né sono stati per il momento riconosciuti stadi intermedi. È certo che attraverso la domesticazione alcune specie si sono rimpicciolite (come suggerito, per esempio, dall'archeozoologo Richard Meadow per i bovini nel sito neolitico di Mehrgarh in Pakistan), ma in questo processo potrebbero aver giocato un ruolo importante anche fattori ambientali, come è dimostrato dal fatto che molte specie selvatiche hanno subìto una riduzione di dimensione dopo l'ultima èra glaciale. Bisogna poi aggiungere che non sappiamo affatto quale fosse il grado di variazione di certi caratteri nelle popolazioni selvatiche, e che i contatti tra gruppi di animali appena domesticati e gruppi ancora selvatici devono essere stati numerosi, con una conseguente trasmissione di geni.

Altre modificazioni apportate dalla domesticazione si manifestano anche nella **pelle** o nel **vello**, che si conservano però solo raramente nei contesti archeologici. La disposizione della lana e dei peli è infatti piuttosto diversa nelle pelli di pecore selvatiche rispetto a quelle domesticate.

Nell'America meridionale la transizione dalla caccia all'allevamento è difficile da tracciare poiché pochi particolari scheletrici post-craniali possono distinguere i camelidi domesticati da quelli selvatici. Poiché tanti siti, specialmente quelli situati a elevata altitudine, sono estremamente aridi, elementi normalmente deperibili come **corde**, **tessuti** e **velli** spesso si conservano. Resti di filo, provenienti da siti del Cile settentrionale e dall'Argentina nord-occidentale, indicano che la filatura è venuta prima della domesticazione. Inoltre, uno studio su dei fili provenienti dal sito di TU 54 (Tulan Quebrada) nel deserto di Atacama nel Cile settentrionale, datati a circa 3100-2800 anni fa, suggeriscono che la domesticazione abbia portato a un cambio nel colore del vello, che ha assunto una tonalità marrone scuro non rintracciabile nei camelidi selvatici; lavori futuri saranno in grado di chiarire questo aspetto, consentendo di confrontare l'analisi delle fibre con l'analisi delle informazioni osteologiche e del DNA. L'analisi delle fibre, quindi, è in grado di aiutarci nei siti dove i resti di ossa sono assenti o troppo frammentari per poter essere utili.

Un altro approccio è costituito dallo studio dei **cambiamenti avvenuti in intere popolazioni animali** piuttosto che nei singoli individui. Spesso l'introduzione di animali domesticati in aree in cui i relativi progenitori selvatici non erano specie indigene è ritenuta un principio valido per dimostrare l'interferenza umana, ma la nostra conoscenza dell'originaria distribuzione delle specie selvatiche è in real-

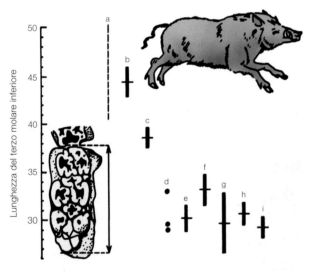

7.27 La diminuzione delle dimensioni dei denti come indicatore della domesticazione del maiale: un diagramma basato sul lavoro compiuto dallo studioso di zooarcheologia britannico Simon Davis. Le misure (scala in millimetri) per (a) e per (b) sono relative a cinghiali del Levante del tardo Pleistocene; (c) rappresenta il cinghiale israeliano moderno. La differenza nella dimensione tra (a/b) e (c) suggerisce una riduzione nelle dimensioni per cause ambientali alla fine dell'Era glaciale. Un'ulteriore riduzione dovuta alla domesticazione è suggerita dalle misure ancora più piccole dei molari del maiale domestico (d-i) del Mediterraneo orientale rispetto ai molari del cinghiale. (Le singole misure sono indicate dai cerchietti, i campioni come medie con i limiti di confidenza del ± 95%.)

Le ossa animali sono deposte durante la formazione di siti archeologici alla fine di un complesso processo di frammentazione e dispersione causato sia dagli esseri umani sia dai carnivori (vedi Scheda 7.5). Scavi e un recupero accurati sono essenziali affinché queste attività siano prese in dovuta considerazione e le ossa siano accuratamente quantificate. Un campione osseo recuperato attraverso la setacciatura, per esempio, avrà più ossa piccole di uno che invece non è passato attraverso questo procedimento. Le condizioni di conservazione delle ossa differiscono notevolmente da sito a sito e anche all'interno dello stesso sito; coloro che lavorano con le ossa devono documentare il grado di erosione di ciascun osso per aiutare la comprensione di ogni possibile causa di una ulteriore variazione.

Quando si prende in esame un campione, le ossa vengono registrate sia come frammenti pienamente identificati sia come frammenti non diagnosticati, che potrebbero appartenere a una diversa specie. Vari metodi sono poi utilizzati per calcolare l'abbondanza relativa delle ossa differenti e quindi delle specie rappresentate.

Il calcolo più semplice dell'abbondanza relativa delle specie si basa sul numero di campioni identificati (*Number of Identified Specimens*, NISP) dove le ossa identificate di ciascuna specie sono espresse come percentuale del totale delle ossa identificate. Benché questo metodo sia usato frequentemente, il risultato ottenuto può essere fuorviante.

Il secondo livello di calcolo è il minimo numero di individui (*Minimum Number of Individuals*, MNI o MIND), che esprime il più piccolo numero di animali necessario per rendere conto di tutte le ossa identificate. Nella sua formulazione più semplice questo calcolo si basa sull'osso più abbondante identificato per ciascuna specie, sia che provenga dalla parte destra del corpo o dalla sinistra.

Grimes Graves, Inghilterra

Alcuni dei problemi che caratterizzano il calcolo NISP possono essere illustrati col campione di ossa ritrovate nel sito di Grimes Graves, nella regione di Norfolk, in Inghilterra, dove degli enormi *middens* risalenti all'Età del bronzo furono

scaricati nella cavità delle miniere di selce e due scavi recenti hanno permesso il confronto tra due campioni differenti di ossa. In ambedue i campioni le ossa erano state raccolte accuratamente e lo stato di conservazione era eccellente.

Il calcolo NISP delle due specie comuni (bovini e pecore) di Grimes Graves mostra che queste sono ugualmente rappresentate nel totale delle ossa contate, benché i bovini siano ovviamente più importanti in ragione della grandezza del loro corpo. Il calcolo MNI si basa invece sull'osso identificato più abbondante: in questo caso la mandibola, poiché è molto dura e resistente alla masticazione dei carnivori. Il conteggio delle mandibole ha mostrato che i bovini erano significativamente più numerosi, rappresentando il 58% del campione, mentre le pecore formavano il 42%. Quindi i bovini erano molto più importanti nel sito di quanto avesse mostrato il calcolo NISP.

Moncin, Spagna

Un esempio ancora più evidente della disparità dei risultati NISP e MNI è il sito di Moncin, in Spagna. In questo villaggio dell'Età del bronzo gli esseri umani tenevano animali domestici, ma cacciavano anche intensamente, soprattutto cervi nobili giovani, per via della loro

pelle maculata. Poche ossa di animali non ancora adulti sopravvissero all'attenzione dei cani e, di conseguenza, le proporzioni di mammiferi indicate dal NISP e dall'MNI sono ovviamente differenti, come è mostrato dal diagramma. Ciò è dovuto in gran parte al fatto che si sono conservate più mandibole dei caprini e meno di cervi giovani.

Età, peso delle ossa e peso della carne

Sia il NISP sia l'MNI hanno alcune limitazioni. I numeri forniti dall'MNI hanno poco significato per piccoli campioni e l'errore potenziale nel calcolo NISP può essere molto forte se si paragonano siti con differenti profili d'età, condizioni di conservazione o criteri di recupero.

Alcune di queste difficoltà possono essere aggirate studiando l'*età* in cui le diverse specie venivano uccise, poiché ciò influenza molto la sopravvivenza delle ossa. Questi profili di età possono essere ricostruiti al meglio dagli stadi di eruzione dei denti negli animali giovani e dalla progressiva usura dei denti negli adulti.

Un altro metodo per paragonare l'abbondanza delle specie è il **peso relativo delle ossa**. In questo modo si confronta il peso totale dell'osso identificato per ciascuna specie, anche se i problemi

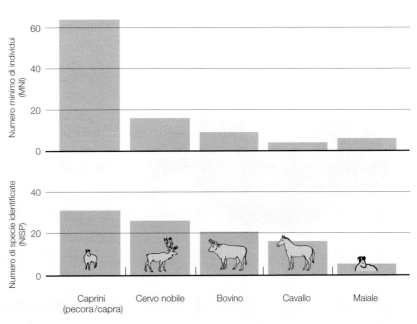

7.28 Percentuali delle specie rappresentate a Moncin, in Spagna, come sono fornite dai metodi MNI e NISP.

della diversa sopravvivenza delle ossa permangono. È importante riconoscere che la quantificazione delle ossa ci dice qualcosa solo riguardo al campione di ossa scavate e questo ha una relazione sconosciuta con la popolazione animale originale del sito. La quantificazione, tuttavia, è molto preziosa dove i siti hanno lunghe sequenze o dove gruppi di siti possono essere confrontati. A dispetto della relativa imprecisione, infatti, questi confronti possono rivelare importanti tendenze e variazioni regionali.

Il passo finale in ogni ricostruzione della dieta è il tentativo di calcolare il **peso della carne** rappresentato dalle ossa nel campione. Il peso medio moderno della carne può essere un buon punto di partenza. Seguendo questa logica si potrebbe pensare semplicemente di moltiplicare questo numero per il corrispondente numero MNI pertinente, come fu fatto nelle prime analisi. Infatti bisogna tenere presente che bisogna prendere in considerazione il fatto che non tutte le parti dell'animale sono state usate. Non si può assumere che ogni carcassa sia stata trattata alla stessa maniera, poiché

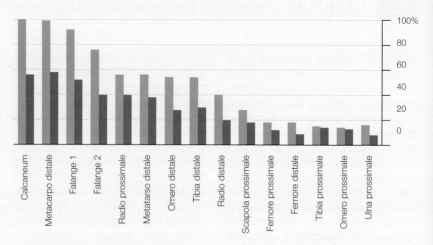

7.29 Percentuali di sopravvivenza delle ossa di bovini a Moncin, in Spagna. Le barre verdi mostrano solo le ossa di adulti, quelle rosse, invece, mostrano le ossa di esemplari sia adulti sia giovani. Le differenze nelle percentuali di sopravvivenza sono molto forti.

in casi come partite di caccia in massa, alcuni animali saranno stati utilizzati parzialmente, altri totalmente e altri ancora ignorati (*vedi* Scheda 7.7). Le tecniche di macellazione saranno cambiate a seconda della specie, della grandezza, della motivazione e della distanza da casa. Le ossa, quindi, rappresentano non animali interi, ma unità di macellazione oppure porzioni di scheletro.

Dove le cause potenziali di pregiudizio sono state accuratamente considerate è possibile che si possa ottenere un quadro ragionevolmente realistico dai calcoli MNI, specialmente nel caso di campioni grandi e accuratamente scavati.

tà inadeguata e resa ancor più complessa dal diffuso sviluppo di popolazioni ferine, cioè di animali prima domesticati poi ritornati selvatici. Un cambiamento radicale da una

7.30 Piccola matassa di fili proveniente da TU 54 (Tulan Quebrada), un sito all'aperto nel deserto dell'Atacama, nel Cile settentrionale, situato a 2900 m sul livello del mare. Essa è intrecciata, i fili hanno 1 mm di diametro ed è stata datata a 3000±65 BP (O×A1841).

modalità di macellazione a un'altra in un breve intervallo di tempo potrebbe fornire più informazioni; questo cambiamento costituirebbe di certo una valida prova a favore della domesticazione, specialmente se associato alla prova di un'incipiente modificazione morfologica. Ancora una volta, però, non è facile verificare la teoria nella pratica. In passato si supponeva che la massiccia presenza, in un'associazione di ossa di animali viventi in branco, di individui immaturi o giovani rappresentasse una prova dell'interferenza umana, poiché questa composizione differiva radicalmente da una supposta popolazione selvatica «normale». Ora, però, si sa che i rapporti dei sessi e le percentuali di individui giovani possono variare moltissimo in un branco selvatico; inoltre, poiché tutti i predatori (non soltanto l'essere umano) cacciano in modo selettivo, concentrando i propri sforzi sugli individui più vulnerabili, è evidente che un'alta percentuale di animali immaturi non è di per sé prova sufficiente a dimostrare la domesticazione.

La struttura per età e per sesso di un branco può però costituire una guida per capire se gli animali venivano allevati per ricavarne carne o latte: un numero elevato di animali giovani indicherà un branco da carne, mentre un branco da latte sarà composto soprattutto da femmine adulte (*vedi* in precedenza Ganj Dareh Tepe).

7.31 Visione aerea del promontorio di Boarding School con gli scavi al centro dell'immagine.

Nell'America settentrionale per migliaia di anni si fecero battute di caccia ai bisonti, sospingendoli giù da un pendio scosceso o da un precipizio per imprigionarli in un recinto dove venivano abbattuti. Molti dettagli di questo importante metodo di caccia periodica sono noti grazie ai rapporti di informatori indiani, raccolti nei primi decenni del secolo scorso; era tuttavia necessario completare il quadro attraverso l'indagine archeologica di questi siti.

Il sito di Boarding School

Uno dei primi scavi fu intrapreso da Thomas Kehoe negli anni Cinquanta del secolo scorso presso il sito di Boarding School, nel Montana, e fu condotto con l'ausilio della tribù locale dei Piedi Neri. Boarding School non era un vero e proprio precipizio, ma uno di quei comuni dislivelli improvvisi che conduceva a una sorta di recinto naturale. Nella stratigrafia profonda furono rinvenuti tre principali strati di ossa, con resti di bisonte ben conservati che offrivano buone informazioni circa la dimensione e la composizione del branco, e quindi anche sulle stagioni delle battute. Il numero degli animali fu calcolato utilizzando il metodo del numero minimo di individui (*vedi* Scheda 7.6); la sequenza dell'eruzione e il grado di usura dei denti (*vedi* Scheda 7.8), insieme alla fusione delle ossa, fornirono l'età degli animali, mentre il sesso fu stabilito in base alle dimensioni e alla forma del bacino.

I dati dimostrarono che per un lungo periodo di tempo il sito era stato utilizzato saltuariamente come campo provvisorio. Poi, intorno al 1600 d.C. (secondo la datazione con il radiocarbonio delle ossa carbonizzate), fu sospinto giù dal pendio scosceso un branco di circa 100 bisonti. I resti di questi animali formarono il «terzo strato di ossa», nel quale erano presenti le ossa di un feto ma nessun individuo maschio adulto, suggerendo, quindi, una battuta a un branco composto da femmine adulte, piccoli e maschi giovani, nel tardo autunno o in inverno. Una stagione o due più tardi fu effettuata una battuta a un altro branco di 150 animali, che venne a formare il «secondo strato di ossa». La presenza di resti di maschi adulti, e l'assenza di feti o animali appena nati, indicava una battuta di caccia a un branco composto da femmine e maschi adulti nella stagione degli amori, tra luglio e settembre, quando bisognava preparare il *pemmican* (carne seccata e compressa) per l'inverno.

Una battuta di caccia molto più tarda (probabilmente di pochissimo anteriore all'epoca storica) produsse il «primo strato di ossa». Qui si rinvennero i resti di 30 bisonti sottoposti a una macellazione grossolana, probabilmente per essere trasportati in un campo lontano; ciò che

7.32 Pali per recinto al sito di Boarding School.

fu lasciato sul sito era costituito in gran parte da ossa articolate (arti e colonna vertebrale). Nei due strati precedenti le tecniche di macellazione riscontrate erano simili, ma di ogni animale veniva utilizzata una parte assai più grande, per lo più trattata sul sito; evidentemente il campo base era posto a una distanza minore. L'assenza di ceramica nel sito sottolineava il suo ruolo di stazione dove si svolgevano esclusivamente l'abbattimento degli animali e il trattamento della carne. Nel sito furono ritrovati pali per recinti e 440 punte missili che suggeriscono una media di 4 o 5 frecce scagliate su ogni animale.

Il sito di Gull Lake

All'inizio degli anni Sessanta, Kehoe condusse uno scavo analogo presso il sito di Gull Lake, Saskatchewan sud-orientale, in Canada. Anche qui i bisonti erano stati sospinti lungo un pendio scosceso in una depressione che formava un recinto naturale. Nello scavo si scoprirono 5 strati di ossa, il più recente dei quali (circa 1300 d.C.) conteneva probabilmente i resti di ben 900 bisonti. Le battute di caccia cominciarono alla fine del II secolo d.C. e mostrano uno scarso trattamento delle ossa: molte ossa di arti, e perfino alcune colonne vertebrali, sono intatte. Nelle battute di caccia successive, invece, si effettuarono trattamenti più accurati, come dimostrano la scarsità di ossa articolate e il fatto che gli scarti sono sparpagliati su un'area molto estesa e sono combusti, la qual cosa indica che venivano utilizzati per ricavare grasso e *pemmican*.

7.33 (*A sinistra*) Scavo di un gruppo di crani di bisonte a Gull Lake.

7.34 (*Sotto*) Battuta di caccia ai bisonti a Gull Lake.

7.35 (*Sotto*) Nuovi scavi al sito di Boarding School nel 2013.

I denti si conservano molto più facilmente delle ossa e possono fornire valutazioni piuttosto precise sull'età dell'animale; si possono infatti contare gli anelli di accrescimento che circondano un dente (*vedi* più avanti), ma questo comporta la distruzione dell'esemplare; anche la mineralizzazione può rendere impossibile distinguere gli anelli. La maggior parte delle valutazioni si basa perciò sull'eruzione e sul grado di usura dei denti.

La presenza o l'assenza di denti da latte nell'osso mascellare rende possibile determinare un'età approssimativa, facendo riferimento alla sequenza eruttiva di una popolazione moderna. Quando si tratta invece della dentatura permanente, solo il grado di usura dei denti può fornire dati, ancora una volta attraverso il confronto con una serie di mascelle di animali di età nota.

Questo metodo ha però un inconveniente: le valutazioni del grado di usura sono soggettive; inoltre sono necessarie mascelle complete o quasi complete, che su alcuni siti potrebbero mancare. L'usura dei denti dipenderà poi dalle caratteristiche dell'alimentazione e non avviene comunque a un ritmo costante: i denti giovani e scabri si usurano più rapidamente di denti più vecchi e smussati, sicché non è semplice stabilire una correlazione tra età e grado di usura.

Un metodo più oggettivo, basato sulla misurazione complessiva e di facile applicazione in quanto può essere utilizzato anche su singoli denti, è stato messo a punto dal paleontologo americano Richard Klein. Si misura l'«altezza della corona» del dente, ovvero la distanza tra la superficie di occlusione (di masticazione) e la «linea cervicale» che separa lo smalto dalla dentina della radice; utilizzando i dati relativi a ogni specie e riguardanti l'età in cui una corona non è ancora consumata e quella in cui lo è completamente, si può determinare l'età del possessore del dente al momento della morte. Klein e Kathryn Cruz-Uribe hanno sviluppato un programma che utilizza queste misure per generare un profilo di mortalità relativo agli animali di un sito.

In teoria esistono due modelli fondamentali: il primo è un **profilo di età catastrofico**, corrispondente a quella che si considera una distribuzione «naturale» dell'età (più è avanzata l'età, meno individui conterà il gruppo); tale modello si dovrebbe osservare nei contesti naturali – per esempio inondazioni brevi e improvvise, epidemie o eruzioni vulcaniche – nei quali sono state annientate intere popolazioni. Se compare in un contesto archeologico, suggerisce l'impiego di abbattimenti di massa.

Il secondo modello, un **profilo di età da logoramento** (per attrito), è caratterizzato dalla sovrarappresentazione di animali giovani e animali anziani rispetto al numero di animali giovani e animali anziani in popolazioni viventi. In contesti naturali suggerirebbe la morte per fame, malattia, incidente o predazione; in un contesto archeologico suggerisce invece l'azione di animali *scavengers*, o la caccia da parte dell'uomo degli individui più vulnerabili.

Klein si è imbattuto in entrambi i tipi di profilo nel sito di Klasies River Mouth Cave, nella Provincia del Capo in Sudafrica, datato al Mesolitico, dove l'antilope, facile da cacciare, rispondeva al profilo di primo tipo, mentre il bufalo cafro, molto più pericoloso, rispondeva al secondo.

Stagione di morte

Attraverso l'analisi degli anelli di accrescimento i denti possono offrire indicazioni sulla stagione di morte dell'animale. L'archeozoologo Daniel Fisher, per esempio, ha studiato le zanne e i molari di mastodonti (animali primitivi simili agli elefanti) che erano stati uccisi o almeno macellati dai Paleoindiani del Michigan meridionale nell'XI millennio a.C. e ha potuto determinare, grazie agli strati di dentina, che gli animali erano stati uccisi tra la metà e la fine dell'autunno. In alcuni mammiferi, intorno alle radici del dente, al di sotto della linea gengivale, si formano anelli annuali di cemento, un deposito mineralizzato; analizzandone al microscopio una sezione sottile, gli strati appaiono come serie di bande traslucide e opache, che rappresentano periodi alternati di scarsità e abbondanza di cibo, i quali causano variazioni della velocità di deposizione. Lo studioso americano Arthur Spiess ha applicato questa tecnica ai denti di renna provenienti dal sito del Paleolitico Superiore di Abri Pataud, in Francia, e ha dimostrato che gli animali venivano uccisi tra ottobre e marzo. Miglioramenti dei programmi di immagini al computer permettono ora di distinguere gli strati e contarli più accuratamente.

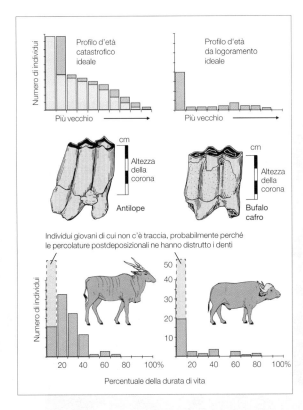

7.36 Età di morte dedotte da Richard Klein in base all'altezza della corona del terzo molare inferiore. (*In alto*) Profilo di età catastrofico e profilo di età da logoramento ideali. (*In basso*) I resti rinvenuti nel sito in grotta di Klasies River Mouth, in Sudafrica, mostrano un profilo catastrofico per l'antilope e un profilo da logoramento per il bufalo cafro. (Le percolature postdeposizionali potrebbero aver distrutto in modo selettivo i denti degli individui più giovani, giustificando così il fatto che il numero stimato di individui in quel gruppo è inferiore a quello atteso).

© 978.8808.82073.0

Altre prove di domesticazione La presenza di animali domesticati può essere rivelata anche da **attrezzi** particolari, come aratri, gioghi e finimenti da cavallo, o da un contesto insolito, come la sepoltura di un uomo di 12000 anni fa trovata a Ein Mallaha in Israele, che conteneva anche i resti di un cucciolo, a indicare gli stretti legami instauratisi assai presto tra l'essere umano e il cane.

Le **testimonianze artistiche** suggeriscono possibili tentativi di controllo degli animali da parte dell'umanità in tempi ancora più antichi. Paul Bahn ha prospettato la possibilità che alcune immagini datate alla fine dell'ultima èra glaciale – in particolare l'incisione del Paleolitico Superiore rinvenuta nel sito di La Marche in Francia, raffigurante una testa di cavallo che presenta una sorta di briglie dipinte – lascino intravvedere un controllo di singoli animali. Si può ottenere una prova simile dalle ossa: per esempio, il riparo sotto roccia nelle Alpi francesi di La Grande-Rivoire ha fornito dei resti di un orso bruno in un deposito mesolitico. Uno spazio simile a un solco tra i denti su tutte e due i lati suggerisce che questo animale è stato catturato quando era un cucciolo, 7000 anni fa, e portava una museruola che limitava la crescita dei suoi denti molari. In altre parole era un orso addomesticato, forse addirittura un animale da compagnia.

Per le epoche più recenti l'arte assume un valore importante come fonte di informazioni sulla domesticazione, spaziando dai dipinti greci, romani e mesopotamici raffiguranti animali domesticati fino alle pitture murali egizie, che rappresentano non soltanto i lavori agricoli, ma anche una sorta di domesticazione di specie più esotiche.

Deformità e malattie attestate dalle ossa possono anch'esse fornire prove persuasive a favore della domesticazione, dato che se equini, bovini e camelidi venivano utilizzati per la trazione, tutti prima o poi soffrivano di osteoartrite o di deformazioni agli arti inferiori dovute agli sforzi compiuti (slogature o escrescenze delle ossa); gli esempi forniti dall'archeologia sono numerosi: si può ricordare quello delle ossa di bovini provenienti dal sito medievale di Norton Priory in Inghilterra. La stessa causa provoca nei cavalli la condizione patologica nota come spavenio, che implica una proliferazione di nuovo tessuto osseo intorno alle ossa del tarso e del metatarso, che alla fine si fondono insieme. Alcune malattie possono indicare una cattiva gestione dei branchi: il rachitismo, per esempio, attesta carenze alimentari o pascoli poveri, mentre un pascolo sovraffollato predispone gli animali a gastroenteriti da parassiti.

Alcune malattie possono essere una prova diretta della presenza di domesticazione. Jane Wheeler, in uno studio su Telarmachay, un sito preistorico delle Ande peruviane, ha scoperto che a un certo livello della sequenza stratigrafica, intorno al 3000 a.C., si era prodotto un aumento significativo dei resti di camelidi, come i lama e gli alpaca, allo stato fetale e appena nati. È del tutto improbabile che si tratti di animali selvatici giovani cacciati e portati sul sito dagli esseri umani; nessun cacciatore avrebbe ritenuto che valesse la pena uccidere animali così piccoli, che avrebbero invece potuto crescere e diventare selvaggina più produttiva. È quindi assai più verosimile che si tratti di animali domesticati, tanto più se si considera che la mortalità tra i lama e gli alpaca domesticati è molto alta, soprattutto a causa di un tipo di diarrea, sconosciuta tra le specie selvatiche, provocata probabilmente dalla diffusione di germi patogeni all'interno di recinti sporchi e fangosi. Se questa fu davvero la causa della mortalità generalizzata a Telarmachay, testimonianze analoghe potranno dimostrarsi utili indicatori della domesticazione.

7.37 Un antico dipinto egiziano proveniente dalla tomba di Sennedjem a Deir el-Medina. Mostra Sennedjem che usa un aratro semplice trainato da due buoi e seguito dalla moglie che semina.

Fino a non molto tempo fa si riteneva comunemente che ci fosse un'unica e ristretta area centrale vicino alla Mezzaluna fertile dove la domesticazione delle piante avvenne in maniera anche abbastanza rapida. Tuttavia, regolarmente ci sono arrivati dei dati (compresi prove genetiche) che mostrano come, all'inizio dell'Olocene, ci siano stati numerosi processi paralleli di domesticazione in tutta l'area (vedi Scheda 7.3). Similmente, la zooarcheologia ci fornisce delle prove che indicano l'apparizione diffusa di animali addomesticati.

Un sito chiave per lo sfruttamento dei cereali, e il passaggio dalla ricerca di cibo all'agricoltura, è Jerf el-Ahmar, nella Siria settentrionale, che ha una delle migliori sequenze di Neolitico preceramico A del Levante, datata tra il 9450 e il 8700 a.C. Questo piccolo insediamento (meno di 1 ettaro) fu scavato dal 1995 al 1999 da Danielle Stordeur prima di essere sommerso dal lago di una diga. Una superficie di più di 1000 m² era esposta con 11 livelli distinti e un'ampia gamma di elementi. Per fornire un quadro più completo, assieme alle testimonianze che provenivano dal sito fu fatto anche un campionamento botanico estensivo. Il ritrovamento sistematico, grazie alla flottazione, di resti vegetali (più di 34 000 identificazioni di semi e frutti bruciati) ha reso questo sito uno dei più ricchi al mondo di informazioni di questo genere.

La stratigrafia comprende successive abitazioni del Paleolitico preceramico A separate da degli strati sterili di *colluvium* (detriti di falda), che spesso danno l'impressione che le persone abbiano deliberatamente seppellito l'intera superficie abitativa. Il sito si estende su due colline; quella a Est ha dieci livelli di occupazione, mentre quella a Ovest ne ha cinque. L'idea complessiva è quindi quella di un sito che è stato occupato in maniera non continua. Curiosamente i focolari ritrovati sono solo all'aria aperta. Questo è vero anche per le buche per il fuoco (che sono spesso associate a delle dense concentrazioni di ossa animali), le quali sono state interpretate come punti di cottura della carne. Ci sono poche tracce di conservazione all'interno delle abitazioni, mentre ci sono delle antiche strutture che potrebbero essere pubbliche, con delle mura curvilinee che sono sprofondate nel terreno di 2 m. Questi muri di pietre contenitive affioravano sopra il livello del terreno di 50-60 cm con dei pali di legno incastrati dentro; l'entrata era dal soffitto. All'interno c'erano dei sedili ed erano suddivisi in compartimenti da muri divisori che erano disposti attorno a un'area centrale vuota. Tutti questi elementi – muri, pavimentazioni, sedili e celle – erano intonacati con del fango. Si ritiene che questi edifici pubblici venissero deliberatamente bruciati e sepolti quando la loro funzione terminava. Nell'edificio EA30

è stato ritrovato lo scheletro di una giovane donna al quale mancava il teschio e le quattro prime vertebre; era riverso sulla schiena e ricoperto di detriti. La funzione di questi antichi edifici sotterranei rimane ancora enigmatica anche perché al loro interno è stato ritrovato molto poco materiale: ossa di uro, selce, pietra macinata, ossidiane e una piccola macina con dell'ocra. Qualche studioso ha supposto che la suddivisione in celle servisse all'immagazzinamento di grani, anche se soltanto pochi grani di orzo sono stati ritrovati; l'edificio EA30 tuttavia conteneva al suo interno ossa ed escrementi di topi e gerbilli domestici, che potrebbero supportare la teoria del magazzino di grani. Una struttura ancora più antica, la EA47, è stata anche questa deliberatamente bruciata e conteneva un deposito di semi carbonizzati di segale/farro in associazione con tre teschi di uri e un bucranio, che probabilmente era utilizzato appeso alle pareti o al soffitto. Si ritiene, quindi, che i grani di cereali fossero conservati qui in un contenitore degradabile; forse come parte di attività rituali legate al raccolto o alla semina. Gli edifici più grandi, come EA30, possono aver ospitato dei depositi comuni di grano e comunque aver svolto anche funzioni non domestiche.

Le tracce botaniche ci suggeriscono che la segale/farro e l'orzo non sono mai stati mischiati assieme e questo indica che erano prodotti di raccolti sepa-

7.38-39 Pianta dell'edificio EA30, che mostra le celle di deposito e (*a destra*) l'entrata a un'area di immagazzinamento.

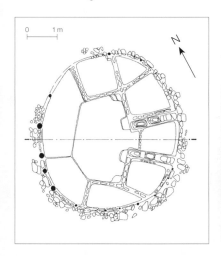

rati che avvenivano in luoghi differenti. Molti materiali da costruzione recano le impronte dei prodotti secondari della lavorazione del raccolto, come la lolla dell'orzo, del farro e della segale usati per temperare la terra battuta e la paglia ritrovati nei frammenti bruciati del tetto.

Tutte le testimonianze della lavorazione e preparazione del cibo (oltre alla cottura) sono state trovate in strutture rettangolari localizzate vicino agli edifici pubblici. EA23 conteneva tre macine e diversi frantumatori posizionati lungo il muro di divisione. EA10, posizionato di fianco a EA30, è stato distrutto dal fuoco. Le attrezzature per la lavorazione erano organizzate in tre aree chiaramente differenziate in associazione con specie di raccolto: l'area per la macinazione aveva le tre macine, un recipiente di pietra e due lastre rotonde per macinare molto lucide; tra i resti vegetali rinvenuti in quest'area sono stati trovati dei frammenti di grani di segale/farro e dei tortini di semi selvatici di mostarda. La seconda area, una depressione poco accentuata, conteneva delle lenticchie bruciate e dei tortini con frammenti di semi mischiati alle ceneri. La terza area aveva tre bacini litici con dei frammenti di orzo decorticato, ma nessuna traccia di depositi di grani. Quindi, un'interpretazione di queste testimonianze archeologiche è che gli edifici pubblici fossero usati in parte per conservare i grani, in associazione con attività simboliche

e rituali; la lavorazione del cibo aveva luogo in particolari spazi all'interno di strutture con più stanze vicino all'edificio pubblico; la carne, invece, era cotta in buche per il fuoco in aree comuni aperte. Gli abitanti cacciavano uri, gazzelle ed equini. Quindi, piuttosto che un semplice «villaggio di comunità» è possibile si trattasse di un luogo dove gruppi allargati, compresi anche i gruppi famigliari, che risiedevano nel sito, si trovavano assieme periodicamente e partecipavano a eventi che comprendevano la consumazione del cibo.

Durante i 600-700 anni di storia del sito, la forma delle case è cambiata, passando da rotonda a rettangolare mentre gli edifici comuni sono diventati sempre più specializzati. La quantità di cereali e legumi raccolti è aumentata in confronto alle graminacee non cereali. Le lame di falcetto provenienti dai livelli superiori erano usate di più e prodotte meglio e i gruppi di macine erano più frequenti negli strati più recenti, quando il sito aumentò considerevolmente anche in dimensioni. Tutte queste tendenze indicano uno spostamento verso una maggiore dipendenza dallo sfruttamento dei cereali su larga scala, che a sua volta suggerisce un aumento dell'organizzazione sociale poiché il lavoro di preparazione del terreno e della semina, la protezione dalle erbacce, l'immagazzinamento, la raccolta e la lavorazione devono essere state fatte collettivamente, cosa che implica una gerarchia sociale.

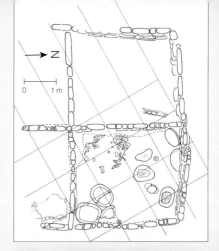

7.40-41 Pianta e fotografia dell'edificio EA23 con le macine e i frantumatori che dimostrano la lavorazione del cibo.

7.42 (*Sotto*) Tipici semi di piante erbacee seminabili trovati tra i cereali selvatici a Jerf el-Ahmar (ciascuno di 1 mm di diametro). Gli esempi archeologici bruciati sono mostrati di fianco ai semi moderni. L'alta frequenza di semi di piante erbacee bruciati è conseguenza della coltivazione regolare di cereali e legumi selvatici.

Adonide gialla	Fumaria	Papavero giallo (*Glaucium flavum*)	Galium aparine	Thymelaea	Centaurea cyanus

7.43 Grafico delle frequenze di piante commestibili, provenienti da Jerf el-Ahmar, che illustra lo spostamento verso la coltivazione. Il farro selvatico, l'orzo e la veccia amara, che furono poi domesticate, sono aumentate a spese delle graminacee con piccoli semi tra i quali la segale e Paspalum distichum/lapazio, che furono successivamente abbandonati. Quest'ultimo dominò nei livelli inferiori (in verde) mentre è diminuito nei livelli superiori (in viola) laddove l'orzo, la segale e la veccia amara diventarono dominanti.
[%ub = percentuale dell'ubiquità dei valori (*ubiquity values*) o, in altre parole, la percentuale di campioni nei quali la specie era presente].

	Livelli inferiori (verde)	Livelli superiori (viola)
Numero di campioni	81	76
Totale identificazioni	12097	10638
Totale farro selvatico	18	41
Lolla di farro selvatico %ub	11,1	18,4
Totale orzo selvatico	2353	5234
Orzo selvatico %ub	52	90,1
Totale lolla di orzo selvatico	1546	1622
Lolla di orzo selvatico %ub	64,1	84,2
Totale veccia amara	10	31
Veccia amara %ub	19,7	27,6
Totale segale selvatica	1382	396
Segale selvatica %ub	92,5	81,5
Totale lolla segale selvatica	121	18
Lolla segale selvatica %ub	23,4	10,5
Totale Paspalum Distichum/lapazio	359	73
Paspalum distichum/lapazio %ub	56,7	34,2
Totale panicoideae	19	—
Totale hordeum/bulbosum murinum	614	116
Hordeum/bulbosum murinum %ub	66	44,7

Progressi tra presente e futuro Gli studi sulla domesticazione stanno dunque compiendo grandi progressi. Alcuni dei criteri tradizionali utilizzati per dimostrarla – come per esempio la riduzione delle dimensioni dell'animale – potrebbero rivelarsi meno conclusivi di quanto si pensasse una volta; tuttavia questi approcci tradizionali poggiano oggi su basi assai più solide, mentre le nuove tecniche scientifiche, quali l'analisi al microscopio della struttura ossea e gli studi delle deformità e delle malattie, aprono la strada a un nuovo e promettente modo di guardare alla questione.

Sta procedendo il lavoro per tracciare la storia della domesticazione attraverso il DNA. Per esempio, il DNA di bovini in tre continenti ha già messo in crisi l'idea, assai radicata, che la domesticazione si sia diffusa a partire da un centro nel Vicino Oriente; invece sono state trovate prove sicure di almeno due separate domesticazioni di bue selvatico, nel sud-ovest della Turchia e nell'est del deserto iraniano, forse di un terzo episodio nel nord-est dell'Africa e un probabile quarto nella Cina nord-orientale. Le analisi genetiche hanno inoltre indicato che al giorno d'oggi i cavalli domestici risultano da un incrocio di molte razze di cavalli selvatici in luoghi differenti, i maiali hanno avuto diversi centri di domesticazione in tutta l'Eurasia, mentre il cane domestico sembra aver avuto origine nell'Asia occidentale circa 15 000 anni fa. Il DNA, inoltre, comincia ora a essere usato per distinguere nelle associazioni archeologiche le ossa delle pecore da quelle delle capre, cosa che può essere difficile solo in base alla morfologia.

La microfauna: uccelli, pesci e molluschi

Le moderne tecniche di scavo e di setacciatura hanno notevolmente migliorato le possibilità di recuperare i fragili resti delle specie più piccole, la cui identificazione richiede comunque l'intervento di uno specialista, dato che i resti delle differenti specie possono essere molto simili, come del resto lo sono anche quelli delle specie più grandi come la pecora e la capra (*vedi* più sopra), i camelidi, oppure il bisonte, il bufalo e i bovini.

Uccelli I resti degli uccelli consistono non solo di ossa, ma anche di guano, penne, mummie (in Egitto), impronte delle zampe e gusci d'uovo conservatisi in numerosi siti europei del Paleolitico Superiore, come quello di Pincevent in Francia. In alcuni casi è possibile esaminare il guscio al microscopio elettronico a scansione e quindi identificare la specie sulla base della distribuzione dei pori. Una nuova tecnica di spettrometria di massa delle proteine ha reso possibile, recentemente, l'identificazione di gusci ridotti in pezzi estremamente piccoli, come è accaduto, per esempio, nella York dell'era vichinga.

Gli uccelli erano sfruttati prevalentemente per le loro penne più che per la carne, ma esistono eccezioni. Gli enormi moa della Nuova Zelanda, uccelli inetti al volo, erano chiaramente sfruttati per la loro carne; le testimonianze di numerosi siti attestano la loro macellazione e cottura, con file di forni e cumuli di ossa. Ad Hawksburn, per esempio, un sito datato intorno al 1250 d.C., Athol Anderson ha trovato i resti di circa 400 moa; per la maggior parte erano stati portati i soli cosciotti, mentre le parti della carcassa meno ricche di carne erano state abbandonate sul luogo dell'uccisione. Un tale sfruttamento di massa documentato dagli scarti contribuisce a spiegare l'estinzione di questa e di altre specie nel Pacifico (*vedi* Capitolo 6).

Per quanto riguarda gli uccelli di piccola taglia, è probabile che le loro ossa siano state portate sul sito da un animale predatore o, in alcuni casi, che essi stessi abitassero il sito. Ancora una volta, l'identificazione delle specie potrebbe fornire la soluzione del problema, ma è necessario applicare determinati criteri per stabilire se gli uccelli siano stati o meno cacciati dall'essere umano. Un insieme che presenti una preponderanza di certe ossa, differente da quella attestata in associazioni formatesi naturalmente, può suggerire l'intervento umano. Anche la bruciatura delle estremità delle ossa lunghe ne è un indizio, sebbene dipenda dai particolari metodi di cottura utilizzati. L'identificazione di tagli evidenziati dall'analisi microscopica attesta la macellazione, mentre se la quantità di ossa di uccelli su un sito fluttua nel tempo indipendentemente dalle fluttuazioni della microfauna, questo indica che quelle ossa non furono portate nel sito né da uccelli rapaci né da altri animali predatori.

Pesci Come per le ossa dei mammiferi, sono stati messi a punto alcuni metodi per calcolare il peso dei pesci in base alle loro lische, e quindi per poter valutare il loro contributo alla dieta. I diversi tipi di pesce possono anche illuminarci sui metodi di pesca impiegati: le ossa delle specie d'alto mare, per esempio, indicano una pesca in mare aperto. I pesci di acqua salata sono ben conservati in siti dell'antico Egitto, dove certi pesci, come molti altri animali, vennero addirittura mummificati. I Romani, da parte loro, possedevano peschiere e coltivavano le ostriche.

Microfauna e insetti I resti di **microfauna**, ovvero di roditori, rane e rospi, non sono validi indicatori dell'alimentazione, in quanto molti di questi animali sono giunti nei siti attraverso le loro attività di scavo o per l'azione di altri predatori. Addirittura sono noti alcuni pellet di gufo nei sedimenti della grotta di Swartkrans, in Sudafrica, risalenti al Paleolitico Inferiore.

Gli **insetti** furono occasionalmente consumati – per esempio, sono state trovate delle locuste in un forno speciale nel rifugio sotto roccia di Ti-n-Hanakaten, in Algeria, risalente a 6200 anni fa –, ma nei casi in cui se ne

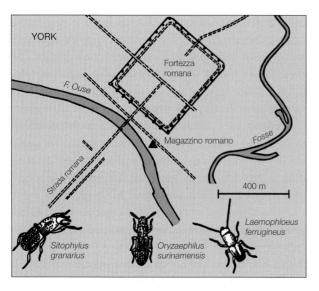

7.44 Insetti nella York romana: nei resti di un granaio di epoca romana fu trovata una grande quantità di coleotteri granivori e di altri organismi nocivi.

conservano resti possono fornire dati importanti sia sulle abitudini alimentari sia sulla stagionalità. Nidi di vespe aperti per estrarne le larve sono stati per esempio rinvenuti in una certa abbondanza in strati di spazzatura presso il sito di Allen, nel Wyoming, e ciò indica non solo che si consumavano larve, ma anche l'occupazione estiva del sito. A Pueblo Bonito, il ben noto insediamento pueblo del Chaco Canyon nel Nuovo Messico, alcuni vasi di corredo funebre contenevano pupe di ditteri e resti di un coleottero le cui larve attaccano i cereali immagazzinati; gli insetti hanno così rivelato il contenuto ora scomparso dei recipienti. Analogamente una tomba di Playa de los Gringos, in Cile, conteneva un recipiente di legno nel quale furono trovati pupari di una specie di dittero carnivoro, mentre a York, come si è già ricordato nel Capitolo 6, la presenza di coleotteri granivori e di *Niptus hololeucus* in una fogna di epoca romana è stata sufficiente a provare che serviva da scolo a un granaio; infatti, i resti di un magazzino rinvenuti presso il fiume furono identificati come un deposito di grano per la presenza di uno spesso strato contenente una gran quantità di coleotteri granivori. Il fatto che non fu ritrovato quasi alcun resto di cereali indica quanto sia stato grande il danno causato da questi insetti. L'infestazione fu così devastante da indurre i Romani a smantellare il magazzino e a coprire i resti e i coleotteri con uno spesso strato di argilla. Un altro magazzino fu poi costruito al suo posto: in esso si ritrovarono diversi cereali e pochi coleotteri granivori. La cosa dimostra che l'intervento di disinfestazione aveva avuto successo.

Molluschi I *middens* (accumuli di rifiuti organici), quasi per definizione, forniscono indizi di gran lunga più diretti sull'alimentazione, dato che l'essere umano è chiaramente responsabile della maggior parte del materiale in essi depositato. Eccetto i resti casualmente sopravvissuti di crostacei ed echinodermi (gli aculei dei ricci di mare, le stelle marine ecc.), la grande massa di materiale marino presente nei *middens* rinvenuti lungo le coste consiste solitamente e in prevalenza di conchiglie di molluschi, cui si aggiungono le ossa di qualsiasi altro animale, uccello o pesce, fosse sfruttato. Analogamente, nei *middens* rinvenuti nell'entroterra il numero dei gusci di chiocciole o di molluschi di acqua dolce supera di gran lunga quello delle ossa, e tale predominanza è resa ancor più grande dal fatto che le conchiglie si conservano molto meglio delle ossa. In passato questi rapporti erano considerati una prova del fatto che i molluschi avevano costituito la risorsa alimentare di base per gli occupanti di quei siti. Le ricerche più recenti sull'apporto energetico in calorie delle diverse specie hanno invece rivelato che i vertebrati, numericamente inferiori, erano in realtà il componente principale della dieta e che spesso i molluschi erano soltanto una risorsa di emergenza o supplementare, facile da raccogliere al momento del bisogno. Un calcolo ha mostrato che una singola carcassa di cervo nobile (*Cervus elaphus*) equivale, in calorie, a 52 267 ostriche o a 156 800 cardii (*Cardium*).

Considerando la grande quantità di conchiglie presenti nella maggior parte dei *middens* – 1 m³ può contenere una tonnellata di materiale e 100 000 conchiglie – l'analisi può procedere solo per campioni. Questi vengono setacciati, selezionati e identificati; la carne che essi rappresentano viene poi calcolata dal rapporto, che varia secondo le specie, esistente tra massa del guscio e massa della carne. La percentuale, in massa di carne, tra le differenti specie indica la loro importanza relativa nella dieta, anche se è il calcolo del loro valore calorico a fornire la vera testimonianza del loro contributo alimentare (*vedi* Scheda 7.10). Si è così scoperto che una persona avrebbe bisogno di consumare 700 ostriche o 1400 cardii al giorno per poter «vivere soltanto di crostacei». Queste cifre, considerate anche alla luce della durata di occupazione di un sito, rivelano che la quantità di crostacei consumata ogni anno non avrebbe potuto sostentare un gruppo molto numeroso di persone e sottolinea che il ruolo dominante nella dieta era detenuto da altre risorse.

Nonostante ciò, i molluschi presenti in un *midden* indicano chiaramente che cosa sceglievano gli uomini e le donne dalla gamma disponibile. Le variazioni nella dimensione delle conchiglie avvenute nel tempo potrebbero riflettere fluttuazioni di fattori ambientali, ma in molti casi rivelano uno sfruttamento eccessivo da parte dell'essere umano. I primi occupanti dell'isola polinesiana di Tikopia si cibavano di crostacei giganti, di tartarughe e uccelli selvatici inetti al volo; nel giro di pochi secoli gli uccelli si estinsero, mentre le tartarughe e i crostacei diventarono più piccoli e meno numerosi.

7.10 L'analisi dei *middens* di conchiglie

7.45 Il terrazzo su cui si trova il chiocciolio di Kidosaku durante lo scavo.

Nell'area circostante la Baia di Tokyo, in Giappone, sono noti più di 600 accumuli di conchiglie appartenenti al periodo neolitico Jomon, i quali contengono resti alimentari assai diversificati. La studiosa Hiroko Koike ha analizzato in profondità l'accumulo di Kidosaku, che si trova sulla costa orientale della baia e data dall'inizio del II millennio a.C.; i risultati della ricerca dimostrano quanti dettagli si possano desumere da un piccolo accumulo di conchiglie a proposito della dieta, della durata e della stagione di occupazione e delle dimensioni demografiche.

La **dimensione demografica** è stata determinata con lo studio di 10 abitazioni seminterrate circolari sul terrazzo («spianata») del sito; dalla loro sovrapposizione è stato possibile stabilire che in media solo tre erano state usate allo stesso tempo. L'area delle abitazioni (11-28 m²) implica che ogni casa fosse abitata da un minimo di 3 a un massimo di 9 persone (*vedi* Capitolo 11), fornendo così una popolazione massima del sito di 23 individui, e più verosimilmente tra i 12 e i 18.

Le abitazioni sembrano essere state ricostruite quattro volte e su questa base (insieme alla testimonianza della ceramica nei limiti di una breve occupazione) la durata del sito è stata stimata tra i 20 e i 30 anni.

Ai bordi del terrazzo e lungo un ripido pendio si trovavano 7 aree di concentrazione di conchiglie, ognuna spessa circa 1 m, con un volume totale di circa 450 m³; il campionamento ha restituito 22 specie diverse di molluschi, tipici di un fondo marino sabbioso.

Sebbene il tipo più abbondante fosse la conchiglia di un piccolo gasteropode, il mollusco più importante deve probabilmente essere riconosciuto nel bivalve dominante, la *Meretrix lusoria* (nel sito erano documentati circa 3 milioni di molluschi bivalvi). In base all'altezza delle conchiglie la Koike ha potuto calcolare il peso dei molluschi vivi e ottenere la cifra di 30-45 tonnellate di molluschi sul sito.

L'analisi delle strutture di accrescimento nelle conchiglie, specialmente nei bivalvi, può fornire importanti infor-

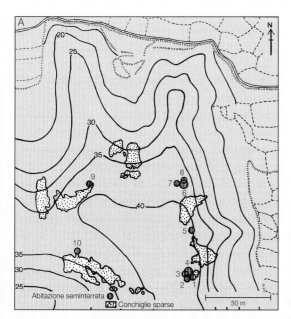

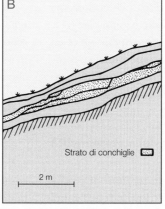

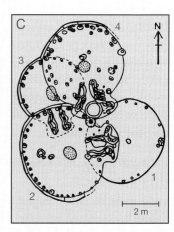

7.46 Il sito di Kidosaku: (*A*) pianta degli accumuli di conchiglie e delle 10 abitazioni seminterrate; (*B*) sezione di uno degli accumuli di conchiglie; (*C*) pianta delle abitazioni seminterrate parzialmente sovrapposte (da 1 a 4).

mazioni sulla *stagione di sfruttamento* delle risorse. Al microscopio si può osservare che la sezione trasversale della conchiglia presenta sottili striature, le linee di accrescimento giornaliero; l'accrescimento varia a seconda delle stagioni, con linee più spesse in estate e più sottili in inverno a causa, sembrerebbe, della temperatura dell'acqua del mare. I molluschi di Kidosaku presentavano una composizione per età e una stagionalità molto simili a quelle di molluschi raccolti oggi nella vicina regione del fiume Midori, e le loro modeste dimensioni indicano ritmi di raccolta serrati quanto quelli odierni. In conclusione, la Koike ritiene che i molluschi di Kidosaku siano stati raccolti durante l'intero anno con una intensità pari a quella mantenuta oggi dalla raccolta a fini commerciali.

I molluschi bivalvi rappresentano soltanto una delle risorse presenti sul sito. Oltre ad altre specie di molluschi, sono stati trovati resti di pesci (recuperati con il setaccio a umido) e ossa di mammiferi: predominano il cinghiale (numero minimo di individui 36) e il sika (*Cervus nippon*) (MNI 29), e sono presenti il coniglio selvatico e il procione. La composizione per età del sika indica che questi animali erano intensamente cacciati: la Koike ha calcolato che, con una densità probabile di 10 individui al chilometro quadrato, i sika avrebbero potuto contribuire per il 60% all'apporto calorico necessario agli abitanti del sito.

I molluschi bivalvi erano, dunque, una risorsa alimentare importante, ma non l'unica per gli occupanti di Kidosaku.

7.47 Le linee di accrescimento di un mollusco bivalve rivelano il periodo dell'anno in cui il bivalve è stato raccolto. In inverno l'accrescimento è quasi fermo, mentre in primavera e in estate linee di accrescimento più spesse indicano un ciclo di accrescimento giornaliero. Sezionando la conchiglia (*A-B*) e contando le linee dell'ultimo incremento annuale, si è in grado di determinare la stagione di morte.

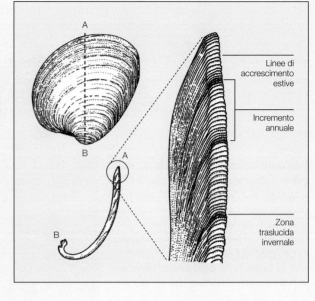

Linee di accrescimento estive

Incremento annuale

Zona traslucida invernale

7.48 Gli istogrammi indicano come l'andamento stagionale della raccolta dei molluschi a Kidosaku (*in alto*) – con un picco in estate – sia analogo a quello odierno nella regione del fiume Midori (*in basso*). Le stagioni di raccolta dei molluschi a Kidosaku sono state determinate tramite lo studio delle linee di accrescimento.

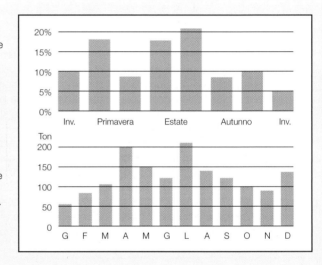

In siti diversi dai *middens* le conchiglie possono essere presenti in piccole quantità e in molti casi potrebbero non avere affatto costituito una fonte di cibo; le chiocciole, per esempio, avrebbero potuto abitare il sito o i suoi paraggi e, per quanto riguarda le conchiglie marine, spesso gli esseri umani le raccoglievano per utilizzarle come moneta o come ciondoli o gioielli: molte conchiglie marine ritrovate in siti europei del Paleolitico Superiore appartengono a piccole specie non commestibili.

Strategia d'uso: la deduzione della stagionalità dalla microfauna

Alcune specie di uccelli migratori, di roditori, di pesci e di insetti sono disponibili solo in certi periodi dell'anno, sicché la loro semplice presenza su un sito può rappresentare una valida indicazione delle stagioni in cui gli esseri umani lo occupavano.

Sebbene la maggior parte dei pesci sia un indicatore mediocre della stagionalità, in quanto i prodotti ittici possono venire trattati e conservati per essere poi consumati in tempi di magra, si stanno sviluppando alcune tecniche che consentono di estrarre dati di questo tipo dai loro resti. Alcune specie, come per esempio il luccio, hanno, nelle vertebre, anelli che si formano di anno in anno e che permettono di calcolare la stagione di morte.

Un nuovo metodo in fase di sviluppo implica l'utilizzazione di otoliti (parti dell'apparato uditivo dei pesci) come prova di stagionalità. Nei *middens* di conchiglie del tardo Mesolitico (IV millennio a.C.) scoperti sull'isola di Oronsay, al largo della costa scozzese nord-occidentale, il 95% del totale di ossa di pesce proviene da merluzzo carbonaro o merlano nero. L'analisi statistica condotta da Paul Mellars e Michael Wilkinson sulle dimensioni degli otoliti sagittali (i più grandi e i più caratteristici delle tre coppie di otoliti presenti nell'orecchio interno) ha mostrato che la distribuzione delle dimensioni dà un'indicazione precisa dell'età dei pesci al momento della morte e perciò – ipotizzando una data standard per la deposizione delle uova – della stagione in cui furono pescati. Come è norma in studi di questo genere, i ricercatori hanno dovuto presupporre che si possano applicare anche al passato i moderni andamenti di accrescimento; la loro analisi ha così mostrato che i merluzzi carbonari venivano pescati a uno e due anni di età. Poiché in ognuno dei quattro siti studiati intorno all'isola le dimensioni dei pesci variavano, si è dedotto che venivano catturati in stagioni dell'anno differenti. Sul sito le cui testimonianze indicavano un'occupazione invernale, cioè in un momento in cui i pesci avevano abbandonato la costa per acque più profonde, i crostacei davano un apporto alimentare assai maggiore in percentuale rispetto ai siti in cui i merluzzi carbonari venivano pescati in maggiore quantità durante le stagioni più calde.

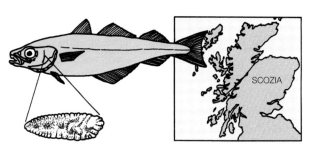

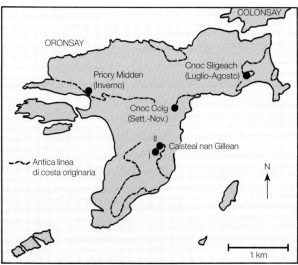

7.49 Deduzione della stagionalità dagli otoliti dei pesci. Mellars e Wilkinson, basandosi sulle dimensioni variabili degli otoliti del merluzzo carbonaro (*in alto*) trovati in siti del Mesolitico sull'isola di Oronsay (Scozia), dedussero le stagioni di occupazione di questi siti (*in basso*).

COME VENIVANO SFRUTTATE LE RISORSE ANIMALI?

Strumenti, recipienti e residui

La prova diretta dello sfruttamento degli animali da parte degli esseri umani è fornita in forme diverse dagli strumenti, dai recipienti e dai residui.

Tecniche di pesca e di caccia Trappole per pesci datate all'Età della pietra sono note in Danimarca, mentre una delle più antiche barche europee, rinvenuta a Tybrind Vig in Danimarca e datata al IV millennio a.C., fu appositamente adattata per la pesca dell'anguilla: la poppa era dotata di un focolare realizzato con sabbia e piccole pietre, allo scopo di attirare con il fuoco i pesci durante la notte.

Comprendere la funzione specifica degli strumenti litici è questione meno semplice, ma gli esperimenti condotti sull'utilizzazione degli strumenti e sulle loro microusure hanno finalmente cominciato a fornire una discreta quantità di informazioni dettagliate (*vedi* Capitolo 8). Per quanto riguarda le armi e i metodi di caccia, dati interessanti provengono dai rari esempi di ossa animali nelle quali sono rimaste conficcate punte di freccia, dall'esame delle ferite cicatrizzate o meno presenti sulle ossa, e dagli esperimenti sull'efficacia delle punte di freccia e di altri proiettili (armi da lancio) su materiali diversi. La studiosa danese di zooarcheologia Nanna Noe-Nygaard, analizzando gli scheletri di cervi e cinghiali provenienti da un certo numero di siti del Mesolitico e da ritrovamenti isolati in torbiere della Danimarca, ha scoperto che le ferite inflitte dall'essere umano possono di solito essere distinte dai danni provocati da cause naturali, per esempio in lotte durante il periodo degli amori, in base al confronto con i segni presenti su esemplari moderni. L'analisi della misura e del contorno delle fratture suggeriva che per la caccia erano impiegati arco e frecce e la lancia; la studiosa ha notato inoltre che sulle scapole le fratture non cicatrizzate (e quindi probabilmente letali) si concentravano nella stessa parte di osso – l'area sottile che racchiude organi interni vitali – mentre le fratture cicatrizzate, provocate da battute di caccia non andate a buon fine, erano distribuite su tutto l'osso.

L'analisi delle levigature provocate da microusure comincia ora a rivelare qualcosa sul modo in cui venivano utilizzati i differenti strumenti litici. Lawrence Keeley, uno dei pionieri in questo campo, ha scoperto che gli strumenti provenienti da Koobi Fora, in Kenya, datati 1,5 milioni di anni fa, presentavano un'usura untuosa simile alle tracce prodotte sperimentalmente dal taglio di carne e tessuti animali, e due di quegli attrezzi erano stati trovati proprio vicino a un osso di omero bovino che reca evidenti segni di tagli. Similmente, l'analisi delle modalità di consumo degli attrezzi di osso ha mostrato che gli australopitechi, in diversi siti dell'Africa meridionale, li utilizzavano per estrarre le termiti dai loro nidi per poterli consumare.

Tracce di sangue Fino a poco tempo fa sarebbe stato difficile provare su quali specie animali gli strumenti erano stati di fatto impiegati, tranne che in casi molto rari in cui frammenti di penne o di peli rimanevano ancora attaccati allo strumento e potevano quindi essere riconosciuti. Ma una nuova tecnica, e per certi aspetti ancora controversa, ci consente ora, a quanto pare, di identificare le specie in questione attraverso le tracce di sangue rimaste sugli strumenti. Per esempio, le analisi su una lama di pietra datata a circa 62 000 anni fa proveniente dal rifugio in roccia di Sibudu, in Sud Africa, hanno mostrato che sono sopravvissuti dei resti microscopici di sangue e si spera che le prossime scoperte, nel campo dell'analisi genetica, renderanno possibile identificare di quale specie si tratta.

Se ulteriori sperimentazioni confermeranno la validità della tecnica di analisi dei residui di sangue, essa non solo si dimostrerà di valore inestimabile su siti dove non si sono conservate ossa, ma potrebbe dare indicazioni più precise di quelle fornite dalle penne o dai frammenti di peli (anche se si comincia solo ora ad analizzare la proteina cheratina di questi materiali, cosa che dovrebbe migliorarne l'identificazione).

Residui di grasso e di fosfati I metodi già menzionati nel paragrafo dedicato alle risorse vegetali possono individuare anche residui di natura diversa. La ricerca chimica dei grassi, per esempio, può rivelare la presenza di prodotti animali: nel Capitolo 6 è già stato citato l'esempio di Geissenklösterle nella Germania orientale. Grasso di cavallo è stato identificato in strati della grotta di Tautavel, nella Francia meridionale, datati al Paleolitico Inferiore, e olio di ossa di renna è stato riconosciuto nel sito all'aperto di Lommersum, nella Germania meridionale, del Paleolitico Superiore. In alcuni siti si sono conservati anche resti di grassi di pesce. L'analisi dei fosfati presenti nei suoli può evidenziare un'economia animale piuttosto che vegetale, poiché il fosforo è molto abbondante nei grassi (fosfolipidi) e nelle ossa (fosfati) degli animali e dell'essere umano. In alcuni siti la concentrazione dei fosfati può indicare aree di occupazione o luoghi dove era concentrato il bestiame (il fosfato deriva anche dallo sterco decomposto).

Questa tecnica d'analisi è particolarmente efficace in presenza di suoli acidi che non hanno consentito la conservazione delle ossa (può, per esempio, rivelare una precedente presenza di ossa in una fossa) e sottolinea quanto sia importante prelevare adeguati campioni di suolo da zone diverse di uno scavo. In certe grotte francesi occupate a partire dal Neolitico, per esempio in quella di Fontbrégoua, si è scoperto che la presenza di grandi quantità di cosiddetti

sferoliti di calcite, spesso associati a concrezioni di fosfato presenti nei sedimenti del pavimento, è una testimonianza dell'allevamento in grotta, poiché questi sferoliti rappresentano il residuo minerale dello sterco di pecore e capre. I depositi di sterco archeologico possono anche essere identificati tramite i resti di acari predatori che sono caratteristici di escrementi di diverse specie. Per esempio, 12 campioni medievali provenienti dall'Olanda sono stati associati a sterco di cavallo, mentre un numero importante di acari nei sedimenti nella regione di Cuzco, in Perù, indica un'alta concentrazione di sterco di camelidi che suggerisce sia la presenza di pastorizia intensiva sia di frequenti passaggi di carovane di lama durante il breve, ma intenso, periodo di espansione dell'impero Inca tra il 1400 e il 1532 a.C.

Anche l'uso di letame per i campi può essere individuato. In un esperimento condotto alla fattoria Butser (*vedi* Scheda 7.2) sterco di mucca fu usato in una parte di un campo per un periodo di 13 anni e due anni dopo l'ultimo riversamento di sterco il suolo fu chimicamente analizzato. Una gran quantità di stanoli (molecole grasse dalla vita lunga che sono prodotte solo nell'intestino degli animali) fu ritrovata nell'area concimata col letame; e questi possono essere talvolta attribuiti ad alcune specie come i bovini o i maiali. Questo esperimento ha reso possibile capire pienamente alcuni reperti del passato, come quelli provenienti dalla piccola isola di Pseira, al largo dalla costa di Creta, dove delle terrazze minoiche risalenti al 2000 a.C. pare siano state ricoperte di rifiuti provenienti dalla casa. Gli stanoli che furono ritrovati indicano che gli strati più vecchi erano ricchi di letame, probabilmente di uomini o di maiali.

La concimazione dei campi, specialmente con spazzatura di provenienza urbana, è anche la maggior causa di quella che è stata chiamata la «dispersione fuori dal sito» dei manufatti, vale a dire la distribuzione di oggetti a bassa densità nel territorio compreso tra le città. Quindi, questi oggetti dispersi indicano talvolta antiche pratiche agricole intensive.

Residui all'interno di recipienti Nel caso di residui conservatisi all'interno di recipienti si può fare ricorso, come per le piante, a diversi tipi di analisi. Attraverso l'indagine al microscopio e l'analisi chimica Johannes Grüss è riuscito a identificare come latte bruciato un residuo nero presente su frammenti ceramici austriaci datati all'800 a.C. L'analisi con la spettrometria di massa fornisce invece una registrazione dei frammenti molecolari di un residuo, frammenti che possono essere riconosciuti utilizzando un insieme di cromatogrammi di riferimento; applicando questa tecnica, Rolf Rottländer ha trovato grasso di latte e grasso di bue in frammenti neolitici di Michelsberg in Germania, grasso di pesce in siti presso il Lago di Costanza e burro e grasso di maiale in recipienti di ceramica romana. Recentemente delle proteine del latte sono state identificate su un fram-

© 978.8808.82073.0

mento di vaso dell'Età del ferro proveniente dalle Isole Ebridi, al largo della costa scozzese, risalente alla metà del primo millennio a.C.

Attraverso l'analisi chimica si è scoperto che alcuni recipienti egizi risalenti alla I e alla II Dinastia (III millennio a.C.) contenevano residui delle sostanze più disparate: dal formaggio alla birra, al vino, al lievito. In Giappone, Masuo Nakano e i suoi collaboratori hanno identificato grasso di delfino in frammenti ceramici del primo periodo Jomon (4000 a.C.) provenienti dal sito di Mauraki, mentre sulle estremità di alcuni raschiatoi litici del tardo Paleolitico rinvenuti nel sito di Pirika (9000 a.C) hanno riconosciuto residui di grasso probabilmente di cervo nobile. Vale la pena notare che questa tecnica, che estrae i grassi attraverso una «pulitura con ultrasuoni», può essere utilizzata anche per individuare da quale specie provengono frammenti minuti di ossa, che altrimenti sarebbero assolutamente non riconoscibili. L'analisi chimica dei residui organici nei numerosi vasi ritrovati nella tomba del re Mida (del 700 a.C.), nella Turchia centrale, ha rivelato un banchetto funebre con pecore o capre e lenticchie accompagnato con una bevanda composta da vino d'uva, birra d'orzo e idromele di miele.

La cromatografia di partizione gas-liquido, estensione della precedente tecnica, costituisce un metodo di misurazione molto sensibile di componenti di composti complessi volatili. È stata applicata ai frammenti ceramici provenienti dal *midden* preistorico di Kasteelberg nella Provincia del Capo sud-occidentale, in Sudafrica, risalente a meno di 2000 anni fa, i quali erano caratterizzati dalla presenza, sulla parete interna, di una sostanza marrone scagliosa, simile a cibo bruciato; il contenuto di azoto di un campione analizzato era così alto da suggerire che si trattasse di una sostanza di origine animale. La tecnica della cromatografia fu applicata per determinare la sua composizione in acidi grassi, e i valori ottenuti furono quindi confrontati con quelli di specie moderne sia vegetali sia animali. I risultati, pur non arrivando a identificare una specie precisa, indicavano decisamente un animale marino; la presenza di ossa di foca sul sito rende assai probabile che la sostanza provenisse dalla bollitura di carne di foca in olle, per essere consumata come cibo o per estrarne grasso.

Orme di animali e altre tracce Un altro genere di testimonianze lasciate dagli animali sono le impronte delle zampe e tracce di altro tipo, come si è visto nel Capitolo 6. Molte tracce risalenti all'èra glaciale potrebbero non essere di esseri umani; più importanti, come fonte di informazioni, sono le impronte di zampe di pecora o di capra rinvenute sui mattoni di fango del Vicino Oriente e dell'Iran, come per esempio quelle di Ganj Dareh Tepe, che risalgono al VI millennio a.C. Il sito inglese di Shaugh Moor, nel Devon, dell'Età del bronzo, ha rivelato tracce di bovini, ovini o caprini, e di un tasso, conservate dalla torba sul fondo di un fossato. Alla bocca dell'estuario del Mersey, nel nord-ovest

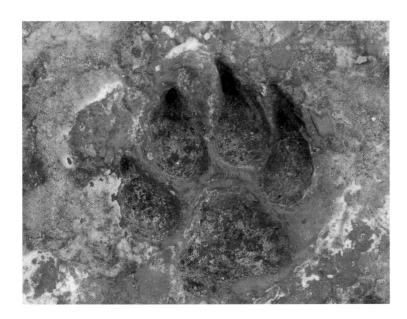

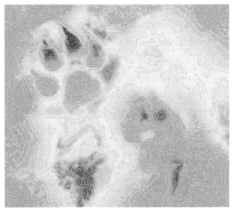

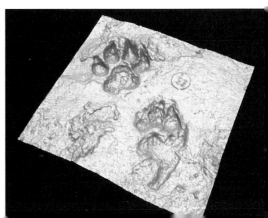

7.50 Un'impronta di iena proveniente dal Mare di Sabbia del Namib settentrionale vicino al golfo di Walvis in Namibia. Questa impronta, vecchia approssimativamente 2000 anni, è parte di una grande associazione che include anche impronte di esseri umani, giraffe, elefanti e vari bovini. Grazie alla varietà delle impronte questo sito è molto utile per studiare la formazione delle impronte stesse e ci aiuta interpretare siti più antichi come Laetoli (*vedi* pagina 452). Le impronte sono state scavate e poi scansionate utilizzando il laser ottico per realizzare un modello tridimensionale digitale perfetto.

© 978.8808.82073.0

dell'Inghilterra, sono state trovate nel pantano, risalenti a circa 3650 anni fa, orme di uro (un bovino selvatico), cervo nobile, capriolo, cavallo non ferrato e gru. In Svezia, orme dell'Età del bronzo di cavallo non ferrato sono state documentate in sedimenti riaffiorati di un fiordo a Ullunda, a nord-ovest di Stoccolma; mentre in Giappone i resti di campi fangosi hanno spesso conservato orme di animali selvatici come i cervi.

A Duisburg, in Germania, si è scoperto che i resti della piazza del mercato della città medievale comprendevano successive superfici acciottolate intercalate da spessi strati di fango e immondizie, nei quali impronte di zoccoli di bestiame, ruote di carro e piedi umani si sono conservate perché sono state riempite dalla ghiaia destinata a sostenere il successivo strato di ciottoli.

Le impronte meglio conosciute e più abbondanti, prevalentemente di cani e gatti ma anche di uccelli, sono tuttavia quelle rimaste sulle tegole e sui mattoni romani; di tutte le tegole provenienti dalla città romano-britannica di Silchester, non meno del 2% conservavano impronte di questo tipo.

Strumenti e arte: testimonianze per la «rivoluzione dei prodotti secondari»

Il problema della domesticazione degli animali, discusso in precedenza, è una delle questioni fondamentali dell'archeologia. Uno studioso britannico, l'archeologo Andrew Sherratt, ha cercato di guardare oltre la fase iniziale della domesticazione per chiedersi se non esista in effetti un secondo e ulteriore livello, che egli chiama «rivoluzione dei prodotti secondari». Sherratt ritiene che da qualche parte nel Vecchio Mondo, subito dopo la metà del IV millennio a.C., si sia verificato un netto cambiamento nello sfruttamento degli animali domesticati, utilizzati non più esclusivamente per i prodotti primari, come carne e pelli, ma anche per i prodotti secondari quali latte, formaggio e lana e per la trazione. Le testimonianze utilizzate da Sherratt consistono in parte di strumenti e segni di macellazione di caprini, ma, soprattutto di raffigurazioni artistiche (gli ideogrammi sumerici di Uruk, i sigilli cilindrici della Mesopotamia, pitture murali e statuette) che rappresentano l'aratura, la mungitura e l'uso di carri (che si suppongono trainati da animali quali i buoi). Secondo Sherratt tale cambiamento fu una reazione alla crescita demografica e all'espansione territoriale cominciate fin dalle origini dell'agricoltura; le comunità umane considerarono infatti necessario penetrare in ambienti più marginali e sfruttare il bestiame in modo più intensivo.

Secondo l'archeologo americano Peter Bogucki, nella cultura della cosiddetta «ceramica a bande lineari» (*Linearbandkeramik*), sviluppatasi nel primo Neolitico nelle regioni temperate dell'Europa, i dati circa l'età e il sesso

7.51 Scena di mungitura proveniente da graffiti su una roccia a Tiksatin, nel Sahara libico.

del bestiame e la presenza di alcuni filtri in ceramica, che sono stati interpretati come setacci per il formaggio, indicano l'esistenza di attività casearie fin dal 5400 a.C; questa interpretazione è stata confermata anche da alcuni residui di latte ritrovati in vasi provenienti dall'Europa orientale del VI millennio a.C., dall'Anatolia del VII millemmio a.C. e ancora dal Libano risalenti al 5200-3800 a.C. Se le cose stanno davvero così, la «rivoluzione» alla fine del periodo neolitico deve essere vista non come l'inizio ma semplicemente come l'intensificazione di un fenomeno già esistente. Questa visione è stata recentemente confermata per mezzo dell'individuazione di grassi di latticini nei residui organici presenti nei frammenti di vasi provenienti da 14 siti preistorici britannici; questi risultati hanno rivelato lo sfruttamento degli animali domestici al fine di produrre latticini in tutti i siti controllati del Neolitico, dell'Età del bronzo e dell'Età del ferro. Quindi la produzione di latticini si è confermata essere un'attività ampiamente diffusa durante tutto il Neolitico e già ben sviluppata quando l'agricoltura fu introdotta in Gran Bretagna nel V millennio a.C.

Tutte queste prove non solo sottolineano l'importanza dei recipienti di ceramica nella lavorazione dei prodotti caseari, ma ci dimostrano anche la produzione antica di prodotti caseari con ridotto contenuto di lattosio tra le comunità preistoriche di agricoltori con intolleranza al prodotto. Il pezzo più antico di formaggio (circa 3800 anni) che si è conservato è stato ritrovato in una tomba risalente all'Età del bronzo a Xinjiang, in Cina.

Arte e letteratura

Oltre a costituire un documento dell'uso dei prodotti secondari, l'arte può essere una ricca fonte anche per altri generi di dati. Per citare un solo esempio, gli studiosi americani Stephen Jett e Peter Moyle sono stati capaci di riconoscere 20 specie o famiglie di pesci dipinti con estrema cura all'interno dei vasi della ceramica preistorica Mimbres nel Nuovo Messico (*vedi* Scheda 14.2). Poiché la maggior parte dei pesci appartiene a specie d'acqua salata e la ceramica è stata trovata a ben 500 km dal mare più vicino, è ovvio che gli artisti erano stati sulla costa e avevano una certa familiarità con queste risorse.

Molte informazioni possono essere ottenute anche dai documenti scritti, non soltanto quelli del tipo descritto nel paragrafo dedicato alle piante, ma anche da testi che trattano di medicina veterinaria, conosciuti in Egitto e in area ittita e mesopotamica a partire dal 1800 a.C. e diffusi presso i Greci e i Romani. Come sempre la storia, l'etnografia e i metodi sperimentali applicati all'economia animale (*vedi* Scheda 7.2) contribuiscono a illuminare il documento archeologico.

Resti di pasti individuali

La testimonianza più diretta di ciò che gli esseri umani mangiarono in un particolare momento del passato viene dai ritrovamenti occasionali di veri e propri pasti. A Pompei, per esempio, portate di pesce, uova, pane e noci furono ritrovate intatte sulla tavola, così come le derrate alimentari nei negozi (*vedi* Scheda 1.1). Il cibo è spesso conservato in contesti funerari, come le pannocchie seccate e altri prodotti nelle tombe peruviane, o a Saqqara, in Egitto, dove la tomba di una nobildonna della II Dinastia conteneva una grandissima varietà di alimenti (cereali, pesce, pollame, manzo, frutta, dolci, miele, formaggio e vino) che costituivano un ricco ed elaborato pasto il quale, a giudicare dai dipinti della tomba, non doveva essere fuori del comune. Molte tombe del periodo Han in Cina (206 a.C.-220 d.C.) venivano riempite di cibo: quella della moglie del Marchese di Dai possiede una raccolta unica nel suo genere di provvigioni, farmaci a base di erbe e piatti preparati in contenitori di lacca, ceramica e bambù provvisti di etichette e perfino di cartellini che forniscono la composizione dei piatti! Tuttavia la ricchezza di questi

7.52 Ai Romani piaceva il pesce. In questo mosaico dalla Casa del Fauno a Pompei sono rappresentate diverse specie di pesce tra le quali l'aragosta, il polipo, l'anguilla elettrica, il pesce persico, l'orata, la murena, il pesce scorpione e la triglia.

7.53 Un pasto come offerta funeraria: elaborati resti di cibo di più di 3000 anni fa, ritrovati nelle tombe del Nuovo Regno Egizio di Tebe, tra cui (*a sinistra*) pane non lievitato su un piatto fatto di foglie di palma intrecciate, (*al centro*) una ciotola di fichi e (*a destra*) una ciotola con pesce essiccato. Il recipiente di vimini contiene dell'anatra cotta e pagnotte di pane.

ritrovamenti non ci deve trarre in inganno, e non dobbiamo pensare che gli esempi di pasti provenienti da contesti funerari siano rappresentativi della dieta quotidiana; anche le testimonianze di Pompei non sono altro che un piccolissimo campione di un singolo giorno. L'unica maniera per studiare che cosa la gente mangiasse abitualmente è esaminare i resti umani.

LA VALUTAZIONE DELLA DIETA IN BASE AI RESTI UMANI

L'unica prova incontrovertibile che un determinato alimento fosse davvero consumato dagli esseri umani è la sua presenza all'interno dello stomaco o nelle feci: in entrambi i casi si tratta di un tipo di testimonianza che offre informazioni di importanza inestimabile sui pasti individuali e sul regime alimentare di breve periodo.

Anche lo studio dei denti umani aiuta a ricostruire l'alimentazione, ma il grande passo verso la conoscenza della dieta di lungo periodo è stato compiuto solo in anni recenti con l'analisi del collagene contenuto nelle ossa. Nel Capitolo 11 si analizzerà che cosa possano rivelare le ossa umane circa la salute e la malnutrizione.

Pasti individuali

Contenuti dello stomaco Nei contesti archeologici lo stomaco si conserva solo molto raramente, tranne che nei corpi rinvenuti nelle torbiere; talvolta è però possibile recuperare residui di cibo dal canale alimentare dei corpi decomposti. L'antropologo fisico Don Brothwell, per

esempio, è riuscito in questa operazione rimuovendo la terra di sepoltura in corrispondenza dell'area addominale inferiore di alcuni scheletri medievali rinvenuti in Gran Bretagna ed estraendone con la flottazione i resti organici; mentre il contenuto del colon è stato ricavato da una sepoltura Anasazi del XIII secolo d.C. Anche alcune mummie forniscono dati sul regime alimentare: la già menzionata moglie obesa del Marchese di Dai (Cina, II secolo a.C.) sembra essere morta per un attacco di cuore causato dal dolore acuto dovuto a calcoli biliari e verificatosi circa un'ora dopo aver gustato una generosa porzione di cocomero (nello stomaco e nell'intestino della donna furono infatti trovati 138 semi di quel frutto).

Gli stomaci conservatisi nei corpi ritrovati nelle torbiere forniscono dati di grande interesse sull'alimentazione. Gli studi pionieristici condotti dal paleobotanico Hans Helbaek sui contenuti dello stomaco dei corpi ritrovati nelle torbiere danesi dell'Età del ferro hanno mostrato che l'Uomo di Grauballe (*vedi* Scheda 11.6), per esempio, aveva consumato più di 60 specie di semi selvatici, due tipi di cereali e un po' di carne (come dimostrano alcune piccole schegge d'osso), mentre l'Uomo di Tollund (*vedi* illustrazione 11.11) aveva mangiato solo cibi vegetali. Ma i corpi delle torbiere sono probabilmente le vittime di un'esecuzione capitale o di un sacrificio, e così il loro ultimo pasto – a quanto pare consistente di pula impastata, grossi frammenti vegetali e semi di piante infestanti, ovvero dei residui della setacciatura effettuata nelle ultime fasi del trattamento dei cereali – potrebbe essere stato un pasto particolare. Gli scarti della vagliatura dei cereali erano per lo più utilizzati come mangime per gli animali e gli esseri umani vi faceva ricorso solo in tempi di carestia o per sfamare i criminali condannati.

Come si è già notato nel paragrafo dedicato ai resti vegetali, l'Uomo di Lindow prima di morire aveva invece consumato una focaccia, e questo pane integrale, fatto con il prodotto primario del raccolto, era certamente un cibo comunemente consumato in quel periodo; senza dubbio non era un piatto «rituale».

Materiale fecale Per determinare le proprietà di conservazione dei differenti prodotti alimentari importanti per lo studio della dieta antica sono state condotte alcune prove sperimentali e si è scoperto che molti resti organici possono sopravvivere sorprendentemente bene dopo il transito attraverso il canale alimentare, per attendere l'arrivo dell'intrepido analista che studierà le sostanze paleofecali essiccate (che spesso vengono erroneamente chiamate «coproliti», che significa escrementi fossilizzati). Le feci si conservano raramente in siti molto secchi, come le grotte degli Stati Uniti occidentali e del Messico, o molto umidi; tuttavia, dove si sono conservate, si sono dimostrate fonte assai importante di informazioni su che cosa mangiavano le donne e gli uomini nel passato.

Il primo passo da compiere in qualsiasi analisi è verificare che si tratti davvero di escrementi umani; questo può essere talvolta fatto semplicemente analizzando le molecole grasse, come il coprostanolo e gli steroidi. Una volta fatto questo, che cosa possono dirci gli elementi contenuti nei coproliti circa l'assunzione di cibo da parte dell'essere umano? I macroresti possono essere estremamente vari negli escrementi umani – frammenti di ossa, fibre vegetali, pezzettini di carbone, semi e resti di pesce, uccelli e anche insetti – e proprio questa varietà è un indicatore certo dell'origine umana. Si possono inoltre riconoscere frammenti di conchiglie di molluschi e di gusci di uova e noci; i peli possono essere assegnati a certe specie animali in base alla configurazione del loro strato esterno, visibile al microscopio, e ci aiutano così a sapere quali animali venissero mangiati. Eric Callen ha analizzato i coproliti preistorici messicani provenienti da Tehuacán, la vallata studiata e scavata intensivamente da Richard MacNeish negli anni Sessanta del secolo scorso, e ha riconosciuto peli di citelli, di cervo virginiano, di coniglio coda di cotone e di bassarisco del Nordamerica, riuscendo anche ad accertare che alcuni granelli di miglio presenti nelle feci erano stati frantumati, mentre altri erano stati triturati sulla parte inferiore di una macina (*metate*).

I microresti, come per esempio i pollini, sono di minore aiuto in quanto, come si è già detto, la maggior parte dei pollini viene inalata più che consumata. Il polline, tuttavia, fornisce dati relativi alla vegetazione circostante e alla stagione in cui l'escremento fu prodotto: il materiale fecale delle mummie eschimesi recentemente scoperte in Groenlandia a Qilakitsop (*vedi* Scheda 11.7) conteneva polline di *Oxyria digyna*, che è disponibile solo nei mesi di luglio e agosto. Nelle feci sono stati identificati anche spore di funghi, resti di alghe e altri parassiti.

Nella Grotta di Lovelock, nel Nevada, condizioni eccezionali hanno consentito la conservazione di 5000 coproliti che datavano tra 2500 e 150 anni fa, e lo studio del loro contenuto condotto da Robert Heizer ha fornito un documento notevole sulla dieta, che sembra aver compreso semi, pesci e uccelli. Sono stati identificati frammenti di penne appartenenti a uccelli acquatici come l'airone e lo svasso; scaglie di pesci e squame di rettili, che attraversano, immodificate, il canale alimentare, hanno permesso di identificare parecchie specie. Resti di pesci erano abbondanti in alcuni coproliti; per esempio, uno risalente a 1000 anni fa conteneva 5,8 g di ossa di pesce, che, è stato calcolato, provenivano da 101 piccoli ciprinoidei e rappresentavano un totale di massa viva di 208 g: il componente ittico di un pasto per una singola persona.

Anche dove le feci non si sono conservate si è ora in grado di scoprire e analizzare i residui del cibo digerito studiando i materiali rinvenuti nelle fogne, nei pozzi neri e nelle latrine. L'analisi biochimica dei depositi dei fossati vicini alle latrine della fortezza romana di Bearsden, in Scozia, ha rivelato un'abbondanza di coprosterolo, una sostanza che si trova di norma nelle acque nere prodotte dall'essere umano, e di bilirubina, un acido biliare caratteristico delle feci umane. Piccole quantità di colesterolo hanno mostrato che l'apporto della carne alla dieta era limitato. Numerosi frammenti di crusca di frumento presenti nel deposito formavano probabilmente parte delle feci ed è fuor di dubbio che provenissero da pane digerito o da qualche altro tipo di alimento a base di farina.

Gli escrementi e i residui fecali sono rappresentativi di singoli pasti e perciò forniscono dati a breve termine, a meno che essi non vengano ritrovati in grandi quantità, come nella Grotta di Lovelock. Per conoscere quale fosse l'alimentazione seguita da una persona per la durata di una vita intera è necessario rivolgersi allo scheletro umano.

I denti umani come testimonianza della dieta

I denti giungono fino a noi in condizioni particolarmente buone, in quanto sono formati dai tessuti più duri presenti nel corpo umano. Applicando un metodo che implica l'esame al microscopio delle abrasioni presenti su certe superfici dentali, Pierre-François Puech è uno degli scienziati ad aver studiato denti di molti periodi nel tentativo di trovare qualche testimonianza sul tipo di cibo consumato dai loro antichi possessori. Le particelle abrasive presenti nel cibo lasciano striature sullo smalto, con direzione e lunghezza (che possono essere esaminate al microscopio) direttamente correlate al tipo di alimento, carne o verdura, e ai processi di cottura. I denti di un eschimese di oggi, consumatore di carne, presentavano quasi esclusivamente striature verticali sulle superfici laterali, mentre quelli di un indigeno dell'arcipelago della Melanesia, prevalentemente vegetariano, avevano striature sia verticali sia orizzontali, con una lunghezza media minore.

Quando questi risultati sono stati messi a confronto con le impronte di denti fossili, si è scoperto che dal tardo Paleolitico Inferiore in poi si verifica un aumento delle striature orizzontali, mentre quelle verticali diminuiscono, e allo stesso tempo diminuisce la lunghezza media delle abrasioni; in altre parole, si ridusse lo sforzo di masticazione e l'importanza della carne potrebbe essere diminuita in conseguenza di una dieta più variata: gli uomini primitivi spezzavano il cibo con i denti, ma con lo sviluppo e il progresso delle tecniche di cottura fu necessaria una minore masticazione. Vi sono tuttavia eccezioni, come quella di un esemplare di *Homo erectus* che sembra essere stato principalmente vegetariano, ma nell'insieme la generalizzazione appare valida.

Le superfici di masticazione (superfici di occlusione) dei denti umani è di poco aiuto nella tecnica di Puech, in

© 978.8808.82073.0

quanto gran parte dell'usura è in questo caso dovuta ai metodi di preparazione del cibo: carne esposta alla polvere portata dal vento, oppure cibo cotto sulla cenere, e il risultato è l'incorporazione nell'alimento di particelle abrasive estranee. Bisogna poi aggiungere che i nostri progenitori usavano i denti non solo per masticare ma anche per tagliare, strappare e così via, come fossero una terza mano. Tutti questi fattori aggiungono striature alla superficie di masticazione. I segni sulla mascella inferiore (mandibola) dell'esemplare di *Homo erectus* (o *Homo sapiens* «arcaico») trovato a Mauer, vicino a Heidelberg in Germania, risalente a circa 500 mila anni fa, suggeriscono che la carne fosse tenuta nella parte anteriore della bocca e poi tagliata con uno strumento di selce, che avrebbe lasciato tracce su sei denti anteriori. L'usura sui denti di Uomini di Neanderthal rivela che anche in quel caso i denti venivano spesso usati alla stessa maniera.

Anche le **carie** offrono a volte informazioni sul regime alimentare. I resti degli Indiani della California mostrano carie dentali molto evidenti, attribuite alla loro abitudine di eliminare il tannino dalle ghiande, loro cibo principale, per filtrazione attraverso uno strato di sabbia che avrebbe poi causato notevoli abrasioni dentali. Le carie e la perdita dei denti possono documentare anche il consumo di cibi ricchi di amido e di zucchero. Le carie si fanno più abbondanti nelle popolazioni della costa della Georgia (USA), soprattutto tra le donne, nel XII secolo d.C., quando ha luogo la transizione dall'economia di caccia, pesca e raccolta alla coltivazione del mais. L'antropologo Clark Larsen ritiene che in quel periodo l'aumento delle carie, rivelato da uno studio condotto su centinaia di scheletri, fosse causato dai carboidrati presenti nel mais. Dato che le donne appaiono più colpite dal fenomeno rispetto agli uomini, è probabile fossero loro a curare le diverse fasi di trattamento del mais, mentre agli uomini era destinato un cibo più proteico e meno ricco di carboidrati. Non tutti gli scienziati accettano, però, queste conclusioni, sottolineando che, in un periodo di grande crescita demografica, le donne potrebbero aver sofferto maggiormente di carie a causa della perdita di calcio dovuta alle gravidanze più numerose.

Infine, come già ricordato in precedenza, prove dirette della dieta possono essere ricavate dai fitoliti estratti dalla superficie dei denti umani.

Metodi isotopici: la dieta nell'arco di una vita

In tempi recenti, grazie alla scoperta che l'analisi isotopica dello smalto dei denti e del collagene delle ossa umane può rivelare molte informazioni per quanto riguarda l'assunzione di cibo per periodi molto lunghi, negli studi sull'alimentazione si è verificata una vera e propria rivoluzione. Il metodo si basa sulla lettura dei segni chimici lasciati nel corpo dai diversi alimenti («siamo ciò che mangiamo»).

Le specie vegetali possono essere suddivise in tre gruppi (due gruppi di piante terrestri, un gruppo di piante marine), differenziati in base ai diversi rapporti degli isotopi del carbonio ^{12}C e ^{13}C. Il carbonio è presente nell'atmosfera sotto forma di anidride carbonica (biossido di carbonio) con un rapporto ^{13}C:^{12}C costante, pari a circa 1:100; nelle acque di mare la quantità di ^{13}C è leggermente superiore. Quando l'anidride carbonica atmosferica viene assorbita dai tessuti vegetali attraverso la fotosintesi, le piante utilizzano una quantità di ^{12}C leggermente maggiore rispetto a quella di ^{13}C e in questo modo il rapporto tra i due isotopi viene modificato. Le piante che fissano inizialmente l'anidride carbonica in una molecola a tre atomi di carbonio (dette piante C3) incorporano nei propri tessuti una quantità di ^{13}C leggermente minore di quella incorporata dalle piante che utilizzano una molecola a quattro atomi di carbonio (piante C4). Gli alberi, la maggior parte degli arbusti e le graminacee dei climi temperati sono piante C3; le graminacee tropicali e delle savane, compreso il mais, sono piante C4. Le piante marine fissano con la fotosintesi il carbonio in un modo diverso da quello utilizzato dalla maggior parte delle piante terrestri, e hanno un rapporto ^{13}C:^{12}C più alto.

Poiché le piante vengono mangiate dagli animali, questi tre rapporti differenti si trasmettono lungo la catena alimentare e vengono poi fissati nel tessuto osseo degli esseri umani e degli animali. Il rapporto isotopico determinato nel collagene delle ossa per mezzo di uno spettrometro di massa ha dunque una relazione diretta con quello presente nelle piante che costituivano la principale risorsa alimentare. I rapporti isotopici possono inoltre indicare se la dieta era basata su specie vegetali terrestri o marine e, nel caso di piante terrestri, se si trattava di piante C3 o C4. In ogni caso, solo i reperti archeologici possono offrire dati precisi sulle specie vegetali o animali che contribuivano al regime alimentare.

Henrik Tauber ha applicato questa tecnica al collagene di alcuni scheletri preistorici rinvenuti in Danimarca e ha scoperto una forte differenza tra le popolazioni del Mesolitico e quelle del Neolitico e dell'Età del bronzo. Durante il Mesolitico le risorse tratte dal mare erano predominanti (nonostante le lische di pesce fossero molto scarse nel materiale scavato), mentre nel periodo successivo si era verificato un cambiamento a favore degli alimenti procacciati sulle terre emerse, anche nei siti costieri. Tutto ciò è stato confermato da numerosi studi più recenti, i quali hanno mostrato che il passaggio da una dieta basata su animali selvatici marini a una basata sui prodotti della terra (presumibilmente cereali coltivati) fu molto rapido in tutta l'Europa nord-occidentale.

Nei siti costieri di altri luoghi del pianeta il metodo isotopico ha confermato una forte dipendenza dalle risorse marine. Nei siti preistorici della costa della Columbia Britannica, Brian Chisholm ha scoperto che circa il 90% dell'apporto proteico derivava da cibi marini; nel corso di cinque millenni si verificarono piccolissimi cambiamenti, ed è stato notato che gli adulti mangiavano, a quanto pare, più dei bambini gli alimenti tratti dal mare.

Recentemente, l'analisi isotopica dello smalto dei denti di quattro esemplari di *Australopithecus africanus* provenienti da Makapansgat, in Sudafrica, ha rivelato che essi mangiarono non solo frutti e foglie, come si era pensato, ma anche grandi quantità di cibo arricchito con ^{13}C come le graminacee o il falasco, oppure animali che si cibavano di queste piante o ambedue. In altre parole, essi sfruttavano regolarmente nella ricerca del cibo un ambiente abbastanza ampio (boschi e praterie); poiché, inoltre, i loro denti non riportano i segni caratteristici dei vegetariani, è possibile che essi fossero, in effetti, già carnivori, cacciando piccoli animali o ripulendo, in qualità di «spazzini», quelli più grandi.

Una nuova tecnica rivoluzionaria e assai potente permette di studiare la variabilità, nella vita di un ominide, della sua dieta. L'ablazione con il laser dello smalto dentale (che causa dei danni minimali ai fossili) permette l'analisi degli isotopi a livello sub millimetrico e ci rivela come la dieta cambiò da stagione a stagione e di anno in anno. L'esame di un dente da quattro *Paranthropus robustus* provenienti da Swartkrans, in Sudafrica, vecchi circa 1,8 milioni di anni, ha mostrato un'importante variazione nella dieta associata, probabilmente, a una vita nomade. Degli studi comparativi hanno mostrato che l'ampiezza della gamma di cibi assunti dal *Paranthropus robustus* (molti vegetali ricavati da piante) e dai primi *Homo* (più carne) era inferiore rispetto a quella assunta dall'*Australopithecus africanus* (ambedue).

Gli studi sul collagene osseo e la nascita dell'agricoltura Il metodo degli isotopi del carbonio applicato al collagene osseo, particolarmente indicato per individuare i cambiamenti nell'alimentazione, ha rivoluzionato lo studio sulla nascita della produzione alimentare nel Nuovo Mondo. Anna Roosevelt ha impiegato questo metodo per stabilire quale fosse la dieta seguita dagli abitanti preistorici della pianura alluvionale dell'Orinoco, in Venezuela. L'analisi dei campioni tratti da un certo numero di scheletri ha rivelato un drastico passaggio da una dieta ricca di piante C3, come la manioca, nell'800 a.C., a un regime alimentare basato su piante C4, come il mais, verso il 400 d.C. Sebbene il metodo non possa specificare quale precisa specie vegetale fosse consumata, gli abbondanti chicchi di mais e gli strumenti per macinazione trovati nei siti dell'area, a partire dal 400 d.C., confermano il quadro rivelato dalle analisi isotopiche.

Il metodo si è dimostrato ancor più importante per l'America Settentrionale, dove la nascita dell'agricoltura coincideva con l'introduzione del mais, pianta C4 originaria della Mesoamerica, in un ambiente caratterizzato prevalentemente da piante C3 (nel Vicino Oriente, dove le prime specie vegetali domesticate facevano parte dell'ambiente di piante C3, il metodo ha un'utilità minore per quanto riguarda gli studi concernenti le origini delle pratiche agricole). In alcuni casi è possibile quantificare il contributo del mais alla dieta. In scheletri provenienti dall'Ontario meridionale, Henry Schwarcz e i suoi collaboratori hanno scoperto che la quantità di piante C4 (cioè di mais) nell'alimentazione aumentò tra il 400 e il 1650 d.C., raggiungendo un massimo del 50% verso il 1400.

L'analisi del collagene delle ossa di 164 scheletri del primo periodo del Neolitico (5200-4500 BP) e di 19 del Mesolitico (9000-5200 BP), provenienti dalla Gran Bretagna, ha mostrato chiaramente che, nel Mesolitico, le persone vivevano sulla o vicino alla costa, ma con l'avvento del Neolitico (e la comparsa della domesticazione) ci fu un rapido e marcato cambiamento nella dieta, con l'abbandono di un'alimentazione a base di cibi marini per una basata sulle risorse della terra.

Altri metodi basati sul collagene osseo Alcuni studiosi hanno tentato di estendere il metodo degli isotopi del carbonio all'aptite, il maggior componente inorganico delle ossa, con la speranza che potesse venire applicato anche nei casi in cui il collagene, che spesso si degrada dopo un periodo di 10 000 anni, non si fosse conservato. Altri studiosi ritengono però che questo metodo non sia affidabile, e così l'analisi del collagene rimane l'unico metodo la cui validità sia stata fino a oggi confermata.

Ciò nonostante, esistono alcune tecniche basate sul collagene che implicano l'analisi di isotopi di elementi diversi dal carbonio. Per esempio, i rapporti degli **isotopi dell'azoto** nel collagene possono riflettere, come nel caso del carbonio, particolari preferenze nelle scelte alimentari. L'isotopo ^{15}N aumenta man mano che si trasmette nella catena alimentare dalle piante agli animali: un basso rapporto $^{15}N:^{14}N$ indica così una dieta basata sui prodotti agricoli, mentre un alto rapporto suggerisce una dieta marina. Un'anomalia è provocata dalle risorse tratte dalle scogliere madreporiche («coralline»), per esempio molluschi e crostacei che, a causa del modo in cui l'azoto viene fissato dalle piante della scogliera, hanno bassi valori di azoto. Nei casi in cui sembra probabile una dieta a base di pesci e frutti di mare è allora necessario impiegare anche l'analisi degli isotopi del carbonio per una conferma.

Stanley Ambrose e Michael DeNiro hanno applicato contemporaneamente i due metodi a materiale di epoca storica e preistorica proveniente dall'Africa orientale

© 978.8808.82073.0

e meridionale. I due ricercatori hanno così scoperto che è possibile distinguere tra consumatori di cibi marini e consumatori di risorse terrestri, tra chi consuma prodotti della pastorizia di camelidi e chi consuma prodotti della pastorizia di capre/bovini, e consumatori agricoli di grano e consumatori agricoli non di grano. I gruppi che si cibavano essenzialmente della carne, del sangue e del latte degli animali domesticati presentavano i valori più alti di ^{15}N, mentre quelli che basavano la propria alimentazione su cibi vegetali presentavano i valori più bassi. I risultati concordavano perfettamente con le testimonianze sia etnografiche sia archeologiche. Il confronto del livello di ^{15}N e ^{13}C nelle sepolture del Periodo preclassico dei Maya e le ossa di animali provenienti dal sito di uno dei primi villaggi di Cuello, nel Belize (1200 a.C.-250 d.C.), scavato da Norman Hammond e analizzato da lui, da Nikolaas van der Merwe e da Robert H. Tykot, ha anch'esso prodotto dei risultati interessanti (*vedi* diagramma).

Misurando la quantità di ^{13}C e ^{15}N nelle ossa fossilizzate degli Uomini di Neanderthal provenienti dalla grotta di Maurillac (Charente), si è arrivati alla conclusione che la loro dieta fosse quasi esclusivamente carnivora. Analisi successive hanno confermato che in Europa la dipendenza dell'Uomo di Neanderthal dagli erbivori terrestri fu

seguita da una dieta più varia, con un maggiore apporto di cibo ittico. Gli stessi isotopi di carbonio e azoto sono anche stati analizzati in altri tipi di tessuti come la pelle e i peli delle mummie del deserto nubiano, che datano dal 350 a.C. al 350 d.C. e suggeriscono che la popolazione mangiò capre e pecore, cereali e frutta. Poiché gli isotopi sono riscontrabili nei capelli solo due settimane dopo che sono stati consumati (mentre le ossa mostrano cosa è stato ingerito nell'arco di una vita), segmenti differenti dello stesso capello possono mostrare cambi nella dieta; il segmento vicino allo scalpo indica addirittura la stagione al momento della morte. Si è scoperto che ciocche di capelli delle mummie peruviane e cilene di 2000 anni fa contenevano tracce di consumo di cocaina proveniente dalla masticazione di foglie di coca.

Gli scienziati hanno scoperto che anche le concentrazioni di *stronzio*, un componente minerale stabile delle ossa, possono offrire indicazioni riguardo alla dieta. La maggior parte delle piante non discriminano tra stronzio e calcio; ma, quando gli animali mangiano le piante, lo stronzio viene discriminato a favore del calcio: gran parte dello stronzio viene eliminata, ma una piccola e costante percentuale entra nel sangue e viene incorporata nei componenti minerali delle ossa. Il contributo delle piante

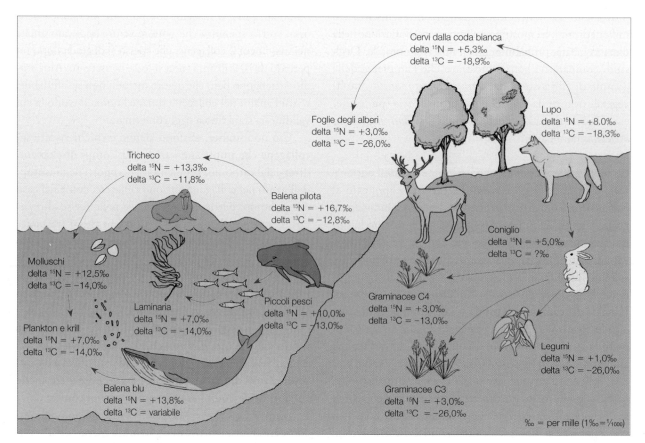

7.54 Differenti rapporti isotopici del carbonio e dell'azoto negli ambienti terrestri e marini.

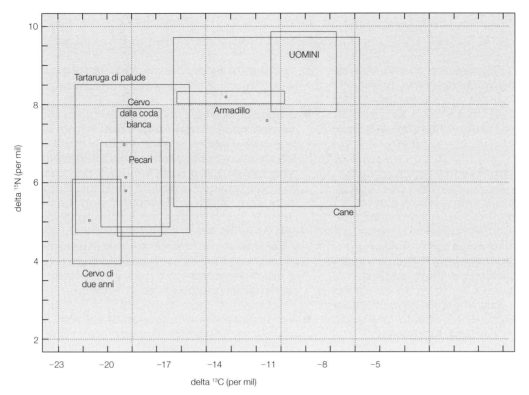

7.55 Le analisi del collagene delle ossa di una sepoltura maya e le ossa animali del sito di Cuello, nel Belize, hanno dimostrato che il mais costituiva il 35-40% della dieta degli esseri umani e dei cani allevati per essere usati come cibo. La gran quantità di ^{13}C e ^{15}N nei cani suggerisce una dieta mista. Le specie forestali, come i cervidi, e le tartarughe marine, nutrendosi solo di piante C3, presentano un basso apporto di proteine, come è mostrato dalle quantità di ^{15}N. Gli armadilli ne hanno invece in gran quantità, per il fatto che si cibavano di bruchi, che a loro volta avevano mangiato radici delle piante di mais.

all'alimentazione può quindi essere valutato attraverso il rapporto stronzio/calcio (Sr/Ca) presente nelle ossa umane: maggiore è l'apporto vegetariano, più alto è il rapporto Sr/Ca, mentre l'apporto carnivoro darà un rapporto più basso. L'antropologo sudafricano Andrew Sillen ha scoperto, con questa tecnica, che *Paranthorpus robustus*, che precedentemente si pensava essere un vegetariano per via della sua potente mascella, si cibava anche di carne, e quindi era probabilmente onnivoro.

Le analisi condotte da Margaret Schoeninger sulle concentrazioni di stronzio nelle ossa delle popolazioni del Mediterraneo orientale hanno mostrato che le percentuali di cibi vegetali e animali nella dieta non cambiarono radicalmente nel passaggio dal Paleolitico Medio al Mesolitico, quando si verificò un cambiamento a favore di un maggior consumo di cibi vegetali. I risultati mostrano che le popolazioni di questa parte del mondo avevano una dieta caratterizzata da un ricco apporto di piante già molto prima della domesticazione dei cereali.

La Schoeninger ha utilizzato lo stesso metodo per studiare il materiale scheletrico di Chalcatzingo, un sito olmeco del Messico centrale che raggiunse il suo apogeo intorno al 700-500 a.C. La combinazione tra i risultati dello stronzio e le testimonianze dei corredi tombali indica l'esistenza di una società gerarchica nella quale i consumi di carne erano fortemente differenziati: le persone appartenenti al ceto più alto, sepolte con oggetti di giada, presentavano nelle ossa la quantità di stronzio più bassa (un dato che indica un elevato consumo di carne); coloro che

erano stati sepolti con un semplice piatto mostravano una concentrazione di stronzio più alta (mangiavano quindi meno carne); infine un terzo gruppo completamente privo di corredo presentava la più alta concentrazione di stronzio (carenza di carne).

Un quadro diverso emerge dalle situazioni in cui i crostacei davano un discreto apporto alla dieta, dato che le concentrazioni di stronzio sono assai più alte nei molluschi che nelle piante. Gli scheletri di una popolazione arcaica di cacciatori-raccoglitori risalente a circa il 2500 a.C., che abitava un sito dell'Alabama settentrionale, presentavano, grazie alla presenza dei molluschi nella loro alimentazione, una concentrazione di stronzio più alta di quella di una popolazione agricola del Mississippi seppellita nello stesso sito intorno al 1400 d.C.

Studi recenti suggeriscono che, a causa della contaminazione dei sedimenti e delle acque sotterranee con i quali alcune ossa vengono in contatto, i valori della concentrazione di stronzio possono essere fuorvianti. Bisognerebbe perciò mantenere un atteggiamento cauto nei confronti di queste analisi, in attesa che certi fenomeni siano capiti meglio. In ogni caso, questo metodo non è altro che un complemento dell'analisi degli isotopi del carbonio, e non un sostituto. Il rapporto Sr/Ca rivela quali fossero nella dieta il rapporto tra carne e prodotti vegetali, mentre l'analisi isotopica è necessaria per conoscere quali piante venivano consumate. È però l'archeologia a offrire documenti tangibili che permettono l'identificazione più precisa delle specie vegetali e animali interessate.

Riepilogo

- La maggior parte delle informazioni riguardo alle prime forme di sussistenza arriva direttamente dai resti delle piante e degli animali che venivano mangiati. L'unica prova incontrovertibile che qualcosa è stato mangiato da un essere umano è che ne resti traccia nello stomaco o nelle feci.

- Benché la conservazione dei resti vegetali possa avvenire in diverse maniere, la carbonizzazione è quella più frequente nella maggior parte dei siti. In molti casi, è il reperto vegetale che ci mostra la funzione di un luogo, per esempio le aree adibite alla lavorazione e preparazione del cibo. Gli attrezzi, inoltre, ci suggeriscono che i vegetali erano lavorati nel sito. La presenza di falcetti può indicare l'esistenza della coltivazione e i fitoliti, recuperati dalla superficie di un attrezzo, possono indicare quale pianta era stata tagliata. I documenti scritti, infine, offrono agli archeologi una descrizione molto dettagliata, per quanto di breve termine, della modalità di sussistenza.

- I resti degli animali hanno una grande importanza nell'analisi archeologica e i più abbondanti e informativi sono i macroresti: ossa, denti, conchiglie ecc. Grande impegno è stato riposto nel tentativo di riconoscere sulle ossa i segni che indicano la macellazione in modo da poter distinguere gli animali uccisi da altri predatori.

- Una branca importante dell'archeologia riguarda la domesticazione delle piante e degli animali. In molte specie vegetali la selezione e la domesticazione producono dei cambiamenti visibili all'archeologo; per esempio, le dimensioni dei grani di cereali aumentano. Negli animali la domesticazione può essere individuata tramite alcune tracce fisiche, come la preferenza di un sesso degli animali per fornire del latte al branco oppure alcune malattie delle ossa dovute alla cattività e al lavoro degli animali. Grazie al DNA degli animali, sono stati fatti molti progressi nella comprensione di come si sia sviluppata la domesticazione. La linea di demarcazione tra domesticato o non domesticato è, comunque, ancora fortemente dibattuta.

- Anche la dieta può essere determinata dai resti umani, non solo dal contenuto ritrovato all'interno di alcuni stomaci e dal materiale fecale – che è in grado di rivelare dei pranzi singoli –, ma anche dall'usura dei denti e dalle carie che possono dirci molte cose a proposito della dieta nel lungo termine degli esseri umani.

Letture consigliate

La maggior parte dei riferimenti bibliografici citati alla fine del Capitolo 6 vale anche per questo capitolo. In aggiunta, sono utili le seguenti opere:

Barker G., 2006, *The Agricultural Revolution in Prehistory.* Oxford University Press: Oxford.

Bellwood P., 2004, *First Farmers: The Origins of Agricultural Societies.* Blackwell: Oxford.

Brothwell D. & P., 1997, *Food in Antiquity: A Survey of a Diet of Early Peoples.* Johns Hopkins University Press: Baltimora.

Campana D. & others (a cura di), 2010, *Anthropological Approaches to Zooarchaelogy.* Oxbow Books: Oxford.

Harris D.R. (ed.), 1996, *The Origins and Spread of Agriculture and Pastoralism in Eurasia.* UCL Press: London.

Harris D.R. & Hillman G.C. (a cura di), 1989, *Foraging and Farming: The Evolution of Plant Exploitation.* Unwin Hyman: London.

Hastorf C.A. & Popper V.S. (a cura di), 1988, *Current Paleoethnobotany: Analytical Methods and Cultural Interpretations of Archaeological Plant Remains.* University of Chicago Press: Chicago.

O'Connor T., 2000, *The Archaeological of Animal Bones.* Sutton: Stroud.

Pearsall D.M., 2009, *Paleoethnobotany: A Handbook of Procedures.* (2nd ed.). Left Coast Press: Walnut Creek.

Price T.D. & Gebauer A.B. (a cura di), 1995, *Last Hunters, First Farmers.* School of American Research Press: Santa Fe.

Reitz E.J. & Wing E.S., 2008, *Zooarchaeology.* (2nd ed.). Cambridge University Press: Cambridge.

Roberts C.A., 2009, *Human Remains in Archaeology: A Handbook.* Council for British Archaeology: York.

Smith B.D., 1998, *The Emergence of Agriculture.* (2nd ed.) Scientific American Library: New York.

Sykes N., 2014, *Beastly Questions. Animal Answers to Archaeological Issues.* Bloomsbury: London.

White P. & Denham T., 2006, *The Emergence of Agriculture.* Routledge: London.

Zeder M.A. & others (a cura di), 2006, *Documenting Domestication: New Genetic and Archaeological Paradigms.* University of California Press: Berkeley.

Zohary D. & Hopf M., 1999, *Domestication of Plants in the Old World: The Origin and Spread of Cultivated Plants in West Asia, Europe and the Nile Valley.* (3rd ed.) Clarendon Press: Oxford.

Come costruivano e usavano gli strumenti?
La tecnologia

La specie umana è stata spesso definita in termini di capacità di costruire strumenti e l'archeologia come «lo studio di ciò che ci è rimasto dell'impegno materiale degli esseri umani». Molti archeologi hanno considerato il progresso dell'essere umano soprattutto in termini tecnologici. Lo studioso danese C.J. Thomsen, vissuto nel secolo scorso, divise il passato dell'essere umano in «età» della pietra, del bronzo e del ferro; i suoi successori suddivisero l'Età della pietra in altri due periodi: il Paleolitico (caratterizzato da strumenti in pietra scheggiata) e il Neolitico (caratterizzato da strumenti in pietra levigata). L'aggiunta più tarda del termine «Mesolitico» (Media età della pietra) implicava che i piccolissimi strumenti di selce, i cosiddetti «microliti», fossero in qualche modo caratteristici di questo particolare periodo dell'esistenza umana.

Anche se oggi non si attribuisce grande importanza alla particolare forma dei manufatti come attendibile indicatore cronologico, è vero che questi erano e sono fondamentalmente i mezzi con i quali l'essere umano agisce sul mondo esterno. Laser e computer, armi e impianti elettrici: tutto questo nasce dai semplici strumenti creati dai nostri più antichi progenitori, e la maggior parte delle stratificazioni archeologiche è costituita prevalentemente proprio dai resti dei manufatti creati dagli esseri umani attraverso il tempo. In altri capitoli esaminiamo come gli archeologi possono utilizzare i manufatti per stabilire tipologie (*vedi* Capitolo 4), per conoscere meglio la dieta (*vedi* Capitolo 7), per scoprire modelli di commercio e di scambio (*vedi* Capitolo 9) e perfino per ricostruire i sistemi di valori e di princìpi del passato (*vedi* Capitolo 10). In questo capitolo, invece, ci porremo due domande di fondamentale importanza: come venivano costruiti i manufatti e per che cosa erano utilizzati?

Come avremo modo di vedere, esistono diversi approcci per dare una risposta a queste domande: l'approccio puramente archeologico, l'analisi scientifica degli oggetti, quella etnografica e infine quella sperimentale. Gli archeologi dovrebbero inoltre ricorrere al parere degli esperti nelle tecnologie moderne corrispondenti. Gli artigiani contemporanei sfruttano generalmente gli stessi materiali utilizzati dai loro antenati e spesso usano strumenti che si sono modificati solo in minima parte; un antico muro in pietra sarà capito meglio da un muratore avvezzo a lavorare quel materiale, e un edificio in legno da un carpentiere, anche se per capire un edificio in legno medievale un moderno carpentiere avrà certamente bisogno di conoscere qualcosa sui materiali, gli strumenti e i metodi di costruzione impiegati in quel periodo. Per le tecnologie sviluppatesi in tempi più recenti, come quelle degli ultimi 200 o 300 anni, il campo attualmente in espansione dell'**archeologia industriale** può utilizzare testimonianze di prima mano di artigiani ancora viventi e descrizioni orali tramandate da una generazione all'altra, così come documenti storici e fotografie.

Chi studia periodi più antichi ha una gamma più limitata di testimonianze cui attingere. Sorgono inoltre problemi di conservazione e la questione di come si possa determinare se uno «strumento» primitivo sia stato davvero creato dall'essere umano (*vedi* Scheda 8.1).

La conservazione delle testimonianze

Quando si valutano le tecnologie antiche, l'archeologo deve sempre tener presente che il campione conservato potrebbe anche essere distorto. Durante il lungo periodo del Paleolitico gli strumenti in legno e in osso devono certamente aver rivaleggiato per importanza con quelli in pietra, come accade nelle odierne società di cacciatori e raccoglitori; tuttavia il documento archeologico è dominato dagli strumenti litici. Come abbiamo visto nel Capitolo 2, gli oggetti deperibili possono talvolta conservarsi nelle torbiere, o in siti ghiacciati o aridi, ma si tratta di eccezioni. Considerando la cattiva qualità di conservazione di molti tipi di manufatti, è bene ricordare che persino oggetti completamente decomposti possono in certe occasioni essere individuati sulla base di vuoti, di cambiamenti nel terreno o dei segni particolari che

© 978.8808.82073.0

8.1-2 (*A sinistra*) Cavità lasciata nel terreno da un bastone appuntito completamente decomposto e (*a destra*) un modello in gesso di una estremità di questo «pseudomorfo» proveniente dal rifugio sotto roccia del Paleolitico Medio di Abric Romani in Spagna.

8.3 Strumenti e armi sono comunemente raffigurati sulle pareti dei ripari sotto roccia dell'Australia. Questa fotografia mostra lo *stencil* di un boomerang a forma di V, nel Central Queensland Sandstone Belt. Grahame Walsh e i suoi collaboratori ritengono che solo quest'area conti circa 10 000 siti con testimonianze di arte rupestre.

hanno lasciato. Gli esempi in questo senso comprendono l'impronta lasciata nella sabbia dalla nave di Sutton Hoo nell'Inghilterra orientale, l'impronta di un tessuto su una mummia o, come vedremo, la cavità all'interno di una massa di metallo corroso. La ruota scomparsa di un veicolo dell'Età del ferro trovato in una tomba a Wetwang, nello Yorkshire (Inghilterra settentrionale), è stata ricercata con successo pompando schiuma di polistirene nella cavità e rivelando in questo modo che la ruota era dotata di 12 raggi. Nella sepoltura reale a Ur, Leonard Wooley

(*vedi* pagina 14) versò del gesso nelle cavità lasciate dalla decomposizione delle parti lignee di una lira. Tra i calchi di gesso di piante di Carén (El Salvador) (*vedi* Capitolo 6, pagina 261) vi è un'agave attorno alla quale è avvolta una treccia formata da due fili di fibra di agave perfettamente conservata. Nel rifugio sotto roccia del Paleolitico Medio di Abric Romani, nel nord-est della Spagna, uno «pseudomorfo» (cioè un buco) di un bastoncino di legno appuntito della lunghezza di 1 m, risalente ad almeno 50 000 anni fa, è stato trovato nel sedimento. L'impronta lasciata dal buco è così dettagliata da poter affermare che le striature sull'estremità distale, osservate con il microscopio elettronico a scansione, sono chiaramente simili a quelle lasciate dagli attrezzi durante gli esperimenti di lavorazione del legno.

Gli strumenti sono noti anche attraverso le raffigurazioni artistiche, come per esempio i boomerang e le accette dipinte con la tecnica dello stencil dagli Aborigeni sulle pareti dei ripari sotto roccia in molte regioni dell'Australia. L'originaria presenza di strumenti può essere individuata anche in base ai loro effetti, come per esempio un taglio di spada su un cranio o un segno di piccone sulla parete di una cava.

Si tratta davvero di manufatti?

L'archeologo, quando studia un oggetto, deve anzitutto stabilire se fu costruito o utilizzato nel passato da uomini e donne. Per molti periodi la risposta sarà ovvia (pur dovendo fare attenzione ai falsi e alle contraffazioni), ma per il Paleolitico, e soprattutto per il Paleolitico Inferiore, la risposta può essere più difficile. A lungo si è svolto un acceso dibattito riguardo al problema degli «eoliti», frammenti di pietra rinvenuti all'inizio del XX secolo in contesti del Pleistocene Inferiore nell'Inghilterra orientale e altrove, creduti da alcuni studiosi prodotti di donne e uomini primitivi e ritenuti invece da altri il risultato di fenomeni naturali.

La controversia condusse ai primi tentativi di stabilire princìpi grazie ai quali riconoscere l'azione umana, come per esempio le caratteristiche convessità o bulbi di percussione su pezzi di selci scheggiati intenzionalmente (*vedi* illustrazione 8.4). Le fratture naturali provocate da fattori quali il calore, il gelo o una caduta producono segni irregolari e nessun bulbo. Su questa base fu deciso che gli eoliti hanno un'origine naturale.

Quando si tratta di analizzare gli strumenti più antichi, sui quali ci si aspetterebbe che le tracce dell'azione umana siano minime, la questione è meno facile da risolvere, poiché a volte non è possibile distinguere l'assai rozzo lavoro dell'essere umano dai danni causati da eventi naturali (per esempio, vicino alle rive dei corsi d'acqua in Africa, le pietre possono essere state manomesse dagli ippopotami oppure

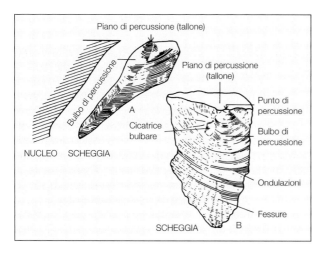

8.4 Elementi di una scheggia litica realizzata intenzionalmente. Le due viste (*A*, *B*) di una stessa scheggia staccata dal margine di un nucleo mostrano il caratteristico piano di percussione (costituente il tallone della scheggia distaccata) e, subito sotto, il bulbo di percussione (o concoide) e le ondulazioni concentriche prodotte dalle onde d'urto che si generano dopo l'assestamento del colpo.

inghiottite dai coccodrilli e i segni di usura quindi molto ingannevoli). In questo caso l'analisi del contesto di ritrovamento può offrire utili indizi: gli oggetti litici potrebbero essere stati scoperti in associazione con resti umani fossili e con ossa animali sulle quali è possibile rintracciare segni di tagli fatti dall'essere umano con strumenti litici (*vedi* Capitolo 7).

Tradizionalmente si è pensato che la capacità di produrre attrezzi fosse un segno distintivo dell'essere umano, ma gli ultimi trent'anni di ricerca sul campo hanno rivelato che gli scimpanzé producono e utilizzano strumenti di legno e pietra; il primatologo americano William McGrew è convinto che «se nei musei venissero perse le targhette che indicano la provenienza di alcuni manufatti, sarebbe impossibile attribuirli a una specie piuttosto che all'altra [essere umano o scimpanzé]». In particolar modo gli scimpanzé e le scimmie cappuccine hanno utilizzato per migliaia di anni incudini e martelli per rompere le noci. Ciò aumenta il grado di insicurezza nelle identificazioni degli oggetti grezzi fatti dagli esseri umani, ma in compenso offre agli archeologi la possibilità di «osservare» alcuni dei possibili comportamenti dei primi ominidi per produrre, usare e scartare gli attrezzi.

L'interpretazione dei manufatti: l'uso dell'analogia etnografica

Se utilizzata con prudenza, la documentazione tratta dalle ricerche etnografiche ed etnoarcheologiche può gettare luce sui problemi di carattere sia generale sia specifico che riguardano la tecnologia. In generale, l'etnografia e il buon senso indicano che l'essere umano tende a utilizzare per gli usi quotidiani qualsiasi materiale reperibile con

facilità e in abbondanza, mentre investe tempo e fatica per costruire quegli strumenti che userà ripetutamente (anche se forse raramente) e che porterà abitualmente con sé. L'abbondanza di un certo tipo di strumenti nei contesti archeologici non è perciò necessariamente un indizio della sua intrinseca importanza nella cultura che ne faceva uso; lo strumento più frequentemente attestato potrebbe essere stato costruito rapidamente e gettato subito dopo l'uso, mentre gli oggetti più rari erano conservati e riutilizzati («curati») più volte prima di essere alla fine buttati via.

L'etnografia si è spesso dimostrata utile in particolare per quanto riguarda la determinazione della funzione di un particolare manufatto. In siti occupati dagli indiani Tairona, nella Colombia settentrionale, datati al XVI secolo d.C., furono rinvenuti grandi pendenti alati di pietra levigata; gli archeologi poterono solo supporre che si trattasse di oggetti decorativi, da portare sospesi sul petto. Più tardi si scoprì invece che gli indiani Kogi, diretti discendenti dei Tairona che abitano oggi l'area, usano tuttora questi oggetti in coppie, sospesi ai gomiti, come sonagli durante le danze!

Gli esempi di questo tipo sono numerosissimi. È però importante sottolineare che l'identificazione della funzione dei manufatti attraverso l'analogia etnografica dovrebbe essere limitata ai casi in cui esiste una continuità dimostrabile tra cultura archeologica e società moderna, o almeno limitarsi alle culture con un livello di sussistenza simile e con un retroterra ecologico grosso modo identico a quelli del passato.

In anni recenti, agli aspetti tecnologici ed etnografici degli studi sulla tecnologia antica si è aggiunto l'interesse sempre più crescente per le applicazioni sperimentali che si propongono di far rivivere l'archeologia. Come vedremo più avanti, gli esperimenti hanno dato un notevolissimo contributo alla nostra conoscenza del modo in cui i manufatti venivano realizzati e utilizzati.

Per i fini che ci proponiamo in questo capitolo è bene fare una distinzione tra due classi di materiali grezzi utilizzati nell'antichità: da un lato quelli sostanzialmente inalterati rispetto al loro stato naturale (come la selce), dall'altro i materiali artificiali prodotti dalle attività dell'essere umano (come la ceramica e i metalli). Naturalmente anche i materiali inalterati sono stati spesso sottoposti a riscaldamento o a reazioni chimiche durante il processo di manifattura; tuttavia, i materiali artificiali hanno subìto un vero e proprio cambiamento di stato, di solito per essere stati sottoposti al calore. L'uso del fuoco da parte degli esseri umani – la pirotecnologia – costituisce in questo caso un fattore fondamentale: ci si sta infatti rendendo conto sempre di più di quanto fosse attento il controllo umano sul fuoco già in un'epoca molto antica.

8.1 Manufatti o «geofatti» a Pedra Furada?

SUD AMERICA
• Pedra Furada

Il dibattito un tempo era molto acceso in merito alla datazione del gigantesco rifugio sotto roccia arenaria di Pedra Furada, nel nord-est del Brasile, scavato dall'archeologo franco-brasiliano Nièlde Guidon dal 1978 al 1984 e dall'italiano Fabio Parenti dal 1984 al 1988. Lo scopo iniziale del lavoro era quello di datare i dipinti rupestri ritrovati sulle pareti del rifugio che si riteneva risalissero all'Olocene (cioè a meno di 10 000 anni fa). Quando cominciarono a venir fuori dalla stratigrafia le datazioni col radiocarbonio che facevano risalire i reperti al Pleistocene, spostandoli indietro, di 30 000 anni, il sito e coloro che stavano conducendo gli scavi si ritrovarono in prima fila nel dibattito sulle origini dell'essere umano nelle Americhe (*vedi* Scheda 11.10). Da un lato, in particolar modo nel Nord America, si insisteva sul fatto che non ci fosse stata nessuna

occupazione del Nuovo Mondo prima di 12 000 o tutt'al più 15 000 anni fa; dall'altro lato si accettavano datazioni molto antecedenti per un buon numero di siti nel Sud America e altrove. Nessun sito era ancora riuscito a soddisfare tutti i criteri necessari per riuscire a convincere gli scettici che l'essere umano era già nel Nuovo Mondo 30 000 anni fa; quindi Parenti iniziò il suo lavoro per riuscire a risolvere il problema.

Il suo compito fu particolarmente difficile perché i sedimenti di arenaria di questa regione del Brasile avevano distrutto tutti i materiali organici (a parte i frammenti di carbone da legna) nei livelli precedenti all'Olocene. Inoltre, i livelli del Pleistocene di Pedra Furada contengono attrezzi fatti unicamente di quarzi e ciottoli di quarzite provenienti da uno strato conglomerato sopra il dirupo d'arenaria e i ciottoli con funzione di attrezzi sono notoriamente difficili da distinguere da pietre rotte naturalmente.

Dopo aver portato a termine degli studi geomorfologici, sedimentari e sulle erosioni del sito e dei suoi dintorni, il fine principale di Parenti, quindi, fu quello di distinguere gli agenti umani da quelli

naturali, sia per quanto riguarda il contesto del sito in generale sia per i suoi oggetti litici in particolare. La stratigrafia ha mostrato per lo più sabbia con placche di arenaria che sono crollate dalle pareti con occasionali strati di breccione. È stato proprio un «muro» naturale di breccione davanti al rifugio che ha conservato i sedimenti all'interno. Il sito presenta una serie di datazioni col radiocarbonio che vanno da 5000 a 50 000 anni fa.

Per quanto riguarda i ciottoli, Parenti condusse uno studio su 3500 pietre staccate dalla cima del dirupo e trovò che, quando si rompevano, il che era raro, le schegge naturali non interessavano mai più di un lato, non si staccavano mai più di tre pezzi e non producevano mai «ritocchi» o «microritocchi». Queste osservazioni diventarono il suo parametro per riconoscere i manufatti umani nel sito. Degli oltre 6000 pezzi che furono sicuramente interpretati come attrezzi, 900 venivano dagli strati del Pleistocene (il quarzo e la quarzite continuarono a essere lavorati e utilizzati nella stessa maniera anche durante l'Olocene, ma i pezzi facilmente identificabili di calcedonio giustificano l'alto numero di attrezzi sicuramente risalenti a quel periodo). Migliaia di altri ciottoli sono risultati ambigui e possono essere ugualmente attribuiti all'opera umana o a quella della natura.

Nuove ricerche su siti vicini, come per esempio i rifugi di Vale de Pedra Furada e Toca da Tira Peia, hanno restituito degli attrezzi litici databili con sicurezza a 22 000 anni fa circa.

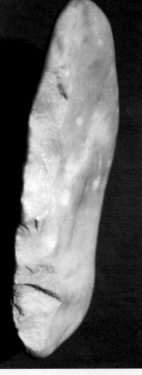

8.5 (*A sinistra*) Il rifugio sotto roccia di Pedra Furada dove gli scavi hanno portato alla luce degli «attrezzi». Prove (discutibili) della sua datazione indicano che il sito è stato occupato 30 000 anni fa.

8.6 (*A destra*) Coccio/attrezzo proveniente da Pedra Furada. Il dibattito è ancora aperto per decidere se questi «manufatti» di quarzite siano naturali o prodotti dall'essere umano.

© 978.8808.82073.0

MATERIALI INALTERATI: LA PIETRA

Dall'apparizione del primo strumento riconoscibile come tale, circa 2,5 milioni di anni fa, fino alla comparsa della manifattura ceramica, non prima di 18 000 anni fa, in Cina, i resti archeologici sono dominati dalla pietra. Ma in che modo venivano estratti, trasportati, lavorati e utilizzati gli strumenti litici, dal più piccolo microlite al più grande megalite?

L'estrazione: miniere e cave

Gran parte della pietra impiegata per realizzare i primi strumenti fu probabilmente raccolta nei letti fluviali o in altri luoghi del paesaggio; ma le fonti di approvvigionamento archeologicamente più palesi sono le miniere e le cave.

Le **miniere** meglio conosciute sono le miniere di selce del Neolitico e di epoche posteriori, note in vari luoghi dell'Europa settentrionale: Spiennes in Belgio, Grimes Graves in Inghilterra e Krzemionki in Polonia. La tecnologia di base è rimasta fondamentalmente la stessa anche per l'estrazione di altri materiali in periodi successivi, come per esempio il sale nelle miniere dell'Età del ferro ad Hallstatt, in Austria, il rame nelle miniere di Rudna Glava in Serbia, di Ai Bunar in Bulgaria e di Great Orme in Galles, e l'argento e l'oro in miniere di epoche più tarde.

L'indagine archeologica ha rivelato che veniva praticato sia lo scavo a cielo aperto sia l'estrazione a pozzo, a seconda delle caratteristiche del suolo e della posizione delle vene da sfruttare (un alto grado di conoscenza specifica è chiaramente dimostrato dall'abbandono delle vene mediocri e dalla concentrazione sul materiale migliore). A Rijckholt, in Olanda, gli archeologi hanno scavato per 150 m una galleria di esplorazione, seguendo lo strato di calcare che gli uomini e le donne del Neolitico nel IV millennio a.C. avevano scoperto essere particolarmente ricco di noduli di selce. Furono così rinvenuti non meno di 66 pozzi di estrazione, profondi 10-16 m, ognuno con una serie di gallerie radiali successivamente riempite con calcare di scarto. Se la galleria scavata dagli archeologi si è imbattuta in un campione rappresentativo, l'area di Rijckholt deve contenere almeno 5000 pozzi, i quali avrebbero potuto fornire selce sufficiente per produrre lo sconcertante numero di 153 milioni di teste d'ascia.

Dalle ricerche svolte a Rijckholt sono state tratte anche diverse indicazioni per comprendere le tecniche di estrazione. Alcune impronte rimaste sulle pareti di un pozzo scavato indicano che si prevenirono le frane e i cedimenti alzando una struttura di contenimento costruita con rami intrecciati. Solchi profondi nel calcare nei punti in cui terminano i pozzi e cominciano le gallerie presuppongono che venissero utilizzate funi per trasportare i noduli in superficie. Per quanto riguarda poi gli strumenti utilizzati,

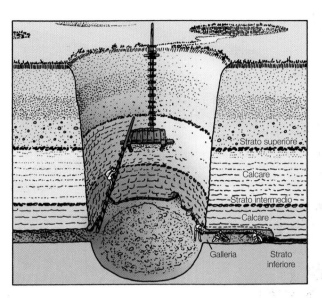

8.7 La miniera di selce neolitica presso Grimes Graves, nell'Inghilterra orientale. Pozzi profondi circa 15 m venivano scavati per raggiungere la selce di migliore qualità nello strato inferiore. Le gallerie, una volta esaurite, venivano riempite con il materiale di risulta proveniente dallo scavo di nuove gallerie. Stime approssimative suggeriscono che il sito avrebbe potuto produrre 28 milioni di asce di selce.

furono rinvenute più di 15 000 teste d'ascia smussate o spezzate, un numero che suggerisce un totale di 2,5 milioni di esemplari per l'intera miniera; in altre parole, nell'estrazione si impiegava meno del 2% della produzione totale. Ogni pozzo ha restituito circa 350 teste d'ascia (alcune di esse in prossimità delle cavità lasciate nel calcare di scarto dai manici in legno ora scomparsi) e si è calcolato che per rimuovere un metro cubo di calcare se ne consumavano cinque. Le asce venivano affilate sul posto, come è dimostrato dai pesanti percussori ritrovati con esse (uno ogni 10 o 20 teste d'ascia) e dalle abbondanti schegge di selce.

A Rijckholt, poiché il calcare è particolarmente duro, sono stati rinvenuti anche picconi di corno di cervide, del tipo di quelli noti anche in altre miniere simili; le prove sperimentali hanno dimostrato quanto sia efficace il corno di cervide sulla roccia dura. Tracce di bruciato rinvenute in altre miniere indicano che le superfici rocciose venivano spesso spaccate, nella fase iniziale del lavoro, scaldandole con piccoli fuochi e successivamente raffreddandole con acqua. Infine, nelle miniere di rame della regione del Mitterberg, sulle Alpi Austriache, si sono conservati alcuni strumenti di legno: un martello e dei cunei, una pala e una torcia, una slitta per il trasporto dei carichi e perfino una scala a pioli intagliata in un tronco d'albero. Tutti questi reperti rivelano quanto sia ampia la documentazione di carattere tecnologico che è andata perduta nella maggior parte dei siti e che dobbiamo riscoprire attraverso l'analisi di testimonianze come quelle recuperate a Rijckholt.

Per quanto riguarda le **cave**, per la ricostruzione delle tecniche impiegate l'archeologo può essere aiutato dai ma-

© 978.8808.82073.0

8.8 Cava di pietra sull'Isola di Pasqua: una delle gigantesche statue tipiche di questo luogo giace sdraiata sulla schiena, incompiuta ma già in una fase avanzata di lavorazione, che offre indizi importanti per capire come veniva realizzata.

nufatti incompiuti o dalle pietre abbandonate. Gli esempi più impressionanti sono costituiti dalla cava di statue che si trova sulle pendici del vulcano Rano Raraku, nell'Isola di Pasqua, e dalla cava di obelischi ad Assuan, in Egitto. La cava dell'Isola di Pasqua contiene numerose statue non finite a vari stadi di lavorazione, dalla semplice forma disegnata sulla pietra alla faccia intagliata, fino alla figura finita attaccata alla roccia solo in corrispondenza della base (*vedi* illustrazione 8.8). Percussori scartati sono sparpagliati sull'area a migliaia. Le prove sperimentali hanno dimostrato che sei scultori, usando picconi di pietra, avrebbero impiegato circa un anno per lavorare una statua di 5 m.

L'obelisco di granito di Assuan, se fosse stato terminato, sarebbe stato alto 42 m e avrebbe raggiunto un peso di ben 1168 t. Per la sua sbozzatura preliminare furono utilizzate pesanti palle di dolerite: attraverso prove sperimentali si è osservato che battendo il granito con simili strumenti per circa un'ora, un operatore produceva nella sua area di lavoro un'incisione profonda 5 mm lungo la superficie dell'obelisco. A quei ritmi, il monumento avrebbe potuto essere scolpito e liberato dalla roccia in 15 mesi con l'impiego di 400 operai, e queste cifre ci danno un'indicazione obiettiva di quale fosse, nell'antico Egitto, l'ordine di grandezza del lavoro necessario per realizzare monumenti di questo tipo. I segni di percussione ancora visibili nelle cave di Assuan sono molto simili a quelli rimasti sulla roccia in siti quali Rumiqolqa, in Perú, la cui cava, la più completa delle cave inca conosciute, conserva 250 blocchi abbandonati in un enorme pozzo profondo 100 m; i blocchi erano stati ricavati usando martelli di pietra dura che portano ancora le tracce del lavoro svolto.

L'archeologia, combinata con le applicazioni sperimentali, può dunque svelare molti degli aspetti legati all'estrazione della pietra. Il passo successivo da compiere riguarda la determinazione del modo in cui il materiale veniva trasportato dalla cava al luogo dove doveva essere utilizzato, eretto o montato.

Come veniva trasportata la pietra?

La semplice osservazione archeologica può, in certi casi, essere d'ausilio per questo tipo di indagine. Le ricerche dello svizzero Jean-Pierre Protzen, storico dell'architettura, condotte sulla cava inca di Kachiqhata, nelle vicinanze dei resti incompiuti del sito di Ollantaytambo, hanno messo in luce la costruzione di piani inclinati e di rampe che consentivano agli operai di far scendere i blocchi di granito rosso da una montagna di 1000 m. Ma scoprire il cammino non significa scoprire la tecnica; per questo è stato necessario studiare la conformazione delle tracce di usura. A Ollantaytambo Protzen notò su alcuni blocchi i segni lasciati da rulli (levigature e striature orizzontali), e dato che i segni si trovano solo sulla faccia più larga, è chiaro che i blocchi venivano trascinati con la faccia più larga rivolta verso il basso.

Ancora non si sa come venissero trascinati; anche le relazioni dei Conquistadores spagnoli del XVI secolo sono di poco aiuto su questo punto. Probabilmente il problema più difficile era la sistemazione delle funi e degli uomini: a Ollantaytambo, per esempio, un blocco di 140 t avrebbe richiesto 2400 uomini per essere spostato e la rampa sulla quale doveva essere trascinato è larga solo 8 m. Soltanto la sperimentazione potrà indicare il più probabile metodo impiegato.

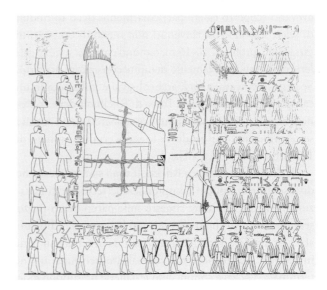

8.9 Scena tratta da una tomba a el-Bersheh, in Egitto, che mostra il trasporto di un'enorme statua del principe Djehutihetep.

8.10 Spostamento delle pietre: uno sfortunato tentativo di ricreare il viaggio come si suppone fosse avvenuto dal Galles occidentale verso Stonehenge; i volontari trascinano una pietra blu di tre tonnellate su una sorta di slitta di legno. Dopo un viaggio di circa 17 miglia (che invece avrebbe dovuto essere di 240 miglia), cioè proprio all'inizio della fase marittima dell'operazione, la pietra affondò al largo della costa gallese e l'impresa fu abbandonata.

Anche gli Egiziani dovettero affrontare problemi simili e spesso maggiori per lo spostamento di enormi blocchi. In questo caso possiamo trarre qualche dato da un'antica raffigurazione che documenta il trasporto di una statua di alabastro del principe Djehutihetep, alta 7 m, il cui peso doveva essere di circa 60 t: la statua è legata a una slitta di legno tirata con funi da 90 uomini, numero probabilmente insufficiente e da attribuirsi a una sorta di «licenza artistica». Le raffigurazioni di questo tipo servono almeno a contraddire chi sostiene che queste grandi statue potevano essere spostate soltanto con l'aiuto di astronauti venuti da lontano. I calcoli compiuti dagli ingegneri e le prove sperimentali sono probabilmente lo strumento migliore per risolvere scientificamente l'enigma di come enormi blocchi di pietra – come quelli di 300 t del Grand Menhir Brisé in Bretagna o i triliti di Stonehenge, in Inghilterra – venissero trasportati e messi in opera (*vedi* Scheda 8.2). Nel 1955 un esperimento del genere fu compiuto per le grandi colonne di basalto olmeche a La Venta, in Messico, datate al I millennio a.C. I tentativi compiuti dimostrarono che una colonna di 2 t era il carico massimo che potessero sollevare 35 uomini usando imbracature di funi e stanghe di legno poggiate sulle spalle. Poiché la stele più grande presente a La Venta pesa 50 t, il suo trasporto deve aver richiesto 500 uomini, ciascuno dei quali avrebbe avuto 100 kg da spostare; d'altra parte, non tutti i 500 uomini avrebbero potuto trovarsi abbastanza vicino alla stele per sollevarla, sicché si è dedotto che la pietra deve essere stata trascinata.

Come venivano lavorate e messe in opera le pietre?

Anche in questo caso è la combinazione di archeologia e applicazioni sperimentali a fornire valide informazioni sulle tecniche di costruzione. Le opere in pietra realizzate dagli Inca sono sempre state considerate imprese degne di meraviglia, e l'accuratezza con la quale i blocchi di forma irregolare sono stati accostati è sembrata quasi portentosa. Il lavoro svolto da Jean-Pierre Protzen ha rivelato gran parte delle tecniche impiegate, le quali, pur rozze, nulla tolgono al talento degli Inca. Gli esperimenti dello studioso hanno individuato la maniera più efficace per far «rimbalzare» il percussore sui blocchi per rifinirli (*vedi* illustrazione), scoprendo così che una faccia poteva facilmente essere sagomata in 20 minuti. Il piano di posa per ogni corso di pietre veniva tagliato nella faccia superiore del corso già in opera; poi il nuovo blocco veniva appoggiato su quello inferiore, veniva tracciato il profilo appropriato che il nuovo blocco doveva assumere e infine si realizzava quel profilo battendo il blocco con un percussore.

Protzen ha scoperto che una perfetta aderenza tra due blocchi si poteva ottenere in 90 minuti, specialmente quando con la pratica si diventava esperti nell'adattamento delle superfici. Gli esperimenti dello studioso trovano conferma nei resoconti del Cinquecento, che affermano che era necessario fare diversi tentativi prima di ottenere un perfetto adattamento dei blocchi di pietra. I blocchi degli Inca recano alcune tracce di questo procedimento: le superfici sono infatti coperte di segni lasciati dai percussori di pietra, mentre i segni più lievi sui bordi indicano l'uso di «martelli» più piccoli. Molti blocchi conservano ancora leggere sporgenze, chiaramente utilizzate per spostarli. Analoghe protuberanze si possono vedere anche su alcuni edifici greci, come per esempio il tempio incompiuto di Segesta, in Sicilia.

Per secoli gli studiosi si sono scervellati sul problema di come gli esseri umani dell'Età della pietra siano riusciti a sollevare dei massi incredibilmente pesanti sulla cima di alti montanti: il caso più famoso è quello di Stonehenge, dove i massi che fungono da architrave orizzontale sono accuratamente disposti sulla cima di coppie di montanti per formare un «trilite», ma è importante anche l'esempio dell'Isola di Pasqua, dove molte delle statue avevano sulle loro teste un *pukao* (cioè un cilindro di roccia vulcanica rossa che arriva a pesare anche più di 8 tonnellate).

Tradizionalmente si pensava che fossero state utilizzate enormi rampe di terra oppure delle impalcature di legno;

lo stesso Capitano Cook suggerì alla fine del XVIII secolo metodi simili in merito ai *pukao* dell'Isola di Pasqua. Altri avevano ipotizzato, sia per Stonehenge sia per l'Isola di Pasqua, che le architravi o i *pukao* venissero saldamente assicurati ai montanti o alle statue e che tutto il complesso fosse alzato simultaneamente. Ma ciò non solo è molto difficile, ma anche archeologicamente improbabile: i *pukao* dell'Isola di Pasqua, infatti, sono chiaramente delle aggiunte posteriori alle statue. E quelle poche che sono state posizionate sopra delle statue restaurate in tempi moderni sono state necessariamente sollevate da gru.

L'ingegnere ceco Pavel Pavel ha scoperto che in realtà l'impresa è piuttosto

semplice e che richiede solo poche persone, qualche corda e alcuni legni. Egli cominciò a lavorare con un modellino di argilla di Stonehenge e, quando sembrò che il sistema funzionasse, costruì una riproduzione a grandezza naturale di cemento di due montanti e di un architrave. Due tronchi di quercia furono appoggiati sulla cima dei montanti e due altri tronchi furono installati come leve dall'altra parte. L'architrave, legato con delle corde alle leve, fu gradualmente sollevato sui tronchi in pendenza che erano stati precedentemente lubrificati con grasso. Tutta l'operazione fu compiuta in soli tre giorni da 10 persone.

Pavel ha poi condotto un esperimento simile con la riproduzione di una statua dell'Isola di Pasqua e di un *pukao*, e anche in questa occasione si è riscontrato che il metodo funziona benissimo e con poco sforzo. Naturalmente per tutti questi esperimenti, non è possibile provare che gli uomini dell'Età della pietra abbiano usato effettivamente questa tecnica, ma sicuramente ci sono buone probabilità che abbiano impiegato una tecnica simile. Questo lavoro mostra che gli uomini moderni, così abituati a utilizzare macchinari, tendono a sovrastimare le difficoltà presenti nei monumenti di pietra e a sottostimare cosa si può ottenere con un po' di ingegno, poche persone e una tecnologia semplice.

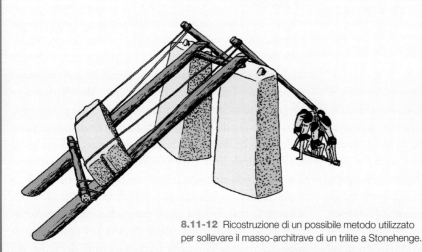

8.11-12 Ricostruzione di un possibile metodo utilizzato per sollevare il masso-architrave di un trilite a Stonehenge.

8.13 Due stadi del possibile metodo utilizzato per sollevare il *pukao* nell'Isola di Pasqua. Moderni esperimenti hanno dimostrato che questo metodo funziona perfettamente.

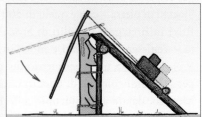

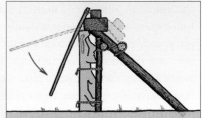

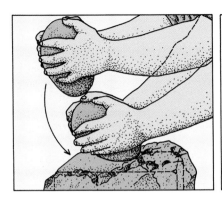
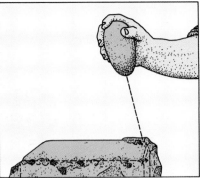
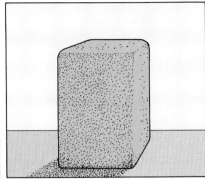

8.14-15 La manifattura litica inca. (*Sopra*) Disegni che illustrano gli esperimenti eseguiti da Jean-Pierre Protzen per comprendere la tecnica utilizzata dagli Inca per rifinire i blocchi. All'inizio (*a sinistra*) Protzen cominciò a battere una faccia del blocco con un percussore da 4 kg che faceva ruotare all'ultimo momento per ottenere un colpo radente; poi (*al centro*) utilizzò un percussore più piccolo (560 g) per preparare i bordi della faccia successiva. Ripetendo il procedimento per ciascuna faccia, riuscì a ottenere un blocco finito (*a destra*) dagli angoli leggermente convessi, simili a quelli delle opere murarie degli Inca. (*A destra*) La famosa pietra dai dodici angoli a Cuzco, in Perú, parte di un muro costruito dagli Inca con blocchi accuratamente combacianti.

Fino a non molto tempo fa sapevamo poco anche sui metodi impiegati dagli architetti greci, metodi che consentivano loro di raggiungere una mirabile precisione sia nella progettazione sia nell'esecuzione delle opere; non si sono infatti conservati né documenti né piante di progetto. Ora, però, l'archeologo tedesco Lothar Haselberger ha scoperto sui muri del tempio di Apollo a Didyma (IV secolo a.C.), in Turchia, alcuni disegni dettagliati: sottili linee lunghe fino a 20 m, cerchi, poligoni e angoli erano stati incisi nel marmo con una sgorbia sottile di metallo. Alcuni schizzi erano a grandezza naturale, altri in scala; vi si potevano riconoscere le diverse parti dell'edificio, e poiché i muri con i disegni devono logicamente essere stati costruiti prima dei muri rappresentati nei disegni, si è potuto determinare quale fosse la sequenza della costruzione.

Schizzi simili sono stati da allora trovati anche in altri templi greci, ma i disegni di Didyma, conservatisi perché i muri non ricevettero mai l'usuale politura finale che avrebbe cancellato le incisioni, rimangono i più interessanti per la precisione dei dettagli. Più recentemente è stato identificato uno schizzo a grandezza naturale di parte della facciata del Pantheon di Roma, risalente al 120 d.C., cesellato nella pavimentazione di fronte al Mausoleo di Augusto. Nel Capitolo 10 considereremo l'importanza di questi progetti in termini di sviluppo delle capacità intellettuali degli esseri umani.

Fin qui abbiamo esaminato l'aspetto macroscopico della lavorazione della pietra; come venivano invece realizzati gli oggetti più piccoli? E qual era la loro funzione?

L'industria degli strumenti litici

Gli strumenti litici sono in gran parte realizzati eliminando materiale da un ciottolo o «nucleo» fino a ottenere la forma desiderata. Le prime schegge asportate (schegge primarie) portano tracce della superficie esterna (cortice); vengono poi asportate schegge di rifinitura per ottenere la forma finale, e alcuni margini possono essere «ritoccati» con l'ulteriore asportazione di piccole schegge secondarie. Sebbene il principale strumento così ottenuto sia il nucleo, anche le schegge possono essere utilizzate come coltelli, raschiatoi ecc. Il lavoro dell'artefice dovette subire variazioni secondo il tipo e la quantità di materiale grezzo disponibile.

La storia della tecnologia degli strumenti litici mostra un grado di perfezionamento che progredisce solo in maniera discontinua. I primi strumenti riconoscibili sono semplici chopper e schegge prodotte percuotendo dei ciottoli per ottenere orli affilati; gli esempi meglio conosciuti sono i cosiddetti strumenti dell'Olduviano, provenienti dalla Gola di Olduvai in Tanzania. Dopo centinaia di migliaia di anni l'essere umano compì progressi riuscendo a scheggiare ambedue le superfici dello strumento e producendo infine la forma simmetrica delle asce a mano acheuleane, dal filo tagliente finemente lavorato. Il successivo passo avanti fu compiuto circa 100 000 anni fa con l'introduzione della «tecnica Levallois» (che

© 978.8808.82073.0

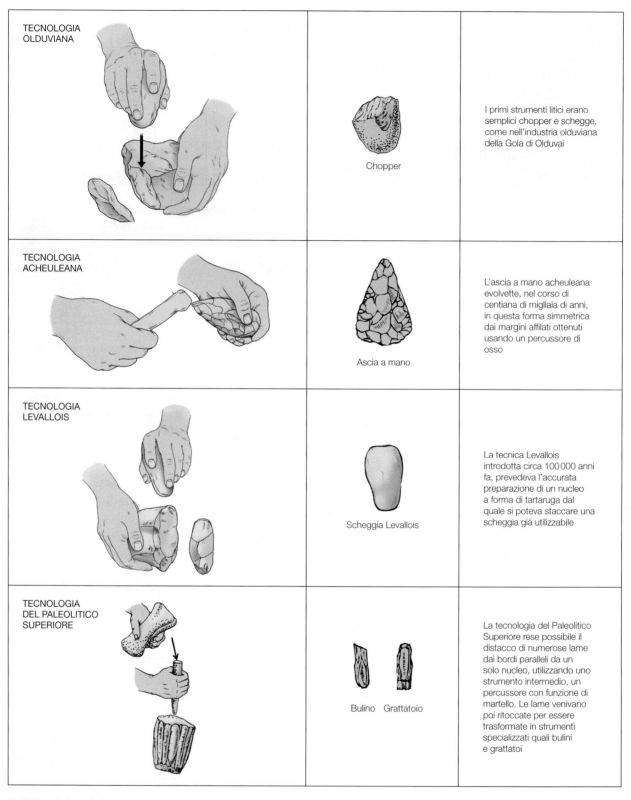

TECNOLOGIA OLDUVIANA

Chopper

I primi strumenti litici erano semplici chopper e schegge, come nell'industria olduviana della Gola di Olduvai

TECNOLOGIA ACHEULEANA

Ascia a mano

L'ascia a mano acheuleana evolvette, nel corso di centiana di migliaia di anni, in questa forma simmetrica dai margini affilati ottenuti usando un percussore di osso

TECNOLOGIA LEVALLOIS

Scheggia Levallois

La tecnica Levallois introdotta circa 100 000 anni fa, prevedeva l'accurata preparazione di un nucleo a forma di tartaruga dal quale si poteva staccare una scheggia già utilizzabile

TECNOLOGIA DEL PALEOLITICO SUPERIORE

Bulino   Grattatoio

La tecnologia del Paleolitico Superiore rese possibile il distacco di numerose lame dai bordi paralleli da un solo nucleo, utilizzando uno strumento intermedio, un percussore con funzione di martello. Le lame venivano poi ritoccate per essere trasformate in strumenti specializzati quali bulini e grattatoi

8.16 L'evoluzione degli strumenti litici, dalla più antica tecnica dell'Olduviano fino ai metodi perfezionati del Paleolitico Superiore.

prende il nome da un sito della periferia parigina dove fu identificata per la prima volta), nella quale il nucleo viene spaccato in modo tale da poter asportare grandi schegge di misura e forma predeterminate.

Nel Paleolitico Superiore, intorno a 35 000 anni fa, in alcune parti del mondo divenne dominante la tecnologia della lama: lunghe lame a facce parallele venivano sistematicamente staccate mediante percussione indiretta con uno strumento intermedio, detto *punch* o *chasse-lame*, e un percussore di pietra (con funzione di martello) da un nucleo cilindrico. Questa tecnica rappresentava un notevole perfezionamento, non solo perché produceva un gran numero di pezzi grezzi che potevano essere ulteriormente rifiniti e ritoccati per ricavarne un'ampia gamma di strumenti specializzati (raschiatoi, bulini, punteruoli), ma anche perché comportava uno spreco di materiale grezzo assai minore: da una data quantità di pietra era infatti possibile ottenere una lunghezza totale di margini attivi molto più ampia di quella fino ad allora raggiunta. La pietra era di norma costituita da un tipo omogeneo facilmente lavorabile, come il chert o l'ossidiana. Loren Eiseley ha preparato un utile schema riassuntivo di questa crescente abilità dell'essere umano, calcolata presumendo l'uso di 500 g di chert d'alta qualità:

Industria	Lunghezza totale dei taglienti ottenuti
OLDUVIANA	5 cm
ACHEULEANA	20 cm
MUSTERIANA (Paleolitico Medio)	100 cm
GRAVETTIANA (Paleolitico Superiore)	300-1200 cm

Questa tendenza verso una maggiore economia raggiunse il suo apice nel Mesolitico, circa 10 000 anni fa, con la comparsa e la successiva diffusione dei microliti, piccoli strumenti litici, molti dei quali venivano probabilmente utilizzati come armature su armi composite.

È compito dell'archeologo ricostruire la sequenza dei vari passaggi del processo di manifattura (la *chaîne opératoire*, *vedi* Capitolo 10); il compito è reso più agevole se la percussione era eseguita in un solo luogo e se il materiale di scarto (detto *debitage*) è ancora presente sul luogo. Anche la scoperta di una serie di siti adibiti alla lavorazione può essere d'aiuto. In Giappone, per esempio, il contesto di Taku, nella Prefettura di Saga, formato da oltre 40 siti risalenti a un'epoca compresa tra 15 000 e 10 000 anni fa e situati nei pressi di una fonte di approvvigionamento di pietra, produceva più di 100 000 strumenti; ogni sito era specializzato in una fase differente del processo di manifattura, dall'approvvigionamento del materiale grezzo fino alla produzione di manufatti finiti. Ma l'archeologo troverà più comunemente un singolo sito manifatturiero con una serie completa di materiale di scarto e di strumenti rotti, mentre gli strumenti finiti non saranno numerosi poiché venivano per lo più portati via, e vengono quindi ritrovati in siti lontani dal luogo di approvvigionamento della pietra. I tipi di strumento rinvenuti in un sito possono anche suggerire la funzione del sito stesso: un corredo da caccia

con punte missili ce lo possiamo aspettare in un campo temporaneo, mentre in un campo base o in un insediamento permanente è più verosimile aspettarsi la presenza di una vasta gamma di strumenti.

Alcune tecniche di manifattura possono essere dedotte dalle tracce lasciate sugli attrezzi; per esempio, tracce di ciò che sembra essere un mastice proveniente da bitume riscaldato ritrovato su diversi attrezzi litici a Umm el-Tlel in Siria suggeriscono che l'apposizione del manico sia da datare almeno al Paleolitico Medio. Questo è stato confermato dalla scoperta, in Germania, di un composto di pece di betulla datato a 80 000 anni fa, che si pensa possa essere servito come colla per assicurare le aste di legno alle lame di pietra. Alcune tecniche possono tuttora essere osservate presso quelle popolazioni, sempre meno numerose, come gli Aborigeni australiani o i Maya degli altipiani, che continuano a costruire strumenti litici. In anni recenti sono state condotte, soprattutto da Richard Gould e Brian Hayden, numerose ricerche a carattere etnoarcheologico in Australia e in Mesoamerica. Altri, invece, hanno studiato la modalità di produzione delle asce di pietra delle popolazioni degli altipiani della Nuova Guinea. Dati interessanti si possono ricavare anche dalle raffigurazioni artistiche: le pitture che decorano la tomba del faraone egizio Ameny, della XII Dinastia, a Beni Hassan, illustrano per esempio la produzione in massa di coltelli di selce sotto la supervisione di capisquadra.

Nella maggioranza degli altri casi esistono due principali approcci per valutare le decisioni prese da colui che lavorò la pietra: la riproduzione e la ricomposizione degli strumenti.

La riproduzione degli strumenti litici Si tratta di un tipo di archeologia sperimentale che prevede la realizzazione di copie precise di diversi tipi di strumenti litici – utilizzando esclusivamente la tecnologia di cui disponevano gli antichi artefici – al fine di stabilire i processi, la quantità di tempo e la fatica impiegati. In passato solo pochissimi sperimentatori, in particolare François Bordes (1919-1981) in Europa e Donald Crabtree (1912-1980) negli Stati Uniti, raggiunsero alti livelli di abilità tecnica, dopo molti anni di paziente applicazione pratica. Oggi un discreto numero di giovani archeologi è in grado di riprodurre con perizia gli strumenti, con grande vantaggio della nostra conoscenza della tecnica di spaccatura della pietra impiegata nell'antichità.

L'archeologo americano Nicholas Toth ha realizzato e utilizzato un'intera gamma di strumenti litici primitivi – percussori, chopper, raschiatoi e schegge – sul modello di quelli rinvenuti in siti come Koobi Fora, in Kenya, risalenti a circa 1,5-2 milioni di anni fa. Il suo lavoro fa pensare che le semplici schegge possano essere state utilizzate come strumenti primari, mentre i nuclei più appariscenti erano in realtà un sottoprodotto accidentale dell'industria delle

8.17 Uno dei maestri riconosciuti nella riproduzione degli strumenti litici: lo specialista francese del paleolitico François Bordes. Qui lo vediamo nel 1975 alle prese con la percussione di un pezzo di pietra per determinare i procedimenti impiegati, il tempo e lo sforzo spesi nell'industria litica.

schegge. In precedenza gli studiosi tendevano invece a considerare le schegge come prodotti di scarto e i nuclei come quello che nelle intenzioni doveva essere il prodotto finale.

Un problema specifico risolto da Donald Crabtree per tentativi è quello legato alle tecniche di manifattura di particolari strumenti litici scanalati, realizzati dai Paleoindiani del Nord America, noti come «punte Folsom» e datati a 11 000-10 000 anni fa. Il punto era capire in che modo quegli esseri umani primitivi fossero riusciti a ottenere la «scanalatura». Gli esperimenti di Crabtree, condotti con una grande varietà di tecniche, furono in un primo momento deludenti, fino a quando non si trovò un'indicazione decisiva in un testo del XVII secolo scritto da un prete spagnolo che aveva visto gli indiani Aztechi ricavare dall'ossidiana lunghe lame di coltello. Il metodo corretto, come poi provarono i nuovi esperimenti, consiste nello scheggiare la pietra esercitando una pressione verso l'esterno e verso il basso per mezzo di una stampella a forma di T puntata contro il petto; la punta della stampella viene spinta con forza in basso contro un punto preciso del nucleo di pietra tenuto ben fermo (*vedi* illustrazione 8.18).

Un altro specialista dei Paleoindiani, l'archeologo americano George Frison, voleva sapere come venivano usate le

punte di proiettile di Clovis, di poco più vecchie. Egli realizzò delle riproduzioni lunghe 5-10 cm alle quali furono applicate, con pece e tendini, delle aste di legno lunghe 2 m, e ha mostrato che, lanciate da 20 m di distanza, queste sono in grado di penetrare profondamente nella schiena e nella cassa toracica di elefanti africani (già mortalmente feriti). Frison ha scoperto che le punte potevano essere utilizzate fino a una dozzina di volte con poco o nessun danno, a meno che non colpissero una costola.

Gli archeologi possono utilizzare la riproduzione degli strumenti e le applicazioni sperimentali anche per verificare se e perché certi strumenti di selce fossero deliberatamente esposti al calore durante la manifattura. In Florida molte punte missili e una grande quantità di scarti di scheggiatura hanno un colore rosato e una superficie lustra che fanno pensare a un'alterazione termica. Le ricerche di Barbara Purdy e H.K. Brooks hanno dimostrato che le selci nere della Florida, quando vengono lentamente riscaldate a 240 °C, cambiano colore, mentre dopo aver raggiunto una temperatura pari a 350-400 °C la pietra diventa lustra. Purdy e Brooks hanno quindi analizzato le differenze tra selci esposte e selci (chert) non esposte al calore; le sezioni sottili petrografiche non registrarono alcuna discordanza nella struttura, ma al microscopio elettronico a scansione si osservò chiaramente che la selce riscaldata aveva un aspetto assai più levigato. Inoltre, lo studio della meccanica delle rocce mostrò che, dopo l'esposizione al calore, la selce presentava un aumento del 25-40% della resistenza alla compressione e allo stesso tempo una diminuzione

8.18 Come venivano prodotte le punte di Folsom dei Paleoindiani? Gli esperimenti condotti da Donald Crabtree hanno dimostrato che le schegge venivano asportate dal nucleo esercitando una pressione con una «stampella» a forma di T (*a sinistra*). Gli scheggiatori di selce sono riusciti a produrre copie quasi perfette delle punte (*a destra*).

del 45% della forza necessaria per romperla. Un esperimento di replica e studi al microscopio hanno mostrato delle chiare tracce di trattamento con il calore di attrezzi in silcrete (una sorta di cemento formato da silicio dissolto e poi risolidificato) ritrovati in Sud Africa a Pinnacle Point (164 000 BP) e a Blombos Cave (75 000 BP).

Una conferma – e dati più oggettivi che l'aspetto di una selce – si possono ottenere con un metodo completamente diverso, la spettroscopia ESR (*electron spin resonance*, risonanza di spin elettronico), con il quale si possono individuare strutture chimiche subatomiche nel reticolo molecolare dei cristalli di silice. Il materiale riscaldato ha un caratteristico segnale ESR, che è invece assente nella selce non riscaldata e che rimane stabile per sempre.

Gli esperimenti di Crabtree sul chert indicano inoltre che dopo il riscaldamento si possono ottenere schegge più grandi con la scheggiatura a pressione. Per individuare alterazioni causate dal calore e, in alcuni casi, per stimare la temperatura raggiunta, si può utilizzare anche la termoluminescenza (*vedi* Capitolo 4), dato che la quantità di termoluminescenza (TL) presente in un campione si riferisce al momento immediatamente seguente l'esposizione al calore. Uno strumento non sottoposto ad alte temperature produce normalmente alti valori di TL, mentre un esemplare riscaldato ha valori assai più bassi poiché gli elettroni intrappolati sono già stati liberati.

La riproduzione degli strumenti di solito non può dimostrare in modo conclusivo quali tecniche fossero utilizzate nel passato, ma riduce le possibilità e spesso indica il metodo più probabile, come nel caso delle punte Folsom che abbiamo ricordato. La *ricomposizione* implica, invece, il lavoro sugli strumenti originali e mostra chiaramente l'esatta catena di azioni compiute da chi lavorò la pietra.

La ricomposizione degli strumenti litici Questo particolare metodo di ricerca, la cui invenzione si può far risalire a F.C.J. Spurrell, che l'adottò nel 1880 per il materiale del sito paleolitico di Crayford (Inghilterra), ha preso davvero piede solo negli ultimi vent'anni grazie soprattutto all'opera di André Leroi-Gourhan compiuta sul materiale del campo magdaleniano (tardo Paleolitico Superiore) di Pincevent, nelle vicinanze di Parigi, e a quella dei suoi allievi in siti analoghi. La ricomposizione, o ricongiunzione come è a volte chiamata, è il tentativo di rimettere insieme strumenti e schegge come in un puzzle a tre dimensioni. Si tratta di un lavoro noioso, che ha bisogno di molto tempo, ma che può produrre però risultati spettacolari: una pietra ricostituita proveniente dal sito magdaleniano di Etiolles, designata con la sigla N103, comprende 124 pezzi, alcuni dei quali sono lame lunghe più di 30 cm.

Per quale motivo gli archeologi dedicano tante ore di duro lavoro a esercizi di ricomposizione? In senso molto

8.19 Schegge litiche rinvenute nel sito del Paleolitico Superiore di Marsangy, in Francia, ricomposte per ricostruire il nucleo originario dal quale furono staccate. Un'opera di questo tipo consente all'archeologo di ricostruire le diverse tappe del lavoro di colui che fabbricò gli strumenti litici.

lato perché la ricomposizione consente di seguire le fasi del lavoro dell'operatore e di ricostruire, nei casi in cui i pezzi di un unico nucleo siano stati trovati in aree diverse, perfino i movimenti dell'operatore (o del nucleo) all'interno del sito. Naturalmente gli spostamenti delle schegge possono non avere niente a che fare con gli spostamenti di chi lavorava la pietra: un frammento di bulino, per esempio, può saltare fino a 7 m quando viene staccato. Non si dovrebbe poi automaticamente presumere che ogni nucleo fosse lavorato in una sola volta: l'etnografia ci insegna che un nucleo può venire riutilizzato dopo un periodo più o meno breve.

Grazie alla ricomposizione di alcuni pezzi sappiamo che possono verificarsi considerevoli movimenti verticali attraverso i diversi strati di un contesto archeologico, anche quando non esistono tracce evidenti di disturbo. In ogni caso, se si tiene conto di questi fattori, la ricomposizione offre una prospettiva dinamica della distribuzione spaziale degli strumenti e genera un'immagine assai viva dei movimenti e delle attività che si svolgevano in un sito antico. Se queste osservazioni possono essere completate da informazioni sulla funzione degli strumenti, possiamo dire che il sito ritorna davvero in vita (*vedi* Scheda 8.3).

In che modo possiamo scoprire la funzione di uno strumento litico? L'osservazione etnografica offre spesso, come abbiamo già visto, valide indicazioni per l'interpretazione delle funzioni, e anche le prove sperimentali possono determinare quali siano stati gli usi possibili o più probabili di uno strumento. Bisogna però tener presente che un singolo strumento può essere utilizzato per molti scopi diversi – un'ascia a mano acheuleana potrebbe essere stata impiegata per tagliar legna da un albero o per macellare carne, oppure per schiacciare e grattare – e, al contrario, la stessa azione può essere compiuta da strumenti differenti; l'unica *prova* diretta si ottiene studiando le minute tracce d'uso, cioè la disposizione delle microsure, che rimangono sugli strumenti originari.

Il sito di Rekem, in Belgio, risalente all'ultimo Paleolitico Superiore, circa 13 500 anni fa, fu scavato tra il 1984 e il 1986 dall'archeologo belga Robert Lauwers. In un'area che si stende su 1,7 ha di collina sabbiosa lungo il fiume Meuse, le persone che condussero lo scavo documentarono 16 distinte concentrazioni di manufatti. A parte un po' di colla di resina attaccata alla punta di un'arma, di resti di carbone da legna e dei frammenti di ocra rossa, il materiale ritrovato nel sito fu esclusivamente litico, per lo più selce: in tutto circa 25 000 pezzi.

Sia la distribuzione verticale sia quella orizzontale furono registrate accuratamente. Verticalmente i manufatti furono ritrovati sparpagliati alla considerevole profondità di 40-70 cm. Poiché manufatti ritrovati a differenti profondità poterono essere messi assieme, questa distribuzione verticale non è necessariamente una prova che il sito sia stato occupato in momenti diversi. Gli attrezzi lasciati da una singola occupazione sono stati collocati verticalmente per effetto di attività naturali come lo scavo di tane da parte di animali o lo sviluppo di radici di piante. Gli archeologi vollero quindi sapere fino a che punto un sito paleolitico di questo tipo, disturbato da agenti naturali dopo la deposizione, possa ancora dare informazioni sufficienti per permettere un'analisi spaziale dettagliata su un piano orizzontale. Per poter rispondere a queste domande furono utilizzate e combinate molte indagini, tra le quali un progetto per la ricomposizione estensiva a opera di Marc De Bie e una ricerca esaustiva delle microusure a opera di Jean-Paul Caspar.

Tipi di attrezzi

Un gruppo di 12 concentrazioni di manufatti nell'area centrale degli scavi presenta una particolare disposizione. Diversi siti più larghi in questa zona erano allineati sul lato ovest, mentre una serie di siti più piccoli era sparpagliata a est. Le pietre non di selce erano essenzialmente confinate nelle grandi concentrazioni: queste pietre erano per lo più bruciate e mostravano bordi spuntati intenzionalmente. La loro esatta funzione rimane ancora da stabilire, ma erano presumibilmente impiegate in compiti dove la grandezza e la massa erano importanti, come il tagliare, l'incidere, il segare, lo scavare e via di seguito. In aggiunta a questi «attrezzi da lavoro pesante», altre pietre servivano per martellare, per levigare le aste e come lastre per macinare l'ematite o per tagliare. I quarzi venivano probabilmente usati come pietre di cottura. Oltre che come attrezzi, le pietre più grandi erano inoltre utilizzate anche come elementi strutturali, sia per i focolari sia per le abitazioni. I risultati della ricomposizione hanno mostrato che questo tipo di oggetti era facilmente spostabile all'interno dei loci.

Per quello che riguarda i materiali di selce, diversi aspetti sono stati chiariti dalla ricerca combinata riguardo a come i materiali grezzi venivano procurati, ai metodi di scheggiatura e produzione, all'uso, alla manutanzione e infine allo smaltimento degli attrezzi.

Tecnologia

Dagli studi emerse un'immagine dettagliata della produzione di pezzi grezzi. L'industria litica è caratterizzata da una scadente elaborazione della tecnologia delle lame, con la produzione di lame corte non standardizzate e schegge laminari ottenute mediante l'azione diretta del martello da percussione. Gli scheggiatori di selce sfruttavano una gran quantità di pietre in termini di qualità, grandezza e morfologia e chiaramente avevano diversi gradi di abilità. Benché sia possibile che alcuni aspetti sociali come la specializzazione e l'apprendistato possano aver guidato la scheggiatura della selce, sembra tuttavia che questa sia stata una pratica abbastanza elementare e di carattere domestico piuttosto che di qualità.

L'analisi delle varie categorie di attrezzi a Rekem ha mostrato nuovi aspetti della loro produzione, riparazione, utilizzazione e smaltimento. L'analisi microscopica e macroscopica delle punte, in combinazione con un programma sperimentale che faceva uso di riproduzioni, dimostrò che esse erano utilizzate come armi proiettile, probabilmente inserite su aste fatte di canne.

La ricomposizione degli scarti degli attrezzi e degli errori nelle sequenze di riduzione hanno dato un'idea dei processi di produzione. È interessante notare come la produzione di queste punte proiettile avvenne in piccoli luoghi isolati adibiti allo scheggiamento. La disposizione spaziale del processo di lavorazione della selce in questi luoghi di produzione aveva dei parallelismi con quella degli esperimenti di scheggiamento e dei contesti etnoarcheologici. Lo smaltimento delle punte proiettile utilizzate avveniva nei «siti di abitazione», che erano più larghi, e la loro esatta locazione dipendeva dal loro stato di frammentazione. Frammenti corti della base venivano tolti via dalla parte adesiva dell'asta e gettati semplicemente vicino all'area del focolare, mentre i frammenti più lunghi venivano staccati e gettati più lontano.

In queste grandi e dense concentrazioni, la zona del focolare sembra aver attratto una sequenza di attività collegate al procurarsi della selvaggina (il mantenimento dell'equipaggiamento di caccia), alla macellazione e alle attività di lavorazione del cibo, di spellamento, di lavorazione delle pelli secche e di vari aspetti della lavorazione delle ossa e delle corna. Anche con una tale mistura di attività produttrici di scarti in un unico posto, ciascuna attività sembra aver conservato uno specifico schema spaziale.

Per quel che riguarda l'attività di raschiatura per esempio, la locazione dell'attività e l'organizzazione della produzione e di riaffilatura variava a seconda della condizione delle pelli al momento della lavorazione. La raschiatura della pelle fresca e la lavorazione della pelle secca avvenivano in aree separate ai lati del focolare. Per quel che riguarda la lavorazione della pelle secca, la produzione e la riaffilatura dei raschiatoi era separata dall'attività del raschiare, forse per evitare che frammenti andassero a finire nella pelle.

L'azione di disturbo dopo la deposizione

Può essere chiaramente stabilito che, a Rekem, il processo di disturbo avvenuto dopo la deposizione in genere non ha alterato le delicate relazioni spaziali connesse alle passate attività umane. Dai risultati della ricerca combinata emerge un'immagine dell'insediamento di Rekem come di un accampamento relativamente vasto con, da una parte, delle unità di insediamento ampiamente distribuite nello spazio rappresentate da aree residenziali dove avevano luogo una serie di attività di lavorazione e di mantenimento e, dall'altra parte, qualche luogo isolato di scheggiatura, a volte riservato alla produzione di frecce, altre volte invece mancante di una qualsiasi produzione di attrezzi.

In breve, il sito era organizzato in attività più o meno distinte o aree di smaltimento, al punto tale che il contenuto di ogni settore era molto differente. La variabilità all'interno del sito non è solamente ristretta ai tipi di attrezzi: le differenze nello schema spaziale e nelle funzioni venivano osservate anche a livello tecnologico (differenti stili di scheggiatura). A Rekem questa variabilità può essere ascritta primariamente alle preferenze e ai comportamenti degli individui piuttosto che a differenze più genericamente «culturali».

8.20 (*A destra*) Un cacciatore prepara le sue frecce in un angolo tranquillo lontano dalla zona di abitazione: l'analisi dettagliata di uno scarto di manufatto, in combinazione con l'analisi della ricomposizione e dell'usura, ha permesso questa ricostruzione.

8.21 (*Sotto*) L'analisi spaziale dei raschiatoi, combinata con la ricomposizione e l'analisi delle usure, ha permesso il riconoscimento dei vari stadi della lavorazione delle pelli in differenti aree del sito.

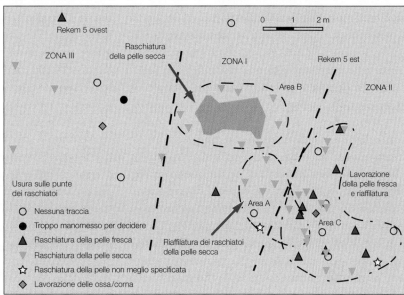

8.22 Lo scavo del sito di Rekem (*a destra*) ha portato alla luce 16 concentrazioni di manufatti, 12 delle quali erano concentrate nell'area centrale. Esse mostrarono una notevole variazione in termini di grandezza, struttura e contenuto, ma in una maniera organizzata. Le più grandi concentrazioni di selce e altri materiali litici, assieme ad altre strutture chiaramente identificabili (focolari ecc.), furono ritrovate nel lato occidentale. Nel lato orientale c'erano piccole e dense aree di spargimento che contenevano solo selce senza nessuna struttura. L'analisi delle microusure, in combinazione con altri metodi di ricerca, ha messo in evidenza la separazione delle attività nel sito, mentre gli studi di ricomposizione hanno evidenziato collegamenti tra le 12 concentrazioni centrali, con la connessione tra i manufatti di selce (linee nere) e di altre pietre (linee colorate).

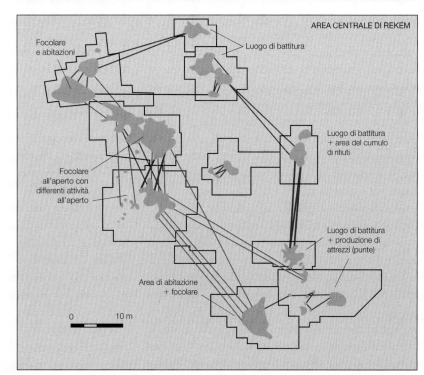

© 978.8808.82073.0

L'identificazione della funzione degli strumenti litici: gli studi sulle microusure

Contemporaneamente alle tecniche di ricomposizione delle schegge litiche nei nuclei originari, nel XIX secolo ebbero inizio i primi studi sulle microusure visibili sugli strumenti in pietra. Le innovative tecniche d'indagine sperimentate dal sovietico Sergei Semenov, e pubblicate nel 1957, fecero compiere decisivi progressi in questo settore di studi. Esaminando al microscopio binoculare strumenti litici preistorici, lo studioso concluse che le tracce d'uso – in particolare differenti tipi di levigature e striature – potevano essere riconosciute anche su strumenti fatti della pietra più dura. Il lavoro svolto negli anni seguenti da Ruth Tringham e da altri studiosi dimostrò che le striature studiate da Semenov non si presentavano necessariamente, come sosteneva invece lo studioso sovietico, su tutti gli strumenti; l'attenzione si concentrò sulle microscheggiature causate dall'uso dello strumento. Le ricerche entrarono in una fase nuova con l'introduzione del microscopio elettronico a scansione con il quale Lawrence Keeley, della University of Chicago, e altri specialisti riuscirono a distinguere con più precisione le varie microusure e a registrarle su fotografie al microscopio.

Sebbene fosse ormai possibile descrivere questo genere di testimonianza, occorreva ora associare le diverse tracce d'uso alle attività che le avevano prodotte; l'archeologia sperimentale contribuì in maniera determinante a rispondere a questo tipo di domanda. Furono eseguite le riproduzioni di diversi tipi di strumenti litici e ciascuno strumento venne impiegato per un particolare scopo. Lo studio delle tracce lasciate sugli strumenti dalle singole tecniche di lavorazione permise a Keeley di disporre di una numerosa serie di elementi con cui confrontare le usure individuate sugli strumenti preistorici; si scoprì inoltre che i diversi tipi di levigatura possono essere facilmente distinti e sono piuttosto durevoli, poiché costituiscono una vera e propria alterazione della microtopografia degli strumenti. Keeley stabilì che gli strumenti preistorici erano impiegati per il trattamento e la lavorazione di sei principali categorie di materiali organici e inorganici: legno, osso, pelle, carne, corno e fibre vegetali. Altri tipi di tracce forniscono invece utili indizi per risalire all'azione svolta dallo strumento (per esempio perforazione, taglio o raschiamento).

L'efficacia di questo metodo fu verificata in un test alla cieca, in cui a Keeley furono presentate 15 riproduzioni di strumenti che erano stati utilizzati per scopi di cui egli non era a conoscenza: Keeley fu in grado di identificare correttamente la parte attiva dello strumento, di descrivere il modo in cui era stato utilizzato e in molti casi perfino il materiale su cui si era intervenuti. Volgendo quindi la propria attenzione all'esame dei manufatti del Paleolitico Inferiore scoperti nell'Inghilterra meridionale, Keeley scoprì che gli strumenti litici del sito di Clacton, datato

approssimativamente a 250 000 anni fa, furono impiegati principalmente per la macellazione delle carcasse di animali e per la lavorazione del legno, dell'osso e delle pelli, mentre altri strumenti rinvenuti a Hoxne furono utilizzati anche su fibre vegetali; i raschiatoi laterali sembravano essere stati destinati prevalentemente al trattamento delle pelli.

Adottando un approccio sperimentale analogo, Johan Binneman e Janette Deacon vollero verificare l'ipotesi secondo cui le asce litiche della Grotta di Boomplaas, in Sudafrica, erano impiegate soprattutto per la lavorazione del legno (vedi Capitolo 6 per l'importanza dei materiali carbonizzati rinvenuti nel sito). Realizzate le riproduzioni degli strumenti delle fasi finali del Paleolitico, si iniziò con queste a intagliare e a spianare superfici di legno; confrontando quindi le usure ottenute su questi strumenti con quelle osservate sui 51 manufatti rinvenuti nella grotta, datati a 14 200 anni fa, si osservò che questi ultimi presentavano lo stesso tipo di levigatura, confermando così l'ipotesi di partenza.

La studiosa giapponese Satomi Okazaki ha invece concentrato il proprio interesse sulle striature prodotte dall'uso degli strumenti litici, ritenendo che la densità e l'orientamento delle rigature siano più indicativi della semplice osservazione del grado di levigatura. In varie prove sperimentali la studiosa ha rilevato che l'uso di strumenti in ossidiana produce striature, ma non levigatura: in particolare, si è verificato che le striature parallele al margine dello strumento erano causate dal movimento nella direzione del tagliente, compiuto per tagliare, mentre quelle perpendicolari erano il risultato del movimento nella direzione perpendicolare al tagliente, effettuato per raschiare.

Riuscire a stabilire la funzione di una serie di strumenti può produrre inaspettati risultati capaci di modificare radicalmente le nostre ipotesi sulle attività svolte in un sito. Si prendano come esempio le ricerche condotte nell'insediamento del periodo Magdaleniano di Verberie, vicino a Parigi (12 000 a.C.); nonostante nel sito fosse stato rinvenuto un solo strumento in osso, lo studio delle microusure presenti sugli strumenti in selce ha dimostrato inaspettatamente la grande importanza della lavorazione dell'osso che, insieme alla produzione di strumenti in corno di cervide, sembra essere stata una delle principali attività svolte nel sito. La scoperta di certi tipi di tracce visibili sugli strumenti litici, quali per esempio quelle lasciate dal sangue e dai fitoliti, costituisce un ulteriore importante indizio per risalire alla funzione dello strumento (vedi Capitolo 7).

Come si è già accennato, gli studi sulle microusure in combinazione con gli esperimenti sulla ricomposizione dei nuclei litici originari riescono a ottenere sorprendenti risultati, utili per ricostruire le attività preistoriche. In un altro sito francese del periodo Magdaleniano, Pincevent, gli strumenti litici e i residui della loro lavorazione si concentravano generalmente accanto ai resti di focolari; nelle vicinanze di uno di essi furono rinvenute dodici lame ricavate da un nucleo, otto delle quali erano state successivamente ritoccate. Lo stesso nucleo era stato in seguito portato vicino a un altro focolare e qui nuovamente scheggiato; da alcune di queste schegge vennero ricavati questa volta dei bulini (strumenti per incidere), utilizzati nella lavorazione del corno di renna.

Recentemente Knut Fladmark e altri studiosi canadesi hanno indagato una diversa categoria di scarti di lavorazione: le sottilissime schegge di pietra (*microdebitage*), di dimensioni inferiori al millimetro, una sorta di «segatura» prodotta durante la lavorazione degli strumenti litici per percussione. Queste piccolissime schegge, recuperabili con la setacciatura ad acqua o con la flottazione (*vedi* Capitolo 6), possono essere distinte dalle particelle di origine naturale solo con un'attenta analisi al microscopio. A differenza degli altri scarti di dimensioni maggiori, trasportati frequentemente da un'area all'altra del sito, questi minuscoli residui non vengono mai rimossi, e indicano così con precisione il luogo dove venne effettuata la lavorazione.

L'identificazione della funzione: ulteriori esperimenti con manufatti in pietra

Esistono numerosi altri metodi d'indagine sperimentale in grado di fornire all'archeologo informazioni utili a determinare la funzione originaria dello strumento litico. Sono state eseguite e sperimentate le riproduzioni di quasi tutti i manufatti litici utilizzati dagli uomini e dalle donne preistorici, dalle asce e dai falcetti ai levigatoi e alle punte di freccia. Per esempio, le asce a mano del Paleolitico Inferiore sono state per lungo tempo un enigma: si pensava fossero degli attrezzi multifunzionali, ma in realtà, per tentare di chiarire la questione, furono fatti ben pochi studi che prevedessero delle sperimentazioni controllate. Recentemente, invece, un test di notevole importanza è stato condotto in Inghilterra: nove asce a mano, riprodotte utilizzando selci provenienti dalle cave attorno all'importante sito paleolitico di Boxgrove, furono utilizzate da un macellaio professionista su una carcassa di cervo nobile. L'esperimento mostrò chiaramente che l'ascia a mano, utilizzata da mani esperte, è un attrezzo formidabile e versatile per la macellazione.

Sophie de Beaune ha condotto uno studio su un'ampia classe morfologica di manufatti del Paleolitico Superiore, interpretati dagli studiosi francesi come lucerne in pietra. Dopo numerosi esperimenti, confronti etnografici con le lucerne eschimesi e analisi chimiche sui residui rinvenuti all'interno di alcuni di questi oggetti, la studiosa concluse che solo 302 esemplari potevano essere considerati come possibili lucerne; solo per 85 di essi, tuttavia, erano disponibili prove sicure, mentre per altri 31 rimaneva qualche dubbio. Le analisi spettrometriche e cromatografiche dei residui di combustione (*vedi* Capitoli 6 e 7) indicarono la presenza nelle lucerne di acidi grassi di origine animale e di legno resinoso, utilizzato quasi certamente per i lucignoli.

Sophie de Beaune realizzò anche copie di lucerne di forme differenti e le sperimentò servendosi di diversi combustibili, come il grasso di bovino o di cavallo, e di diversi tipi di lucignolo. I residui prodotti dagli esperimenti erano simili a quelli identificati nei manufatti paleolitici e le conclusioni raggiunte vennero ulteriormente confermate dallo studio dei sistemi di illuminazione tra gli Inuit. Furono quindi effettuati alcuni test per misurare l'intensità della luce prodotta; questa si rivelò assai debole, anche se una sola lampada era sufficiente per muoversi agevolmente nell'oscurità di una grotta, ed era possibile perfino leggere e cucire se ci si avvicinava abbastanza alla sorgente di luce; l'occhio umano non era in grado di accorgersi che quella fiamma era più debole di quella di una candela.

Altri esperimenti con manufatti litici tentano di stabilire il tempo impiegato per compiere un determinato lavoro. Emil Haury ha studiato i minuscoli grani delle collane rinvenute nei pueblos preistorici dell'Arizona. Una collana lunga 10 m era composta da circa 15 000 elementi, che avevano un diametro medio di soli 2 mm; per riprodurre l'intera collana ci vollero 480 giorni, mentre per fabbricare ogni singolo grano, forato con una spina di cactus, occorrevano in media 15 minuti. Questo genere di indagini sperimentali permette di definire il valore insito nell'oggetto in relazione alla quantità di tempo impiegato per realizzarlo.

La tecnologia dell'arte paleolitica

Nello studio dell'arte preistorica è possibile attualmente disporre di una serie di analisi in grado di stabilire quali furono i pigmenti e il legante usati, quali le tecniche pittoriche e di incisione della roccia. Per le raffigurazioni parietali delle caverne paleolitiche dell'area franco-cantabrica è accertato, per esempio, che i minerali più utilizzati come pigmenti furono il biossido di manganese (per il nero) e l'ossido di ferro (per il rosso), anche se le analisi recentemente condotte sulle pitture di diverse grotte hanno dimostrato che il pigmento nero ivi utilizzato era costituito da carbone di legna, che ne ha permesso la datazione diretta (*vedi* pagine 144-45). Nei Pirenei, per la precisione nella grotta di Niaux, l'analisi della pittura col microscopio elettronico a scansione, la diffrazione dei raggi X e l'emissione di raggi X indotta da protoni (*vedi* Capitolo 9) ha suggerito l'uso di specifiche «ricette» di pigmenti fatti con «additivi» minerali, come il talco, che hanno fatto progredire la pittura migliorando la sua adesione al muro e la stabilità nel tempo. Le analisi hanno anche individuato tracce di legante sotto forma di oli animali e vegetali. In Texas del DNA è stato estratto da una dipinto su roccia vecchio 3000-4000 anni: sembra provenire da un mammifero, probabilmente un ungulato, e forse era associato all'uso di un legame organico.

In alcune grotte l'altezza delle pitture parietali lascia presupporre l'uso da parte degli artisti del Paleolitico di scale o impalcature, supposizione confermata dal rinvenimento di buchi per un'impalcatura lignea ancora visibili in una delle cavità della grotta francese di Lascaux.

Non sempre è possibile accertare quali furono i procedimenti adottati per stendere i colori sulle superfici: si è pensato all'uso di strumenti quali pennelli o tamponi, o delle dita, o all'impiego di una canna attraverso la quale veniva soffiata la sostanza colorante polverizzata; l'osservazione etnografica e i risultati di prove sperimentali potranno essere in questo caso di grande aiuto nell'individuare le possibili tecniche pittoriche utilizzate nel Paleolitico. Per distinguere i differenti tipi di pigmenti ocra vengono oggi utilizzate con grande successo le pellicole a infrarosso, le quali rendono completamente trasparenti le pitture eseguite con l'ocra rossa, permettendo così di osservare nitidamente i colori sottostanti. Con lo stesso metodo possono essere identificati anche eventuali impurità nell'ocra, dal momento che queste ultime sono ben visibili, e i composti di differenti pigmenti. Alexander Marshack utilizzò questo tipo di analisi per lo studio del famoso «cavallo pezzato» nella grotta di Pech Merl, in Francia, e per ricostruire in

quale successione furono dipinte le figure della sequenza. Lo studioso osservò, per esempio, che la serie di punti rossi fu ottenuta utilizzando differenti tipi di ocra e quindi, probabilmente, in momenti successivi.

Nella stessa grotta Michel Lorblanchet eseguì una copia di una delle pitture in nero che decoravano le pareti, allo scopo di determinare il tempo impiegato per portare a termine l'opera. Avendo studiato e memorizzato ogni dettaglio della composizione, lo specialista francese scelse in un'altra grotta una superficie rocciosa delle stesse dimensioni e vi riprodusse una replica esatta della figura. L'esperimento dimostrò che la figura poteva essere dipinta in una sola ora, confermando l'ipotesi secondo cui molte delle pitture parietali vennero probabilmente eseguite in momenti di particolare ispirazione da artisti di grande valore. Successivamente egli ha anche realizzato una copia del cavallo pezzato spruzzando l'ocra e il carbone con la sua bocca; questo esperimento dimostrò che tutto il disegno poteva essere completato in 32 ore, anche se chiaramente era stato realizzato in quattro momenti distinti.

Il microscopio binoculare si è rivelato particolarmente utile nello studio delle incisioni su pietra, poiché può determinare il tipo di strumento e la tecnica di lavorazione impiegati, nonché le differenze nell'ampiezza e nella sezione trasversale delle linee incise; in alcuni casi permette

8.23 Analisi sperimentali sull'arte paleolitica: Michel Lorblanchet spruzza dei pigmenti attraverso un buco, praticato in un pezzo di cuoio, con la finalità di produrre delle macchioline nella sua replica del disegno del «cavallo pezzato» scoperto nella grotta di Pech Merle, in Francia.

8.24 L'uso di programmi informatici avanzati – come DStretch – sui dipinti sulle rocce e su elementi in pietra rende visibili dei dettagli o addirittura delle figure intere, che non sarebbero visibili a occhio nudo. Questo significa che molti siti con raffigurazioni parietali dovranno ora essere studiati di nuovo con le nuove tecnologie per verificare ciò che nel passato non è stato possibile cogliere.

di ricostruire l'ordine con cui vennero effettuate le incisioni. Léon Pales, nel suo studio sulle placche incise del Paleolitico Superiore rinvenute nella grotta francese di La Marche, dimostrò che, prendendo con plastilina o silicone un'impronta della superficie incisa, si poteva riconoscere abbastanza chiaramente in quale ordine erano state incise le linee. Questa tecnica ha permesso, tra l'altro, di stabilire che gli ipotetici «finimenti» sulla testa del cavallo furono incisi in un secondo momento, quando la figura dell'animale era già completata.

Con repliche in resina (*vedi* più avanti) si è in grado di realizzare riproduzioni di superfici incise su pietra; le copie possono quindi essere esaminate al microscopio elettronico a scansione e poste a confronto con le tracce superficiali lasciate da incisioni eseguite nel corso di prove sperimentali. Questo tipo di analisi consente di studiare nei dettagli le caratteristiche morfologiche delle linee incise, di sapere esattamente quando furono eseguite e in quale successione, e se furono realizzate con uno o più strumenti. Più recentemente, nuove tecniche informatiche, come per esempio l'analisi delle immagini e la creazione di profili delle superfici a tre dimensioni, sono stati applicate a questa materia dal momento che ora con lo scanner laser non è più necessario toccare questi oggetti, spesso delicati.

Molti altri metodi di analisi utilizzati su manufatti litici possono essere applicati anche ad altri materiali, come per esempio l'osso.

ALTRI MATERIALI INALTERATI

Osso, corno di cervide, conchiglie e cuoio

L'interesse degli archeologi si concentra in larga parte sulle tecniche di lavorazione e sulla funzione di questi materiali poiché, a quanto pare, non si incontrano particolari difficoltà nel determinare i metodi di reperimento della materia prima (costituiscono un'eccezione quei casi in cui le conchiglie o le ossa di mammiferi marini vengono recuperate in aree molto lontane dal mare). Il primo passo da compiere, tuttavia, è verificare se questi oggetti siano stati davvero realizzati dagli esseri umani.

Come per gli strumenti litici, non sempre è possibile distinguere tra i materiali organici lavorati intenzionalmente e quelli modificati accidentalmente da agenti naturali. Non a caso si continua a discutere sull'utilizzo, prima del Paleolitico Superiore, di manufatti in osso lavorati; è lecito supporre che anche ossa non lavorate siano state utilizzate come utensili, così come avvenne per la pietra. Anche recentemente, in alcuni siti del Nord America occupati da cacciatori (*vedi* Scheda 7.7), ossa intere che non mostrano alcuna traccia di lavorazione sembrano essere state impiegate come strumenti occasionali per tagliare a pezzi carcasse di animali. Anche i primi ominidi a Swartkrans e in altri siti africani sembra che abbiano utilizzato frammenti di ossa lavorati per cercare le termiti, come si evince dai tipi di usura che si possono rintracciare su di essi.

Materiali assai fragili come le conchiglie possono presentare fori di natura non necessariamente artificiale. Lo studioso americano Peter Francis ha tentato di definire, attraverso prove sperimentali, criteri oggettivi per riconoscere eventuali tracce di lavorazione. Conchiglie raccolte sulle spiagge dell'India occidentale vennero perforate dallo specialista americano con strumenti litici servendosi di differenti tecniche: scalfittura, segatura, abrasione, scalpellatura con sgorbia e percussione. Dopo aver esaminato i fori al microscopio, si notò che le prime due tecniche di lavorazione lasciavano tracce ben visibili, mentre la scalpellatura e la percussione creavano buchi dalla forma così irregolare che difficilmente si sarebbe potuto risalire

© 978.8808.82073.0

all'origine della loro formazione. In simili casi lo studio del contesto da cui proviene la conchiglia e la posizione del foro (considerata in relazione alla forma della conchiglia) fornirebbero utili elementi per appurare un eventuale intervento dell'essere umano. Il ricercatore italiano Francesco d'Errico ha stabilito, con la sperimentazione, dei criteri per differenziare al microscopio i fori nelle conchiglie causati da eventi naturali e quelli fatti dagli esseri umani; anche le tracce lasciate sulle ossa, sulle corna di cervidi e sugli oggetti di avorio sono state studiate e classificate.

Lo studio delle tecniche di lavorazione   Solo in rare occasioni la ricerca archeologica è in grado di ricostruire con sufficiente chiarezza le fasi della lavorazione di un manufatto. Nel sito di Kasteelberg, in Sudafrica, datato al 950 d.C. circa, venne individuata un'area di produzione di strumenti in osso, dove fu possibile studiare attentamente ogni fase della realizzazione di questi manufatti e gli strumenti utilizzati. Gli occupanti di questo sito destinato all'allevamento del bestiame scelsero per la manifattura degli strumenti un'area riparata e utilizzarono prevalentemente i metapodi di antilopi sudafricane e di alcelafi (*Alcelaphus*). Le estremità delle ossa furono staccate con un percussore litico e con un colpo inferto con il pugno. In una seconda fase venne prodotta una scanalatura lungo la diafisi dell'osso, che quindi fu raschiata e sfregata finché l'osso si ruppe; i frammenti che se ne ricavarono furono lavorati inizialmente con delle pietre (ne sono stati rinvenuti numerosi frammenti di scarto), e successivamente abrasi e levigati fino a produrre punte molto simili a quelle osservate tra i San (Boscimani) del Deserto del Kalahari.

L'esame delle microusure al microscopio elettronico a scansione, combinato con le indagini sperimentali, può essere un altro mezzo particolarmente utile per determinare i metodi di lavorazione degli strumenti d'osso. Pierre-François Puech e i suoi collaboratori hanno superato il problema dell'impossibilità di osservare al microscopio elettronico a scansione gli strumenti originari realizzando repliche in vernice delle superfici lavorate dei manufatti. Sullo strumento in osso viene steso un composto di nitrocellulosa, che in poco tempo crea una pellicola che può essere rimossa agevolmente e quindi montata su telai da diapositiva. In questo modo l'équipe di specialisti ha scoperto che i segni prodotti con l'uso di vari strumenti litici nel corso degli esperimenti erano simili a quelli rilevati sui manufatti preistorici in osso; ciascuna tecnica di lavorazione creava inoltre una serie di striature ben distinguibili a seconda della tecnica adottata, così come i diversi metodi di levigatura dell'osso. L'applicazione di questi metodi di studio comincia a rivelarsi di particolare importanza per la ricostruzione delle modalità di realizzazione degli strumenti in osso in epoca preistorica.

La determinazione della funzione   L'archeologia sperimentale e l'analisi delle tracce d'usura, singolarmente o in stretta relazione l'una con l'altra, possono offrire utili indizi per conoscere la funzione dei manufatti organici e le relative tecniche di lavorazione.

Un argomento controverso e molto discusso è l'originaria funzione dei bastoni forati in corno di cervide scoperti nei siti europei del Paleolitico Superiore. L'ipotesi comunemente accettata, basata sull'analogia etnografica, ritiene che questi bastoni fossero utilizzati per raddrizzare le asticciole delle frecce, ma sono state proposte almeno altre 40 spiegazioni alternative: per esempio quelle che vedono in questi manufatti elementi per fissare le diverse parti delle tende, oppure oggetti connessi con i finimenti dei cavalli o di altri animali. L'archeologo francese André Glory ha esaminato le tracce di usura all'interno e intorno ai fori di questi bastoni e ha concluso che l'usura era stata determinata dallo sfregamento di una striscia di cuoio o di una fune, restringendo così il campo delle possibili ipotesi. Alla luce dei risultati raggiunti, Glory stesso ha ipotizzato che i bastoni forati fossero utilizzati come manici di fionda.

A differenti conclusioni è giunto invece l'archeologo americano Douglas Campana dopo aver esaminato le tracce di usura in un foro praticato in una scapola di cervo rinvenuta a Mugharet El Wad, in Israele, e risalente al 9000 a.C. circa. Per lo specialista statunitense l'oggetto forato, morfologicamente simile ai più antichi bastoni del Paleolitico, era stato impiegato per raddrizzare asticciole di legno, ipotesi avvalorata peraltro dai risultati di prove sperimentali.

La sperimentazione può essere utilizzata anche per chiarire qualsiasi tipo di problema legato alla funzione e all'efficacia di uno strumento. Sono state eseguite per esempio riproduzioni di punte di freccia dentate in osso e in corno di cervide, forate al centro, risalenti al Paleolitico Superiore, e le si sono poi sperimentate tirandole contro carcasse di

8.25 Bastone in corno di cervide proveniente dal sito del Paleolitico Superiore di La Madeleine, in Francia. L'osservazione in contesti d'interesse etnologico suggerisce che questi bastoni erano impiegati per raddrizzare le asticciole delle frecce; esistono tuttavia molte altre ipotesi interpretative.

animali e altri bersagli. In questo modo M.W. Thompson ha potuto dimostrare che questi manufatti, attribuiti alla cultura Aziliana della fine dell'èra glaciale nell'Europa sud-occidentale, erano probabilmente piccoli arpioni con punta mobile che rimanevano conficcati saldamente nella preda. In maniera analoga, sono state costruite delle copie di alcune punte di proiettili fatte di corno di cervo, appartenenti al periodo Magdaleniano Inferiore in Spagna; si riscontrò che esse, utilizzate su una capra già morta, sono in grado di penetrare molto in profondità e sono estremamente resistenti, in effetti molto di più di quelle di pietra.

Legno

Il legno è uno dei più importanti materiali organici e nel passato deve essere stato utilizzato per costruire strumenti tanto quanto la pietra e l'osso. In realtà, come abbiamo già visto, molti strumenti litici preistorici erano impiegati per lavorare il legno. Se il legno si conserva in buone condizioni è probabile che rechi anche i segni degli strumenti che lo hanno lavorato. Come per altri materiali, è necessario distinguere i segni davvero lasciati dagli strumenti da quelli provocati da altre cause. John e Bryony Coles hanno mostrato quanto sia importante distinguere i segni degli strumenti dalle sfaccettature parallele lasciate dai denti dei castori; le prove sperimentali e l'osservazione diretta delle abitudini di quegli animali hanno aiutato i due studiosi a operare la distinzione. Di conseguenza, oggi si sa che un pezzo di legno proveniente dal famoso sito mesolitico di Starr Carr, nell'Inghilterra settentrionale (*vedi* Scheda 7.4), la cui forma era ritenuta un risultato della lavorazione con

lame di pietra, è stato in realtà tagliato dai denti di castori.

In condizioni speciali, un'ampia gamma di strumenti in legno può conservarsi fino ai giorni nostri, come abbiamo visto nel Capitolo 2. Dall'ambiente secco dell'antico Egitto, per esempio, sono giunti fino a noi numerosi oggetti di legno: attrezzi agricoli (rastrelli, zappe, sassole, falcetti), pezzi di arredo, armi e giocattoli, e strumenti da falegname come mazzuoli e scalpelli. Le pitture egizie, come quelle della tomba del nobile Rekhmire a Tebe, talvolta raffigurano carpentieri mentre utilizzano trapani e seghe. Tuttavia le informazioni più ampie riguardo all'abilità raggiunta nella lavorazione del legno sono state ottenute dai resti lignei che si sono conservati perché impregnati d'acqua (*vedi* Scheda 8.4).

Gli oggetti lignei di grandi dimensioni non sono poi così fuori dal comune; nell'Europa settentrionale si sono conservate diverse bare dell'Età del bronzo scavate in tronchi d'albero, camere mortuarie, ponti, legnami di contenimento del terreno prospiciente uno specchio d'acqua, resti di vere abitazioni e soprattutto un'ampia gamma di veicoli a due o a quattro ruote. Fino ai tempi della rivoluzione industriale e fino all'arrivo delle ferrovie e dei veicoli a

8.26-27 Testimonianze della ruota. (*Sotto*) Nel Vecchio Mondo il cocchio a ruote raggiate (rilievo assiro, IX secolo a.C.) fu il prodotto dell'evoluzione dal carro a ruote piene. (*A destra*) Nel Nuovo Mondo precolombiano si conosceva la ruota (modellino a ruote da Veracruz), ma i veicoli su ruota furono introdotti solo con l'arrivo degli Spagnoli, insieme agli animali da tiro.

INGHILTERRA
• Somerset Levels

Le zone umide dell'Inghilterra sud-occidentale, conosciute come Somerset Levels, hanno conservato una grande varietà di resti organici, tra i quali antiche piste in legno. John e Bryony Coles, nell'ambito del loro progetto di ricerca a lungo termine sui Somerset Levels, hanno compiuto un'analisi straordinariamente particolareggiata delle tecniche di lavorazione del legno utilizzate nella costruzione di quelle piste.

Le estremità dei picchetti e dei paletti che formano questi piani stradali mostrano spesso le sfaccettature e i tagli lasciati dalle asce usate per modellarli. Le prove sperimentali eseguite hanno mostrato che le asce di pietra ammaccano il legno e vi lasciano faccette arrotondate, mentre le asce di bronzo non provocano ammaccature e lasciano caratteristiche faccette a scalino. È possibile riconoscere anche eventuali imperfezioni nell'ascia, come per esempio se esistevano tacche sul taglio; simili falli hanno lasciato la propria firma a ogni colpo d'ascia, permettendo così agli archeologi di determinare con esattezza l'uso di asce particolari su pezzi di legno particolari.

Utilizzando questo metodo, John e Bryony Coles sono riusciti a dimostrare che nella costruzione di una delle piste dell'Età del bronzo che attraversano i Somerset Levels furono impiegati almeno dieci differenti tipi d'ascia. In effetti, gli studiosi hanno dedotto l'esatta maniera di lavorare il legno dalle seguenti indicazioni: ogni pezzo di legno presenta tre faccette, e l'insieme di creste di quella superiore è l'inverso di quello delle altre due; è dunque chiaro che il legno fu prima tenuto in posizione verticale e l'accetta lo colpì «di rovescio»; poi venne inclinato rispetto al suolo e l'accetta lo colpì «di diritto».

La grande quantità di legname conservato in aree intrise d'acqua, come quella dei Somerset Levels e di Flag Fen nell'Inghilterra orientale, consente per la prima volta agli archeologi di avere una visione delle tecniche preistoriche di

8.28 (*Sopra*) La pista in legno dell'Età del bronzo chiamata Eclipse Track, datata a oltre 3500 anni fa. Il tratto scavato consisteva in oltre un migliaio di graticci di rami intrecciati; nei rami, la sorprendente assenza di curvature è la prova che gli alberi venivano deliberatamente potati per favorire la crescita di nuovi polloni dritti.

8.29 Le estremità dei pali di legno mostrano le faccette arrotondate prodotte dall'ascia di pietra neolitica (*a sinistra*) e le faccette angolari e a scalino lasciate da un'ascia di bronzo (*a destra*).

spaccatura, taglio, giunzione e foratura del legno. È apparso allora evidente che l'abilità nella lavorazione del legno si è di poco evoluta nel tempo, anche dopo l'avvento degli strumenti in metallo: sembra, per esempio, che il legno sia sempre stato spaccato con il metodo del cuneo e del mazzuolo, esattamente come nel Medioevo.

Il progetto dei Somerset Levels ha anche dimostrato che già 5000 anni fa i boschi erano gestiti con grande attenzione: i sottili bastoni di legno utilizzati nei graticci intrecciati stesi sul terreno paludoso possono provenire soltanto dal taglio dei tronchi d'albero fatto sistematicamente per poter disporre di raccolti regolari di rami giovani.

8.30 Taglio sperimentale di un frassino eseguito da John Coles (*a destra*) e da un collaboratore facendo uso di asce del Neolitico e dell'Età del bronzo.

 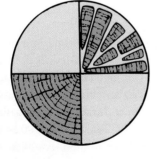

8.31 L'analisi del cosiddetto Sweet Track, antico di quasi 6000 anni, ha dimostrato che chi lavorò quel legno nel Neolitico aveva spaccato radialmente grandi tronchi di quercia per ricavarne tavole (*a destra*), mentre aveva tagliato longitudinalmente gli alberi più giovani, troppo piccoli per essere spaccati radialmente (*a sinistra*).

motore, tutti i mezzi di trasporto su ruote erano realizzati in legno, con parti in metallo per quanto riguarda i periodi più recenti. Si è conservato un sorprendente numero di veicoli (per esempio, interi carri che venivano trainati da buoi, nel Caucaso) o di parti riconoscibili (soprattutto ruote), che vanno ad aggiungersi alle testimonianze fornite dai modellini, dall'arte e dalla letteratura. Nel Nuovo Mondo precolombiano i modellini di veicoli a ruote sono le uniche testimonianze; i veicoli a ruote in quanto tali furono introdotti con la conquista spagnola, così come le bestie da soma necessarie per tirarli. Nel Vecchio Mondo la maggior parte dei veicoli rinvenuti sono stati trovati sepolti nelle tombe. I veicoli muniti di ruote apparvero per la prima volta nel IV millennio a.C. nell'area compresa tra il Reno e il Tigri; le prime ruote erano dischi pieni, realizzati in un solo pezzo (tagliato da una tavola, non una sezione trasversale di un tronco) o compositi. Le ruote a raggi apparvero nel II millennio, applicate a veicoli più leggeri e veloci come i cocchi (bighe), del tipo di quello trovato nella tomba di Tutankhamon (*vedi* Scheda 2.3). Il trasporto su ruota ebbe chiaramente una grossa influenza sullo sviluppo sociale ed economico, ma ciò nonostante ebbe una diffusione geografica assai limitata, soprattutto se confrontata con la tecnologia ovunque sviluppata nella costruzione delle imbarcazioni in legno.

La ricerca sulle imbarcazioni   Fino al XIX secolo qualsiasi tipo di barca e di nave era realizzato prevalentemente in legno, e forse in nessun altro settore della tecnologia preindustriale gli artigiani hanno raggiunto un'abilità così grande come nella costruzione di imbarcazioni di ogni tipo, dalle piccole barche fluviali ai grandi velieri per le traversate oceaniche. Lo studio della storia di questa tecnologia è un campo altamente specializzato, che va ben oltre l'orizzonte di questo libro. Ma sarebbe un errore pensare che l'archeologo abbia poco da aggiungere a ciò che già si conosce dai documenti storici. Per quanto riguarda il periodo preistorico questi documenti, ovviamente, non ci sono, e anche per i periodi storici ci sono ampie lacune che l'archeologia sta a poco a poco aiutando a colmare.

La più ricca fonte di reperti archeologici è costituita, in assoluto, dai resti di imbarcazioni scoperte dall'archeologia subacquea (*vedi* Scheda 3.10). Alla fine degli anni Sessanta del secolo scorso, lo scavo di una nave greca del IV sec. a.C., al largo della costa di Kyrenia (Cipro), mostrò che le imbarcazioni di quel tipo erano costruite con tavole tenute insieme con incastri a mortasa e a tenone. Lo scavo del relitto di Uluburun, vicino a Ka̦s, al largo della costa meridionale della Turchia (*vedi* Scheda 9.7), recentemente condotto da George Bass e dai suoi collaboratori, ha portato alla luce un'imbarcazione più antica di 1000 anni che utilizza la stessa tecnica.

© 978.8808.82073.0

8.32

8.32-35 (*A sinistra*) L'Olimpia, la trireme greca ricostruita nel 1987: circa 170 volontari remano all'unisono. (*Sotto e in basso a sinistra*) Nel 1954, sepolte in una fossa scavata sul lato meridionale della grande piramide di Cheope a Giza, furono rinvenute le parti smontate di una barca in legno di cedro. La sua ricostruzione fu assai agevolata dalla presenza, su gran parte degli elementi lignei, di quattro segni di riferimento che indicavano a quale dei quattro quarti della barca appartenevano gli elementi. Dopo 14 anni di lavoro, l'assemblaggio dei 1244 pezzi dell'imbarcazione fu finalmente portato a termine. (*In basso a destra*) L'imbarcazione costruita più vecchia al mondo (che non sia una piroga) fu scoperta nel 1991 a Abydos in Egitto; ciascuna delle barche (che hanno fino a 5000 anni) fu sepolta completa all'interno di una struttura rotonda realizzata con mattoni di fango.

8.33

8.34

8.35

All'inizio di questo capitolo abbiamo sottolineato quanto sia importante per l'archeologo sentire il parere degli artigiani esperti nella tecnologia in questione. Ciò è particolarmente vero per conoscere a fondo come si costruisce una nave. J. Richard Steffy (1942-2007), dell'Institute of Nautical Archaeology del Texas, possiede una straordinaria conoscenza pratica del modo in cui le navi vengono (o venivano) costruite, conoscenza che ha applicato ai relitti scavati nel Vecchio e nel Nuovo Mondo. A suo giudizio, il modo migliore per imparare come una nave era costruita e come funzionava consiste nel rimettere insieme le parti lignee scavate per restituire una forma il più possibile simile a quella originaria, attraverso l'analisi dei dati dello scavo

e procedendo per approssimazioni successive, con l'aiuto di copie fedeli in scala 1:10 delle parti lignee rimaste (*vedi* Scheda 3.11). Questa è la procedura adottata da un altro artigiano, l'egiziano Hag Ahmed Youssef, nella sua opera di ricostruzione, durata 14 anni, della nave del faraone Cheope trovata a Giza: risale a 4500 anni fa, e si tratta della nave più antica del mondo (*vedi* illustrazioni 8.33-34).

Il passo successivo per qualsiasi valutazione delle tecniche costruttive di una nave è la realizzazione di una copia, a misura naturale o in scala, preferibilmente tale da poter essere provata in acqua. Le copie basate sui resti scavati, come quella dello *knarr* (o nave da carico) vichingo che navigò intorno al mondo tra il 1984 e il 1986, sono più affidabili e danno risultati scientificamente più esatti delle navi costruite solo in base a generiche raffigurazioni artistiche, come nel caso della riproduzione delle caravelle di Colombo. La costruzione di copie sulla scorta delle raffigurazioni può comunque essere di immensa utilità. Fino a quando alcuni entusiastici studiosi britannici, guidati da J.F. Coates e J.S. Morrison, non realizzarono e provarono, nel 1987, una copia di un'antica trireme greca, non si conosceva praticamente nulla delle caratteristiche di quelle navi da guerra dell'antichità classica.

L'archeologia può offrire un altro contributo agli studi sulla marineria dimostrando la presenza di barche anche dove non esiste alcun resto di imbarcazione né alcuna raffigurazione artistica. Il semplice fatto che l'essere umano abbia raggiunto l'Australia circa 50 000 anni fa – quando il continente si staccò dalla terraferma anche se non era a una distanza così grande com'è oggi – suggerisce che possedeva mezzi tali da consentirgli di coprire una distanza di 80 km o forse anche più. Analogamente, la presenza in Grecia, già 10 000 anni fa, di ossidiana proveniente dalle isole dell'Egeo, dimostra che a quel tempo gli esseri umani non avevano alcuna difficoltà a navigare tra le isole e la terraferma.

Fibre vegetali e animali

La fabbricazione di contenitori, tessuti e funi da pelli, cortecce e fibre tessute risale probabilmente ai primissimi periodi documentati dall'archeologia, ma purtroppo questi materiali deperibili si conservano raramente, e solo in presenza di condizioni di estrema aridità o umidità, come abbiamo visto nel Capitolo 2.

Nelle regioni aride, come l'Egitto e alcune regioni del Nuovo Mondo, questi materiali deperibili sono arrivati fino a noi in una certa quantità e lo studio della **lavorazione dei cesti e del cordame** rivela complessi e raffinati disegni e tecniche che dimostrano una completa padronanza nell'impiego di questi materiali organici.

Molto materiale deperibile si conserva grazie a condizioni di impregnazione d'acqua. Le botteghe artigiane rinvenute a York in ottimo stato di conservazione, e relative al periodo vichingo, hanno fornito moltissime informazioni sulla varietà di mestieri svolti nell'Inghilterra del X secolo d.C. (*vedi* Capitolo 13); materiali per la tintura, tra i quali la robbia rossa, il guado e grandi quantità di ginestrella (*Genista tintoria*) furono ritrovati in forma di macrofossili. L'interpretazione della funzione delle piante attestate è stata confermata dall'analisi chimica dei campioni dei tessuti vichinghi ritrovati con gli scavi. La cromatografia (*vedi* Capitoli 6 e 7) ha inoltre identificato nei tessuti una gamma di coloranti, tra i quali ancora comparivano la robbia e il guado. I colori originali per la tintura possono essere identificati tramite il loro «spettro di assorbimen-

to», cioè la lunghezza d'onda della luce che assorbono; è stato scoperto che i romani britannici utilizzavano molto la porpora, mentre i vichinghi di York preferivano il rosso. Il licopodio (*Lycopodium clavatum*), anch'esso presente in forma di macrofossile, era probabilmente utilizzato a York come mordente per fissare i rossi della robbia e i gialli della ginestrella direttamente sulle fibre tessili. Le fibre animali individuate erano tutte lana o seta, mentre l'unica di origine vegetale è stata il lino. Prove della pulitura della lana di pecora si ebbero con la scoperta di adulti e pupe di *Melophagus ovinus* (mosca parassita senza ali) e anche di pidocchi delle pecore.

L'analisi dei tessuti   Per quanto riguarda i tessuti, la questione centrale è quella relativa alle tecniche di fabbricazione e al materiale impiegato. Nel Nuovo Mondo, una discreta quantità di informazioni sui metodi di tessitura impiegati prima della conquista spagnola si deduce dall'osservazione etnografica, nonché dai resoconti e dalle illustrazioni dei colonizzatori, dalle pitture sulla ceramica Moche e dai ritrovamenti nel deserto peruviano di antichi telai e altri oggetti legati alla tessitura (fusi e spolette di legno, di osso o di bambù) ancora in buono stato di conservazione. Pare che ci fossero tre tipi principali di telaio: due erano fissi (uno verticale, l'altro orizzontale) e venivano utilizzati per preparare tessuti molto grandi; il terzo tipo era invece un piccolo telaio portatile utilizzato per preparare sacchi e capi d'abbigliamento.

Le testimonianze più ricche del Nuovo Mondo provengono però dai tessuti peruviani, che si sono conservati in uno stato eccellente grazie al clima arido che caratterizza gran parte del paese. Le culture andine conoscevano a fondo quasi ogni metodo oggi noto di tessitura e decorazione dei tessuti, e i loro prodotti erano spesso di qualità superiore rispetto a quelli odierni, tanto che alcuni si possono davvero considerare i migliori mai realizzati. Intorno al 3000 a.C. le culture andine producevano tessuti di cotone, che ebbero rapidamente il sopravvento sulle tecniche precedenti, che utilizzavano fibre assai meno elastiche e resistenti ricavate da canne e giunchi. Gli abitanti del Perú sfruttarono anche le fibre animali tratte da camelidi domesticati, in particolare la vigogna e l'alpaca. Disponevano di una gamma straordinaria di coloranti: il grande tessuto realizzato dalla cultura Nazca, datato al I millennio d.C., presenta fino a 190 toni di colore.

L'esatta tecnica di tessitura impiegata può essere spesso dedotta dagli specialisti attraverso un'attenta osservazione dei manufatti. Sylvia Broadbent ha studiato alcune stoffe di cotone dipinte della cultura Chibcha, della Colombia preispanica, ed è riuscita ad accertare che sono tutte di «cotone a torsione S a un capo in un'armatura di tela fondamentale, fili di trama su fili di ordito doppi». Il numero dei fili al

8.36-37 La tessitura nel Nuovo Mondo. Alcuni dei tessuti più belli mai realizzati provengono dal Perú. (*In alto*) Questa scena, tratta dalla decorazione dell'orlo di un vaso Moche, raffigura una manifattura tessile peruviana. Vi sono rappresentate otto donne che lavorano al telaio portatile, sotto la supervisione di un capo. Il significato della scena del pannello in basso a destra resta sconosciuto. (*Qui sopra*) Un frammento di un mantello del I secolo d.C. della cultura paracas. Il disegno rappresenta un gatto bicefalo delle Pampas (*leopardus pajerus*), con baffi lunghi e orecchie a punta che tiene, come un trofeo, una piccola testa d'uomo.

centimetro oscilla da 6 a 12 per la trama e da 11 a 14 per l'ordito; alla cimasa i fili di trama girano a gruppi invece che a uno a uno, il che presuppone l'uso di una tecnica di tessitura che impiega più spolette. Il termine del tessuto era assicurato da una fila di punti catenella.

È sempre grazie al clima arido che possediamo numerosi tessuti dell'antico Egitto. Qui, come in Perú, abbiamo la possibilità di conoscere molti dettagli in base al materiale conservato e ai modellini, come quello trovato nella tomba di Meketre a Tebe (2000 a.C.), che mostra un laboratorio di tessitura fornito di un telaio orizzontale, di spolette e di altri attrezzi. Lo scavo di Flinders Petrie a Kahun, un sito urbano abitato da operai impiegati nella costruzione di una piramide e che risale a circa il 1890 a.C., ha portato in luce scarti di tessitura sul pavimento di alcune case: rimasugli di fili filati e non, nonché frammenti di tessuti, colorati in rosso e blu. L'analisi al microscopio elettronico a scansione ha rivelato che si tratta di lana di pecora, mentre i test sui colori hanno mostrato che per il rosso era stata utilizzata la robbia, mentre il blu era probabilmente ottenuto dalla pianta *Indigofera articulata*.

I resti tessili non provengono solo dal Perú e dall'Egitto, dato che si possono conservare anche in condizioni di saturazione d'acqua, come nel caso degli scavi della York vichinga. E anche nei casi in cui la conservazione è meno buona, uno scavo molto attento può restituire le tracce di un tessuto, come nella tomba di un condottiero celtico a Hochdorf, in Germania, datata al 550 a.C. circa: l'analisi dei resti al microscopio elettronico a scansione ha rivelato che il catafalco del defunto era stato ricoperto con stoffe tessute con fili di canapa e lino filati e ritorti. C'erano anche coperte di lana di pecora, crini di cavallo e lana di tasso, nonché pellicce di tasso e di donnola. Se, come in questo caso, si è conservata la configurazione della cuticola, che rappresenta un carattere diagnostico, il microscopio elettronico a scansione permette di distinguere i peli delle diverse specie.

La più antica traccia di indumento al mondo è stata trovata recentemente sotto forma di un frammento rimasto attaccato al manico di un attrezzo di corno di cervice ritrovato a Çayönü in Turchia. Datato circa al 7000 a.C., era probabilmente fatto di lino; tuttavia, una prova ancora più antica della pratica della tessitura o intrecciatura è stata ritrovata a Pavlov, nella Repubblica Ceca, dove è stata rinvenuta una impronta di materiale tessile oppure di un cesto intrecciato flessibile lasciata sull'argilla cotta, risalente a un periodo compreso tra 25 000 e 27 000 anni fa, mentre delle fibre di lino tinte provenienti dalla Grotta di Dzudzuana nel Caucaso (Georgia) mostrano l'esistenza di fili colorati più di 30 000 anni fa.

L'analisi delle microusure delle fibre Questo tipo di analisi si utilizza principalmente per gli strumenti in pietra e in osso, come abbiamo già visto, ma recentemente è stato applicato con grande successo anche ai prodotti tessili e alle fibre. Le ricerche svolte presso il Department of Textiles della Manchester University, con l'impiego del microscopio elettronico a scansione, hanno dimostrato che tipi diversi di fratture, danni e usura lasciano tracce diagnostiche su tipi diversi di fibre. Lo strappo o lo squarcio lasciano tracce molto diverse da quelle dovute a una flessione ripetuta molte volte, associata a fatica e degradazione delle fibre; in questo caso le fibre subiscono un danno longitudinale e, di conseguenza, hanno le estremità sfrangiate («a spazzola»). Il taglio risulta facilmente riconoscibile al microscopio elettronico a scansione, così come i segni di un rasoio si riconoscono subito da quelli provocati da cesoie o da forbici.

I ricercatori di Manchester hanno esaminato, in una recente applicazione della loro tecnica, due campioni di lana provenienti dal forte romano di Vindolanda, nell'Inghilterra settentrionale. Per il primo, una fascia per le gambe di un soldato, dovevano determinare se fosse stata scartata perché consumata o se era stata danneggiata dall'interramento prolungato; le analisi mostrarono un'abbondanza di estremità «a spazzola» che stavano a indicare che la fascia era stata utilizzata a lungo, ma c'erano anche tracce di danni avvenuti dopo l'interramento (fratture trasversali). Il secondo campione, la soletta di una scarpa di bambino, a occhio nudo sembrava nuova di zecca; invece osservandola al microscopio elettronico a scansione fu chiaro che la superficie delle fibre era molto logorata: si poteva così dedurre che la soletta era stata ritagliata da una stoffa pesante (forse quella di un mantello) già abbastanza consumata.

Questa tecnica promette molto per quanto riguarda le analisi future di quei tessuti che sono riusciti a conservarsi; anche nei casi in cui non si conservano, i materiali tessili lasciano a volte delle impronte, come per esempio quelle rimaste su alcune mummie, dalle quali si può riconoscere il tipo di tessitura. Analogamente, utili dati possono derivare dallo studio delle impronte di tessuti, cordami e cesti rimaste sull'argilla cotta, che è in assoluto il più abbondante materiale artificiale a disposizione dell'archeologo.

MATERIALI ARTIFICIALI

Il fuoco e la pirotecnologia

L'intero sviluppo della tecnologia, per quanto riguarda i materiali artificiali, può essere considerato in termini di controllo del fuoco; si può parlare allora di pirotecnologia. Fino a tempi molto recenti, quasi tutti i materiali artificiali dipendevano dal controllo del calore, e anche lo sviluppo di nuove tecnologie è stato spesso fortemente condizionato dal raggiungimento di temperature sempre più elevate.

Il primo passo lungo questo cammino è stato evidentemente la padronanza del fuoco: se ne ha chiara testimonianza già in strati datati 1,5 milioni di anni fa, nella Grotta di Swartkrans in Sudafrica (*vedi* Capitolo 6). Il controllo del fuoco consentì la cottura del cibo e la conservazione della carne; il calore fu impiegato anche nella lavorazione della selce (*vedi* più sopra) e per indurire gli strumenti in legno come la lancia in legno di tasso ritrovata nel sito di Lehringen, in Germania, data al Paleolitico Medio.

Statuette di terracotta vennero prodotte sporadicamente nel Paleolitico Superiore dai Pirenei all'Africa settentrionale e alla Siberia, ma la più notevole concentrazione di statuette si trova nell'ex Cecoslovacchia nei siti all'aperto di Dolní Věstonice, Pavlov e Předmosti (*vedi* illustrazione 10.57), datati a circa 26 000 anni fa, dove sono state trovate piccole statuette ben modellate di animali ed esseri umani, realizzate con loess bagnato e cotto alla temperatura di 500-800 °C. Le statuette erano sistemate in speciali forni situati in disparte rispetto alla zona abitativa. Di quasi tutte ci sono rimasti solo dei frammenti e la forma delle loro fratture ci indica che si ruppero a causa di uno shock termico: venivano disposte ancora bagnate nella parte più calda del forno e quindi deliberatamente fatte esplodere. Dunque, piuttosto che essere degli oggetti d'arte lavorati con cura furono utilizzate per qualche rituale particolare.

Uno sviluppo importante del primo Neolitico, avvenuto nel Vicino Oriente intorno all'8000 a.C., fu la costruzione di speciali forni utilizzati sia per essiccare i granelli di cereali al fine di facilitarne la battitura sia per cuocere il pane. Questi forni erano formati da una sola camera nella quale si bruciava il combustibile; una volta riscaldato il forno, le braci venivano raccolte e levate, e al loro posto si sistemavano i granelli da tostare o il pane da cuocere. Questo è il primo esempio di costruzione intenzionale di un dispositivo atto a controllare le condizioni in cui veniva innalzata la temperatura. Possiamo ipotizzare che la possibilità di produrre ceramica esponendo l'argilla all'azione del fuoco fosse scoperta proprio attraverso queste primitive esperienze di pirotecnologia. Inizialmente la ceramica fu cotta in un focolare aperto; limitando l'afflusso d'aria e aggiungendo legna incombusta, si potevano ottenere condizioni «riducenti» (sottraenti ossigeno).

© 978.8808.82073.0

8.38 La pirotecnologia: il controllo del fuoco. In principio la ceramica veniva cotta in un fuoco aperto; l'introduzione del forno consentì di raggiungere temperature più elevate, accelerando anche lo sviluppo della metallurgia. (*A sinistra*) Forno a coppa della Mesopotamia dell'inizio del IV millennio a.C., costruito prevalentemente con argilla e munito di una parete esterna di pietra o di mattoni crudi. (*Al centro*) Forno egizio risalente al 3000 a.C. circa, ricostruito in base a pitture funerarie. Per caricare il forno il vasaio prendeva posto sulla piccola piattaforma a destra. (*A destra*) Forno greco risalente a circa il 500 a.C., ricostruito da scene presenti su placchette corinzie. La camera di combustione più lunga probabilmente migliorava la combustione.

In casi favorevoli, questi semplici procedimenti possono essere stati sufficienti a raggiungere temperature equivalenti al punto di fusione del rame (1083 °C). Dato che il rame veniva già lavorato con la battitura (martellatura) a freddo e poi con la ricottura (*vedi* più avanti), e alcuni minerali di rame come l'azzurrite venivano utilizzati come pigmenti, ben presto si dovette giungere alla scoperta dell'estrazione per fusione del rame dai suoi minerali e della fusione del rame in forme. I forni da ceramica, dove è possibile controllare il flusso d'aria, possono raggiungere temperature dell'ordine di 1000-1200 °C, come è stato documentato per certi siti primitivi del Vicino Oriente quali Tepe Gawra e Susa, in Iran. Il legame tra produzione ceramica e inizio della metallurgia del rame è stato più volte messo in evidenza; in seguito si sviluppò la tecnologia del bronzo, con la creazione della prima lega di stagno e rame.

Il ferro può essere estratto per fusione dai suoi minerali alla temperatura relativamente bassa di 800 °C, ma per essere lavorato a caldo richiede una temperatura tra 1000 e 1100 °C. In Europa e in Asia la tecnologia del ferro si sviluppò dopo quella del rame e del bronzo a causa di problemi di controllo della temperatura e per la necessità di una più precisa regolazione delle condizioni riducenti. Nell'Africa centrale e meridionale, invece, la tecnologia del bronzo non sembra antecedente a quella del ferro, e nel Nuovo Mondo quest'ultimo metallo non era lavorato in epoca precolombiana. Infine, per essere fuso, e non semplicemente battuto a caldo, il ferro richiede che sia raggiunta la temperatura di fusione (1540 °C), e questa condizione fu conseguita solo intorno al 750 a.C. in Cina.

Esiste dunque una sequenza logica nello sviluppo di nuovi materiali, determinata in larga parte dalla temperatura che si riesce a raggiungere: così la produzione del vetro e della *faïence* (una sorta di «pre-vetro»; *vedi* più avanti) compare in generale molto più tardi di quella della ceramica ma contemporaneamente alla manifattura del bronzo, in quanto sono necessari per entrambi una temperatura più elevata e un migliore controllo delle condizioni di cottura.

Lo studio della tecnologia impiegata per la produzione di materiali artificiali come questi richiede, ovviamente, una conoscenza delle tecniche e dei materiali. Forme di artigianato tradizionale, quali si possono osservare ancora oggi in molti bazar del Vicino Oriente, possono offrirci valide indicazioni su come i manufatti venivano prodotti e sui procedimenti tecnici adottati.

La ceramica

Abbiamo visto che durante i periodi più antichi della preistoria si utilizzavano recipienti realizzati con materiali organici leggeri. Ciò non significa, come si è spesso supposto, che le donne e gli uomini del Paleolitico non sapessero produrre la ceramica: ogni fuoco acceso sul suolo di una caverna avrà indurito l'argilla circostante, e abbiamo già notato che talvolta venivano plasmate statuette di terracotta. La mancanza di recipienti in ceramica prima del Neolitico è principalmente una conseguenza delle abitudini di vita nomade dei cacciatori-raccoglitori del Paleolitico, ai quali i pesanti recipienti di terracotta sarebbero stati di poca utilità. L'introduzione della ceramica coincide generalmente con l'adozione di abitudini più sedentarie, per le quali diventa necessario disporre di recipienti che durino più a lungo e siano più resistenti.

Nei contesti relativi a periodi successivi la terracotta, quasi indistruttibile, diventa tanto onnipresente quanto lo strumento litico in quelli primitivi: così come certi siti restituiscono migliaia di strumenti litici, altri contengono letteralmente tonnellate di frammenti ceramici. A lungo, e in particolare prima dell'avvento dei metodi di datazione assoluta, gli archeologi hanno utilizzato la ceramica soprattutto come indicatore cronologico (*vedi* Capitolo 4) e per costruire tipologie basate sui cambiamenti della forma e della decorazione. Questi aspetti sono tuttora di grande importanza, soprattutto per valutare le caratteristiche dei siti così come appaiono dalle ricognizioni di superficie (*vedi* Capitolo 3); ma le ricerche attuali, analogamente a quanto avviene nel campo dell'industria litica, puntano l'attenzione sull'identificazione delle fonti di approvvigionamento dei materiali grezzi (*vedi* Capitolo 9), sullo studio dei residui presenti nelle ceramiche come fonte di informazione sull'alimentazione (*vedi* Capitolo 7) e, soprattutto, su tutti i metodi di manifattura e sugli usi ai quali i recipienti erano destinati.

Per quanto riguarda la manifattura, le domande principali che bisogna porsi possono essere riassunte come segue: Quali sono i componenti dell'argilla? In che modo era fatto il vaso? E a quale temperatura era cotto?

I dimagranti In alcune circostanze la semplice osservazione sarà sufficiente a identificare nell'argilla inclusioni che costituiscono il dimagrante usato nella fabbricazione della ceramica, cioè un materiale aggiunto all'argilla per renderla più resistente e lavorabile e per prevenire le rotture o i restringimenti durante la cottura. I materiali più comuni usati come dimagrante sono conchiglie e ceramica polverizzate, sabbia, erba, paglia o frammenti di spugna. Esperimenti condotti dagli studiosi americani Gordon Bronitsky e Robert Hamer hanno dimostrato le proprietà dei diversi dimagranti: si è infatti scoperto che le conchiglie polverizzate e bruciate, meglio della sabbia grossolana e delle conchiglie non bruciate, rendono l'argilla più resistente agli shock termici e agli altri effetti del calore; il secondo miglior dimagrante è la sabbia fine. Più il dimagrante è fine, più la ceramica è resistente; il dato archeologico proveniente da numerosi luoghi del Nuovo Mondo mostra una tendenza continua verso l'impiego di dimagranti sempre più fini.

Come venivano fatti i vasi? L'uso del tornio da vasaio fu introdotto, al più presto, solo dopo il 3400 a.C. in Mesopotamia. Il metodo usato prima di quella data, e ancor oggi impiegato in alcune parti del mondo, era quello di costruire il recipiente a mano con una serie di bastoncelli o serpentelli di argilla. Un semplice esame delle superfici interne ed esterne del vaso è di solito sufficiente per riconoscere il metodo di manifattura: la ceramica realizzata al tornio, infatti, presenta generalmente una spirale di creste e striature – i segni lasciati dai polpastrelli del ceramista quando toglie il vaso dal tornio. Alcune tracce sulla superficie esterna dei vasi possono essere lasciate anche dalle spatole piatte – talora avvolte in stoffa, che a sua volta lascia dei

8.39 Una testimonianza dell'uso del tornio nella fabbricazione della ceramica. Questa statuetta in calcare, data intorno al 2400 a.C., raffigura un vasaio egizio che modella al tornio un vaso.

segni – usate per battere l'impasto e ottenere un prodotto resistente dalla superficie levigata.

Come erano cotti i vasi? La tecnica di cottura può essere dedotta da certe caratteristiche del prodotto finito; se, per esempio, le superfici sono vetrificate, ossia rivestite di vetrina (cioè hanno un aspetto vitreo), significa che il vaso è stato cotto a una temperatura di oltre 900 °C e probabilmente in un forno chiuso. Anche il grado di ossidazione di un vaso (il processo attraverso il quale vengono bruciate le sostanze organiche presenti nell'argilla) è indicativo dei metodi di cottura: l'ossidazione completa produce un colore uniforme su tutto l'impasto; se il nucleo di un coccio è scuro (grigio o nero) vuol dire che la temperatura di cottura è stata troppo bassa per ossidare completamente l'argilla, o che la durata della cottura è stata insufficiente, fattori che spesso indicano l'uso di un forno aperto. La cottura all'aperto può anche causare lo scoloramento a chiazze della superficie del vaso, dette «*fire clouds*». La cottura sperimentale di impasti diversi a diverse temperature e in vari tipi di forno offre una guida ai colori e agli effetti che si possono verificare.

Un metodo rigoroso per determinare la temperatura di cottura fu utilizzato dagli studiosi americani W.D. Kingery e Jay Frierman su un frammento di ceramica con grafite proveniente dal sito di Karanovo, in Bulgaria, datato all'Età del rame. Il metodo utilizzato consisteva nel riscaldare di nuovo l'esemplare finché la sua microstruttura non subiva trasformazioni irreversibili: in questo modo si stabiliva un valore massimo della temperatura alla quale era stato cotto in origine. L'esame al microscopio elettronico a scansione rivelò una lieve modificazione della microstruttura dopo la cottura a 700 °C in un'atmosfera di anidride carbonica; modificazioni importanti si verificavano dopo un'ora a 800 °C, mentre a 900 °C l'argilla vetrificava. Gli studiosi hanno potuto così giungere alla conclusione che la ceramica con grafite era originariamente cotta a una temperatura inferiore a 800 °C, molto probabilmente intorno a 700 °C. Questi risultati concorrono ad ampliare la nostra conoscenza delle capacità tecnologiche di diverse culture, particolarmente per quanto riguarda la loro possibile padronanza della metallurgia (*vedi* più avanti).

L'archeologia dei siti dove si trovano i forni per ceramica ha fornito un contributo molto importante alla nostra conoscenza dei procedimenti di cottura. In Thailandia, per esempio, il gres fu prodotto a livello industriale tra l'XI e il XVI secolo d.C., per essere venduto sui mercati del Sud-Est asiatico, fino in Giappone e in Asia occidentale; nonostante questo, i testi contemporanei non fanno alcuna menzione di questa manifattura. Gli archeologi e gli scienziati australiani e thailandesi impegnati in questo progetto di ricerca hanno scoperto che le città di Sisatchanalai e Sukhothai erano i più importanti centri di produzione; lo scavo dei villaggi che si trovano intorno a Sisatchanalai ha portato alla luce centinaia di grandi forni, spesso costruiti sopra precedenti strutture crollate, a volte a una profondità di 7 m. Questa stratigrafia ha mostrato lo sviluppo della forma e della costruzione dei diversi tipi di forno: dalle rozze forme primitive in argilla agli esemplari tecnicamente avanzati in mattoni che consentivano di raggiungere le temperature più elevate, necessarie alla produzione del vasellame pregiato destinato all'esportazione. I forni più tardi erano costruiti su collinette per proteggerli dall'umidità del terreno e per garantire in questo modo la produzione per tutto l'anno, la qual cosa riflette la crescente domanda di ceramica.

La testimonianza dell'etnografia Diversamente dall'industria degli strumenti litici, la produzione di ceramica secondo metodi tradizionali è ancora diffusa in tutto il mondo, cosicché può essere utile compiere studi etnoarcheologici non solo sugli aspetti tecnologici, ma anche su quelli sociali e commerciali. Tra i molti progetti che hanno conseguito risultati apprezzabili si potrebbe citare la ricerca a lungo termine svolta dall'archeologo americano Donald Lathrap (1927-1990) tra gli indiani Shipibo-Conibo nell'Amazzonia superiore (Perú orientale), i cui stili ceramici si possono far risalire agli antecedenti archeologici del I millennio d.C. La maggior parte delle donne esegue lavori in ceramica, e ognuna di loro produce i recipienti per il proprio uso domestico, utilizzati sia per cucinare sia per altri scopi, per esempio per conservare le derrate. I vasi sono modellati con argille locali, con una varietà di inclusioni che comprende l'uso di vecchi cocci macinati, mentre altri minerali e pigmenti adoperati per gli ingobbi e per le decorazioni sono importati dalle regioni vicine. I vasi vengono formati con bastoncelli d'argilla. Sebbene si tratti di un'attività praticata tutto l'anno, la fabbricazione della ceramica avviene soprattutto nella stagione secca, da maggio a ottobre. Studi come questi sono utili per dare risposta a un'ampia serie di domande: non solo come era fatta la ceramica, quando, perché e da chi, ma anche quanto tempo e quanto sforzo venivano impiegati per realizzare i diversi tipi di recipienti; quanto spesso e in quali circostanze i vasi si rompevano; cosa accadeva ai pezzi rotti; in altre parole, i modelli di uso e di scarto del materiale e di pulizia del sito.

In questo modo gli archeologi possono ricavare dalla ricerca etnoarcheologica molti dati di grande valore; le fonti storiche e le raffigurazioni artistiche offriranno dati supplementari.

Faïence e vetro

I materiali vetrosi hanno fatto il loro ingresso nella storia della tecnologia relativamente tardi. Il primo di essi è stato la *faïence* (parola francese che deriva dalla città italiana di Faenza), che si potrebbe anche chiamare «pre-vetro»; si otteneva rivestendo con una vetrina alcalina un nucleo di quarzo polverizzato. Nata nell'Egitto predinastico (prima del 3000 a.C.), fu molto usata nel periodo delle dinastie per realizzare semplici vaghi di collana e pendenti. In archeologia la *faïence* è importante perché fornisce informazioni circa la provenienza o la fonte di particolari perline (di cui si analizza la composizione) e quindi perché contribuisce a valutare quanto la tecnologia dell'Europa preistorica dipendesse dall'Egitto e dal Mediterraneo orientale.

L'analisi per attivazione neutronica (*vedi* Scheda 9.3), che è capace di individuare i diversi elementi anche in concentrazioni di poche parti per milione, è stata applicata a grani di collana in *faïence* dell'Età del bronzo e ha provato che quelli provenienti dall'Inghilterra possedevano un contenuto di stagno relativamente alto che li rendeva chiaramente diversi da quelli prodotti nella Repubblica Ceca (con alto contenuto di cobalto e antimonio) e anche da quelli scozzesi. Tutti questi gruppi si distinguevano dai prodotti egiziani, sottolineando così l'esistenza di manifatture locali di questa classe di materiali.

8.40 Vetri romani da Pompei. I Romani introdussero la tecnica della soffiatura del vetro intorno al 50 a.C. e crearono alcuni tra i più raffinati esemplari mai realizzati. La loro maestria restò ineguagliata fino alle produzioni vetrarie veneziane del Rinascimento.

Intorno al 2500 a.C. in Mesopotamia vennero prodotte le prime perline di **vetro** vero e proprio, che sembra avessero inizialmente un prezzo molto elevato. Ma una volta scoperta e messa a punto la tecnica, il vetro fu prodotto facilmente e a basso costo: la sua fabbricazione comporta infatti semplicemente la fusione di sabbia e il suo raffreddamento; il liquido si raffredda senza cristallizzarsi e perciò rimane trasparente. Il problema da superare era l'alto punto di fusione della silice (sabbia), pari a 1723 °C, ma se si aggiunge un fondente come soda o potassio, basta una temperatura più bassa. La soda l'abbassa a 850 °C, ma si ottiene un vetro di qualità piuttosto scadente. Attraverso diversi tentativi, l'essere umano deve aver scoperto che se si aggiunge anche calce si ottengono risultati migliori: la miscela ottimale richiede il 75% di silice, il 15% di soda e il 10% di calce. Come abbiamo visto, il vetro può essere stato prodotto solo dopo aver messo a punto le tecniche per raggiungere temperature molto elevate; ciò accadde nell'Età del bronzo con lo sviluppo di forni a carbone per la fusione dei metalli (*vedi* più avanti).

I primi recipienti di vetro sono stati trovati in siti egizi della XVIII Dinastia, che risalgono a circa il 1500 a.C.; il più antico forno da vetro conosciuto è quello di Tell el-Amarna, in Egitto, che data al 1350 a.C. I vasi veniva-

no fabbricati utilizzando una tecnica simile a quella della cera persa (*vedi* più avanti): il vetro fuso veniva modellato intorno a un nucleo d'argilla, che veniva poi eliminato una volta che il vetro si era raffreddato; questa tecnica lascia un caratteristico interno ruvido e butterato. Anche le statuette e i recipienti cavi erano fabbricati con forme di pietra o di argilla.

Verso il 700 a.C. erano ormai state sviluppate tutte le principali tecniche per la fabbricazione del vetro, che consentivano di produrre recipienti, statuette, vetri per finestre, vaghi da collana. Solo una tecnica non era ancora conosciuta: la soffiatura, che consiste nel gonfiare un globo di vetro fuso soffiando attraverso una canna metallica, utilizzando o meno uno stampo per ottenere forme particolari. Questo metodo veloce ed economico fu messo a punto verso il 50 a.C. dai Romani, la cui perizia nella fabbricazione del vetro non fu eguagliata fino all'apogeo dell'arte vetraria nella Venezia del XV e XVI secolo. Dal punto di vista quantitativo, invece, la produzione vetraria romana non fu eguagliata fino alla rivoluzione industriale. Perché, allora, il vetro antico è così raro? La risposta non è, come si potrebbe immaginare, perché il vetro è fragile – spesso non è più fragile della ceramica – ma perché, come i metalli e diversamente dalla ceramica, è un materiale riutilizzabile: i frammenti di vetro possono essere fusi di nuovo e incorporati in un nuovo vetro.

Ancora una volta, la **composizione** e la **produzione** sono i temi fondamentali dell'approccio archeologico a questi materiali. Fino a qualche decennio fa era molto difficile determinare quali fossero esattamente le materie prime utilizzate, poiché l'osservazione cristallografica non offriva alcuna prova. Negli ultimi quarant'anni, però, nuove tecniche hanno consentito agli specialisti di analizzare i componenti di numerosi vetri antichi.

E.V. Sayre e R.W. Smith, per esempio, intrapresero una ricerca per individuare le differenze sistematiche di composizione nei vetri antichi, analizzandone 26 elementi attraverso la combinazione di tre tecniche: la fotometria di fiamma, la colorimetria e soprattutto la spettrometria a emissione ottica (*vedi* Capitolo 9). Il risultato fu la determinazione di numerose categorie di vetro antico, ognuna con una composizione chimica diversa. Per esempio, gli esemplari del II millennio a.C. (provenienti essenzialmente dall'Egitto, ma anche dall'area mediterranea) sono tipici esempi di vetro con soda e calce e con un alto contenuto di magnesio; gli esemplari degli ultimi secoli prima di Cristo (provenienti dalla Grecia, dall'Asia Minore e dalla Persia) sono ricchi di antimonio e hanno un più basso contenuto di potassio e magnesio; il vetro romano, infine, conteneva meno antimonio e più manganese di tutti gli altri. Altri metodi applicati al vetro antico includono l'uso della microsonda elettronica, un perfezionamento della tecnica non distruttiva della fluorescenza da raggi X (*vedi* Capitolo 9), che può essere applicata anche a campioni molto piccoli; anche l'analisi per attivazione neutronica può essere utilizzata per analizzare il vetro.

Alcune imperfezioni del vetro, come per esempio le bolle, con la loro grandezza, forma, orientamento e distribuzione possono talvolta informare lo specialista sul modo in cui l'esemplare fu manipolato durante la modellazione. Anche i sottoprodotti possono darci informazioni: quello che a prima vista può sembrare un «vago rotto», proveniente dal villaggio lacustre dell'Età del ferro di Meare, nell'Inghilterra sud-occidentale, potrebbe in realtà essere uno stampo per la produzione di vaghi di vetro.

ARCHEOMETALLURGIA

Metalli non ferrosi

Il più importante metallo non ferroso usato nell'antichità è stato il rame. Dopo un certo tempo gli esseri umani impararono che si poteva ottenere un prodotto più duro e resistente formando una lega di rame e stagno e ottenendo così il bronzo. Nel processo di alligazione si utilizzarono a volte anche altri elementi, in particolare arsenico e antimonio; durante la tarda Età del bronzo in Europa ci si accorse che una piccola quantità di piombo avrebbe migliorato la qualità della fusione. Anche l'oro e l'argento avevano una certa importanza, né si dovrebbe sottovalutare l'importanza del piombo. Altri metalli quali lo stagno e l'antimonio venivano invece utilizzati in forma metallica solo molto raramente.

Nella maggior parte delle regioni in cui si producevano rame e bronzo ci fu una progressione naturale nello sviluppo delle tecniche, analoga a quella avvenuta per i materiali artificiali in generale (*vedi* più sopra) e dipendente soprattutto dal fattore temperatura. Per qualsiasi studio sulla tecnologia antica è necessaria una conoscenza elementare dei seguenti processi.

1. **Modellazione del rame nativo.** Il rame nativo, cioè il rame metallico che si trova in natura sotto forma di pepite, può essere battuto, tagliato, lucidato e così via. Questa tecnica veniva ampiamente utilizzata nella cultura del «Rame antico» (IV-II millennio a.C.) del periodo arcaico negli Stati Uniti settentrionali e in Canada, e fa la sua apparizione nel Vecchio Mondo in alcuni siti agricoli primitivi quali Çatalhöyük e Çayönü in Turchia e Ali Kosh in Iran, verso il 7000 a.C.

2. **Ricottura del rame nativo.** La ricottura è semplicemente il processo di riscaldamento e battitura del metallo; l'operazione di battitura rende fragile il metallo. Questo processo fu scoperto non appena si cominciò a lavorare il rame nativo.

3. **Estrazione del rame per fusione dai minerali costituiti da ossidi e carbonati**, molti dei quali sono caratterizzati da una vivace colorazione.

4. **Fusione e colatura del rame**, prima in un'unica forma aperta, poi in forme costituite da due pezzi (bivalvi).

5. **Alligazione con arsenico (o forse stagno)** per ottenere il bronzo.

6. **Estrazione del rame per fusione da minerali costituiti da solfuri**, un processo più complesso dell'estrazione da carbonati.

7. **Fusione con il metodo della cera persa** (*vedi* più avanti) e uso del metodo delle fusioni successive, che permette la produzione di forme più complesse grazie alla fusione in più stadi.

Il piombo, con temperatura di fusione di 327 °C, è il metallo più facilmente lavorabile; può essere estratto per fusione dai suoi minerali a 800 °C circa. L'argento fonde a 960 °C, l'oro a 1063 °C e il rame a 1083 °C. Una volta impadronitisi della tecnologia del rame e del bronzo, i metallurghi erano dunque in grado di lavorare anche l'oro e l'argento e, ovviamente, il piombo.

Le tecniche di manifattura dei prodotti realizzati a partire da questi materiali possono essere indagate in più modi. Il primo punto da stabilire è la **composizione**. I tradizionali metodi di laboratorio permettono una rapida identificazione dei principali elementi costitutivi: i componenti presenti nel bronzo possono essere identificati in questo modo. Nella pratica, tuttavia, oggi si utilizza di solito l'analisi degli elementi in tracce, impiegata anche negli studi di caratterizzazione (*vedi* Capitolo 9). Per molti anni fu largamente utilizzata la spettrometria a emissione ottica, ora sostituita dalla spettrometria ad assorbimento atomico; come per gli impasti ceramici o per il vetro, anche per i metalli è spesso impiegata la fluorescenza da raggi X. Tutti questi metodi vengono esaminati in dettaglio nel Capitolo 9.

L'altro approccio essenziale è l'**esame metallografico**, con il quale viene analizzata al microscopio la struttura del materiale (*vedi* Scheda 8.5); questa analisi è in grado di determinare se un manufatto è stato prodotto per battitura a freddo, ricottura, fusione in forma o attraverso una combinazione di queste tecniche.

Tornando alla sequenza di fasi diverse delineata più sopra, l'uso del rame nativo può essere ipotizzato quando il rame si presenta quasi privo di impurità, mentre è confermato con certezza quando il metallo non è stato né fuso né colato in forma: l'esame metallografico mostrerà in questo caso che il manufatto è stato formato solo con la battitura a freddo o la ricottura. Un esempio: quando lo studioso americano di metallurgia Cyril Smith sottopose un vago di rame del VII millennio a.C. proveniente da

Tepe Ali Kosh, in Iran, all'esame microscopico e metallografico, scoprì che un massello di rame allo stato nativo era stato battuto a freddo fino a ottenere una lamina poi tagliata con uno scalpello e ripiegata a formare la perlina. Però, se il rame nativo è invece stato fuso e poi colato, è impossibile distinguerlo con certezza dal rame ottenuto per fusione dal suo minerale.

L'alligazione

L'alligazione del rame con arsenico o stagno rappresenta un notevole passo avanti nella pratica metallurgica o metallotecnica. La lega può avere un certo numero di utili proprietà: in primo luogo, il bronzo all'arsenico o il bronzo allo stagno sono molto più duri e meno fragili del rame; proprio per questa ragione le lame in metallo di lance e pugnali sono generalmente in bronzo, mentre è probabile che le armi in rame fossero in pratica di scarsa utilità. È certo che le prime spade prodotte nel Vicino Oriente e in Europa furono di bronzo: spade di rame sarebbero state semplicemente troppo fragili per avere una qualche efficacia.

L'aggiunta di arsenico o di stagno può facilitare in molti modi la manifattura, poiché questi elementi evitano la formazione nel rame di bolle o soffiature durante la fase di colatura e migliorano la lavorabilità dell'oggetto, consentendone la battitura ripetuta (con o senza riscaldamento) senza che l'oggetto stesso divenga fragile; il rapporto ideale di stagno e rame è di circa 1:10.

Naturalmente la presenza di stagno o di arsenico indica che si tratta di una lega. Nel caso dell'arsenico esiste però la possibilità che si sia utilizzato originariamente un minerale di rame ricco d'arsenico, e quindi che questo elemento non sia stato aggiunto volutamente. È impossibile accertarsene con sicurezza nel caso di un singolo manufatto, ma l'analisi di una serie di manufatti può rivelare un quadro coerente che indica un attento controllo e quindi, con una certa probabilità, l'alligazione intenzionale. Quando E.R. Eaton e Hugh McKerrell applicarono la fluorescenza da raggi X a materiale dell'Età del bronzo proveniente dal Vicino Oriente, l'analisi mostrò un uso diffuso di minerali d'arsenico nelle leghe, al fine forse di ottenere sul rame una patina di colore argenteo. In effetti, i due ricercatori scoprirono che il rame con arsenico rappresentava da un quarto a un terzo di tutto il metallo della Mesopotamia nel periodo tra il 3000 e il 1600 a.C., rivelandosi per quell'epoca due o tre volte più importante del bronzo allo stagno.

La composizione delle leghe d'oro e d'argento può essere dedotta determinandone il peso specifico: in questo modo si è scoperto che, tra il 1118 e il 1203, le monete bizantine contenevano un più basso titolo d'argento. L'analisi di alcune sezioni trasversali di queste monete ha consentito a M.F. Hendy e J.A. Charles di accertarne il

metodo di manifattura: la microstruttura indicava che i tondelli erano stati tagliati da lamine (lavorate sia a freddo sia a caldo) e non coniati da gocce fuse.

La fusione in forma

Una semplice osservazione del manufatto può generalmente essere sufficiente a riconoscere quale tipo di forma sia stata utilizzata per la sua realizzazione: se l'oggetto presenta segni di fusione sia sulla superficie superiore sia su quella inferiore, è probabile che sia stata utilizzata una forma bivalve. Modelli più elaborati ebbero bisogno quasi certamente dell'impiego della tecnica della cera persa, che raggiunse un alto grado di perfezione nel Nuovo Mondo (*vedi* anche Capitolo 10). Questa tecnica ingegnosa, ampiamente diffusa, richiede che il modello desiderato sia plasmato in cera e poi richiuso in argilla fine, lasciando un piccolo canale comunicante con l'esterno; quando si scalda l'argilla, la cera fonde e scorre via; in questo modo l'argilla si trasforma in una forma cava nella quale si può colare il metallo liquefatto. Una volta rotto l'involucro d'argilla (detto *cappa* o *tonaca* o *camicia*), rimane la copia in metallo del modello originario. Si tratta, ovviamente, di un metodo che implica l'uso del modello una sola volta.

Esistono molti modi per riconoscere nel reperto archeologico l'impiego di questa tecnica, lasciando da parte, per quanto riguarda il Nuovo Mondo, i resoconti e le illustrazioni piuttosto scarsi lasciati dai colonizzatori spagnoli, i quali menzionano un simile procedimento per la fusione dell'oro ma non del rame. Oltre alle forme conservatesi (*vedi* più avanti), le prove possono essere costituite da frammenti scuri d'argilla che aderiscono ancora a qualche figura in metallo. Le prove sperimentali, condotte talvolta utilizzando forme originali intatte, hanno dimostrato l'efficia della tecnica della cera persa.

L'esame di alcune sezioni al microscopio metallografico (*vedi* Scheda 8.5) e l'analisi con una microsonda elettronica possono fornire informazioni più dettagliate sulla manifattura. Lo studioso inglese di metallurgia J.A. Charles, esaminando alcune asce primitive in rame dell'Europa sudorientale, ha scoperto un notevole aumento nel contenuto di ossigeno lungo la superficie piatta superiore: il contenuto di ossido di rame era dello 0,15% nella superficie inferiore (quella che aderiva alla forma), mentre arrivava allo 0,4% in quella superiore. Tutto ciò indicava chiaramente che queste asce dell'Età del rame venivano fuse in uno stampo aperto.

Si deve però stare attenti perché la battitura e la ricottura possono produrre risultati simili a quelli della fusione. Non ne segue che un pugnale costolato sia stato fuso in una forma in due pezzi solo perché ha una costolatura su due lati, in quanto questo effetto può essere ottenuto con la lavorazione a caldo. Per essere certi della tecnica di lavorazione è necessario eseguire l'analisi metallografica.

Una delle tecniche più utili allo studio della metallurgia antica è l'esame metallografico.

Esso implica l'esame al microscopio ottico di una sezione lucidata tagliata da un manufatto che è stato attaccato chimicamente, così da rivelarne la struttura. Poiché non si possono fare sezioni traslucide, è necessario dirigere la luce diretta sulla superficie dell'oggetto (diversamente da quanto avviene negli studi petrografici, come per esempio nelle analisi della ceramica, dove una sezione sottile è di solito analizzata in luce trasmessa).

L'esame al microscopio delle strutture di un metallo può offrire una grande quantità di informazioni, utili non solo per distinguere le fasi principali della fabbricazione del manufatto (come per esempio la fusione), ma anche per individuare processi più difficilmente riconoscibili.

Nel caso del rame è possibile determinare se il manufatto è stato lavorato dal metallo nativo; la struttura, inoltre, rivelerà con chiarezza se il rame è stato o meno lavorato a freddo e se ha subìto la ricottura (un processo di riscaldamento e raffreddamento che rafforza il metallo e ne riduce la fragilità). In effetti questa tecnica di analisi consente di ripercorrere l'intera storia del trattamento del materiale, poiché mostra le fasi successive di ricottura e lavorazione a freddo.

L'esame metallografico può essere rivelatore sia per il ferro sia per l'acciaio. Il ferro battuto si riconosce con facilità, in quanto i cristalli di ferro e le vene di scoria sono visibili molto chiaramente; anche i risultati della carburazione – eseguita, per esempio, riscaldando una parte di un oggetto di ferro nel carbone per dargli un margine tagliente più resistente – sono molto evidenti: il margine più robusto si presenta più scuro ed è facilmente distinguibile dalla parte interna più tenera e chiara.

L'esame metallografico può dunque fornire molti dati sui processi di manifattura e può rivelare la notevole abilità di molti fabbri nell'esercitare il loro mestiere.

8.41 Rame colato in forma e completamente ricotto. Ingrandimento 100×.

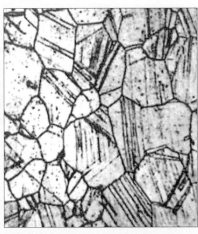

8.42 Le bande di scorrimento (linee dritte) indicano che il rame è stato lavorato a freddo (100×).

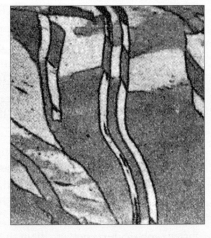

8.43 Rame lavorato, completamente ricotto e nuovamente lavorato a freddo (150×).

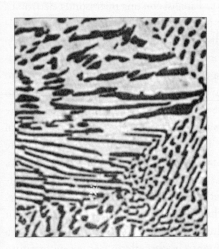

8.44 Argento soprassaturo di rame (100×).

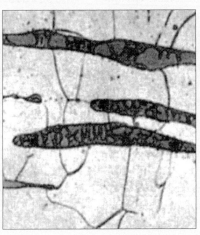

8.45 Ferro battuto ingrandito 200×. La base chiara è ferro, il materiale più scuro sono scorie.

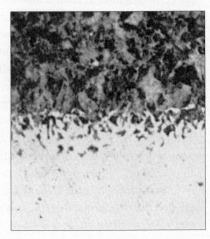

8.46 Ferro parzialmente indurito. La parte scura è più dura di quella chiara.

© 978.8808.82073.0

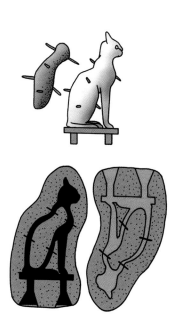

8.47-48 La fusione. (*A sinistra*) Il metodo a cera persa. In questo esempio egizio (1500 a.C. circa) viene realizzato un nucleo di argilla intorno al quale si costruisce un modello di cera. Il modello viene racchiuso in una forma d'argilla, detta cappa, che è sottoposta a cottura, consentendo così alla cera di fuoriuscire. Nella cappa ora vuota (in colore nel disegno) si versa quindi il metallo fuso e infine si rompe la cappa per liberare la fusione metallica. (*A destra*) La pittura funeraria egizia (1500 a.C. circa) raffigura gli operai di una fonderia alle prese con la fusione di alcune porte di bronzo: dopo aver preparato il fuoco utilizzando mantici azionati con i piedi (scena in alto), si versa il metallo fuso in una grande forma d'argilla (scena in basso).

Anche l'esame dei sottoprodotti può fornire dati particolari sul metodo di manifattura, così come si possono dedurre utili informazioni dalle tracce rimaste sulla superficie degli oggetti. I grumi di metallo in eccesso alle estremità delle statuette venivano solitamente asportati dall'artigiano, ma a volte si trovano ancora attaccati al pezzo, mostrando così in quale posizione era stato fuso (di norma con la testa verso il basso). Analogamente sono non finiti quegli oggetti sui quali le bave di fusione – le piccole quantità di metallo che si infiltrano nella giuntura tra le due metà della forma – non sono state eliminate. Su un incensiere proveniente dalla regione di Quimbaya, nella Colombia centrale, realizzato con una lega ricca d'oro in forma di volto umano, si può vedere una linea verticale sulla fronte e sul mento e una bava sporgente all'interno del piedistallo vuoto.

Le **forme** per fusione sono un'altra fonte di utili informazioni; dato che erano spesso di pietra, si sono conservate con una certa frequenza, così come alcune **cappe** d'argilla rotte utilizzate nella tecnica della cera persa. Due esemplari intatti sono stati rinvenuti in una tomba non datata a Pueblo Tapado, nella regione di Quimbaya, in Colombia; essendo intatti, è evidente che non furono mai utilizzati, ma entrambi erano destinati alla fusione di piccoli ornamenti. Secondo uno studio condotto da Karen Bruhns, le forme

venivano modellate come fiaschi appiattiti e presentano un piccolo foro sul fondo per permettere l'uscita dell'aria quando viene introdotto il metallo, evitando in questo modo la formazione di bolle.

Lo studio delle **scorie** offre ulteriori dati. È spesso necessario compiere analisi per distinguere le scorie derivate dall'estrazione per fusione del rame da quelle prodotte nella produzione del ferro. È altrettanto importante compiere analisi per stabilire la presenza di zolfo, in quanto indicatore della presenza di minerali di partenza costituiti da solfuri. Le scorie di crogiolo derivate dal processo di fusione possono essere distinte dalle scorie derivate dall'estrazione per fusione per la loro più alta concentrazione di rame.

L'analisi microchimica dei **residui** presenti all'interno di recipienti di ceramica (*vedi* Capitolo 7) ha contribuito con altri dati alla conoscenza della metallotecnica. Le analisi fatte da Rolf Rottländer su numerosi vasetti provenienti dall'insediamento d'altura fortificato di Heuneburg, nell'alto Danubio, datato all'Età del ferro (Hallstatt), hanno rivelato che uno di essi era stato utilizzato per fondervi leghe di rame, mentre un altro aveva tracce di oro, e altri due tracce d'argento.

Una più esauriente conoscenza della tecnologia deve venire dall'esame completo delle strutture presenti sui **luoghi di manifattura**. Lingotti, scorie e altri prodotti correlati al processo metallurgico quali forme, frammenti di cro-

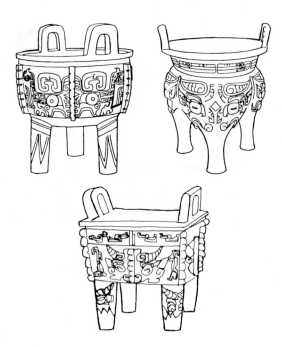

8.49 In Cina la fusione di oggetti metallici in forme di ceramica venne perfezionata durante la dinastia Shang, verso il 1500 a.C. A differenza della tecnica utilizzata nel Vecchio Mondo occidentale, i metallurghi cinesi preparavano con più cura la forma anziché il modello. Botteghe specializzate producevano un gran numero di forme per rifornire le fonderie: il risultato erano capolavori come questi recipienti rituali di bronzo.

gioli e di ugelli o *tuyères* (i beccucci delle canne utilizzate per insufflare l'aria all'interno del forno), scarti di fusione e di metallo in generale offrono utili indicazioni per la conoscenza delle tecniche metallurgiche. Sul fondo dei forni in cui avveniva l'estrazione per fusione, per esempio, spesso si solidificavano lingotti di rame, e la loro forma può così rivelare la conformazione della base della struttura. Una fonderia di bronzo a Hou-Ma, nella provincia dello Shaanxi in Cina, datata al 500 a.C., ha restituito più di 30 000 oggetti, tra cui frammenti di forme scomponibili in più parti, modelli d'argilla e anime. I Cinesi perfezionarono il sistema della fusione in forme scomponibili in più parti in un'epoca piuttosto antica, già al tempo della dinastia Shang, intorno al 1500 a.C.: come per la maggior parte delle migliori opere antiche in bronzo, il principio era quello della fusione a cera persa. Con questo sistema i Cinesi produssero straordinarie opere di artigianato.

I resti di forni, come, per esempio, quelli ritrovati nel sito peruviano di Batán Grande, offrono un'ampia gamma di informazioni sulla tecnologia e sui processi di manifattura (*vedi* Scheda 8.6).

Argento, piombo e platino

La bassa temperatura di fusione del **piombo** (327 °C) consente di lavorare questo metallo con facilità; ma poiché si tratta di un metallo molto tenero, non fu impiegato diffusamente; ciò nonostante sono state trovate statuette in

8.6 La produzione del rame in Perú

SUD AMERICA
• Batán Grande

8.50 Forni scavati allineati da est a ovest e da nord a sud, datati a circa il 1000 d.C.

A Batán Grande, sulle colline ai piedi delle Ande Centrali del Perú settentrionale costiero, un'équipe di archeologi e specialisti guidati da Izumi Shimada ha indagato vari aspetti dell'antica produzione della lega di rame. Dal 1980 al 1983 questi ricercatori hanno scavato più di 50 forni in tre siti diversi, ubicati nelle vicinanze di miniere preistoriche ricche di rame, e hanno ipotizzato l'esistenza di centinaia di altri forni sugli stessi siti. L'attività principale era l'estrazione per fusione del rame su scala industriale, in un arco cronologico compreso tra il 900 d.C. circa e il 1532, quando gli Spagnoli cominciarono la conquista dell'impero inca. I siti attestano che la lavorazione del metallo nelle Ande Centrali era una delle più importanti tradizioni metallurgiche indipendenti del mondo antico.

In un sito collinare fu scoperto un intero laboratorio per l'estrazione per fusione e riemersero, con i forni, spessi strati di scorie frantumate e carbone, grandi macine di pietra (*batanes*) di diametro fino a 1 m e decine di ugelli o *tuyères* (estremità di ceramica dei soffiatoi a canna), oltre a resti di cibo e a qualche minerale di rame. I forni erano disposti in file di tre o quattro, distanziate l'una dall'altra di circa 1 m.

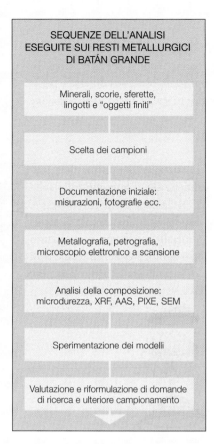

SEQUENZE DELL'ANALISI
ESEGUITE SUI RESTI METALLURGICI
DI BATÁN GRANDE

Minerali, scorie, sferette,
lingotti e "oggetti finiti"

Scelta dei campioni

Documentazione iniziale:
misurazioni, fotografie ecc.

Metallografia, petrografia,
microscopio elettronico a scansione

Analisi della composizione:
microdurezza, XRF, AAS, PIXE, SEM

Sperimentazione dei modelli

Valutazione e riformulazione di domande
di ricerca e ulteriore campionamento

8.51 Il diagramma di flusso mostra come gli specialisti di varie discipline, utilizzando metodi differenti, abbiano lavorato insieme per meglio comprendere il processo di fusione. (Le tecniche XRF, AAS e PIXE sono spiegate nella Scheda 9.3).

8.52 Il disegni mostrano come potrebbe essersi svolto il processo di fusione a Batán Grande.

Gli esperimenti con i quali si è tentato di riprodurre i processi di fusione, utilizzando un forno di 600 anni fa, hanno mostrato che si potevano raggiungere temperature di 1100 °C (la temperatura di fusione è di 1083 °C). Ogni forno era foderato con un «fango» appositamente preparato che creava una superficie liscia e altamente refrattaria capace di sopportare numerose cotture. Alcuni forni erano stati rifoderati anche tre volte.

Sembra che il minerale di rame venisse ridotto a scoria e metallo di rame, un processo che, secondo le prove sperimentali, avrebbe impiegato a compiersi circa 3 ore ad alte temperature, mantenute costanti con una soffiatura continua. I forni potrebbero aver contenuto 3-5 kg di rame allo stato liquido e scorie parzialmente sciolte. Una volta raffreddato il forno, la scoria veniva spaccata e macinata nelle vicinanze sulle *batanes*, per estrarre dai residui granuli di minerale pregiato (diametro fino a 1 cm). Questi granuli ad alto tenore venivano poi fusi di nuovo nei crogioli per farne lingotti. In un'altra zona del sito il rame risultante veniva ricotto e forgiato usando martelli di pietra sfaccettati per produrre lamine e strumenti. I minerali ad alto tenore di metallo e gli strumenti erano tutti costituiti da rame con arsenico.

L'estrazione dei minerali ad alto tenore di metallo esisteva nel Vicino Oriente già nel III millennio a.C.; ora la documentazione di Batán Grande suggerisce che nel Nuovo Mondo fu scoperta più tardi e in modo indipendente. I metallurghi del Nuovo Mondo pare non abbiano però mai avuto i mantici, sicché la potenza polmonare dell'essere umano limitò la grandezza dei forni e la quantità di minerale fuso in una sola volta.

Nella regione, si conoscono ora almeno dieci laboratori per la fusione e altrettanti che sono appartenuti a fabbri della cultura del «Sicán medio» o «Lambayeque». Nel 1999 e 2001, inoltre, Shimada e la sua équipe portarono alla luce, con degli scavi a Huaca Sialupe – sulla costa settentrionale del Perù –, un differente tipo di sito dedito alla metallurgia e vecchio 1000 anni. Qui sono stati trovati due gruppi di fornaci del tipo a corrente ascensionale costruiti con larghe urne in ceramica. I detriti di produzione, come i minerali ad alto tenore di metallo, e dei lingotti non finiti indicano che le leghe di rame e arsenico sono state portate qui per essere lavorate, mentre le analisi ad attivazione neutronica dei carboni indicano la lavorazione della lega dell'oro da parte di un fabbro. Un esperimento con una copia di un forno ha rivelato che il combustibile di carbone, con la sola ventilazione del vento, può facilmente arrivare a temperature superiori a 1000 °C, più che sufficiente sia per la ricottura sia per le leghe del rame e dell'oro.

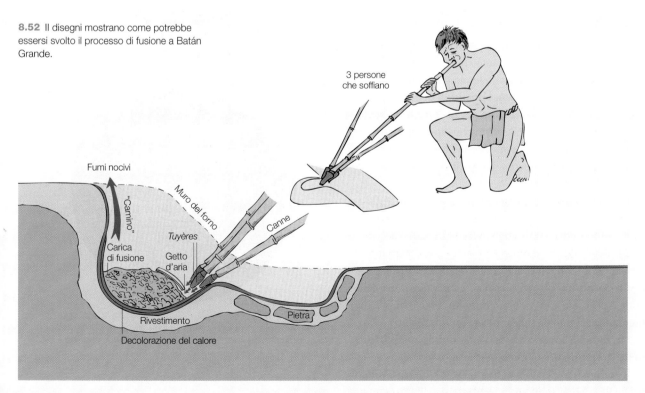

© 978.8808.82073.0

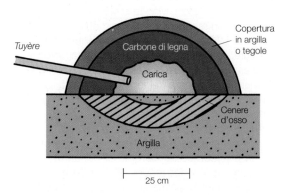

8.53 Ricostruzione di una coppella (crogiuolo per coppellazione) trovata nella città romano-britannica di Silchester e utilizzata probabilmente per estrarre l'argento da monete a basso tenore d'argento e di rame.

piombo fuso, e in alcune regioni piccole grappe di piombo venivano utilizzate per accomodare le ceramiche rotte.

Il piombo ha tuttavia una grande importanza in quanto i minerali piombiferi che si trovano in natura sono spesso ricchi d'**argento**. L'estrazione dell'argento dal piombo, attraverso il procedimento noto come coppellazione, implica l'ossidazione del piombo a litargirio (un ossido del piombo) e l'ossidazione di altri metalli di base. I metalli nobili (l'argento e l'oro) sono inalterabili, mentre il litargirio viene assorbito dalla coppella (il piccolo crogiuolo a cavità poco pronunciata, preparato con cenere d'ossa e argilla porosa, usato nella coppellazione) o viene schiumato. È necessario che la coppella sia poco profonda, così da esporre la maggior superficie possibile al getto d'aria ossidante prodotto dai mantici. Per mantenere la temperatura a 1000-1100 °C si usa carbone o legna.

Nella Britannia romana, in particolare nelle città di Wroxeter e Silchester, sono state rinvenute alcune coppelle; quella di Silchester era foderata con cenere d'ossa, materiale poroso e assorbente. L'analisi di questa coppella ha suggerito che fosse stata usata per la coppellazione del rame, in quanto conteneva globuli costituiti per il 78% da rame. È probabile che la coppellazione fosse utilizzata per estrarre argento da monete a basso titolo d'argento, con un alto contenuto di rame.

Le analisi delle scorie trovate in quantità enormi (16-20 t) nel sito dell'VIII-VII secolo a.C. di Rio Tinto, in Spagna, hanno dimostrato che provengono essenzialmente dalla metallurgia dell'argento: il minerale sembra essere stato molto ricco (600 g di argento per ogni tonnellata), ma si sono trovati pochissimi oggetti metallici. La distribuzione delle scorie e delle gocce di piombo in molte abitazioni più che in grandi accumuli ha suggerito ad Antonio Blanco e J.M. Luzón, autori dello scavo, che la lavorazione del metallo fosse un'attività domestica piuttosto che artigianale.

Il **platino** (temperatura di fusione 1800 °C) era lavorato in Ecuador nel II secolo a.C., sebbene sia rimasto sconosciuto in Europa fino al XVI secolo e gli Europei riuscissero a fonderlo soltanto negli anni Settanta del XIX secolo. In Ecuador il platino era apprezzato per la sua durezza e per la resistenza alla corrosione, e fu spesso usato in associazione con l'oro.

L'oreficeria

Non c'è dubbio che i primi artigiani scoprirono ben presto l'intera gamma di tecniche che il loro controllo sulla pirotecnologia consentiva. Nella tarda Età del bronzo egea, intorno al 1500 a.C., si disponeva di una gamma di tecniche per la lavorazione dei metalli non ferrosi vasta quanto quella del periodo classico o altomedievale. Le tecniche di lavorazione delle lamine di metallo erano ben conosciute,

8.54 Ciondolo d'oro a forma di ragno (uno dei 10 che formavano una collana ritrovata con il «Vecchio Signore» di Sipán, risalente forse al I secolo d.C.). Il ciondolo era formato da diverse parti (*in alto*) che avevano richiesto l'uso di differenti tecniche. Le tre sfere d'oro alla base del ciondolo risuonavano quando la persona che indossava la collana si muoveva.

così come quelle della punzonatura, dell'incisione e dello sbalzo (lavoro in rilievo eseguito con punzoni sul retro della lamina). La filigrana (che utilizza sottilissimi fili metallici e la saldatura) si sviluppò verso il III millennio a.C. nel Vicino Oriente, e la granulazione (saldatura di grani di metallo a un supporto, solitamente dello stesso materiale) venne utilizzata, soprattutto dagli Etruschi, con notevoli risultati.

Collezioni sorprendenti di oreficeria, che mostrano una notevole abilità, sono state portate alla luce in anni recenti dagli scavi nei siti di Sipán e Sicán in Perú. Le tre tombe reali ritrovate a Sipán appartengono al periodo Moche e sono datate, con ogni probabilità, attorno al I o II secolo d.C.; gli orefici del periodo Moche erano esperti in un gran numero di tecniche, come si può vedere dall'illustrazione.In questi casi la tecnica di lavorazione si può in genere stabilire con un esame autoptico, senza la necessità di analisi più sofisticate.

Molte delle tradizionali tecniche di lavorazione si possono ancora vedere utilizzate nei laboratori artigianali delle città del Nord Africa e nei bazar del Vicino Oriente; di solito c'è da imparare più dallo studio attento del lavoro di un abile artigiano che utilizza una tecnologia tradizionale che non da un tentativo certamente più incompetente di archeologia sperimentale, intrapreso da uno sperimentatore che non ha accumulato un'esperienza di generazioni.

La placcatura

La placcatura è una tecnica che permette di unire due metalli, per esempio l'argento o l'oro, con il rame. Gli antichi Peruviani utilizzavano sui metalli preziosi metodi di placcatura elettrochimica ritenuti una volta invenzione europea del tardo Medioevo o del Rinascimento, quando si realizzò la placcatura in oro delle armature di ferro e acciaio.

Heather Lechtman e i suoi colleghi hanno analizzato alcuni oggetti realizzati con lamine di rame battute e placcate in oro provenienti dal cimitero saccheggiato di Loma Negra, in Perú. Gli oggetti datavano ai primi secoli della nostra èra, al primo periodo Moche, e includevano figure umane, maschere e ornamenti per le orecchie; alcuni presentavano superfici in oro molto sottili che evidentemente non erano state attaccate al rame con un procedimento meccanico. In effetti, l'oro era così sottile (0,5-2 µm; 1 µm = 0,001 mm) che non poteva essere visto in sezione trasversale utilizzando un microscopio a ingrandimento $500\times$; il suo spessore era tuttavia molto uniforme e ricopriva anche i margini delle lamine. Chiaramente non si trattava di un'applicazione diretta di foglie d'oro.

La presenza di una zona di fusione tra oro e rame indicava che era stato applicato del calore per tenere insieme i due metalli: non poteva essere la moderna galvanoplastica, che utilizza una corrente elettrica, ma i risultati erano simili. I ricercatori considerarono perciò la possibilità di una galvanoplastica per sostituzione chimica. Nei loro esperimenti

utilizzarono soltanto sostanze chimiche disponibili agli antichi Peruviani e procedimenti che non necessitano di una corrente elettrica esterna, e adoperarono soluzioni acquose di sali minerali corrosivi (diffusi nei deserti della costa peruviana e quindi disponibili per i Moche) per sciogliere e poi depositare l'oro; scoprirono così che l'oro si sparge sulla lamina di rame pulita immersa nella soluzione, se la si fa bollire per almeno 5 minuti durante l'immersione. Per ottenere un legame stabile è necessario riscaldare la lamina placcata per pochi secondi a 650-800 °C. I risultati ottenuti sono stati così vicini ai manufatti di Loma Negra da poter asserire che questa tecnica, o una tecnica molto simile, fu con molta probabilità quella applicata dai Moche.

Ferro e acciaio

Il **ferro** non fu utilizzato nel Nuovo Mondo nel periodo precolombiano; nel Vecchio Mondo la sua apparizione coincide invece con l'inizio dell'Età del ferro nel Vicino Oriente intorno al 1000 a.C. Esistono però alcune testimonianze che la sua lavorazione cominciò in un'epoca precedente, in particolare nell'Anatolia ittita. Il ferro meteoritico (derivante dalle meteoriti, e che si trova in natura allo stato metallico) era ampiamente conosciuto nel Vicino Oriente, dove fu utilizzato per preparare sigilli cilindrici e altri ornamenti. Mancano però le testimonianze di una sua lavorazione su larga scala.

Dal momento in cui fu ben conosciuta, la tecnica dell'**estrazione del ferro per fusione** divenne estremamente importante, anche in Africa, poiché in natura il ferro è molto più diffuso del rame; è però molto più difficile ridurlo, cioè separarlo dall'ossigeno con il quale si trova combinato in natura sotto forma di ossidi di ferro, poiché l'operazione richiede condizioni riducenti molto più drastiche.

Il ferro può essere ridotto a ossido di ferro puro a una temperatura di circa 800 °C, inferiore alla sua temperatura di fusione (1540 °C), ma in pratica i minerali di ferro contengono anche altri metalli indesiderati, detti ganga, oltre agli ossidi. La ganga deve essere eliminata durante il processo di fusione attraverso la scorificazione, nella quale, quando viene raggiunta una temperatura sufficientemente alta, la scoria passa allo stato liquido e cola via, lasciando il ferro a uno stato solido spugnoso chiamato blumo.

I forni più semplici per la fusione del ferro erano i forni a coppa, ovvero cavità scavate nel terreno e foderate di argilla cotta o mattoni; il minerale e il carbone erano posti all'interno del forno e la temperatura veniva portata a circa 1100 °C con l'impiego di mantici. Lo stadio successivo è la lavorazione a caldo del ferro con la fucinatura o forgiatura, che si svolge all'interno della fucina o forgia. Non è sempre facile distinguere tra siti di riduzione e siti di lavorazione, anche se è vero che, se si trova del minerale insieme a scorie, ciò indica di solito un sito di riduzione.

8.7 La fabbricazione primitiva dell'acciaio: un esperimento di etnoarcheologia

AFRICA
Haya

I progetti di etnoarcheologia che prevedono l'osservazione analitica dei processi di manifattura sono solitamente associati alla fabbricazione di strumenti litici e alla produzione ceramica, o alle tecniche di tessitura; tuttavia, grazie a questi metodi, un certo numero di ricercatori ha potuto acquisire una discreta quantità di informazioni anche per quanto riguarda la lavorazione del metallo.

Uno dei progetti finalizzati alla ricostruzione delle antiche tecniche metallurgiche fu condotto da Peter Schmidt e Donald Avery nella Tanzania nord-occidentale, utilizzando sia l'osservazione etnografica e la documentazione archeologica sia la sperimentazione. I due studiosi lavorarono tra gli Haya, genti di lingua bantu dedite all'agricoltura che abitano in villaggi densamente popolati sulla costa occidentale del Lago Vittoria. Gli Haya oggi utilizzano strumenti del mondo occidentale di basso costo, ma le fonti orali ricordano che fino a 80-90 anni fa gli Haya producevano da soli i loro strumenti in acciaio.

Tuttora vengono saltuariamente lavorati e riutilizzati pezzi di ferro scartati. Gli anziani della comunità, tra i quali si potevano contare alcuni fabbri, ricordavano gli antichi metodi con cui si otteneva il ferro dai minerali metallici allo stato nativo, e alla richiesta degli studiosi furono entusiasti di ripetere questa esperienza.

Fu facile convincere gli Haya a ricostruire il forno per la fusione del metallo con il metodo tradizionale. La struttura, di forma conica e alta 1,4 m, venne realizzata con fango e scorie; sotto il forno venne scavata una fossa profonda 50 cm, che fu rivestita con fango e riempita con canne parzialmente bruciate. Il carbone, ottenuto dalle canne bruciate, si sarebbe quindi combinato con il minerale ferroso fuso per produrre l'acciaio. Vennero realizzati 8 mantici con pelli di capra collegati a ugelli o *tuyères* di ceramica, che si immettevano alla base

della camera di fusione; questi soffiavano nel forno, alimentato da carbone, aria preriscaldata fino a 600 °C. Con questo metodo gli Haya erano in grado di raggiungere temperature comprese tra 1300 e 1400 °C, sufficientemente alte per produrre acciaio.

La conferma archeologica della tradizione metallurgica degli Haya venne dagli scavi condotti sulle rive del lago, nel corso dei quali furono portati alla luce i resti di 13 forni quasi identici a quello costruito per l'esperimento. Il carbone fu datato con il radiocarbonio a 1500-2000 anni fa, mentre fu possibile stabilire che le scorie di ferro erano state fuse a una temperatura tra 1350 e 1400 °C. Forni dello stesso periodo sono stati identificati anche in altre regioni dell'Africa orientale.

In conclusione, gli Haya possedevano, con quasi due millenni di anticipo rispetto agli Europei, la tecnologia per produrre acciaio con tenore medio di carbonio in forni dove veniva soffiata aria preriscaldata.

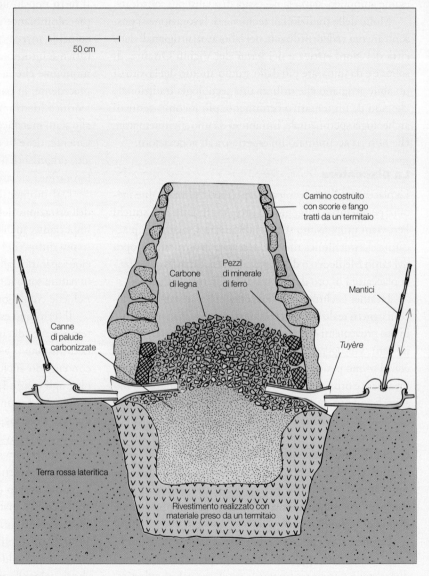

50 cm

Camino costruito
con scorie e fango
tratti da un termitaio

Carbone
di legna

Pezzi
di minerale
di ferro

Mantici

Canne
di palude
carbonizzate

Tuyère

Terra rossa lateritica

Rivestimento realizzato con
materiale preso da un termitaio

8.55 Sezione ideale di un forno Haya per la fusione del ferro, prima dell'introduzione della carica, costituita da minerale di ferro e carbone di legna mescolati. I mantici, premuti a intervalli regolari con una canna, immettono aria, attraverso gli ugelli o *tuyères*, nella zona centrale del forno.

La produzione di **ghisa** richiede forni più perfezionati, che si diffusero in Europa solo nell'èra cristiana inoltrata, più di 1000 anni dopo la produzione del ferro battuto (sebbene piccole statuette di ghisa appaiano in Grecia già nel VI secolo a.C.). In Cina, invece, la ghisa e il ferro battuto compaiono quasi contemporaneamente nel VI secolo a.C., e la ghisa fu regolarmente utilizzata nella fabbricazione di strumenti molto prima che lo fosse in Occidente. La ghisa è una fragile lega di ferro con un contenuto di carbonio che varia dall'1,5 al 5%; la sua temperatura di fusione relativamente bassa (intorno a 1150 °C), più bassa di quella dell'acciaio e del ferro battuto, consente di colarla in forme allo stato liquido. Nell'antica Cina si diede perciò più importanza alla ghisa che al ferro battuto: sotto questo aspetto la metallurgia seguì nell'Estremo Oriente e in Europa cammini diversi.

L'**acciaio** è semplicemente ferro che contiene tra lo 0,3 e l'1,2% di carbonio, ed è al tempo stesso malleabile e capace di indurirsi con il raffreddamento. L'acciaio vero e proprio non fu prodotto prima dell'epoca romana, ma un prodotto molto simile, anche se meno omogeneo, fu realizzato già prima attraverso il processo di carburazione (*vedi* Scheda 8.7), che si ottenne con il riscaldamento ad alta temperatura del ferro a contatto con carbonio. All'inizio la produzione dell'acciaio potrebbe essere accaduta accidentalmente, mentre il ferro veniva riscaldato dal fabbro, durante la forgiatura, a contatto con carbone ardente. Il punto al quale il ferro era stato carburato e il processo utilizzato possono essere meglio valutati attraverso l'esame metallografico del manufatto in questione.

In qualche caso, ammassi di metallo apparentemente informi e insignificanti possono invece essere molto più di quel che sembrano. I prodotti di corrosione possono infatti «crescere» al di fuori di un oggetto di ferro e mineralizzare, e perfino intrappolare un altro oggetto di legno associato. La massa metallica che ne risulta può quindi contenere una cavità di forma esattamente corrispondente all'oggetto che è stato corroso. Le radiografie possono rivelare la forma della cavità nascosta internamente, della quale si può fare ed estrarre un calco.

Riepilogo

■ I resti materiali dei manufatti creati dagli esseri umani costituiscono la maggior parte delle testimonianze archeologiche, anche se possono non rappresentare correttamente tutta la gamma degli oggetti veramente utilizzati perché certi materiali si conservano meglio di altri. Per questa ragione gli attrezzi litici e le ceramiche sono gli oggetti più presenti tra i reperti archeologici. Oggetti fatti di stoffa, corda, pelle e altri materiali organici venivano sicuramente utilizzati nei periodi archeologici più antichi, ma raramente sopravvivono. L'introduzione della ceramica sembra coincidere con l'adozione di uno stile di vita più sedentario.

■ L'etnografia e l'etnoarcheologia possono aiutarci a capire alcuni aspetti tecnici, dal momento che molti gruppi culturali moderni realizzano degli attrezzi o delle ceramiche che sono simili a quelli del passato. Grazie all'archeologia sperimentale, inoltre, i ricercatori riescono a capire come gli attrezzi venivano realizzati e per cosa venivano utilizzati. Molti archeologi sono diventati esperti nella creazione di attrezzi in pietra proprio per questa ragione. Nonostante le indicazioni offerte dall'etnografia e dall'archeologia sperimentale, è soltanto con lo studio delle micro-usure che si può provare come un attrezzo venisse utilizzato e di quale materiale era fatto.

■ Gli attrezzi litici di solito venivano realizzati rimuovendo del materiale dal nucleo centrale della pietra fino a raggiungere le forma desiderata. Anche le schegge rimosse dal nucleo potevano essere utilizzate come attrezzi. Tuttavia, lame lunghe, taglienti su ambo i lati, dominano in alcune parti del mondo. Poiché le lame venivano rimosse dal nucleo con sistematicità, un gran numero di attrezzi poteva essere prodotto con uno scarto di materiale grezzo molto esiguo.

■ Il rame era il metallo più usato nei tempi antichi. L'alligazione del rame per produrre il bronzo rappresenta un passo avanti significativo nella pratica metallurgica: la lega risultante è sia più forte sia meno friabile del rame da solo. C'è una gran varietà di metodi con i quali il metallo e i manufatti metallici possono essere realizzati e prodotti. La fusione in forma, utilizzando il metodo della cera persa, fu un importante miglioramento.

© 978.8808.82073.0

Letture consigliate

Non esistono testi aggiornati che coprano tutti i metodi discussi in questo capitolo. Ampie panoramiche della tecnologia antica sono incluse in:

Cuomo S., 2007, *Technology and Culture in Greek and Roman Antiquity.* Cambridge University Press: Cambridge.

Fagan B.M. (a cura di), 2004, *The Seventy Great Inventions of the Ancient World*. Thames & Hudson: London & New York.

Forbes R.J. (series), *Studies in Ancient Technology*. E.J. Brill: Leiden.

James P. & Thorpe N., 1995, *Ancient Inventions*. Ballantine Books: New York; Michael O'Mara: London.

Mei J. & Rehren T. (a cura di), 2009, *Metallurgy and Civilisation: Europe and Beyond*. Archetype: London.

Miller H., 2007, *Archaeological Approaches to Technology*. Elsevier/Academic Press: London/Amsterdam.

Nicholson P. & Shaw I. (a cura di), 2009, *Ancient Egyptian Materials and Technology*. Cambridge University Press: Cambridge.

Pollard M., Batt C., Stern B. & Young S.M.M., 2007, *Analytical Chemistry in Archaeology*. Cambridge University Press: Cambridge.

White K.D., 1984, *Greek and Roman Technology.* Thames & Hudson: London; Cornell University Press: Ithaca, NY.

Altre importanti fonti sono:

Brothwell D.R. & Pollard A.M. (a cura di), 2005, *Handbook of Archaeological Science.* John Wiley: Chichester.

Coles J.M., 1979, *Experimental Archaeology.* Academic Press: London & New York.

Craddock P.T., 1995, *Early Metal Mining and Production*. Edinburgh University Press: Edinburgh.

Foulds F.W.F. (a cura di), 2013, *Experimental Archaeology and Theory: Recent Approaches to Archaeological Hypothesis.* Oxbow: Oxford.

Henderson J., 2000, *The Science and Archaeology of Materials: An Investigation of Inorganic Materials.* Routledge: London.

Henderson J., 2013, *Ancient Glass. An Interdisciplinary Exploration.* Cambridge University Press: Cambridge.

Hurcombe L.M., 2014, *Perishable Material Culture in Prehistory: Investigating the Missing Majority.* Routledge: London.

Odell G.H., 2003, *Lithic Analysis.* Kluwer: New York & London.

Orton C. & Hughes M., 2013, *Pottery in Archaeology* (2nd ed.). Cambridge University Press: Cambridge & New York.

Roberts B. & Thornton C.P., 2014, *Archaeometallurgy in Global Perspective: Methods and Syntheses.* Springer: New York.

Tait H. (a cura di), 1991, *Five Thousand Years of Glass.* British Museum Press: London.

9 Quali contatti avevano?

Il commercio e gli scambi

Lo studio degli scambi e del commercio nelle società antiche è diventato un settore importante dell'archeologia: infatti è dalle materie prime utilizzate, ben più che dall'analisi stilistica, che possono derivare indicazioni sui luoghi di origine dei manufatti. Se i materiali sono sufficientemente caratteristici da permettere di identificare la fonte, è possibile ricostruire interi sistemi di scambio, o per lo meno i movimenti delle merci. Oggi esistono numerose tecniche di analisi chimica e di altra natura che consentono la precisa caratterizzazione dei materiali, ovvero la determinazione dei caratteri propri di specifiche fonti di approvvigionamento, i quali permettono di riconoscerne i prodotti.

Queste tecniche ci mettono in grado di affrontare l'intera questione della produzione e della distribuzione delle merci. Tentare di ricostruire l'organizzazione dell'intero sistema di commercio è un compito molto ambizioso e particolarmente difficile in mancanza di fonti scritte che ci indichino quali prodotti venivano scambiati con quelli rinvenuti nei contesti archeologici.

Le materie prime non erano, ovviamente, le sole merci commerciate o offerte come dono; i prodotti lavorati erano altrettanto importanti. Certi beni di prestigio possedevano un valore simbolico e un preciso significato che oggi spesso ci sfugge, come nel caso delle asce di giadeite attestate in Europa nel Neolitico.

Il ritrovamento delle merci effettivamente scambiate è la testimonianza più concreta che si possa offrire all'archeologo per determinare i contatti esistenti tra aree diverse e differenti società. Ancor più significativi possono essere la comunicazione e lo scambio di informazioni e di idee. Le prime generazioni di studiosi erano troppo inclini ad accettare le somiglianze tra due culture diverse come prova di contatto (flusso di idee) o «diffusione» tra di loro. Successivamente, e in parte per reazione a questa tendenza, si è dato particolare rilievo all'idea della nascita indipendente dei fenomeni, in certo modo sottovalutando l'importanza delle interazioni tra culture vicine. I tempi sono oggi maturi per riconsiderare tali contatti da un diverso punto di vista.

Attualmente si mettono in risalto il commercio e lo scambio di oggetti materiali come strumenti in grado di dare un'idea concreta delle interazioni. Bisognerebbe tener presente, comunque, che possono esserci anche altre indicazioni di contatto: la diffusione dei geni è sicuramente il primo di questi. Il primo popolarsi delle Americhe, per esempio, costituisce la prova più efficace del contatto tra la Siberia e l'Alaska attraverso lo Stretto di Bering (*vedi* Scheda 11.7). Altre indicazioni di contatto sono menzionate nel prossimo paragrafo.

Tutti gli aspetti legati al commercio e più in generale agli scambi hanno stretta attinenza con le questioni di carattere sociale trattate nel Capitolo 5, sicché non è possibile tracciare una netta separazione tra i due ambiti. La stessa struttura sociale si potrebbe definire come il modello di contatti ripetuti tra gli individui; l'organizzazione sociale e gli scambi sono semplicemente aspetti diversi degli stessi processi. In terraferma il processo di addomesticamento degli animali da soma ha giocato un ruolo significativo, e il trasporto via fiume è stato altrettanto importante. Ma è il viaggio via mare che ha reso possibili contatti prima inesistenti. Lo stesso rinvenimento di barche o navi stesse è importante: di norma, in forma di relitti (*vedi* Scheda 9.7). Ma questi ritrovamenti sono rari e i contatti sono più usualmente documentati da evidenze di commerci e scambi.

LO STUDIO DELL'INTERAZIONE

Il concetto di scambio è un concetto centrale in archeologia, e quando lo si riferisce a beni materiali, a merci, assume lo stesso significato di «commercio». Il termine «scambio» può avere però un significato più ampio: i sociologi, per esempio, lo utilizzano per descrivere tutti i contatti interpersonali, per cui ogni comportamento sociale può essere considerato come uno scambio di beni, materiali e non. In questo senso allargato il termine include anche lo scambio di informazioni. È perciò necessario considerare la transazione di scambio più in dettaglio. In molti casi la relazione interpersonale è più importante di ciò che viene scambiato: quando a Natale si scambiano i regali all'interno di una famiglia, il gesto del dono è generalmente più importante dell'oggetto in sé; insomma, «è il pensiero che conta». Vedremo che esistono tipi diversi di relazioni di scambio: alcune in cui la generosità è la caratteristica rilevante (come in una famiglia a Natale), altre in cui lo scopo principale è il profitto e non si dà importanza alle relazioni personali («Comprereste mai un'automobile usata da quest'uomo?»). Esistono anche tipi differenti di beni: vi sono le merci che vengono comprate e vendute quotidianamente, e beni speciali, oggetti di valore, che sono adatti a essere donati. E oltre a tutto ciò bisogna considerare come funzionano i meccanismi di scambio all'interno di un'economia non monetaria, nella quale è assente non soltanto il denaro ma qualsiasi altro mezzo di scambio.

Nel prossimo paragrafo esamineremo i modi in cui i manufatti (gli oggetti commerciali) trovati dagli archeologi possono essere utilizzati come fonte di informazioni sul commercio e sugli scambi nell'antichità; prima dobbiamo però approfondire il concetto di scambio.

Scambio e flusso di informazioni

Immaginiamo due società che abitano due isole distanti tra loro qualche decina di chilometri. In assenza di relazione diretta tra le due isole, le società rimarrebbero in completo isolamento, sfruttando ognuna le proprie risorse; ma potrebbero invece possedere imbarcazioni ed essere così in contatto l'una con l'altra. In questo caso l'archeologo del futuro, studiando gli insediamenti e i manufatti rinvenuti sulle isole, riconoscerà sull'isola A oggetti prodotti con materiali disponibili soltanto sull'isola B e potrà così documentare l'esistenza di un tale

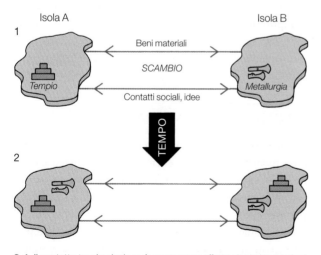

9.1 Il contatto tra due isole può avere come effetto che le innovazioni prodotte sull'una (per esempio la costruzione di un tempio o la metallurgia) conducano a sviluppi analoghi sull'altra.

contatto, dovuto alla possibilità di spostamenti tra le due isole. Ma per gli isolani potrebbe essere stata molto più importante la possibilità di contatti sociali, di scambio di idee e di legami matrimoniali. Oltre ai beni di scambio materiali, l'archeologo deve quindi considerare anche questi aspetti.

Quando si verifica uno scambio tra l'isola A e l'isola B, si verifica anche un flusso di informazioni: sono scambiate idee, trasmesse scoperte, ambizioni e aspirazioni. Se le persone che abitano l'isola A decidono di costruire un nuovo tipo di tempio, gli abitanti dell'isola B possono decidere di seguirne l'esempio, e se questi a loro volta sviluppano determinate tecniche di metallurgia, gli abitanti dell'isola A non vorranno certamente rimanere indietro. Esiste così una reale equivalenza tra l'interazione vista come sistema di comunicazioni e l'interazione intesa come sistema di scambio di beni materiali. Gran parte di questo capitolo sarà dedicata ai beni materiali e agli aspetti economici dello scambio; alla fine, però, ritorneremo al tema dell'interazione intesa come scambio di informazioni, poiché, a lungo andare, è spesso più importante.

Scala dimensionale e «sistema-mondo»

A volte è utile distinguere tra **scambio interno**, che ha luogo all'interno della specifica società di cui ci si sta occupando, e **scambio** o **commercio esterno**, nel quale i beni vengono commerciati su grandi distanze e trasferiti da una società all'altra. Se utilizziamo il termine «commercio» intendiamo generalmente indicare uno scambio esterno, che avviene cioè con il mondo di fuori; quando invece consideriamo le interazioni all'interno di una società, sia che si tratti di informazioni sia di beni, usiamo il termine «organizzazione sociale», e non «commercio». In questo capitolo si dà particolare rilievo al commercio esterno; le relazioni interne a una unità sociale sono state trattate nel Capitolo 5. Tuttavia la distinzione tra i due tipi di scambio non è sempre evidente.

I sistemi commerciali sono spesso caratterizzati da una vita autonoma. Per definizione, si estendono su grandi distanze, oltre i confini di numerose società politicamente indipendenti; talvolta, però, le differenti parti di un esteso sistema commerciale di questo tipo possono dipendere, dal punto di vista degli scambi, l'una dall'altra in maniera così forte che non si possono più considerare entità indipendenti. A questa argomentazione ha dato moltissima importanza lo storico americano Immanuel Wallerstein: egli ha utilizzato le espressioni «sistema-mondo» o «economia-mondo» per designare un'unità economica articolata da reti commerciali che si estendono assai al di là dei confini delle singole unità politiche (per esempio stati nazionali) e che legano le singole unità per formare un'unità funzionale più ampia.

Il primo esempio portato da Wallerstein è costituito dalle relazioni sviluppatesi tra Europa e Indie Occidentali nel XVI secolo, quando l'economia delle Indie Occidentali era legata indissolubilmente a quella dei paesi europei di cui le Indie formavano le colonie. (Bisogna capire chiaramente che l'espressione un po' inusuale «sistema-mondo» non è stata coniata da Wallerstein per designare il mondo intero: lo storico immagina infatti un insieme di numerosi sistemi-mondo, ognuno dei quali potrebbe essere concepito come un'entità separata; un sistema-mondo potrebbe riunire l'Europa e le Indie Occidentali, un altro la Cina e i vicini paesi del Pacifico, e così via).

Wallerstein ritiene che il presente sistema-mondo, basato sul capitalismo, abbia cominciato a formarsi durante la «Grande Trasformazione» del XVI secolo d.C. Gli archeologi e gli storici dell'antichità hanno però applicato il termine anche a periodi precedenti e, come Wallerstein parla di «centro» e «periferia» per i sistemi-mondo moderni, così quegli storici vorrebbero utilizzare questa stessa terminologia per epoche più antiche.

Nell'ultimo paragrafo di questo capitolo vedremo che adottare questa terminologia senza aver prima condotto una profonda riflessione può portare a ipotesi archeologiche assai pericolose. Per il momento è sufficiente notare che l'approccio di Wallerstein suscita una domanda molto importante: quali erano le dimensioni del sistema economico effettivamente funzionante nel passato? Nel Capitolo 5 abbiamo chiarito gli approcci di cui può servirsi l'archeologo per definire la scala dell'unità sociale reale; in questo capitolo dobbiamo invece parlare di come si può definire la scala del sistema economico nel caso in cui sia più grande di quella del sistema sociale e abbracci più unità politicamente indipendenti.

Le prime indicazioni di contatto

Spesso l'archeologo ottiene, con sua grande soddisfazione, un'indicazione di contatto dal ritrovamento di manufatti il cui luogo di origine può essere stabilito attraverso la caratterizzazione (*vedi* avanti). Per fortuna, anche quando questo tipo di materiale non è disponibile, ci sono altre strade da poter seguire. Una di queste è l'analisi del DNA e l'identificazione degli specifici aplotipi (di solito nel cromosoma Y oppure nel DNA dei mitocondri) che sono considerati delle caratteristiche specifiche di popolazioni umane normalmente residenti in un'area specifica. In base a questo, quando viene ritrovato il cadavere di una persona sconosciuta, l'analisi del DNA può qualche volta suggerirne la provenienza da paesi oltreoceano.

Negli anni più recenti un simile approccio è stato utilizzato per tracciare la linea ancestrale degli individui i cui antenati più recenti arrivarono negli Stati Uniti o in Gran Bretagna nel corso del commercio degli schiavi dall'Africa.

Qualche volta è stato possibile ipotizzare lo specifico villaggio o gruppo tribale di probabile provenienza della linea ancestrale materna o paterna. Una simile logica sottende ai tentativi di usare l'analisi del DNA per tracciare le origini dei lignaggi delle prime popolazioni delle Americhe (*vedi* Scheda 11.7).

Il percorso di vita di un individuo può essere documentato anche attraverso l'analisi degli isotopi di stronzio e ossigeno presenti nello smalto dentale. Il rapporto dell'isotopo dello stronzio è determinato da quello della falda freatica della regione in cui l'individuo è cresciuto, mentre il rapporto dell'isotopo dell'ossigeno è indicativo della temperatura di quell'area. Quando questi valori differiscono da quelli propri della regione di sepoltura, possono indicare trasferimenti su lunghe distanze, come è stato affermato per l'Arciere di Amesbury, Età del rame, trovato in una tomba vicino Stonehenge (*vedi* Scheda 3.13).

Le prime date, dell'ordine di 50 000 anni fa, riguardanti l'attività umana in Australia, sono esse stesse indicazioni della navigazione e quindi dei primi contatti. Indicazioni assai più antiche arrivano dalla scoperta di alcuni attrezzi litici in depositi che si pensa risalgano a un periodo che va da 750 000 a 850 000 anni fa sull'isola di Flores in Indonesia. Pare che anche nel periodo in cui il livello del mare era più basso fosse comunque necessario attraversare due bracci di mare, il primo di 25 km, per arrivare all'isola di Flores. Per usare le parole di Michael Morwood e dei suoi colleghi: «Dalla presenza di ominidi nell'isola di Flores all'inizio del Pleistocene possiamo dedurre la più vecchia datazione al mondo relativa alla tecnologia marittima umana… questi ritrovamenti indicano che l'intelligenza e le capacità tecnologiche dell'*Homo erectus* possono essere state seriamente sottovalutate… La complessa organizzazione logistica necessaria a un popolo per costruire un'imbarcazione capace di trasportare un gruppo biologicamente e socialmente vitale attraverso una barriera marina importante implica, inoltre, che quelle popolazioni dovevano possedere una forma di linguaggio» (Morwood e altri, 1999).

Se si considerano gli spostamenti sulla terra, per arrivare a una simile conclusione sono necessarie tecniche più sofisticate. Le reti di scambio all'epoca del Pleistocene sono al momento oggetto di studi sistematici, e le distanze attraverso le quali le materie prime venivano trasportate sono utilizzate come misura delle informazioni scambiate tra gruppi di ominidi. I primi ominidi spostavano le materie prime solo per piccole distanze; ciò suggerisce un raggio d'azione, una complessità sociale e un sistema di comunicazione non dissimile da quello di primati come gli scimpanzé in ambienti equivalenti. Dopo circa 1 milione di anni si riscontra un grande aumento delle distanze attraverso le quali le materie prime venivano trasportate

© 978.8808.82073.0

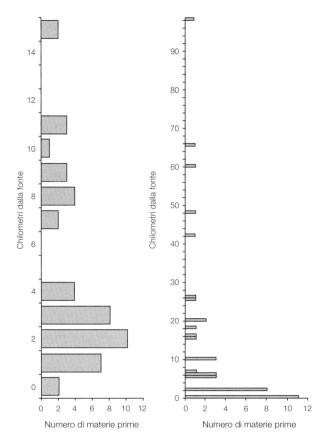

9.2 Distanze attraverso le quali sono trasportate le materie prime nei siti africani (secondo Marwick): (*a sinistra*) lungo un arco temporale che va dal 1,6 a 1,2 milioni di anni fa; (*a destra*) da 1,2 a 0,2 milioni di anni fa. L'aumento del campo di variabilità è impressionante e suggerisce lo sviluppo di nuove capacità linguistiche.

(*vedi* illustrazione 9.2): questo può essere il risultato dello sviluppo della capacità di trasmettere informazioni utilizzando una primitiva forma di linguaggio. Un altro aumento negli spostamenti delle materie prime si è verificato sul finire del Paleolitico Medio, circa 130 000 anni fa; si pensa a una rete di scambio e, conseguentemente, a un sistema di comunicazione con una sintassi e un uso di simboli in un contesto sociale: queste sono poi le caratteristiche che definiscono il linguaggio umano.

Scambio di doni e reciprocità

Le teorie del sociologo francese Marcel Mauss sulla natura dello scambio di doni hanno costituito uno dei punti fondamentali dell'antropologia. Lo studioso osservò che in un certo numero di società, specialmente in quelle prive di un'economia monetaria, il tessuto delle relazioni sociali era cementato da una serie di scambi di doni: un individuo X stabilirebbe o rafforzerebbe una relazione con l'individuo Y per mezzo di un dono, di un oggetto prezioso, che passerebbe così dalle mani di X a quelle di Y. Questo dono non rappresenta un pagamento, anzi trascende le mere considerazioni monetarie; è un gesto e un legame che im-

pone obblighi a entrambe le parti e soprattutto, è ovvio, a colui che lo riceve. Pertanto l'accettazione del dono implica l'impegno di una restituzione, di uno sdebitamento, attraverso l'offerta di un altro dono altrettanto generoso.

Nel celebre libro *Argonauts of the Western Pacific* [*Argonauti del Pacifico occidentale*], del 1922, l'antropologo Bronisław Malinowski descriveva una rete di scambio, il *kula*, nella quale una serie di relazioni di scambio tra gli abitanti di alcune isole della Melanesia era rafforzata dallo scambio di doni costituiti da oggetti preziosi, spesso conchiglie. Tutti i contatti di questi isolani con l'esterno erano incentrati sullo scambio cerimoniale con i loro partner all'interno del *kula*, sebbene in questa cornice avessero luogo anche altri scambi di prodotti di uso quotidiano, come le derrate alimentari.

Si dice che scambi di questo tipo, nei quali il trasferimento di specifici oggetti in qualità di dono è solo una parte di un rapporto che comprende altri impegni (tra cui l'amicizia) e altre attività (tra cui la celebrazione di feste), abbiano luogo all'interno di un quadro di reciprocità. Colui che dona guadagna in status sociale attraverso il grado di generosità rappresentato dal dono, spesso consegnato con il massimo di pubblicità e ostentazione. Presso alcune società della Nuova Guinea la posizione di «Big Man» (uomo importante) si raggiunge offrendo generosamente doni (spesso maiali) a partner dello scambio: in questo modo non solo si ottiene il credito (cioè l'obbligo dei partner dello scambio a contraccambiare il dono), ma anche ciò che si potrebbe chiamare fama, l'immenso prestigio che proviene dall'essere nella posizione di creditore in quanto donatore.

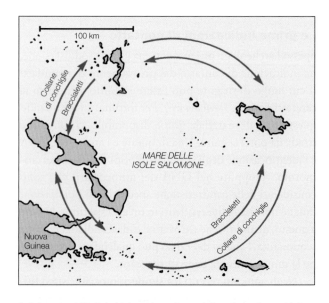

9.3 La rete dei *kula* in Melanesia, nella quale le collane di conchiglie venivano scambiate con braccialetti di conchiglie e i braccialetti con collane, in un ciclo che cementava le relazioni tra gli isolani.

9.1 Modalità di scambio

Lo scambio, o commercio, implica che i beni passino dall'uno all'altro e che questo avvenga in una transazione a doppio senso. L'antropologo americano Karl Polanyi ha stabilito che esistono tre diverse modalità di scambio: la reciprocità, la ridistribuzione e lo scambio di mercato.

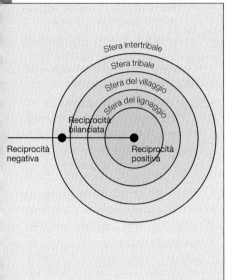

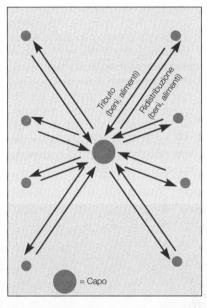

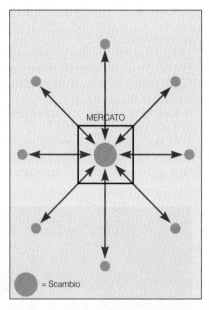

9.4 Reciprocità È lo scambio che ha luogo tra individui che si trovano in posizione simmetrica, cioè che operano lo scambio da una posizione di parità; nessuno di loro occupa una posizione dominante. In effetti è lo stesso meccanismo dello scambio di doni. Un dono non deve immediatamente essere seguito da un altro dono; crea però una forma di obbligo personale che darà luogo in seguito alla restituzione di un dono, a uno scambio reciproco. Secondo l'antropologo americano Marshall Sahlins, la generosità o l'altruismo associati a un tale scambio si possono chiamare reciprocità positiva (cioè generosità) e avvengono tra parenti stretti. La reciprocità equilibrata ha luogo tra coloro che si conoscono bene, all'interno di un contesto sociale definito. Infine la reciprocità negativa, quella in cui si cerca di avvantaggiarsi a spese del partner, opera tra sconosciuti o tra coloro che sono socialmente distanti l'uno dall'altro.

9.5 Ridistribuzione Presuppone l'attività di una qualche organizzazione centrale. I beni sono inviati a questo centro organizzativo, o almeno esso se ne appropria, per essere quindi ridistribuiti. Sahlins ha ipotizzato che molti *chiefdom* della Polinesia operino in questo modo; il capo ridistribuisce il prodotto, annullando così la diversità dovuta a condizioni geografiche diverse: in questo modo il pescatore riceve la frutta e l'operaio che lavora nelle piantagioni ottiene il pesce. Tale sistema di scambio può essere ordinato in maniera assai più complessa rispetto a una serie di scambi reciproci relativamente non strutturati tra individui, ed è un elemento caratteristico di società più centralizzate, come i *chiefdom* o gli stati (*vedi* Capitolo 5). Poiché presuppone l'esistenza di una coerente organizzazione politica all'interno della quale poter funzionare, la ridistribuzione si può considerare una forma di scambio interno.

9.6 Scambio di mercato Presuppone sia un luogo specifico e centrale dove possano avvenire le transazioni di scambio (ovvero il luogo del mercato) sia un tipo di relazione sociale che consenta il mercanteggiamento; comprende anche un sistema di determinazione dei prezzi attraverso la negoziazione. Polanyi ha sostenuto che questo tipo di mercanteggiamento divenne la base di un vero e proprio sistema di mercato per la prima volta nell'antica Grecia, quando fece la sua apparizione la moneta basata su un sistema monetario ben definito. Altri ricercatori hanno tuttavia fatto notare che anche nell'antico Vicino Oriente c'erano mercati veri e propri, come ce n'erano certamente in Mesoamerica e in Cina. I mercati sono spesso interni all'unità socio-politica, come per esempio i mercati rurali in Cina e l'agorà in Grecia. Lo scalo commerciale è invece un luogo dove i mercanti di nazionalità diverse, appartenenti a unità politiche differenti, possono liberamente incontrarsi e dove possono aver luogo la libera contrattazione e, di conseguenza, la fissazione dei prezzi.

Quasi tutte le culture possiedono oggetti cui si attribuisce un particolare valore. Sebbene in alcuni casi siano beni con un'utilità intrinseca (come per esempio i maiali in Melanesia, che possono essere mangiati), la maggior parte di quei beni non ha alcuna utilità, oltre a quella di poter essere esibiti.

Una specifica società attribuisce valore a un limitato ventaglio di materiali. Nella società in cui viviamo, per esempio, si assegna all'oro un così alto valore che è diventato il «metro» con cui misurare tutti gli altri valori.

Si tende però a dimenticare che tale valutazione è del tutto arbitraria, e si parla di valore intrinseco dell'oro come se tale valore fosse in qualche modo inerente al materiale stesso; ma l'oro non è un materiale di particolare utilità (sebbene sia brillante e inossidabile), né è il prodotto di una qualche speciale abilità artigianale. «Valore intrinseco» è dunque una definizione inappropriata: per gli Aztechi le penne d'uccello avevano un valore assai più alto, mentre i Conquistadores erano assetati d'oro; entrambi seguivano sistemi di valore soggettivi. Allorché esaminiamo la gamma di materiali cui società diverse hanno attribuito un valore intrinseco, possiamo constatare che molti di quei materiali possedevano la qualità della rarità, oppure della durevolezza, oppure della vistosità.

- Le **penne** dai colori vivaci predilette dagli Aztechi e dalle tribù della Nuova Guinea soddisfano due di queste qualità.

- L'**avorio**, ottenuto dalle zanne degli elefanti e dei trichechi, è stato apprezzato fin dal Paleolitico Superiore.

- Le **conchiglie**, specialmente quelle di grandi molluschi marini, sono state molto apprezzate presso numerose culture nell'arco di millenni.

- L'**ambra**, materiale organico del tutto speciale, era altamente valutato nell'Europa settentrionale durante il Paleolitico Superiore.

- La **giada** è un materiale che ha goduto di particolare favore presso molte culture, dalla Cina alla Mesoamerica, e nell'Europa neolitica fu considerata materiale prezioso già 4000 anni fa.

- Altre **pietre dure colorate**, come il cristallo di rocca, il lapislazzuli, l'ossidiana, il quarzo e l'onice, sono sempre state considerate di un certo valore.

- Le **gemme** hanno assunto un valore speciale nei secoli più recenti, allorché si sviluppò la tecnica del taglio a sfaccettatura, forma atta a catturare la luce.

- L'**oro** detiene forse il primo posto, certamente agli occhi degli Europei, tra i beni «intrinsecamente» di valore, seguito dall'argento.

- Il **rame** e altri metalli hanno avuto un ruolo paragonabile a quello dell'oro: nel Nord America, per esempio, gli oggetti in rame avevano un valore speciale.

- Con lo sviluppo della pirotecnologia (*vedi* Capitolo 8) alcuni materiali artificiali come la *faïence* (*vedi* pagina 346) e il **vetro** assunsero grande importanza.

- Anche i **tessuti** più fini e altri materiali d'abbigliamento (come per esempio i *tapa* in Polinesia) sono sempre stati molto apprezzati, in quanto prestigio è spesso sinonimo di esibizione personale.

9.7 Maschera di giada proveniente da Palenque, Messico, ritrovata nella tomba di Pacal, signore dei Maya (*vedi* illustrazione 5.51).

9.8 Copricapo di penne (*sopra a sinistra*) appartenuto all'imperatore azteco Motecuhzoma II (Moctezuma).

9.9 (*A sinistra*) Il vaso Portland, un superbo esempio di arte vetraria romana del I secolo d.C.

9.12 (*Sopra*) Abito in tessuto di seta con l'effigie del dragone imperiale, risalente al regno dell'imperatore cinese Qianlong (1735-1796).

9.13 (*Sotto*) Figura di uomo-leone intagliata in avorio di mammuth, proveniente da Hohlenstein-Stadel nella Germania meridionale, risalente a circa 30 000 anni.

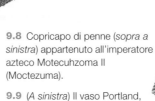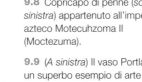

9.10-11 Oggetti di prestigio della cultura nordamericana del Mississippi (900-1450 d.C. circa). (*Sotto*) Volto in rame sbalzato, caratterizzato dal tipico motivo dell'occhio biforcato. (*A destra*) Pendente di conchiglia (14 cm circa) dal Texas, decorato con le figure di una pantera e di un rapace.

9.14 (*Sotto*) Maschera d'oro che Schliemann ritenne il ritratto del re Agamennone, trovata in una tomba a thòlos di Micene (fine del XVI secolo a.C.).

© 978.8808.82073.0

Il concetto di scambio reciproco di oggetti di valore – derivato dagli studi antropologici che comprendono anche il lavoro di Malinowski sul ciclo di scambio del *kula* in Melanesia – ha influenzato il pensiero di molti archeologi per quanto riguarda il commercio. In Gran Bretagna, durante il Neolitico, esisteva chiaramente una fitta rete di commercio di asce in pietra; i metodi con i quali è stato documentato questo scambio, compreso lo studio petrografico delle sezioni sottili, sono chiariti più avanti. Le reti di scambi su grandi distanze documentate dagli studi di caratterizzazione hanno portato l'archeologo Grahame Clark a ipotizzare che nel Neolitico britannico operasse un sistema di scambio di doni paragonabile al sistema di scambio di asce in pietra che funzionava in Australia ancora nel XIX secolo (*vedi* Scheda 9.8).

Un altro esempio, che forse si confronta meglio con il sistema *kula* della Melanesia, è lo scambio di braccialetti e di altri ornamenti ricavati dalla conchiglia marina di *Spondylus gaederopus*, che è indigena del Mediterraneo. Intorno al 4000 a.C. questi ornamenti venivano distribuiti attraverso i Balcani e nell'Europa centrale, sfruttando evidentemente una rete commerciale di grande raggio; proprio come nel caso del *kula*, gli oggetti di scambio più rilevanti erano bellissime conchiglie marine, ma in questo caso particolare si trattava di uno scambio via terra e non via mare. Oggi l'archeologo ha compreso che gli ornamenti di conchiglia di quel periodo avevano il ruolo di oggetti preziosi. Ancora una volta, il volume del commercio deve essere valutato attraverso un attento studio di caratterizzazione (per determinare il luogo di origine dei prodotti scambiati), prima di proporre spiegazioni in termini di reciprocità tra i partner dello scambio.

Quando lo scambio avviene al di fuori di relazioni strettamente personali, assume un carattere diverso: la reciprocità vantaggiosa del movente del profitto (*vedi* Scheda 9.1). E quando la relazione simmetrica uno a uno (biunivoca) caratteristica dello scambio di doni, o baratto diretto, cede il posto alla relazione venditore/compratore, o alle richieste dell'esattore delle imposte, interviene un rapporto economico di tipo diverso (*vedi* Scheda 9.1, Modalità di scambio).

Questi concetti fanno ormai parte degli strumenti di lavoro di chi studia il commercio antico. In alcuni casi possono essere ampliati facendo riferimento a documenti antichi, come le iscrizioni su tavolette d'argilla provenienti dall'emporio assiro di Kültepe in Anatolia, datato a partire dal XVIII secolo a.C.: qui la maggior parte del commercio era controllata da mercanti privati residenti nella capitale assira di Assur, mentre a Kültepe operavano i loro agenti; questo commercio si può considerare come ridistribuzione. In alcuni casi, tuttavia, sembra che gli agenti abbiano commerciato per proprio conto e per averne un profitto personale.

La ricerca etnografica offre un ricco repertorio esemplificativo di sistemi commerciali: gli studi sui mercati dell'Africa occidentale e della Cina preindustriale hanno fornito all'archeologo una visione preziosa dei modi in cui può aver luogo lo scambio.

Oggetti di valore e beni ordinari

Negli scambi di doni gli oggetti di grande prestigio, centro dell'attenzione in qualsiasi cerimoniale di scambio, appartengono a una categoria speciale: sono infatti oggetti di valore, che devono essere distinti dai beni ordinari – come le derrate alimentari e il vasellame – che nello stesso tempo possono essere facilmente scambiati attraverso un più comune sistema di baratto.

Queste considerazioni ci spingono a tener presenti due concetti importanti. Il primo è quello che l'antropologo americano George Dalton ha definito **oggetti di valore primitivi**: gli emblemi della ricchezza e del prestigio, spesso realizzati con materiali cui si attribuiva un valore speciale (*vedi* Scheda 9.2), utilizzati negli scambi cerimoniali all'interno di società non statuali. Gli esempi comprendono collane e braccialetti di conchiglie per quanto riguarda il sistema del *kula*, maiali e madreperle e, sulla costa americana nord-occidentale nei periodi precedenti la colonizzazione, schiavi e capi di pelliccia.

Gli animali esotici erano spesso considerati doni appropriati da indirizzare ai regnanti: il califfo Harun al-Rashid regalò a Carlo Magno, sovrano di mezza Europa tra VIII e IX secolo d.C., un elefante, mentre una fiaba islandese del XIII secolo racconta che Authin donò al re di Danimarca un orso polare della Groenlandia. A volte è possibile trovare tracce di simili doni, come nel caso dei resti di falchi della Groenlandia, trovati in numerosi siti medievali dell'Europa occidentale.

Bisognerebbe notare, come osserva Dalton (1977), che «ricevere e donare oggetti di valore in transazioni politiche o sociali era solitamente prerogativa esclusiva dei capi; o anche che i capi ricevevano oggetti di valore in quantità maggiore, o di qualità migliore, rispetto a quanto fosse riservato agli altri».

Il secondo concetto importante è quello di **sfera di scambio**: gli oggetti di valore e i beni ordinari venivano di solito scambiati separatamente. I primi erano scambiati con oggetti altrettanto preziosi nelle transazioni di prestigio; i beni ordinari erano scambiati con altri beni ordinari, senza tante cerimonie, in transazioni di baratto vantaggiose per ambedue le parti.

George Dalton ha messo in evidenza che nelle società non statuali vi erano due tipi di scambi cerimoniali: quelli atti a stabilire o rafforzare alleanze, come nel sistema del *kula*, e gli scambi competitivi, utilizzati per mettere pace tra rivali, nei quali la vittoria si guadagnava superando

9.15 Cerimonia potlatch a Sitka, Alaska, il 9 dicembre 1904, con i capi tribù Tringlit nei loro vestiti cerimoniali. La distruzione pubblica di oggetti di valore in occasioni di questo tipo rendeva manifesto il prestigio sociale dei proprietari.

il proprio rivale con la preziosità del dono e la pubblica munificenza. Il *potlatch*, ovvero il cerimoniale degli Indiani americani del Nord-Ovest, appartiene a questa seconda categoria. Questi scambi prevedevano non solo la consegna di doni preziosi ma anche, a volte, la vera e propria distruzione di oggetti di valore in un gesto di ostentazione di grande ricchezza.

Il significato dello scambio di beni può essere compreso solo se si è consapevoli del ruolo sociale che i beni materiali possono avere e del modo in cui lo scambio può mascherare o rappresentare un'intera gamma di relazioni sociali. In questo modo lo studio degli scambi offre molteplici visioni non solo del commercio, ma anche della struttura sociale delle società antiche.

COME SCOPRIRE I LUOGHI D'ORIGINE DELLE MERCI: LA CARATTERIZZAZIONE

Le forme dei manufatti possono essere imitate o possono assomigliarsi l'una all'altra per caso, per cui, all'interno di un contesto archeologico, stabilire che un oggetto è stato importato solo basandosi sulla sua somiglianza con altri oggetti attestati altrove non è un procedimento del tutto sicuro. I dati per la ricostruzione di un commercio saranno più affidabili se si può dimostrare che l'origine della materia prima di cui è costituito l'oggetto si trova in un luogo diverso da quello del ritrovamento. La caratterizzazione si basa sulle tecniche di analisi atte a identificare le proprietà caratteristiche della materia di cui è costituito il manufatto,

per poterne così determinare il luogo d'origine (la fonte). Più sotto sono descritti alcuni dei principali metodi di caratterizzazione (per esempio la sezione sottile petrografica).

Perché la caratterizzazione funzioni è ovviamente necessaria l'esistenza, nel luogo d'origine del materiale, di qualche particolare elemento che possa distinguere i suoi prodotti da quelli di altre fonti. Evidentemente vi sono casi in cui il materiale è di per sé talmente insolito e caratteristico da poter essere immediatamente riconosciuto come proveniente da una determinata fonte, come per esempio il lapislazzuli per il quale era noto, nel Vecchio Mondo, un solo luogo di provenienza, in Afghanistan. Oggi si conoscono, invece, altre fonti di lapislazzuli nel subcontinente indiano, cosicché alcune affermazioni vanno prese con una certa cautela.

In pratica, esistono pochissimi materiali il cui luogo di origine possa essere determinato con la semplice osservazione a occhio nudo; di solito è necessario utilizzare tecniche di analisi petrologica, fisica o chimica, che permettono una descrizione molto più precisa del materiale. Durante gli ultimi quarant'anni sono stati compiuti notevolissimi progressi nella capacità di analizzare con esattezza campioni anche molto piccoli. Una valida caratterizzazione, però, non dipende solo dalla precisione dell'analisi, perché bisogna considerare con particolare attenzione anche la natura dei vari luoghi d'origine del materiale in questione. Se le fonti di approvvigionamento sono molto diverse l'una dall'altra per quanto riguarda gli aspetti da analizzare, il compito sarà relativamente facile; ma se si assomigliano, e non si possono quindi distinguere con precisione, è un vero problema. Per alcuni materiali, come per esempio l'ossidiana, le fonti si possono riconoscere abbastanza facilmente; per altri, come la selce o alcuni metalli, è veramente difficile individuare differenze costanti tra le fonti.

Alcuni materiali non sono adatti alla caratterizzazione in quanto è difficile distinguere tra loro i campioni provenienti da aree diverse. I resti organici, sia vegetali sia animali, possono presentare problemi; ovviamente, se una specie viene rinvenuta lontano dal suo habitat naturale – per esempio, conchiglie del Mar Rosso nell'Europa preistorica – questo testimonia l'esistenza di scambi. Quando tuttavia la specie è ampiamente distribuita, possono presentarsi autentiche difficoltà. Comunque, come vedremo più oltre, anche in questi casi potrebbero essere disponibili metodi, come l'analisi degli isotopi dell'ossigeno e dello stronzio, capaci di risolvere la questione.

È piuttosto importante notare che l'individuazione delle fonti di approvvigionamento dei materiali attraverso gli studi di caratterizzazione dipende in modo decisivo dalla nostra conoscenza della distribuzione in natura delle materie prime, conoscenza che deriva fondamentalmente dal lavoro sul campo svolto dai geologi. Facciamo un esempio: si potrebbe

© 978.8808.82073.0

disporre di un discreto numero di sezioni sottili tagliate da una serie completa di asce litiche, e molte di queste sezioni potrebbero essere caratteristiche agli occhi di un petrologo; questo, tuttavia, non sarebbe di alcun aiuto all'archeologo, a meno che questi particolari tipi di roccia non si potessero mettere in corrispondenza con i luoghi in cui sono presenti in natura (per esempio con le cave). Per intraprendere un valido studio di individuazione delle fonti è dunque necessario disporre di una buona carta geologica di base.

Vi sono altri due punti importanti, uno dei quali è il grado di alterazione che la materia prima con la quale è fabbricato il manufatto potrebbe aver subìto durante l'interramento: alcuni elementi solubili, e quindi mobili, presenti nell'argilla di un vaso potrebbero essersi trasferiti per lisciviazione nel suolo circostante oppure viceversa, sempre per lisciviazione, dal suolo circostante nel vaso; per fortuna si tratta di un problema non particolarmente grave in quanto riguarda soprattutto prodotti grezzi mal cotti in fornace.

Un aspetto assai più critico è il grado di alterazione subìto dalla materia prima durante la produzione del manufatto. Per gli oggetti in pietra questo non costituisce un problema; per quanto riguarda la ceramica, invece, è necessario considerare gli effetti causati dalle operazioni di raffinazione dell'argilla e dall'aggiunta di materiale antiplastico (dimagrante); per i metalli, infine, si tratta di una questione molto seria, in quanto nel passaggio dal minerale al manufatto metallico finito si producono molte importanti modificazioni della composizione: durante l'estrazione per fusione (*vedi* Capitolo 8), per esempio, va perduta una certa percentuale delle impurità più volatili, come l'arsenico e il bismuto. Nel Vecchio Mondo poi, a partire dalla tarda Età del bronzo, si verifica il fenomeno della riutilizzazione degli scarti di rame e di bronzo che potevano provenire da più di una fonte.

Metodi di analisi

Esame a occhio nudo L'osservazione a occhio nudo del materiale è il miglior modo per cominciare, sia che si tratti di ceramica sia che si tratti di un oggetto in pietra. Ma se l'aspetto è certamente un eccellente punto di partenza – e vale sempre la pena di operare una preliminare suddivisione del materiale in base all'aspetto – non potrà mai essere una guida affidabile o autorevole.

Esame al microscopio di una sezione sottile Dalla metà del XIX secolo esistono tecniche particolari che permettono di tagliare una **sezione sottile** di un campione prelevato da un oggetto litico o da un coccio, e di usarla per determinare il luogo di origine del materiale. È realizzato abbastanza sottile da trasmettere la luce e allora, tramite l'esame petrologico (cioè lo studio della struttura della roccia

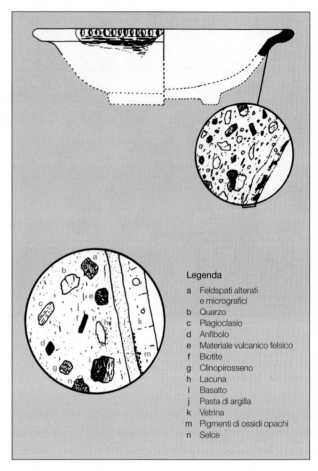

Legenda

a Feldspati alterati
  e micrografici
b Quarzo
c Plagioclasio
d Anfibolo
e Materiale vulcanico felsico
f Biotite
g Clinopirosseno
h Lacuna
i Basalto
j Pasta di argilla
k Vetrina
m Pigmenti di ossidi opachi
n Selce

9.16 Esame al microscopio di una sezione sottile di ceramica: le inclusioni presenti nel materiale sono state utilizzate per caratterizzare le ceramiche medievali yemenite, come in questo esempio.

o del minerale) al microscopio ottico è di solito possibile riconoscere determinati minerali, che possono essere caratteristici di una specifica fonte di approvvigionamento. Questa parte del lavoro deve essere svolta necessariamente da un esperto di indagine petrologica.

Questo metodo è stato applicato a oggetti di **pietra** in diverse parti del mondo: a pietre da costruzione (come le speciali pietre colorate impiegate dagli antichi Greci e dai Romani), a monumenti (le teste olmeche, Stonehenge) e a manufatti mobili come le asce litiche (in Australia, in Nuova Guinea e in Gran Bretagna). La comprensione del commercio delle asce in pietra durante il Neolitico in Gran Bretagna, cominciato prima del 3000 a.C. e di cui si parlerà di nuovo nel paragrafo dedicato allo studio della distribuzione (*vedi* Scheda 9.5), è uno degli esempi di maggior successo negli studi di caratterizzazione.

Si possono incontrare difficoltà ad applicare questa tecnica di analisi quando i materiali litici non hanno caratteristiche sufficientemente diverse, come nel caso di tipi differenti di selce e del marmo bianco impiegato come materiale da costruzione o per la statuaria, troppo puro e omogeneo per dare buoni risultati con il metodo delle sezioni sottili.

Per quanto riguarda la **ceramica**, l'argilla stessa può avere caratteristiche particolari; più spesso, però, sono le inclusioni – ovvero le particelle di minerali o i frammenti di roccia – a costituire l'elemento determinante ai fini della caratterizzazione. In alcuni casi le inclusioni sono presenti nell'argilla in natura, ma in altri vengono aggiunte intenzionalmente come dimagrante per evitare gli inconvenienti causati dall'essiccamento e dalla cottura; ciò può complicare gli studi di caratterizzazione, perché il materiale ceramico può provenire da due o più fonti di approvvigionamento distinte. Anche i componenti fossili, quali le diatomee (*vedi* Capitolo 6), possono essere di aiuto per l'identificazione della fonte delle materie prime.

Gli studi sulla **granulometria** dell'argilla si sono dimostrati altrettanto utili. In molte ceramiche, infatti, le sole inclusioni presenti sono minerali comuni come sabbia quarzosa, selce e calcite/calcare/conchiglie, insufficienti per individuare le fonti. In questi casi si è dimostrata utile l'analisi granulometrica del quarzo, della selce e così via (ma non dell'argilla).

L'**analisi dei minerali pesanti** è un'altra tecnica petrologica strettamente correlata a quelle già descritte. Il campione di ceramica viene decomposto usando un reagente chimico, e in una centrifuga si separa la componente di minerali pesanti (materiali come lo zircone e la tormalina) dall'argilla più leggera. Questi minerali costitutivi possono essere riconosciuti al microscopio, e quelli caratteristici di una particolare area aiuteranno a individuare il luogo d'origine dell'argilla.

Il quadro del commercio preistorico della ceramica in Gran Bretagna, documentato da tali analisi, è piuttosto sorprendente. Prima del lavoro sulle sezioni sottili compiuto da David Peacock e dai suoi collaboratori non ci si era resi conto che in epoca neolitica, prima del 3000 a.C., scodelle e altri recipienti di ceramica potevano essere commerciati su distanze piuttosto grandi, dell'ordine dei 100 km. È abbastanza chiaro, ora che sappiamo quale fosse in Gran Bretagna l'estensione dello scambio della ceramica e delle asce di pietra durante il Neolitico, che molti individui e insediamenti erano legati tra loro da sistemi di scambio a grande distanza.

Gli studi di caratterizzazione rivelano chiaramente un'ampia distribuzione dei materiali rispetto alla loro fonte geologica; tuttavia l'interpretazione di questa distinzione in rapporto all'azione umana richiede speciali tecniche di analisi dello spazio e spesso l'uso di modelli di ricerca etnografica (o etnoarcheologica).

Analisi degli elementi in tracce Numerosi materiali presentano una composizione di base molto costante; un buon esempio è costituito dall'ossidiana, o vetro vulcanico, utilizzata nello stesso modo della selce nella fabbricazione di strumenti di pietra scheggiata. La concentrazione dei principali elementi di cui è formata l'ossidiana (silicio, ossigeno, calcio ecc.) è molto simile, qualunque sia la fonte di approvvigionamento del materiale; nonostante questo, gli **elementi in tracce** (ovvero quegli elementi presenti solo in quantità molto piccole, poche parti per milione) variano secondo la fonte; per misurarne la concentrazione gli specialisti dispongono di numerosi metodi d'analisi.

La **spettrometria a emissione ottica** (*optical emission spectrometry*, OES; *vedi* Scheda 9.3) è stata il primo metodo a essere applicato a materiale archeologico. Negli anni Cinquanta e Sessanta del XX secolo il metodo fu usato in studi sulla metallurgia antica europea e per la caratterizzazione dell'ossidiana. Oggi questa tecnica è stata largamente rimpiazzata dalla **spettrometria a emissione a plasma con accoppiamento induttivo** (*inductively coupled plasma emission spectrometry*, ICPS) e dalla spettrometria ad assorbimento atomico (*vedi* più avanti).

L'**analisi per attivazione neutronica** (*neutron activation analysis*, NAA; *vedi* Scheda 9.3) è stata sviluppata in anni più recenti e si è diffusa nell'applicazione pratica durante gli anni Settanta del secolo scorso; è stata ampiamente utilizzata negli studi sull'ossidiana, sulla ceramica, sui metalli e su altri materiali ancora. Per molti anni la NAA è stata largamente usata per rilevare gli elementi in traccia di ceramiche, di ossidiana e di altre rocce o pietre dure. Tuttavia questo metodo non è più molto usato e può essere sostituito con successo dalla spettrometria di massa a plasma accoppiato induttivamente (*inductively coupled plasma mass spectrometry*, ICP-MS). Se si analizza la stessa gamma di elementi, i grandi database NAA dei materiali archeologici dovrebbero essere perfettamente compatibili con i dati ottenuti mediante ICP-MS. Una più avanzata versione di questa tecnica è la Multi-Collector ICP-MS (MC-ICP-MS).

Altri metodi di analisi degli elementi in tracce includono (*vedi* Scheda 9.3) la **spettrometria ad assorbimento atomico** (*atomic absorption spectrometry*, AAS), la **spettrometria a fluorescenza da raggi X** (*X-ray fluorescence*, XRF), e i metodi PIXE e PIGME. I metodi PIXE e PIGME sono stati automatizzati e applicati all'ossidiana proveniente dalla Nuova Britannia e dalle Isole dell'Ammiragliato nel Pacifico: i risultati delle analisi indicano, nel caso della Nuova Britannia (Talasea) l'esistenza, in un periodo che risale a più di 3000 anni fa, di un commercio dell'ossidiana che dall'Arcipelago di Bismarck raggiungeva le isole Fiji a est e Sabah (Borneo settentrionale) a ovest, lungo un percorso di 6500 km. Questa è sicuramente la distribuzione più ampia di un bene, durante il periodo neolitico, mai registrata prima. Similmente il metodo dell'attivazione neutronica ha recentemente dimostrato che i ritrovamenti di Rouletted Ware (identificati per

Materiale archeologico	Caratterizzazione degli strumenti	Tecniche analitiche
Ceramica	Composizione degli elementi più grossi e in tracce, schema di distribuzione dei materiali inclusi	SEM, NAA, AAS, XRF, ICPS-MS, petrologia delle sezioni sottili, PIXE/PIGME/RBS
Pietre omogenee/lisce (incluse l'ossidiana e la selce)	Composizione degli isotopi dello stronzio per gli elementi più importanti e in tracce	SEM, NAA, AAS, XRF, ICPS-MS, PIXE/PIGME/RBS, TIMS
Gemme	Composizione degli elementi più importanti e in tracce, schema di distribuzione degli elementi	SEM, NAA, AAS, XRF, ICPS-MS, PIXE/PIGME/RBS
Pietre con inclusioni minerali e biologiche	Identificazione e caratterizzazione delle inclusioni, composizione degli elementi più importanti e in tracce	Microscopio ottico, petrologia delle sezioni sottili, SEM, NAA, AAS, XRF, ICPS-MS, PIXE/PIGME/RBS
Marmo	Composizione degli isotopi dell'ossigeno, del carbonio e dello stronzio per gli elementi più importanti e in tracce	ICPS-MS, NAA, PIXE/PIGME/RBS, Gas MS, TIMS
Conchiglie marine	Composizione degli isotopi dell'ossigeno, del carbonio e dello stronzio per gli elementi in tracce	Gas MS, PIXE, NAA, ICP-MS, TIMS
Ambra	Identificazione e quantificazione dei composti organici	Sprettroscopia ad assorbimento dell'infrarosso, cromatografia del gas (GC/MS)
Tutti i metalli e le leghe	Composizione degli elementi più importanti e in tracce e degli isotopi del piombo	SEM, NAA, AAS, XRF, ICPS-MS, PIXE/RBS, TIMS, ICP-MMS
Scorie di metallo	Identificazione di inclusioni, composizione degli elementi più importanti e in tracce e degli isotopi del piombo	SEM, NAA, AAS, XRF, ICPS-MS, PIXE/RBS, TIMS, ICP-MMS
Minerali grezzi e pigmenti	Identificazione dei minerali, composizione degli elementi più importanti e degli isotopi del piombo	Diffrazione dei raggi X, SEM, NAA, AAS, XRF, ICPS-MS, PIXE/RBS, TIMS, ICP-MMS
Vetri e smalti	Composizione degli elementi più importanti e in tracce e degli isotopi del piombo (se presente)	SEM, NAA, AAS, XRF, ICPS-MS, PIXE/RBS, TIMS, ICP-MMS
Decorazione su ceramica	Identificazione dei minerali e tecnologia	Diffrazione dei raggi X, spettroscopia di Mössbauer, XRF, PIXE/PIGME/RBS

9.17 Tabella riassuntiva dei metodi di caratterizzazione più appropriati per i vari materiali archeologici.

la prima volta ad Arikamedu in India da Sir Mortimer Wheeler), provenienti dall'isola indonesiana di Bali, condividono la stessa fonte geologica dei campioni ritrovati in Sri Lanka e nell'India meridionale; viene suggerita, in questo modo, la presenza di una rete commerciale che univa le due aree dal I secolo d.C.

I metodi ora illustrati producono semplicemente tabelle di valori numerici corrispondenti alle analisi – di solito espressi in parti per milione (ppm) – per ogni manufatto o campione, considerando a turno ciascun elemento: alcuni elementi chimici, come il piombo e lo stagno, sono ben noti, altri, come per esempio il vanadio e lo scandio, sono meno comuni. Il punto critico è costituito dall'interpretazione di questi dati, il cui scopo è, ovviamente, quello di mettere in corrispondenza la composizione dei manufatti analizzati con quella delle specifiche fonti di approvvigionamento dei materiali. Questa operazione può presentare problemi. Nel caso della ceramica, le argille utilizzate dai ceramisti sono comuni, sicché le possibilità di mettere in corrispondenza specifiche ceramiche con specifici strati

d'argilla sono scarse: fonti diverse possono avere composizioni simili, producendo così risultati fuorvianti. Per questo motivo l'analisi degli elementi in tracce della ceramica, e ancor più quella del metallo, non è proprio il migliore procedimento per la caratterizzazione; nel caso della ceramica si possono rivelare più utili i metodi petrografici (*vedi* sopra). L'analisi degli elementi in tracce, sempre che se ne sia esaminato il maggior numero possibile, risulta invece più efficace della petrografia nel distinguere fonti d'argilla limitrofe, e quindi simili da un punto di vista petrologico. (Se le fonti sono differenti da un punto di vista petrologico, sarebbe certamente strano che fossero simili gli elementi in tracce).

In generale, piuttosto che considerare un solo campione, con tutti i suoi elementi costitutivi, è meglio raggruppare i campioni in base alla concentrazione di due o tre elementi. Si otterranno risultati chiari quando saranno disponibili campioni provenienti dalle fonti di approvvigionamento, e soprattutto quando il numero delle fonti è limitato (come per l'ossidiana).

9.3 L'analisi della composizione dei manufatti

Negli studi di caratterizzazione dei manufatti si possono utilizzare numerosi metodi scientifici, che si distinguono per potenzialità, costi e requisiti del campione. Nessuno dei metodi elencati qui di seguito è universale; l'archeologo deve con cura calibrare gli obiettivi e i requisiti con i costi e le potenzialità delle diverse tecniche. Tutti i metodi di analisi quantitativa accurata richiedono l'utilizzo di standard di riferimento, cioè di campioni per i quali è nota la composizione chimica. Alcuni dei metodi riportati possono individuare nello stesso momento la maggior parte degli elementi presenti nel campione e quindi fornire la sua composizione qualitativa o semi-quantitativa senza la necessità di standard (XRF e NAA, per esempio, sebbene per i risultati quantitativi siano necessari dei riferimenti); altri (come AAS) necessitano di prove separate per ciascun elemento richiesto.

Le tecniche analitiche moderne utilizzano le proprietà fisiche degli atomi per la loro identificazione e quantificazione. I metodi illustrati sono raggruppati in base agli stessi princìpi fisici, ma variano per le modalità di eccitazione degli atomi o di rilevamento dei parametri (energia o lunghezza d'onda) considerati come risultato dell'eccitazione.

Spettrometria a emissione ottica (OES, *optical emission spectrometry*) Si basa sul principio che gli elettroni degli atomi di ogni elemento chimico, quando vengono eccitati (per esempio quando l'elemento viene riscaldato ad alta temperatura), emettono luce di una particolare lunghezza d'onda (e quindi di un particolare colore). Il campione viene bruciato in un arco a carbone; la luce emessa è composta di differenti lunghezze d'onda, che possono essere separate in uno spettro dopo essere fatte passare attraverso un prisma o un reticolo di diffrazione. La presenza o l'assenza dei vari elementi si può stabilire in base alla presenza o all'assenza delle righe spettrali caratteristiche del particolare elemento, ciascuna delle quali è associata a una particolare lunghezza d'onda. I risultati, espressi in percentuale per gli elementi più comuni e in parti per milione (ppm) per gli elementi in tracce, vengono rilevati ed espressi in forma tabulare. Il metodo ha generalmente una precisione del 25%

circa. L'OES è stata più o meno sostituita dalla spettrometria a emissione a plasma atomico con accoppiamento induttivo (ICP-AES, *inductively coupled plasma atomic emission spectrometry*), basata sugli stessi princìpi di base, ma il campione in soluzione viene atomizzato ed eccitato in un flusso di plasma di argon anziché in un arco a carbone. In questo modo si può raggiungere una temperatura molto più elevata, che riduce i problemi di interferenza tra gli elementi. È adatto per l'analisi degli elementi anche in tracce nella maggior parte dei materiali inorganici. Sono sufficienti per un'analisi di base 10 mg di campione e si può ottenere una precisione di ± 5%. L'ICP-AES è una tecnica non eccessivamente costosa e permette un'alta velocità di campionamento.

Più costosa, ma anche più sensibile (molti elementi possono essere individuati in concentrazioni di parti per miliardo) è un'altra versione di questo metodo: la spettrometria di massa con plasma ad accoppiamento induttivo (ICP-MS, *inductively coupled plasma mass spectrometry*). Anche in questo caso il campione viene atomizzato e ionizzato in una corrente di plasma di argon, ma poi gli ioni sono iniettati in uno spettrometro di massa dove vengono divisi nei loro isotopi, che possono essere individuati e contati separatamente, dando la concentrazione degli elementi presenti.

Spettrometria ad assorbimento atomico (AAS, *atomic absorption spectrometry*) Si basa su un principio simile a quello dell'OES: la misurazione dell'energia sotto forma di luce visibile. Il campione da analizzare (tra 10 mg e 1 g) viene sciolto in acido, diluito e poi riscaldato spruzzandolo su una fiamma. La luce della lunghezza d'onda assorbita dall'elemento che interessa – e solo da quell'elemento – viene fatta passare attraverso la soluzione. L'intensità del fascio di luce emergente, dopo essere passato attraverso la soluzione, è misurata con un fotomoltiplicatore. La concentrazione del particolare elemento è direttamente proporzionale all'intensità del fascio.

L'AAS è stata usata in archeologia per l'analisi di metalli non-ferrosi (per esempio rame e bronzo), manufatti di selci e altri materiali.

Spettrometria a fluorescenza da raggi X (XRF, *X-ray fluorescence analysis*) Si basa sull'eccitazione degli elettroni più interni all'atomo. Il campione viene irradiato con un fascio di raggi X che eccita gli elettroni presenti nei livelli interni (K, L e M) di tutti gli atomi che si trovano negli strati superficiali del campione. Il bombardamento a raggi X del campione provoca lo spostamento degli elettroni a un livello più alto; successivamente gli elettroni ritornano nelle loro posizioni iniziali, e così facendo emettono specifiche quantità di energia che corrispondono alla differenza energetica tra i livelli occupati caratteristici di ciascun elemento presente nel campione (tali emissioni sono chiamate raggi X caratteristici). Queste energie fluorescenti possono essere misurate e i loro valori confrontati con misure note di ciascun elemento. In questa maniera gli elementi presenti nel campione possono essere identificati. L'energia della radiazione elettromagnetica emessa è in relazione alla sua lunghezza d'onda. Ci sono due metodi per misurare l'energia dei raggi X caratteristici: il metodo dispersivo XRF della lunghezza d'onda e il metodo dispersivo XRF dell'energia (talvolta definito non-dispersivo). La prima tecnica (WD XRF) si basa sulla misurazione delle lunghezze d'onda dei raggi X tramite la loro diffrazione attraverso un cristallo del quale si conoscono i parametri; il secondo metodo (ED XRF) si basa sulla misura diretta dell'energia dei raggi X utilizzando un rivelatore a semiconduttore. In ambedue i casi anche l'intensità della radiazione è misurata e può essere utilizzata per quantificare la presenza di un elemento nel campione tramite il confronto con gli standard di riferimento.

Gli strumenti WD XRF di solito richiedono che il campione sia sotto forma di polvere pressata o di palline di vetro, cosicché per molti manufatti archeologici questo metodo non è adatto. Al contrario, gli strumenti ED XRF possono essere costruiti in modo tale che sia possibile analizzare un'area piccola (fino a 1 mm di diametro) sulla superficie di un oggetto di qualunque dimensione e forma. Inoltre è possibile fare analisi quantitative e qualitative di piccoli campioni presi o dalla superficie o dall'interno del manufatto. La profondità effettiva raggiunta dall'analisi XRF è nell'ordine di 1 mm per i materiali leggeri come il vetro e la ceramica, ma ▶

decresce drasticamente per il metalli. Per l'analisi di manufatti metallici è consigliabile o pulire la superficie o estrarre dall'interno un campione di metallo inalterato. Il rilevamento e la misura di elementi presenti in concentrazioni inferiori allo 0,1% possono essere problematici. L'accuratezza di questa tecnica dipende da molti fattori: può arrivare fino al 2%, ma incertezze del 5-10% sono più caratteristiche. Gli strumenti ED XRF sono ideali per identificare tipi di leghe e le componenti strutturali principali della ceramica, della *faïence*, del vetro, dello smalto e dei pigmenti usati per colorarli. L'analisi ED XRF non necessita di una preparazione specifica del campione (a parte la pulitura della superficie) e richiede solo pochi minuti. La tecnica è stata usata con successo per identificare oggetti di arte vetraria romana in Giappone (*vedi* Scheda 9.4).

Microanalisi con sonda elettronica (o analisi alla microsonda elettronica a scansione; SEM, *scanning electron microprobe analysis*) È basata sugli stessi principi fisici dell'XRF, anche se l'eccitazione degli elettroni negli atomi è ottenuta indirizzando sulla superficie del campione un raggio energetico di elettroni da una «pistola elettronica», nel vuoto. I campioni devono essere appositamente preparati come sezioni sottili pulite oppure come campioni intelaiati, perfettamente piatti, ricoperti con carbone o oro. Il fascio può essere focalizzato su una regione di grandezza inferiore al millesimo di millimetro; differenti strati di un campione (per esempio lo smalto, la vernice sottostante e la struttura di un pezzo di ceramica) possono essere analizzati separatamente, e si può identificare la composizione chimica delle inclusioni nel materiale, elemento per elemento. I microscopi elettronici a scansione sono presenti in molti laboratori archeologici e nell'ultimo decennio questo metodo ha svolto un ruolo fondamentale nello studio delle tecnologie dei metalli e della ceramica.

Emissione di raggi X indotta da protoni (PIXE, *proton-induced X-ray emission*) È un ulteriore metodo basato sull'emissione di raggi X caratteristici. PIXE si basa sulla loro eccitazione usando un fascio di protoni generato da un acceleratore di particelle. Lo spettro delle possibilità analitiche è simile a quello del SEM, ma PIXE è migliore per l'analisi di aree molto piccole di materiali leggeri come strati di pigmenti o carta e le saldature di leghe nella produzione di gioielli. Questo metodo è eccellente nel produrre mappe di concentrazione di elementi in campioni su scale inferiori al micron. PIXE appartiene a un gruppo di metodi conosciuti come analisi a fasci di ioni (IBA, *ion beam analysis*). Lo stesso strumento (basato su un acceleratore che fornisce un fascio di protoni ad alta energia) può essere usato per analisi basate sulle emissioni di raggi γ indotti da particelle (PIGME o PIGE, *particle induced gamma-ray emission*) e sulla diffrazione e riflessione alla Rutherford (RBS, *Rutherford backscattering*). PIGE si basa sull'eccitazione dei nuclei invece che degli elettroni nei livelli atomici e sulla misurazione dei raggi γ emessi nel momento in cui i nuclei ritornano al loro livello base (non eccitato). PIGE è usata soprattutto per l'analisi di elementi leggeri (con numero atomico inferiore a quello del sodio) e, insieme con PIXE, può fornire analisi su tutta l'intera tavola periodica. Lo strumento per le analisi di manufatti di ossidiana fu usato nei laboratori di Lucas Heights, in Australia. L'RBS è basata sulla riflessione di particelle del fascio da parte dei nuclei atomici del campione e può essere usata per la caratterizzazione degli elementi principali che compongono i materiali (tra cui il carbonio, l'ossigeno e l'azoto) e per la misura dello spessore di strati e di profili di diffusione senza la necessità di dover preparare profili in sezione incrociata.

Ci sono laboratori in Europa e nel Nord America dove PIXE è utilizzato comunemente per analisi in arte e in archeologia; tra questi merita menzione lo strumento AGLAE al Louvre di Parigi. La strumentazione IBA a Oxford è stata usata impiegando simultaneamente PIXE/PIGME/RBS per l'analisi non distruttiva, per esempio di gemme (l'«*Alexander gem*» al museo Ashmolean), manufatti metallici dorati e ceramiche smaltate.

Analisi per attivazione neutronica (NAA, *neutron activation analysis*) Si basa sull'eccitazione dei nuclei degli atomi dei vari elementi di un campione quando vengono bombardati con neutroni lenti (termici). Questo processo produce isotopi radioattivi di molti degli elementi presenti nel campione. Gli isotopi radioattivi, che hanno un caratteristico tempo di dimezzamento, decadono verso la loro configurazione stabile emettendo radiazioni, spesso radiazioni γ. Le energie di questi raggi γ sono caratteristiche degli isotopi radioattivi e sono misurate per identificare gli elementi presenti. L'intensità di radiazione di una data energia può essere confrontata con quella emessa da elementi di riferimento irradiati assieme al campione; da qui ne consegue che si può calcolare la quantità di quell'elemento presente nel campione. I reattori nucleari sono le sorgenti più efficienti di neutroni termici, ma in una certa misura anche altre sorgenti di neutroni possono essere usate per la NAA. In genere si usa analizzare campioni di 10-50 mg nella forma di polveri o trucioli, ma nel passato interi manufatti, soprattutto monete, sono state irradiate per fornire informazioni sulla loro composizione complessiva.

Sfortunatamente tutti i campioni e i manufatti rimangono radioattivi per molti anni. Alcuni elementi, come il piombo e il bismuto, non possono essere analizzati dalla NAA, poiché gli isotopi prodotti dalla loro interazione con i neutroni termici non emettono raggi γ misurabili.

Fino a tempi recenti la NAA è stato il metodo più frequentemente impiegato per l'analisi di elementi in tracce in ceramiche e metalli. Ha una precisione di circa il ± 5%, può misurare concentrazioni che vanno da 0,1 ppm al 100% e può essere automatizzato. Poiché richiede l'impiego di un reattore nucleare, è utilizzabile solo in pochi centri specializzati, sempre più rari, dal momento che sempre più reattori per la ricerca vengono dismessi.

Un buon esempio – descritto in dettaglio più avanti nel paragrafo dedicato allo studio della distribuzione – è costituito dall'analisi degli elementi in tracce condotta da un'équipe di specialisti britannici sull'ossidiana risalente al Neolitico e proveniente da fonti di approvvigionamento situate in Anatolia; in quell'occasione furono impiegati numerosi metodi, tra cui NAA, XRF, OES e l'analisi delle tracce di fissione. Le misure ottenute consentirono di raggruppare i campioni provenienti da varie fonti e i manufatti rinvenuti in scavi diversi.

Per qualsiasi analisi chimica è essenziale possedere già in partenza una strategia di interpretazione e capire la logica che sta alla base dei problemi. Uno dei meno riusciti progetti di caratterizzazione prevedeva l'analisi (per mezzo dell'OES) di migliaia di oggetti in rame e bronzo relativi alla prima Età del bronzo europea. Questi oggetti furono classificati in gruppi in base alla loro composizione, senza tener presente che molte aree diverse di approvvigionamento avrebbero potuto produrre rame con una composizione simile di elementi in tracce, e anche che durante l'estrazione per fusione erano avvenuti cambiamenti nella concentrazione degli elementi in tracce. Dal punto di vista del riconoscimento della fonte i gruppi risultavano più o meno privi di significato. Per quanto riguarda la caratterizzazione dei metalli, i metodi isotopici che descriviamo qui di seguito si sono dimostrati molto più efficaci.

Analisi isotopica Tutti gli elementi chimici sono composti di atomi, specifici per un dato elemento. La massa di un atomo si identifica col numero di neutroni e protoni presenti nel nucleo. L'identità chimica di un elemento dipende dal numero di protoni nel nucleo, mentre il numero di neutroni può cambiare. Atomi dello stesso elemento, ma con massa differente (differenti numeri di neutroni nel nucleo) sono chiamati isotopi. La maggior parte degli elementi che si trovano in natura sono composti da un certo numero di isotopi. Per la maggior parte degli elementi la proporzione relativa degli isotopi (composizione isotopica) è fissa. Tuttavia c'è un gruppo di elementi che, a causa di processi chimici o biologici, ha una composizione isotopica naturale variabile (azoto, zolfo, ossigeno e carbonio). Un altro gruppo è formato da elementi che contengono isotopi stabili (cioè non radioattivi), ma radiogenici, cioè formati in parte dal decadimento radioattivo di un altro elemento (piombo, neodimio e stronzio). Tutte le composizioni isotopiche sono misurate dalla spettrometria di massa (*vedi* tabella e Capitolo 4 per gli isotopi del carbonio, e di altri elementi). Le composizioni isotopiche degli elementi leggeri elencati nelle prime quattro righe della tabella possono essere misurate utilizzando gli spettrometri di massa a sorgenti di gas (un acceleratore di ^{14}C è anche un tipo di spettrometro di massa).

Le composizioni isotopiche di elementi più pesanti (segnatamente gli elementi sopra il calcio, (con numero atomico Z=20) possono essere misurate con grande accuratezza dalla *spettrometria di massa con ionizzazione termica* (*thermal ionization mass spectrometry*, TIMS) e dalla spettrometria di massa multicollettore a plasma accoppiato induttivamente

Elementi	Isotopi	Materiali archeologici	Informazioni
Ossigeno (O)	^{16}O, ^{17}O, ^{18}O	Ossa Marmo, conchiglie	Dieta Provenienza
Azoto (N)	^{14}N, ^{15}N	Ossa Avorio	Dieta Provenienza
Carbonio (C)	^{12}C, ^{13}C	Ossa Marmo, conchiglie	Dieta Provenienza
	^{14}C radioattivo	Legno, piante, semi, carbone di legno, ossa, denti, conchiglie (ceramica, tessuti di lino)	Datazione
Stronzio (Sr)	^{88}Sr, ^{86}Sr, ^{84}Sr ^{87}Sr - radiogenico	Sassi (gesso, marmo e ossidiana) Ossa (avorio)	Provenienza
Piombo (Pb)	^{208}Pb, ^{207}Pb, ^{206}Pb - tutti e tre radiogenici ^{204}Pb	Minerali grezzi, pigmenti nel vetro, smalti e pittura a base di piombo, metalli (argento, rame, piombo e ferro)	Provenienza
Neodimio (Nd)	^{142}Nd, ^{143}Nd, ^{144}Nd, ^{145}Nd, ^{146}Nd, ^{148}Nd, ^{150}Nd ^{143}Nd radiogenico	Rocce, minerali, ceramica?, avorio?, marmo?	Provenienza
Uranio (U)	^{238}U, ^{235}U, ^{234}U	Minerali di calcite (speleotomi), ossa, coralli, foraminiferi	Datazione
Torio (Th)	^{232}Th, ^{230}Th	Minerali di calcite, ossa, coralli, foraminiferi	Datazione

9.18 Tabella degli isotopi dei vari elementi utili nella ricerca archeologica.

(*multicollector inductively coupled plasma mass spectrometry,* MC-ICP-MS). Le composizioni di isotopi sono misurate come rapporti isotopici e questi rapporti sono utilizzati come unici parametri per la caratterizzazione isotopica del campione. Sono necessarie misure molto accurate per avere una differenziazione che possa essere riscontrata. L'introduzione delle macchine multicollettore TIMS verso la fine degli anni Ottanta del secolo scorso ha permesso una grande accuratezza delle misurazioni TIMS degli isotopi del piombo (nel complesso, il tasso di errore è inferiore a 0,1%). Tutte le misurazioni sono tarate rispetto agli isotopi standard del piombo e non ci sono problemi di confronto tra i diversi laboratori. Tuttavia solo un piccolo numero di

elementi può essere ionizzato termicamente con un buon risultato: per esempio, il piombo, lo stronzio e il neodimio sono adatti a essere analizzati con la TIMS, che invece misura con grande difficoltà gli isotopi dello stagno e del rame. Nell'ultimo decennio del Ventesimo secolo la MC-ICP-MS è divenuta la tecnica di riferimento per la misura degli isotopi dei metalli pesanti. Sono strumenti che garantiscono un'analisi degli isotopi veloce e assai precisa, unita a una rapida procedura di preparazione dei campioni (di solito è sufficiente la soluzione in acido nitrico). Comunque è importante calibrare l'apparecchiatura usata in archeologia per l'analisi dell'isotopo del piombo, rispetto a un campione in precedenza analizzato tramite TIMS, per confermare che

9.4 Oggetti di vetro del Mediterraneo reperiti in Giappone

La provenienza di uno splendido piatto di vetro blu, di 14 cm di diametro, ritrovato nel cimitero Nizawa Senzuka di Nara, in Giappone, in un tumulo cimiteriale del V secolo d.C. riccamente arredato, fu convalidata mediante la spettrofotometria XRF, usando cioè un fascio di radiazioni ad alta energia presso il grande sincrotone Spring 6 a Sayo, nella prefettura di Hyogo. L'esame indicò la presenza di antimonio, elemento usato nelle officine romane fino al II secolo. Nella stessa tomba fu trovato uno straordinario bicchiere di vetro di tipologia sassanide, di 8 cm di diametro. La sua composizione, anche documentata dall'analisi XRF, confermava la somiglianza con i prodotti dell'officina vetraria scoperta nel palazzo imperiale di Ctesifonte in Iran, datata al tempo dell'impero sassanide (III-VII secolo d.C.).

Si tratta di due oggetti bellissimi e costosi, e il piatto romano contava già due o tre secoli di vita al momento della sepoltura. Gli archeologi giapponesi ritengono che siano stati trasportati attraverso l'Asia centrale lungo la «Via della seta». È notevole il fatto che siano sopravvissuti praticamente intatti fino ai giorni nostri.

9.19-20 Oggetti di vetro rinvenuti a Nizawa Senzuka. (*Sopra*) piatto romano del II secolo d.C. o prima; (*sotto*) bicchiere di tipo sasanide, datato V secolo d.C. o prima.

i nuovi dati sono comparabili con il classico database TIMS degli indici degli isotopi del piombo di minerali e manufatti archeologici. Più economico, e largamente diffuso, è lo spettrometro di massa a plasma accoppiato induttivamente (ICP-MS), dotato di magnete quadripolare anche se, negli studi sulla provenienza, non restituisce con sufficiente accuratezza la misura dei rapporti isotopici.

La geochimica isotopica è ora frequentemente usata per indagare le fonti dei metalli. L'analisi degli **isotopi del piombo** nei manufatti metallici, e delle loro relazioni con i depositi di minerali sfruttati nell'antichità, è diventata una tecnica di caratterizzazione importante. Dai quattro isotopi del piombo (che danno tre rapporti di isotopi indipenden-

ti), con metodi precisi di analisi e un ragionevole grado di variazione, si può ottenere una discriminazione abbastanza buona fra le differenti fonti di approvvigionamento dei metalli. Il metodo si basa molto sul raffronto tra le caratteristiche degli isotopi di piombo di differenti depositi minerali e i loro prodotti e quindi è molto importante, dopo un campionamento sistematico, la creazione di una «mappa degli isotopi» delle fonti di approvvigionamento dei minerali. Talvolta sorgono ambiguità di interpretazione perché le proporzioni degli isotopi del piombo definiscono più di una possibile fonte, ma in genere queste ambiguità possono essere risolte considerando le informazioni fornite dall'analisi degli elementi in traccia.

9.5 Ambra del mar Baltico nei territori del Levante

Tecniche raffinate possono ora documentare l'uso di materie prime provenienti da luoghi lontani. Una sepoltura regale nell'antica Qatna, in Siria, conteneva parecchi frammenti di ambra, compresa una bellissima testa leonina, datata circa 1340 a.C. La sua dimensione ridotta escludeva la possibilità di utilizzare la spettroscopia infrarossa trasformata di Fourier (*Fourier transform infrared spectroscopy*, FTIR) ma il problema fu superato mediante l'uso di una tecnica al microscopio integrata da pirolisi-gascromatografia-spettrometria di massa (py-GC/MS). Gli spettri FTIR dei manufatti di Qatna erano strettamente comparabili con quelli ottenuti dal campione di ambra baltica e prussiana, così che se ne poteva desumere una provenienza dal Baltico. Dato che l'ambra del Baltico era largamente diffusa in Grecia in età micenea, si concluse che venisse importata dall'Egeo in grande pezzatura non lavorata, sia attraverso il commercio sia come esito di scambio di doni tra *élites* al potere.

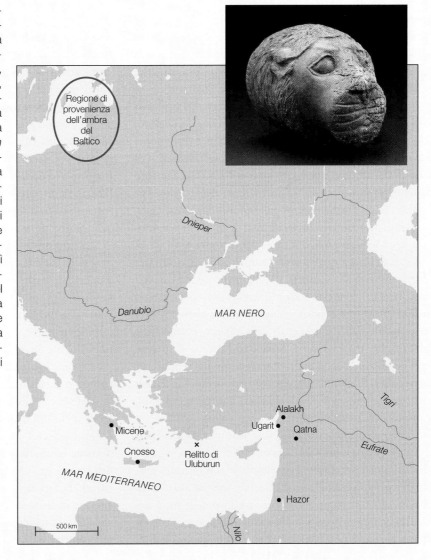

9.21-22 Testa leonina di ambra rinvenuta a Qatna in Siria. Attraverso la spettrometria FTIR si è dimostrato che l'ambra proveniva dall'area baltica, aveva forse raggiunto la Siria attraverso il dominio miceneo, ma era chiaramente stata lavorata in loco.

© 978.8808.82073.0

L'analisi degli isotopi del piombo si può utilizzare direttamente non solo per i manufatti in piombo, ma anche per quelli in argento, nei quali il piombo è di solito presente sotto forma di impurità. Anche le fonti di rame contengono almeno una traccia di piombo, ed è stato dimostrato con la sperimentazione che un'alta percentuale di piombo passa nel metallo di rame durante l'estrazione per fusione. Disponiamo dunque di un metodo d'analisi che si può applicare al piombo, all'argento e anche al rame. Il metodo è stato utilizzato con successo per determinare le fonti di approvvigionamento dei metalli delle monete d'argento relative al periodo classico e medievale, degli attrezzi di rame e di bronzo dell'Età del bronzo, e dei pesi di piombo; alla stessa maniera sono state determinate le fonti di approvvigionamento del piombo nei pigmenti dei vetri, degli smalti e della pittura bianca a base di piombo. Il campione di manufatto necessario per effettuare la spettrometria di massa con ionizzazione termica (TIMS) del piombo varia da meno di 1 mg a circa 50 mg, a seconda della concentrazione di piombo nel materiale. Se si utilizza la tecnologia MC-ICP-MS, la quantità di materiale necessario per l'analisi può essere anche inferiore a 1 mg. Comunque, è necessario essere sicuri che un campione così piccolo sia rappresentativo della massa del materiale sottoposta ad analisi, e che non sussistano contaminazioni con piombo da altra sorgente (rivestimento, materiale di conservazione, coloranti).

I rapporti isotopici dello stronzio sono stati utilizzati nella caratterizzazione dei manufatti di ossidiana e di gesso, e possono costituire un metodo semplice per distinguere l'avorio marino da quello proveniente dagli elefanti. Gli isotopi di carbonio e ossigeno sono utilizzati ampiamente nella determinazione della provenienza del marmo. Per molto tempo l'individuazione delle fonti di approvvigionamento del marmo si è rivelata assai difficile: era ben noto che nel Mediterraneo, durante l'epoca classica, i marmi bianchi di buona qualità erano ampiamente esportati per essere destinati alla statuaria, o utilizzati come materiali da costruzione. Molte delle cave più importanti – per esempio quelle sul Monte Pendeli e sull'Imetto nei pressi di Atene, e quelle delle isole egee di Paro e Nasso – sono state identificate, ma i tentativi di collegare la cava di origine con l'edificio o con la scultura servendosi dell'aspetto del materiale o di metodi petrografici (per esempio le analisi dei minerali pesanti e degli elementi residui) non hanno portato a esiti soddisfacenti.

Le analisi che utilizzano due isotopi dell'ossigeno ($^{18}O/^{16}O$) e due isotopi del carbonio ($^{13}C/^{12}C$) sono in grado di distinguere tra diverse cave (anche se con un certo grado di sovrapposizione). Sta diventando sempre più chiaro, invece, che una completa caratterizzazione delle fonti dei marmi richiederà di combinare informazioni provenienti da queste tre tecniche analitiche: gli studi degli isotopi stabili, l'analisi degli elementi in traccia e la catodoluminescenza (*vedi* più avanti).

I rapporti tra gli isotopi dell'ossigeno si sono dimostrati utili anche per la caratterizzazione delle conchiglie marine. Come si è già ricordato, la conchiglia di *Spondylus gaederopus* era ampiamente commerciata nell'Europa sud-orientale durante il Neolitico; il problema è capire se provenisse dall'Egeo o piuttosto dal Mar Nero. La composizione isotopica dell'ossigeno delle conchiglie marine dipende dalla temperatura del mare in cui vivono gli organismi; il Mar Nero è molto più freddo del Mediterraneo, e l'analisi ha confermato che le conchiglie di *Spondylus gaederopus* provenivano dall'Egeo.

Altri metodi di analisi Ai fini della caratterizzazione sono stati impiegati dagli specialisti molti altri metodi di analisi.

L'**analisi per diffrazione dei raggi X**, utilizzata per la determinazione della struttura cristallina dei minerali, effettuata facendo passare un fascio di raggi X attraverso il materiale e registrando la figura di diffrazione dei raggi X, si è dimostrata piuttosto utile per definire la composizione delle asce neolitiche in giada e giadeite trovate in molti siti britannici: sembra che la pietra sia arrivata da luoghi molto lontani come le Alpi. Questa tecnica è stata largamente utilizzata anche per la caratterizzazione della ceramica.

La **spettroscopia ad assorbimento dell'infrarosso** è invece il metodo più adatto per distinguere tra ambre provenienti da fonti di approvvigionamento diverse: i composti organici presenti nell'ambra assorbono infatti differenti lunghezze d'onda della radiazione infrarossa che è fatta passare attraverso l'ambra (*vedi* Scheda). La spettroscopia infrarossa a trasformata di Fourier (FTIR) può essere usata su piccoli campioni usando un'analisi al microscopio.

La **luminescenza catodica** isola i marmi bianchi sulla base della luminescenza colorata emessa dopo il bombardamento elettronico. I marmi calcitici possono essere divisi in due gruppi: uno con una luminescenza arancione e l'altro con una blu. I marmi delle Dolomiti mostrano una luminescenza rossa. Le differenze di colori sono dovute alle impurità o a difetti del reticolo cristallino.

La **spettroscopia Mössbauer** è utilizzata nello studio dei composti del ferro, e soprattutto della ceramica; comporta la misurazione della radiazione γ assorbita dai nuclei di ferro, che fornisce informazioni sui particolari composti del ferro presenti nel campione ceramico e sulle condizioni di cottura durante la fabbricazione del manufatto. Si tratta della tecnica di analisi usata nella caratterizzazione degli specchi fabbricati con tipi diversi di minerali di ferro (magnetite, ilmenite ed ematite) e ampiamente commerciati nel Periodo formativo di Oaxaca, in Mesoamerica (*vedi* più avanti).

La **spettroscopia Raman** può essere utilizzata per determinare i componenti specifici presenti sulla superficie di un oggetto. È un metodo non distruttivo che dipende dalla misura dei cambiamenti della lunghezza d'onda di un raggio laser che colpisce il materiale. È particolarmente utile per identificare le gemme e la composizione dei pigmenti; ha anche altri usi in archeologia, tra i quali la caratterizzazione della giada e della porcellana.

L'**analisi delle tracce di fissione** è essenzialmente un metodo di datazione (*vedi* Capitolo 4), ma è stata impiegata anche per distinguere tra ossidiane provenienti da fonti diverse di approvvigionamento, in base al contenuto di uranio e alla data di formazione dei depositi.

Altri metodi sono stati utilizzati anche per distinguere materiali geologici di composizione simile, ma età differente.

Il metodo di datazione tramite la **fusione laser argon-argon** ha dimostrato con successo che il tufo di riolite usato per fare un'ascia, un frammento della quale è stato ritrovato vicino a Stonehenge, provienc originariamente da una fonte vulcanica risalente al Carbonifero Inferiore e localizzata in Scozia e non dalle formazioni più antiche ritrovate nel Galles meridionale, come si era supposto. In Giappone l'ESR è stata utilizzata per distinguere l'aumento di diaspro in fonti di approvvigionamento diverse.

Tutti i metodi che abbiamo descritto consentono agli archeologi di identificare, in molti casi, le fonti di approvvigionamento delle materie prime utilizzate per la fabbricazione di particolari manufatti. La maniera in cui i movimenti di questi manufatti devono essere interpretati in termini di scambio presenta una serie di problemi molto interessanti, che esamineremo nel prossimo paragrafo.

LO STUDIO DELLA DISTRIBUZIONE

Lo studio delle merci vere e proprie e l'identificazione delle loro fonti di approvvigionamento per mezzo della caratterizzazione sono i procedimenti più importanti nello studio degli scambi nel mondo antico. Come vedremo, anche l'indagine dei metodi di produzione impiegati all'interno dell'area geografica in cui si trova la fonte può fornire informazioni interessanti – per esempio sulla valutazione dei consumi – che completano la storia degli scambi. Tuttavia è lo studio della distribuzione, ovvero del movimento delle merci, che ci consente di penetrare nel cuore del problema.

In mancanza di testimonianze scritte non è facile determinare quali fossero i meccanismi di distribuzione, o quale fosse la natura delle relazioni di scambio. Dove invece queste testimonianze esistono, possono dare molte informazioni. Le tavolette scritte in Lineare B provenienti dal palazzo di Cnosso a Creta e da Pilo, nella Grecia micenea, offrono un quadro molto chiaro dell'economia palaziale:

esse registrano infatti gli inventari del materiale portato al palazzo e prendono nota del materiale in uscita, e indicano quindi l'esistenza di un sistema di ridistribuzione. Altri resoconti scritti provenienti da società con un'amministrazione centrale, per esempio nel Vicino Oriente, rivelano un'organizzazione molto simile. Questo specifico tipo di informazioni, naturalmente, è disponibile solo di rado. La maggior parte di quello che le tavolette registrano riguarda il commercio interno, ovvero la produzione e la distribuzione di beni all'interno della società; tuttavia alcune testimonianze egizie e del Vicino Oriente – in particolare quelle conservate nell'archivio datato al XV secolo a.C. trovato a Tell el-Amarna in Egitto – parlano di doni scambiati tra il faraone e altri sovrani del Vicino Oriente, cioè tra i governanti delle società statuali primitive. Alcuni reperti documentano questi doni principeschi: uno dei tesori conservati a Vienna è il copricapo da cerimonia fatto di piume donato dal sovrano azteco Moctezuma a Cortés come dono da inoltrare al re di Spagna al tempo della conquista spagnola del Messico nel XVI secolo d.C. (*vedi* Scheda 9.2).

Testimonianze più antiche provenienti da società non ancora alfabetizzate – cioè prive di documenti scritti – possono comunque darci qualche chiara idea sulla proprietà e sulla gestione della distribuzione delle merci. Per esempio, i sigilli d'argilla, usati per tappare vasi, chiudere scatole e sigillare le porte dei magazzini, contraddistinti dall'impronta della matrice incisa, sono diffusamente attestati nel Vicino Oriente nelle fasi che precedono l'introduzione della scrittura e nell'Egeo dell'Età del bronzo.

In passato le pietre-sigillo e le loro impronte sono state studiate soprattutto per il loro valore artistico, senza tener conto di quanta luce potrebbero gettare sui meccanismi di scambio vigenti in quelle antiche società. Comunque, se si cercano, le informazioni relative agli scambi sono lì a portata di mano pur riguardando, ancora una volta, i traffici interni: le impronte dei sigilli, infatti, si trovano solo di rado a grande distanza dai luoghi d'origine.

In alcuni casi, però, le merci stesse venivano contrassegnate dal proprietario o dal produttore con un marchio speciale. Un esempio è costituito, per l'epoca romana, dai vasai che producevano le anfore e usavano bollare il proprio nome sull'orlo dei recipienti. La cartina geografica mostra la distribuzione delle anfore che recano il bollo del loro produttore, Sestius, i cui forni, sebbene non ancora localizzati con certezza, si trovavano probabilmente nella regione di Cosa, in Toscana. La modalità generale dell'esportazione di olio o vino – o di qualsiasi altro prodotto contenessero le anfore (una questione che può essere risolta con l'analisi dei residui rimasti all'interno dei recipienti; *vedi* Capitolo 7) – si può chiarire tracciando una carta di distribuzione. Una carta di distribuzione, però, deve essere interpretata,

© 978.8808.82073.0

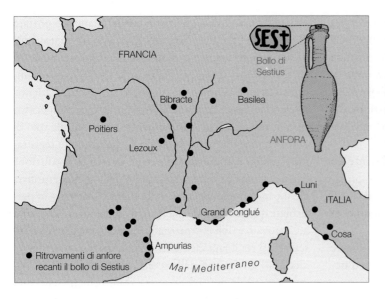

9.23-24 Studio di distribuzione. Le anfore romane con il bollo del vasaio Sestius sono state trovate soprattutto nell'Italia settentrionale e nella Francia centrale e meridionale. Sia i contenitori sia il contenuto (certamente vino) erano probabilmente prodotti in una tenuta vicino a Cosa, in Toscana. La carta di distribuzione indica lo schema generale delle esportazioni di questi prodotti dall'area di Cosa.

se vogliamo comprendere i processi che essa rappresenta in forma grafica: è allora utile fare di nuovo una distinzione tra i concetti di reciprocità, ridistribuzione e scambio di mercato, e quindi considerare quanto la distribuzione spaziale dei rinvenimenti possa dipendere dai meccanismi di scambio.

Chiamiamo «accesso diretto» la situazione in cui l'utente approda direttamente alla fonte di approvvigionamento del materiale o del prodotto senza che si verifichi alcun meccanismo di scambio; lo scambio lineare (*down-the-line*) fa riferimento, invece, a scambi ripetuti di natura reciproca, e se ne tratterà più diffusamente in un prossimo paragrafo. Il commercio «indipendente» (*freelance*), mediante intermediari, riguarda le attività di commercianti che operano in modo autonomo e indipendente e a fini di lucro: solitamente questi commercianti operano per mercanteggiamento (come nello scambio di mercato), ma invece di trovarsi in un luogo di mercato fisso, si spostano per consegnare le merci al consumatore. Il commercio mediante «emissari», infine, si riferisce alla situazione in cui il «commerciante» è il rappresentante di un'organizzazione centrale con base nel paese d'origine.

Non ci possiamo aspettare che tutti questi tipi di transazione lascino indicazioni chiare e inequivocabili nel documento archeologico, anche se ciò può accadere, come vedremo, nel caso del commercio lineare (*down-the-line*). Un antico emporio – ovvero un sito specializzato in attività commerciali e non importante come centro amministrativo – dovrebbe essere facilmente riconoscibile come tale se i materiali lì rinvenuti provengono da luoghi di produzione diversi.

Analisi spaziale della distribuzione

Per quanto riguarda lo studio della distribuzione, gli archeologi dispongono di molti metodi. Il primo – che è anche il più ovvio – consiste nel tracciare una carta di distribuzione dei ritrovamenti, così come è stato fatto per le anfore bollate romane sopra menzionate. Anche gli studi quantitativi delle distribuzioni possono dimostrarsi uno strumento utile: un semplice espediente per indicare su una carta il numero dei ritrovamenti è quello di usare punti, o altri elementi, di grandezza diversa. Una carta di questo tipo fa vedere immediatamente i centri di consumo e di ridistribuzione più importanti; la distribuzione dei rinvenimenti sulla carta può essere indagata più a fondo con la tecnica della *trend surface analysis* (analisi delle tendenze nella distribuzione spaziale; *vedi* Scheda 9.5), che consente di ottenere utili indicazioni sulla struttura dei dati.

Poiché richiede una più profonda analisi dei dati, l'uso diretto delle carte di distribuzione, anche con l'aiuto di diagrammi quantitativi, potrebbe non essere il metodo migliore per studiare le dinamiche degli scambi nell'antichità; recentemente l'interesse degli studiosi si è focalizzato sull'analisi della diminuzione (*fall-off analysis*; *vedi* Scheda 9.6). Sebbene differenti meccanismi di distribuzione producano a volte risultati finali simili e paragonabili, la diminuzione esponenziale è generata esclusivamente da un sistema di commercio lineare. Facciamo un esempio per spiegare di cosa si tratta: quando un villaggio riceve i suoi approvvigionamenti di una materia prima dal centro immediatamente precedente lungo una rete commerciale lineare, esso trattiene una data frazione di materiale – diciamo un terzo – per il proprio consumo e mette in commercio il resto con il centro immediatamente successivo; se ogni villaggio si comporta allo stesso modo, il processo sarà rappresentato da una curva di diminuzione esponenziale. Quando si rappresenta la quantità su scala logaritmica, il diagramma che si ottiene è una retta. Un sistema di distribuzione diverso, organizzato in centri maggiori e minori, darà luogo a una diversa curva di diminuzione.

A   B

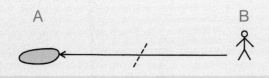

ACCESSO DIRETTO B ha un accesso diretto alla fonte del materiale e non ha alcun rapporto con A. Se esiste un confine territoriale, può essere attraversato impunemente. Non esiste alcuna transazione di scambio.

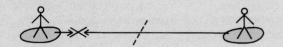

REPROCITÀ (DOMICILIO) B visita A nel suo domicilio e i due scambiano il prodotto particolare che ciascuno di loro controlla.

REPROCITÀ (LINEA DI CONFINE) A e B si incontrano presso la comune linea di confine per effettuare degli scambi.

COMMERCIO LINEARE Ripetizione della reciprocità al domicilio o alla linea di confine (qui mostrata per chiarezza a senso unico), così che un bene viaggia da un territorio all'altro attraverso scambi successivi.

RIDISTRIBUZIONE DA UN LUOGO CENTRALE A porta un prodotto al centro come tributo per la persona centrale (ricevendo senza dubbio qualcosa in cambio, subito o in un secondo momento). Analogamente B vi porta un altro prodotto e riceve parte del prodotto di A.

SCAMBIO NEL MERCATO DI UN LUOGO CENTRALE A porta un prodotto al centro e lì lo scambia direttamente con B per un prodotto di B. La persona centrale non interviene direttamente in questa transazione.

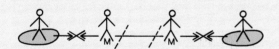

COMMERCIO INDIPENDENTE L'intermediario ha rapporti di scambio sia con A sia con B, ma non è controllato né dall'uno né dall'altro.

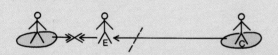

COMMERCIO TRAMITE EMISSARIO B manda un emissario, posto sotto il suo controllo, a scambiare beni con A.

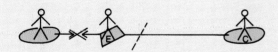

ENCLAVE COLONIALE B manda emissari per fondare un'enclave coloniale vicino ad A, per avere rapporti di scambio con A.

EMPORIO Sia A sia B mandano propri emissari in un luogo centrale (emporio) che si trova fuori della loro giurisdizione.

⬭ Fonte di approvigionamento di materiale	✕ Transazione di scambio	🚶 Persona con un ruolo di controllo
▱ Luogo centrale	/ Linea di confine territoriale	🚶 Intermediario
⬠ Enclave coloniale	🚶 Persona che interviene nella transazione	🚶 Emissario

9.6 L'analisi della diminuzione

La quantità di materiale commerciato di solito diminuisce con l'aumentare della distanza dalle fonti di produzione. Ciò non sorprende, poiché ci si attende che l'abbondanza del materiale diminuisca all'aumentare della distanza dalla fonte. In alcuni casi, però, vi sono regolarità nel modo in cui avviene la diminuzione, e questo andamento regolare della diminuzione può fornire informazioni sul **meccanismo** con cui il materiale raggiungeva la sua destinazione.

Il modo ormai standard per studiare questo andamento è quello di costruire una curva di diminuzione, nella quale le quantità di materiale (sull'asse Y) vengono rappresentate in funzione della distanza dalla fonte di approvvigionamento (sull'asse X). La prima questione riguarda precisamente che cosa misurare. La semplice rappresentazione grafica del numero dei ritrovamenti in un sito non tiene conto delle diverse condizioni di conservazione e recupero. Questa difficoltà può essere superata con l'impiego di un metodo **proporzionale**, che misuri una classe di ritrovamenti rispetto a un'altra. Per esempio, la percentuale di ossidiana nel totale di un'industria della

pietra scheggiata è un parametro comodo da misurare (sebbene sia influenzato dalla disponibilità di altri materiali litici).

Nello studio dell'ossidiana anatolica esaminato nel testo, un diagramma della quantità (cioè della percentuale) su una **scala logaritmica** in funzione della distanza su un'ordinaria scala lineare ha dato una curva di diminuzione che era approssimativamente una retta. È l'equivalente di una diminuzione con andamento esponenziale all'aumentare della distanza, e si può dimostrare matematicamente che è l'equivalente del meccanismo di scambio lineare (*down-the-line*), spiegato nel testo. Un diverso meccanismo di scambio, che coinvolga per esempio la ridistribuzione da un luogo centrale, darà una curva di diminuzione differente.

Con l'analisi della diminuzione (*fall-off analysis*) si ottengono risultati di un certo interesse. Per esempio, quando si rappresentò graficamente la diminuzione della quantità, in funzione della distanza, della ceramica romana prodotta nei forni della regione di Oxford, e quando i siti che potevano essere raggiunti dal trasporto fluviale vennero distinti da quelli che non potevano essere raggiunti, fu

visibile una chiara differenza. Evidentemente, per quei prodotti il trasporto fluviale era un mezzo distributivo molto più efficiente del trasporto via terra.

In linea di principio, il fatto che modelli diversi per il meccanismo della distribuzione diano curve di diminuzione diverse dovrebbe permettere una rappresentazione grafica precisa dei dati per identificare quale meccanismo di distribuzione fosse operante. Esistono tuttavia due difficoltà. La prima consiste nel fatto che la qualità dei dati non sempre permette di decidere in modo attendibile quale curva di diminuzione sia quella appropriata; la seconda difficoltà, e anche la più seria, è che in alcuni casi modelli differenti di distribuzione danno la stessa curva.

L'analisi della diminuzione può fornire molte informazioni, ma questi due limiti ne riducono l'utilità.

9.26 Diminuzione della ceramica di Oxford all'aumentare della distanza dai forni della città, durante il periodo romano. I siti provvisti di un buon accesso ai forni per via d'acqua (cerchietti neri) mostrano un gradiente di diminuzione molto meno ripido di quello dei centri privi di tale accesso favorevole. Ciò indica quanto fosse importante, in quel periodo, il trasporto fluviale come mezzo di distribuzione delle merci.

9.25 Carta di distribuzione con l'ubicazione dei siti dove è stata trovata la ceramica romana prodotta a Oxford.

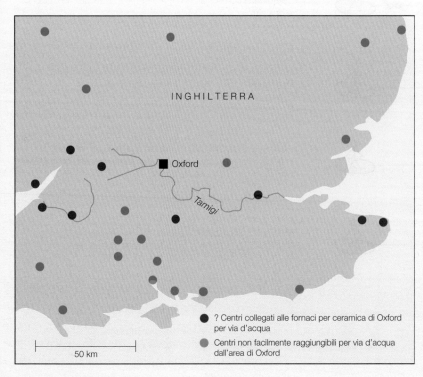

INGHILTERRA

Oxford

Tamigi

50 km

● ? Centri collegati alle fornaci per ceramica di Oxford per via d'acqua

● Centri non facilmente raggiungibili per via d'acqua dall'area di Oxford

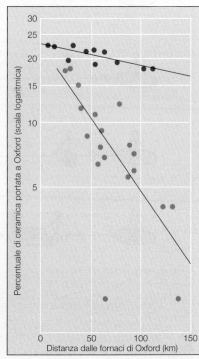

Percentuale di ceramica portata a Oxford (scala logaritmica)

Distanza dalle fornaci di Oxford (km)

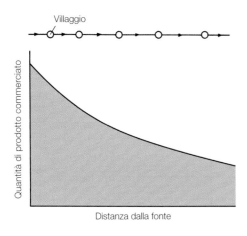

Villaggio

Quantità di prodotto commerciato

Distanza dalla fonte

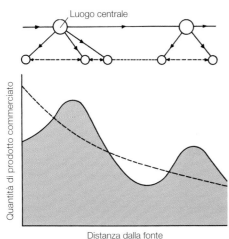

Luogo centrale

Quantità di prodotto commerciato

Distanza dalla fonte

9.27 Relazione tra organizzazione dell'insediamento, tipo di scambio e approvvigionamento per merci commerciate via terra. (*Sopra*) L'insediamento in forma di villaggio servito da uno scambio di tipo lineare *down-the-line* (su base di reciprocità) conduce, nelle testimonianze archeologiche, a una diminuzione esponenziale. (*Sotto*) L'insediamento organizzato intorno a un luogo centrale, con uno scambio direzionale tra i centri (con la ridistribuzione o lo scambio in un mercato centrale a livello locale regionale) produce una curva di diminuzione multi-modale. Si noti la tendenza degli insediamenti d'ordine inferiore allo scambio con il centro di ordine superiore, anche se quest'ultimo si trova più lontano dalla fonte di quanto non lo sia un insediamento accessibile di ordine inferiore.

Si potrebbero citare molti esempi in cui i modelli di scambio sono stati indagati utilizzando una tecnica di caratterizzazione affidabile combinata all'analisi spaziale della distribuzione dei reperti. Bisogna però ricordare che tali tecniche raramente rivelano l'intero sistema di scambi, bensì una sua sola componente.

Studi di distribuzione dell'ossidiana Per quanto riguarda l'ossidiana trovata in siti del Vicino Oriente datati al Neolitico antico, gli studi di caratterizzazione condotti da Colin Renfrew e dai suoi collaboratori su campioni ottenuti dalla maggior parte dei siti conosciuti per il Neolitico antico del Vicino Oriente (*vedi* illustrazione 9.29-30), datati a

partire dal VII e VI millennio a.C., hanno suggerito che venivano sfruttate due fonti di approvvigionamento situate nell'Anatolia centrale e altre due nell'Anatolia orientale. Dagli esami compiuti è emerso un quadro piuttosto chiaro: le ossidiane dell'Anatolia centrale venivano commerciate essenzialmente nell'area del Levante fino alla Palestina, mentre quelle provenienti dall'Anatolia orientale erano avviate soprattutto verso la catena dei Monti Zagros, in siti dell'Iran come quello di Ali Kosh.

Lo studio quantitativo della distribuzione (*vedi* Scheda 9.6) ha rivelato una diminuzione esponenziale che indica, come abbiamo visto, un commercio di tipo lineare: si potrebbe perciò concludere che l'ossidiana veniva portata da un villaggio all'altro. Solo nell'area circostante le fonti di approvvigionamento (entro un raggio di 320 km) – detta appunto **zona di approvvigionamento** – si trova testimonianza che la gente, per raccogliere l'ossidiana, si recava direttamente alla fonte; al di fuori di quell'area – all'interno di quella che si definisce **zona di contatto** – la diminuzione indica un sistema di tipo lineare. Per l'epoca neolitica manca qualsiasi indicazione dell'esistenza di commercianti intermediari specializzati, né pare esistessero centri che svolgevano un ruolo dominante nell'approvvigionamento dell'ossidiana.

Per il periodo più antico la situazione era quella visualizzata dalla cartina; successivamente, dal 5000 al 3000 a.C., la situazione in un certo senso si modificò grazie allo sfruttamento di una nuova fonte di approvvigionamento situata nell'Anatolia orientale: da quel momento l'ossidiana venne commerciata anche su distanze piuttosto grandi. L'esempio studiato da Renfrew e dai suoi collaboratori consente dunque di seguire lo sviluppo del commercio dell'ossidiana attraverso il tempo. Come dimostrano i ritrovamenti della Grotta di Franchthi in Grecia, nell'area egea l'ossidiana veniva raccolta sull'isola di Milo, nelle Isole Cicladi, già 10 000 anni fa: si tratta della prima testimonianza sicura che attesti la navigazione nel Mediterraneo.

L'antico commercio dell'ossidiana è stato documentato attraverso analisi simili nel Pacifico, per esempio all'interno della primitiva cultura Lapita (*vedi* Capitolo 12). Gli studi di caratterizzazione dell'ossidiana sono ora ben sviluppati anche nel Pacifico settentrionale, con un'attenzione particolare alle industrie litiche del Paleolitico Superiore in Giappone. Anche in America Centrale e Settentrionale sono state condotte numerose ricerche per indagare i sistemi di scambio di quel materiale, per esempio, nella regione messicana di Oaxaca durante il Periodo formativo antico (*vedi* più avanti). In grande sviluppo è la ricerca tramite caratterizzazione del trasporto e del traffico dell'ossidiana durante il Paleolitico Inferiore e Medio, sia nell'Africa orientale sia nel Caucaso.

9.28-29 Il commercio dell'ossidiana nel Vicino Oriente. Gli studi di caratterizzazione hanno rivelato che i villaggi del primo Neolitico a Cipro, in Anatolia e nel Levante ottenevano l'ossidiana da due fonti di approvvigionamento dell'Anatolia centrale, mentre villaggi quali Jarmo e Ali Kosh dipendevano da due fonti situate in Armenia (Anatolia orientale). Poiché nei siti relativamente vicini alle fonti (per esempio Çatalhöyük e Tell Shemsharah) l'80% degli strumenti in pietra scheggiata erano fatti di ossidiana, si può a ragione supporre che all'interno di questa «zona di approvvigionamento» (linee interne sulla carta di distribuzione) gli esseri umani raccogliessero l'ossidiana direttamente dalla fonte. Al di là di questa zona c'era una diminuzione esponenziale nell'abbondanza di ossidiana (a destra), indicativa di un commercio lineare (down-the-line).

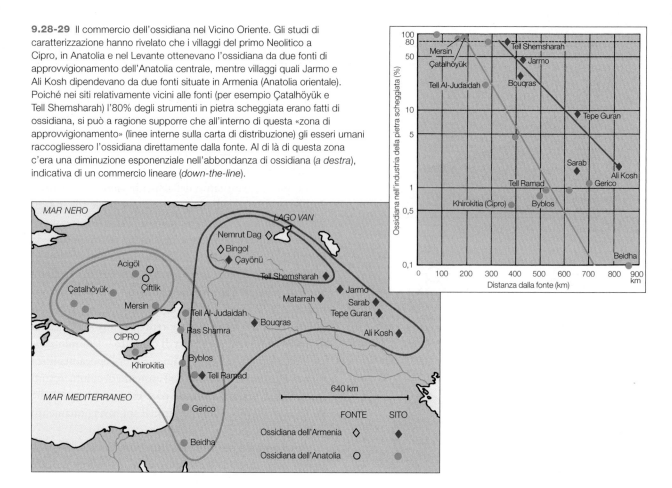

La giada Teste d'ascia di giada (giadeite, omfacite e altri pirosseni) del Neolitico sono state ritrovate in Bretagna e in Gran Bretagna. Uno studio ponderoso – che ha fatto uso dell'analisi petrografica della sezione sottile, della diffrazione dei raggi X, della spettroradiometria – ha dimostrato che provenivano da cave del Monviso e del Monte Beigua, nell'Italia nord-occidentale. Le distanze dalla fonte superavano talvolta i 2000 chilometri. All'epoca, circa 4000 a.C., in Europa occidentale la giada era considerata un materiale di valore, mentre nell'Europa orientale si stava già usando il rame (e l'oro). La giada era molto apprezzata e valutata anche in Cina e in Mesoamerica.

9.30 Testa d'ascia di giadeite del Neolitico, proveniente da Cantembury, Gran Bretagna.

Il commercio dell'argento e del rame Nell'Egeo, l'analisi degli isotopi del piombo ha consentito di determinare quali fossero le fonti di approvvigionamento per i manufatti d'argento e di rame in uso nel III millennio a.C. Le analisi hanno indicato lo sfruttamento di miniere d'argento a Laurion, in Grecia, già a partire da una data molto antica, e hanno anche inaspettatamente rivelato l'importanza, durante il III millennio, di una fonte di approvvigionamento del rame sull'isola di Kythnos (odierna Termia). Le analisi degli isotopi del piombo hanno anche dato il risultato sorprendente che prima del 1200 a.C. il rame di Cipro (nel Mediterraneo orientale) era commerciato su rotte che raggiungevano addirittura la Sardegna, la quale possiede giacimenti di rame propri: perché fossero necessarie importazioni di rame da Cipro resta un enigma.

Relitti e tesoretti: commercio via mare e via terra Un diverso approccio ai problemi della distribuzione delle merci è offerto dallo studio dei trasporti. Il trasporto via acqua era di norma molto più sicuro e rapido e meno caro di quello via terra. La migliore fonte di informazioni, sia per gli aspetti legati al trasporto sia per la questione cruciale di quali merci fossero commerciate in cambio di altre e su quale scala, è costituita dai relitti navali già a partire dall'epoca preistorica.

Per l'archeologo è difficile sapere con quali altre merci fossero scambiati alcuni beni, e capire così i meccanismi del commercio. La scoperta di relitti navali con il loro carico acquista perciò un valore particolare.

Nel 1982 fu trovato a Uluburun, vicino a Kaş, al largo della costa meridionale della Turchia e a una profondità che va da 43 a 60 m, un relitto datato al XIV secolo a.C. Fu scavato tra il 1984 e il 1994 da George F. Bass e Cemal Pulak dell'Institute of Nautical Archaeology del Texas.

Il carico della nave conteneva 10 t di rame sotto forma di oltre 350 lingotti cosiddetti «a pelle di bue» (cioè con una forma simile a quella di una pelle di bue), già noti da dipinti egizi e da ritrovamenti avvenuti a Cipro, Creta e altrove. Il rame di questi lingotti era estratto sull'isola di Cipro (come confermavano l'analisi degli isotopi del piombo e l'analisi degli elementi in tracce). Altrettanto importanti sono quasi una tonnellata di lingotti e altri oggetti di stagno rinvenuti sul fondo del mare tra i resti del carico. Quale fosse la fonte dello stagno utilizzato allora nel Mediterraneo non è ancora chiaro. Sembra certo che al momento del naufragio la nave stesse navigando verso occidente dalla costa orientale del Mediterraneo, portando con sé stagno, proveniente da qualche fonte orientale, e rame da Cipro.

La ceramica includeva vasi del tipo noto come anfore cananee, così denominate perché fabbricate in Palestina o in Siria (la Terra di Canaan); molte contenevano una resina simile alla trementina derivata dal terebinto, ma diverse contenevano olive e perline di vetro. Recipienti simili sono stati trovati anche in Grecia, Egitto e soprattutto lungo la costa del Levante.

I beni esotici presenti nel relitto comprendevano travi di un legno simile all'ebano, albero che allora cresceva in Africa nelle regioni a sud dell'Egitto; perline di ambra, provenienti originariamente dall'Europa settentrionale; avorio in forma di zanne di elefante o di ippopotamo, proveniente ancora dal Mediterraneo orientale, e gusci d'uovo di struzzo dal Nord Africa o dalla Siria. Gli strumenti di bronzo e le armi sono di tipi diversi, e comprendono forme egizie, levantine e micenee. Tra gli altri reperti importanti si

Lingotti di rame
Lingotti «a pelle di bue»
Lingotti di stagno
Ancore di pietra
Ceramiche
Tronchi d'ebano

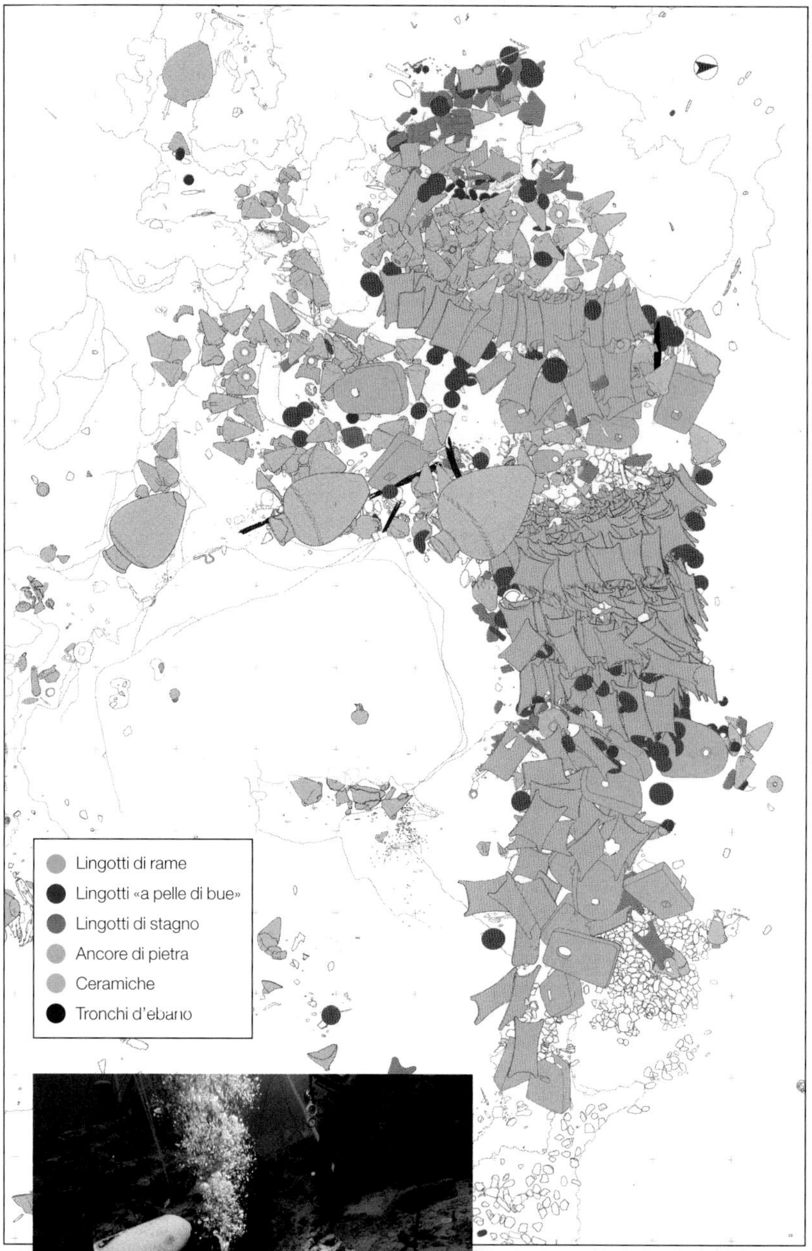

9.31-32 Le migliaia di oggetti rinvenuti nel relitto sono stati disegnati con cura sulla pianta del sito durante lo scrupoloso lavoro di recupero. (*A sinistra*) Sommozzatori al lavoro sui lingotti a pelle di bue.

possono ricordare i sigilli cilindrici dei tipi siriano e mesopotamico, i lingotti di vetro (materiale a quel tempo raro e molto costoso) e un calice d'oro.

Questo stupefacente tesoro ci consente di avere una visione del commercio che si svolgeva nel Mediterraneo durante l'Età del bronzo. Bass e Pulak ritengono assai verosimile che quella nave avesse cominciato il suo ultimo viaggio dalla costa levantina; la rotta abituale comprendeva probabilmente la navigazione verso Cipro, quindi lungo la costa turca, e a ovest in direzione di Creta o più probabilmente verso i siti micenei della Grecia o addirittura più a nord, come viene suggerito dalla scoperta nel relitto di lance e scettri cerimoniali provenienti dalla regione danubiana del Mar Nero. Poi, approfittando dei venti stagionali, la nave avrebbe puntato a sud attraverso il mare aperto verso le coste dell'Africa settentrionale a est del delta del Nilo e, finalmente, di nuovo a casa in Fenicia. In questa occasione, invece, a Uluburun il mercante perse la nave, il suo carico e probabilmente anche la vita.

REPERTI RINVENUTI NEL RELITTO

Oro 37 pezzi: 9 pendagli (cananei o siriani?) • 4 medaglioni con un motivo stellare/raggiato • scarabeo con Nefertiti • calice con bordo conico • anello • frammento **Argento** 2 braccialetti (cananei?) • 4 frammenti di braccialetto • 3 anelli (1 egizio) • placca accartocciata • frammento di coppa **Rame** Oltre 350 lingotti a forma di pelle di bue (27 kg ognuno) • più di 120 lingotti piano-convessi o «a focaccia» **Bronzo** Statuetta di una divinità femminile parzialmente placcata in oro, strumenti e armi (forme cananee, micenee, cipriote ed egizie): pugnali, spade, punte di lancia, punte di freccia, accette, asce, una zappa, lame di falce, scalpelli, coltelli, rasoi, tenaglie, punte di trapano, punteruoli, seghe • un paio di cembali da dito • pesi zoomorfi: 2 rane, 2 tori, una sfinge, un'anatra, uccelli acquatici, un vitello, una mosca • pesi da bilancia • statuette di un uomo e due pecore su un disco riempito di piombo • frammenti di una ciotola e di un calderone • anelli • spilli • ami **Stagno** Più di 100 lingotti di stagno (a forma di focaccia e di pelle di bue) • una tazza, una fiaschetta da viaggio, una placca, un oggetto simile a un fischietto **Piombo** Migliaia di pesi per reti da pesca, pesi per lenza, pesi da bilancia **Faïence** Più di cinque *rytha* (a testa d'ariete) • coppa a forma di testa femminile • piccoli vaghi discoidali • perline biconiche scanalate • altri tipi di perline **Vetro** Più di 150 lingotti discoidali blu-cobalto (cananei?) • perline (molte contenute all'interno di un'anfora cananea) **Sigilli ecc.** 2 sigilli cilindrici di quarzo (1 con capsule d'oro) • un sigillo di ematite (Mesopotamia) • uno scarabeo d'osso o d'avorio incorniciato in oro • 8 scarabei di pietra (egizi e siriani) •

2 pietre-sigillo lenticolari con motivo miceneo • 6 altri sigilli cilindrici • perle d'ambra del Baltico • una piccola placca di pietra con i geroglifici «Ptah, Signore di Verità» sul retto **Pietra** 24 ancore • pietre da zavorra • pesi da bilancia • teste di mazza • quasi 700 vaghi d'agata • mortaio e vassoi • coti **Ceramica** 10 grandi *pithoi* (1 contenente 18 pezzi di ceramica cipriota) • circa 150 anfore (cananee) • una *kylix* micenea (rodia?), anfore con ansa a staffa, una tazza, boccali • fiaschette da viaggio • boccali siriani • grande varietà di ceramica cipriota **Avorio** 13 denti di ippopotamo • una zanna di elefante completa e un pezzo di rame segato • 2 contenitori di cosmetici a forma di anatra • tromba a forma di corno di ariete scavata in un dente di ippopotamo • scettri, maniglie, pezzi con intagli decorativi **Legno** Scafo della nave (tavole d'abete fissate alla chiglia d'abete con incastri a mortasa e tenone bloccate con caviglie di legno duro) • tronchi di legno nero africano («ebano egiziano») • 2 dittici lignei (tavolette da scrittura): due tavolette unite da una cerniera d'avorio in tre pezzi **Altri materiali organici** Pimpinella (*Poterium*) (utilizzata per imballare i diversi oggetti del carico) • olive contenute in anfore • melograni contenute in un *pithos* • uva, fichi, noci e spezie • resina di terebinto giallo (ingrediente per profumo o incenso?) contenuta in più di 100 anfore • orpimento (arsenico giallo) contenuto in un'anfora • migliaia di operculi di molluschi marini (ingrediente dell'incenso?) • astragali d'osso • gusci d'uovo di struzzo e perline di gusci d'uovo • 28 anelli di conchiglie marine • oltre 6 frammenti di corazza di tartaruga (parte della cassa armonica di un liuto?).

9.33-35 (*A sinistra*) Tre oggetti di particolare valore rinvenuti nel relitto: statuetta di bronzo di divinità femminile, parzialmente rivestita in foglia d'oro, probabilmente la divinità protettrice della nave; dittico di legno di bosso (ad ante pieghevoli su cardini d'avorio), con il fondo, spalmato di cera d'api, predisposto per la scrittura; pendente d'oro con l'immagine di una dea sconosciuta che tiene una gazzella in ciascuna mano alzata.

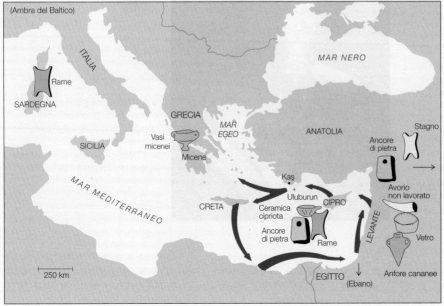

9.36 La mappa mostra il probabile itinerario della sfortunata nave trovata vicino a Uluburun. Sono indicate anche le probabili fonti dei materiali usati per i numerosi manufatti trovati a bordo del relitto.

Probabilmente i meglio conosciuti sono i relitti delle navi spagnole del XVI secolo: i manufatti trovati in questi relitti offrono una testimonianza preziosa di quale fosse l'organizzazione del commercio. Dai tempi più antichi sono stati recuperati carichi completi delle anfore romane di cui si è parlato prima. La nostra conoscenza del commercio marittimo di più secoli addietro è stata invece notevolmente ampliata dalle indagini di George Bass su due importanti relitti dell'Età del bronzo rinvenuti al largo della costa meridionale della Turchia, a Capo Gelidonya e a Uluburun (*vedi* Scheda 9.7).

Sulla terraferma, l'equivalente del relitto navale è il nascondiglio, o tesoretto, creato per lo più dal commerciante. Quando nei depositi archeologici si ritrovano consistenti associazioni di beni, non è sempre facile stabilire quali fossero le intenzioni di coloro che li abbandonarono in quel luogo: alcuni tesoretti avevano evidentemente un carattere votivo, ma quelli che contengono materiali destinati a essere riciclati, come i frammenti di metalli, potrebbero essere stati seppelliti da fabbri itineranti che poi in un secondo momento sarebbero tornati a recuperarli.

In questi casi, e in particolare in presenza di un relitto ben conservato, possiamo avvicinarci alla conoscenza della natura della distribuzione più che in qualsiasi altra situazione. Soltanto di quando in quando siamo abbastanza fortunati da intravedere, insieme alle merci esotiche che commerciavano, l'immagine degli uomini impegnati in quegli scambi; numerose pitture tombali egizie raffigurano l'arrivo di mercanti stranieri e in alcuni casi, come per esempio nella tomba di Senenmut a Tebe (1492 a.C. ca), costoro possono essere riconosciuti come Minoici che esportavano caratteristiche merci cretesi.

LO STUDIO DELLA PRODUZIONE

Per capire il funzionamento di un sistema che comprende le diverse fasi di produzione, distribuzione e consumo, il meglio che si possa fare è partire dal luogo di produzione. Sia che si parli del luogo di origine di una materia prima sia che si parli del luogo di fabbricazione di un manufatto – ovvero della località dove il materiale veniva trasformato in prodotto finito – tale luogo ci offrirà una grande quantità di dati interessanti. Quello che vogliamo conoscere è il modo in cui la produzione era organizzata: esistevano lavoratori specializzati, o la gente poteva accedere liberamente alle fonti di approvvigionamento per prendere quello che le serviva? E se c'erano artigiani specializzati, come erano organizzati? Qual era la scala della produzione? E, infine, sotto quale precisa forma veniva trasportato e scambiato il prodotto?

L'indagine archeologica di antiche cave e miniere è oggi un campo di ricerca ben sviluppato. Lo studio delle cave incomincia con la mappatura dettagliata dell'area nella quale si trova la fonte di approvvigionamento, sotto il profilo

sia della formazione geologica sia della distribuzione dei materiali di scarto. Il lavoro compiuto da Robin Torrence sulle cave di ossidiana dell'isola di Milo è un buon esempio di questo modo di procedere. La questione fondamentale posta dalla studiosa era capire se le risorse venissero sfruttate da artigiani specializzati residenti a Milo o se fossero utilizzate da artigiani itineranti che giungevano sull'isola con le loro imbarcazioni per raccogliere il materiale quando serviva loro. Le sofisticate analisi condotte da Robin Torrence indicarono come valida la seconda ipotesi e dimostrarono che nessun artigiano specializzato aveva lavorato sull'isola: si trattava quindi di un caso di risorsa ad accesso diretto.

Una delle tecniche più interessanti per lo studio della produzione è la ricomposizione degli scarti provenienti dalla produzione di determinate forme di strumenti. C.A. Singer ha applicato questo metodo per lo studio delle cave di felsite esistenti nel Colorado Desert nella California meridionale, cave con una lunga storia di sfruttamento a partire dall'inizio dell'Olocene. Singer è stato in grado di ricomporre schegge e manufatti provenienti da una cava (quella di Riverton 1819) con quelli provenienti da un sito di occupazione distante 63 km, illustrando in questo modo lo spostamento della materia prima dalla sua fonte di approvvigionamento.

Lo studio della produzione è un campo in cui gli studi etnografici, svolti soprattutto presso cave dell'Australia e della Papua Nuova Guinea, si sono dimostrati assai istruttivi non solo per quanto riguarda i problemi del funzionamento di questi e di altri sistemi di produzione simili, ma anche per quanto concerne le soluzioni adottate per superarli (*vedi* Scheda 9.8).

Anche lo scavo delle miniere offre opportunità eccezionali. Per le miniere di selce di Grimes Graves, nel Norfolk (Inghilterra orientale), risalenti al Neolitico (*vedi* Capitolo 8), Roger Mercer ha potuto calcolare il totale di selce ottenuta da ciascun pozzo d'estrazione e stimare quindi la quantità di lavoro necessaria per scavare un pozzo, compiendo così una sorta di «studio dei tempi e dei movimenti» per l'effettivo processo di estrazione.

Per molti materiali sono state condotte indagini sulla lavorazione specializzata delle materie prime. Philip Kohl, per esempio, ha svolto una ricerca sulla produzione e sulla distribuzione delle scodelle in pietra, fittamente decorate, ottenute dalla clorite, di colore verde, e datate al periodo Sumero (2900-2350 a.C.), studiando due siti dell'Iran orientale, Tepe Yahya e Shahr-i-Sokhta, e confrontando i metodi di produzione utilizzati in quei siti con quelli applicati nei moderni laboratori per la lavorazione della pietra tenera a Meshed. Qui i veloci metodi di produzione di massa di recipienti, che utilizzano strumenti moderni come i torni, contrastano con i metodi di produzione assai più lenti di Yahya. Anche la distribuzione dei prodotti si

La produzione: i manufatti di pietra verde in Australia

AUSTRALIA

Una delle ricerche più approfondite sulle modalità di produzione e di circolazione degli strumenti litici è stata condotta da Isabel McBryde sui centri di estrazione di Mount William, sulle catene montuose a nord di Melbourne, nell'Australia sud-orientale. La McBryde iniziò la sua indagine da un'estesa area estrattiva che, secondo quanto riportato dalle fonti etnografiche, era stata intensivamente sfruttata per ricavarne la pietra verde, un tipo di roccia utilizzata in particolare per fare i *tomahawk*, strumenti molto comuni e di largo impiego presso le comunità aborigene dell'Australia. In una seconda fase la studiosa esaminò, con l'aiuto di Alan Watchman, studioso di petrografia, i manufatti conservati nei musei che provenivano dallo stesso centro di estrazione. L'analisi delle sezioni sottili, integrata con l'analisi degli elementi principali o in tracce, permise di distinguere i tipi di roccia apparentemente simili provenienti da altre cave.

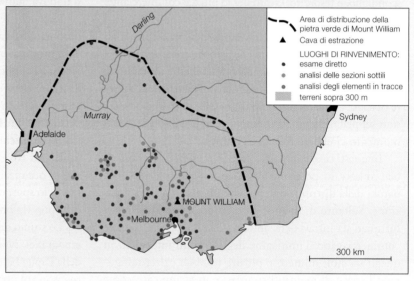

Area di distribuzione della pietra verde di Mount William
▲ Cava di estrazione
LUOGHI DI RINVENIMENTO:
● esame diretto
● analisi delle sezioni sottili
● analisi degli elementi in tracce
▨ terreni sopra 300 m

Darling

Murray

Adelaide

Sydney

MOUNT WILLIAM

Melbourne

300 km

9.37-38 Gli affioramenti di Mount William lungo il crinale (*in alto*); la mappa (*sopra*) mostra la distribuzione dei manufatti realizzati con la pietra verde cavata a Mount William.

La McBryde costruì una mappa degli affioramenti che erano stati oggetto di estrazione e ne prelevò campioni. Sulla sommità del crinale di Mount William, dove la pietra verde non affiora, ci sono una serie di pozzi di cava che rappresentano le zone dove veniva estratta la pietra non alterata dagli agenti meteorici. Ci sono pendii di detriti attorno agli affioramenti che furono oggetto di estrazione, e superfici isolate di scheggiatura indicano la posizione delle aree in cui venivano foggiati nuclei e abbozzi di strumenti.

Lo studio della McBryde volle anche esaminare la distribuzione nella regione degli strumenti fabbricati originariamente con il materiale estratto dalle cave di Mount William. Grazie allo studio delle fonti etnografiche, la studiosa scoprì che l'accesso ai luoghi di estrazione era strettamente riservato e si poteva en-

trare in possesso di questo particolare tipo di roccia solo attraverso coloro che avevano legami di parentela o forme di affiliazione sancite nel corso di cerimonie con i «proprietari» del sito.

La McBryde afferma: «La cava era ancora in uso quando Melbourne fu fondata negli anni Trenta del XIX secolo, e il suo funzionamento era controllato da rigide regole. Gli affioramenti erano posseduti da un gruppo di lingua Woiwurrung e solo ai membri di una certa famiglia era consentito lavorarvi. L'ultimo responsabile della cava, Billi-billeri, morì nel 1846».

Viene inoltre ricordato che lance di canna erano portate come oggetti di scambio dai fiumi Goulburn e Murray, e che tre pezzi di roccia da Mount William sarebbero stati scambiati con un mantello di opossum, «che aveva richiesto a sua volta una notevole fatica per cacciare l'animale, preparare la pelle, cucirla e decorarla, e con l'eventualità che per un solo indumento fossero necessarie le

pelli di molti animali». Fu così possibile stabilire che la circolazione delle asce in pietra verde di Mount William interessò inizialmente le aree circostanti; solo in un momento successivo, a seguito dell'intensificazione degli scambi tra gruppi limitrofi, la distribuzione spaziale dei manufatti sembrò estendersi fino a 500 km dal centro di estrazione.

9.39 Il petrografo Alan Watchman preleva un campione da un affioramento di pietra verde nella cava di Mount William. Il confronto tra gli elementi costitutivi della roccia e quelli delle asce di pietra verde trovate altrove ha consentito di assegnare i manufatti alle loro cave d'origine.

configura diversamente: gli antichi recipienti di clorite erano destinati unicamente ai ceti dominanti dei primi centri urbani, mentre la produzione di Meshed viene venduta a un maggior numero di persone. Il confronto con situazioni moderne può dunque mettere in evidenza importanti elementi che caratterizzano la distribuzione dei manufatti archeologici. Un'altra maniera per trarre utili informazioni sulle tecniche di produzione in uso nel passato è lo studio della specializzazione in particolari attività artigianali presso villaggi di società agricole contemporanee.

La localizzazione di laboratori specializzati è uno dei principali obiettivi della ricognizione dei siti urbani, ma solo lo scavo di queste strutture può fornire dati adeguati per capire quale fosse la scala della produzione e la sua organizzazione. I laboratori più frequentemente messi in luce dall'indagine archeologica sono i forni per la produzione della ceramica.

Le dimensioni dell'impianto sono a volte sufficienti per dedurre la natura della produzione e dei prodotti: per esempio, i mattoni che recano il bollo della Classis Britannica – la flotta della Britannia romana – indicano senza dubbio una produzione che si svolgeva sotto auspici ufficiali, ovvero un'attività che faceva parte dell'organizzazione ufficiale stessa.

LO STUDIO DEI CONSUMI

Il consumo è la terza e ultima componente della sequenza che ha inizio nella produzione e prosegue con la distribuzione o lo scambio. Esistono pochi studi importanti sul consumo dei prodotti immessi sul mercato, tuttavia ricerche di quel tipo sono necessarie se vogliamo capire a fondo la natura e la scala del processo di scambio. I problemi riconducono ben presto a considerare i processi di formazione (*vedi* Capitolo 2), perché non esiste alcun motivo per supporre che la quantità di materiale recuperato in un sito rappresenti con precisione la quantità di prodotti un tempo commerciati.

Bisogna chiedersi anzitutto in che modo i materiali recuperati furono scartati o perduti; negli scavi gli oggetti di valore, che dovevano certo essere oggetto di attente cure, sono assai meno frequenti degli oggetti di uso quotidiano tenuti in minor conto. In secondo luogo, si deve considerare in che modo gli oggetti scartati o perduti, o i rifiuti, siano finiti nel deposito archeologico: in un sito domestico i problemi della pulizia e dello smaltimento dei rifiuti assumono una certa importanza. Se non si considerano entrambi questi aspetti dei processi di formazione, e il tempo impiegato, lo studio non può procedere in modo appropriato.

La quantità dei materiali deve essere stimata con molta attenzione; ciò significa che bisogna impiegare esplicite procedure di campionamento del sito e tecniche di

recupero standardizzate. Oggigiorno sulla maggior parte degli scavi è pratica normale campionare il terreno scavato e setacciarlo con setacci a maglie fini, spesso con l'ausilio dell'acqua, mentre la tecnica della flottazione (*vedi* Capitolo 6) è utilizzata per il recupero dei residui vegetali. Un setaccio a maglie di 3 o 4 mm può essere adatto per il recupero di perline, schegge di selce ecc., mentre per la ceramica sono più adatte maglie più larghe, in modo da recuperare solo pezzi al di sopra di una data misura (per esempio di 1 o 2 cm: spesso ha senso scartare, o almeno non includere nel conto, frammenti di dimensioni minori).

L'archeologo americano Raymond Sidrys ha studiato il modello di consumo di un bene specifico: l'ossidiana. Egli ha cominciato con il considerare se il consumo dell'ossidiana proveniente da aree di approvvigionamento situate in Guatemala e a El Salvador durante le antiche epoche maya variasse secondo i diversi tipi di sito. Nell'area maya, come nel Vicino Oriente (*vedi* figure 9.28-29), la frequenza dei ritrovamenti di ossidiana diminuisce in modo esponenziale con l'aumento della distanza dalla fonte di approvvigionamento; tuttavia, pur tenendo conto di questo andamento della diminuzione, è possibile notare una marcata differenza nella quantità di ossidiana usata nei diversi tipi di sito? Sidrys cominciò a dare risposte a questa domanda elaborando due formule relative all'abbondanza di ossidiana. Anzitutto utilizzò per ogni sito una formula di densità dell'ossidiana (OD, *obsidian density*), definita come segue:

$$OD = \frac{\text{Massa di ossidiana}}{\text{Volume di terra scavata}}$$

Questa formula richiedeva la stima della quantità di terreno scavato e la pesatura (determinazione della massa) della quantità totale di ossidiana recuperata (relativa sia ai prodotti finiti sia al materiale di scarto), dopo la setacciatura della terra.

La seconda formula si riferisce alla scarsità di ossidiana (OS, *obsidian scarcity*) ed è così definita:

$$OS = \frac{\text{Numero di manufatti in ossidiana}}{\text{Numero di cocci}}$$

I calcoli di Sidrys mostravano chiaramente che l'ossidiana era meno abbondante nei centri minori rispetto ai centri più importanti sotto il profilo cerimoniale.

È oggetto di discussione se questa differenza tra i centri vada attribuita a una differenza nelle modalità di consumo o a una differenza nella distribuzione, ma con i centri più

© 978.8808.82073.0

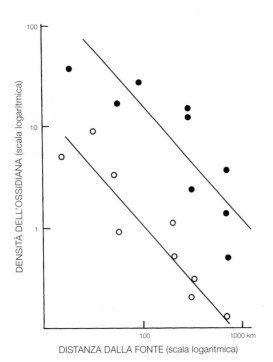

9.40 Il consumo dell'ossidiana maya: l'analisi di Sidrys ha rivelato due distinti andamenti di diminuzione, uno per i centri minori (cerchietti vuoti) e l'altro per i centri maggiori (cerchietti pieni).

importanti come destinatari preferenziali degli approvvigionamenti. Il progetto condotto da Raymond Sidrys rappresenta comunque un tentativo pionieristico di considerare i problemi legati al consumo.

SCAMBIO E INTERAZIONE: IL SISTEMA GLOBALE

Raramente i dati archeologici sono sufficienti per ricostruire un sistema di scambi completo. In mancanza di fonti scritte è estremamente difficile, per esempio, stabilire che cosa si commerciasse e in cambio di cos'altro e quali valori fossero attribuiti a ciascuna merce; inoltre, possiamo supporre che lo scambio di materiali deperibili abbia lasciato poca o nessuna traccia nella testimonianza archeologica. Nella maggioranza dei casi, il massimo che si può sperare di fare è mettere insieme i dati recuperati archeologicamente sulle fonti di approvvigionamento e sulla distribuzione. Un buon esempio è costituito dal lavoro di Jane Pires-Ferreira a Oaxaca, in Messico.

Un sistema di scambi nel Messico antico Jane Pires-Ferreira ha studiato cinque diversi materiali usati a Oaxaca durante il Periodo formativo antico e medio (1450-500 a.C.). Il primo materiale considerato fu l'**ossidiana**, estratta da nove principali fonti di approvvigionamento caratterizzate per mezzo dell'analisi ad attivazione neutronica, che consentì di stabilire quali fossero le reti di scambio

pertinenti. In secondo luogo vennero esaminate le reti di scambio della **madreperla** e si concluse che ne operavano due: una concerneva il materiale marino proveniente dalla costa del Pacifico, l'altra quello di acqua dolce raccolto nei fiumi che si gettano nell'Atlantico.

Come passo successivo la Pires-Ferreira considerò i **minerali di ferro** (magnetite, ilmenite, ematite) utilizzati durante il Periodo formativo per la fabbricazione di specchi; la loro caratterizzazione fu determinata per mezzo della spettroscopia Mössbauer. Infine la studiosa prese in considerazione due classi di **ceramiche** la cui area di produzione (rispettivamente Oaxaca e Veracruz) poté essere determinata in base allo stile.

Questi risultati furono riuniti su un'unica carta che mostrava quali fossero le merci che, attraverso numerose reti di scambio, mettevano in comunicazione le diverse regioni dell'America Centrale durante il Periodo formativo antico. Il quadro che scaturisce da questo studio è evidentemente incompleto, né dà un'idea dei valori relativi; ciò nonostante è un lavoro che utilizza in maniera eccellente i dati disponibili sulla caratterizzazione e, allo stesso tempo, tenta una sintesi preliminare solidamente basata sulle testimonianze archeologiche.

Uno sguardo più approfondito al sistema di scambio Nel caso di un'economia monetaria si può approfondire l'analisi poiché, disponendo di un'unica misura unificata di valore, si può giungere a una qualche misura del turnover totale del sistema economico. Nel caso della moneta coniata è possibile ricostruire i vari passaggi nel sistema economico ed esaminare le circostanze di coniatura, mentre alcuni aspetti del sistema di imposizione fiscale sono riscontrabili da altre fonti.

A un livello più specifico, le monete possono spesso offrire una precisa indicazione dell'intensità delle interazioni nello spazio e nel tempo, in quanto di norma sono facilmente databili e spesso recano l'indicazione del luogo di emissione. Ne è una buona esemplificazione lo studio dell'archeologo americano J.R. Clark sulla monetazione romana del sito di Dura Europos in Siria, condotto su un campione di 10712 monete lì rinvenute e coniate nelle zecche di 16 differenti città greche dell'Asia Minore. Dividendo l'insieme delle monete in quattro periodi, Clark ha potuto mostrare come si erano trasformati i legami commerciali di Dura con altri centri nell'arco del periodo compreso tra il 27 a.C. e il 256 d.C.: erano cominciati con un periodo di espansione economica protrattosi fino al 180 d.C. ed erano proseguiti con una netta diminuzione dei traffici tra il 180 e il 256 d.C.

In generale, però, i dati relativi agli scambi sono di per sé insufficienti a documentare il funzionamento dell'intero sistema di scambio; è allora necessario ideare

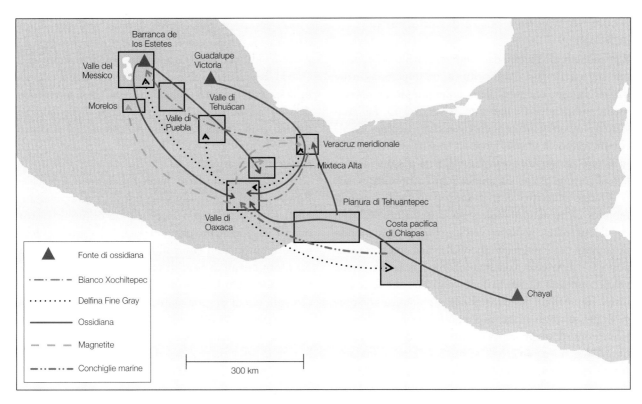

9.41 Il sistema globale: la mappa redatta dalla Pires-Ferreira, in base allo studio di cinque differenti materiali, per illustrare alcuni beni il cui scambio collegava le regioni della Mesoamerica nel periodo formativo antico.

modelli alternativi per descrivere il sistema (*vedi* Capitolo 12). L'uso di modelli ipotetici è senza dubbio adatto se si tiene ben presente la distinzione tra ciò che è stato documentato dalla ricerca archeologica e ciò che viene invece ipotizzato.

A questo proposito è esemplare la ricerca compiuta dall'archeologa danese Lotte Hedeager nell'Europa settentrionale sulla «terra di nessuno», quella zona compresa tra le frontiere dell'Impero Romano e le più remote terre della «Germania libera». Per costruire una visione ipotetica dell'intero sistema la studiosa ha utilizzato sia fonti letterarie e filologiche sia testimonianze archeologiche (*vedi* illustrazione 9.42).

9.42 Lotte Hedeager ha studiato il sistema di scambio esistente tra l'Impero Romano e la «Germania libera». Utilizzando fonti archeologiche, letterarie e filologiche, la studiosa ha concluso che il commercio romano-germanico incorporava tre diversi sistemi economici: (1) l'Impero Romano, basato su un'economia monetaria e di mercato; (2) una «terra di nessuno», che si estendeva per circa 200 km oltre la frontiera, priva di una monetazione indipendente ma fornita di una limitata economia monetaria e forse anche di un mercato; infine (3) la «Germania libera», con un'economia priva di denaro e di mercati, o forse con mercati dove avvenivano scambi non monetari. I reperti archeologici indicavano che le tribù germaniche importavano dall'Impero Romano principalmente articoli di lusso (bronzo e vetro; oro e argento sotto forma di monete), considerati beni di prestigio (*vedi* Capitolo 10); le testimonianze filologiche e di altra natura suggerivano che in cambio i Romani importavano prodotti di uso quotidiano come sapone, pelli, carri e vestiario.

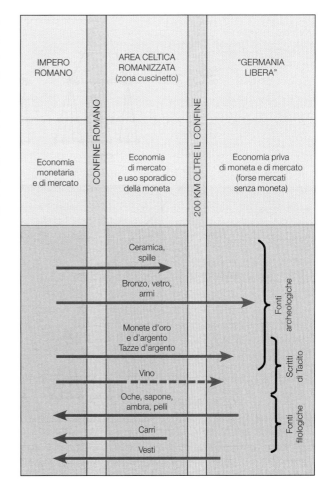

Il commercio come causa di mutamenti culturali

Il possibile ruolo giocato dal commercio nello sviluppo di uno stato nazionale, o addirittura di un impero, a partire dall'interazione commerciale di unità più piccole inizialmente indipendenti è illustrato in figura 9.43. Le città-stato o altre unità indipendenti (*early state modules*, ESM) commerciano sia a livello locale sia tramite le loro capitali; in alcune circostanze questi flussi di beni possono gettare le basi per una più ampia unificazione economica.

Questo concetto è in relazione con quello di «sistema-mondo» di Immanuel Wallerstein (*vedi* pagine 360-61), che alcuni archeologi hanno cercato di applicare al mondo precapitalistico in un modo che Wallerstein non aveva proposto. C'è il pericolo, a questo proposito, che la definizione venga scambiata per spiegazione. Ipotizzare che certe aree fossero unite in un «sistema-mondo» economico non prova di per se stesso alcunché, e può facilmente indurre il ricercatore ad attribuire un'importanza esagerata agli effetti di legami commerciali in realtà piuttosto modesti. Infatti, questa ipotesi formula la discussione in termini di dominanza (per l'ipotetica area centrale) e dipendenza (per l'ipotetica periferia) e, in realtà, può condurre facilmente

a una spiegazione irragionevole di mutamenti per «dominanza» (cioè diffusione), spiegazione che l'archeologia dei processi culturali ha cercato in tutti i modi di superare.

Se i sistemi di scambio devono avere un ruolo centrale nella spiegazione dei fenomeni, bisogna che il modello sia definito in modo esplicito; esso dovrebbe anche mostrare il ruolo degli scambi all'interno del sistema nel suo insieme, e la relazione tra flusso di beni ed esercizio del potere all'interno del sistema.

È quanto hanno fatto Susan Frankenstein e Michael Rowlands nel loro studio sulla transizione, avvenuta in Francia e in Germania nella prima Età del bronzo, verso una società altamente gerarchizzata. I due studiosi hanno sostenuto che il controllo esercitato dai capi locali sul rifornimento di beni di prestigio provenienti dall'area mediterranea fu il fattore che permise a questi ultimi di migliorare il proprio status sociale, attraverso l'uso e l'ostentazione dei più raffinati di quegli oggetti di valore (dove l'uso comprendeva anche il loro seppellimento in tombe principesche, poi ritrovate dagli archeologi) e l'assegnazione di alcuni di essi ai loro seguaci. Il passaggio a una gerarchia sociale più spinta era in larga misura determinato dal controllo della rete di scambio dei prodotti

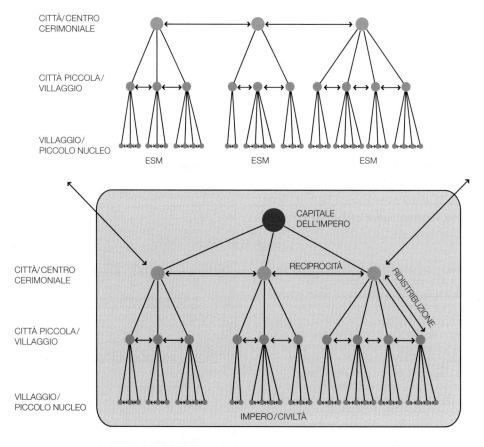

9.43 Il commercio e lo sviluppo di un impero. (*In alto*) Gli stati formati da una sola città o da altre unità indipendenti (ESM, *early state modules*) commerciano sia a livello locale, all'interno di ogni ESM, sia a un più alto livello attraverso i loro centri principali. (*In basso*) In determinate circostanze queste interazioni a più alto livello possono condurre all'integrazione delle ESM in un'unità di più larga scala, l'impero o lo stato-civiltà.

da parte dell'élite. William L. Rathje ha presentato un modello analogo a proposito dell'emergere di una élite ben caratterizzata presso le popolazioni maya dei bassipiani, e quindi per l'emergere della civiltà classica maya.

Questi modelli vengono proposti per spiegare il cambiamento avvenuto nel sistema culturale; una discussione delle loro implicazioni sarà affrontata nel Capitolo 12, dove consideriamo la natura della spiegazione negli studi archeologici. È comunque giusto menzionarli anche in questo paragrafo, dato che il commercio estero e lo scambio sono parte integrante di molte ipotesi avanzate per interpretare i cambiamenti culturali.

Scambio e interazione simbolici

All'inizio di questo capitolo si è sottolineato che l'interazione comprende lo scambio non solo di beni materiali ma anche di informazioni, comprendenti idee, simboli, invenzioni, aspirazioni e valori. L'archeologia moderna ha imparato a trattare in modo abbastanza adeguato le questioni legate agli scambi materiali, avvalendosi degli studi di caratterizzazione e delle analisi spaziali, mentre è stata meno efficace per quanto riguarda gli aspetti simbolici dell'interazione.

Lo sviluppo di una tecnologia completamente nuova, che si manifesta in diverse locazioni all'interno di un'area limitata, è in genere indicativa di un flusso di informazioni e, di conseguenza, di contatto. Mentre innovazioni tecniche simili rilevate a distanza le une dalle altre possono essere anche indicative di invenzioni indipendenti e non dovrebbero essere considerate come testimonianza di un avvenuto contatto in assenza di altre prove, un'area dove uniformemente si riscontrano tali innovazioni presenta indubbiamente una indicazione di comunicazione.

Un buon esempio è rappresentato da un recente studio sulle perline nel sud-est dell'Asia durante gli ultimi secoli a.C.; esso suggerisce l'esistenza di una rete di scambi che può essersi estesa fino all'India. Durante il I millennio d.C. i centri di produzione cominciarono a svilupparsi nel Sud-Est asiatico producendo grandi quantità di perline di qualità intermedia e anche mediocre. Si è voluto vedere nella differenza tra i prodotti che erano destinati all'India e le perline di produzione locale dell'Asia meridionale una distinzione di status sociale.

Come è già stato notato più sopra, e come si vedrà di nuovo nel Capitolo 12, c'è stata la tendenza a definire le interazioni tra aree vicine come semplice «diffusione», fenomeno che vede un'area che domina su un'altra. Per reagire a questi modelli basati sul concetto di dominanza bisogna pensare in termini di autonomia, di completa indipendenza di un'area dall'altra. Sembra tuttavia poco realistico escludere del tutto la possibilità di interazioni significative.

La soluzione alternativa è quella di cercare modi di analisi delle interazioni – comprese le loro componenti simboliche – che non presuppongano i concetti di dominanza e subordinazione, centro e periferia, ma considerino aree diverse più o meno alla stessa stregua. Quando si discute di queste interazioni tra stati, intesi come società indipendenti di eguale status – note come *peer polities* (*entità politiche paritarie*) – torna utile parlare di **sfere di interazione**, un termine applicato per la prima volta da Joseph Caldwell alla sfera di interazione delle genti di Hopewell, negli Stati Uniti orientali (*vedi* Scheda 9.9).

L'interazione tra entità politiche paritarie assume molte forme, alcune delle quali sono state distinte con chiarezza:

1. **La competizione**. Aree vicine competono tra loro in vari modi, valutando il proprio successo rispetto a quello dei propri vicini. Ciò assume spesso una forma simbolica in incontri periodici presso alcuni importanti centri cerimoniali, dove i rappresentanti delle varie aree si incontrano, celebrano un rituale e talvolta gareggiano in giochi e altre imprese agonistiche. Tale comportamento è stato individuato tra le bande di cacciatori-raccoglitori che si incontrano periodicamente riunendosi in unità più grandi (che in Australia sono chiamate *corroborees*), ed è stato osservato anche nei pellegrinaggi e nei rituali di società statuali, in modo particolarmente evidente nell'antica Grecia in occasione dei Giochi Olimpici e delle altre assemblee panelleniche, eventi che riunivano i rappresentanti di tutte le città-stato.

2. **L'emulazione competitiva**. Collegata alla forma precedente è la tendenza di una entità politica a tentare di superare i propri vicini nei consumi più importanti: sono già state menzionate le costosissime feste pubbliche organizzate dagli Indiani americani della costa nord-occidentale, ovvero l'istituzione del *potlatch*. Per certi aspetti si può annoverare in questa categoria l'erezione di splendidi monumenti presso i centri cerimoniali regionali, ognuno dei quali gareggia con gli altri in dimensioni e grandiosità. Qualcosa del genere si può sospettare anche per i centri cerimoniali delle città maya, e lo stesso fenomeno si osserva nelle magnifiche cattedrali dell'Europa medievale e nei templi delle città-stato greche.

Un effetto più sottile di questo tipo di interazione è che i monumenti, anche se cercano di superarsi l'uno con l'altro, finiscono per essere molto simili. Le diverse entità politiche all'interno di una particolare regione, e in un particolare periodo, condividono lo stesso codice di espressione, senza che sia perfettamente chiaro dove abbia origine la forma di partenza. Così accade che tutti i centri cerimoniali dei Maya siano in un certo senso uguali, così come tutti i templi greci del VI secolo a.C.: se li analizziamo nei dettagli ci appariranno, è naturale, diversi sotto molti aspetti, ma è innegabile che condividano una comune forma di espressione. Questa è di solito un prodotto dell'interazione tra entità politiche

9.9 Sfere di interazione: l'esempio di Hopewell

In molti sistemi di scambio, o sfere d'interazione, lo scambio di oggetti di valore superava di gran lunga per importanza lo scambio delle merci ordinarie. Pochi beni ordinari viaggiavano tra una regione e l'altra, poiché ogni regione era relativamente autosufficiente per quei prodotti. Una sfera di interazione, quella di Hopewell, operava su scala molto vasta negli attuali Stati Uniti orientali durante i primi due secoli della nostra èra.

Parecchie regioni partecipavano agli scambi di oggetti di valore e due di esse – la regione di Scioto, affluente dell'Ohio, e la regione di Havana, sul fiume Illinois – svolgevano in questa rete di scambi un ruolo più centrale. Dal Sud provenivano conchiglie marine, denti di squalo, mica e altre rocce e minerali; dal Nord, invece, oggetti in rame nativo, argento e terra rossa da pipe. Si scambiavano comunemente selci provenienti da regioni diverse, mentre l'ossidiana si otteneva nel lontano Ovest, nel Wyoming. Questi materiali venivano trasformati in oggetti altamente caratteristici utilizzati nei rituali e come ornamento dei costumi. Il rame nativo veniva lavorato a freddo con il martello per produrre oggetti di forme diverse: teste d'accetta e

d'ascia, grandi pettorali, ornamenti del capo, orecchini a rocchetto da lobo e custodie per i flauti. Le lamine di mica venivano tagliate in figure geometriche e profili di piante e animali, mentre le selci, l'ossidiana e il cristallo di quarzo erano scheggiati per ricavarne grandi bifacciali. Le conchiglie marine servivano per realizzare grandi tazze e perline, mentre la pietra più tenera era utilizzata per ricavarne pipe per fumare tabacco, dallo stile caratteristico.

Lo scambio diffuso di beni di prestigio era accompagnato da un sistema simbolico adottato autonomamente in ciascuna delle regioni. I prodotti locali,

incluse la ceramica e le arti decorative, si conformavano a uno stile panregionale. I beni di scambio, invece, venivano bruciati nel corso di cerimonie funebri molto simili da una regione all'altra. Così, attraverso manufatti e schemi di consumo analoghi, sull'intera area di interazione fu creata una sorta di unità culturale che non era mai esistita prima. Nonostante questo, vi erano importanti differenze regionali negli aspetti esteriori: le sepolture più grandi e più ricche si trovano in punti strategici, dove furono erette le più impressionanti opere in terra.

L'archeologo americano David Braun ha parlato di interazione tra entità politiche paritarie all'interno della sfera Hopewell (chiarendo bene che queste erano società relativamente semplici e non stati), e ha messo in evidenza che l'emulazione competitiva e la convergenza dei sistemi simbolici si possono trovare sia a Hopewell sia in altre sfere di interazione simili.

9.44 Corvo o cornacchia ritagliato da una lamina di rame; l'occhio è realizzato con una perla. Lunghezza 38 cm.

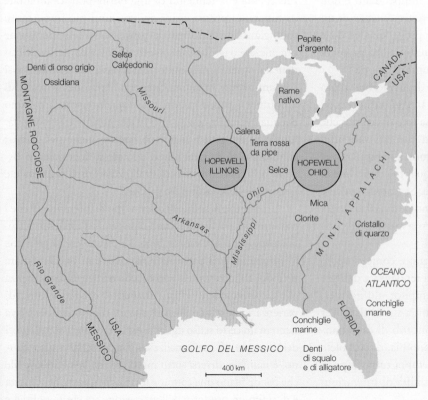

9.45 Ornamento in mica a forma di artiglio di rapace.

paritarie, e nella maggior parte dei casi non è necessario postulare l'esistenza di un singolo centro innovativo rispetto al quale le altre aree si trovano a essere periferiche.

3. La guerra. La guerra è, ovviamente, una forma evidente di competizione, il cui oggetto non è necessariamente la conquista di un territorio: nel Capitolo 5 abbiamo visto che può anche essere un mezzo per catturare prigionieri da sacrificare. La guerra si svolgeva sotto regole da tutti ben conosciute ed era una forma di interazione come le altre qui elencate.

4. La trasmissione dell'innovazione. Un progresso tecnico compiuto in una certa area si diffonderà ben presto ad altre regioni. Molte sfere di interazione partecipano allo sviluppo tecnologico al quale contribuiscono tutti i centri locali, ovvero le entità politiche paritarie.

5. La convergenza dei sistemi simbolici. All'interno di una data sfera di interazione i sistemi simbolici utilizzati tendono a convergere. Per esempio, l'iconografia della religione dominante ha molto in comune da centro a centro, così come la forma della religione stessa: ogni centro può avere le proprie divinità protettrici, ma le divinità dei differenti centri in qualche modo funzionano insieme all'interno di un coerente sistema religioso. Così nel Vicino Oriente primitivo ogni città-stato possedeva la propria divinità protettrice e si riteneva che le diverse divinità andassero talvolta in guerra l'una contro l'altra. Tuttavia si credeva che abitassero tutte insieme lo stesso mondo divino, proprio come gli esseri mortali occupavano aree diverse del mondo. E le stesse considerazioni si potrebbero facilmente estendere alle civiltà mesoamericane o all'antica Grecia.

6. Lo scambio cerimoniale di oggetti di valore. Sebbene qui si sia data molta importanza alle interazioni a carattere non-materiale, e cioè simboliche, è certo che tra le élite di entità politiche paritarie avvenisse una serie di scambi materiali, compresi quelli già descritti in questo capitolo (la cessione di partner nei matrimoni o di doni preziosi).

7. Il flusso di beni ordinari. Gli scambi su larga scala di beni ordinari tra entità politiche non dovrebbero essere trascurati, poiché in alcuni casi i sistemi economici delle singole entità erano uniti da stretti legami. Questo è precisamente ciò che Wallerstein intendeva con l'espressione «sistema-mondo». Si dovrebbe comunque notare che in questo caso non c'è bisogno di distinguere tra centro e periferia, come nel caso citato da Wallerstein delle colonie del XVI secolo d.C., o in quello degli imperi dell'antichità. Anche quelli sono casi validi, ma sebbene ciò possa valere tanto per il mondo coloniale quanto per gli antichi imperi, queste relazioni basate sulla dominanza non dovrebbero diventare paradigmatiche per lo studio globale delle interazioni nelle società primitive.

8. La lingua e l'etnicità. Il modo più efficace per interagire è la lingua. Si tratta di un punto ovvio, ma non sempre viene esplicitamente enunciato dagli archeologi. Lo sviluppo di una lingua comune, anche quando inizialmente c'era una maggiore diversità linguistica, è uno degli elementi che possono associarsi all'interazione tra entità politiche paritarie. Lo sviluppo di una comune etnicità e la consapevolezza esplicita di essere un unico popolo sono spesso collegati a fattori linguistici. Ma gli archeologi stanno giungendo con grande lentezza a riconoscere che l'etnicità non è qualcosa che è sempre esistito nel passato: al contrario, si tratta di un elemento che si è sviluppato nel tempo come risultato di interazioni diverse, che l'etnicità stessa influenzò ulteriormente.

Questi concetti, in cui è attribuita importanza sia agli aspetti simbolici sia allo scambio di beni materiali, possono essere utilizzati vantaggiosamente per analizzare le interazioni che si verificano all'interno di gran parte delle società e culture primitive. Fino a oggi negli studi archeologici si è condotta assai raramente un'analisi sistematica di questo tipo; nel Capitolo 12 – dove analoghe questioni sono riprese nell'ambito della discussione sulla spiegazione in archeologia – si argomenta che sta via via emergendo una nuova sintesi nel metodo archeologico, che si potrebbe definire archeologia cognitivo-processuale. L'analisi delle interazioni, incluse quelle di natura simbolica, avrà un ruolo importante tra i metodi adottati da quella nuova sintesi.

Riepilogo

- È possibile ricostruire l'organizzazione dei sistemi di commercio e di scambio se il materiale in esame è sufficientemente caratterizzato da farci identificare le fonti di approvvigionamento. Quando un manufatto ritrovato in un sito ha palesemente la sua origine in un altro luogo si può affermare che vi è stato un contatto tra i due territori.

- Mediante le analisi di caratterizzazione, un manufatto può essere esaminato nelle caratteristiche della sua materia prima, che possono consentire di determinarne la fonte di approvvigionamento. Per ottenere questo risultato, la fonte del materiale deve possedere qualcosa che la distingua dalle altre fonti. L'esame delle sezioni sottili degli oggetti di pietra, per esempio, consente al

© 978.8808.82073.0

ricercatore di identificare la provenienza della pietra basandosi sulla composizione mineralogica. L'esame delle tracce di elementi nella composizione di pietre reperite in piccole quantità può essere utile per definire le caratteristiche di un oggetto. L'analisi per attivazione neutronica, per esempio, può collegare un pezzo di ossidiana a un dato vulcano, talvolta perfino a una specifica eruzione di quel vulcano.

■ Le fonti scritte offrono molteplici informazioni circa la distribuzione delle merci. I beni commerciali sono spesso marcati dai loro produttori in varie maniere (un sigillo d'argilla, o una firma) e a partire da queste informazioni si può creare una mappa di distribuzione con origine nel punto di ritrovamento dell'oggetto di uno specifico produttore. Le

mappe di distribuzione aiutano nell'analisi spaziale dei siti e dei produttori. Un altro modo di visualizzare la distribuzione è l'analisi della diminuzione, dove la quantità di materiale ritrovato è registrata graficamente in funzione della distanza tra punto di ritrovamento e fonte del materiale.

■ Una più ampia conoscenza delle reti di scambio deriva dagli studi sulle strutture produttive di zone di miniere e cave, e dagli studi sul consumo dei beni.

■ Le società in reciproco contatto attraverso reti commerciali scambiavano anche idee e altre informazioni. Ciò molto probabilmente aveva un ruolo diretto sulla diffusione di tecnologia, lingua e cultura.

Letture consigliate

Le opere seguenti offrono una valida introduzione ai metodi utilizzati dagli archeologi nello studio degli scambi e del commercio:

Brothwell D.R. & Pollard A.M. (a cura di), 2005, *Handbook of Archaeological Science*. John Wiley: Chichester.

Dillian C.D. & White C.L. (a cura di), 2010, *Trade and Exchange: Archaeological Studies from History and Prehistory*. Springer: New York.

Earle T.K. & Ericson J.E. (a cura di), 1977, *Exchange Systems in Prehistory*. Academic Press: New York & London.

Ericson J.E. & Earle T.K. (a cura di), 1982, *Contexts for Prehistoric Exchange*. Academic Press: New York & London.

Gale N.H. (a cura di), 1991, *Bronze Age Trade in the Mediterranean*. (Studies in Mediterranean Archaeology 90). Åström: Goteborg.

Lambert J.B., 1997, *Traces of the Past: Unraveling the Secrets of Archaeology throught Chemistry*. Helix Books/Addison-Aesley Longman: Reading, MA.

Polanyi K., Arensberg M. & Pearson H. (a cura di), 1957, *Trade and Market in the Early Empires*. Free Press: Glencoe, IL.

Polland A.M. & Heron C. (a cura di), 2008, *Archaeological Chemistry* (2nd ed.). Royal Society of Chemistry: Cambridge.

Renfrew C. & Cherry J.F. (a cura di), 1986, *Peer Polity Interaction and Socio-political Change*. Cambridge University Press: Cambridge & New York.

Scarre C. & Healy F. (a cura di), 1993, *Trade and Exchange in Prehistoric Europe*. Oxbow Monograph 33: Oxford.

Torrence R., 2009, *Production and Exchange of Stone Tools: Prehistoric Exchange in the Aegean*. Cambridge University Press: Cambridge & New York.

L'archeologia cognitiva, cioè lo studio basato sui resti materiali dei modi di pensare del passato, è una delle branche più recenti dell'archeologia moderna sotto molti aspetti. È vero che l'arte antica e l'antica scrittura, entrambe fonti preziose di informazioni di carattere cognitivo, sono oggetto di studio da diverso tempo; troppo spesso però l'arte è stata considerata un campo di dominio esclusivo dello storico dell'arte e i testi patrimonio esclusivo dello storico della letteratura, perdendosi così la prospettiva archeologica. Inoltre, per il periodo preistorico, nel quale le fonti scritte sono del tutto assenti, le prime generazioni di archeologi furono inclini, temerariamente, a creare una sorta di storia contraffatta, «immaginando» quello che i popoli primitivi potevano aver pensato o creduto. Fu proprio questo approccio antiscientifico e ipotetico che contribuì a far esplodere la *New Archaeology* con la sua forte tendenza a utilizzare metodi più scientifici, come abbiamo già visto nel Capitolo 1. È anche vero, però, che in generale quella reazione condusse i primi seguaci della *New Archaeology*, scoraggiati com'erano dalla natura apparentemente insondabile di tante idee relative al modo di pensare del passato, a trascurare a loro volta gli studi conoscitivi.

In questo capitolo vogliamo dimostrare che allo scetticismo proprio dei seguaci della *New Archaeology* e all'empatia, qualche volta poco strutturata, dei primi archeologi postprocessuali si può rispondere con lo sviluppo di precisi metodi da applicare all'analisi delle categorie concettuali delle società primitive e del modo di pensare degli esseri umani. Per esempio possiamo indagare in che modo la gente descrivesse e misurasse il mondo: come vedremo, oggi è possibile capire con molta chiarezza il sistema di pesi utilizzato dalla civiltà della Valle dell'Indo (*vedi* più avanti). Possiamo indagare come gli esseri umani progettassero monumenti e città, visto che anche la disposizione delle strade rivela molti aspetti della pianificazione urbanistica, e che in alcuni casi sono state trovate mappe e altre specifiche indicazioni di pianificazione (per esempio modelli). Possiamo indagare quali fossero i beni materiali cui si attribuiva il valore più alto, i quali erano forse considerati simboli di autorità e potere. Infine, possiamo indagare come i popoli concepissero il soprannaturale e come rispondessero a queste concezioni nelle pratiche di culto, per esempio nel grande centro cerimoniale di Chavín de Huantar, nel Perú settentrionale (*vedi* Scheda 10.6).

Teoria e metodo

Oggi si è in genere d'accordo sul fatto che ciò che più chiaramente distingue la specie umana dalle altre forme di vita è la nostra capacità di usare i **simboli**. Ogni pensiero intelligente e, in effetti, ogni discorso coerente sono basati su simboli; le parole sono esse stesse simboli, in cui il suono o le lettere scritte designano, e quindi rappresentano, un aspetto del mondo reale. Di solito, però, il significato è attribuito a un particolare simbolo in modo arbitrario: spesso non c'è nulla che indichi che una specifica parola o uno specifico segno debba rappresentare un dato oggetto piuttosto che un altro. Consideriamo per esempio le *Stars and Stripes*: le riconosciamo tutti immediatamente come la bandiera che rappresenta gli Stati Uniti. Il disegno della bandiera ha una sua storia, che ha un senso, se la si conosce; ma nel disegno in se stesso non c'è nulla che indichi quale paese vi sia rappresentato, e nemmeno che si tratti di una bandiera che rappresenta una nazione. Come molti simboli, anche questo è arbitrario.

10.1 Due uomini su una barca, o è forse una slitta? Il significato preciso di questa incisione scandinava su pietra, che risale all'Età del bronzo, rimane oscuro in mancanza di ulteriori testimonianze.

Il significato attribuito a un simbolo appartiene in modo specifico a una particolare tradizione culturale. Se per esempio un'incisione preistorica scandinava, scolpita nella roccia, ci sembra una nave, senza un'ulteriore ricerca non possiamo essere certi che sia una nave; in quella regione così fredda potrebbe benissimo trattarsi di una slitta. Ma gli esseri umani che realizzarono quell'opera non hanno avuto di certo alcuna difficoltà a interpretarne il significato. Analogamente, popoli che parlano lingue diverse usano parole differenti per descrivere la stessa cosa, poiché un oggetto o un'idea possono essere espressi simbolicamente in molti modi diversi. Se noi tutti fossimo programmati alla nascita per attribuire lo stesso significato a particolari simboli e per parlare la stessa lingua, il compito dell'archeologo sarebbe molto più facile, ma allo stesso tempo l'esperienza umana sarebbe singolarmente priva di varietà.

Di solito è impossibile dedurre il significato di un simbolo all'interno di una data cultura basandosi solo sulla forma simbolica dell'immagine o dell'oggetto: come minimo dobbiamo osservare e capire in che modo quella forma viene utilizzata e vederla in un contesto di altri simboli. L'archeologia cognitiva deve perciò stare molto attenta agli specifici contesti di ritrovamento: l'elemento importante è l'associazione, l'insieme, non il singolo oggetto isolato.

In secondo luogo, è importante ammettere che rappresentazioni e oggetti materiali (manufatti) non ci rivelano direttamente il loro significato: certamente non in assenza di testimonianze scritte. È un fondamento del metodo scientifico che colui che fa l'osservazione, il ricercatore, debba proporre l'interpretazione; e lo scienziato sa che possono esserci molte interpretazioni alternative, che si devono valutare confrontandole, se necessario, con dati nuovi, attraverso procedimenti espliciti di valutazione o di analisi. Questo è uno dei princìpi base dell'archeologia processuale (archeologia dei processi culturali), di cui parleremo nel Capitolo 12. Alcuni sostenitori dell'archeologia

processuale, in particolare Lewis Binford, ritengono che non sia di alcuna utilità considerare che cosa pensasse la gente nel passato, in quanto sono le azioni e non le idee della gente gli elementi che possiamo recuperare nella testimonianza materiale. Questa non è la posizione sostenuta in questo libro; noi partiamo infatti dall'ipotesi che gli oggetti che ritroviamo siano, in parte, il prodotto di pensieri e di intenzioni dell'essere umano (cosa che i critici del nostro approccio non potranno negare); e che, per questo, il loro studio offra potenzialità oltre a sollevare problemi. In breve, ciò che rinveniamo nei contesti archeologici appartiene a quello che il filosofo Karl Popper chiamerebbe «mondo 3». Come afferma Popper: «Se chiamiamo il mondo delle cose – degli oggetti fisici – mondo 1, e il mondo delle esperienze soggettive (come i processi mentali) mondo 2, possiamo chiamare il mondo delle affermazioni in sé mondo 3… Io ritengo che il mondo 3 sia costituito essenzialmente dai prodotti della mente umana». Questi… possono essere anche i prodotti dell'attività umana, quali case o strumenti, e anche le opere d'arte. Di speciale importanza per noi, questi sono ciò che chiamiamo "linguaggio", e ciò che chiamiamo "scienza"». Questo punto di vista, sebbene possa costituire un valido orientamento, non ci offre una metodologia.

Come primo passo concreto è utile ipotizzare che in ogni mente umana esista una visione del mondo, un sistema di riferimento interpretativo, una «mappa cognitiva» (*cognitive map*), un concetto affine alla carta mentale di cui parlano i geografi, ma non limitata alla sola rappresentazione delle relazioni spaziali. Infatti gli esseri umani non agiscono soltanto in relazione alle loro impressioni sensoriali, ma anche in relazione alla loro preesistente conoscenza del mondo, attraverso la quale quelle impressioni vengono interpretate e ricevono un significato. Nel disegno vediamo l'individuo accompagnato (nella sua mente) da questa personale mappa cognitiva, che gli consente di ricordare

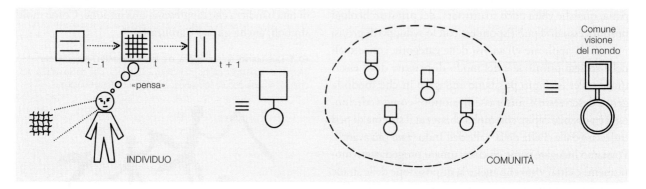

10.2 Mappe cognitive. (*A sinistra*) L'individuo ha la sua personale mappa cognitiva (rappresentata da un quadrato). L'individuo risponde sia alle impressioni sensoriali percepite direttamente sia alla sua mappa interiorizzata, che comprende una memoria del mondo nel passato (t – 1) e previsioni sul mondo nel futuro (t + 1). (*A destra*) Gli individui che vivono all'interno di una comunità condividono più o meno la stessa visione del mondo. In questo senso si può parlare di una mappa cognitiva comune all'intero gruppo.

stati passati conservati nella memoria e di immaginare con l'«occhio della mente» possibili stati futuri. Le comunità di persone che vivono insieme condividono la stessa cultura e parlano la stessa lingua, spesso condividono anche la stessa visione del mondo (*mind set*, «disposizione mentale»). Nella misura in cui è soddisfatta questa condizione, si può parlare di una mappa cognitiva comune, anche se gli individui sono diversi l'uno dall'altro, così come lo sono i gruppi definiti da particolari interessi. Questo approccio è talvolta chiamato dai filosofi della scienza «individualismo metodologico».

Questa idea di una mappa cognitiva è efficace proprio perché ci consente di utilizzare in pratica alcuni manufatti pertinenti al mondo 3 delineato da Popper per fare delle ipotesi attorno alla mappa mentale condivisa da un determinato gruppo. Possiamo allora sperare di farci un'idea del modo in cui i gruppi utilizzavano i simboli e a volte (per esempio nella rappresentazione di scene particolari) delle relazioni tra gli individui che costituivano il gruppo. Tutto ciò potrebbe sembrare piuttosto astratto; nel resto di questo capitolo diciamo come si può cominciare a mettere insieme questa frammentata mappa cognitiva di un luogo, un tempo e un gruppo sociale dati.

COME SI È EVOLUTA LA FACOLTÀ UMANA DI USARE I SIMBOLI

Si tende spesso a parlare della specie umana come se tutti gli esseri umani avessero praticamente lo stesso comportamento e la stessa capacità cognitiva. Ciò pare vero per tutti i gruppi viventi di *Homo sapiens sapiens*, tenendo però conto del fatto che all'interno di ciascun gruppo si manifestano inevitabilmente alcune diversità. In altre parole, non c'è alcuna convincente testimonianza a favore di sistematiche e significative differenze di capacità tra le «razze» umane viventi, comunque si possano definire. Quando emersero, allora, queste capacità che caratterizzano l'essere umano completamente moderno? Questa è la questione cruciale per l'antropologia fisica (o biologica) come per l'archeologia, nonché per l'ambito delle neuroscienze.

Linguaggio e autocoscienza

La maggior parte degli studiosi di antropologia fisica è d'accordo sul fatto che, come si sostiene nel Capitolo 11, le capacità dell'essere umano moderno sono presenti fin dalla prima apparizione di *Homo sapiens sapiens* circa 100 000-40 000 anni fa; ma se andiamo più indietro nel tempo i pareri degli studiosi non sono concordi. Il neurofisiologo John Eccles pone la questione in questi termini: «Quanto indietro nella preistoria possiamo riconoscere l'inizio, l'origine, l'esistenza più primitiva del mondo 3? Quando osservo la preistoria del genere umano, direi che la si può

individuare nella cultura degli strumenti. I primi ominidi primitivi che ricavavano strumenti dai ciottoli per uno scopo ben determinato possedevano certamente qualche idea di progetto, qualche idea di tecnica». Karl Popper risponde a Eccles come segue: «Pur essendo d'accordo su ciò che dici, preferisco tuttavia considerare che l'inizio del mondo 3 sia avvenuto con lo sviluppo del **linguaggio** piuttosto che degli **strumenti**». Alcuni archeologi e antropologi fisici ritengono che un vero linguaggio potrebbe essere stato sviluppato da *Homo habilis* intorno a 2 milioni di anni fa, contemporaneamente alla produzione dei primi *chopper*, ma altri pensano che una piena capacità di linguaggio si sia sviluppata solo in tempi molto più recenti, quando apparve *Homo sapiens sapiens*. Questo significherebbe che gli strumenti realizzati dagli ominidi del Paleolitico Inferiore e Medio furono prodotti da esseri sprovvisti di vere capacità linguistiche.

A tutt'oggi non esiste una chiara metodologia per determinare in quale momento potrebbe essere nato il linguaggio. (Gli aspetti prettamente anatomici sono esaminati nel Capitolo 11). Lo psicologo Merlin Donald ha proposto una serie di stadi nell'«evoluzione cognitiva», con una fase mimetica per l'*Homo erectus* (sottolineando le abilità degli ominidi nell'imitare il comportamento), una fase mitica per il primo *Homo sapiens sapiens* (evidenziando il significato del discorso e della narrazione), e una fase teorica per società più sviluppate, dando rilievo al pensiero teorico e a ciò che lui definisce «deposito simbolico esterno», che riguarda meccanismi di memorizzazione, inclusa la scrittura. Si tratta di un campo importante e interessante, al momento poco sviluppato.

Le origini dell'autocoscienza sono state discusse da scienziati e filosofi come Roger Penrose e Daniel Dennett, ma con poche conclusioni significative. John Searle ha suggerito che non esiste un momento di transizione improvviso, ma che il suo cane Ludwig ha già un grado significativo di autocoscienza. Nel suo libro *The Prehistory of the Mind* [*La preistoria della mente*] Steven Mithen affronta l'argomento passando in rassegna il lavoro di diversi archeologi evoluzionisti. Recentemente Merlin Donald nel suo *A Mind So Rare* [*Una mente così rara*] ha asserito ancora una volta il ruolo attivo della coscienza nel comportamento umano criticando l'approccio di coloro che lui chiama «sostenitori della linea dura», come Daniel Dennett che, così lui dice, tendono a ridurre la coscienza a un epifenomeno, relegando l'individualità a una «invenzione rappresentativa, un orpello culturale». Ma al momento non ci sono prove archeologiche o neurofisiologiche, sebbene recenti ricerche comincino ad aprire nuove strade (*vedi* Scheda 10.10).

Ci sono diverse modalità di approccio per affrontare altri aspetti delle prime abilità cognitive umane.

© 978.8808.82073.0

Il progetto nella manifattura degli strumenti

Mentre la produzione di semplici strumenti di ciottolo – per esempio da parte di *Homo habilis* – può forse essere considerata un atto semplice, abituale, non dissimile da quello di uno scimpanzé che spezza un bastoncino per frugare in un formicaio, la fabbricazione da parte di *Homo erectus* di oggetti così belli come le asce a mano acheuleane sembra senza dubbio un atto più progredito.

Si tratta, comunque, di una semplice impressione soggettiva. Come possiamo indagare più a fondo questo aspetto? Un modo consiste nel misurare, attraverso prove sperimentali, la quantità di tempo impiegata nel processo produttivo. Tuttavia, un più rigoroso approccio quantitativo, sviluppato da Glynn Isaac, è studiare il campo (o intervallo) di variazione in un'associazione di manufatti. Se il costruttore dello strumento possiede, nella sua mappa cognitiva, una qualche duratura nozione o immagine di ciò che dovrebbe essere il prodotto finale, uno strumento finito dovrebbe essere molto simile a un altro. Isaac ha identificato la tendenza attraverso il tempo a produrre una varietà, o insieme, sempre più articolato, o associazione di tipi di strumenti. Ciò implica che ogni persona che fabbricava

strumenti aveva in mente il concetto di differenti forme di strumenti, senza dubbio destinati a funzioni diverse. La progettualità nella manifattura degli strumenti diviene quindi un elemento importante per la nostra comprensione delle capacità cognitive dei primi ominidi; capacità che li distinguono dalle più evolute scimmie antropomorfe, quali gli scimpanzé.

Il concetto analitico di *chaîne opératoire* (sequenza di azioni) è stato studiato per rendere più esplicite le implicazioni cognitive della complicata e spesso standardizzata sequenza di eventi necessari per la produzione di un attrezzo litico, un vaso, un manufatto di bronzo o qualsiasi oggetto con un processo di produzione ben definito. Per i periodi più antichi, come per esempio il Paleolitico, questo approccio offre uno dei pochi esempi disponibili del modo in cui le strutture cognitive sottostanno agli aspetti complessi del comportamento umano. Le storiche francesi della preistoria Claudine Karlin e Michèle Julien hanno analizzato la sequenza di eventi necessaria per la produzione di lame nel periodo Magdaleniano del Paleolitico Superiore francese (*vedi* diagramma); molti altri processi di produzione possono essere studiati seguendo modalità simili.

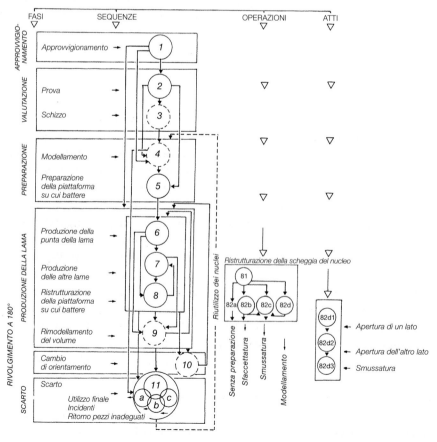

10.3 La *chaîne opératoire* necessaria per la produzione di una lama di selce magdaleniana. Molti processi di produzione comprendono sequenze di complessità confrontabile.

Approvvigionamento dei materiali e tempo di programmazione

Il comportamento cognitivo dei primi ominidi può essere indagato anche considerando il tempo di programmazione, definito come l'intervallo di tempo compreso tra la programmazione di un atto e la sua esecuzione. Se il materiale grezzo utilizzato per la fabbricazione di uno strumento litico proviene da uno specifico affioramento di roccia, ma lo strumento è prodotto a una certa distanza (come è documentato dalle schegge di scarto prodotte durante la sua fabbricazione), ciò sembrerebbe indicare una qualche intenzione mantenuta nel tempo o una previsione da parte della persona che trasportava la materia prima. Analogamente, il trasporto di oggetti naturali o finiti (i cosiddetti *manuports*), si tratti di strumenti, conchiglie marine o fossili particolarmente belli, per come è stato documentato (*vedi* Capitolo 9) indica come minimo che si era mantenuto l'interesse per quegli oggetti, o l'intenzione di utilizzarli, o forse anche un senso di «possesso». Lo studio di tali *manuports*, con l'ausilio delle tecniche di caratterizzazione descritte nel Capitolo 9 e di altri metodi, è stato ora intrapreso in maniera sistematica.

Il comportamento organizzato: la «superficie di abitato» e l'ipotesi della spartizione di cibo

In anni recenti, come si è detto nel Capitolo 2, un tema centrale della ricerca è stato quello sulla natura dei processi di formazione attraverso i quali si sono costituiti particolari siti archeologici. Per il Paleolitico si tratta di un problema cruciale, non solo a causa della lunga durata del periodo durante il quale si sono formati i depositi, ma anche in vista della cautela necessaria quando si interpreta il comportamento umano. Nello studio di importanti siti, in Africa e non solo, occupati da ominidi primitivi – come quelli della Gola di Olduvai in Tanzania e di Olorgesailie e Koobi Fora in Kenya – questo tema si è dimostrato particolarmente controverso. In alcuni siti è stata trovata una distesa di ossa di animali, molte in frammenti, associate a manufatti litici; quei siti, datati a 2-1,5 milioni di anni fa, sono stati interpretati come aree di attività nelle quali gli ominidi che fabbricavano gli strumenti (presumibilmente *Homo habilis*) li utilizzavano su carcasse di animali (o parti di esse) portate lì per estrarre il midollo osseo. Quei siti sono stati dunque considerati siti di occupazione, o domicili temporanei, sfruttati da piccoli gruppi di consanguinei.

Vari ricercatori, tra cui Glynn Isaac, hanno sostenuto che in quei luoghi si stava iniziando la spartizione del cibo tra gruppi imparentati. Queste idee sono state criticate da Lewis Binford, che considera questi siti non siti di occupazione di ominidi primitivi, ma luoghi dove animali cacciatori e *scavenger* («spazzini») uccidevano la loro preda. Gli esseri umani primitivi usavano i propri strumenti per estrarre il midollo solo dopo che gli animali che avevano ucciso la preda se ne erano saziati. Binford sostiene invece che gli esseri umani primitivi trasportavano carne e ossa con midollo per trattarle e immagazzinarle altrove.

Attualmente si sta lavorando moltissimo per verificare queste differenti ipotesi, anche attraverso l'esame al microscopio dei segni lasciati dai denti e dai tagli sulle ossa spezzate (*vedi* il paragrafo sulla tafonomia nel Capitolo 7), e con l'analisi dettagliata dei rifiuti sparsi sulle presunte «superfici di abitato» (*living floors*). L'argomentazione di Binford implicherebbe un comportamento non molto intelligente e una scarsa organizzazione sociale. L'ipotesi del domicilio e della spartizione di cibo, d'altro canto, presuppone un grado di stabilità nel comportamento, compreso il comportamento sociale, con implicazioni di tipo cognitivo più ambiziose.

Associazioni di strumenti litici determinate da fattori funzionali o culturali

In quale momento i gruppi umani che abitavano regioni vicine e che sfruttavano risorse simili adottarono per la prima volta comportamenti e attrezzature materiali che potevano distinguerli culturalmente tra loro? Tale questione diventa fondamentale quando si considerano le varie associazioni di strumenti litici del Paleolitico Medio, abbinate con resti di Neanderthaliani (180 000-30 000 anni fa circa): si tratta delle associazioni generalmente dette musteriane. Negli anni Sessanta del secolo scorso l'archeologo francese François Bordes sostenne che le diverse associazioni di manufatti da lui trovate nella Francia sud-occidentale rappresentavano l'attrezzatura materiale di differenti gruppi umani che a quel tempo coesistevano. Si tratterebbe allora dell'equivalente di ciò che gli archeologi che lavorano su periodi di tempo più recenti hanno tradizionalmente chiamato «culture» archeologiche, da alcuni equiparate a gruppi etnici diversi. Lewis e Sally Binford ritenevano, dal canto loro, che le associazioni rappresentassero differenti strumentari, usati per funzioni diverse da parte di gruppi umani essenzialmente simili. Per documentare la loro opinione, i due studiosi utilizzarono l'analisi fattoriale delle associazioni litiche (*vedi* Scheda 5.4). Paul Mellars propose una terza interpretazione, sostenendo che c'è una costante successione cronologica tra i diversi ritrovamenti, per cui a una fase (con i suoi strumentari caratteristici) ne seguiva un'altra.

La questione non è ancora stata risolta: tuttavia, oggi molti credono che gruppi socialmente distinti, grosso modo equivalenti a quelli che potremmo definire gruppi etnici, fecero la loro comparsa solo nel Paleolitico Superiore, in presenza di esseri umani ormai pienamente moderni.

© 978.8808.82073.0

I primi ritrovamenti musteriani rappresenterebbero qualcosa di più semplice, forse da porre lungo le linee tracciate da Binford o da Mellars.

La sepoltura intenzionale dei resti umani

A partire dal Paleolitico Superiore esistono molti casi ben riconosciuti di sepoltura umana, in cui il corpo o i corpi sono stati deliberatamente adagiati per riposare in una tomba scavata, a volte accompagnati dagli ornamenti personali. Tuttavia sono emerse testimonianze anche di periodi precedenti (*vedi* Scheda 10.1). L'atto di sepoltura in sé presuppone un certo rispetto o un sentimento nei confronti dell'individuo defunto, o forse anche qualche idea di una vita futura, punto meno facile da dimostrare. L'ornamentazione sembra presupporre l'esistenza dell'idea che i monili valorizzano l'aspetto dell'individuo, in termini di bellezza o di prestigio o di altro. Un buon esempio del Paleolitico Superiore è rappresentato dalla scoperta fatta a Sungir, località a circa 200 km da Mosca e datata a circa 23000 anni fa, delle sepolture di un uomo e di due bambini, insieme a zanne di mammut, strumenti litici, pugnali d'avorio, piccoli animali scolpiti e migliaia di perline d'avorio.

Nel valutare questo tipo di scoperte bisogna essere sicuri di comprenderne i processi di formazione, in particolare che cosa potrebbe essere accaduto alla sepoltura in un tempo successivo. Per esempio, accanto a resti umani deposti in tombe sono stati scoperti scheletri di animali; un tempo ciò sarebbe stato interpretato come prova che gli animali venivano deliberatamente seppelliti con gli esseri umani come parte di un qualche rituale. Ora, invece, si ritiene possibile che in certi casi animali in cerca di cibo riuscissero a introdursi in queste sepolture e vi morissero accidentalmente, lasciando così falsi indizi a fuorviare gli archeologi.

Le rappresentazioni

Qualsiasi oggetto, e qualsiasi disegno o pittura su una superficie che possa essere riconosciuto senza alcuna esitazione come una raffigurazione – cioè la rappresentazione di un oggetto del mondo reale (e non semplicemente una sua pura e semplice riproduzione, quale è un fossile) – è un simbolo. Le problematiche generali che riguardano le rappresentazioni e le raffigurazioni di tutti i tempi sono discusse in un altro paragrafo. Per il Paleolitico bisogna affrontare due punti di primaria importanza: la valutazione della cronologia (e quindi in alcuni casi dell'autenticità) e la verifica della condizione della raffigurazione. Benché si sia creduto a lungo che le prime pitture risalgano al Paleolitico Superiore e siano state prodotte da *Homo sapiens sapiens*, un numero sempre maggiore di esempi più antichi ci forzano a riesaminare questa supposizione (*vedi* Scheda 10.1); gli esempi forniti nella scheda indicano alcune delle importanti conclusioni che stanno emergendo dall'applicazione di nuovi metodi di ricerca agli studi sull'arte del Paleolitico.

Un'analisi molto dettagliata non dovrebbe oscurare l'enorme significato cognitivo dell'atto della raffigurazione in sé, con tutta la vivezza che possiamo ammirare nelle manifestazioni artistiche di Lascaux in Francia o di Altamira in Spagna. Ammirare quest'arte è una cosa; è invece molto più difficile sviluppare strutture formali di interpretazione che ci consentano di analizzare con attenzione i processi cognitivi che intervengono nella produzione artistica. Ciò nonostante, gli archeologi hanno fatto considerevoli progressi nello sviluppo di tecniche e approcci per studiare il comportamento dei nostri antenati del Paleolitico, e man mano che si compiono passi in avanti, lo schema dello sviluppo cognitivo umano diventa sempre più chiaro.

10.4 Sepoltura intenzionale del defunto: una ragazzina di 9-10 anni (*a sinistra*) e un adolescente di 12-13 anni, seppelliti testa a testa a Sungir, a nord-est di Mosca, circa 23000 anni fa; indossavano una gran quantità di ciondoli, braccialetti e altri ornamenti e i loro vestiti erano ricoperti con migliaia di vaghi d'avorio; il ragazzo indossava anche una cintura di denti di volpe. Il tumulo era tutto coperto di ocra rossa.

Il problema di stabilire se una sepoltura sia deliberata o meno – e di conseguenza se sia o meno associata con l'idea di rispetto per il morto – diventa particolarmente importante quando ci si sposta indietro nel tempo fino a considerare l'Uomo di Neanderthal del Paleolitico Medio. Stando alle prove che abbiamo disponibili, la pratica della sepoltura deliberata cominciò proprio in quell'epoca. Ci sono testimonianze di oggetti decorativi sepolti assieme al defunto a partire dal Paleolitico Superiore e periodi successivi, anche se una famosa sepoltura Neanderthal nella grotta di Shanidar, in Irak, era accompagnata da polline, e indicava quindi un'offerta di fiori.

Tuttavia ci sono testimonianze di possibili pratiche rudimentali di sepoltura ancora più antiche. Il sito spagnolo di Atapuerca, a 14 km a est di Burgos (*vedi* Scheda 4.5), ha rivoluzionato la nostra conoscenza di *Homo antecessor* e di *Homo heidelbergensis* (arcaico *Homo sapiens*) del Pleistocene Medio. Lo scavo di una cava di calcare nota come la Sima de los Huesos (Fossa delle Ossa) da parte di un'équipe di specialisti di Madrid e Tarragona è ancora in corso dal 1976.

Il sito si trova sul fondo di un pozzo profondo 12 m. Le ossa di oltre 250 orsi delle caverne, che probabilmente morirono durante il letargo, furono ritrovati nei suoi depositi superiori; gli strati inferiori, datati a circa 430 000 anni fa, hanno finora restituito più di 3000 ossa umane appartenenti ad almeno 28 individui *Homo heidelbergensis* (basandosi sui denti) e probabilmente addirittura 32 (costituendo così circa il 90% delle ossa conosciute del periodo preneanderthaliano in Europa). Le ossa sono tutte mescolate senza alcuna connessione anatomica, ma tutte le parti del corpo sono presenti. La maggior parte sono di adolescenti e giovani adulti appartenenti a entrambi i sessi; in effetti più del 40% moriva tra i 17 e i 21 anni. Poiché meno di un quarto riuscivano a vivere oltre i vent'anni, essi non possono essere considerati un campione rappresentativo di tutta la popolazione ed è probabile che le persone più vecchie fossero deposte in qualche altro luogo.

Juan-Luis Arsuaga, uno dei responsabili degli scavi, ritiene che i corpi possano essere stati deposti nel pozzo nell'arco di diverse generazioni, con un

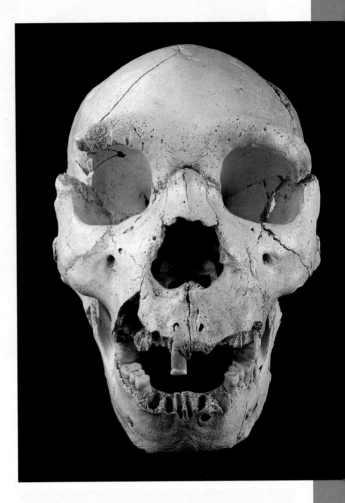

10.5 Teschio di *Homo heidelbergensis* proveniente da Sima de los Huesos, ad Atapuerca in Spagna. Questo sito sta fornendo alcune delle più antiche testimonianze di sepolture umane deliberate.

tipo di rituale funebre che può indicare una credenza religiosa ancora nella sua fase embrionale. La mancanza di ossa di erbivori (animali edibili) e di attrezzi litici implica che non erano accumulati nel pozzo da carnivori e che la grotta stessa non era un sito di occupazione. Recentemente è stata trovata fra le ossa un'ascia a mano di quarzite accuratamente scheggiata che potrebbe far pensare a un'offerta intenzionale con un significato simbolico.

È l'arte più antica?

In maniera analoga, sono stati rinvenuti sporadici reperti che suggeriscono che l'«arte» (o almeno segni privi di una finalità pratica) non ha avuto inizio con l'essere umano moderno, come si era sempre pensato, ma è da far risalire fino all'Homo erectus. Per esempio, a Trinil nell'isola di Giava, un'incisione a zigzag è stata scoperta su una valva di mitilo

d'acqua dolce, che risale a non meno di 430 000 anni fa; e una notevole «statuetta» è stata ritrovata dagli archeologi israeliani a Berekhat Ram nelle Alture del Golan; datata almeno 230 000 anni fa (tardo Acheuleano) è un ciottolo di tufo vulcanico, lungo solo 2,5 cm, la cui forma naturale ricorda una figura femminile. L'analisi microscopica dell'oggetto condotta dal ricercatore americano Alexander Marshack ha mostrato che il solco attorno al «collo» è un prodotto umano, sicuramente utilizzando un attrezzo di selce, e i solchi più leggeri, che delineano le «braccia», possono anch'essi essere artificiali. In altre parole, le persone che occupavano il sito non solo notarono la somiglianza del ciottolo a una figura umana, ma hanno anche deliberatamente accentuato questa somiglianza con un attrezzo litico. Per questo motivo si può si ritenere con sicurezza che il ciottolo di Berekhat Ram sia un «oggetto d'arte».

10.6 (*Sopra*) «Maschera» di osso e sasso proveniente da La Roche-Cotard, in Francia, scolpita da un Neanderthaliano.

10.7 (*A destra*) Valve di mitilo proveniente da Trinil, nell'isola di Giava, di almeno 430 000 anni fa. Le incisioni a zigzag sono il più antico disegno geometrico astratto fin qui conosciuto.

Altre notevoli prove di arte primitiva sono recentemente emerse: una «maschera» fatta da un sasso e un osso, scolpita da un Neanderthaliano e proveniente da Roche-Cotard, in Francia, e delle sculture astratte su un pezzo di ocra rossa, datato a circa 77 000 anni fa, proveniente dalla grotta di Blombos in Sudafrica.

10.8 (*Sotto*) Pezzo di ocra rossa con incisioni astratte, proveniente dalla grotta di Blombos, in Sudafrica, e risalente a circa 77 000 anni fa.

10.2 L'arte paleolitica

L'arte delle caverne

Molto è stato scritto sulle grotte dell'èra glaciale dell'Europa occidentale, decorate con raffigurazioni di animali e con simboli astratti. Concentrate in determinate regioni, in prevalenza nel Périgord e nei Pirenei della Francia sud-occidentale e nell'area cantabrica della Spagna settentrionale, queste caverne furono occupate durante l'intero periodo del Paleolitico Superiore, dal 30000 a.C. circa in avanti. La maggioranza delle testimonianze artistiche si riferisce tuttavia alla fine dell'èra glaciale, al periodo Solutreano e in particolare al Magdaleniano, che termina verso il 10000 a.C.

Gli artisti delle caverne utilizzarono un'ampia varietà di tecniche figurative, dalle semplici linee dipinte con le dita alla produzione plastica in argilla, dalle incisioni al bassorilievo, dagli *stencil* di mani alle pitture a due o tre colori. Molte delle raffigurazioni sono difficilmente interpretabili e vengono classificate dagli specialisti come «simboli» o segni astratti; tra le figure riconoscibili prevalgono gli animali. Esistono solo rarissime raffigurazioni di esseri umani, mentre sono del tutto assenti gli oggetti. Le figure variano nelle dimensioni, da pochi centimetri fino a oltre 5 m di lunghezza; alcune di queste figure si trovano in settori facilmente accessibili, mentre altre sono attentamente nascoste nei recessi delle caverne.

Il primo studio sistematico su questa arte parietale venne condotto negli anni Sessanta del secolo scorso dall'archeologo francese André Leroi-Gourhan. Seguendo la strada tracciata da Annette Laming-Emperaire, Leroi-Gourhan giunse alla conclusione che le pitture parietali formavano composizioni organiche. In precedenza le raffigurazioni erano state considerate come accumuli casuali di singole immagini, che rappresentavano semplici «magie della caccia» o «magie della fecondità». Leroi-Gourhan, studiando in ciascuna caverna le posizioni e le associazioni delle figure di animali, osservò che il cavallo e il bisonte erano di gran lunga più numerosi degli altri animali dipinti (il 60% del totale) e che erano concentrati in prevalenza su quelle che sembrano essere le pareti centrali delle caverne. Altri animali (per esempio lo stambecco, il mammut e il cervo) vi erano dipinti nelle zone periferiche, mentre le immagini degli animali riprodotti meno frequentemente (per esempio i rinoceronti, i felini e gli orsi) si trovavano in prevalenza nelle parti meno accessibili. Leroi-Gourhan credette quindi di aver trovato il criterio in base al quale era stata decorata ogni caverna.

Oggi sappiamo che lo schema di Leroi-Gourhan è troppo generalizzato: ogni caverna è diversa dalle altre; alcune hanno una sola figura, mentre altre ne contengono centinaia (come quella di Lascaux). Ciò nonostante, lo studio di Leroi-Gourhan ha stabilito che esiste un'unità tematica di base – i profili di una limitata gamma di animali – e che la disposizione delle figure sulle pareti non è casuale. Gli studi attuali tentano di scoprire il modo in cui le pitture vennero adattate alla forma delle pareti e se vi sia un nesso tra le decorazioni parietali e le aree delle caverne dove l'eco della voce umana è più forte.

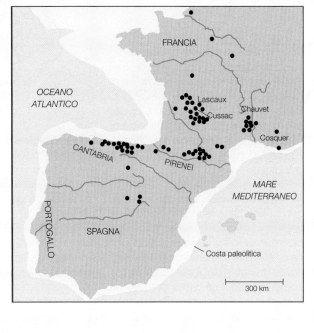

10.9 I principali siti dell'arte paleolitica in grotta nell'Europa occidentale.

10.10 (*A sinistra*) Gli spettacolari dipinti della grotta di Chauvet, nella Francia meridionale, scoperti nel 1994 e raffiguranti più di 440 animali.

10.11 (*Sotto*) Graffito di un mammut, dalla grotta di Cussac, in Dordogna.

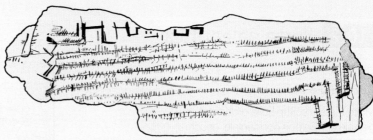

Nuove scoperte continuano a essere fatte: mediamente una gotta all'anno, se si considerano le scoperte più importanti fatte in Francia, come la caverna di Cosquer (1991) nei pressi di Marsiglia, la cui entrata si trova ora sotto il livello del mare, e la spettacolare caverna di Chauvet (1994), nell'Ardèche, con la sua profusione di dipinti di rinoceronti e grandi gatti.

Comunque, negli anni Ottanta e Novanta del secolo scorso una serie di scoperte ha rivelato che l'«arte delle caverne» era prodotta all'aperto. Molto probabilmente era la forma di produzione artistica più comune nell'èra glaciale, ma la grande maggioranza dei dipinti è andata perduta a causa degli agenti atmosferici nel corso di migliaia di anni, lasciandoci con un campione pesantemente asimmetrico di figure che sono sopravvissute più facilmente all'interno delle grotte. Finora un cospicuo numero di siti sono venuti alla luce in Spagna, Portogallo, Francia, Germania e Egitto; comprendono centinaia di figure, in maggioranza dipinte sulla roccia, che per il loro stile e contenuto risalgono sicuramente all'èra glaciale.

L'arte mobiliare

L'arte mobiliare dell'èra glaciale annovera migliaia di incisioni e intagli su piccoli oggetti di pietra, osso, corno di cervide e avorio. Le figure di animali rappresentano senza dubbio la grande maggioranza dei temi iconografici riconoscibili, nonostante le espressioni artistiche più famose di questo periodo rimangano forse le statuette femminili, le cosiddette «Veneri», per esempio la Venere in pietra calcarea di Willendorf, in Austria.

Queste raffigurano personaggi femminili appartenenti a un ampio spettro di età e di tipologie, e non sono assolutamente limitate a una manciata di esemplari obesi che vengono spesso ritenuti caratteristici.

In questo settore di studi, metodi di ricerca di vario tipo sono stati ideati dallo statunitense Alexander Marshack. Osservando al microscopio le incisioni su alcune opere d'arte, lo studioso riteneva di aver distinto le tracce lasciate dall'uso di differenti strumenti e dall'opera di più di un artista in momenti successivi, e ha chiamato queste composizioni *time-factored* (ossia realizzate in un arco di tempo e non con un solo intervento). Tuttavia, esperimenti condotti su blocchi di pietra usando strumenti simili dimostrano che il medesimo strumento può produrre un'ampia varietà di tracce. Solo da pochi anni, grazie all'uso del microscopio elettronico, gli specialisti sono in grado di riconoscere con un certo grado di attendibilità i segni prodotti da uno stesso strumento (che lascia sottili striature vicino alle linee incise).

Alcune incisioni sugli oggetti dell'èra glaciale formano raggruppamenti o linee. Marshack sostiene da tempo che alcuni di questi segni, come per esempio una serie a spirale su un osso risalente al primo Paleolitico Superiore rinvenuto ad Abri Blanchard, in Francia, siano «notazioni» non aritmetiche utilizzate, forse, nell'osservazione delle fasi della luna e

10.12-13 Placca proveniente da Taï, in Francia, con una serie continua di segni disposti a serpentina. Frammento di osso inciso scoperto a Tossal de la Roca, in Spagna.

per gli eventi astronomici. Le fasi lunari sicuramente fornirono alle comunità paleolitiche uno dei metodi migliori per calcolare il trascorrere del tempo.

Marshack ha inoltre interpretato come una notazione, forse un calendario lunare, un gruppo cumulativo estremamente complesso di più di 1000 brevi incisioni su un osso del Paleolitico Superiore proveniente dalla grotta du Taï nella Francia orientale. Benché questa interpretazione sia molto più plausibile di quella che ne vuole delle semplici decorazioni, alcuni sono rimasti scettici riguardo all'affermazione di Marshack dell'esistenza di notazioni nel Paleolitico. Tuttavia l'analisi del ricercatore italiano Francesco D'Errico di alcune linee parallele su un osso del Paleolitico Superiore proveniente da Tossal de la Roca, in Spagna, ha supportato in maniera decisa il punto di vista di Marshack. D'Errico ha inciso un osso con differenti tecniche e attrezzi indicando dei criteri validi per il riconoscimento delle modalità con cui questi segni sono stati prodotti e se a produrli sia stato un solo attrezzo oppure attrezzi diversi. Con la collega spagnola Carmen Cacho, ha poi applicato questi criteri all'osso di Tossal, che ha quattro serie di linee parallele su ciascuna faccia, arrivando alla conclusione che ciascun insieme di incisioni è fatto da un attrezzo diverso e che i cambiamenti nella tecnica e nella direzione d'uso dell'attrezzo riscontrato tra i diversi insiemi implicano che questi segni siano stati fatti nel tempo e che possano quindi essere un sistema di notazione.

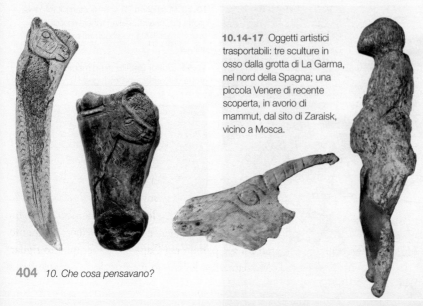

10.14-17 Oggetti artistici trasportabili: tre sculture in osso dalla grotta di La Garma, nel nord della Spagna; una piccola Venere di recente scoperta, in avorio di mammut, dal sito di Zaraisk, vicino a Mosca.

LAVORARE CON I SIMBOLI

Nel paragrafo precedente abbiamo preso in considerazione i diversi modi in cui gli archeologi possono studiare la nascita delle capacità cognitive dell'essere umano. In questo paragrafo e nei successivi valuteremo i metodi dell'archeologia cognitiva applicati a esseri umani che si possono considerare, da un punto di vista anatomico, del tutto moderni. Prima di entrare nei dettagli, vale la pena di delineare l'ambito in cui si muove oggi l'archeologia cognitiva.

A noi interessa studiare **come venivano utilizzati i simboli**. Pretendere di capire il loro significato è forse troppo ambizioso, se ciò presuppone di capire il significato globale che ebbero per chi li utilizzò originariamente. Senza inoltrarci in un'analisi approfondita, possiamo definire il termine «significato» come «relazione tra simboli». In quanto ricercatori, possiamo sperare di stabilire solo alcune delle relazioni originarie tra i simboli osservati, mai tutte.

Nelle pagine che seguono considereremo l'archeologia cognitiva secondo cinque possibili usi diversi dei simboli:

1. Una delle tappe basilari è la **fondazione del luogo**, marcando e delimitando il luogo dell'individuo e quello della comunità, spesso con l'uso di marcatori simbolici e monumenti, quindi costruendo un paesaggio percepito, di solito con una dimensione sia sacra sia secolare, una terra di ricordi.
2. Una tappa cognitiva fondamentale fu lo sviluppo di simboli di **misurazione** (come nelle unità di tempo, lunghezza e peso), che ci aiutano a organizzare i nostri rapporti con il mondo naturale.
3. I simboli ci permettono di affrontare il futuro, in quanto mezzi di **pianificazione**. Ci aiutano a definire con maggior chiarezza le nostre intenzioni, creando modelli per un'azione che intendiamo compiere nel futuro; ne sono un esempio i piani urbanistici.
4. I simboli vengono utilizzati per regolare e organizzare i **rapporti tra gli esseri umani**; il denaro ne è un valido esempio, così come la nozione che certi oggetti materiali abbiano un valore più alto di altri. Al di là di questa categoria di simboli ne esiste poi una più vasta, per esempio i simboli dei gradi nell'esercito, che hanno a che fare con l'esercizio del potere all'interno di una società.
5. I simboli sono utilizzati per rappresentare e cercare di regolare i **rapporti umani con l'Aldilà**, il mondo del sovrannaturale e del trascendente; ciò porta ad affrontare l'intera problematica dell'archeologia della religione e del culto.
6. Soprattutto i simboli possono essere utilizzati per descrivere il mondo attraverso la **raffigurazione**, cioè attraverso l'arte della rappresentazione, come nella scultura o nella pittura.

Senza dubbio esistono altri modi di utilizzare i simboli – la musica può essere imitativa e quindi simbolica (*vedi* Scheda 10.9) – ma l'elenco per sommi capi che abbiamo fornito servirà per cominciare la discussione su come dobbiamo porci per analizzarli. I simboli di raffigurazione ci offrono forse l'opportunità più diretta di guardare in profondità nella mappa cognitiva di un individuo o di una società appartenenti a periodi precedenti l'avvento della scrittura. Nelle comunità alfabetizzate, invece, le parole scritte – quei simboli, solo apparentemente diretti, usati per descrivere il mondo – dominano inevitabilmente le nostre fonti di dati.

La letteratura antica in tutta la sua varietà, dalla poesia e dalla drammaturgia alle dichiarazioni politiche e alle prime narrazioni storiche, offre una visione assai ampia del mondo cognitivo delle grandi civiltà. Per utilizzare queste testimonianze in modo appropriato ed efficace è necessario conoscere alcuni aspetti del contesto sociale in cui veniva usata la scrittura nelle diverse società. Questo è l'argomento del prossimo paragrafo; in seguito ritorneremo alle sei categorie di simboli che abbiamo delineato più sopra.

DALLA FONTE SCRITTA ALLA MAPPA COGNITIVA

La scrittura implica un'importante estensione della mappa cognitiva. I segni di scrittura si sono dimostrati il sistema più efficace mai ideato dagli esseri umani non solo per descrivere il mondo circostante, ma per comunicare con le persone e controllarle, per organizzare la società nel suo insieme e per tramandare alla posterità la conoscenza accumulata nel corso del tempo da una società. A volte si possono distinguere i primordi di questa evoluta mappa cognitiva sotto forma di sistemi di segni che non costituiscono ancora un sistema di scrittura pienamente sviluppato: è il caso dei segni scoperti sulla ceramica della cultura Vinča, sviluppatasi nell'Europa sud-orientale prima del 4000 a.C. La scrittura rongo-rongo dell'Isola di Pasqua, che ci è pervenuta sotto forma di segni su 25 tavolette di legno, è rimasta indecifrata fino a poco tempo fa, quando è stata scoperta una sua chiave di lettura secondo la quale la maggior parte delle iscrizioni sarebbero delle cosmogonie (poemi sulla creazione).

Società ad alfabetismo limitato

L'alfabetismo, anche dove sia stato sviluppato un sistema di scrittura, non è mai una condizione comune a tutti i membri di una comunità e può anzi essere utilizzato per scopi molto limitati. In Mesopotamia e in Mesoamerica sembra che solo la casta degli scribi e forse pochi membri di un'élite minoritaria sapessero leggere e scrivere. Della scrittura mesopotamica si è parlato nel Capitolo 5; per quanto riguarda la Mesoamerica, le iscrizioni compaiono soprattutto su

© 978.8808.82073.0

lastre di pietra, architravi, scalinate e stele, elementi tutti concepiti come monumenti pubblici commemorativi (*vedi* Scheda 10.4). Inoltre, c'è la conoscenza maya conservata nei codici, di cui ne sopravvivono solo quattro. Le iscrizioni si trovano anche su altri oggetti, come la ceramica e le giade, ma in questi casi si tratta di oggetti elitari che non possono costituire una testimonianza valida per sostenere una diffusione generalizzata dell'alfabetismo tra i Maya.

La concettualizzazione della guerra Nel loro studio sul centro maya di Caracol, in Belize (*vedi* Scheda 3.5), Diane e Arlen Chase hanno posto l'attenzione sull'esistenza di quattro geroglifici tra i più importanti che riguardano la guerra che, così sostengono, si riferiscono a differenti tipi di eventi legati alla guerra. Essi sono: (1) «eventi di cattura», forse la cattura di individui per i sacrifici; (2) «eventi di distruzione», che implicano il raggiungimento di alcuni obiettivi; (3) «eventi ascia», che sono stati interpretati come grandi battaglie; (4) *shell-star* o «eventi guerra-stella», in conseguenza dei quali uno stato può interrompere una linea di successione e esercitare il dominio su un altro o liberarsi in una guerra di indipendenza. Un esempio è offerto dal documento epigrafico di Caracol risalente alla tarda èra classica. L'inizio del primo episodio di guerra molto estesa a Caracol è un «evento ascia», probabilmente la battaglia iniziata da Tikal contro Caracol nel 556 d.C. Quindi nel 562 abbiamo una guerra aperta, «guerra-stella», contro Tikal. Segue una evidente assenza, per più di 120 anni, di resoconti storici che presumibilmente sono in relazione con il soggiogamento di Tikal. A parte le interessanti informazioni relative alla storia politica maya, questo studio illustra come la comprensione sempre maggiore dei geroglifici maya ci permette di intuire come i Maya vedessero la propria storia e come distinguessero tra differenti categorie di guerra, forse più chiaramente di come facciamo noi oggi.

L'alfabetismo diffuso della Grecia classica

Contro questi esempi di alfabetismo limitato si possono citare casi in cui l'alfabetismo era invece ampiamente diffuso, come nella Grecia classica. Per la redazione di testi estesi, fossero opere letterarie o resoconti, i Greci usavano il papiro. Testi su papiro sono stati trovati a Pompei e nella depressione del Faiyum, in Egitto, una località caratterizzata da condizioni climatiche particolarmente secche. Per le iscrizioni pubbliche si utilizzava invece la pietra o il bronzo, sebbene gli avvisi di minore importanza venissero esposti su tavole imbiancate (i segni dell'alfabeto greco, estremamente lineari, si prestavano a un tale uso relativamente informale).

Le iscrizioni greche incise su pietra o su bronzo erano di tipi diversi; possiamo ricordarne alcuni:

- Decreti pubblici emanati dall'organismo di governo (Consiglio o Assemblea).
- Riconoscimento di onori a un individuo o a un gruppo da parte dell'organismo di governo.
- Trattati fra stati.
- Lettere inviate da un sovrano a una città.
- Elenchi di tributi imposti a stati tributari.
- Dedicazioni e inventari di proprietà appartenenti a una divinità.
- Regole per la divinazione (interpretazione degli auspici), per esempio dal volo degli uccelli.
- Catasti, registrazioni di capitolati, contratti e pagamenti.
- Avvisi pubblici, come gli elenchi di leva.
- Pietre di confine e di ipoteca.
- Epitaffi.
- Anatemi contro chiunque violasse una certa tomba.

Questo elenco mostra chiaramente quale importante ruolo avesse la scrittura all'interno della democrazia degli stati greci.

Sotto molti aspetti, un'indicazione migliore sia del grado di alfabetismo sia del ruolo della scrittura nella vita quotidiana dei Greci è fornita dai vari manufatti che recano iscrizioni e dai commenti scribacchiati sui muri (graffiti). Un oggetto molto particolare era l'*óstrakon*, una specie di tessera per il voto costituita da un coccio sul quale veniva scritto il nome del candidato per il quale o contro il quale si votava; ne sono stati trovati moltissimi ad Atene dove, tramite appunto la procedura dell'ostracismo, le personalità pubbliche potevano essere mandate in esilio con un voto dell'Assemblea.

Nella Grecia classica la scrittura veniva impiegata anche:

- Su monete, per indicare l'autorità emittente (città).
- Per identificare i personaggi di scene dipinte su vasi o pitture murarie.
- Per «etichettare» i premi aggiudicati nelle competizioni.
- Per «etichettare» le dediche a una divinità.
- Per indicare i prezzi delle merci.
- Come firma di un artista o di un artigiano (*vedi* Scheda 10.7).
- Per indicare l'appartenenza a una giuria (su una tessera di giuria).

10.18 Quattro glifi maya che sono stati identificati come riferiti alla guerra (*da sinistra a destra*): chuc'ah, «cattura»; *ch'ak*, «decapitazione»; *batcaba* o *batelba*, «sguainare un'ascia»; hubi, «distruzione» e «guerra-stella».

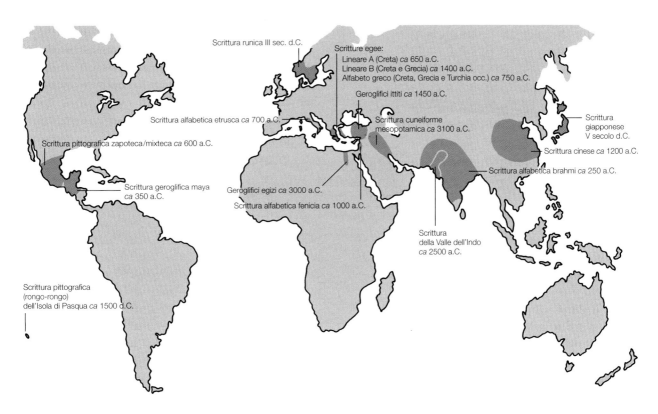

Scrittura runica III sec. d.C.

Scritture egee:
Lineare A (Creta) *ca* 650 a.C.
Lineare B (Creta e Grecia) *ca* 1400 a.C.
Alfabeto greco (Creta, Grecia e Turchia occ.) *ca* 750 a.C.

Geroglifici ittiti *ca* 1450 a.C.

Scrittura cuneiforme
mesopotamica *ca* 3100 a.C.

Scrittura
giapponese
V secolo d.C.

Scrittura alfabetica etrusca *ca* 700 a.C.

Scrittura cinese *ca* 1200 a.C.

Scrittura pittografica zapoteca/mixteca *ca* 600 a.C.

Scrittura alfabetica brahmi *ca* 250 a.C.

Scrittura geroglifica maya
ca 350 a.C.

Geroglifici egizi *ca* 3000 a.C.

Scrittura alfabetica fenicia *ca* 1000 a.C.

Scrittura
della Valle dell'Indo
ca 2500 a.C.

Scrittura pittografica
(rongo-rongo)
dell'Isola di Pasqua *ca* 1500 d.C.

10.19 Scrittura e alfabetismo. La cartina mostra i luoghi dove nacquero le più antiche scritture.

Uruk IV *ca* 3100	Sumerico *ca* 2500	Paleo babilonese *ca* 1800	Neo babilonese *ca* 600 a.C.	SUMERO *Babilonese*
				API *epinnu* aratro
				ŠE *še'u* frumento
				ŠAR *kirû* frutteto
				KUR *šadû* montagna
				GUD *alpu* bue
				KU(A) *nunu* pesce
				DUG *karpatu* anfora

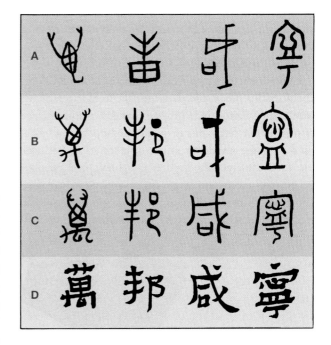

10.20-21 Scrittura e alfabetismo. (*A sinistra*) Evoluzione della scrittura cuneiforme in Mesopotamia. (*Sopra*) Evoluzione della scrittura cinese, che utilizza una frase del cinese classico composta di quattro caratteri «wan pang hsien ming» («Innumerevoli nazioni hanno deposto le loro armi»): (*a*) scrittura oracolare su osso; (*b*) grande sigillo della dinastia Shang; (*c*) piccolo sigillo della dinastia Ch'in; (*d*) scrittura sacerdotale della dinastia Han.

© 978.8808.82073.0

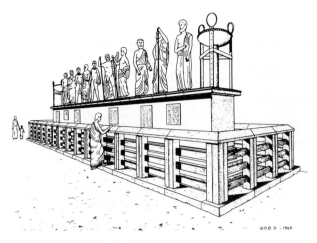

10.22 L'alfabetismo in Grecia. Nell'agorà ateniese gli avvisi pubblici venivano esposti sulla base del monumento degli Eroi Eponimi.

Molte di queste semplici iscrizioni sono particolarmente evocative. Il British Museum possiede un'elegante tazza a figure nere del 530 a.C. circa, prodotta ad Atene e importata a Taranto, che porta l'iscrizione: «Sono il premio di Melousa che vinse la contesa della cardatura».

Da questo breve riassunto si può costatare che la scrittura toccava quasi tutti gli aspetti della vita della Grecia classica, sia privata sia pubblica. L'archeologia cognitiva dell'antica Grecia attinge perciò inevitabilmente ai dati offerti da questa testimonianza letteraria; questo apparirà ancora più esplicito ed evidente quando esamineremo i procedimenti per l'identificazione degli esseri soprannaturali nell'arte e dei singoli artisti.

Non dobbiamo tuttavia immaginare che l'archeologia cognitiva dipenda *necessariamente* dalle fonti letterarie per formulare o verificare le proprie teorie: le testimonianze testuali sono effettivamente di enorme importanza nell'aiutarci a capire i modi di pensiero delle società alfabetizzate ma, come abbiamo visto e vedremo tra breve per il Paleolitico, esistono anche fonti di tipo esclusivamente archeologico che possono essere utilizzate per creare ipotesi cognitive, e criteri puramente archeologici per giudicare la loro vali-

dità. Inoltre, come abbiamo visto nel Capitolo 5, le fonti scritte stesse possono essere state influenzate in modi che devono essere valutati a fondo prima di qualsiasi tentativo di sposare tali fonti con le informazioni provenienti dal dato archeologico.

FONDAZIONE DI UN LUOGO: LA LOCALIZZAZIONE DELLA MEMORIA

Uno degli aspetti fondamentali della mappa cognitiva di un individuo è la fondazione di un luogo, spesso attraverso la creazione di un nucleo centrale che in un insediamento permanente è probabilmente il cuore della propria casa, la *domus* per usare un termine impiegato da Ian Hodder. Per una comunità, un altro luogo significativo è probabilmente il sepolcro degli antenati, sia interno alla casa sia come luogo comune di sepoltura o come tempio. Per una comunità più larga, sedentaria o nomade, possono esserci alcuni luoghi di incontro comuni, un centro dedicato a incontri periodici. Questi sono temi di profonda importanza; come ha scritto Mircea Éliade: «per vivere in un mondo un individuo ha bisogno di costruirlo... Installarsi all'interno di un territorio è equivalente alla fondazione di un mondo» (Éliade 1965, 22). Questo posto centrale sacro sarà l'*axis mundi*, l'asse centrale del mondo e probabilmente del cosmo.

Questi vari elementi, alcuni dei quali sono delle costruzioni deliberatamente simboliche, mentre altri sono dei lavori più funzionali ma percepiti come aventi significato – la casa, la terra agricola coltivata, il pascolo – costituiscono insieme un paesaggio costruito nel quale l'individuo vive. Come hanno evidenziato gli archeologi interpretativi che lavorano nella tradizione postprocessuale, questo paesaggio struttura l'esperienza e la visione del mondo dell'individuo. Queste osservazioni possono essere applicate con uguale efficacia sia a società su piccola scala sia alle società-stato. Come il geografo Paul Wheatley ha segnalato nel suo *The Pivot of the Four Quarters* (1971), molte grandi città, dalla Cina alla Cambogia, dallo Sri Lanka ai Bassopiani dei Maya e al Perú sono stati disegnati su princìpi cosmici, permettendo al regnante di assicurare armonia tra i suoi sudditi e le predominanti forze soprannaturali. Il centro sacro, inoltre, può essere importante anche in più piccole società senza capo e sembra che molte di queste, che hanno avuto una struttura corporativa piuttosto che un capo centrale potente, siano state quelle capaci dei lavori pubblici più importanti: i templi di Malta e i centri megalitici di Carnac e delle Isole Orcadi ne sono buoni esempi, così come Stonehenge (*vedi* Scheda 5.4) e Chaco Canyon. La «cattedrale» preistorica del sito di Ness of Brodgar (*vedi* Scheda 10.3), nelle Orcadi, ne è scoperta recente. Questi monumenti possono essere anche usati per strutturare il

10.23 Cocci (*óstraka*) sui quali sono incisi due nomi greci famosi: *a sinistra*, Temistocle; *sopra*, Pericle.

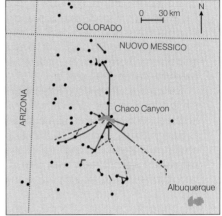

10.24-25 (*A sinistra*) Pueblo Bonito è uno dei siti più impressionanti di Chaco. (*Sotto*) Mappa del sistema di strade attorno al Chaco Canyon, una rete di percorsi processionali che connetteva i luoghi con maggiore valenza simbolica.

tempo (*vedi* Newgrange, più avanti) e possono essere utili per facilitare l'accesso all'altro, sacro, mondo.

Questi princìpi valgono anche a livello locale e non solo a livello dei grandi centri. In questo modo l'intera area di campagna diventa un complesso di paesaggi costruiti con un significato che va oltre l'utilità: un'immagine, seppur poetica, tuttavia evocata correttamente nel caso degli Aborigeni australiani da Bruce Chatwin nel suo libro *The songlines* [*Le vie dei canti*] (1987). Il paesaggio è composto da luoghi che conservano la memoria, e la storia della comunità è raccontata in riferimento a luoghi significanti.

L'archeologia del paesaggio, quindi, ha una dimensione cognitiva che la porta ben al di là degli interessi riguardanti l'uso del terreno produttivo, caratteristico di un approccio puramente materialista: il paesaggio ha anche un significato sociale e spirituale oltre che utilitaristico. Riprendendo concetti precedenti dell'archeologia del paesaggio, queste idee sono state ben sviluppate in Gran Bretagna dagli archeologi postprocessuali di quella che potremmo chiamare la «scuola Neo-Wessex» (poiché il Wessex è l'area dell'Inghilterra meridionale nella quale sono situati molti monumenti del primo periodo agricolo). Utilizzando una varietà di approcci, tra i quali la fenomenologia di Heidegger e la teoria della strutturazione di Giddens, essi hanno riconsiderato l'approccio archeologico al paesaggio e ai suoi monumenti, spesso utilizzando proprio i monumenti nel Wessex e nelle Orcadi come primo esempio, e questa letteratura (*vedi* bibliografia) costituisce il corpo più ampio

di lavoro sviluppato dalle archeologie post-processuali o interpretative degli anni Novanta del secolo scorso (*vedi* anche il paragrafo «L'archeologia dell'individuo e dell'identità» nel Capitolo 5).

Il paesaggio e i suoi monumenti sono visti non solo riflettere la struttura sociale della società, ma, facendo vivere nuove percezioni sul posto dell'essere umano nel mondo, come facilitanti l'emergere di un nuovo ordine sociale. Approcci simili sono stati utilizzati nel mondo classico: antichi Greci posizionarono i loro primi templi in modo da strutturare oltre che seguire il sorgere delle città-stato greche.

Anche il deserto può diventare un paesaggio costruito, come documentano le strade attorno al Chaco Canyon nel sud-ovest dell'America; in effetti sarebbe corretto vedere il Chaco Canyon come un centro rituale e non un paesaggio simbolico come veniva considerato prima. È stato mostrato, per esempio, che l'importante sito delle Rovine azteche si trova a 112 km esattamente a nord di Chaco, anche se il suo periodo di splendore venne dopo il declino di Chaco nel XII secolo d.C., mentre l'importante sito di Casas Grandes, anch'esso risalente al periodo di declino di Chaco, si trova esattamente a sud. La Grande Strada del Nord corre a una certa distanza esattamente a nord di Chaco, anche se non arriva fino alle Rovine azteche, ed è poco probabile che le «strade», molte delle quali sono state riscoperte dalla fotografia aerea, siano state costruite con una finalità pratica: esse sono strade rituali o destinate a processioni.

Ness of Brodgar, cuore cerimoniale delle Orcadi

La scoperta di Nick Card (*University of the Highlands e Islands Archaeology Institute*) del recinto di pietra del tardo Neolitico presso il Ness of Brodgar – sulla striscia di terra (*ness*) che, nelle isole Orcadi, separa il lago di Harray dal lago di Stenness, tra i grandi cerchi di pietra del Ring of Brodgar e le Stones of Stenness –, chiarisce il ruolo cruciale di questa area. Il recinto, di circa 125 × 75 m, con i suoi bellissimi muri di pietra a secco (il muro nord arriva fino a 6 m di spessore) è impressionante anche oggi, e deve aver fatto grande impressione al visitatore o al pellegrino anche 5000 anni fa.

Dentro il recinto si trova una serie di strutture di pietra che sono state provvisoriamente interpretate come luoghi per le grandi riunioni. Almeno una di queste sembra aver avuto una copertura di lastre della locale arenaria, così facilmente reperibile nelle Orcadi. Alcune pietre erano decorate con incisioni – se ne sono contate parecchie centinaia – e altre avevano una semplice decorazione dipinta. Nella Struttura 8 sono stati scoperti oggetti non comuni, quali il dente (osso, fanone) di una grande balena, parecchi oggetti di pietra levigata, e una mazza di stecche di balena (*whalebone mace head*).

In una fase successiva, questo complesso era stato ampliato con la grande Struttura 10 in pietra, di 20 × 19 m che

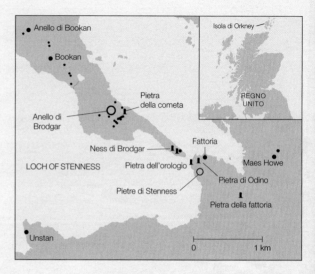

10.26 Localizzazione del Ness of Brodgar all'interno del vasto paesaggio del Neolitico nelle isole Orcadi.

aveva muri spessi 4 m, e, al centro, una lastra di pietra quadrata per i fuochi: assomiglia ad altre costruzioni del Tardo Neolitico delle Orcadi ma in scala maggiore. Il suo allineamento con la grande tomba a camera di Maeshowe, a meno di 2 km, l'inserimento di pietre erette, i suoi elementi artistici (incisioni su pietra, pietre con coppelle), la rendono qualcosa di speciale. Forse era il luogo di riunioni più importante del complesso, con diverse funzioni cerimoniali: una «cattedrale» nel cuore di un paesaggio rituale.

10.27 Il Ring of Brodgar.

10.28 Gli scavi al Ness of Brodgar, in una vista verso le Stones of Stenness, a sud-est.

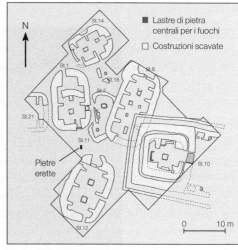

Legenda:
- ■ Lastre di pietra centrali per i fuochi
- □ Costruzioni scavate

10.29 (*A sinistra*) La Struttura 10, vista dell'alto.

10.30 (*Sopra*) Planimetria degli scavi nel sito neolitico di Ness of Brodgar.

10.31 (*Sotto*) Un reperto di ceramica scanalata.

All'esterno, la Struttura 10 è circondata da un passaggio lastricato, al di sopra del quale è stato trovato un cospicuo strato di ossa formato da resti di parecchie centinaia di capi di bestiame, tutti abbattuti in un'unica occasione. Questa ecatombe – temine che veniva usato dagli antichi Greci per definire il sacrificio di cento buoi offerti agli dei –, potrebbe aver accompagnato lo smantellamento di questa struttura, la principale dell'ultima fase, intorno al 2300 a.C.

La ceramica proveniente da qui è soprattutto del tipo Grooved Ware (ceramica scanalata), nelle sue varie declinazioni locali, confermando così l'ipotesi che il sito avesse una valenza regionale. I test al carbonio fanno pensare che questo tipo di ceramica, largamente ritrovata negli scavi in Gran Bretagna, abbia avuto origine nelle Orcadi e, pertanto, che il centro cerimoniale di Brodgar possa aver goduto di ampia notorietà.

10.32 (*Sotto a sinistra*) Lo strato di ossa all'esterno della Struttura 10 durante lo scavo.

10.33 (*Sotto a destra*) Ricostruzione dell'aspetto del Ness of Brodgar nel periodo di massimo splendore.

© 978.8808.82073.0

10.34 Le sbalorditive Linee di Nazca (Perú, I millennio d.C.), tracciate rimuovendo ciottoli e pietre (contenenti ossido di ferro) dalla superficie desertica. Questo geoglifo rappresenta un ragno.

Alcuni studi hanno anche mostrato che l'allineamento di alcune Grandi Case di Chaco era collegato ai punti notevoli del corso del sole e della luna. Le grandi stanze circolari o *kivas* al loro interno erano chiaramente adibite a fini cerimoniali e a Chetro Ketl una impressionante gamma di manufatti lignei dipinti danno un'idea degli accessori decorativi e rituali che possono essere stati utilizzati, suggerendo delle analogie con l'utilizzo tuttora vivo delle *kivas* nei villaggi Pueblo del sud-est.

Anche le linee e le figure nel deserto Nazca del Perú meridionale ci offrono una straordinaria visione della mappa cognitiva di un popolo scomparso. Le ricognizioni archeologiche sul campo e le fotografie aeree odierne sono dirette tanto alla reinterpretazione dell'esperienza del paesaggio antico quanto alla ricostruzione del suo utilizzo pratico.

MISURARE IL MONDO

Un aspetto della mappa cognitiva che possiamo ricostruire senza difficoltà è il modo in cui essa si pone nei confronti della misurazione o descrizione quantitativa. Lo sviluppo delle unità di misura è stato una tappa cognitiva fondamentale; in molti casi se ne possono recuperare le caratteristiche attraverso testimonianze dirette o indirette, soprattutto nel caso di unità di tempo, lunghezza e peso.

Unità di tempo

La possibilità che la misurazione del tempo si sia sviluppata nel Paleolitico Superiore è stata già prospettata nella Scheda 10.2 dedicata all'arte paleolitica. Per giudicare l'eventuale misurazione del tempo in qualsiasi epoca, si deve identi-

ficare un sistema di notazione che presenti una regolarità in stretta relazione con quella dei movimenti dei corpi celesti, oppure una chiara testimonianza di osservazioni astronomiche. Il primo caso è splendidamente documentato dai calendari delle civiltà mesoamericane, riportati nelle iscrizioni sulle loro stele e nei loro codici (*vedi* Scheda 4.1).

È stato affermato che edifici e monumenti costruiti in molti siti della Mesoamerica erano allineati secondo importanti eventi astronomici, come per esempio il sorgere del sole al solstizio d'estate. Questo aspetto è stato

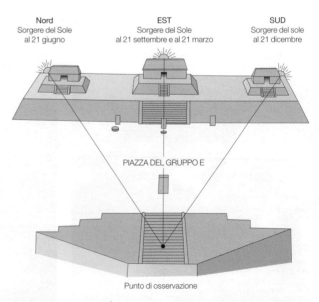

Nord
Sorgere del Sole
al 21 giugno

EST
Sorgere del Sole
al 21 settembre e al 21 marzo

SUD
Sorgere del sole
al 21 dicembre

PIAZZA DEL GRUPPO E

Punto di osservazione

10.35 La misurazione del tempo: nel sito maya di Uaxactún, in Messico, gli edifici erano collocati in modo da poter registrare con esattezza il sorgere del Sole agli equinozi e ai solstizi.

indagato da un punto di vista quantitativo da Alexander Thom nei circoli megalitici britannici. Sebbene alcuni particolari delle asserzioni di Thom riguardo a singoli circoli megalitici siano stati messi in dubbio, il quadro globale rende plausibile un interesse particolare per tali eventi del calendario. Nelle Americhe, l'archeoastronomo Anthony Aveni ha lavorato moltissimo per dimostrare che le civiltà andine e mesoamericane determinavano l'orientamento di molti dei loro più importanti edifici secondo allineamenti astronomici. Lo scienziato ha mostrato, per esempio, che l'allineamento est-ovest della grande strada di Teotihuacán (*vedi* pp. 86-87) è orientato sul levare eliaco delle Pleiadi (l'epoca in cui queste stelle diventano visibili all'alba nella regione dell'orizzonte in cui sta per sorgere il Sole), un evento astronomico cui era attribuita una certa importanza all'interno della cosmologia mesoamericana.

Il sito maya di Uaxactún offre un altro esempio nel quale la disposizione di una serie di tre edifici sul lato orientale della piazza indica la posizione del sorgere del Sole (visto dal lato occidentale della piazza) rispettivamente al solstizio d'estate (nord), al solstizio d'inverno (sud) e ai due equinozi (centro).

Unità di lunghezza

Esistono metodi statistici per valutare l'affermazione che in una data serie di edifici o monumenti era utilizzata un'unità di lunghezza campione. Il test statistico basato sul cosiddetto «criterio di Broadbent» consente di ricercare tale campione di unità di misura dai dati senza conoscere o congetturare in anticipo quale sia; il test fornisce anche una misura della probabilità che una certa unità di lunghezza scoperta in questo modo non sia solo il prodotto del caso, privo di alcuna reale corrispondenza.

Il «criterio di Broadbent» è stato utilizzato per verificare l'affermazione di Alexander Thom che nella costruzione dei circoli di pietra neolitici delle Isole Britanniche era utilizzata la cosiddetta «iarda megalitica». Affermazioni analoghe sono state fatte per le unità di misura utilizzate nella costruzione dei palazzi minoici, per gli edifici maya e, in realtà, per le costruzioni di molte altre civiltà. In Egitto sono state effettivamente trovate aste per misurazione.

Unità di peso

L'esistenza di misure di peso può essere dimostrata dalla scoperta di oggetti di forma standard che sono multipli di una quantità ricorrente (in peso), che possiamo assumere come unità campione. Tali ritrovamenti sono stati fatti anche per molte civiltà primitive. Le osservazioni sono talvolta avvalorate dalla scoperta di segni particolari sugli oggetti stessi, che indicano con precisione quante volte il peso dell'oggetto è maggiore del peso del campione. I sistemi di coniazione sono sempre graduati in base a

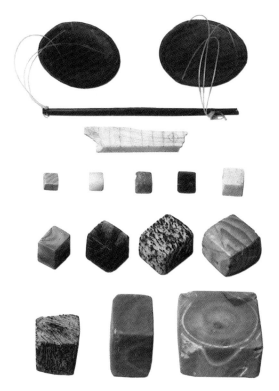

10.36 Unità di peso: a Mohenjodaro, in Pakistan, si fabbricavano cubi di pietra multipli di 0,836 g. I piatti di bilancia ci indicano a quale uso pratico fossero destinati quei cubi.

misure di peso, oltre che in base al materiale usato (oro, argento ecc.), sebbene lo scopo delle monete sia quello di misurare differenze in valore, come diremo in un successivo paragrafo. Più direttamente pertinenti al nostro caso sono le scoperte di veri e propri pesi.

Un eccellente esempio viene dal sito di Mohenjodaro, un'importante città della civiltà della Valle dell'Indo fiorita intorno al 2500-2000 a.C. Vi furono trovati cubi di pietra colorata, belli e lavorati con molta cura; il loro studio ha dimostrato che si tratta di multipli di quella che possiamo riconoscere come una unità di peso costante (nominalmente 0,836 g), moltiplicata per numeri interi come 1 o 4 o 8 fino a 64, poi 320 e 1600. Questa semplice scoperta indica diverse circostanze:

1. La società in questione aveva sviluppato un concetto equivalente al nostro concetto di peso.
2. L'esistenza di questo concetto implicava l'uso di unità di misura, e quindi il concetto di misura modulare.
3. Esisteva un sistema di numerazione, che implicava categorie numeriche gerarchiche (per esempio decine e unità), in questo caso, a quanto pare, basate sul rapporto fisso 16:1.
4. Il sistema di unità di peso era usato per scopi pratici (come indica il ritrovamento di alcuni piatti di bilancia), e costituiva un metodo di misurazione per rappresentare il mondo quantitativamente, oltre che qualitativamente.

© 978.8808.82073.0

5. Probabilmente esisteva una nozione di equivalenza, sulla base del peso, tra materiali diversi (a meno che non si ipotizzi la pesatura di oggetti di un certo materiale per confronto con altri dello stesso materiale), e quindi un rapporto di valore tra essi.

6. Questo supposto concetto di valore potrebbe aver implicato un certo tasso di scambio costante tra i beni. (Il concetto di valore è ulteriormente esaminato in un paragrafo successivo).

I punti 5 e 6 hanno, rispetto agli altri, un carattere più ipotetico che reale; nell'insieme però tutti questi punti rappresentano un buon esempio di come scoperte che a prima vista possono sembrare banali possano invece, allorché sottoposte ad analisi, dare importanti informazioni sui concetti e le procedure proprie delle comunità che si stanno indagando.

LA PIANIFICAZIONE: MAPPE PER IL FUTURO

La mappa cognitiva che ognuno di noi porta nell'«occhio della mente» ci consente di farci un'idea di ciò che stiamo provando a fare, di formulare un piano prima di metterlo in pratica. Solo molto raramente l'archeologo scopre un documento materiale così esplicito da consentire di capire subito come il piano fu realizzato. A volte, però, il prodotto è talmente complesso o sofisticato che possiamo ipotizzare con certezza l'esistenza di un piano, o di una procedura formalizzata, preparato in anticipo.

Ovviamente è difficile dimostrare una pianificazione intenzionale, se con questa espressione si intende la formulazione preliminare di un piano consapevole per la costruzione di una certa opera. A prima vista, la struttura di un villaggio come Çatalhöyük in Turchia (circa 6500 a.C.), o di un settore di un'antica città sumera come Ur (circa 2300 a.C.), suggerisce una pianificazione preliminare. Se però osserviamo la maniera in cui avvengono diversi processi naturali, ci rendiamo conto che possono verificarsi effetti di altissima regolarità semplicemente attraverso la ripetizione all'interno di uno schema ben definito. Non è necessario supporre che i polipi in una scogliera madreporica o le api operaie in un alveare operino secondo un piano consapevole: semplicemente procedono nel loro lavoro, secondo un procedimento innato. Le planimetrie di Çatalhöyük e di Ur potrebbero non essere più sofisticate di quegli esempi offerti dalla natura. Per dimostrare una pianificazione di partenza è necessario avere chiare testimonianze che lo schema di costruzione era immaginato e previsto fin dal principio; una simile prova è raramente disponibile. Sono giunte fino a noi alcune planimetrie dalla preistoria o da periodi storici molto antichi, ma è probabile che la maggior parte di esse siano rappresentazioni di costruzioni già

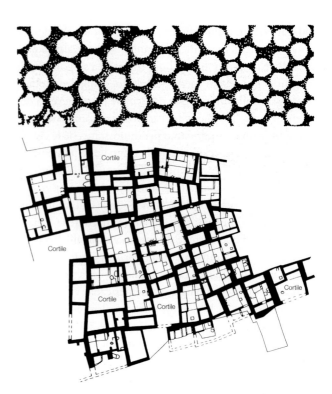

10.37 La struttura del villaggio di Çatalhöyük potrebbe essere stata pianificata con consapevolezza non maggiore di quella necessaria per costruire le celle di un alveare (*in alto*).

esistenti piuttosto che i progetti per realizzarne altre. Solo raramente troviamo modelli di edifici che potrebbero essere stati realizzati prima della costruzione degli edifici stessi. Sull'isola di Malta esistono cinque o sei modelli di templi neolitici che potrebbero effettivamente rappresentare un progetto; di certo mostrano grande attenzione per il dettaglio architettonico.

Queste proiezioni dirette in forma simbolica della mappa cognitiva del progettista sono molto rare. Prove realizzate da scultori e modelli, quali ne sono stati trovati nell'antica città egizia di Tell el-Amarna, sono scoperte altrettanto insolite.

Una strategia alternativa è quella di cercare la maniera per dimostrare che le regolarità osservate nel prodotto finito sono tali che non possono essere nate per caso. Ne è un esempio la tomba a corridoio di Newgrange in Irlanda, datata al 3200 a.C. circa. Al levare del Sole al solstizio d'inverno, i raggi solari percorrono il corridoio d'accesso della tomba andando a illuminare la camera sepolcrale. È molto improbabile che sia stato frutto del caso l'orientamento approssimato, in azimut, del corridoio verso il levare e il tramonto del Sole a uno dei due solstizi. Ma è anche molto improbabile che sia stato il caso a determinare l'altezza del corridoio rispetto al piano orizzontale. In realtà, l'ingresso della tomba è sormontato da un'apertura rettangolare, delimitata da pietre opportunamente disposte, che sembra fatta di proposito per lasciare passare i raggi solari al solstizio d'inverno.

© 978.8808.82073.0

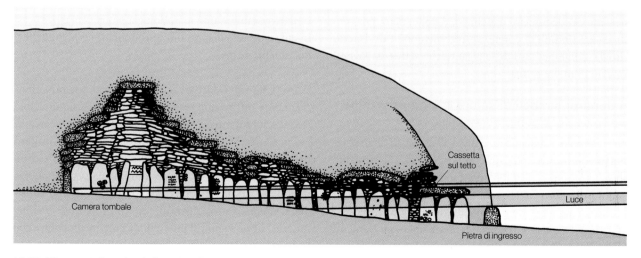

10.38 La regolarità nella planimetria della città di Mohenjodaro, nella Valle dell'Indo – caratterizzata da strade principali approssimativamente ortogonali –, fa pensare a una pianificazione urbanistica.

Spesso l'esistenza di un'accurata pianificazione può essere dedotta dai metodi impiegati in un particolare processo artigianale. Qualsiasi oggetto di metallo realizzato con il metodo della cera persa (*vedi* Capitolo 8) rappresenta senza dubbio il risultato di una sequenza complessa, controllata e pianificata, che prevedeva che la figura desiderata venisse plasmata nella cera prima che vi fosse costruita intorno la forma d'argilla, la quale rendeva possibile che la figura in questione fosse fusa in bronzo o in oro. Un altro esempio è la standardizzazione, presso molte comunità primitive che facevano uso di metalli, delle percentuali dei diversi metalli in oggetti realizzati in lega. Il 10% di stagno costantemente presente in oggetti di bronzo della prima Età del bronzo in Europa non è fortuito: è senza dubbio il risultato di procedimenti attentamente controllati che sono il risultato di prove ed esperimenti condotti per generazioni. Anche l'uso di un'unità di lunghezza documenta una qualche forma di pianificazione.

La perfetta regolarità della planimetria, con una rete di strade ortogonali equidistanti, è una prova convincente di pianificazione urbanistica. Tradizionalmente si ritiene che l'architetto greco Ippodamo da Mileto (VI secolo a.C.) sia stato il primo urbanista; in realtà, l'antico Egitto ci fornisce esempi assai più antichi, come quello del villaggio operaio di Tell el-Amarna, che data al XIV secolo a.C. Anche i centri urbani della civiltà della Valle dell'Indo, fiorita intorno al 2000 a.C., mostrano alcuni elementi di grande regolarità: pur non sviluppandosi all'interno di una rete completamente rettilinea, le principali arterie stradali si intersecano pressoché ortogonalmente. Quanto questo sia frutto di una pianificazione intenzionale e quanto, invece, dipenda semplicemente da una crescita urbana non pianificata sono questioni non ancora indagate con sistematicità.

Un caso più sicuro di pianificazione urbanistica intenzionale si può riconoscere quando l'asse principale di una città è allineato su un elemento significativo sotto l'aspetto astronomico, come si è già ricordato nel paragrafo dedicato alla misurazione del mondo e ai grandi centri andini e mesoamericani. Il geografo Paul Wheatley, nel suo autorevole libro *The Pivot of the Four Quarters* (1971), ha sostenuto che il desiderio di armonizzare l'ordine urbano con l'ordine cosmico ha influenzato la pianificazione delle città. Questo sembra essere vero non solo per le civiltà americane, ma anche per quelle dell'India, della Cina e del Sud-Est asiatico. Questa tesi viene rafforzata dai casi in cui oltre alla regolarità urbanistica si trova una ricca iconografia cosmica, come in certe città quali Angkor, capitale dell'impero Khmer, nella moderna Cambogia.

Fino a oggi nessun archeologo ha tentato di stilare un elenco dettagliato del numero minimo di passaggi procedurali che devono essere stati pianificati in anticipo, prima di cominciare a costruire opere di grande impegno. Ovviamente, come nel caso degli artigiani specializzati a cui era affidata

10.39 Allineamento intenzionale: i raggi del Sole al solstizio d'inverno illuminano il corridoio e la camera della tomba di Newgrange, in Irlanda.

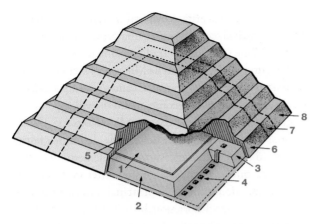

10.40 Un esempio di modifica del progetto: la piramide a gradoni di Saqqara: (*1-3*) piattaforme esistenti prima della costruzione della piramide; (*4*) pozzi per raggiungere le tombe sussidiarie; (*5*) muri di sostegno; (*6*) piramide a quattro gradoni; (*7, 8*) piramide ingrandita a sei gradoni.

la costruzione di molte cattedrali medievali, i costruttori potrebbero aver fatto affidamento anche sulle abilità e sulle valutazioni esercitate man mano che si dovevano prendere decisioni, piuttosto che su un progetto elaborato.

Si conoscono anche esempi di varianti di progetto durante la fase costruttiva; la grande piramide a gradoni del re Djoser a Saqqara, datata al 2640 a.C., la più antica delle più importanti piramidi egizie, fu chiaramente il prodotto di numerosi cambiamenti o sviluppi di progetto da parte del suo leggendario creatore, Imhotep. (Il suo nome ci è stato tramandato da testi scritti, ma la nostra conoscenza della costruzione è frutto dello studio diretto del monumento.)

SIMBOLI DI ORGANIZZAZIONE E DI POTERE

I simboli vengono utilizzati per regolare e organizzare sia le persone sia il mondo materiale. Essi possono semplicemente trasmettere informazioni da una persona all'altra, come con il linguaggio, oppure da un'epoca all'altra, come nel caso dei documenti d'archivio. A volte, però, possono diventare simboli di potere, di sottomissione e di rispetto rituale, come nel caso delle gigantesche statue di sovrani trovate in molte civiltà.

Il denaro: simboli di valore e organizzazione nelle società complesse

Nel Capitolo 5 abbiamo accennato all'esistenza di un sistema di conto come indicatore importante di una struttura sociale complessa. I simboli usati in un sistema di conto – simboli di valore, come quantità standardizzate di materiali preziosi o monete – sono manufatti di natura sia sociale sia cognitiva, in quanto riflettono il modo in cui gli elementi controllati dell'economia sono concettualizzati all'interno della mappa cognitiva comune della società.

La moneta esemplifica meglio di qualsiasi altra cosa questa realtà. Alla moneta si è accennato, in un paragrafo precedente, come a un sistema di misurazione, ma in realtà è molto più di questo: essa rappresenta la prova che noi viviamo in un mondo di beni che possono essere quantificati e scambiati contro altri beni, spesso in un mercato. La moneta rappresenta anche il riconoscimento che ciò viene fatto usando un mezzo artificiale di scambio, vale a dire oro, argento o bronzo (se la moneta è di tipo metallico), per mezzo del quale si può esprimere il valore di altri beni. Il mezzo di scambio, e in particolare la moneta metallica, la cui forma viene determinata da un'autorità emittente, è un mezzo di comunicazione secondo soltanto alla scrittura. In tempi più recenti, la moneta fiduciaria e oggi i valori mobiliari (obbligazioni e azioni) possono essere considerati sviluppi di significato analogo, indispensabili al funzionamento di un'economia capitalistica.

L'identificazione dei simboli di valore e di potere nella preistoria

L'esistenza di scale di valore in economie non monetarie è più difficile da dimostrare, sebbene molti studi archeologici abbiano provato a farlo. Robert Mainfort si è servito per una simile indagine di un resoconto etnografico del XVIII secolo riguardante il commercio di pellicce nel Nord America. Questo resoconto, un elenco datato 1761 e relativo agli scambi commerciali che si svolgevano a Miami, Ohio, specificava in dettaglio il valore di certi prodotti in termini di pelli di castoro (per esempio, 1 fucile = 6 pelli di castoro). In base a questa specie di tavola di concordanza, Mainfort ha assegnato un valore ai beni ritrovati nelle sepolture di Fletcher Site, un cimitero indiano di epoca storica e in parte contemporanea situato nel Michigan (*vedi* anche Capitolo 12). L'analogia desunta dal documento etnografico ipotizza, però, che i valori operanti a Fletcher Site fossero gli stessi registrati a Miami, molte centinaia di chilometri più a sud; ciò può essere ragionevole, ma non ci aiuta a stabilire una metodologia più generale per i casi in cui non siano disponibili testimonianze etnografiche o documenti scritti.

L'oro di Varna I dati archeologici da soli possono effettivamente offrire una testimonianza delle scale di valore riconosciute nel passato, come ha mostrato la ricerca di Colin Renfrew sull'analisi dei rinvenimenti del cimitero del tardo Neolitico a Varna, in Bulgaria, datato a partire dal 4000 a.C. circa. Nel cimitero furono scoperti numerosi manufatti d'oro che costituiscono quello che può considerarsi il più antico ritrovamento di oro conosciuto nel mondo. Tuttavia non si può semplicemente ipotizzare che l'oro avesse un alto valore (la sua relativa abbondanza nel cimitero potrebbe significare esattamente il contrario).

10.41 Deduzione delle scale di valore: nelle sepolture di Varna, in Bulgaria, l'alto valore dell'oro è indicato, tra le altre cose, dalla sua utilizzazione per decorare parti importanti del corpo.

dato uno sguardo ai materiali diversi dall'oro ai quali presso differenti società era attribuito un valore di prestigio (*vedi* Scheda 9.2).

La dimostrazione che gli oggetti d'oro erano considerati di altissimo valore dalla società di quel periodo in Bulgaria implica anche che gli individui con i quali erano associati gli oggetti d'oro avessero un alto status sociale. L'importanza delle sepolture come fonte di informazioni per valutare lo status e la gerarchia sociale è stata già valutata nel Capitolo 5. Qui siamo più interessati all'uso dei corredi funebri, come le asce coperte d'oro di Varna e altre scoperte, come **simboli di autorità e di potere**. L'esibizione di tale autorità non è molto marcata in una società come quella di Varna, ma diventa più appariscente quando la società si fa più gerarchica e stratificata.

I simboli del potere nelle società gerarchizzate

La tomba di un capo del VI secolo a.C. a Hochdorf, nella Germania occidentale (*vedi* Capitoli 5 e 12), era accompagnata da un ricco corredo che simboleggiava la sua ricchezza e autorità. Nelle vicinanze di una tomba principesca simile a Glauberg (nei pressi di Francoforte) è stata ritrovata una statua di pietra calcarea a grandezza naturale di un capo, che portava dei braccialetti sulle braccia e una collana metallica simili a quelli ritrovati nella tomba; assieme c'erano anche una spada e uno scudo. Gli archeologi riconoscono al giorno d'oggi che il corredo funebre nelle sepolture è scelto per dare una rappresentazione o «costruzione» dell'identità dell'individuo deceduto. In questo caso abbiamo un'ulteriore costruzione di questo tipo tramite la

Tre argomenti, comunque, possono essere avanzati per sostenere la conclusione che l'oro in questo caso aveva un grande valore:

1. Era usato per manufatti a carattere evidentemente simbolico: per esempio per decorare l'impugnatura di un'ascia litica perforata la quale, per la sua fine decorazione e fragilità, non era evidentemente destinata a essere adoperata.
2. Era usato per ornare parti del corpo particolarmente importanti, per ornare il viso o per l'astuccio penico.
3. Era usato nella simulazione: una lamina d'oro era servita per coprire un'ascia di pietra e dare quindi l'impressione che fosse d'oro massiccio; un tale procedimento indica solitamente che il materiale nascosto è meno prezioso di quello usato come rivestimento.

Elementi indicativi come questi devono essere sviluppati, se vogliamo capire meglio la formulazione di concetti quali valore «intrinseco» (che è poi una definizione non appropriata, visto che il «valore» dei materiali preziosi è attribuito anziché intrinseco). Nel Capitolo 9 abbiamo

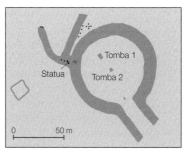

10.43

10.42-43 Statua a grandezza naturale di un sovrano, ritrovata vicino alla tomba principesca del VI secolo a.C. a Glauberg, in Germania. La tomba conteneva braccialetti e una collana metallica simile a quella raffigurata sulla statua.

10.4 I simboli del potere presso i Maya

Negli ultimi trent'anni la nostra conoscenza degli antichi Maya si è ampliata notevolmente in seguito a quella che è stata chiamata «l'ultima grande decifrazione» di una scrittura sconosciuta. In precedenza conoscevamo parecchi aspetti relativi ai Maya, ricavati soprattutto dalle loro città e dai monumenti che recano complicate iscrizioni.

Il soggetto delle iscrizioni (glifi) non era stato però ben compreso. Nel 1954 il grande studioso della civiltà maya Sir Eric Thompson scriveva: «per quanto si sa, i testi geroglifici del Periodo classico trattano solo del passare del tempo e di questioni astronomiche... non sembra che abbiano a che fare con gli esseri umani... A quanto pare nessun personaggio di allora è identificato con il suo glifo/nome». Nel 1960 Tatiana Proskouriakoff (*vedi* Scheda 1.5), della Carnegie Institution di Washington, pubblicò un articolo nel quale identificava i sovrani di una specifica dinastia maya, e da quel momento i glifi che indicano persone (solitamente sovrani) e luoghi sono stati identificati con ritmi sempre più rapidi. In effetti oggi è possibile rovesciare l'affermazione di Thompson. La *maggior parte* delle stele maya sono ora considerate testi che commemorano eventi che ebbero luogo durante il regno di sovrani che sono quasi sempre identificati con il proprio nome. Sulla scorta delle intuizioni dello studioso sovietico Yuri Knorosov sappiamo anche che i glifi hanno un valore fonetico: essi rappresentano suoni, non concetti (come gli ideogrammi veri e propri), e quindi la lingua. In questo campo si sta compiendo un progresso sorprendente.

Per la prima volta l'archeologia dei Maya si può avvalere a pieno titolo di testi scritti, come l'egittologia e l'archeologia delle altre grandi civiltà alfabetizzate. Prima della decifrazione dei glifi disponevamo dei documenti dei primi storici spagnoli giunti in Messico, tra i quali Diego de Landa. Sebbene scrivessero sei secoli dopo la fine del Periodo classico, quegli studiosi furono in grado di attingere a molte conoscenze sopravvissute nel Periodo post-classico. Oggi la decifrazione delle iscrizioni delle stele ci offre il beneficio di una doppia letteratura: quella dei Conquistadores spagnoli e quella degli stessi Maya.

Dall'interpretazione di una singola stele si può trarre una quantità enorme di informazioni sulle credenze maya. Possiamo prendere come esempio uno dei capolavori dell'arte maya, una lastra proveniente dalla città classica di Yaxchilán, da lì asportata da Alfred Maudslay e donata al British Museum. Questa lastra è stata analizzata dettagliatamente dalla Proskouriakoff, ed è anche una delle opere studiate dalle storiche dell'arte americane Linda Schele (1942-1998) e Mary Ellen Miller nel loro interessantissimo libro *The Blood of Kings* [*Il sangue dei re*] (1986).

Nella figura stante (ritta in piedi) è stato riconosciuto il sovrano di Yaxchilán, chiamato Scudo Giaguaro. Egli solleva una lancia fiammeggiante (k'ahk'al juhl); il glifo indica che egli la offre ai suoi dei come penitenza (ch'ahb). In altre lastre si rivela che questo rito è parte della sua preparazione alla guerra. Davanti a lui si inginocchia la moglie, Lady K'abal Xook. Anche lei è raffigurata in atto di penitenza, ma lei offre il suo sangue, prelevato

5 Eb 15 Mac 9.13.17.15.12 (25 Ottobre 709 d.C.)	Egli perde sangue	Con una lancia di fuoco	È la pena del Signore Kalun	

Scudo Giaguaro che ha catturato

Nome del prigioniero (indecifrabile)

Divino Signore Pa'chan Signore di Yaxchilán (nome della dinastia locale)

Ella perde sangue

Nome o titolo Xoc

Signora K'abal Xoc

Ix Kaloomte' (titolo)

dalla lingua mediante una corda piena di spine.

L'iscrizione fornisce i nomi della coppia, i loro titoli, una breve descrizione degli eventi e la data in cui avvennero, indicata secondo il Conto lungo del calendario maya: 9.13.17.15.12 5 Eb 15 Mac, corrispondente al 28 ottobre dell'anno 709 d.C.

Questa stele e altre simili ci consentono di gettare lo sguardo su numerosi campi di indagine: infatti sono testimonianze della scrittura maya; utilizzano il calendario maya di altissima precisione; ci comunicano una parte della concezione cosmologica dei Maya e forniscono una serie di eventi ben datati che costituiscono il sistema di riferimento della storia di questo popolo. Tutti questi dati contribuiscono a tracciare la geografia politica dei Maya (*vedi* Scheda 5.5).

Questa e altre raffigurazioni simili sono esempi assai pertinenti di ciò che l'archeologo americano Joyce Marcus ha chiamato con un termine appropriato «iconografia del potere». Indicano inoltre certi rituali sacri in uso presso i Maya, che prevedevano, in particolari occasioni, l'obbligo del sovrano di fare offerte ai loro dei.

Ora che siamo in grado di interpretare questi monumenti possiamo anche renderci conto con più chiarezza che ci troviamo di fronte a una delle più grandi manifestazioni artistiche del mondo.

◀ **10.44** L'architrave 24 di Yaxchilán mostra Scudo Giaguaro e la moglie K'abal Xoc, durante una cerimonia sacra. I glifi che incorniciano le figure offrono alcuni particolari con i loro nomi, i titoli, la data del calendario e una descrizione del rito. Tra di loro è situato un contenitore in tessuto con l'attrezzatura cerimoniale che comprende aculei del pesce razza, un cordone costellato di spine di rovo (per i rituali salassi) e codici rivestiti di pelle di giaguaro, che probabilmente contenevano le norme per una conduzione corretta dei riti.

statua che utilizza indicatori di rango molto simili, forse intesi a esaltarne il suo status eroico. Anche questa magnifica sepoltura impallidisce al confronto con alcuni tesori sepolti insieme ai sovrani di società statuali. Sarebbe difficile, per esempio, trovare un caso più impressionante di ricchezza regale e di potere della tomba reale di Vergina, nella Grecia settentrionale, o di quella di Tutankhamon nella Valle dei Re in Egitto (*vedi* Scheda 2.3).

In effetti, nelle società statuali e negli imperi il simbolismo del potere va molto oltre la mera testimonianza delle sepolture, e giunge a impregnare di sé ogni manifestazione artistica e architettonica; lo dimostrano le imponenti stele dei Maya (*vedi* Scheda 10.4) e le statue ciclopiche dei faraoni, così come i loro omologhi moderni nella Russia Sovietica e altrove; ne sono un esempio le piramidi, i templi mesoamericani e il Campidoglio di Washington.

Uno studio condotto sull'arte e sull'architettura del palazzo assiro di Khorsabad, nell'attuale Iraq, offre un buon esempio di simboli destinati a impressionare sia gli indigeni sia i visitatori stranieri. A Khorsabad il re assiro Sargon II (721-705 a.C.) costruì una città cinta da mura, con una grande cittadella fortificata sul lato nord-occidentale; il palazzo di Sargon dominava questa cittadella, e aveva muri decorati da fregi scolpiti a bassorilievo. Il soggetto dei rilievi si ispirava specificamente alla funzione di ogni stanza: così le due sale di attesa esterne – usate per le delegazioni in visita – contenevano scene di tortura e di esecuzione di ribelli, mentre le stanze interne raffiguravano le conquiste militari assire per rafforzare lo status e il prestigio dei cortigiani che le utilizzavano.

Questioni più generali concernenti i simboli e l'arte sono prese in considerazione in un paragrafo successivo. Inevitabilmente si verificano molte sovrapposizioni tra le diverse categorie di simboli isolate per discuterne in questo capitolo. Il punto importante da ricordare è che queste categorie vengono create perché conviene a noi ricercatori, e non indicano necessariamente l'esistenza di una divisione simbolica simile nella mente dei membri delle società che stiamo studiando.

I SIMBOLI DEL MONDO DELL'ALDILÀ: L'ARCHEOLOGIA DELLA RELIGIONE

Un importante dizionario inglese definisce la religione nei seguenti termini: «Azione o comportamento che indica una credenza in un potere divino sovrano, o reverenza nei suoi confronti e desiderio di compiacerlo». La religione comprende dunque un sistema di credenze relative a esseri soprannaturali o a forze che vanno al di là o trascendono il mondo materiale quotidiano. In altre parole, esseri soprannaturali vengono concettualizzati dagli esseri umani e trovano un posto nella mappa cognitiva comune del mondo.

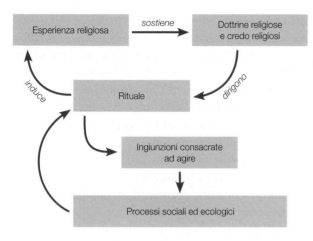

10.45 La religione secondo l'interpretazione di Roy Rappaport: le credenze dirigono il rituale, che induce l'esperienza religiosa. Attraverso il rituale la religione aiuta a regolare i processi sociali ed economici della società.

Ma la religione è anche un'istituzione sociale, come il sociologo francese Émile Durkheim ha sostenuto nei suoi scritti all'inizio del secolo scorso. Durkheim pose in rilievo il contributo della religione «al sostegno e alla riaffermazione a intervalli regolari dei sentimenti collettivi e delle idee collettive che costituiscono l'unità e la personalità [del gruppo sociale]». Più recentemente antropologi come Roy Rappaport hanno affermato la stessa cosa, cioè che la religione aiuta a regolare i processi sociali ed economici di una società. In effetti, più di un secolo fa Karl Marx sosteneva che i leader della società possono manipolare tali sistemi di credenze a propri fini.

Un problema che gli archeologi devono affrontare è che questi sistemi non sempre trovano una propria espressione nella cultura materiale, e anche nei casi in cui lo fanno – e si può allora parlare di *archeologia del culto*, definita come il sistema di azioni strutturate in risposta alle credenze religiose – c'è il problema che queste azioni non sempre sono chiaramente separate dalle altre azioni della vita quotidiana: il culto può essere «incastonato» nelle azioni quotidiane, e può diventare quindi difficile distinguere archeologicamente un'azione dall'altra.

Il primo compito dell'archeologo è quello di riconoscere le testimonianze del culto per quel che sono, e di non ripetere il vecchio errore di classificare come attività religiosa ogni azione del passato di cui non riusciamo a cogliere il significato.

Il riconoscimento del culto

Se dobbiamo distinguere il culto da altre attività, come per esempio il cerimoniale a carattere del tutto secolare che potrebbe accompagnare un capo di stato (che può avere anche un simbolismo molto elaborato), è importante non perdere di vista l'oggetto trascendente o soprannaturale

dell'attività di culto. Il rituale religioso comprende l'esecuzione di atti che esprimono adorazione verso la divinità o l'essere trascendente. Nel rituale vi sono generalmente almeno quattro componenti principali (vedremo più avanti come questi possono aiutare a stilare una lista degli aspetti che sono identificabili archeologicamente):

1. *Concentrazione dell'attenzione* L'atto di adorazione richiede e nello stesso tempo induce nel celebrante uno stato di esaltazione della consapevolezza o di eccitazione religiosa. In atti di adorazione cui prende parte tutta la comunità, è indispensabile ricorrere a una serie di espedienti per concentrare l'attenzione, comprendenti l'uso di un luogo sacro, di un'architettura speciale (per esempio i templi), di luci, suoni e profumi che garantiscano che tutti gli occhi siano diretti verso gli atti fondamentali del rito.

2. *Zona di confine tra il mondo terreno e l'Aldilà* Il centro dell'attività rituale è la zona di confine tra il mondo terreno e l'Aldilà. È una regione particolare e misteriosa, con pericoli nascosti e con rischi di contaminazione e di insuccesso da scongiurare con appropriate procedure: per questo si dà molta importanza ai lavacri e alla purificazione rituali.

3. *Presenza della divinità* Per il rituale vero e proprio, la divinità o la forza trascendente deve essere in qualche modo presente, o essere indotta a essere presente. È l'attenzione divina, oltre a quella umana, che deve aumentare. Nella maggior parte delle società la divinità è simbolizzata da qualche forma o immagine materia-

10.46 Una delle statuette ritrovate sepolte in una fossa nel sito di 'Ain Ghazal, in Giordania. Questo è un chiaro caso di sepoltura deliberata di un oggetto di culto.

le, che può essere un simbolo molto semplice – per esempio il contorno di un segno o di un recipiente il cui contenuto non è visibile – oppure un'immagine di culto tridimensionale.

4. *Partecipazione e offerte* L'adorazione richiede che il celebrante non soltanto pronunci parole e compia gesti di preghiera e rispetto, ma spesso che partecipi attivamente compiendo movimenti e talvolta consumando cibi e bevande. Spesso prevede anche l'offerta alla divinità di beni materiali, sia come forma di sacrificio sia come dono.

La sepoltura rituale di oggetti con un significato legato a un culto è una delle prime indicazioni attestate di pratica religiosa. Nel Levante sono state trovate testimonianze di queste pratiche in siti del VII millennio a.C., come quello di 'Ain Ghazal, in Giordania. Le straordinarie statue riscoperte in questo sito sono fatte di gesso calcareo modellato su una struttura di canne; molte erano anche dipinte. Sepolte in una fossa sotto il pavimento di una casa, esse possono rappresentare dei mitici progenitori. Un complesso di grandi strutture circolari, interpretato come un santuario, è stato scoperto in un sito anche più antico, Göbekli Tepe, in Turchia.

Dall'analisi di questi punti possiamo individuare più concretamente gli indicatori archeologici del rituale, elencati qui di seguito: alcuni di essi saranno di solito presenti quando hanno avuto luogo riti religiosi, ed è quindi grazie a essi che si può riconoscere che ha avuto luogo un rituale. Chiaramente, più indicatori si trovano su un sito o in una regione, più attendibile è la deduzione che la religione vi sia coinvolta (e non si tratti danze oppure occasioni sportive).

Indicatori archeologici di un rituale religioso
Concentrazione dell'attenzione

1. Il rituale si può svolgere in un luogo caratterizzato da speciali associazioni naturali (per esempio una grotta, un boschetto, una sorgente, la cima di una montagna).
2. In alternativa, il rituale si può svolgere in un edificio espressamente destinato alle funzioni sacre (per esempio un tempio o una chiesa) e situato in posizione periferica rispetto al centro abitato.
3. La struttura e gli strumenti utilizzati per il rituale possono adottare, per concentrare l'attenzione dei partecipanti, mezzi che si riflettono nell'architettura, in speciali impianti fissi (altari, seggi, focolari) e nella suppellettile mobile (per esempio lampade, gong e campane, recipienti speciali, incensieri, paramenti da altare, e tutti gli oggetti del rituale).
4. È probabile che l'area sacra sia ricca di simboli ripetuti (questa ripetizione è detta «ridondanza»).

Zona di confine tra il mondo terreno e l'Aldilà

5. Il rito può comprendere sia imponenti cerimonie pubbliche (con relative spese) sia misteri nascosti ed esclusivi, la cui pratica si rifletterà nell'architettura del luogo di culto.
6. I concetti di purificazione e contaminazione possono riflettersi nelle strutture (per esempio piscine e bacini per l'acqua) e nella manutenzione dell'area sacra.

Presenza della divinità

7. L'associazione con la divinità o le divinità si può riflettere nell'uso di un'immagine di culto o di una rappresentazione della divinità in forma astratta (per esempio il simbolo «Chi-rho», monogramma cristiano delle due lettere iniziali della parola greca Χριστός, Cristo).
8. I simboli rituali si riferiranno spesso all'iconografia delle divinità venerate e ai miti loro associati. Può essere utilizzato anche il simbolismo animale (di animali reali o mitici), che utilizza animali particolari che si riferiscono a loro volta a divinità o poteri specifici.
9. I simboli rituali possono riferirsi anche a rituali funerari e ad altri riti di passaggio.

Partecipazione e offerte

10. La venerazione comprenderà la preghiera e speciali movimenti o gesti di adorazione, e questi possono riflettersi nell'arte o nell'iconografia delle decorazioni o delle immagini.
11. Il rituale può impiegare vari espedienti per indurre l'esperienza religiosa (per esempio danza, musica, droghe, sofferenze o pene inflitte).
12. Si possono sacrificare vittime animali o umane.
13. Cibo e bevande possono essere portate sul luogo di culto, e forse consumate come offerte oppure bruciate o sparse.
14. Altri oggetti materiali possono essere portati e offerti (oggetti votivi); l'atto dell'offerta può prevedere anche che vengano rotti e nascosti.
15. Un grande investimento di ricchezza si può riflettere sia nell'apparato cerimoniale sia nelle offerte fatte.
16. Un grande investimento di ricchezza e di risorse si può riflettere nell'edificio stesso e nei suoi annessi.

In pratica, solo pochi di questi indicatori saranno trovati in un solo contesto archeologico. Un buon esempio è costituito dal Santuario di Filakopi sull'isola egea di Milo datato tra il 1400 e il 1120 a.C. circa. Vi furono trovate due camere adiacenti, con piattaforme che avrebbero potuto servire da altari; all'interno delle camere si trovava una ricca figurazione simbolica che comprendeva alcune figure umane. Molti dei punti elencati più sopra erano quindi soddisfatti (per esempio i numeri 2, 3, 7 e 14). Tuttavia, pur essendo l'associazione perfettamente consona a un uso cultuale, le argomentazioni non sembravano del tutto convincenti. Era necessario confrontare Filakopi con alcuni siti dell'isola di Creta che presentavano caratteristiche simili. I siti cretesi potevano essere riconosciuti come santuari proprio perché ne erano attestati *molti*. Il fatto che fossero numerosi poteva essere spiegato in vari modi, ma la scoperta di molti elementi assai simili tra loro suggeriva la ripetizione di uno schema per il quale l'unica spiegazione plausibile sembrava quella di considerarli siti in cui si svolgeva un rituale religioso.

Che si tratti di un sito per il rituale religioso può essere più facilmente provato, ovviamente, quando esista un'esplicita iconografia nei simboli utilizzati. Rappresentazioni di forme umane o animali, mitiche o fantastiche, offrono un campo di indagine e di analisi molto più ampio (*vedi* Schede 10.5 e 10.6). Anche il riconoscimento di offerte può rivelarsi utile, come il notevole deposito rituale trovato sotto la Piramide della Luna a Teotihuacan (*vedi* Scheda 10.8). In generale, le offerte sono beni materiali, spesso di alto valore, ritualmente donati o «abbandonati» dai loro proprietari a beneficio e uso della divinità. Ovviamente, è molto più facile riconoscere che un dono è stato abbandonato che non il motivo per cui fu abbandonato. Tuttavia, insiemi di oggetti speciali, spesso ricchi di valore simbolico, si trovano a volte associati con edifici in maniera tale che è chiaro che quegli oggetti non si trovano lì perché semplicemente immagazzinati. Ne sono un esempio gli oggetti sepolti nelle fondazioni, come gli straordinari depositi nascosti di scheletri di giaguari, palle di giada, ceramiche e maschere di pietra collocate in strati ben definiti entro la struttura più interna del Grande Tempio atzeco di Tenochtitlan, ora Città del Messico (*vedi* Scheda 15.1).

Notevoli associazioni di beni vengono trovate anche in contesti lontani dal santuario, come per esempio le armi dell'Età del ferro gettate nel Tamigi in Inghilterra, o gli impressionanti tesoretti di oggetti metallici depositati deliberatamente nelle paludi della Scandinavia intorno al 1000 a.C. Singoli oggetti trovati in queste stesse circostanze possono, ovviamente, essere stati perduti o semplicemente seppelliti per sicurezza, con l'intenzione di recuperarli successivamente. A volte, però, può capitare di trovare un numero così grande di oggetti preziosi che sembra chiaro che furono abbandonati per scopo rituale: in alcuni casi gli oggetti sono ricchi di significati simbolici, mentre in altri, se erano oggetti d'uso, appaiono danneggiati intenzionalmente. Un esempio famoso è offerto dal *cenote* (pozzo naturale) a Chichén Itzá, l'ultimo sito maya nello Yucatán settentrionale, nel quale erano state gettate enormi quantità di beni ricchi di valori simbolici.

L'identificazione di poteri soprannaturali

Se si devono riconoscere i poteri soprannaturali venerati o serviti nelle pratiche di culto e distinguerli l'uno dall'altro, allora è necessario che vi sia una distinzione che possa essere riconosciuta anche all'interno della testimonianza archeologica. La più ovvia è un'iconografia (dal greco *eikón*, «immagine») ben sviluppata, nella quale le divinità vengano distinte individualmente, ognuna con una speciale caratteristica, come per esempio il mais con la divinità del Mais, il sole con la dea del Sole, e così via.

Lo studio dell'iconografia è, per qualsiasi sistema ben sviluppato, un settore specialistico a sé stante nel quale l'archeologo ha bisogno di lavorare fianco a fianco con epigrafisti e storici dell'arte (*vedi* per esempio la Scheda 10.4). Un lavoro di questo genere è ormai ben avviato per la maggior parte di quelle religioni che raffigurarono con una certa frequenza le loro divinità. L'iconografia delle religioni fiorite in Mesoamerica o in Mesopotamia generalmente rientra in questa categoria, come quella sviluppata nella Grecia classica. Su un vaso dipinto maya o greco è assai frequente vedere scene tratte dalle rispettive mitologie. Soprattutto nel caso greco, ci basiamo sulle fonti scritte per interpretarlo. In primo luogo, è certamente molto comodo (anche se non sempre necessario, quando si conosce il repertorio mitologico) trovare spesso il nome di una figura mitica effettivamente scritto sul vaso. Ma il nome in sé ha di solito un significato solamente perché ci consente di inserire il personaggio all'interno del ricco corpus dei miti e delle leggende conosciuti dalla letteratura classica greca. Senza di essa molte scene rimarrebbero molto verosimilmente lettera morta.

Nei casi in cui l'alfabetismo e le testimonianze scritte sono meno frequenti – per esempio in Mesoamerica – bisogna dare più importanza a uno studio diligente delle diverse rappresentazioni, nella speranza di individuare attributi ricorrenti associati in modo chiaro con individui specifici. Michael Coe è riuscito a raggiungere questo obiettivo nell'analisi da lui condotta delle ceramiche maya del Periodo classico. Il cosiddetto manoscritto Popol Vuh, scoperto nel secolo scorso tra i Maya sopravvissuti degli altipiani del Guatemala, conserva un frammento di un'epica grandiosa di 2000 anni fa concernente il mondo degli Inferi concepito dai Maya. L'attenta ricerca di Coe ha dimostrato che sulla ceramica maya del Periodo classico esistono chiari riferimenti pittorici a quest'epica. Per esempio, uno dei tre sovrani divini del mondo degli inferi, il Dio L, può essere identificato perché indossa un copricapo a forma di gufo e fuma un sigaro. I suoi antagonisti mitici, gli Eroi Gemelli, appaiono spesso nelle scene dipinte sulla ceramica, distinti, rispettivamente, dalle macchie nere della morte e dalle chiazze a pelle di giaguaro sul viso e sul corpo.

10.5 Il più antico santuario del mondo

TURCHIA
Göbekli Tepe

Il sito di Göbekli Tepe, vicino alla città di Urfa nel sud-est della Turchia, può vantarsi di essere il più antico santuario al mondo. Datato tra 9800 e 8200 a.C., è una grande collina (artificiale) di 300 m di diametro, che contiene una serie di recinti, forse fino a 20, di cui 7 furono scavati da Klaus Schmidt (1953-2014) del Deutsches Archäologisches Institut di Berlino. Sebbene le analisi al radiocarbonio lo indichino come databile al primo Neolitico del Levante (Neolitico preceramico A), non vi sono tracce di coltivazioni, e anche la fauna è presente solo con specie selvatiche: gazzelle, cervi rossi, e poi bovini, asini, maiali selvatici. La società che costruì e usò il

10.47 Gli scavi di Göbekli Tepe. I grandi pilastri di pietra a forma di T, collegati da muri e sedili, formano recinti ovali.

sito era in effetti costituita da cacciatori-raccoglitori, ma questo non era un sito di insediamento.

Pilastri scolpiti

Gli elementi più caratteristici di Göbekli Tepe sono i pilastri, che in numero variabile, fino a 12 elementi, collegati da sedili di pietra, sono sistemati a formare strutture ovali. Ogni monolito di arenaria, a forma di T, si erge per parecchi metri e pesa fino a 12 tonnellate. I pilastri centrali del Recinto D sono stati completamente riportati alla luce: sistemati su piedistalli cavati nella roccia, sono alti 5,5 m.

Su questi pilastri sono scolpiti in rilievo animali come leoni, volpi, uri, serpenti, uccelli, insetti e ragni; l'occasionale presenza di mani e braccia in bassorilievo hanno spinto i ricercatori a supporre che i pilastri stessi rappresentino figure umane stilizzate, con testa e corpo. Gli elementi centrali del Recinto D, in particolare, rinforzano questa interpretazione perché mostrano non solo braccia e mani in rilievo ma anche cintole e peri-

zoma agganciati ad esse. Sono presenti anche sculture tridimensionali di animali, soprattutto cinghiali, che sembrano essere stati collocati sulle parti sommitali dei muri. Oppure, dato che alcune di queste sculture presentano una protuberanza conica – cioè una sorta di spuntone al posto delle zampe posteriori - forse erano state inserite dentro i muri.

Analisi

Questi recinti, con la loro forma architettonica particolare, che richiama i criteri di «concentrare l'attenzione» certamente suggeriscono la pratica di riti. Per di più sono ricchi di simbolismo animale. Klaus Schimdt ipotizzò che il sito venisse usato per grandi adunate e che probabilmente vi si tenessero cerimonie funebri, il che giustificherebbe l'enorme lavoro necessario per la costruzione di ogni recinto. Nessuna sepoltura è stata mai trovata, ma Schimdt pensava che ciò sarebbe successo, sotto i sedili o dentro i muri dei recinti, quando si fosse arrivati a scavare quelle parti (in similitudine con i siti di Nevalı Çori e di Çayönü,

10.48-50 (*A sinistra*) Un cinghiale e altri animali selvatici in un bassorilievo su un pilastro di Göbekli Tepe. (*Sopra*) Scultura di testa umana. (*Sotto*) Una notevole scultura di figura umana.

dove ossa umane furono scoperte dentro e sotto i muri dei cosiddetti edifici di culto). In base a tutto ciò sembra ragionevole pensare che Göbekli Tepe fosse un luogo speciale, un centro rituale per la popolazione della zona. All'intorno vi sono villaggi coevi, come Nevalı Çori, scavato da Harald Hauptmann, il «maestro» di Schimdt: lì si è trovato un piccolo recinto, anch'esso con monoliti a forma di T (più piccoli di quelli anteriori di Göbekli Tepe) e con statue di arenaria a grandezza naturale, di esseri umani e di animali, tanto da farlo considerare un piccolo santuario.

Ma Göbekli Tepe era molto più grande e più specializzato, privo delle abitazioni invece presenti nel villaggio; lì era assente l'intera categoria di reperti soliti dei contesti domestici, come statuine di argilla, pugnali e punte di osso. Sembra quindi estremamente probabile che questo sito fosse riservato a pratiche rituali; forse, come abbiamo già detto, ai riti funerari, che però non sono al momento documentati. Né a Göbekli Tepe vi è alcuna evidenza di «divinità» (nel senso di esseri con poteri sovrumani), ma vi sono buone ragioni per ritene-re che quei pilastri, tanto più alti della statura umana, fortemente astratti ma anche antropomorfi, potrebbero essere interpretati con modalità diverse dalle naturalistiche statue di figure umane a grandezza naturale (di cui è stato trovato un certo numero di teste, probabilmente parti di statue intere, simili a quella precedentemente trovata a Urfa-Yeniyol, il cosiddetto «Uomo di Urfa»). È dunque possibile che i riti fossero dedicati al culto degli antenati. Non è quindi azzardato parlare di «culto» a Göbekli Tepe, laddove il termine rimanda a una periodicità negli omaggi verso potenze antropomorfe soprannaturali.

L'elemento più significativo di Göbekli Tepe è che la sua frequentazione sembra precedere lo sviluppo dell'agricoltura in quell'area, sebbene sia confinante con la regione dove per la prima volta l'essere umano ha domesticato il grano selvatico «monococco» (*vedi* Capitolo 7). Sarà stato visitato stagionalmente e quindi non era necessaria l'esistenza di strutture per una popolazione stanziale. Tuttavia, per gli archeologi interessati alle origini dell'agricoltura in quest'area, si tratta di un sito notevole e intrigante.

Per i Maya gli inferi erano una sorta di purgatorio in cui il defunto era messo alla prova, doveva sfidare in astuzia e vincere i signori dell'Oltretomba, proprio come avevano fatto gli Eroi Gemelli. Nell'emulare il loro trionfo sulla morte, il defunto era ricompensato con la rinascita in cielo.

L'archeologia della morte e delle sepolture è un importante aspetto dello studio della religione; ne parliamo qui di seguito.

L'archeologia della morte

Gli archeologi hanno spesso utilizzato la testimonianza delle sepolture come base per interpretazioni a carattere sociale, in quanto gli oggetti materiali seppelliti con il corpo offrono informazioni sulle differenze di ricchezza e di status all'interno della comunità. Questi punti sono stati discussi nel Capitolo 5. Ma sebbene gli esseri umani utilizzino i rituali funerari per affermare simbolicamente l'importanza di se stessi e dei propri parenti e affini deceduti, influenzando in questo modo le loro relazioni con gli altri membri della società, questa è solo una parte dell'attività simbolica, in quanto essi sono guidati anche dalle loro credenze sulla morte e su ciò che a essa può far seguito.

La deposizione di oggetti insieme con il defunto a volte indica di per sé la credenza in un'altra vita, ma ciò non è sempre vero. In alcune società, i beni di proprietà del defunto sono talmente associati alla sua figura che per un'altra persona significherebbe cattiva fortuna possederle; per questo si devono seppellire con il morto per sbarazzarsene, non perché il defunto li deve usare in futuro. Invece, quando il morto è accompagnato da offerte di cibo, ciò implica in maniera assai più forte l'idea che l'alimentazione

continui nell'Aldilà. In alcune sepolture – quelle dei faraoni in Egitto o quelle dei prìncipi delle dinastie Shang e Zhou in Cina (e in realtà fino a tempi più recenti) – il defunto è accompagnato da interi corredi di beni personali. Come abbiamo visto nel Capitolo 5, nel caso degli Shang e delle tombe reali a Ur in Mesopotamia, i servitori venivano uccisi per accompagnare il defunto nella tomba – una pratica scoperta anche in Polinesia dove, per esempio, sono state scoperte 40 persone sepolte assieme al re Roy Mata del XIII secolo d.C. – e qui sembra probabile che si debba inferire una qualche credenza in una nuova vita dopo la morte.

In molte culture venivano prodotti speciali manufatti per accompagnare il defunto. I sarcofagi di giada in cui venivano sepolti i prìncipi cinesi, le maschere d'oro delle tombe a tholos micenee e le maschere di giada e di altre pietre preziose che accompagnavano alcune sepolture mesoamericane sono manufatti di questo tipo (*vedi* Scheda 9.2 e 10.8). Ovviamente, essi avevano un significato sociale, ma offrono anche indicazioni del modo in cui le comunità che li produssero concepivano la propria mortalità, che rappresenta una parte importante della mappa cognitiva di qualsiasi individuo.

Ulteriori conclusioni si possono forse trarre da altri aspetti dei riti funebri: la cremazione rispetto all'inumazione o alla scarnificazione; la sepoltura collettiva rispetto a quella individuale; l'uso di edifici imponenti e così via. Ancora una volta, questi aspetti sono in parte determinati dal sistema sociale prevalente e dagli usi che le persone fanno della propria ideologia, ma sono anche condizionati dalle credenze religiose del tempo e dalla cultura del contesto in esame.

10.51 Identificazione delle divinità maya: questa scena, raffigurata su un vaso del tardo Periodo classico, proveniente forse da Naranjo (Guatemala), è stata interpretata da Michael Coe come la rappresentazione del Dio L, un divino sovrano del mondo degli Inferi identificato dal sigaro che sta fumando e dal copricapo a foggia di gufo.

10.6 Il riconoscimento dell'attività cultuale a Chavín

AMERICA
MERIDIONALE
• Chavín de
Huantar

Il grande sito di Chavín de Huantar, sulle Ande del Perú centro-settentrionale, fiorì tra gli anni 850 e 200 a.C. e ha dato il suo nome a uno degli stili artistici più importanti del Sudamerica antico. L'arte Chavín è dominata da motivi animalistici rappresentati soprattutto nella scultura, ma anche su ceramica, osso, tessuti dipinti e lamine d'oro lavorate rinvenute in più luoghi del Perú settentrionale.

Scoperta nel 1919 dal padre dell'archeologia peruviana, Julio Tello, Chavín de Huantar è da lungo tempo riconosciuta come un centro cerimoniale, sede di un culto religioso. Ma sulla base di quali elementi? Gli scavi condotti in anni recenti da Luis Lumbreras, Richard Burger e altri hanno indicato la presenza di una popolazione sostanzialmente stabile, confermando allo stesso tempo l'esistenza di un'attività cultuale. Nel testo abbiamo elencato 16 diversi indicatori di rituale che possono essere individuati dall'archeologia; a Chavín ne

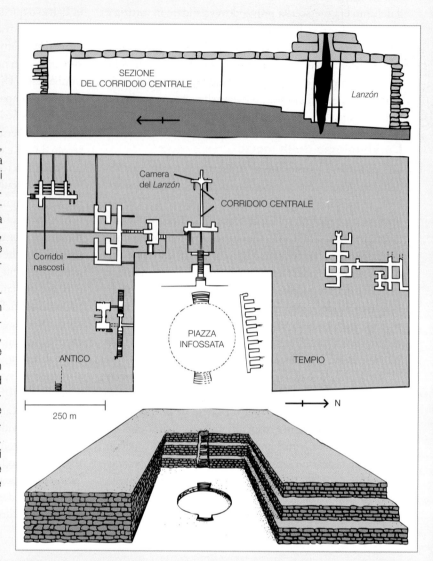

10.53 Veduta prospettica e pianta dell'antica piattaforma a U di Chavín, con una sezione del corridoio centrale che mostra l'angusta camera dominata dal *Lanzón* o Grande Immagine.

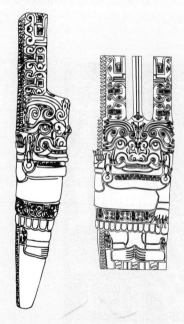

10.52 Due vedute (*a sinistra*, veduta dell'insieme; *a destra*, sviluppo) del *Lanzón* o Grande Immagine, che raffigura un essere antropomorfo con le zanne.

sono stati individuati circa la metà con una certa sicurezza.

L'elemento più evidente del sito è la sua architettura imponente, che comprende un complesso di piattaforme in pietra con pianta a forma di U (costruite nella fase più antica lontano dalle aree abitative), che rispondono a molti dei princìpi degli indicatori 2 e 16 elencati nel testo. Il rituale, che comprende sia cerimonie di pubblica esibizione sia misteri nascosti, è implicito nella presenza di una piazza circolare, aperta e infossata, che poteva contenere 300 partecipanti, e di passaggi sotterranei nascosti, il più importante dei quali conduceva a una stretta camera dominata

da una colonna di granito alta 4,5 m nota con il nome di *Lanzón* (Grande Immagine).

La raffigurazione su questo manufatto di un essere antropomorfo fornito di zanne, la sua collocazione in una camera centrale rivolta a est sull'asse principale del tempio, nonché le sue dimensioni e la qualità artistica, tutti questi aspetti suggeriscono che si tratti della principale immagine di culto del sito. Inoltre, all'interno e intorno al tempio furono ritrovate circa 200 altre pietre finemente scolpite, la cui iconografia era dominata da figure di caimani, giaguari, aquile e serpenti. Una stipe di oltre 500 vasi di alta qualità infranti,

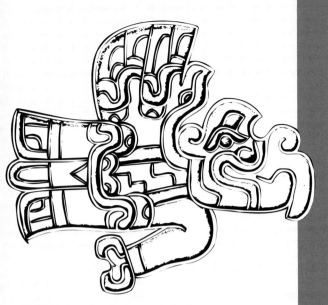

10.54 Motivo ad aquila crestata tratto da una ciotola in ceramica di Chavín.

contenenti cibo e trovati in una galleria sotterranea, potrebbe rappresentare offerte (sebbene chi ha condotto lo scavo, Lumbreras, ritenga che fossero cibi immagazzinati). Esiste la testimonianza iconografica di rituali condotti sotto l'effetto di droghe e la possibilità che i canali sotterranei fossero utilizzati per lavacri rituali e per produrre suoni assordanti, al fine di accrescere nei presenti l'effetto delle cerimonie.

Lo studio condotto a Chavín dimostra quindi che un'attenta analisi archeologica e storico-artistica di diversi tipi di testimonianze può fornire una prova certa di un'attività di culto, anche per un sito e per una società per i quali non si possiedono documenti scritti.

10.55-56 Trasformazione di uno sciamano mascherato (*a sinistra*) in giaguaro (*a destra*). Queste sculture, esposte e inserite nel muro esterno del tempio, alludono a rituali in cui si faceva uso di droghe.

LA RAFFIGURAZIONE: ARTE E RAPPRESENTAZIONE

Possiamo riuscire a vedere a fondo nella mappa cognitiva di un individuo o di una comunità basandoci sulla rappresentazione in forme materiali di quella mappa, o almeno di una sua parte. I modelli e i piani sono esempi particolari di questa attività ma il caso più generale è quello della raffigurazione, dove il mondo, o qualche suo aspetto, viene rappresentato in modo tale da apparire all'occhio nella forma più vicina a quella in cui è concepito nell'«occhio della mente».

Il lavoro dello scultore

Ricreare un aspetto del mondo, in forma simbolica e in tre dimensioni, rappresenta un salto cognitivo straordinario. È un passo che vediamo compiere per la prima volta dall'essere umano nel primo Paleolitico Superiore, con la creazione dell'arte mobiliare menzionata nella Scheda 10.2. Per quel periodo sono noti anche bassorilievi che rappresentano animali, e alcune statuette di animali in pietra e argilla. Gli esemplari in argilla sono di dimensioni inferiori alla grandezza naturale, ma assai più grandi delle sculture miniaturistiche. Più comuni, invece, sono le rappresentazioni della figura femminile, solitamente scolpite in pietra o in avorio, anche se presso i siti di Dolní Věstonice e di Pavlov, nella Repubblica Ceca, è stata rinvenuta una serie di statuette modellate in argilla e poi cotte (un procedimento abbastanza complesso).

Sebbene le capacità richieste dalla scultura possano essere state latenti in tutti i membri della nostra sottospecie *Homo sapiens sapiens*, l'attività scultorea si limitò principalmente all'Eurasia. Nel periodo dell'agricoltura primitiva si trovano, in molte parti del mondo, figurine umane in terracotta prodotte con la stessa tecnologia utilizzata a Dolní Věstonice e a Pavlov molte migliaia di anni prima: esse sono diffuse certamente nel Neolitico antico del Vicino Oriente e dell'Europa sud-orientale (ma non in quella centrale e occidentale), e in Mesoamerica. L'analisi di queste piccole figure umane ci ha illuminato su certi dettagli dell'abbigliamento; alcuni studiosi vi hanno anche scorto una rappresentazione quasi universale di una Grande Madre Terra o dea della fertilità. Ma gli argomenti piuttosto deboli fin qui prodotti a sostegno di quel punto di vista sono stati efficacemente respinti da Peter Ucko, che ha dimostrato per esempio che la forma di moltissime figurine non si può neanche considerare femminile con assoluta certezza. Le statuette dell'Europa sud-orientale sono state studiate da un punto di vista iconografico, secondo i princìpi descritti nel precedente paragrafo, da Marija Gimbutas, che ritiene di poter individuare alcune divinità ricorrenti (*vedi* Capitolo 5). Come sottolinea

10.57 Una cosiddetta «Venere callipigia», proveniente da Dolní Věstonice. Secondo alcuni studiosi rappresenta la divinità femminile della fertilità.

la studiosa, alcune di esse sembrano figure mascherate. Tuttavia le identificazioni più dettagliate non sono ancora del tutto accettate.

Sculture quasi a grandezza naturale furono prodotte in epoca preistorica a Malta e nelle Isole Cicladi (*vedi* Scheda 10.7) – due realtà che non possono considerarsi ancora società urbane – mentre nel primo Egitto dinastico e presso i Sumeri, e poi in molte civiltà più recenti, si hanno non solo figure a grandezza naturale, ma anche di dimensioni ben maggiori del naturale, su scala davvero monumentale. Ogni società possedeva per la scultura proprie convenzioni, ognuna delle quali richiede competenze specialistiche per essere compresa e interpretata correttamente.

Relazioni pittoriche

Dipingere, disegnare o scolpire su una superficie piana per rappresentare il mondo circostante offre molte più possibilità rispetto alla rappresentazione in tre dimensioni di una singola figura, in quanto consente di mostrare le relazioni *tra* simboli, tra oggetti presenti nella mappa cognitiva. Questo ci permette, in primo luogo, di indagare quale concezione dello spazio avesse l'artista, e allo stesso tempo il modo in cui potevano essere rappresentati avvenimenti accaduti in tempi diversi. Consente inoltre l'analisi della maniera o **stile** in cui l'artista raffigurava animali, esseri umani e altri aspetti del mondo reale. La parola «stile» è un termine complesso, che potrebbe essere definito in poche parole come la maniera in cui viene compiuto un atto. Lo stile non può esistere se non come un aspetto di un'attività, spesso di un'attività funzionale.

10.58 Affresco dagli scavi di Akrotiri, sull'isola greca di Thera, oggi Santorini: meravigliosa rappresentazione delle imbarcazioni che solcavano il Mediterraneo intorno al 1600 a.C.

E non si può compiere un'attività intenzionale, o più precisamente una serie di attività ripetute, senza generare uno stile. In questo modo le pitture dei ripari sotto roccia della Spagna orientale datate a 7000 anni fa sono accomunate da somiglianze che ci portano a designarle tutte insieme come pitture di stile ispano-levantino. In queste pitture lo stile appare semplificato e schematico in confronto alle pitture più rappresentative o naturalistiche delle grotte risalenti al Paleolitco Superiore della Francia sud-occidentale e della Spagna settentrionale, datate a 10 000 o 20 000 anni prima (*vedi* Scheda 10.2). Sebbene la natura di ciò che l'atto della raffigurazione in se stesso implica da un punto di vista cognitivo sia già stata analizzata a sufficienza, i probabili scopi di quest'arte si stanno oggi studiando con profitto.

Le raffigurazioni fin qui analizzate con più successo sono state le scene più complesse, quali appaiono per esempio nelle pitture murali. Un esempio è l'affresco della nave di Akrotiri a Thera, nel quale la scena è stata variamente interpretata come il ritorno in patria di una flotta vittoriosa, o come una celebrazione rituale (un rito del mare, una specie di regata sacerdotale). Un altro eccellente esempio è dato da alcuni affreschi e rilievi scultorei mesoamericani, per i quali uno studio particolarmente attento ha consentito di mettere in luce varie convenzioni pittoriche. Nel 1938, Frances R. e Sylvanus G. Morley identificarono una classe particolare di rappresentazioni umane maya come figure di prigionieri, cioè «figure sussidiarie, in genere ma non sempre legate, in atteggiamenti di umiliazione… o di supplica». Considerando questa convenzione, Michael Coe e Joyce Marcus hanno dimostrato in modo convincente che le enigmatiche figure di *danzantes*, i più antichi rilievi scolpiti provenienti dal sito di Monte Albán nella valle di Oaxaca, circa 400 km a ovest dell'area maya, non sono né nuotatori né danzatori, come si era fino ad allora ritenuto; le membra distorte, le bocche aperte e gli occhi chiusi indicano che si tratta di cadaveri, probabilmente di capi o di re trucidati dai sovrani di Monte Albán (*vedi* p. 527).

Anche per le raffigurazioni su superficie piana le regole e le convenzioni variano da cultura a cultura e richiedono uno studio approfondito per ogni singolo caso. Ma approcci simili a quelli sopra descritti potrebbero essere applicati dall'archeologo alle produzioni di qualsiasi società del passato: dalle sculture in pietra dell'Età del bronzo della Svezia e della Val Camonica (*vedi* Scheda 12.9) alle pitture parietali dell'Europa medievale o dell'India.

La decorazione

Ovviamente l'arte non si limita alla raffigurazione di scene o oggetti, e non si deve quindi sottovalutare la decorazione della ceramica e di altri manufatti (inclusi i tessuti) a motivi decorativi astratti. Attualmente si stanno sviluppando vari approcci allo studio di questo aspetto; uno dei più utili è l'**analisi della simmetria**. I matematici hanno scoperto che gli schemi decorativi possono essere divisi in gruppi distinti o classi di simmetria: 17 classi di disegni che ripetono motivi orizzontali, 46 classi che ripetono disegni a motivi sia orizzontali sia verticali. Utilizzando queste analisi della simmetria, Dorothy Washburn e Donald Crowe hanno proposto, nel loro libro *Symmetries of Culture* [*Simmetrie della cultura*] (1989), che la disposizione dei motivi all'interno di una cultura è ben lontana dall'essere casuale.

Le testimonianze etnografiche suggeriscono che specifici gruppi culturali preferiscono disegni che appartengono a specifiche classi di simmetria, spesso soltanto a una o due classi. Le attuali tribù Yurok, Korok e Hupa in California parlano lingue diverse, ma condividono schemi decorativi di due classi di simmetria per le decorazioni di cesti e cappelli, un legame confermato dai matrimoni fra le tribù. Un'ulteriore ricerca potrebbe dimostrare che si tratta di un metodo fruttuoso per l'analisi dei motivi presenti sui manufatti, al fine di valutare oggettivamente, sulla base delle culture materiali, le strette connessioni fra le diverse società nel passato. L'interpretazione della simmetria è senza dubbio più problematica dell'analisi formale, e non sempre svela il significato o lo scopo di un certo schema decorativo sebbene possa rivelare qualche aspetto della struttura cognitiva che sta alla sua base.

Arte e mito

Gli antropologi hanno tentato, in tempi diversi, di analizzare su scala mondiale ciò che è proprio del modo di pensare – la logica – di comunità non-occidentali e non-urbane. Spesso questo approccio ha la sfortunata conseguenza di procedere come se i modi di pensare occidentali, urbanizzati, «civilizzati», fossero quelli giusti e naturali per comprendere il mondo, mentre tutti gli altri potrebbero essere considerati in blocco come «primitivi» o «selvaggi». In realtà esistono molti modi ugualmente validi di considerare il mondo. Ciò nondimeno, queste ampie ricerche hanno condotto a percepire il significato base del mito in molte società primitive. Il concetto è stato chiarito a fondo dall'archeologo Henri Frankfort, già direttore dell'Oriental Institute di Chicago e dai suoi colleghi, in un illuminante lavoro dal titolo *Before Philosophy* (1946), nel quale i ricercatori sottolineavano che gran parte del pensiero speculativo, ovvero della filosofia, di molte società antiche prese la forma del mito. Un mito può essere definito come la narrazione di eventi significativi del passato tanto pertinente al presente da dover essere nuovamente raccontata e talvolta persino fatta rivivere in forma drammatica o poetica.

10.7 L'identificazione degli artisti nell'antica Grecia

Per la loro abilità, nella società della Grecia antica gli artisti godevano di un'alta considerazione. Nella pittura vascolare è prassi abbastanza comune che il pittore (e a volte anche il vasaio) firmi il vaso prima della cottura. In questo modo si conoscono numerosi vasi decorati dalla mano di un unico artista. Per la ceramica attica a figure nere (diffusa ad Atene nel VI secolo a.C., nella quale le figure umane sono campite in nero su fondo rosso) si conoscono i nomi di dodici pittori. È stato il monumentale lavoro dello studioso britannico Sir John Beazley, alla metà del XX secolo, ad assegnare i tre quarti dei vasi a figure nere sopravvissuti ai

10.59-60 Exekias, pittore greco del VI secolo a.C., firmò molti dei vasi da lui dipinti con la dicitura «Exesias fece». (*Sotto*) Achille e Aiace – eroi greci della guerra di Troia – raffigurati da Exekias mentre giocano.

singoli artisti (di cui, in molti casi, non si conosce il nome) o ad altri gruppi distinti.

Quando parliamo di «stile» dobbiamo distinguere lo stile di una certa cultura e di un certo periodo dallo stile (solitamente) molto più caratterizzato di un artista all'interno di quel periodo. Dobbiamo perciò dimostrare che le opere riconoscibili nel gruppo più ampio (per esempio lo stile attico a figure nere) si dividono, sulla base di un esame più approfondito, in gruppi più piccoli ben distinti. È necessario inoltre avere ben chiaro in mente che questi sottogruppi possono riferirsi non a singoli artisti, ma a epoche diverse nello sviluppo di uno stile, o a diverse sottoregioni (sottostili locali); o potrebbero riferirsi a differenti botteghe piuttosto che a singoli artisti. Nel caso di Atene, Beazley era certo di avere a che fare principalmente con ceramiche dipinte ad Atene, e fu in grado di considerare a parte lo sviluppo cronologico. Fu molto aiutato dal piccolo numero di vasi firmati, che confermavano l'ipotesi secondo la quale i raggruppamenti da lui creati rappresentassero effettivamente singoli pittori.

Beazley utilizzò sia la valutazione globale dello stile e della composizione della decorazione dipinta su una ceramica, sia lo studio comparativo di dettagli minori ma caratteristici, quali la resa del panneggio o alcuni particolari anatomici. Nei casi in cui il nome del pittore era ignoto, egli avrebbe assegnato un nome arbitrario, spesso tratto dalla collezione che ospitava l'opera più notevole (per esempio, Pittore di Berlino, Pittore di Edimburgo, e così via). Questo modo di procedere può apparire estremamente soggettivo, ma era anche molto sistematico. Sebbene gli studiosi discutano ancora sull'attribuzione di alcuni pezzi, le linee principali del sistema di Beazley sono generalmente ritenute corrette.

Statuette Cicladiche

Utilizzando questo procedimento è possibile identificare singoli artisti anche per periodi precedenti? Molte sculture del

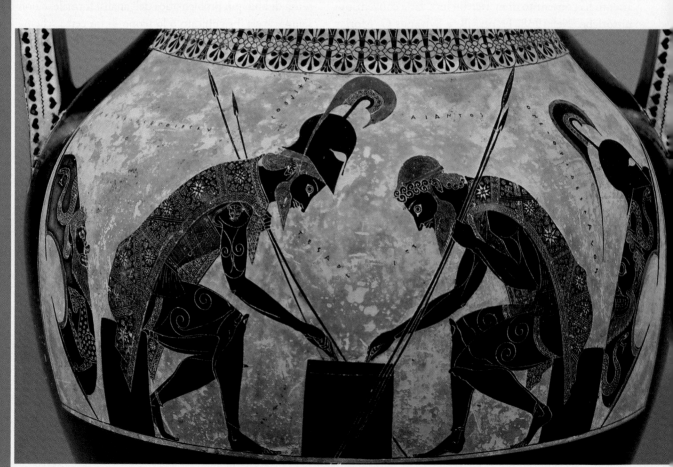

Cicladico antico (circa 2500 a.C.) hanno forma di donna stante con le braccia ripiegate sullo stomaco. Questa serie ben definita è stata suddivisa in gruppi, e la studiosa americana Patricia Getz-Preziosi ha sostenuto che alcune di esse possono essere attribuite a singoli scultori o «maestri», tutti inevitabilmente anonimi in questo periodo che precede l'introduzione della scrittura. La proposta della Getz-Preziosi risponde al principio dell'esistenza di sottogruppi ben definiti all'interno del più ampio stile «culturale». Non c'è ragione di sostenere che questi sottogruppi siano distinti da un punto di vista cronologico o regionale, ma per identificarli come opera di un certo «maestro» piuttosto che di una più grande bottega, sarebbe certamente molto utile possedere la testimonianza chiave di cui disponeva Beazley: qualche firma, o almeno segni caratteristici di un particolare scultore, o la scoperta di una bottega. Ciò nonostante, le assegnazioni della Getz-Preziosi a singoli scultori restano plausibili.

10.61 Due figure femminili del periodo Cicladico antico (2500 a.C. circa) appartenenti al tipo «a braccia conserte», entrambe attribuite al cosiddetto Maestro di Goulandris. La statuetta più grande è alta 63,4 cm.

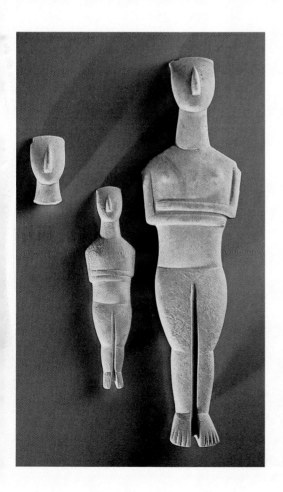

Il mito ha la sua logica. La maggior parte delle culture e delle tradizioni hanno una propria storia della creazione del mondo (e degli esseri umani), che riesce a spiegare i molti elementi del mondo in una sola e semplice narrazione. La storia della creazione narrata nel Vecchio Testamento e quella degli indiani americani Navajo ne sono ottimi esempi. Perciò dovremmo andare a cercare le tradizioni orali e le testimonianze scritte – dove si sono conservate – che possono aiutarci a comprendere i miti e quindi l'arte di certe società.

Per capire l'arte azteca è necessario conoscere qualcosa su Quetzalcoatl, il serpente piumato, padre e creatore che diede all'essere umano tutta la conoscenza delle arti e delle scienze ed è rappresentato dalle stelle del mattino e della sera. Analogamente, per comprendere l'arte funeraria dell'antico Egitto dobbiamo capire la visione egizia del mondo degli inferi e i miti della creazione.

Per noi è molto semplice liquidare i miti come vicende improbabili; invece, dovremmo considerarli come l'incarnazione della saggezza accumulata dalle società che li hanno prodotti, allo stesso modo in cui tutti noi, qualsiasi sia il nostro credo, rispettiamo il Vecchio Testamento come l'insieme della saggezza di Israele accumulata attraverso molti secoli fin dal tardo I millennio a.C.

Questioni estetiche

Il tema più difficile da trattare nello studio dell'arte primitiva è in un certo senso anche il più ovvio: perché alcune di quelle manifestazioni artistiche sono così belle? Ovvero, più correttamente: perché alcune di esse sono così belle *per noi*?

Possiamo essere abbastanza sicuri che molti oggetti di ostentazione realizzati con materiali non deperibili e belli da vedere, come l'oro e la giada, erano tanto belli per chi li fabbricò quanto lo sono per noi. Ma quando non si tratta di materiale, ma piuttosto del modo in cui il materiale è trattato, l'analisi si fa più difficile. Un criterio importante sembra essere la semplicità. Molte opere che oggi ammiriamo comunicano il loro fascino con grande economia di mezzi. Una testa quasi a grandezza naturale dalle Isole Cicladi scolpita intorno al 2500 a.C. illustra molto bene questo punto.

Un altro criterio sembra avere a che fare con la coerenza delle convenzioni stilistiche impiegate. L'arte della costa americana nord-occidentale è complessa, ma suscettibile di analisi molto coerenti, come hanno ben dimostrato Franz Boas, Bill Holm, Claude Lévi-Strauss e altri.

Tutte queste questioni sono state ampiamente dibattute e continueranno a esserlo. Ci ricordano, in modo assai proficuo, che cercando di conoscere i processi cognitivi di questi primi artigiani e artisti noi intraprendiamo, allo stesso tempo, un programma di ricerca necessario per conoscere i nostri.

L'attribuzione di significato a manufatti di rilevanza simbolica è l'eterno problema dell'archeologia. La relazione tra simbolo e referente (ciò a cui fa riferimento) è generalmente frutto di convenzione anziché di logica, e può essere abbastanza arbitraria. Come sottolinea la filosofa Linda Patrik, «tutti i simboli materiali richiedono una interpretazione correlata al contesto, in quanto il loro significato dipende dai collegamenti che essi evocano in una specifica cultura e dai modi effettivi in cui essi si combinano con altri simboli e comportamenti». L'interpretazione è molto più puntuale quando è presente una specifica iconografia, in cui le relazioni visive offrono la chiave per fare gli opportuni collegamenti.

San Bartolo

Le pitture recentemente scoperte a San Bartolo in Guatemala, per esempio, forniscono indicazione «grafiche» della vita leggendaria di colui che può essere identificato come la divinità maya del mais, nonché delle altre divinità. Alla base della piramide «Las Pinturas», la stanza delle pitture murali, datate intorno al 100 a.C., contiene anche i più antichi glifi dell'area maya, che spostano indietro le origini della scrittura alla metà del IV secolo a.C. Sono rappresentati sacrifici che ritroviamo nei testi superstiti dei Maya del XIII secolo d.C., e che indicano la permanenza nel tempo del loro simbolismo religioso.

Il compito interpretativo è spesso più difficile quando il simbolismo non è rappresentato in forma di immagini grafiche, quali sono i dipinti, ma con elementi concreti. Spesso l'archeologia post-processuale ama usare le analogie che si riscontrano nei documenti archeologici come un testo formato da segni densi di significato. E di certo l'analogia funziona molto bene quando è chiaro che gli oggetti in questione sono stati accuratamente sistemati, come infatti accade nelle sepolture solenni con gli oggetti funerari e altri manufatti.

Teotihuacan

Un esempio inconfutabile ci arriva da una delle sepolture scoperte da Saburo Sugiyama sotto la Piramide della Luna a Teotihuacan, vicino a Città del Messico. Questa grande costruzione, iniziata intorno al 200 d.C., si sviluppò in fasi

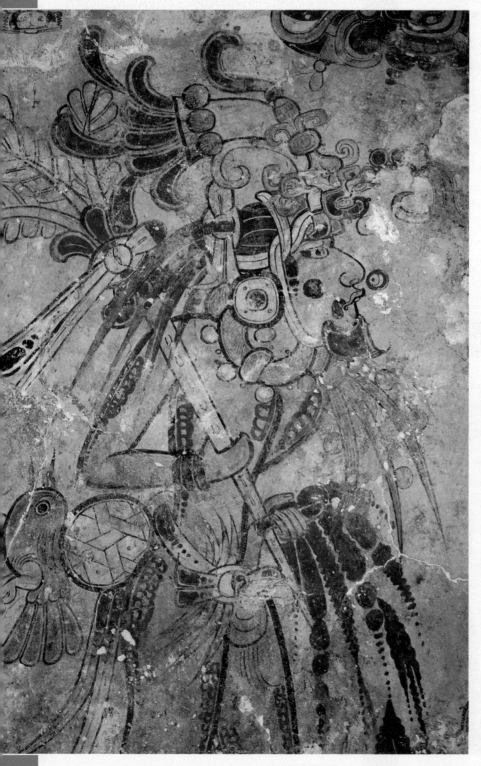

10.62 Nelle pitture murali di San Bartolo la narrazione della mitologia maya scorre da sinistra verso destra. Qui un giovane sovrano affronta un viaggio iniziatico e sacrificale, perdendo sangue dai suoi genitali mentre cammina.

10.63 Una statuetta di giada proveniente da Teotihuacan. Ritrovata in un sepolcro all'interno della Piramide della Luna, uno dei monumenti principali della città, la scultura era accostata a perline e a orecchini. Queste tombe, accompagnate dai relativi animali accuratamente scelti, vivi al tempo della sepoltura, erano chiaramente in una posizione simbolica significativa nel cuore della grande piramide centrale.

successive; nell'interno, dentro il riempimento del quarto stadio e molto al di sotto del livello dell'attuale struttura, fu scoperto un complesso funerario-votivo, contenente i resti di sacrifici umani. Il sepolcro era collocato esattamente secondo l'asse nord-sud del sito, il cosiddetto «viale dei Morti» (*vedi* Capitolo 3), e conteneva ricche offerte di alto valore simbolico, tra cui oggetti di ossidiana (punte di lancia meravigliosamente lavorate), di giada (due statuette antropomorfe), di pirite e di conchiglie. Il fatto maggiormente evocativo era la disposizione at-

torno alla salma di creature viventi, con i segni di casse di legno per due puma e un lupo, apparentemente vivi al momento della sepoltura. Vi erano sepolti anche parecchie aquile, tre serpenti, un gufo e un falcone: una tomba straordinaria con un indubbio valore simbolico, recuperata attraverso uno scavo accurato.

Un complesso funerario-votivo simile fu trovato nel quinto stadio della costruzione, questa volta con quattro vittime sacrificali (con le braccia incrociate sulla schiena, probabilmente con i polsi legati). Anche qui c'erano statuette di giada, conchiglie strombo, un disco di pirite e statuette di ossidiana. Le offerte votive animali erano rappresentate da teste di cani e di gatti e dallo scheletro di un gufo.

Ricco il simbolismo: puma, serpente, aquila, falcone. La solenne finalità funeraria con cui questo simbolismo era apparentato, e l'enorme investimento in lavoro per realizzare una costruzione così grande, rappresenta un approccio simbolico

di menti spettacolari e creative. Vi sono dettagli che ancora ci sfuggono e interpretazioni ancora poco chiare. Sugiyama la mette così: «Uno dei principali problemi deriva dal fatto che le rappresentazioni zoologiche e antropomorfe sono difficili da interpretare secondo i nostri schemi concettuali». Ma è dall'accurato scavo e dall'analisi di ricchi contesti come questi che si potranno ottenere ulteriori progressi nel futuro.

L'analisi isotopica delle ossa di alcune vittime dei sacrifici mostrano che molte erano di stranieri provenienti da altre regioni del Mesoamerica, forse prigionieri di guerra. E Sugiyama deduce che l'importanza della guerra fosse sistematicamente dichiarata in queste sepolture attraverso la presenza di armi, attrezzature per la guerra, trofei di conquista come collane create da ossa di mandibola umana, lame sacrificali e animali legati o ingabbiati tipo puma e aquile, simbolicamente associati a istituzioni militari.

MUSICA E CONOSCENZA

Oggi, in tutte le società, musica e canto giocano un ruolo importante, che interseca quello della danza. Come si racconta nella Scheda 10.9, gli strumenti musicali sono ben documentati a partire dalla «esplosione creativa» che accompagnò il Paleolitico Superiore nel sud della Francia, nel nord della Spagna e nell'Europa orientale. Si è supposto che musica e danza abbiano avuto origine con i Neanderthal (*Homo neanderthalensis*), anche se la prima attestazione di un flauto si ha solo con il Paleolitico Superiore europeo, associato con *l'Homo sapiens (sapiens?)*. Altrove i flauti compaiono con la prima produzione di cibo, per esempio a Jiahu in Cina e a Caral in Perù.

Si è anche ipotizzato che le orme presenti nelle caverne dipinte del Paleolitico Superiore in Francia e Spagna indicherebbero la pratica del ballo ma i più antichi dipinti di danze datati con sicurezza sembrano contemporanei al sorgere dell'agricoltura. Strumenti a corda sono documentati per la prima volta nella civiltà del Bronzo sumera ed egizia, per esempio nelle Tombe Reali di Ur nell'attuale Iraq, e poi diffusi molto più largamente.

MENTE E COINVOLGIMENTO MATERIALE

Come indicano le scienze cognitive, è sempre più chiaro che la nozione di «mente» va ben oltre ciò che è presente nel concetto di «cervello». Il cervello sembra a prima vista relativamente semplice, anche se le sue modalità di lavoro non lo sono affatto. Il cervello è naturalmente collocato nel cranio ma non è un'entità disarticolata dal resto del corpo. Cervello e corpo lavorano insieme, cosicché l'esperienza umana si realizza attraverso il rapporto con il mondo materiale. Si può infatti sostenere che la mente, cioè il nostro sistema di comprensione e conoscenza, avviene all'incirca attraverso un sistema di condivisione di entrambi (cervello

e corpo) con il mondo esterno. Quasi tutte le nostre attività intelligenti originano, almeno in parte, dagli stimoli del mondo esterno. Il falegname opera secondo le caratteristiche del legno che lavora e dello strumento che usa. Le azioni efficaci spesso dipendono dalle capacità, che sono sia fisiche che mentali. Il vasaio dà forma all'argilla con una competenza che risiede tanto nelle mani quanto nel cervello. La conoscenza è «incorporata».

Per di più noi comprendiamo il mondo e agiamo su di esso non solo attraverso il nostro corpo ma anche attraverso gli oggetti che produciamo e usiamo. Il cieco impara a muoversi nel mondo attraverso l'uso del suo bastone, il vasaio ha bisogno della ruota per tirare la creta a formare il vaso. Noi conosciamo il mondo attraverso una serie di strumenti, e sensori, e sonde. La conoscenza è «estesa». Talvolta vi è anche la tendenza, quando si parla della «mente», a considerare una mente singola, così come uno potrebbe considerare il cervello di un singolo individuo. Ma i meccanismi della mente sono largamente collettivi e sociali. Il linguaggio è un fenomeno collettivo; la maggior parte delle convenzioni che condividiamo nella società, le «regole costitutive», sono concezioni condivise. In questo senso la mente è un fenomeno condiviso o «distribuito».

Questo tipo di approccio conduce a una nuova visione del legame dell'essere umano con il mondo materiale e a una freschezza di comprensione delle esperienze che guidano le modalità di sviluppo di relazioni e concetti simbolici. Concetti simbolici, come il peso e il valore, possono scaturire solo dall'esperienza, da un confronto fisico e concreto con il mondo. Lambros Malafouris ha analizzato le basi cognitive di tale legame materiale e da questa analisi possiamo sperare di guadagnare una rinnovata comprensione di come nascano nuovi simboli e nuove relazioni simboliche; e, forse, di come possano avvenire in modi differenti nelle diverse culture.

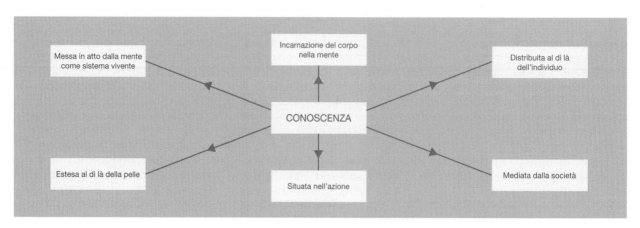

10.64 Il diagramma di Lambros Malafouris mostra che, sebbene il cervello dell'individuo abbia un ruolo chiave nella conoscenza, il processo della conoscenza va ben oltre quel singolo cervello.

Un tipo di attività, comune a tutti gli uomini e a tutte le donne oggi ma evidentemente peculiare dell'umanità, è la pratica della musica. Questo tipo di comportamento ha quindi un ruolo importante nel dibattito sull'evoluzione cognitiva degli esseri umani. Negli ultimi anni, in archeologia e campi affini, è divenuta un'importante area di ricerca la questione dei primi episodi di «comportamento musicale» e le loro relazioni con altre abilità umane quali quelle che sottostanno al linguaggio, al simbolismo, al rituale.

Definizione di musica

Dobbiamo ricordare, quando parliamo di musica, che non stiamo trattando semplicemente degli schemi comportamentali che il suono produce, ma delle azioni e situazioni che conducono alla loro produzione. La musica è un'attività «incorporata» e «contestualizzata», il prodotto di un'azione fisica e dell'ambiente in cui si svolge. Come conseguenza, l'archeologo è potenzialmente in grado di offrire un contributo essenziale alla questione delle origini di questo comportamento specificamente umano, e gli studi sui primi comportamenti musicali degli esseri umani hanno una diretta rilevanza sulle questioni dello sviluppo della mente estesa e della conoscenza incorporata.

Sopravvivenza dell'evidenza

Da molti anni sembra che i comportamenti che potremmo riconoscere come musicali siano precedenti alla comparsa di strumenti nella documentazione archeologica. Nelle società tradizionali attuali, gli strumenti sono molto spesso realizzati in materiali degradabili che non lascerebbero nessuna traccia archeologica, quindi ciò che ci è pervenuto potrebbe rappresentare solo una piccola parte di quanto era prodotto e usato. Nonostante ciò, i reperti archeologici forniscono le prime testimonianze concrete del sorgere di comportamenti musicali nei nostri antenati.

Le più antiche testimonianze

I primi documenti, largamente riconosciuti come relativi ad attività musicale, vengono da contesti del Paleolitico Su-

10.65 Rombo volante derivato dal palco di una renna, proveniente da La Roche-Lalinde in Dordogna (Francia), lungo 18 cm. Lo strumento, legato a una corda e lanciato in orbite circolari, genera suoni dalle profonde vibrazioni.

periore – nei siti della valle dell'Ach, in Germania –, e sono una specie di pifferi di osso e avorio. I più antichi di questi reperti provengono da contesti legati alla cultura aurignaziana e sono stati datati ad almeno 36 000 anni fa, che coincide

esattamente con il periodo dei primi arrivi dell'Homo sapiens in questa parte d'Europa. Altre canne di osso (talvolta denominati «flauti») sono note in altri siti dell'Europa occidentale, in contesti tecnologicamente più sviluppati del Paleolitico Superiore. Altri oggetti che possono essere definiti «produttori di suono» (come raspe, rombi volanti, mazzuoli di tamburo, zufoli) sono stati trovati in alcuni degli stessi siti, e in altri dell'Eurasia. Ci sono solide prove che indicano come le stalattiti delle caverne venissero appositamente colpite per produrre suoni tonali, i «litòfoni», e che le proprietà acustiche di alcune caverne erano considerate particolarmente importanti.

In molti casi, questi strumenti furono ritrovati prima che le tecniche di scavo consentissero di definire bene le relazioni spaziali e stratigrafiche; dunque ne consegue che è impossibile ora ricostruire le circostanze della deposizione. Viceversa, alcuni dei più recenti ritrovamenti sono stati sottoposti a un esame molto più accurato e a più scrupolose registrazioni; si tratta di circostanze che ci permettono di trarre conclusioni più precise intorno a molti campioni.

Pifferi d'osso dominano nelle documentazioni, in parte forse perché essi sono più facilmente riconoscibili: la maggior parte è fatta con ossi di uccelli, e di grandi uccelli come avvoltoi, aquile, oche, cigni. Si conoscono però anche esemplari in altri materiali: uno dei flauti più antichi attualmente conosciuti, quello di Geißenklösterle, in Germania, è ricavato da una zanna di mammut accuratamente lavorata. È interessante notare che un oggetto equivalente si sarebbe potuto realizzare fare molto più facilmente usando da un osso di uccello; in questo caso, scelta dell'avorio di mammut nasconde un significato ben preciso. Mentre i contesti di questi ritrovamenti aumentano nel corso dell'intero Paleolitico Superiore, certi esemplari appaiono strettamente legati a una specifica età e forniscono ulteriore testimonianza di contatti a lunga distanza tra le popolazioni di quel tempo: per esempio, i più antichi pifferi provenienti dal sito assembleare di Isturitz nei Pirenei francesi (l'unica ricchissima fonte di flauti d'osso), assomigliano fortemente a quelli coevi della valle d'Ach in Germania, mentre ▶

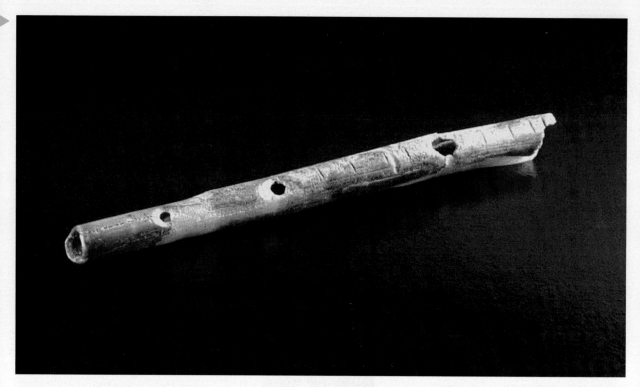

10.66 Uno dei flauti provenienti da Geißenklösterle, in Germania: questo è realizzato con l'osso dell'ala di un cigno.

10.67 Dettaglio di un piffero d'osso della cultura aurignaziana, proveniente da Isturitz, nei Pirenei francesi, fatto con osso d'ala di avvoltoio, o di uccello simile.

gli ultimi esempi del Paleolitico di Isturitz sono realizzati e decorati in modi molto simili a quelli ritrovati in Francia, nelle grotte di Mas-d'Azil, di Placard e di Le Roc de Marcamps.

Conclusione

È chiaro che durante il Paleolitico Superiore europeo le attività musicali erano una componente dei comportamenti umani consolidata e importante; dalle future ricerche archeologiche dipenderà la soluzione del quesito di come questi oggetti si relazionano all'emergere del moderno comportamento umano in altri periodi, e altrove.

Il conoscere coinvolge il cervello, ma gli esseri umani hanno un corpo e la conoscenza è un processo legato a esso. Inoltre, essa si «estende» attraverso il corpo stesso e si traduce nell'abilità di usare manufatti. E naturalmente l'apprendimento e l'uso del linguaggio sono attività sociali, cosicché la conoscenza è anche «distribuita» (vedi testo). L'evoluzione del cervello è stata sicuramente accompagnata dall'evoluzione di quelle capacità che facilitano e migliorano l'adattamento dell'essere umano al mondo in cui vive.

Durante la «fase di speciazione» dell'evoluzione umana, fino all'apparire dell'Homo sapien sapiens, circa 200 000-150 000 anni fa, il cervello umano ha continuato ad evolvere insieme al genoma umano. Ma già al tempo delle migrazioni fuori dall'Africa della nostra specie, circa 60 000 anni fa, la base genetica del nostro genoma, il nostro DNA, era sostanzialmente definita. Da allora in poi i cambiamenti nel comportamento osservati tra le comunità umane nelle diverse parti del mondo sono stati largamente culturali, dipendenti dall'innovazione e dall'apprendimento, piuttosto che da mutamenti del genoma. Questa può essere descritta come la «fase tettonica» dell'evoluzione, durante la quale cultura materiale e comportamento si costruirono sulla lunga traiettoria nel tempo della crescita della società.

In futuro, gli sviluppi delle neuroscienze potranno fortemente illuminare entrambe le fasi, sia chiarendo i cambiamenti nel cervello durante la fase di «speciazione» sia offrendo una migliore visione dei meccanismi di apprendimento che agevolarono lo sviluppo di nuove abilità durante la fase tettonica degli scorsi 60 000 anni. Dobbiamo aspettarci nuove idee sui meccanismi di acquisizione del linguaggio e anche sul fenomeno della coscienza, un'area in passato così difficile da affrontare.

Studiare il processo di apprendimento

È già chiaro che una chiave per comprendere lo sviluppo umano, sin dall'emergere della nostra specie, risiede nelle neuroscienze del processo di apprendimento. In che modo la struttura del cervello favorì innovazioni così grandi come lo sviluppo della scrittura e che

limitazioni le impose? Si è ora compreso che le attività svolte nei primi anni dell'infanzia consentono l'archiviazione di informazioni nelle reti neuronali in via di sviluppo, con il risultato di «biologizzare la cultura», come sostiene J.-P. Changeux. Questo processo riguarda l'incidenza della cultura sui circuiti neuronali in via di sviluppo e l'interiorizzazione, in questo modo, della cultura e dell'ambiente sociale. Tali approcci allo studio delle funzioni cerebrali possono essere utili per lo sviluppo dell'archeologia cognitiva, che deve essere consapevole dei meccanismi neuronali.

Lo studio dell'attività neurale nel cervello, in relazione a stimoli esterni e alle attività dell'individuo, è stato recentemente facilitato da tecniche come la risonanza magnetica funzionale (functional magnetic resonance imaging, fMRI), che consente la ricognizione delle aree del cervello attive durante le attività cerebrali in questione. Non è difficile vedere come lo studio dei processi neuronali al lavoro nel cervello,

durante la scheggiatura della selce, potrebbe avere una significativa ricaduta sulla nostra comprensione dell'evoluzione nel lungo periodo della tecnologia della pietra. La tomografia a emissione di positroni (positron emission tomography, PET) è già stata impiegata proprio in questo modo. Dietrich Stout, Nicholas Toth e Kathy Schick, per esempio, hanno usato questa tecnica per studiare l'attività del cervello di un individuo occupato nella fabbricazione di strumenti di pietra.

Tecniche simili saranno usate sempre di più in futuro per studiare i meccanismi dei processi di apprendimento, sia quelli che coinvolgono le competenze manuali (come la scheggiatura) sia quelli specificamente cerebrali, come la lettura e il calcolo matematico. La comprensione dei meccanismi di apprendimento dell'individuo è destinata ad accrescere la comprensione dei processi di apprendimento e innovazione relativi all'andamento nel tempo delle traiettorie culturali, e anche dell'evoluzione cognitiva.

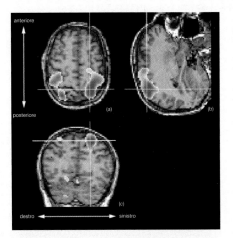

10.68 Immagini di differenti momenti dell'attività cognitiva cerebrale ottenute mediante tomografia a emissione di positroni, PET, mentre il soggetto (Nicholas Toth) stava effettivamente battendo un nucleo di selce con un percussore di pietra per rimuovere schegge (*sopra*) e mentre esaminava un pezzo di selce e immaginava uno strumento di percussione (*sotto*). Le aree colorate indicano le zone cerebrali con maggiore afflusso sanguigno. Nota: (a), (b) e (c) sono, nell'ordine, la vista trasversale o assiale, la sagittale e la frontale.

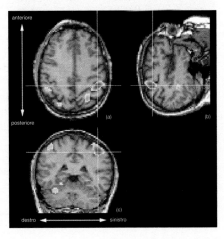

© 978.8808.82073.0

Riepilogo

■ L'archeologia cognitiva è lo studio, attraverso i reperti materiali, delle modalità del pensiero umano. L'essere umano si distingue dagli altri esseri viventi per il suo uso dei simboli: ogni linguaggio e ogni pensiero sono basati su simboli. Il significato ascritto a un simbolo è specifico di una particolare tradizione culturale e le rappresentazioni così come gli oggetti materiali non rivelano direttamente il loro significati all'archeologo.

■ Le origini della coscienza di sé, e lo sviluppo di una mappa cognitiva, sono oggetto di accanita discussione ma vi sono scarse testimonianze archeologiche per chiarire la materia. La fabbricazione di attrezzi e la deliberata sepoltura dei morti sono due dei molti modi attraverso cui noi possiamo investigare il comportamento cognitivo dei primi esseri umani. L'atto di sepoltura in sé implica sentimenti verso il defunto. In più, gli archeologi riconoscono che il corredo funerario di una tomba è composto in modo che restituisca una rappresentazione dell'identità del morto.

■ La presenza della scrittura implica un maggiore sviluppo della mappa cognitiva poiché i simboli scritti sono il modo più efficace con cui l'essere umano può descrivere il mondo che lo circonda e comunicare con gli altri.

■ I simboli materiali sono sfruttati in molti modi: possono fissare punti per marcare il territorio, organizzare il mondo naturale in unità di tempo e di distanza, servire come strumenti di pianificazione, regolare le relazioni tra la gente attraverso costrutti materiali quali la moneta, avvicinare gli esseri umani al soprannaturale e al trascendente, e anche descrivere il mondo stesso attraverso rappresentazioni artistiche. Tutti questi simboli materiali possono essere interpretati in modi diversi all'interno della documentazione archeologica.

■ Nuovi sviluppi in campo disciplinare, come lo studio delle prime pratiche musicali e delle scienze cognitive, indicano nuovi percorsi all'archeologia cognitiva.

Letture consigliate

Le opere seguenti introducono allo studio degli atteggiamenti e delle credenze delle società del passato:

Arsuaga J.L., 2003, *The Neanderthal's Necklace: In Search of the First Thinkers*. Four Walls Eight Windows: New York.

Aveni A.F., 2008, *People and the Sky: Our Ancestors and the Cosmos*. Thames & Hudson: London & New York.

Flannery K.V. & Marcus J. (a cura di), 1983, *The Cloud People: Divergent Evolution of the Zapotec and Mixtec Civilizations*. Academic Press: New York & London.

Frankfort H., Frankfort H.A., Wilson J.A. & Jacobson T., 1946, *Before Philosophy*. Penguin: Harmondsworth.

Gamble C., 2007, *Origins and Revolutions: Human Identity in Earliest Prehistory*. Cambridge University Press: Cambridge.

Insoll T., 2004, *Archaeology, Ritual, Religion*. Routledge: London.

Insoll T., 2011, *The Oxford Handbook of the Archaeology of Ritual and Religion*. Oxford University Press: Oxford.

Johnson M., 2010, *Archaeological Theory* (2nd ed.). Blackwell: Oxford.

Malafouris L., 2013, *How Things Shape a Mind: a Theory of Material Engagement*. MIT Press: Cambridge, MA.

Marshack A., 1991, *The Roots of Civilization*. (2nd ed.), Moyer Bell: New York.

Morley I. & Renfrew C. (a cura di), 2010, *The Archaeology of Measurement: Comprehending Heaven, Earth and Time in Ancient Societies*. Cambridge University Press: Cambridge.

Renfrew C., 1982, *Towards an Archaeology of Mind*. Cambridge University Press: Cambridge & New York.

Renfrew C., 1985, *The Archaeology of Cult. The Sanctuary at Phylakopi*. British School of Archaeology at Athens: London.

Renfrew C., 2007, *Prehistory: Making of the Human Mind*. Weidenfeld & Nicolson: London; Modern Library: New York.

Renfrew C., Frith C. & Malafouris L. (a cura di), 2009, *The Sapient Mind: Archaeology Meets Neuroscience*. Oxford University Press: Oxford.

Renfrew C. & Scarre C. (a cura di), 1998, *Cognition and Material Culture: The Archaeology of Symbolic Storage*. McDonald Institute: Cambridge.

Renfrew C. & Zubrow E.B.W. (a cura di), 1994, *The Ancient Mind: Elements of Cognitive Archaeology*. Cambridge University Press: Cambridge & New York.

Schele L. & Miller M.E., 1986, *The Blood of Kings*. Braziller: New York. (Thames & Hudson: London 1992.)

Stone L. & Zender M., 2011, *Reading Maya Art: A Hieroglyphic Guide to Ancient Maya Painting and Sculpture*. Thames & Hudson: London & New York.

Wheatley P., 1971, *The Pivot of the Four Quarters*. Edinburgh University Press: Edinburgh.

Wightman G.J., 2014, *The Origins of Religion in the Palaeolitich*. Rowman & Littlefield: Latham.

Chi erano?
Che aspetto avevano?

L'archeologia delle persone

Curiosamente i testi di introduzione all'archeologia generalmente dicono poco o nulla sull'archeologia delle persone, sulla loro evoluzione e sui loro caratteri fisici. Uno dei fini principali dell'archeologia è quello di ricostruire le vite delle persone che produssero il documento archeologico: quale testimonianza più diretta potrebbe esserci dei resti fisici dell'umanità del passato? Certamente è lo specialista, l'antropologo fisico, e non l'archeologo, colui che per primo analizza questo tipo di testimonianza; d'altra parte, l'archeologia si serve dei contributi offerti da una grande varietà di scienziati, dagli esperti di radiocarbonio ai botanici, e il compito dell'archeologo moderno è quello di imparare come meglio utilizzare e interpretare, da un punto di vista archeologico, tutte le informazioni provenienti da discipline tanto diverse. L'antropologia fisica fornisce una tale abbondanza di testimonianze da arricchire la conoscenza che l'archeologo ha del passato.

La questione della razza è stata uno dei principali motivi che determinarono la mancata integrazione tra archeologia e antropologia fisica nei decenni immediatamente successivi alla Seconda guerra mondiale. Durante il XIX secolo e all'inizio del XX alcuni studiosi (e molti uomini politici) cercarono di utilizzare l'antropologia fisica per sostenere le loro teorie sulla superiorità razziale dei bianchi, teorie che discendevano essenzialmente dalla convinzione che gli indigeni non fossero stati capaci di costruire monumenti straordinari e imponenti, come per esempio i *mounds* funerari degli Stati Uniti orientali. Ancora negli anni Settanta del secolo scorso il governo bianco della Rhodesia pretendeva di sostenere che il grande monumento che dà oggi il nome alla nazione, lo Zimbabwe, non poteva essere stato costruito solamente dalla popolazione indigena nera (*vedi* Scheda 12.1).

Oggi l'interesse degli antropologi fisici non è tanto quello di identificare popolazioni umane che si suppongono diverse sulla base di poche misure dei resti scheletrici. Ciò non significa che le caratteristiche fisiche non possano essere ricercate e poi studiate; è però necessaria una più solida metodologia sostenuta da metodi statistici ben concepiti per garantire che qualsiasi variazione osservata non sia semplicemente frutto del caso.

Il termine «bioarcheologia», coniato negli anni Settanta da Grahame Clark per definire lo studio delle ossa animali, è ora stato invece adottato per lo studio dei resti umani nei siti archeologici (sebbene nel Vecchio Mondo comprenda comunque altri materiali organici). Quando gli archeologi (o anche la polizia) si imbattono e si mettono a scavare probabili resti umani, per visionarli sono subito convocati gli «antropologi forensi». Quando si è stabilito che si tratta davvero di resti umani, il loro compito è quello di fissarne un profilo biologico, cioè definire principalmente età, sesso, statura e genealogia del defunto. Altri aspetti che l'antropologo forense può indagare sono il tempo decorso dalla morte, lo stato di salute da vivo, la causa della morte (evidente malattia o trauma) e, talvolta, di stabilire somiglianze familiari. Gli sviluppi della biochimica e della genetica potranno consentire in un prossimo futuro di svolgere ricerche più approfondite a livello molecolare, anche se l'osteologia (lo studio delle ossa) rimane fondamentale. Esiste una speranza concreta di un nuovo approccio all'intera questione delle differenze razziali, e per capire in che modo queste possano essere correlate con i gruppi etnici, ovvero con gruppi sociali che concepiscono se stessi come gruppo separato e distinto da tutti gli altri.

Uno dei campi di studio più interessanti, però, è quello attinente alle origini della specie umana. Quando e in che modo affiorarono le capacità esclusive dell'essere umano? Quali furono i processi che portarono allo sviluppo dei primi ominidi, e poi delle successive forme, fino alla comparsa della nostra specie? E quali cambiamenti si sono prodotti da allora nell'aspetto fisico e nelle innate capacità dell'essere umano?

La varietà dei resti umani

Il primo passo è stabilire l'effettiva presenza di resti umani, e la loro quantità. È relativamente facile farlo nei casi in cui siano disponibili corpi intatti, scheletri completi o crani;

11.1-3 Varietà dei resti umani. (*In alto a sinistra*) Il corpo ben conservato di una ragazza con gli occhi bendati, affogata in una palude torbosa a Windeby, Germania settentrionale, circa 2000 anni fa. (*In alto a destra*) Nelle sepolture altomedievali di Sutton Hoo, nell'Inghilterra orientale, è stato possibile recuperare solo i profili rimasti impressi nel terreno sabbioso acido. (*In basso*) Scheletro di un bimbo del primo Neolitico, circa 8500 anni fa, dal sito di Çatalhöyük in Turchia, che indossa braccialetti e caviglere. Nelle sepolture di bambini di questo sito si trova spesso un gran numero di perline.

gli archeologi preparati dovrebbero saper riconoscere anche singole ossa e i frammenti ossei più grandi. Anche piccoli frammenti possono includere caratteri peculiari, dai quali possono essere riconosciuti esseri umani. In alcuni scavi portati a termine recentemente con grande attenzione sono stati trovati singoli peli che con il microscopio possono essere riconosciuti come umani. Nei casi di sepolture mul-

tiple frammentarie o di resti di incinerazioni, si può stimare il numero minimo di individui (*vedi* Scheda 7.5) sulla base dell'abbondanza di specifiche parti dello scheletro.

Come abbiamo visto nel Capitolo 2, le mummie volutamente imbalsamate non sono certo gli unici corpi conservatisi intatti: altri si sono conservati poiché si sono essiccati con processi naturali, si sono prosciugati per congelamento o si sono conservati nella torba. Poiché gran parte del nostro aspetto dipende dai tessuti molli, questi cadaveri possono rivelare ciò che non hanno conservato gli scheletri, in particolare la lunghezza, il colore e l'acconciatura dei capelli; il colore della cute ed eventuali segni cutanei quali rughe e cicatrici; tatuaggi (talvolta molto evidenti, come nel corpo congelato di un capo scitiaco del V secolo a.C.) o particolari quali la circoncisione. In circostanze eccezionali possono essersi conservate addirittura le creste cutanee dei polpastrelli che producono le impronte digitali e quelle corrispondenti sulla pianta del piede: il caso più famoso è quello dell'Uomo di Grauballe (Danimarca), che risale all'Età del ferro. A volte l'azione chimica altera il colore dei capelli, ma per le mummie si può utilizzare l'analisi della fluorescenza per stabilire quale fosse il colore originario.

Anche nei casi in cui il corpo è del tutto scomparso ne può rimanere la testimonianza: l'esempio meglio conosciuto è quello delle cavità lasciate dai corpi degli abitanti di Pompei disintegratisi all'interno dell'involucro indurito di cenere vulcanica che li avvolse (*vedi* Scheda 1.1). I calchi in gesso di questi corpi eseguiti in epoca moderna ci mostrano non solo il loro aspetto fisico generale, le acconciature dei capelli, il vestiario e la postura, ma anche il dettaglio bello e commovente dell'espressione del loro viso nel momento in cui furono colti dalla morte. Le impronte di mani e piedi sono un diverso tipo di «cavità» presente nel documento archeologico e saranno esaminate in seguito.

I corpi del tutto scomparsi possono essere riscoperti anche con altri mezzi. A Sutton Hoo, in Inghilterra, il suolo acido e sabbioso ha distrutto la maggior parte dei resti, lasciando di solito soltanto una macchia indistinta nel terreno, una specie di *silhouette* di sabbia; se queste tracce vengono illuminate con ultravioletto, le «ossa» presenti nelle tracce emettono una fluorescenza che può essere registrata fotograficamente. Anche gli amminoacidi e altri prodotti della decomposizione organica presenti nel terreno possono aiutare a identificare il sesso e il gruppo sanguigno di questi cadaveri «invisibili».

In Germania numerosi vasi vuoti, sepolti nelle cantine delle case tra il XVI e il XIX secolo d.C., furono studiati dall'archeologo Dietmar Waidelich; all'interno dei vasi furono ritrovati, tramite la cromatografia, dei campioni di sedimenti contenenti colesterolo, che indica la presenza di tessuti umani o animali, e ormoni steroidei, come l'estrone e l'estradiolo. Quasi con certezza ciò indica che i vasi venivano usati per seppellire la placenta dopo la nascita di un bambino, dato che, secondo la tradizione locale, questa pratica assicura una crescita sana al bambino.

A parte i rari esempi che abbiamo fin qui citato, la stragrande maggioranza dei resti umani si presenta sotto forma di veri e propri scheletri e di frammenti di ossa che possono offrire, come vedremo, un'ampia gamma di informazioni. Una testimonianza indiretta sull'aspetto fisico delle persone proviene dall'arte antica: essa assume grande importanza quando si tenta di ricostruire le sembianze degli esseri umani.

IDENTIFICAZIONE DEGLI ATTRIBUTI FISICI

Una volta stabilite la presenza e la quantità dei resti, come possiamo tentare di ricostruirne le caratteristiche fisiche, cioè il sesso, l'età alla morte, la corporatura, l'aspetto e le relazioni di parentela?

Maschio o femmina?

Nel caso di **corpi intatti** e di **raffigurazioni artistiche**, il sesso si deduce di solito direttamente dai genitali; se invece questi non sono presenti, saranno indicatori affidabili alcuni caratteri sessuali secondari quali le mammelle, la barba e i baffi. In mancanza di questi elementi, il compito diventa più arduo; la lunghezza dei capelli non può essere considerata un indicatore valido, ma alcuni elementi del vestiario o dei manufatti associati possono essere d'aiuto nel trarre una conclusione. Nei casi di raffigurazioni non è possibile

andare molto oltre; nelle figure di La Marche (Francia), per esempio, che risalgono alla tarda èra glaciale, solo le femmine e i maschi definiti come tali presentano rispettivamente vulva o mammelle, e genitali maschili o barba e/o baffi; tutte le altre figure non presentano caratteri sessuali.

Gli **scheletri** e i **resti ossei umani** privi di tessuti molli consentono una maggiore precisione, grazie al dimorfismo sessuale. Il migliore indicatore del sesso è la forma della pelvi (bacino), che differisce nei maschi e nelle femmine in quanto svolge funzioni diverse nell'ambito della riproduzione, anche se in realtà non tutte le popolazioni presentano lo stesso grado di differenza tra i due sessi: nei Bantu la differenza della pelvi è molto meno marcata che nei San (Boscimani) o negli Europei.

Per determinare il sesso si possono utilizzare anche altre parti dello scheletro. In generale le ossa dell'uomo sono più grandi, più robuste e con inserzioni muscolari più sviluppate rispetto a quelle della donna, più sottili e fragili. Le estremità prossimali dell'omero e del femore hanno nell'uomo superfici articolari più ampie; i maschi hanno il cranio più grande, con arcate sopracciliari e processi mastoidei (le protuberanze situate dietro le orecchie) più prominenti, fronte obliqua, mascella e denti più massicci, e in alcune popolazioni una maggiore capacità cranica (negli Europei un volume superiore a 1450 cm^3 indica di solito un maschio, al di sotto di 1300 cm^3 una femmina). Questi criteri, utilizzati in test al buoi eseguiti su ossa di adulti moderni, possono raggiungere l'85% di precisione; bisogna tuttavia considerare che in certe parti del mondo, come la Polinesia e l'Australia aborigena, le donne hanno il cranio molto grande e ossa molto robuste.

Non si dovrebbe fare troppo affidamento, perciò, sulle misure di un singolo osso, bensì si dovrebbero combinare i risultati provenienti da quante più fonti possibili. L'obiettivo è valutare le differenze in dimensione e forma. Singole grandezze, come il diametro della testa dell'estremità prossimale del femore, possono solo indicare la dimensione del corpo, e sappiamo che mediamente uno dei due sessi è più grande dell'altro. Diverse misurazioni, specialmente se effettuate usando l'analisi multivariata, consentono di caratterizzare la forma, che spesso fornisce una migliore discriminante tra i due sessi che non una sola dimensione.

Per quanto riguarda i **bambini**, a eccezione dei corpi ben conservati e delle raffigurazioni artistiche che mostrano i genitali, non è possibile stabilirne il sesso con lo stesso grado di attendibilità ottenuto per gli adulti, anche se la misurazione dei denti ha dato qualche buon risultato. Sono stati fatti dei progressi nella determinazione del sesso utilizzando l'analisi discriminante in funzione delle misure di giovani scheletri ritrovati a Spitalfields, a Londra (*vedi* Scheda 11.1), il cui sesso era conosciuto tramite i nomi incisi sulle bare.

© 978.8808.82073.0

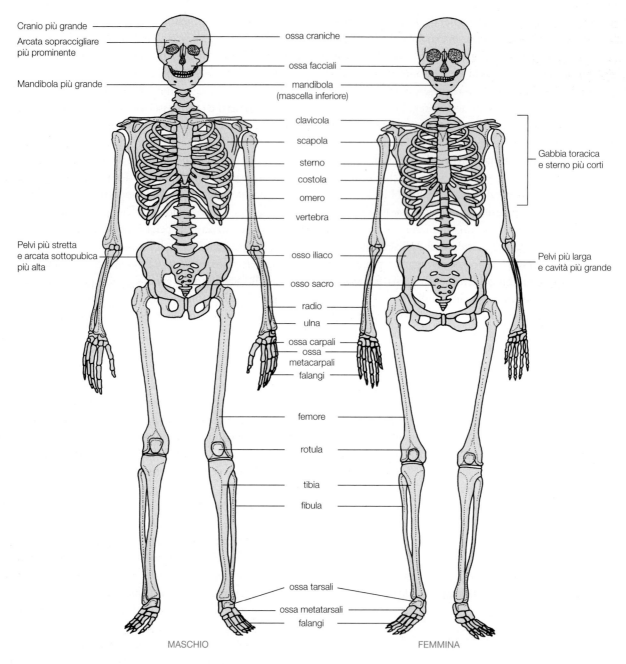

11.4 Le ossa dello scheletro umano e le principali differenze tra i due sessi.

Recentemente una nuova tecnica per determinare il sesso dei resti di uno scheletro frammentario oppure di un bambino è stata sviluppata a partire dall'analisi del DNA (*vedi* più avanti). Per esempio, gli scheletri di 100 neonati sono stati recuperati in una fogna al di sotto di uno stabilimento termale romano (probabilmente anche bordello) a Ashkelon, in Israele, molto probabilmente vittime di un infanticidio. Su 43 femori sinistri sottoposti al test del DNA, 19 hanno dato un risultato: 14 maschi e 5 femmine. Un nuovo metodo di sequenziamento del DNA ha analogamente definito con successo il sesso di esemplari di specie umane antiche risalenti a 70 000 anni fa, e si

rivelerà di valore inestimabile per determinare il sesso di resti infantili o molto degradati. Il DNA può essere estratto anche da antiche feci, grazie alla presenza di cellule che vengono espulse dall'intestino durante la defecazione, e che possono quindi contribuire a determinare il sesso della persona che le ha prodotte; queste informazioni possono anche chiarire le differenze nella dieta legate al sesso. Per esempio, analizzando quattro campioni di feci provenienti dal sito di La Quinta, in California, e da Lovelock Cave, in Nevada, si è potuto stabilire che due erano state prodotte da femmine e una da un maschio, mentre l'ultima è rimasta indeterminata. Esperimenti sulla determinazione del sesso tramite gli escrementi sono stati compiuti anche ricercando la presenza di ormoni come l'estradiolo e il testosterone, come nel caso di campioni di feci provenienti dal Salts Cave e da Mammut Cave nel Kentucky che, come si scoprì, furono lasciate tutte da maschi.

Quanto vivevano?

È necessario sottolineare che, per quanto alcuni specialisti siano capaci di indicare con sicurezza l'età esatta del defunto alla morte, ciò che può essere stabilito con una certa sicurezza è l'età biologica del defunto – cioè lo stato di giovane o adulto o anziano – più che una precisa misura in anni e mesi. I migliori indicatori dell'età sono, come per gli animali, i **denti**, dei quali si studia la calcificazione, l'eruzione e la sostituzione dei denti decidui (denti da latte), la sequenza eruttiva della dentizione permanente e, in ultimo, il grado di usura, tenendo conto per quanto possibile degli effetti causati dalle caratteristiche della dieta e dal modo di preparare i cibi.

Una scala di tempo per l'età alla morte dedotta da questo tipo di informazioni sui denti in una popolazione moderna funziona abbastanza bene per periodi recenti, nonostante si possa verificare una certa variazione individuale; ma può essere applicata anche alla dentizione dei nostri remoti progenitori? Le ricerche sulla microstruttura dei denti suggeriscono che le vecchie ipotesi devono essere sottoposte a nuove verifiche. Lo smalto dentario si accresce a un tasso regolare, che può essere misurato, e le sue microscopiche linee di accrescimento formano creste, che possono essere contate su repliche del dente eseguite in resina epossidica ed esaminate al microscopio elettronico a scansione. In popolazioni moderne approssimativamente ogni settimana si accresce una nuova cresta, e le analisi della struttura dei molari nei Neanderthal ha dimostrato che anche loro avevano un ritmo di crescita molto simile: il metodo è stato testato sui giovani di Spitalfields è si è dimostrato accurato (*vedi* Scheda 11.1).

Misurando le creste di accrescimento di denti appartenenti a esemplari fossili, Tim Bromage e Christopher Dean hanno concluso che i precedenti ricercatori avevano sovrastimato l'età alla morte di molti ominidi primitivi. Essi hanno così stabilito che il famoso cranio di australopiteco risalente a 1-2 milioni di anni fa e proveniente da Taung, in Sudafrica, apparteneva a un bambino che probabilmente morì a soli 3 anni di età, e non a 5 o 6 come si era creduto. Queste conclusioni sono state confermate dalle analisi delle modalità di accrescimento delle radici dentarie e da studi indipendenti sulle modalità di sviluppo dentario in ominidi primitivi condotti da Holly Smith, nonché da una recente indagine dello sviluppo dentario nel cranio di Taung eseguita impiegando la tomografia assiale computerizzata (*vedi* più avanti). Tutto ciò suggerisce che i nostri più antichi

progenitori crescevano più rapidamente di noi e che il loro sviluppo fino alla maturità inoltrata era più simile a quello delle moderne scimmie antropomorfe. Ciò è supportato dal fatto, noto in biologia, che le creature più piccole maturano prima di quelle più grandi e i nostri progenitori erano decisamente più bassi di quanto lo siamo ora.

Bromage e Dean, insieme a Chris Stringer, hanno studiato anche il bambino Neanderthal proveniente dal sito di Devil's Tower Cave, a Gibilterra, datato a circa 50 000 anni fa, e ne hanno corretto l'età alla morte da circa 5 anni a 3 anni, risultato confermato dall'analisi dell'osso temporale. Analogamente, la recente analisi di un bambino Neanderthal belga ha indicato che, a 8 anni, lo sviluppo della sua dentatura era quello di un ragazzo moderno parecchio più grande; ma possono esserci state grandi variazioni nei Neanderthal.

Altre caratteristiche dei denti possono fornire indizi sull'età. Nel momento in cui lo sviluppo della dentizione permanente si è concluso, le radici sono ancora immature e sono necessari mesi perché siano definitivamente formate – questo stadio di crescita può essere esaminato per via radiografica – e così, per individui che non hanno più di 20 anni, si possono ottenere risultati molto precisi. Le radici completamente sviluppate della dentatura di un giovane adulto hanno apici aguzzi che progressivamente si arrotondano. I denti di un individuo anziano sviluppano dentina

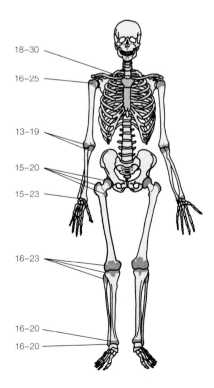

11.5 Valutazione dell'età: sono indicati gli anni nei quali si saldano le epifisi delle ossa (in colore scuro). Le aree in colore più chiaro indicano le sinostòsi, ovvero la saldatura di un gruppo di ossa (per esempio il sacro si salda a 16-23 anni).

Londra
(Spitalfields)

Una rara opportunità per testare l'accuratezza dei differenti metodi utilizzati per attribuire un'età a resti di scheletri si offrì agli archeologi nel 1984-86 con lo sgombro di quasi 1000 inumazioni nella cripta della Christ Church, a Spitalfields, nella zona est di Londra. Non meno di 396 tombe erano corredate da una lapide che riportava nome, età e data di morte dell'occupante; i defunti erano tutti nati tra il 1646 e il 1852 e morti tra il 1729 e il 1852. I maschi e le femmine erano equamente rappresentati e un terzo di essi era giovane. L'età media di morte degli adulti era di 56 anni per tutti e due i sessi e l'individuo più vecchio aveva 92 anni.

Per avere una stima dell'età apparente di morte furono utilizzate diverse tecniche, tra le quali la chiusura delle suture del cranio, l'involuzione della sinfisi pubica, lo studio delle sezioni sottili dei tessuti ossei e la racemizzazione degli amminoacidi nei denti. I risultati furono poi confrontati con le vere età riportate sulle iscrizioni tombali. Venne fuori che i metodi tradizionali di determinazione dell'età di morte non erano accurati. Tutti i metodi applicati agli scheletri di Spitalfields tendevano a sottostimare l'età dei vecchi e a sovrastimare l'età dei giovani; questo risultato riflette una tendenza propria dei reperti di cimiteri che sono composti da individui morti per cause naturali. Coloro che sono morti giovani presumibilmente non riuscirono a raggiungere il loro potenziale e già avevano «ossa vecchie», mentre coloro che vissero a lungo sono i sopravvissuti e avevano ossa «giovani» al momento della morte.

Nella popolazione di Spitalfields i bambini erano piccoli per la loro età se confrontati con quelli dei nostri giorni, però i resti aiutarono gli studiosi a sviluppare e testare i metodi che possono dare una valutazione abbastanza precisa dell'età giovanile. Gli adulti di Spitalfields cominciarono a invecchiare tardi (oltre i 50 anni) e a una velocità minore di quella di oggi; questo dovrebbe renderci

più cauti nell'applicare i dati provenienti da campioni di riferimento moderni al materiale composto da scheletri del passato. Come risultato delle scoperte di Spitalfields dobbiamo considerare azzardato il tentativo di attribuire un'età a un adulto con una precisione maggiore di quella che si può attribuire con i termini biologicamente giovane, di mezza età o vecchio.

11.6 (*A destra*) Lastra tombale di Sarah Hurling, con il nome, l'età e la data di morte.

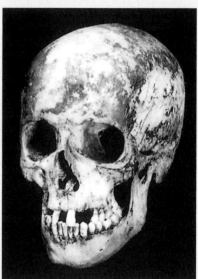

11.7-8 (*Sopra*) Peter Ogier (1711-75), maestro della tessitura della seta, in vita e da morto: un ritratto confrontato con il suo cranio.

11.9 (*A destra*) Il confronto delle età di morte stimate dall'analisi delle ossa (aree ombreggiate) con le età reali rivela che a molti adulti maturi era stata attribuita un'età troppo alta, poiché avevano «ossa vecchie». L'interruzione a 75 anni è dovuta alla scala utilizzata per la popolazione di riferimento.

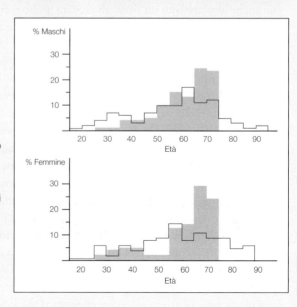

nelle cavità pulpari, e le radici diventano gradualmente traslucide dall'apice in su. La misura di questa trasparenza in uno scheletro di 8000 anni proveniente da Bleivik, in Norvegia, ha permesso di datarne la morte a 60 anni. Gli strati di cemento dentario che si depositano attorno alle radici possono essere contati per stimare gli anni trascorsi dall'eruzione di quei denti, anche se questa procedura non è esente da rischi.

Anche le **ossa** vengono utilizzate per stabilire l'età di un defunto. La sequenza fissa con cui le epifisi compaiono e si saldano alle diafisi offre una scala di tempo che si può applicare ai resti di individui giovani. Una delle ultime ossa a saldarsi è l'estremità interna della clavicola e questo avviene tra i 20 e i 30 anni; dopo quell'età è dunque necessario applicare criteri differenti. Anche la sinostosi, la fusione di due segmenti ossei che solitamente sono separati, può essere un indicatore dell'età: l'osso sacro, per esempio, si fonde tra i 16 e i 23 anni.

Il grado di fusione delle suture tra le ossa della calotta cranica era una volta considerato un importante indicatore dell'età, ma la presenza di suture aperte non deve essere necessariamente presa come un indicatore di giovane età: le suture aperte spesso persistono anche in individui anziani. D'altra parte, lo spessore del cranio in individui immaturi ha in realtà una relazione approssimativa con l'età – più spesse sono le ossa del cranio, più adulto è l'individuo cui appartengono – mentre nei soggetti anziani tutte le ossa diventano di solito più sottili e più leggere, anche se le ossa del cranio si ispessiscono in circa il 10% delle persone anziane. Anche le costole possono fornire indicazioni sull'età di morte di individui adulti, poiché la terminazione dello sterno diventa con l'età sempre più irregolare e frastagliata in quanto l'osso si assottiglia e si estende sulla cartilagine: questo metodo è stato utilizzato sull'uomo ritenuto Filippo il Macedone (padre di Alessandro Magno) o Filippo III (fratellastro di Alessandro) trovato in una tomba a Vergina, nella Grecia settentrionale; i risultati indicarono che era più vicino ai 45 anni che ai 35 (le documentazioni storiche ci dicono che Filippo II aveva 46 anni quando fu ucciso). Altre parti dello scheletro usate nella determinazione dell'età sono la sinfisi pubica e l'articolazione sacroiliaca.

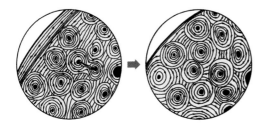

11.10 Valutazione dell'età: i cambiamenti, che avvengono con la crescita nella struttura ossea, sono visibili al microscopio. Gli osteoni circolari si fanno più numerosi e si estendono fino al margine dell'osso.

Ma che cosa si può fare se rimangono solo piccoli frammenti di resti ossei? La risposta la si trova osservando al microscopio la **microstruttura ossea**. Man mano che si invecchia, l'architettura delle ossa cambia in modo distinto e misurabile. Un osso lungo giovane, di circa 20 anni, presenta anelli periferici e un numero relativamente piccolo di strutture circolari dette osteoni; con l'età gli anelli spariscono e compaiono osteoni sempre più numerosi e più piccoli. Applicando questo metodo, anche un frammento può fornire indicazioni sull'età. Esaminare al microscopio una sezione sottile di femore e studiarne lo stadio di sviluppo è una tecnica che, in test in singolo cieco eseguiti su esemplari moderni, ha raggiunto una precisione a meno di 5 anni. Tuttavia, testato sulle ossa di Spitalfields, non si è dimostrato più efficace degli altri metodi.

Un nuovo metodo chimico è stato applicato da Akira Shimoyama e Kaoru Harada a uno scheletro proveniente da un tumulo del VII secolo d.C. di Narita, in Giappone. I due studiosi hanno misurato il rapporto tra due tipi di acido aspartico presenti nella dentina; questo amminoacido ha due forme, o isomeri, che sono l'uno l'immagine speculare dell'altro: l'isomero con configurazione di tipo L è utilizzato nella formazione dei denti, ma si trasforma lentamente in isomero con configurazione di tipo D durante la vita attraverso il processo di racemizzazione (*vedi* Capitolo 4). Il rapporto tra isomero D e isomero L aumenta regolarmente tra gli 8 e gli 83 anni, ed è perciò direttamente proporzionale all'età. Nel caso del defunto di Narita si è dimostrato che lo scheletro apparteneva a un individuo di 50 anni. Poiché l'isomero L continua a trasformarsi in isomero D anche dopo la morte, in relazione alla temperatura, nel calcolo dell'età è necessario prendere in considerazione le condizioni di deposizione dei resti.

Interpretazione dell'età alla morte Giova però ribadire che si può calcolare solo la data approssimativa della morte di un corpo o di uno scheletro che si è conservato ed è stato ritrovato. Una volta molti studiosi credevano, a torto, che portare alla luce un cimitero e determinare sesso ed età degli inumati fornisca un preciso orientamento riguardo all'aspettativa di vita e all'andamento della mortalità in una specifica cultura. Questa opinione parte dal presupposto che un cimitero contenga tutti i membri della comunità morti durante il periodo della sua utilizzazione, ovvero che tutti fossero sepolti in quel luogo indipendentemente dall'età, dal sesso o dallo status sociale; che nessuno morisse altrove e che il cimitero non fosse stato riutilizzato in un altro periodo. Ma non è realistico formulare questa ipotesi. Un cimitero fornisce un campione della popolazione, ma non sappiamo quanto rappresentativo possa essere. Per questa ragione i valori numerici della speranza di vita e dell'età media che ricorrono nella letteratura scientifica

© 978.8808.82073.0

devono essere considerati con spirito critico prima di essere accettati e utilizzati dagli archeologi.

Non ci è tuttavia sufficiente avere i dati disaggregati per età e sesso di una popolazione; noi vogliamo sapere qualcosa anche della loro costituzione e del loro aspetto.

Quanto erano alti e quanto pesavano?

L'**altezza** è un elemento che si può facilmente calcolare se il corpo è interamente conservato, tenendo conto, ovviamente, della contrazione causata dalla mummificazione o dall'essiccazione. La statura di un individuo può essere determinata anche dalla misura delle ossa lunghe, soprattutto quelle delle gambe. L'altezza di Tutankhamon è stata calcolata in 1,69 m in base alle misure della mummia e delle ossa lunghe rimaste intatte, altezza che corrisponde a quella delle due statue lignee poste a guardia ai lati della porta della camera sepolcrale.

La formula per calcolare con una certa approssimazione la statura in base alle ossa lunghe è detta equazione di regressione ed esprime la relazione metrica tra la lunghezza dell'osso e la lunghezza dell'intero corpo. Popolazioni diverse richiedono equazioni diverse, poiché hanno differenti proporzioni corporee. Gli Aborigeni australiani e molti Africani hanno gambe molto lunghe che costituiscono il 54% della loro statura, mentre le gambe di alcune popolazioni asiatiche possono rappresentare solo il 45% dell'altezza; di conseguenza, persone della stessa statura possono avere ossa delle gambe di lunghezze anche molto diverse. La risposta, nei casi in cui la popolazione d'origine del materiale scheletrico sia sconosciuta, è fare uso di una statura femorale media (cioè di una media di differenti equazioni), che fornirà una stima adeguata dell'altezza, precisa probabilmente a meno di 5 cm, che è un buon risultato per le esigenze di un archeologo. Nella cittadina di Cirencester, in epoca romana, la gente sembra essere stata un po' più bassa di oggi: l'altezza media delle donne era di 1,57 m, e la donna più alta raggiungeva la stessa altezza dell'uomo medio (1,69 m).

Anche le ossa del braccio possono essere utilizzate, se necessario, per valutare l'altezza di un individuo (è il caso dell'Uomo di Lindow, rinvenuto privo delle gambe); talvolta sono state utilizzate le impronte delle mani, e anche le impronte dei piedi danno buone indicazioni, poiché la lunghezza del piede nei maschi adulti si considera equivalente al 15,5% dell'altezza totale; si ritiene che nei bambini al di sotto dei 12 anni essa equivalga al 16 o 17%. Ipotizzando che lo stesso calcolo sia ugualmente valido per essere umani pre-moderni, è verosimile che le impronte di Laetoli, in Tanzania (*vedi* più avanti), che datano a 3,6-3,75 milioni di anni fa e che sono lunghe 18,5 e 21,5 cm, siano state lasciate assai probabilmente da ominidi alti rispettivamente 1,20 e 1,40 m.

Anche il **peso** si può calcolare facilmente nel caso di corpi intatti, poiché è noto che il peso di un corpo essiccato equivale al 25-30% del peso del corpo vivo. In questo modo è stato possibile calcolare che una mummia egizia dell'835 a.C. conservata presso il Pennsylvania University Museum (indicata con la sigla PUM III) pesasse da viva tra 37,80 e 45,40 kg. Anche la semplice conoscenza dell'altezza può essere un dato indicativo, poiché dai dati moderni conosciamo il campo di variazione normale del peso degli individui di entrambi i sessi né obesi né eccessivamente magri, di date altezze. Perciò, conoscendo il sesso, la statura e l'età alla morte dell'individuo di cui si possiedono i resti, si può fare una ragionevole stima del peso. L'osso di una gamba potrebbe in questo modo indicare non solo l'altezza, ma anche il sesso, l'età e la corporatura del proprietario. Per quanto riguarda gli ominidi primitivi, le dimensioni corporee sono piuttosto frutto di congetture. Ciò nondimeno, poiché dello scheletro dell'esemplare femminile di australopiteco soprannominato «Lucy» (*vedi* più avanti) è sopravvissuto ben il 40%, è stato possibile calcolare che questo ominide era alto circa 1,06 m e pesava circa 27 kg.

Grazie alle analisi di cui abbiamo parlato, possediamo un corpo di cui conosciamo il sesso, l'età e le dimensioni; ma è il volto l'elemento che serve veramente a identificare e a distinguere gli individui. In che modo, allora, possiamo estrarre questi volti dal passato?

Che aspetto avevano?

Ancora una volta sono i corpi ben conservati a fornirci le immagini più chiare dei volti. L'Uomo di Tollund, uno degli eccezionali corpi ritrovati nelle torbiere dell'Età del ferro della Danimarca, è l'esempio preistorico meglio conosciuto. Un altro viso assai ben conservato appartiene a un uomo di circa 50 anni rinvenuto nella Tomba 168 vicino a Jinzhou, in Cina, il quale fu sepolto nel II secolo a.C. ed è stato perfettamente conservato da un misterioso liquido di colore rosso scuro. La scoperta a Tebe nel 1881 e nel 1898 di due nascondigli di tombe reali ci ha fornito una vera galleria di faraoni mummificati, con i loro volti ancora espressivi, nonostante il lieve rimpicciolimento e l'inevitabile distorsione dei connotati.

Dal Paleolitico Superiore in poi, grazie allo sviluppo delle raffigurazioni artistiche, possediamo anche un grande numero di ritratti, alcuni dei quali, come le immagini dipinte sui sarcofagi delle mummie, sono direttamente associati ai resti del defunto. Altri, come i busti greci e romani, sono accurate e rassomiglianti raffigurazioni di personaggi ben conosciuti, i cui resti potrebbero essersi perduti per sempre. Lo straordinario esercito di terracotta plasmato a grandezza naturale e ritrovato vicino a Xi'an, in Cina, è costituito da migliaia di differenti figure di soldati del III secolo a.C.; sebbene siano rappresentati solo

11.11-15 Volti del passato. (*Sopra*) Uomo di Tollund, un corpo
dell'Età del ferro rinvenuto in una torbiera danese. (*A destra*) Ritratto
in bronzo dell'imperatore Adriano (117-138 d.C.), ritrovato nel Tamigi.
(*Estrema destra e sotto, al centro*) La mummia di Tutankhamon fu
sbendata nel 1923, mettendo in luce un corpo rattrappito. L'altezza
originaria del giovane re fu stimata misurando le ossa lunghe. I
lineamenti del suo viso sono stati recentemente ricostruiti usando
come base una scansione CT del suo cranio – presentiamo qui il
risultato del lavoro di uno dei tre team che hanno autonomamente
prodotto ricostruzioni molto simili).(*Sotto*) Un uomo anziano dal viso
rugoso è raffigurato (insieme con un'anatra) su un vaso di 1000 anni
fa della civiltà Tiwanaku (500-1100 d.C.), proveniente da Pariti, in
un'isola del lago Titicaca, in Bolivia.

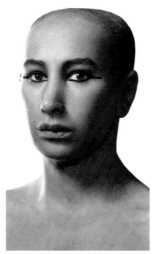

i caratteri generali di ciascun individuo, quelle statue costituiscono una «galleria» di individui senza precedenti,
che ci fornisce anche informazioni di valore inestimabile
sulle acconciature dei capelli, le armature e le armi. Da
periodi più tardi possediamo molte maschere eseguite sul
personaggio o mentre era ancora in vita o da morto; queste
maschere talvolta erano utilizzate come base per realizzare
effigi funebri a grandezza naturale o figure per ornare la
tomba, come quelle dei reali europei e di altri notabili
dall'epoca medievale in poi.

Già nel secolo passato tentativi di ricostruire il volto furono compiuti da anatomisti tedeschi che cercavano di riprodurre le fattezze di uomini celebri, quali Schiller, Kant e Bach, partendo dal cranio. L'esponente più famoso di questa tecnica fu il russo Mikhail Gerasimov, che lavorò su numerosi esemplari, dai fossili umani a Ivan il Terribile. Oggi, che il procedimento ha raggiunto un alto grado di precisione, si ritiene che gran parte del suo lavoro fosse in realtà una «interpretazione ispirata» più che una vera e propria ricostruzione.

Una delle ricostruzioni recenti più brillanti ha interessato lo scheletro etrusco meglio conservato tra quelli conosciuti: quello di una nobildonna chiamata Seianti Hanunia Tlesnasa, che morì circa 2200 anni fa nell'Italia centrale. Fin dal 1887 i suoi resti sono conservati al British Museum in uno splendido sarcofago di terracotta che riporta il suo nome scolpito. Il coperchio di questo sarcofago è sovrastato da un'immagine a grandezza naturale della donna morta, reclinata su un soffice cuscino con uno specchio di bronzo nella mano ingioiellata. Questo è probabilmente il primo ritratto identificabile nell'arte occidentale, ma è veramente Seianti?

Per anni c'è stato il dubbio se le ossa nel sarcofago fossero veramente le sue. Un'équipe condotta da Judith Swaddling e John Prag cominciò a studiare i resti della donna e fu chiesto allo specialista Richard Neave di ricostruirne il viso partendo dal cranio, al fine di confrontarlo con la sua raffigurazione.

11.16 Richard Neave al lavoro mentre ricostruisce un volto.

Gli antropologi dedussero dallo scheletro che, al momento della morte, la donna fosse alta circa 1,5 m e di mezza età. I danni e l'usura delle sue ossa, e che fosse quasi senza denti, fecero pensare in un primo momento a un'età avanzata, ma in realtà essa subì diversi infortuni, probabilmente dovuti a una caduta da cavallo che provocò la rottura dell'anca destra e la caduta dei denti della mascella inferiore destra. L'osso, lì dove la mascella si inserisce nel cranio, era danneggiato e la piena apertura della bocca era sicuramente dolorosa. Ciò le impedì di mangiare qualsiasi altro cibo se non zuppe e pappe, e di tenere puliti i suoi denti superstiti, la maggior parte dei quali, di conseguenza, cadde. Seianti inoltre soffriva di artriti e di sempre maggiori disabilità.

L'analisi della dentina di due dei denti superstiti rivelò che aveva circa 50 anni quando morì. Una datazione delle ossa con il metodo del radiocarbonio diede come risultato il 250-150 a.C., quindi fu confermato che lo scheletro era realmente antico e del giusto periodo. La ricostruzione del viso mostrò una donna di mezza età che era diventata piuttosto obesa.

Quale era la somiglianza con l'immagine del sarcofago? Di profilo c'erano delle differenze, poiché l'artista aveva regalato a Seianti un naso più bello, ma di fronte la rassomiglianza era più netta. La conferma finale venne da una tecnica computerizzata di confronto delle proporzioni e delle caratteristiche facciali: il fotoconfronto al computer della ricostruzione e del ritratto non lasciarono nessun dubbio che si trattasse della stessa persona. L'immagine sul sarcofago la mostrava qualche anno più giovane, con un doppio mento meno pronunciato e una bocca più piccola e più giovanile. In altre parole, lo scultore aveva un po' abbellito il ritratto di questa piccola, corpulenta donna di mezza età, ma era anche riuscito a raffigurarla con un buon grado di somiglianza.

11.17-18 (*In basso a sinistra*) Il sarcofago di terracotta di Seianti Hanunia Tlesnasa che conteneva le sue ossa; il coperchio riporta l'immagine a grandezza naturale della donna morta; ma quanto accurata può essere la rassomiglianza con la persona reale? (*Sotto*) La ricostruzione fatta dal cranio ritrovato nel sarcofago.

Identificazione e ricostruzione del volto Qualche volta si possono identificare individui storici sovrapponendo ossa e ritratti. Lo studioso belga Paul Janssens ha sviluppato un metodo di sovrapposizione di fotografie di crani e di ritratti con il quale è possibile confermare l'identità degli scheletri durante il restauro delle tombe. Per esempio, una fotografia del cranio che si riteneva appartenesse a Maria di Borgogna, una duchessa francese del Quattrocento, fu sovrapposta a una fotografia della testa della scultura che si trova sulla sua tomba, e la sovrapposizione coincise perfettamente. La sovrapposizione del cranio e delle foto è stata anche utile per identificare lo scheletro dello Zar Nicola II, di sua moglie Alessandra e dei loro bambini uccisi nel 1918 e recuperati pochi anni fa da una fossa in una foresta russa dove erano stati sepolti.

La ricostruzione del viso di una donna etrusca, con uno studio che ha usato anche la comparazione fotografica al computer con il ritratto presente sul sarcofago, è il tema della Scheda 11.2. Alcune ricostruzioni del viso vengono ora eseguite con una fotocamera con laser scanner collegata a un computer che contiene informazioni sugli spessori dei muscoli del cranio; il computer controlla poi un'altra macchina che produce un modello tridimensionale del volto in resina. Questo metodo è stato utilizzato, per esempio, per ricostruire il volto di un pescatore vichingo di York. Tali ricostruzioni sono utili per le esposizioni museali e i documentari televisivi, e come ausilio per l'identificazione di un individuo, ma non sono operazioni di routine.

Qualsiasi gioiello o abito rinvenuto in associazione con i corpi o gli scheletri è di enorme valore per stabilire l'aspetto di queste persone in vita, mentre le impronte dei piedi ci informano sul tipo di calzature indossato: quasi tutte le impronte appartenenti all'èra glaciale sono di piedi nudi, ma una di quelle presenti nella grotta francese di Fontanet, datata al Paleolitico Superiore, sembra appartenere a un piede calzato da una specie di morbido mocassino.

Da quali relazioni di parentela erano legati?

Sempre di più è diventato possibile stabilire le relazioni tra due individui confrontando la forma del cranio (che può essere influenzata da molti fattori, per esempio la dieta), analizzando i capelli o il DNA. Esistono altri metodi per raggiungere lo stesso risultato, in primo luogo lo studio della morfologia dentale. Alcune anomalie dentali (come, per esempio, dei denti extra o più grandi e specialmente la mancanza dei denti del giudizio) sono ricorrenti nelle famiglie.

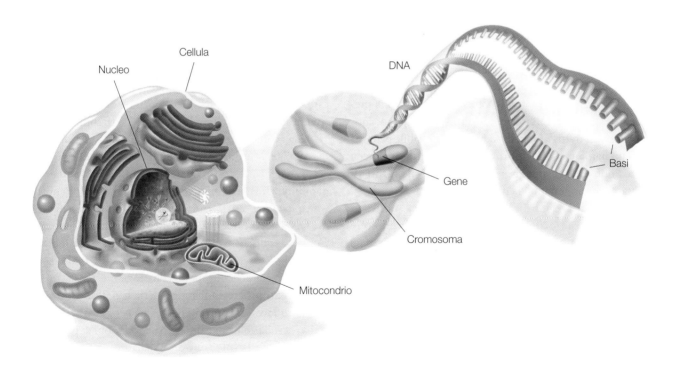

11.19 Il geni, gli organizzatori del patrimonio ereditario, sono composti di DNA (acido deossiribonucleico), che contiene le istruzioni ereditarie necessarie per la costruzione di un organismo e per il suo funzionamento. I geni vengono copiati o «replicati» a ogni nuova generazione di cellule viventi; il DNA forma il «progetto» delle cellule e viene replicato ogni volta che è prodotta una nuova cellula. Perciò, quando le cellule sono coltivate in laboratorio, è coltivato il DNA. Talvolta un segmento di DNA di un essere umano o di un altro animale può essere inserito in batteri e quindi «coltivato» in laboratorio. Questo procedimento è detto «clonazione». I mitocondri (piccoli organelli) interni alla cellula contengono anse relativamente piccole di DNA (DNA mitocondriale, mtDNA) che sono state approfonditamente studiate.

I gruppi sanguigni possono essere determinati anche in base ai tessuti molli, alle ossa e persino alla dentina risalenti fino a più di 30 000 anni fa, poiché i polisaccaridi responsabili dei gruppi sanguigni si trovano in tutti i tessuti, non solo nei globuli rossi, e sopravvivono bene nel tempo. In effetti, l'analisi delle proteine mediante il dosaggio radioimmunologico (*radioimmunoessay*, determinazione della reazione agli anticorpi) è ora in grado di identificare le molecole di proteine sopravvissute nei fossili di migliaia e perfino di milioni di anni fa, e può decifrare affinità tassonomiche di organismi fossili, estinti e non. In un prossimo futuro potremmo ottenere utili informazioni sulle affinità genetiche degli ominidi primitivi.

Poiché i gruppi sanguigni vengono ereditati dai genitori in maniera molto semplice, diversi sistemi possono talvolta essere di ausilio per chiarire le relazioni fisiche tra corpi differenti; il sistema più conosciuto è il sistema A-B-0, nel quale le persone vengono divise secondo il gruppo sanguigno di appartenenza (A, B, 0, AB ecc.). Si sospettava, per esempio, che Tutankhamon fosse in qualche modo imparentato con un corpo non identificato scoperto nel 1907 nella Tomba 55 a Tebe. La forma e il diametro dei crani erano molto simili, e quando le radiografie dei due crani vennero sovrapposte si notò una coincidenza quasi totale. Robert Connolly e la sua équipe analizzarono quindi porzioni di tessuto di entrambe le mummie: questa analisi dimostrò che ambedue possedevano sangue di gruppo A, sottogruppo 2 con antigeni M ed N, un tipo relativamente raro nell'antico Egitto. Questo fatto, insieme a somiglianze riscontrate nello scheletro, rende quasi sicuro che i due individui fossero strettamente imparentati. L'identità del misterioso corpo della Tomba 55 è stata forse risolta mediante l'analisi del DNA che, così alcuni sostengono, conferma che si tratti davvero di Akhenaton, possibile padre di Tutankhamon; questo tipo di analisi ha identificato anche – ma non tutti gli studiosi sono d'accordo – la madre di Tutankhamon, i nonni, la moglie e i figli.

Queste ricerche nel campo della genetica mostrano chiaramente che le affinità familiari si possono riconoscere attraverso l'analisi del DNA. Nel 1985 lo scienziato svedese Svante Pääbo è riuscito a estrarre un campione di DNA da una mummia egizia di 2400 anni fa e a clonarlo. In un periodo di tempo così lungo l'azione chimica ha degradato le molecole di DNA, sicché non esiste più la possibilità di ricostruire un gene funzionante e tanto meno un corpo vivente; tuttavia le informazioni sulle sequenze del DNA delle mummie egizie potrebbero forse indicare le affinità tra i membri delle famiglie reali e stabilire finalmente se i membri di una dinastia praticassero davvero l'incesto, come comunemente si crede. Un'analisi del DNA di sei mummie del 2200 a.C. trovate a Hagasa, in Egitto, ha mostrato che appartenevano a un gruppo familiare (in Scheda 11.3, una recente ricerca del DNA di un gruppo familiare nella Germania del Neolitico). Al momento a Manchester è in corso l'elaborazione di una banca dati di campioni di migliaia di tessuti provenienti da tutto il mondo al fine di aiutare future ricerche in svariati campi, dalla diffusione delle malattie ai fenomeni della migrazione umana.

In Florida, Glen Doran e i suoi colleghi sono riusciti a prelevare materiale genico anche dalle cellule di un antico encefalo umano. Materia cerebrale è stata prelevata da 91 di 168 individui sepolti a Windover Pond, una torbiera nei pressi di Titusville risalente a 7000-8000 anni fa. Alcuni crani sottoposti a TAC hanno mostrato di contenere ancora l'encefalo, discretamente conservato e in gran parte non danneggiato: estrarne il DNA potrebbe farci scoprire se esistono ancora discendenti di questo specifico gruppo indiano.

È possibile ormai estrarre piccole quantità di DNA anche da ossa e denti: mediante la PCR (*polymerase chain reaction*, reazione a catena della polimerasi), ricercatori di Oxford sono riusciti a espandere quantità minime di DNA per proseguire i loro studi.

Svante Pääbo ha estratto alcune molecole di DNA da encefalo, ossa e denti di un Indiano americano del periodo arcaico, di più di 7000 anni fa, rinvenuto nel 1988 a Little Salt Spring, in Florida. Le molecole contenevano una sequenza di DNA mitocondriale (ossia mtDNA) fino ad allora sconosciuta, che lascia ipotizzare che a un certo momento in America si siano introdotti esseri umani appartenenti a un gruppo del tutto nuovo (cioè diverso dai tre lignaggi che, secondo quanto si sa, emigrarono in America; *vedi* più avanti), che però si estinsero qualche tempo dopo il loro arrivo sul continente. Questo potrebbe essere l'unico caso dimostrato della recente estinzione di un gruppo di Americani indigeni senza discendenti diretti sopravvissuti.

Una svolta estremamente importante è stata operata nel 1997 da Matthias Krings, Svante Pääbo e colleghi con l'estrazione del DNA (in questo caso mtDNA) da un resto di ominide fossile di più di 40 000 anni. Ancora più notevole è stata, nel 2010, l'analisi di 4 milioni di paia di basi del DNA dei Neandertal, in pratica il loro intero genoma. Come verrà discusso più avanti, questo studio ha cambiato il pensiero corrente sugli Uomini di Neanderthal e apre una nuova èra nell'antropologia biologica.

I recenti progressi dell'ingegneria genetica delineano dunque nuove e affascinanti possibilità per quanto riguarda la ricerca sull'evoluzione umana, sulle relazioni di parentela e sull'origine e l'evoluzione delle malattie.

Fin qui abbiamo appreso come si può ottenere una notevole quantità di informazioni sui caratteri fisici dei nostri progenitori, ma il quadro è ancora statico. Il passo successivo ci conduce verso la ricostruzione del modo in cui questi corpi lavoravano e verso la conoscenza di ciò che essi erano in grado di fare.

11.3 La ricerca di una famiglia neolitica

Nel 2005, a Elau, in Sassonia, gli archeologi scoprirono quattro sepolture multiple, ben raggruppate e ben conservate, attribuite alla «Cultura della Ceramica cordata» (periodo neolitico, circa 4600 anni fa). Ognuna conteneva un gruppo di adulti e di bambini, inumati uno di fronte all'altro. La contemporaneità della deposizione e i segni di un conflitto dimostravano che erano stati vittime di un qualche tipo di evento violento. Nella ricerca venne adottato un approccio multidisciplinare, associando metodologie archeologiche a quelle antropologiche, e utilizzando l'analisi degli isotopi radioattivi, per determinare le origini di quegli individui, e l'analisi del DNA antico, per indagare le loro relazioni parentali.

L'identificazione di un gruppo familiare

La Tomba 99 ha restituito i risultati più chiari. L'analisi anatomica ha evidenziato che essa conteneva un uomo di età tra 40 e 60 anni, una donna tra 35 e 50, e due ragazzini, uno di 4-5 anni, l'altro di 8-9 anni. Ciascun adulto era sepolto di fronte a un ragazzo, con braccia e mani intrecciate fra loro. Le analisi del DNA hanno mostrato che si trattava di padre, madre e figli – madre e figli hanno identico mtDNA e i ragazzi lo stesso aplogruppo del cromosoma Y dell'uomo. È la più antica testimonianza, su base genetica, di un'unità di famiglia nucleare.

La prova della violenza e dell'origine sociale

Le altre tre tombe contenevano in totale nove persone, soprattutto donne e bambini. Molte recavano segni di una morte violenta, come nel caso di una donna con un proiettile di selce conficcato in una vertebra, di due crani fratturati, e di alcuni individui con tagli sulle mani e avambracci che suggeriscono tentativi di autodifesa. Forse furono massacrati in una scorreria, e poi seppelliti dai sopravvissuti. Tra i defunti non ci sono né adolescenti né giovani. Erano inoltre accompagnati da uno scarso corredo funerario: asce di pietra per gli uomini e i ragazzini, strumenti di selce e pendenti di denti animali per le donne e le ragazzine. Ossa di animali macellati indicano almeno un'offerta di cibo per ogni tomba. L'analisi degli isotopi dello smalto dentale ha evidenziato i livelli di stronzio (contenuto nel terreno) nella dieta praticata durante l'infanzia (vedi Capitolo 8) e differenzia gli individui secondo la loro provenienza. A Eulau, queste analisi hanno mostrato che gli uomini e i bambini erano del luogo, mentre la donna aveva un'origine diversa: siamo quindi in presenza di una società esogamica, in cui le mogli provenivano da un'area esterna, e anche patrilocale, in quanto le femmine andavano nel territorio del maschio, al cui interno facevano i figli.

11.20-21 Gli scheletri ritrovati nella Tomba 99 a Eulau, e (sotto) una rappresentazione del modo in cui i corpi erano stati sistemati.

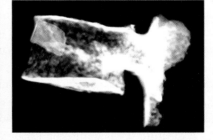

11.22-23 (Sopra) Foto e radiografia di una vertebra femminile in cui è conficcata una punta di freccia di selce, forse a seguito di un'aggressione.

VALUTAZIONE DELLE CAPACITÀ UMANE

Il corpo umano è una macchina superba capace di svolgere una grande varietà di azioni, alcune che richiedono forza e potenza, altre invece che implicano un preciso controllo e abilità specialistiche; tuttavia non sempre esso è stato in grado di compiere l'enorme varietà di azioni di cui è oggi capace. Come si può allora ricostruire lo sviluppo delle capacità umane?

La deambulazione

Uno dei caratteri basilari esclusivi dell'essere umano è la capacità di camminare abitualmente su due gambe, ovvero il bipedismo. Esistono numerosi metodi che consentono di approfondire l'evoluzione di questo carattere umano. L'analisi di certe parti dello *scheletro* e delle proporzioni del corpo è il metodo più diretto, ma spesso i crani sono le uniche parti dei nostri progenitori a essere sopravvissute. Un'eccezione è rappresentata dallo scheletro di australopiteco completo al 40% soprannominato «Lucy», risalente a circa 3,18 milioni di anni fa e rinvenuto da Donald Johanson e dai suoi colleghi ad Hadar in Etiopia, nella regione di Afar (dalla quale deriva il suo nome scientifico: *Australopithecus afarensis*). Un'attenzione particolare è stata concentrata sulla metà inferiore dello scheletro di Lucy. I paleoantropologi americani Jack Stern e Randall Susman ritengono che fosse capace di camminare, sebbene avesse ancora bisogno degli alberi per procurarsi il cibo e trovare protezione, come indicano le mani e i piedi lunghi, incurvati e molto muscolosi, elementi tutti che suggeriscono che i quattro arti fossero prensili.

Un altro ricercatore americano, Bruce Latimer, e i suoi colleghi credono invece che Lucy fosse un bipede completamente adattato, mentre nutrono dubbi sul fatto che le ossa incurvate delle dita dei piedi e delle mani siano una prova in favore della vita sugli alberi. Essi ritengono che gli arti inferiori fossero «del tutto riorganizzati per camminare in posizione eretta»: l'orientamento della caviglia è simile a quello dell'essere umano moderno e ciò implica che il piede era meno flessibile nei movimenti laterali rispetto al piede di un pongide (scimmia antropomorfa). Recenti studi hanno ora dimostrato che Lucy e i suoi parenti avevano caviglie rigide, e quindi non potevano usare i piedi per aggrapparsi. Per contro, le ossa dei piedi delle prime specie di *Ardipithecus ramidus* (4,4 milioni di anni fa) e di *Australopithecus sediba* (2 milioni) suggeriscono che essi potessero deambulare eretti e anche arrampicarsi sugli alberi.

Il dibattito si è inasprito con l'analisi di «Little foot» (Piccolo piede), quattro ossa articolate del piede appartenenti a un probabile *Australopithecus africanus* proveniente da Sterkfontein, in Sudafrica, vecchio 3,5 milioni di anni. Alcuni specialisti credono che, benché completamente adattato

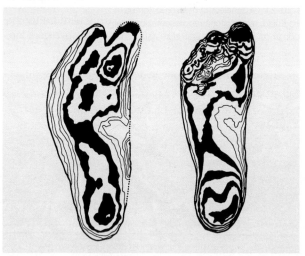

11.24-25 Le impronte di Laetoli. (*In alto*) Una serie straordinaria di impronte di piedi lasciate da ominidi primitivi 3,6-3,75 milioni di anni fa in questo sito dell'Africa orientale. (*In basso*) Il profilo della pressione esercitata dal piede di una delle impronte di Laetoli (*a sinistra*) è sorprendentemente simile a quello prodotto dal piede di un uomo moderno su un suolo molle (*a destra*).

al bipedismo, il piede abbia ancora dei tratti simili a quelli della scimmia antropomorfa che lo rendono assolutamente adatto alla vita sugli alberi. Altri specialisti sostengono invece che questi sono semplicemente dei tratti anatomici residui e che questi australopitechi passavano tutta la loro vita su due gambe.

Un tipo diverso di testimonianza a favore dell'andatura eretta si può trovare nel *cranio*. La posizione del foro occipitale, alla base del cranio, dove si innesta la colonna vertebrale, è un elemento molto importante per quanto riguarda la posizione del corpo durante la deambulazione. Oggi mediante la tomografia assiale computerizzata (TAC) si possono esaminare anche i crani fossili intrappolati in una matrice molto dura: i tomogrammi ottenuti a brevissimi intervalli presentano una serie di sezioni trasversali che il computer può rielaborare per generare immagini verticali oppure oblique, secondo necessità; in questo modo un cranio può essere osservato sotto ogni angolazione. Questa tecnica è utile anche nei casi in cui si vogliano studiare le mummie senza togliere le bende, e visualizzare quali organi siano ancora presenti all'interno (*vedi* Scheda 11.3).

Gli scienziati olandesi Frans Zonneveld e Jan Wind hanno utilizzato la TAC sul cranio completo di un *Australopithecus africanus* risalente a 2-3 milioni di anni fa e proveniente da Sterkfontein, in Sudafrica, conosciuto come «Mrs Ples». I tomogrammi rivelarono i canali semicircolari dell'orecchio interno, nascosti all'interno del cranio fossile, particolarmente interessanti perché forniscono indicazioni sull'equilibrio e sul portamento della testa: negli esseri umani che camminano in posizione eretta il canale orizzontale è infatti in relazione con l'inclinazione del capo. L'inclinazione del cranio di «Mrs Ples» indicava che camminava con il capo più inclinato in avanti rispetto all'essere umano moderno.

L'anatomista olandese Fred Spoor e i suoi colleghi hanno studiato i canali semicircolari dell'orecchio interno in una serie di differenti ominidi trovando che negli australopitechi questa caratteristica era decisamente simile a quella della scimmie antropomorfe – supportando la tesi che la loro vita fosse equamente divisa tra gli alberi e il terreno – mentre l'*Homo erectus* era per quest'aspetto simile all'essere umano moderno.

Orme nel tempo Le impronte dei piedi dei primi ominidi, tracce reali della deambulazione umana, costituiscono senza dubbio un'importante fonte di informazioni. Gli esemplari meglio conosciuti sono le orme scoperte da Mary Leakey a Laetoli, in Tanzania, lasciate da piccoli ominidi circa 3,6-3,75 milioni di anni fa, secondo le datazioni con il potassio-argo eseguite sugli strati di tufo vulcanico posti immediatamente sotto e sopra lo strato sul quale si trovano le impronte. Gli esseri umani che le lasciarono attraversavano un'area coperta di cenere vulcanica umida, poi ridotta a fango dalla pioggia e quindi, asciugandosi, induritasi come cemento.

L'osservazione della forma delle impronte ha rivelato a Mary Leakey e ai suoi collaboratori che i piedi erano caratterizzati da un arco piuttosto alto, da un tallone arrotondato, da un avampiede pronunciato e da un grosso alluce rivolto in avanti. Questi elementi e i segni lasciati

11.26-27 (*A sinistra*) Impronta di piede di Neanderthal, dalla grotta di Vârtop, in Romania. Datata a 62 000 anni fa, lunga 22 cm, suggerisce un corpo alto 1,46 m. (*A destra*) Impronta di piede di un primo *Homo sapiens* datata a circa 20 000 anni fa, dalla serie di impronte scoperte nella regione dei laghi Willandra, nel sud-est dell'Australia. Sono presenti maschi e femmine, con una gran varietà di età e con una diversa attitudine al cammino e alla corsa.

dalla pressione esercitata dal corpo somigliavano a impronte di esseri umani che camminano in posizione eretta. Le pressioni esercitate lungo il piede e la lunghezza del passo (in media di 87 cm) indicavano inoltre che quegli ominidi (probabilmente primitivi australopitechi) stavano camminando a un'andatura piuttosto lenta. In breve, tutti i caratteri morfologici distinguibili implicavano che quei piedi erano assai poco diversi dai nostri.

Sulle impronte di Laetoli è stato condotto uno studio dettagliato utilizzando la fotogrammetria (Capitolo 3), che ha creato un disegno che mostra tutte le curve e i contorni delle impronte. Il risultato metteva in evidenza almeno sette punti di somiglianza con le impronte moderne, come per esempio la profondità dell'impronta del tallone e di quella dell'alluce. Michael Day ed E. Wickens eseguirono anche stereofotografie per confrontare le impronte di Laetoli con impronte moderne lasciate da uomini e donne in condizioni simili di suolo; ancora una volta i risultati ottenuti offrivano una possibile testimonianza in favore del bipedismo, un tratto distintivo che è preciso nelle impronte recentemente scoperte a Ileret, in Kenia, di 1,5 milioni di anni. Le impronte dei piedi ci offrono dunque non solo rare tracce di tessuto molle dei nostri remoti progenitori, ma testimoniano anche la deambulazione in posizione eretta in modo molto più chiaro di quanto possano farlo le ossa.

Lo studio delle impronte fossili non è ovviamente limitato solo a periodi di tempo così remoti. Nelle grotte francesi, per esempio, si conoscono centinaia di impronte

© 978.8808.82073.0

11.28 Orme rinvenute nel 2013 nel sito di Happisburgh, in Norfolk, Inghilterra. Datate a circa 800 000 anni fa, appartenevano probabilmente a un *Homo antecessor*.

che risalgono alla fine dell'ultima èra glaciale. Le ricerche svolte da Léon Pales utilizzando calchi accuratissimi in resina siliconica hanno rivelato alcuni dettagli del comportamento di chi abitava queste caverne: in quella di Fontanet è possibile seguire il percorso di un bambino che inseguiva un cagnolino o una volpe. Nella grotta di Niaux, invece, le orme mostrano che i piedi dei bambini erano più stretti e più arcuati di quanto non lo siano oggi.

Nel 2003 nella regione dei laghi Willandra, nel sud-est dell'Australia, è stata scoperta la più grande collezione al mondo di impronte del Pleistocene. Data mediante luminescenza otticamente stimolata tra 19 000 e 23 000 anni fa, si tratta di più di 450 impronte in movimento, prodotte da dozzine di individui – adulti, adolescenti, bambini – che si incrociano su una superficie di argilla umida. Un uomo, alto sui 2 m, correva a circa 20 km/h, mentre le impronte più piccole appartenevano a un bambino.

Ci sono anche molte altre impronte più recenti: sulla superficie di un antico terreno fangoso giapponese, su una spiaggia argentina risalente alle prime fasi dell'Olocene, e soprattutto sulla pianura fangosa dell'estuario del Mersey, in Inghilterra, risalente a 3600 anni fa, dove si trovano 145 impronte di piedi che formano il percorso di un uomo adulto (alto 1,66 m), una donna (alta 1,45) e diversi bambini; mentre l'uomo si muoveva rapidamente, la donna e i bambini, forse intenti a raccogliere conchiglie, camminavano lentamente. Alcune delle impronte mostrano delle anomalie, come la mancanza di un dito del piede oppure la fusione di due dita, e quindi forniscono importanti informazioni sulle condizioni di salute.

Quale mano usavano?

Tutti noi sappiamo che oggi ci sono molte più persone destrimane che mancine; si può considerare un'affermazione valida anche per la preistoria? Molte testimonianze sono costituite dalle impronte e dagli *stencil* rinvenuti nei ripari sotto roccia australiani e altrove, e in molte grotte della Francia, della Spagna e della Tasmania, datate all'era Glaciale. Nei casi di *stencil* che rappresentano la mano sinistra si deve supporre che l'artista fosse destrimane, e viceversa. Sebbene la pittura fosse per lo più spruzzata sulla parete con la bocca, possiamo immaginare che la mano principale aiutasse a eseguire l'operazione. Dei 158 stencil trovati nella grotta francese di Gargas, ai quali ritorneremo più avanti, 136 sono stati identificati come *stencil* della mano sinistra, e solo 22 della mano destra: l'uso della mano destra era dunque predominante. Nei pochi casi in cui un individuo dell'era Glaciale è dipinto con qualcosa in mano, si tratta in generale, anche se non sempre, di una mano destra.

Indizi per il destrismo si possono raccogliere anche con altri metodi. I destrimani tendono ad avere sul lato destro ossa più lunghe, più forti e con inserzioni muscolari più evidenti rispetto a quelle del lato opposto; a questo proposito Marcellin Boule notava, nel 1911, che l'omero destro dello scheletro di Neanderthal rinvenuto a La Chapelle-aux-Saints era molto più robusto del sinistro.

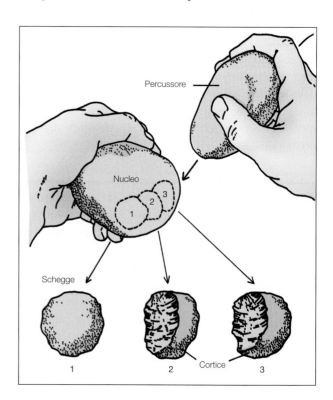

11.29 Le prove sperimentali eseguite da Nick Toth hanno dimostrato che un costruttore di strumenti litici destrimano realizzerà schegge che per il 56% presentano il cortice a destra, come in questo esempio. Gli strumenti provenienti da Koobi Fora, in Kenya, risalenti a 1,5 milioni di anni fa, presentano un rapporto quasi identico.

Osservazioni analoghe sono state fatte su altri scheletri di Neanderthaliani, come quelli di La Ferrassie I e di Neanderthal. Analogamente scheletri risalenti dall'XI al XVI secolo d.C. provenienti dal villaggio inglese di Wharram Percy avevano il braccio destro più lungo di quello sinistro nell'81% degli esemplari e il braccio sinistro più lungo di quello destro nel 16%.

Le **fratture** e i **segni di tagli** sono altrettanto eloquenti. I soldati destrimani, per esempio, di solito ricevono ferite sul lato sinistro; lo scheletro di un guerriero nabateo di circa 40-50 anni, sepolto 2000 anni fa nel Deserto del Negev, in Israele, presentava fratture multiple rimarginate al cranio, al braccio sinistro e alle costole. Pierre-François Puech, studiando le graffiature sui denti di esseri umani fossili (*vedi* Capitolo 7), notò che la mandibola di Mauer (Heidelberg) di circa 500 000 anni fa reca segni su sei denti frontali, fatti con uno strumento di pietra, e la loro direzione indica che il proprietario della mandibola era destrimano.

Anche gli **strumenti** possono essere rivelatori. I cucchiai neolitici dal lungo manico fatti di legno di tasso, conservatisi in alcuni villaggi lacustri sulle Alpi e risalenti al 3000 a.C., mostrano sul lato sinistro chiari segni di strofinio che indicano che furono utilizzati da individui destrimani. Analogamente, la fune trovata nella grotta di Lascaux (tarda èra glaciale), essendo formata di fibre avvolte a spirale destrorsa, dimostra di essere stata intrecciata da un destrimano.

A volte è possibile determinare se gli strumenti litici siano stati utilizzati con la mano destra o con la mano sinistra. In esperimenti di produzione di strumenti litici, Nick Toth, destrimano, teneva il nucleo nella mano sinistra e il percussore nella destra; non appena lo strumento fu realizzato, il nucleo venne ruotato in senso orario e le schegge, staccate in sequenza, presentavano una piccola mezzaluna laterale di cortice (la superficie esterna del nucleo). La battitura eseguita da Toth produsse un 56% di schegge con il cortice a destra e un 44% di schegge con il cortice a sinistra. Un costruttore di strumenti mancino produrrebbe uno schema esattamente opposto. Toth ha quindi applicato questi criteri a strumenti prodotti in modo analogo, e probabilmente da *Homo habilis,* su numerosi siti datati a prima di 1,5 milioni di anni fa, a Koobi Fora (Kenya). Lo studioso ha così scoperto che in sette siti il 57% delle schegge erano orientate verso destra e le restanti verso sinistra, uno schema quasi identico a quello prodotto durante le prove sperimentali.

Poiché circa il 90% degli esseri umani d'oggi è destrimano, possiamo considerarci gli unici mammiferi che mostrano di preferire l'uso di una mano piuttosto che dell'altra. La parte dell'encefalo responsabile del controllo fine e del movimento è localizzata nell'emisfero cerebrale sinistro; i ritrovamenti che abbiamo citato sopra indicano che non molto dopo 2 milioni di anni fa l'encefalo degli ominidi era già asimmetrico nella struttura e nella funzione. Tra i Neanderthaliani di 70 000-35 000 anni fa, Marcellin Boule ha notato che quello di La Chapelle-aux-Saints aveva l'emisfero cerebrale sinistro leggermente più grande del destro e la stessa differenza è stata trovata in encefali di campioni provenienti da Neanderthal, Gibilterra e La Quina.

Quando si sviluppò il linguaggio?

Il linguaggio, come il controllo fine e il movimento, è controllato dalla parte sinistra dell'encefalo. Alcuni studiosi ritengono che le primitive capacità di linguaggio possano essere studiate per mezzo di **calchi interni del cranio**, ottenuti versando in un cranio gomma di lattice che, asciugando, forma una riproduzione precisa della superficie interna del cranio, sulla quale rimangono deboli impronte dell'encefalo. Con tale metodo si può calcolare la capacità cranica; Ralph Holloway ha esaminato con questo metodo due crani ricostruiti provenienti da Koobi Fora (KNM-ER 1470 e 1805), e ne ha calcolato il volume. Il cranio 1470, datato a circa 1,89 milioni di anni fa e solitamente attribuito a *Homo habilis,* aveva una capacità compresa tra 752 e 775 cm^3, mentre il cranio 1805, datato a circa 1,65 milioni di anni fa e appartenuto a *Homo* o a *Australopithecus,* aveva una capacità di tipo australopiteco, 582 cm^3. Secondo lo studioso americano Dean Falk, il calco interno del cranio 1470 mostra chiaramente caratteri umani, mentre il cranio 1805 era caratterizzato da un encefalo più simile a quello di un gorilla o di uno scimpanzé.

Il centro del linguaggio nell'encefalo è costituito da una protuberanza della superficie dell'emisfero sinistro, che un calco dovrebbe teoricamente riuscire a registrare. Dean Falk, continuando le analisi condotte da Philip Tobias, sostiene che nell'encefalo 1470 quest'area particolare è già specializzata per il linguaggio e che di conseguenza quell'ominide era forse in grado di produrre un linguaggio articolato. D'altra parte tra gli studiosi non c'è assolutamente un parere concorde sul fatto che caratteristiche di questo tipo nei fossili siano sufficienti per un'interpretazione attendibile.

Poiché le abilità fino-motorie e grosso motorie sono localizzate nella stessa zona dell'encefalo che presiede al linguaggio, alcuni studiosi si spingono fino a sostenere che le due cose potrebbero essere collegate tra loro, cioè che la corrispondenza nella strumentazione potrebbe essere il segno di una sorta di capacità intellettuale necessaria per la comprensione del linguaggio. L'abbondanza crescente dell'ascia a mano acheuleana, e la perfezione della sua forma, oppure l'incremento dei tipi di strumenti, potrebbero implicare una crescita della capacità intellettuale, e quindi

© 978.8808.82073.0

della capacità di linguaggio. Altri studiosi, invece, negano qualsiasi relazione tra capacità spaziali (tecnologiche) e comportamento linguistico, sostenendo che la fabbricazione di strumenti e il linguaggio non sono concepiti e appresi nello stesso modo. Gran parte dell'apparente standardizzazione degli strumenti, essi dicono, è probabilmente stata dettata dai limiti imposti alla tecnologia dal materiale e dal processo di fabbricazione, così come succede nelle nostre classificazioni archeologiche. Gli strumenti litici da soli, concludono questi studiosi, non possono dirci gran cosa riguardo al linguaggio.

È tuttavia incoraggiante che la ricerca sulla genetica molecolare continui a fare dei progressi in quest'area: un serio difetto al linguaggio presente in tre generazioni di una famiglia residente a Londra (li chiameremo KE per una ovvia ragione di anonimato) è stato collegato a una mutazione in un gene specifico indicato con FOXP2. Studi di genetica molecolare indicano che la versione specifica di questo gene (e, per gli esseri umani, normale) è comune a tutti gli umani, ma non agli altri primati e che potrebbe trattarsi di una mutazione preferenziale avvenuta circa 100 000 anni fa. Questa positiva mutazione è correlata alla abilità fino-motoria di controllo dei movimenti della bocca e della faccia. La genetica molecolare sta già illuminando la storia evoluzionistica delle capacità di articolazione necessarie nello sviluppo del linguaggio, ma non ancora delle abilità simboliche che lo sottendono. Questo è un problema ben più complesso e sicuramente ne sentiremo parlare negli anni a venire.

La ricostruzione dell'apparato della fonazione Per valutare la capacità di linguaggio dell'umanità primitiva si può tentare di ricostruire l'apparato della fonazione. A questo scopo Philip Lieberman e Edmund Crelin hanno messo a confronto l'apparato della fonazione dei Neanderthal con quello degli scimpanzé e con quello dell'essere umano

moderno, sia adulto sia neonato; i risultati mostrano che la parte superiore della gola di un Neanderthal adulto assomiglia molto a quella dei neonati moderni. I Neanderthal, sostengono i due ricercatori, non avevano una moderna faringe (la cavità al di sopra della laringe) e per questo motivo erano capaci di emettere soltanto una serie limitata di suoni vocalici e non un linguaggio ben articolato. Questa ipotesi si basa tuttavia su testimonianze piuttosto fragili e non è stata quindi accettata da tutti.

Comunque, le ricerche sull'apparato della fonazione sono state confermate dal lavoro di Jeffrey Laitman, che utilizza un metodo diverso. Egli ha notato che la forma della base del cranio, che costituisce una sorta di «soffitto» per la gola, dipende dalla posizione della laringe. Nei mammiferi e nei bambini piccoli la base è piatta e la laringe alta, sotto una faringe piuttosto piccola, mentre negli esseri umani adulti la base è arcuata e la laringe bassa, associata a una faringe piuttosto grande che permette una maggiore modulazione dei suoni vocalici.

Tornando agli ominidi fossili, Laitman ha scoperto che negli australopitechi la base del cranio era piatta, e di conseguenza la faringe era di dimensioni ridotte (un po' più grande che nei pongidi); gli australopitechi avevano una capacità fonatoria superiore a quella dei pongidi, ma probabilmente non riuscivano a emettere vocali. Inoltre, come i pongidi e diversamente dall'essere umano, erano ancora capaci di respirare e deglutire liquidi contemporaneamente. Nei crani di *Homo erectus* (da 1,6 milioni a 300 000 anni fa) la base del cranio comincia a incurvarsi, indicando così che la laringe stava probabilmente discendendo. Secondo Laitman, la piena curvatura del tipo moderno dovrebbe coincidere con la comparsa di *Homo sapiens*, sebbene egli riconosca che i Neanderthal (*Homo sapiens neanderthalensis*) erano assai probabilmente dotati di una gamma vocalica più ristretta di quella degli esseri umani moderni.

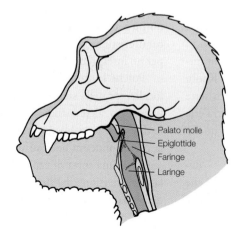
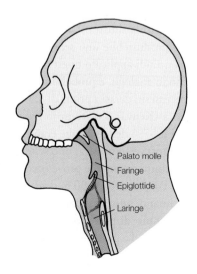

11.30 Confronto fra l'apparato della fonazione di uno scimpanzé (*a sinistra*) e quello di un essere umano moderno (*a destra*). Nell'essere umano la laringe è più in basso e la base del cranio più arcuata; l'origine di questi caratteri può essere studiata nei resti fossili.

Palato molle
Epiglottide
Faringe
Laringe

Palato molle
Faringe
Epiglottide
Laringe

Il ritrovamento a Kebara Cave, in Israele, di uno ioide umano risalente a 60 000 anni fa (lo ioide è un ossicino a forma di U i cui movimenti interessano la posizione e il movimento della laringe alla quale è attaccato) ha riacceso il dibattito sulle capacità di linguaggio dei Neanderthal. La grandezza, la forma e i segni dell'inserzione dei muscoli pongono il reperto nella categoria dell'essere umano moderno, aumentando così i dubbi riguardo al punto di vista di Lieberman e suggerendo che i Neanderthal fossero effettivamente in grado di esprimersi attraverso il linguaggio. Nonostante questo, numerosi studiosi hanno puntualizzato che il linguaggio è una funzione propria dell'encefalo e quindi una capacità mentale, e che la semplice presenza di uno ioide non può essere equiparata per importanza alla posizione assunta nella gola dalla laringe.

Recentemente, tuttavia, l'analisi del canale ipoglosso, una perforazione alla base del cranio, dove il midollo spinale si collega all'encefalo, ha mostrato che questi canali già 400 000 anni fa erano simili in grandezza a quelli degli esseri umani moderni. Ciò suggerisce che probabilmente contenevano anche una simile quantità di nervi collegati alla lingua, quindi capacità di linguaggio simili a quelle dell'essere umano moderno avrebbero potuto svilupparsi molto tempo prima di quanto si pensi e certamente molto prima degli Uomini di Neanderthal.

Identificazione di altri tipi di comportamento

L'uso dei denti Come abbiamo visto nel Capitolo 7, i segni rimasti sui denti dei nostri antichi progenitori indicano spesso che utilizzavano la bocca per afferrare e tagliare le cose, come fosse una terza mano. In numerosi esemplari di Neanderthal questa abitudine è indicata dalla fortissima usura dei denti anche in soggetti piuttosto giovani e dall'altissima incidenza di scheggiature e microfratture dello smalto.

La storia dell'igiene dentale può apparire di scarsissimo interesse per gli archeologi; tuttavia suscita certo un po' di curiosità sapere che oggi la scienza può indicarci che i nostri antenati primitivi facevano uso di una specie di stuzzicadenti. Le analisi condotte da David Frayer e Mary Russell su esemplari Neanderthal di Krapina, in Croazia, hanno messo in luce sui molari una serie di solchi e striature compatibili con l'uso regolare di un piccolo strumento acuminato per penetrare negli spazi interdentali. Segni simili sono stati osservati anche su denti appartenenti a esemplari di *Homo erectus* e *Homo habilis*. Per un periodo assai più recente si può citare l'esame della dentatura anteriore del re di Danimarca Cristiano III (XVI secolo): l'osservazione al microscopio elettronico a scansione ha rivelato striature la cui forma e direzione indicavano che il sovrano aveva utilizzato per la pulizia dei denti un panno umido cosparso di polvere abrasiva.

L'uso delle mani e delle dita Gli esemplari di mani e di dita che si sono conservati fino a noi possono essere studiati per valutare la destrezza manuale e il tipo di lavoro svolto. Randall Susman ha mostrato che negli esseri umani, ma non negli scimpanzé, il primo osso metacarpale (quello del pollice) ha una testa più larga in rapporto alla lunghezza e poiché quest'osso ha una simile configurazione nell'*Homo erectus*, ne consegue che questi ominidi devono aver avuto un pollice piuttosto muscoloso, capace di esercitare la forza necessaria per la produzione di attrezzi. D'altra parte, il pollice dell'*Australopithecus afarensis* non aveva questo potenziale: non avrebbe potuto afferrare un percussore con tutte e cinque le dita, anche se le sue mani erano pur sempre più adatte all'uso di attrezzi rispetto a quelle dei pongidi. Calchi di ossa di dita indice e di pollici di Uomini di Neanderthal sono stati analizzati e utilizzati in simulazioni dinamiche tridimensionali che rivelano come l'uso della mano destra non fosse significativamente diverso da quello degli esseri umani moderni. Le unghie ben curate dell'Uomo di Lindow indicano invece che egli non svolgeva un lavoro pesante.

Sforzi esercitati sullo scheletro Durante la vita gli esseri umani ripetono incessantemente molte azioni e molti compiti, che producono spesso sullo scheletro degli effetti che gli antropologi fisici possono studiare cercando di interpretarli.

In base a certe testimonianze, tra le quali l'alta frequenza di un leggero appiattimento delle estremità, o epifisi, del femore, lo studioso Erik Trinkaus ha ipotizzato che lo **stare accovacciati** fosse un atteggiamento abituale tra i Neanderthal. Si ritiene che il lavoro eseguito in posizione rannicchiata, forse per aprire le conchiglie sulla spiaggia, sia la causa principale delle deformazioni delle articolazioni delle caviglie riscontrate sulle mummie di donne preistoriche di Chinchorro ad Arica, sulla costa cilena.

11.31 In Mesoamerica, in mancanza di bestie da soma, i portatori, come questi Aztechi, trasportavano i carichi utilizzando cinghie che venivano fatte passare intorno alla fronte.

11.4 Antichi cannibali?

Il tradizionale impulso a portare alla luce il cannibalismo ha ricevuto un duro colpo con la comparsa, circa 30 anni fa, di un rivoluzionario lavoro dell'antropologo William Arens che, per la prima volta, ha dimostrato che la grande maggioranza di attribuzioni al cannibalismo basate su documenti etnografici ed etnostorici erano inattendibili. Negli ultimi decenni una migliore comprensione della tafonomia, una diffusa conoscenza della grande varietà di rituali funerari nel mondo e una più oggettiva valutazione dei fatti sono stati d'aiuto nello sradicare molte ipotesi circa il cannibalismo preistorico. Nel contempo sono state formulate nuove argomentazioni, che fanno affidamento su dati più plausibili dei precedenti.

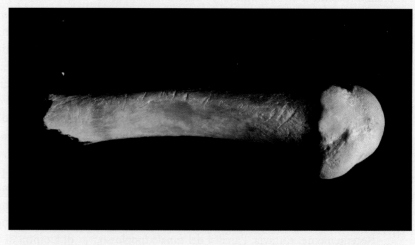

11.32 Le incisioni visibili su questo osso umano proveniente da Gran Dolina sono quasi certamente segni di macellazione.

Le prime testimonianze

Ad Atapuerca, vicino a Burgos, nel nord della Spagna (*vedi* Scheda 4.5), le ossa di un nostro progenitore, chiamato *Homo antecessor*, datato a 1 milione di anni fa e ritrovato nel sito della Gran Dolina, portava così tanti segni di taglio da essere interpretato come una testimonianza di cannibalismo: è difficile dissentire da questa deduzione. È risaputo che il cannibalismo può verificarsi in altre specie, inclusi gli scimpanzé, e può verificarsi oggi in occasione di carestie o di problemi di salute mentale, e quindi non vi è ragione di negare la possibilità di una sua esistenza nella preistoria. Nel caso della Gran Dolina, in un tempo così remoto, e sul quale abbiamo scarse informazioni (di come fossero i nostri progenitori e come vivessero), non c'è ragione di mettere in dubbio la presenza del cannibalismo, e non esiste assolutamente nessun segno di un qualche rituale funerario o di altri trattamenti secondari *post-mortem*. Nessun'altra spiegazione per quei tagli è concepibile allo stato attuale delle nostre conoscenze. Essi sono verosimilmente segni di macellazione, e anche un'indicazione di consumo di carne umana da parte di altri umani.

Comunque, un sito più tardo, sempre nella sierra di Atapuerca, la Sima de los Huesos (*vedi* Scheda 10.1), presenta anche le prime testimonianze al mondo della presenza di una qualche forma di rituale funerario, di circa 600 000 anni fa. Dati etnografici ed etnostorici, in tutto il mondo, mostrano chiaramente l'esistenza di una grande varietà di pratiche funerarie, spesso bizzarre, e alcune prevedono operazioni di taglio, frantumazione e bruciatura di ossa, sia subito dopo la morte sia molto più tardi, quando il corpo veniva riesumato. La documentazione archeologica contiene molti esempi di differenti periodi, che affondano nella preistoria e possono essere plausibilmente attribuiti a tali pratiche. E perciò Atapuerca dimostra che tutti i resti umani, da 600 000 anni fa in poi, hanno bisogno di essere interpretati con grande circospezione, dato che i riti funerari da quel momento in poi sono un'eventualità sempre presente, e sono addirittura uno dei segni distintivi dell'umanità.

Categorie di prove

Per decidere se i resti umani sono un risultato del cannibalismo o di rituali funerari (o esiti di guerra ecc.), le prove si possono dividere in due grandi categorie. La prima è la presenza di ossa umane con segni di taglio, di frantumazione, di bruciatura. Sono stati fatti tentativi infruttuosi di definizione di specifici criteri per riconoscere il cannibalismo, ma nessuno di essi fornisce una diagnosi definitiva, e spiegazioni alternative sono sempre disponibili. La seconda categoria è la presenza di ossa umane miste a ossa di animali, con segni simili e simili trattamenti; dato che le ossa animali sono ovviamente segni di un pasto, lo stesso criterio si può applicare alle ossa umane. Nondimeno le cose possono non essere così semplici, dato che la gente che ha lasciato i reperti archeologici erano umani, capaci di ogni tipo di schemi comportamentali, complessi e insoliti. Ossa umane e ossa animali non sono necessariamente il risultato di uno stesso fenomeno, cosicché bisogna evitare di giungere a conclusioni semplicistiche e ovvie.

I dati sono sempre ambigui, come si è visto chiaramente in uno dei molti esempi di Neanderthal che sono stati portati come prove dell'esistenza del cannibalismo. Nella grotta croata di Krapina, le centinaia di ossa di Neanderthal riesumate nel 1899 furono dapprima attribuite a un banchetto cannibale; furono malamente rotte e graffiate e mescolate con quelle di animali, supponendo che la carne fosse stata asportata dalle ossa umane per cibarsene. Ma il riesame condotto da Mary Russell dimostrò che i segni erano abbastanza differenti da quelli di ossa spolpate dalla carne ed erano invece molto simili a quelli riscontrati sugli scheletri dei Nativi Nordamericani a cui era stata data una seconda sepoltura. In altre parole, i corpi di Krapina non erano stati mangiati ma piuttosto le loro ossa erano state pulite per una nuova sepoltura. In più, il nuovo esame rivelò che la maggior parte dei segni poteva avere altre spiegazioni, cioè essere stati causati dal crollo di tetti e dallo schiacciamento da parte di sedimenti, oppure costituire il risultato dell'uso della dinamite durante gli scavi.

A Fontbrégoua, una grotta neolitica nel sudest della Francia datata al 4000 a.C., ossa umane e animali furono trovate in buche diverse, ma con precisi tagli nella stessa posizione; sei persone erano state private della loro carne con attrezzi litici subito dopo la morte, e le ossa degli arti spaccate. Sebbene non vi siano prove esplicite di consumo di carne o di midollo, Paola Villa e il suo gruppo lo hanno spiegato come il caso più plausibile, finora scoperto, di cannibalismo preistorico. D'altra parte, dati etnografici provenienti dall'Australia suggeriscono che potrebbe ben trattarsi di una pratica funebre. Analogamente, l'archeologa tedesca Heide Peter-Röche nel riesaminare le numerose presunte attestazioni di cannibalismo nella preistoria dell'Europa centrale e orientale non ha trovato assolutamente alcuna prova valida a supporto di tale ipotesi, mentre, di converso, tutte le tracce sui reperti erano spiegabili con l'adozione di rituali funerari secondari.

La presenza di pratiche di cannibalismo è stata avanzata anche a proposito dei Pueblo Ancestrali dell'America del sud-ovest (1100 d.C.), includendo tra le prove presunto materiale fecale umano contenente tessuti umani; ma, ancora una volta, sono disponibili spiegazioni alternative, che riguardano non solo pratiche funerarie ma anche l'estrema violenza e le mutilazioni inflitte ai corpi dei nemici in tempo di guerra. Per di più, il materiale fecale può in realtà provenire dai coyote spazzini.

Sebbene molte delle prime affermazioni di cannibalismo siano state sfatate, rimane la possibilità che tale pratica sia esistita occasionalmente, non solo nei lontani tempi dell'*Homo antecessor* ma anche molto più tardi tra i Neanderthal, nonché negli umani moderni. Ma l'evidenza è sempre ambigua, e deve essere soppesata con cura e con obiettività, e non basata sulle aspettative o su una visione drammatica del passato, come invece è successo negli studi che ci hanno preceduto. La pratica deve essersi verificata, di tanto in tanto, in occasione di carestie; la sua esistenza come «costume abituale», comunque, è ardua da dimostrare. In ogni caso, anche se il cannibalismo è occasionalmente esistito, il contributo di carne umana alla dieta deve essere stato minimo e sporadico, e sfuma nell'insignificanza di fronte a quello delle altre specie, specialmente dei grandi erbivori.

Alcune alterazioni degenerative della parte inferiore della colonna vertebrale possono essere causate dal **trasporto di carichi**, sebbene non si possa dare per scontato che tutte le modificazioni dipendano da questa attività. In Nuova Zelanda queste alterazioni sono state individuate in ambedue i sessi, ma in altre regioni sono associate prevalentemente a individui di sesso maschile. È vero, tuttavia, che nelle Isole Orcadi in epoca neolitica erano le donne, a quanto pare, a compiere la maggior parte dei trasporti: Judson Chesterman, che ha studiato gli scheletri delle tombe a camera di Isbister, ha notato che numerosi crani presentavano nella parte superiore una depressione ben visibile a occhio nudo, associata a un'inserzione notevolmente sviluppata dei muscoli del collo alla parte posteriore del cranio. Simili caratteri sono conosciuti in Congo, dove le donne li acquisiscono portando sulla schiena carichi sostenuti da una cinghia o da una corda che viene fatta passare sul capo. In alcune regioni dell'America Centrale e Meridionale, del Giappone settentrionale e altrove, la cinghia attraversa la fronte e può lasciare una depressione simile in quella parte del cranio. Numerosi codici aztechi rappresentano portatori dell'epoca precolombiana che trasportano le merci in questo modo.

Il comportamento sessuale e il parto L'arte e la letteratura ci offrono le testimonianze di moltissime attività svolte dall'essere umano nel passato, alcune delle quali, come quella sessuale, non potrebbero essere registrate da alcuna altra fonte. Per quanto riguarda il comportamento sessuale, le numerose e ben modellate ceramiche precolombiane moche ci presentano una vivace e dettagliata carrellata di esempi per il periodo compreso tra il 200 e il 700 d.C. Se tale documentazione può essere

11.33 Due levatrici assistono alla nascita di un bambino: la scena è rappresentata su un vaso peruviano prodotto nel periodo moche.

considerata attendibile, sembra che presso i Moche vi fosse una forte predominanza di rapporti sessuali anali e orali, con qualche episodio occasionale di omosessualità e bestialità (zoofilia erotica), metodi forse adottati come mezzi contraccettivi piuttosto che per preferenze. Dalle stesse ceramiche conosciamo la posizione adottata dalle donne moche durante il parto.

Cannibalismo Si è spesso affermato, di solito su basi poco consistenti, che in differenti epoche del passato si sia praticato il cannibalismo, cioè il cibarsi da parte di uomini e donne della carne fresca dei propri simili. Sin dal XIX secolo, numerosi archeologi sono stati inclini a interpretare alcuni resti di scheletri, ritrovati in caverne o altrove in contesti preistorici, come avanzi di feste cannibali. In molti casi la ragione di questa interpretazione non aveva fondamento o risiedeva semplicemente nei desideri degli scavatori: la tafonomia come scienza delle ossa umane non esisteva ancora, ed era semplice dare per scontato che il cannibalismo fosse una caratteristica primitiva e perciò dovesse essere esistito nella preistoria. Tale affermazione ricorre ancora regolarmente, e naturalmente i media adorano le storie di cannibalismo, a cui danno sempre molto risalto.

MALATTIE, DEFORMITÀ E MORTE

Ci siamo fin qui occupati della ricostruzione dell'aspetto del corpo umano e della valutazione delle capacità sviluppate dall'essere umano nel corso del tempo. È ora necessario volgere lo sguardo anche ad altri aspetti, spesso negativi, che riguardano la qualità della vita delle genti del passato e il loro stato di salute; stabilire se si sono prodotte variazioni ereditarie, e non solo quanto tempo visse un essere umano, ma anche come morì.

Nel caso di corpi intatti talvolta si può dedurre l'esatta causa della morte; in alcuni casi, infatti, come per esempio per le persone morte asfissiate a Pompei e a Ercolano, risulta del tutto ovvia dalle circostanze (nel caso specifico l'effetto dell'eruzione vulcanica del Vesuvio). Per i resti scheletrici, di gran lunga più numerosi, la causa della morte può essere accertata solo raramente, poiché la maggior parte delle affezioni che conducono alla morte non lasciano alcuna traccia sulle ossa. La paleopatologia, cioè lo studio delle malattie antiche, ci dice molto di più sulla vita che sulla morte, con grande vantaggio per l'archeologo.

Parallelamente gli antropologi forensi (che localizzano e scavano i resti) e gli antropologi fisici (che identificano i resti e suggeriscono cause e circostanze della morte) stanno utilizzando sempre di più tecniche sviluppate nell'archeologia per il recupero e lo studio dei resti umani. In effetti una nuova sottodisciplina si sta recentemente

affermando, l'**archeologia forense**, che aiuta nel recupero e nell'interpretazione delle vittime di omicidi oppure nel compito di identificare degli individui all'interno di sepolture di massa, come si è potuto vedere nel Ruanda e nella ex Iugoslavia.

Le testimonianze nei tessuti molli

Poiché la maggior parte delle malattie infettive raramente lascia tracce identificabili nelle ossa, un'analisi completa delle malattie presenti nell'antichità può essere condotta solo su quei corpi che conservano i tessuti molli (oppure attraverso l'analisi di antiche biomolecole, come vedremo). I tessuti molli raramente sopravvivono, tranne in ambienti particolari. I **tessuti tegumentari** possono a volte conservare la testimonianza di malattie quali l'eczema e rivelare alcune cause di morte violenta, come nel caso di molti corpi rinvenuti nelle torbiere con la gola tagliata.

Per quanto riguarda i **tessuti interni**, sono disponibili numerosi metodi di analisi: i raggi X, che possono fornire molte informazioni, sono stati utilizzati su molte mummie egizie; tuttavia oggi si può disporre di nuovi metodi molto più potenti (*vedi* Scheda 11.5). In qualche caso è possibile studiare i tessuti molli anche se non ci sono più, come nel caso delle **impronte di mani e piedi** e degli *stencil* di mani menzionati in un precedente paragrafo. Alcune **impronte digitali** si sono conservate su pezzi di loess bruciato provenienti dal sito del Paleolitico Superiore di Dolní Věstonice nell'ex Cecoslovacchia, e su manufatti di molti altri periodi, per esempio su dischi di argilla babilonesi, su tavolette cuneiformi di Ninive (3000 a.C.) e anche su antichi vasi greci, aiutando a identificare in questo modo i diversi ceramisti.

Alcune impronte e *stencil* possono fornire interessanti testimonianze di patologie. In tre o quattro grotte, soprattutto quelle di Gargas, in Francia, esistono centinaia di

11.34 Calco della punta di un dito da un buco in un vaso di 5000 anni fa, ritrovato nel Tamigi a Londra. Il calco è stato realizzato dalla polizia londinese.

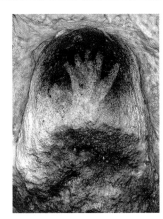

11.35-36 Stencil di mani dalla caverna francese di Gargas, della Tarda èra glaciale (*sopra*). (*A destra*) Fotografia di uno degli stencil. Nel disegno sono raffigurate mani che presentano tipi particolari di «mutilazione». Non è ancora chiaro se le mani fossero davvero mutilate o se fossero semplicemente mostrate con le dita piegate.

stencil di mani, risalenti all'ultima èra Glaciale, che rivelano lesioni apparentemente gravi; alcune sono addirittura prive di quattro dita. È ancora argomento dibattuto se gli *stencil* fossero eseguiti tenendo le dita piegate, in una sorta di linguaggio dei segni, oppure se la lesione debba considerarsi reale, ma causata da una mutilazione o da una forma di infermità.

Altre manifestazioni artistiche, a qualunque periodo cronologico risalgano, forniscono interessanti testimonianze sulle malattie: le piccole figure scolpite nelle chiese e nelle cattedrali medievali dell'Europa illustrano vari esempi di patologie, mentre le figure di *danzantes* di Monte Albán in Messico, scolpite su lastre di pietra, sono state da alcuni interpretate come una sorta di primitivo dizionario di medicina, con illustrazioni di sintomi e di organi interni, anche se l'interpretazione corrente sostiene che rappresentino prigionieri trucidati o sacrificati (*vedi* Capitoli 10 e 13).

Batteri, parassiti e virus

Nei casi in cui si conservano i tessuti molli è di solito possibile rintracciare i **parassiti**; il primo posto dove si deve cercare è l'interno del corpo, in particolare il canale alimentare; ma si possono trovare anche pidocchi che infestano il capo e il corpo (in Israele sono stati trovati pidocchi nei pettini). Uno specialista può identificare i vari parassiti sulla base della loro morfologia. Nelle mummie egizie è stata trovata una grandissima varietà di parassiti: quasi tutte sono infestate, senza dubbio a causa delle inadeguate condizioni igieniche e dell'ignoranza delle cause e dei modi di trasmissione delle malattie. Presso gli Egizi erano diffusi i parassiti che provocavano la dissenteria amebica e la bilarziosi, nonché molti parassiti intestinali. Nelle mummie precolombiane del Nuovo Mondo sono state trovate uova di nematodi. L'Uomo di Grauballe (Danimarca) deve aver sofferto di dolori allo stomaco pressoché continui a causa dell'attività del nematoda tricocefalo del genere *Trichuris*: nel suo corpo c'erano milioni di uova.

Un'altra importante fonte di informazioni sui parassiti sono le feci umane (*vedi* Capitolo 7), dato che le uova dei parassiti vengono trasferite nelle feci rinchiuse in involucri duri e riescono così a sopravvivere con successo. Certi parassiti sono attestati già in letame preistorico ritrovato in Israele, in Colorado e nel Perú costiero, ma è notevole il fatto che le 50 feci provenienti da Lovelock Cave, nel Nevada, ne siano del tutto prive. D'altra parte non è raro che i cacciatori-raccoglitori che vivevano a latitudini temperate e in aperta campagna fossero privi di parassiti, sebbene alcuni campioni provenienti da Los Gavilanes, in Perú, e datati a circa 6000 anni fa, analizzati da Raul Patrucco e dai suoi collaboratori, presentassero uova di platelminti eucestodi del genere *Diphyllobothrium*, la cui infestazione è causata da pesci di mare mangiati crudi o solo parzialmente cotti. Le feci provenienti da altre zone del Nuovo Mondo hanno restituito uova di eucestodi, ossiuri e acantocefali, e anche tracce di zecche, acari e pidocchi. È possibile trovare parassiti anche nelle latrine medievali, mentre in alcuni sedimenti della grotta del Paleolitico Superiore di Arcy-sur-Cure, in Francia, risalenti a 25 000-30 000 anni fa, sono state trovate concentrazioni di uova di vermi parassiti intestinali, *Ascaris*, che provengono quasi sicuramente da escrementi umani.

Alcuni parassiti provocano condizioni patologiche che possono essere riconosciute se si sono conservati i tessuti molli. Alcune mummie preistoriche rinvenute nel deserto cileno, e risalenti a un periodo compreso tra 7050 a.C. e 1500 d.C., presentavano tracce cliniche della malattia di Chagas, che causa l'infiammazione e l'ingrossamento del cuore e dell'intestino, i cui muscoli vengono invasi dai parassiti lasciati sulla pelle dell'essere umano dalle feci degli insetti vettori.

Quando si analizzano resti umani è essenziale riuscire a estrarne il massimo delle informazioni provocando il minimo danno ai resti stessi. In alcuni casi, come per esempio per le mummie dei faraoni egizi, le autorità acconsentono alle analisi solo in circostanze eccezionali. D'altra parte, anche semplicemente «guardando» dentro un corpo è possibile acquisire una conoscenza davvero considerevole; la tecnologia moderna mette a disposizione degli scienziati numerosi metodi efficaci.

Tecniche non distruttive

La radiografia di sarcofagi e mummie ancora bendate costituisce spesso una sorpresa per gli archeologi, rivelando corpi di animali là dove ci si aspettavano resti umani, corpi aggiuntivi in un sarcofago o una massa di gioielli inaspettata. La xeroradiografia va oltre questi risultati. Questa tecnica è una specie di incrocio tra la radiografia e la fotocopia, in quanto produce immagini elettrostatiche tramite una polvere colorata che viene soffiata su una lastra di selenio. Il risultato è un'immagine con una definizione assai più alta di quella di una normale radiografia; inoltre, l'ampia latitudine di esposizione consente di visualizzare chiaramente sulla stessa immagine sia i tessuti molli sia quelli duri. Con l'«esaltazione dei margini» i particolari vengono definiti come in un disegno a matita. Questa tecnica può essere applicata alle mummie, sia

bendate sia contenute nei loro sarcofagi. Quando fu utilizzata per la testa del faraone Ramsete II, la xeroradiografia rivelò la presenza di un piccolo osso di animale inserito dall'imbalsamatore per sostenere il naso; nelle cavità dietro il naso apparve invece un grappolo di piccole perline.

Anche la tomografia assiale computerizzata (TAC), che utilizza invece uno scanner, è un altro importante metodo di indagine che consente di esaminare in dettaglio mummie o altri corpi bendati usando un metodo non distruttivo. Il corpo viene fatto passare nell'apparecchio che produce immagini di sezioni trasversali del corpo. La TAC è più efficace nell'esame di tessuti di densità diversa, in quanto consente di visualizzare anche gli organi. Scanner a elica più recenti si muovono a spirale attorno al corpo e producono immagini continue piuttosto che sezioni trasversali: un metodo molto più veloce.

Un altro metodo per osservare gli organi interni utilizza un apparecchio per risonanza magnetica nucleare, all'interno del quale viene posto il corpo da analizzare. È un dispositivo che allinea gli atomi di idrogeno del corpo in un forte campo magnetico e ne provoca la risonanza per mezzo di onde radio. Le misure ottenute vengono immesse in un computer che genera l'immagine di una sezione trasversale del corpo. Tuttavia questo metodo è utilizzabile unicamente con oggetti che contengono acqua ed

è quindi di scarsa utilità per lo studio di mummie dissecate.

Utilizzando un endoscopio a fibre ottiche, cioè un tubicino flessibile fornito di una sorgente di luce, gli analisti possono guardare all'interno di un corpo, vedere cosa è sopravvissuto e in quali condizioni. L'endoscopia può rivelare in certe occasioni i dettagli del processo di mummificazione oppure malattie. Quando l'endoscopio fu introdotto nella testa di Ramsete V, per esempio, mostrò un buco inaspettato alla base del cranio, attraverso il quale era stato rimosso l'encefalo (il più delle volte, invece, l'encefalo veniva frantumato e tolto dal naso); nel cranio vuoto era stato poi introdotto un panno.

Tecniche distruttive

Nei casi in cui è possibile prelevare campioni dal corpo per analizzarli, gli scienziati hanno a disposizione numerose tecniche di indagine. L'endoscopio a fibre ottiche in alcuni casi viene utilizzato anche per prelevare del tessuto.

Quando i campioni di tessuto sono stati prelevati, vengono reidratati in una soluzione di bicarbonato di sodio (questo processo li rende molto fragili); sono poi disidratati, inclusi in paraffina e tagliati in sezioni sottili, poi colorate per essere osservate meglio al microscopio. Impiegando questa tecnica sulle mummie egizie, gli analisti hanno individuato i globuli bianchi e i globuli rossi e hanno potuto diagnosticare arteriopatie.

Infine, la microscopia elettronica analitica (simile alla microscopia elettronica a scansione) consente di analizzare e quantificare gli elementi presenti nei tessuti. Quando l'équipe di Manchester diretta da Rosalie David applicò questo metodo a esemplari di mummie egizie, si scoprì che alcune particelle presenti nel polmone contenevano un'alta percentuale di silice: erano probabilmente granelli di sabbia, testimonianza dell'esistenza della pneumoconiosi nell'antico Egitto, dove il rischio di contrarre una di queste malattie polmonari era evidentemente piuttosto alto.

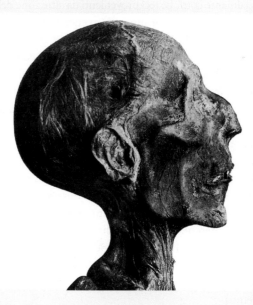
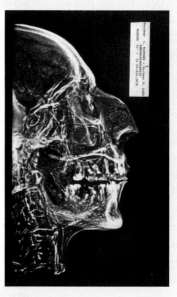

11.37-38 Quando la mummia di Ramsete II fu portata a Parigi negli anni Settanta per essere sottoposta a trattamenti medici specialistici fu analizzata anche con la xeroradiografia.

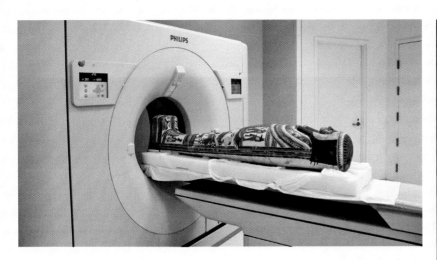

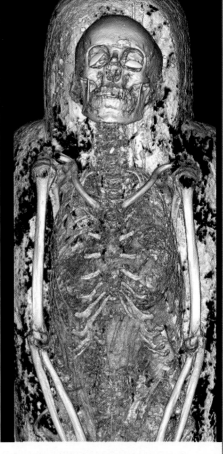

11.39-43 Il sarcofago di Meresamun, un'antica sacerdotessa-cantante egiziana dell'800 a.C., del tempio di Karnak, fu acquisito nel 1920 dall'Oriental Institute di Chicago e non è mai stato aperto. Tre volte è stato sottoposto a una TAC, man mano che la tecnologia migliorava; la più recente è del 2008, quando è stato usato un 256-slice CT scanner. I dati possono essere restituiti in 3D e manipolati in diversi modi, consentendo in effetti che il ricercatore possa eliminare via via i layer fino a isolare un osso in particolare oppure le caratteristiche che lo interessano; si possono creare anche sequenze filmiche. Furono scoperti molti dettagli mancanti nelle precedenti scansioni: pezzi di gioielleria, le caratteristiche dentali, le modificazioni degenerative della colonna, nonché piccole fratture *post-mortem*.

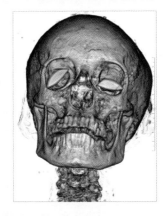

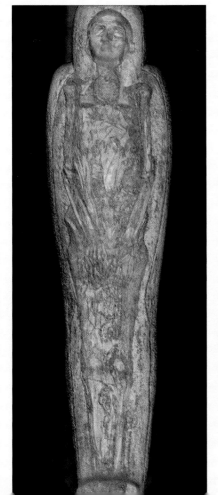

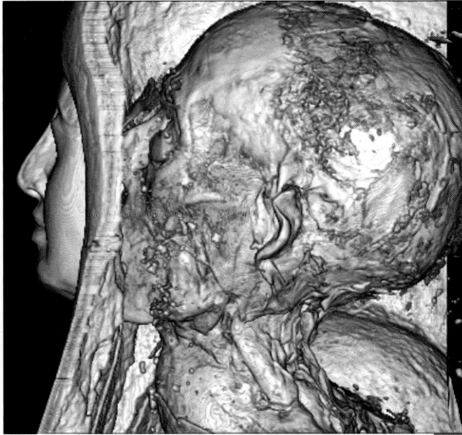

Nel 1952 a Grauballe, in Danimarca, tagliatori di torba incontrarono nel pantano un corpo meravigliosamente conservato: giaceva in posizione prona, con la gamba sinistra in estensione e gamba destra e braccio destro flessi. Vari studi multidisciplinari, nel 1952 e fino a pochi anni fa, hanno apportato notevoli conoscenze circa la vita e la morte di questo individuo, ora datato al radiocarbonio tra 440 e 200 a.C., molto probabilmente intorno al 290 a.C.

11.45 Il corpo dell'Uomo di Grauballe, esposto nel museo di Moesgård di Århus, in Danimarca.

Età e sesso

Il corpo appartiene a un uomo di circa 30 anni, con barba e baffi di 1 cm circa, poi caduti. Dato che la barba cresce di circa 2,5-3,5 mm a settimana, e che dopo la morte la contrazione della pelle causa una crescita di 4-5 mm, si calcola che quando è morto avesse una barba di circa 2 settimane.

Il fisico

L'Uomo di Grauballe sembra avere un fisico medio per quel periodo: la sua altezza è stata valutata circa 1,65-1,70 m, misura incerta data la contrazione dei resti.

Come si presentava

Non sono state trovate tracce di vesti o di altri manufatti accanto al corpo. I suoi capelli sono lunghi 15 cm e dato che presentano punte abbastanza nette si pensa che li avesse tagliati con forbici; sono castano-rossicci ma questo colore potrebbe dipendere dall'immersione nella palude, quindi non è sicuro che sia quello originale. Le mani hanno impronte ben definite; le unghie arrotondate, così come le linee ben chiare dei palmi, indicano che non era impegnato in lavori manuali pesanti (questa caratteristica sembra comune a molti altri corpi maschili di torbiera, nel nord-ovest d'Europa).

Stato di salute

L'uomo era apparentemente in buona salute – il suo corpo non presenta nessun segno di infermità o di malattia – ma aveva un inizio di artrite nelle vertebre del torace, il che accade raramente prima dei 30 anni. Aveva ancora 21 denti, dato che parecchi sono caduti al momento della sua morte; erano usurati, a causa della dieta grossolana, e l'analisi dentale ha rivelato periodi di carestia o di cattive condizioni di salute durante la prima adolescenza. La presenza di una parodontite e di diverse carie indica che, talvolta, doveva aver sofferto di terribili mal di denti. Mediante l'analisi della capigliatura si è visto che negli ultimi mesi della sua vita aveva tenuto una dieta di tipo terrestre, con le proteine derivate in massima parte da fonte animale. Il suo ultimo pasto fu una pappa, una sorta di muesli povero, composto per l'80% da semi di un ristretto numero di erbe, ma anche da crusca di cereali; piccoli frammenti d'osso, qualcuno di maiale, rivelano la presenza di carne. Si tratta di un pasto nutriente ma non appetitoso, che non sappiamo se fosse o meno tipico della dieta quotidiana. L'assenza di frutta e di verdure fa pensare che sia morto in inverno.

Come morì?

La causa della sua morte è da imputare a un profondo taglio alla gola, da orecchio a orecchio, mentre la sua testa era piegata fortemente all'indietro – un taglio così profondo che la giugulare e le carotidi furono nettamente recise, mediante una lama grande e affilata. All'inizio si era pensato che gli fosse stata inflitta una botta in testa nell'area temporale con uno strumento contundente, ma una recente TAC ha dimostrato che si tratta di un danno *post-mortem*. Invece, una frattura obliqua nella tibia sinistra era stata chiaramente causata

11.44 Il corpo dell'Uomo di Grauballe durante lo scavo nel 1952.

da un pesante colpo, forse per farlo cadere sulle ginocchio in modo che il collo potesse essere tagliato più facilmente. Non sappiamo perché lui, o qualsiasi altro corpo in torbiera, sia morto – forse per un sacrificio, o per un'esecuzione capitale –, ma siamo riusciti a imparare moltissimo attorno alla vita e alla morte dell'Uomo di Grauballe e questo grazie alla grande varietà di analisi che sono state eseguite sul suo corpo.

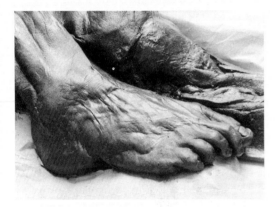

11.46 Il piede meravigliosamente conservato dell'Uomo di Grauballe, subito dopo lo scavo.

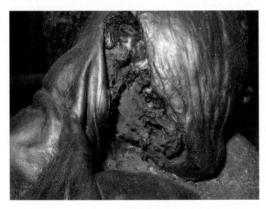

11.47 Questa profonda ferita al collo, che ha reciso giugulare e carotidi, fu la causa della morte dell'Uomo di Grauballe.

11.48 La TAC della tibia sinistra fratturata dell'Uomo di Grauballe. La più probabile causa fu il colpo diretto di un oggetto pesante: si è pensato che ciò sia successo in vita o all'incirca al momento della morte, ma è impossibile esserne certi.

Nei tessuti molli possono sopravvivere in forma riconoscibile anche batteri e **virus**, che possono creare qualche problema all'archeologo imprudente. Non sappiamo infatti con sicurezza quanto a lungo i microrganismi possano sopravvivere nel suolo; la maggioranza degli esperti ritiene che non costituiscono alcun pericolo dopo un secolo o due, ma c'è chi sostiene che i bacilli del carbonchio sono sopravvissuti in una piramide egizia, e che microrganismi infettanti possono resistere anche in corpi sepolti nell'Artico, conservati dal permafrost (suolo permanentemente gelato). I pericoli presenti in ossa e altri tessuti in decomposizione possono essere reali, soprattutto se si considera che la nostra immunità nei confronti di malattie scomparse o rare si è indebolita.

Un approccio più sicuro è fornito dalla genetica, in quanto alcune malattie lasciano tracce nel DNA. Il vaiolo e la poliomielite, per esempio, sono causati da virus, e un virus non è altro che DNA, o RNA, racchiuso all'interno di un «mantello protettivo» proteico. Un virus infetta liberando il proprio DNA nello sfortunato ospite, e alcune delle cellule dell'ospite vengono indotte a produrre virus. In questo modo le infezioni virali possono lasciare tracce del DNA del virus. L'analisi del materiale genetico antico può quindi aiutarci a ricostruire la storia di alcune malattie. Per esempio, il patologo americano Arthur Aufderheide in collaborazione con i suoi colleghi ha isolato alcuni frammenti di DNA del batterio della tubercolosi nelle lesioni polmonari di una mummia peruviana vecchia di 900 anni; in questo modo è stato provato che questo microbo non era stato portato nelle Americhe dai coloni europei. Nuove tecniche nell'analisi del DNA hanno fatto luce su storia e virulenza non solo della tubercolosi ma anche della peste bubbonica e della lebbra.

11.49 I noduli visibili sul polmone di una mummia peruviana di 900 anni fa furono causati dalla tubercolosi, come è stato verificato isolando il DNA della malattia nella lesione. Questa è una prova che la tubercolosi non fu portata nelle Americhe dai coloni europei.

© 978.8808.82073.0

Deformità e malattie rivelate dallo scheletro

Come abbiamo visto, nei ritrovamenti archeologici le ossa sono di gran lunga più abbondanti dei tessuti molli; anch'esse possono fornire molti dati utili per la paleopatologia. Gli effetti sulle ossa sono di due tipi: possono essere causati da traumi oppure provocati da malattie o da deformità congenite.

Danni traumatici Per quanto riguarda i traumi dovuti ad atti violenti o a incidenti, l'osservazione diretta di uno specialista è spesso sufficiente a stabilire la causa della lesione e la gravità delle conseguenze per la vittima. La punta di freccia conficcata nella colonna vertebrale di un bambino del Paleolitico Superiore rinvenuto a Grimaldi, in Italia, provocò una lesione molto probabilmente mortale, come nel caso della freccia di balista trovata da Mortimer Wheeler nella colonna vertebrale di un antico bretone nell'*hillfort* dell'Età del ferro di Maiden Castle, nell'Inghilterra meridionale.

Lo studio condotto da Douglas Scott e Melissa Connor sugli scheletri della famosa battaglia di Little Big Horn nel Montana – dove il generale Custer e i suoi 265 uomini furono annientati dai Sioux nel 1876 – ha rivelato che venivano largamente usate mazze e scuri per vibrare il colpo di grazia. Un soldato di circa 25 anni era stato ferito al petto da una pallottola calibro 44, poi colpito alla testa con una pistola Colt e infine aveva avuto il cranio frantumato da un colpo di mazza da guerra. Quando le ossa sono ricoperte da tessuti è necessario ricorrere alle radiografie (*vedi* Scheda 11.5).

Le ferite e le fratture di un singolo individuo, anche se sono affascinanti per la storia personale che rivelano, sono però di limitato interesse per la storia medica; invece, per l'archeologo, è più utile determinare la frequenza e il tipo delle lesioni a livello di popolazione. Una comunità di cacciatori-raccoglitori avrà certamente incontrato pericoli diversi da quelli affrontati da una comunità di agricoltori, e i traumi subiti dovrebbero per questo avere caratteristiche diverse. L'obiettivo dovrebbe essere quello di studiare, ovunque sia possibile i traumi, oltre al quadro clinico, di interi gruppi e di intere comunità.

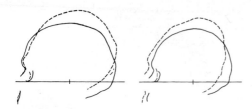

11.50 Deformazione del cranio. (*A destra*) Profili appartenenti rispettivamente a un cranio deformato artificialmente – linea tratteggiata – e a un cranio normale (individui maschi della Melanesia). (*A sinistra*) Un cranio di 13 000 anni fa proveniente da Kow Swamp, in Australia – linea tratteggiata – messo a confronto con quello di un Aborigeno moderno: il cranio di Kow fu deformato deliberatamente.

Identificare i casi di sopravvivenza, nelle situazioni di traumi gravi, ci informa anche sulle capacità e sulla volontà del gruppo di aiutare i membri in difficoltà. Si tratta d un fenomeno che si è potuto riscontrare anche in periodi molto lontani nel tempo. Per esempio, uno dei Neanderthal rinvenuti a Shanidar Cave, in Iraq, – un maschio sui 40 anni –, aveva subìto un colpo all'occhio sinistro, che l'aveva reso parzialmente cieco; aveva il braccio destro inutilizzabile a causa di una ferita che risaliva all'infanzia, presentava una frattura in un osso del piede ed era stato colpito da artrite al ginocchio e alla caviglia. Per quanto grandi siano le capacità di adattamento umane, un individuo così mal ridotto avrebbe potuto sopravvivere solo grazie all'aiuto della sua comunità.

Deformazioni intenzionali delle ossa L'apparato scheletrico può essere intenzionalmente modificato, in vita o subito dopo la morte. Alcune comunità, per esempio i Maya, provocavano deliberatamente la deformazione del cranio, fasciando, con o senza una stecca, la fronte o il retro della testa dei bambini piccoli per darle una forma particolare, che era irreversibile e marcava per tutta la vita lo status sociale o l'appartenenza dell'individuo a un determinato gruppo. L'esame dei due individui Neanderthal rinvenuti a Shanidar Cave, in Iraq, ha portato Erik Trinkaus a ritenere che la deformazione del cranio fosse praticata già in quei tempi remoti.

In Australia vi sono testimonianze che esistesse a partire dal Pleistocene o dal primo Olocene. Per individuare le alterazioni causate dalla deformazione, lo studioso Peter Brown ha messo a confronto crani volontariamente deformati della Melanesia con esemplari normali e ha applicato i risultati ottenuti a crani provenienti da siti preistorici australiani nello stato di Victoria, incluso quello di Kow Swamp: ha potuto così stabilire che erano stati senza dubbio deformati artificialmente. L'esemplare più antico, detto Kow Swamp 5, data a 13 000 anni fa.

Oltre alla deformazione del cranio dei bambini esistono altre pratiche chiaramente riconoscibili. Grazie al microscopio elettronico a scansione Tim White ha potuto concludere che il cranio di «Bodo», un grande *Homo erectus* o *Homo sapiens* arcaico di sesso maschile rinvenuto in Etiopia e risalente a 30 000 anni fa, aveva subìto una scalpatura; l'analisi ha infatti rivelato due serie di tagli, una sulla guancia sinistra al di sotto dell'orbita e l'altra attraverso la fronte. Questi tagli erano stati eseguiti prima che l'osso si indurisse e si fossilizzasse, e perciò appena prima o appena dopo la morte. Segni simili presenti nelle medesime posizioni caratterizzano i crani degli Indiani precolombiani scalpati.

L'identificazione delle malattie dalle ossa umane Le poche malattie che colpiscono le ossa lo fanno in tre modi principali: possono causare ipertrofie, erosioni o entrambe le alterazioni. Il loro caratteristico modello di distribuzione è la chiave per la diagnosi di una patologia. Inoltre, le lesioni ossee associate a diverse malattie possono differire come numero e localizzazione nello scheletro. Alcuni disturbi lasciano segni abbastanza chiari, altri no: i primi includono le infezioni gravi, le carenze alimentari, il cancro. È anche possibile scoprire disturbi della crescita considerando nel suo insieme dimensione e forma delle ossa.

Per esempio la **lebbra**, un'infezione batterica, erode la parte frontale e le estremità della mandibola superiore in un modo molto caratteristico: si conoscono esemplari con segni inequivocabili di lebbra dalla Danimarca medievale e anche dall'Europa, e invece nessuno dal Nuovo Mondo pre-colombiano. Recentemente il DNA di un batterio della lebbra è stato isolato da un certo numero di scheletri. Anche alcuni tipi di **tumore** hanno un effetto notevole e visibile sulle ossa (*vedi* Scheda 11.7), come, per esempio, le deformazioni patologiche alle ossa della gamba di un anziano Uomo di Neanderthal di La Ferrassie 1, in Francia, probabilmente causate da un cancro ai polmoni.

L'archeologo australiano Dan Potts in collaborazione con i suoi colleghi ha scoperto la più vecchia vittima della poliomielite conosciuta al mondo, in una tomba di 4000 anni negli Emirati Arabi Uniti: lo scheletro di una ragazza di 18-20 anni che mostra i classici sintomi della malattia come l'infiammazione e la piccola dimensione (scarso sviluppo? Sì meglio) degli innesti muscolari, la sottigliezza delle ossa lunghe, una gamba più corta di 4 cm dell'altra, un osso sacro ricurvo e la pelvi asimmetrica.

L'osservazione radiografica dell'osso può rivelare arresti della sua crescita, attraverso l'individuazione delle c.d. *Harris lines* (linee di Harris), sottili calcificazioni opache alle radiazioni, presenti nei terminali delle ossa lunghe (*vedi* Scheda 11.7). Esse si manifestano quando la crescita riprende dopo un'interruzione, nell'infanzia o nell'adolescenza, a causa di malattia o di malnutrizione; sono più evidenti nella tibia inferiore o distale e il loro numero è indicativo della frequenza dei periodi di difficoltà nella crescita. Se queste linee sono individuate in interi gruppi di scheletri, esse possono indicare frequenti carestie, oppure, forse, diseguaglianze sociali così gravi da avere ripercussioni sulla salute. In modo simile, le **linee di Beau** sulle unghie delle dita della mano e dei piedi sono dei solchi superficiali che indicano una crescita rallentata a causa di una malattia oppure di malnutrizione; l'unica unghia sopravvissuta dell'«Uomo venuto dal ghiaccio» trovato nelle Alpi e risalente al 3300 a.C., ha tre di questi solchi che indicano attacchi di una malattia invalidante 4, 3 e 2 mesi prima della morte, oppure una dieta inadeguata (*vedi* Scheda 2.5).

La deformità delle ossa rivela il più delle volte un'affezione congenita, cioè una persona può nascere con la deformità o svilupparla immediatamente dopo la nascita

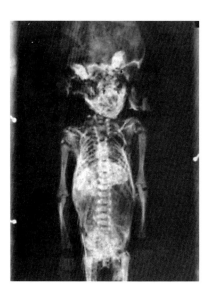

11.51 Un minuscolo feto di genere femminile, rinvenuto nella tomba di Tutankhamon, ha rivelato ai raggi X la deformità di Sprengel: ciò forse spiega perché la bambina è nata morta.

(come la scoliosi di re Riccardo III, *vedi* Scheda 11.8). Uno dei due piccoli feti mummificati ritrovati nella tomba di Tutankhamon, quello appartenente a una femmina, sottoposto a radiografia ha rivelato di essere affetto da **deformità di Sprengel** (una malformazione congenita in cui la scapola sinistra risulta più alta del normale, ed è presente la spina bifida), la qual cosa spiegherebbe perché il neonato, forse figlio di Tutankhamon, fosse nato morto. Parlando in generale, l'abitudine dei faraoni di sposare la propria sorella potrebbe aver prodotto prole con un'alta incidenza di anomalie congenite.

Altri scheletri dell'antico Egitto testimoniano casi di **nanismo**, un'anomalia congenita attestata anche tra i Paleoindiani dell'Alabama. Il più antico esempio noto di nano rimane, comunque, un maschio del X millennio a.C., alto non più di 1,10-1,20 m, morto a circa 17 anni e sepolto nella grotta dipinta di Riparo del Romito, in Calabria. Le analisi condotte da Calvin Wells sui 450 scheletri romani rinvenuti a Cirencester, in Inghilterra, hanno rivelato numerosi difetti alla colonna vertebrale e cinque esemplari presentavano una **spina bifida occulta**.

Anche l'arte può costituire una fonte per lo studio delle deformità congenite. Uno dei motivi più comuni nell'arte messicana olmeca è una figura antropomorfa che rappresenta un bambino con il volto dalle caratteristiche feline, conosciuta come «motivo dell'uomo-giaguaro». Questa figura presenta spesso la fronte spaccata e la bocca aperta e piegata all'ingiù, con denti canini sporgenti; il corpo è generalmente obeso e asessuato. Carson Murdy ipotizza che il motivo rappresenti deformità congenite, mentre Michael Coe ritiene che la fronte fessurata rappresenti la spina bifida, che è solitamente associata ad altre deformità del cranio. Simili malformazioni si presentano soltanto in circa uno su mille nati vivi e possono quindi essere state limitate a un certo gruppo sociale, o anche a una sola famiglia.

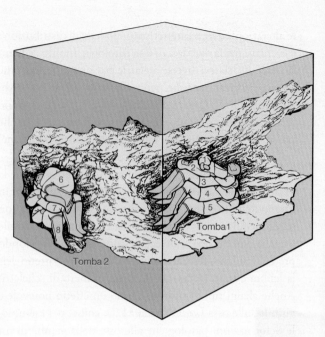

11.53 Gli otto corpi, separati l'uno dall'altro da pelli di animali, giacciono protetti dalla roccia sovrastante. La tomba congelata, priva di umidità, determinò la mummificazione naturale dei cadaveri.

Nel 1972 furono scoperte due sepolture collettive sotto la sporgenza di una roccia a Qilakitsoq (un piccolo insediamento Inuit sulla costa occidentale della Groenlandia), risalenti al 1475 d.C. circa. Gli 8 corpi rinvenuti erano stati mummificati da fattori naturali: una combinazione di bassa temperatura e mancanza di umidità. Una tomba conteneva quattro donne e un neonato di sei mesi; l'altra ospitava due donne e un bambino di quattro anni. Anche i capi di vestiario, in totale 78 indumenti comprendenti pantaloni, giacche e stivali, si erano conservati in perfette condizioni.

Il sesso degli individui fu stabilito sulla base dei genitali, nel caso di quelli che furono denudati, mentre le mummie intatte furono sottoposte a radiografie; un contributo venne anche dai tatuaggi del viso, che in questo tipo di società sono solitamente prerogativa delle donne adulte.

L'età fu determinata in base allo sviluppo dentario e ad altri caratteri fisici. Tre donne erano morte alla fine dell'adolescenza o nei primi 20 anni, ma le altre tre avevano raggiunto i 50 anni: un'età di tutto rispetto, se consideriamo che ancora all'inizio del XX secolo l'età media delle donne della Groenlandia era di soli 29 anni.

Il bambino e una delle donne presentavano patologie che possono averli fatti soffrire molto. Le radiografie del bambino hanno infatti mostrato che era affetto da una malformazione del bacino di un tipo spesso associato alla sindrome di Down; inoltre, una malformazione acquisita nota come malattia di Calvé-Perthe (o *coxa plana*) gli stava distruggendo la testa di un femore, costringendolo probabilmente a muoversi carponi.

La donna, di circa 50 anni, aveva invece subìto in un certo momento la frattura della clavicola, che non si era mai più saldata, impedendole forse un uso corretto del braccio sinistro; a questo si aggiunga un cancro nasofaringeo che si era esteso alle regioni circostanti, causandole la cecità dell'occhio sinistro e un certo grado di sordità.

Alcuni caratteri di questa donna possono essere attribuiti ad attività particolari: l'unghia del pollice sinistro presentava solchi recenti, causati dall'avere tagliato un tendine d'animale con un coltello tenendolo contro l'unghia (il che indica, per inciso, che la donna era destrimana). Aveva inoltre perduto gli incisivi inferiori, certamente per l'abitudine di masticare pelli e di usare i denti come una morsa. Un'altra somiglianza

11.54-55 Condizioni climatiche di freddo e di secco rendono possibili ritrovamenti di grandissimo interesse come quelli di Qilakitsoq. La mummia meglio conservata era quella di un bambino di sei mesi. Il disegno mostra un capo di vestiario appartenuto a una delle donne, realizzato con penne accuratamente scelte da uccelli diversi e indossato a contatto della pelle perché tenesse più caldo.

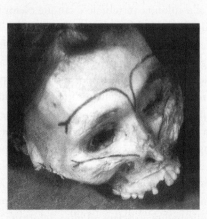

11.52 La fotografia all'infrarosso ha consentito di vedere chiaramente il tatuaggio disegnato sul volto di una delle donne.

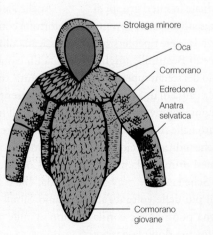

Strolaga minore
Oca
Cormorano
Edredone
Anatra selvatica

Cormorano giovane

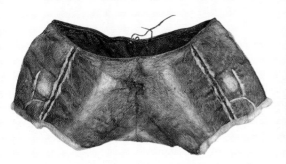

11.56 Calzoncini di pelle di renna, un altro indumento, di cuoio, che il freddo ha ben conservato.

con il caso dell'Alaska è la presenza nei polmoni della donna più giovane di grandi quantità di fuliggine, derivata probabilmente dalle lampade alimentate con grasso di foca. Campioni di capelli di queste mummie hanno rivelato invece basse concentrazioni di mercurio e di piombo, di gran lunga più basse di quelle oggi presenti tra gli abitanti della regione.

Quali furono le circostanze della morte di queste persone resta un mistero. È certo che non morirono di fame; la donna colpita da cancro, pur presentando le linee di Harris a testimonianza di un arresto nella crescita delle ossa durante l'infanzia causato da malattia o malnutrizione, al momento del decesso era ben nutrita. La donna più giovane aveva ancora una discreta quantità di cibo digerito nella parte inferiore dell'intestino. L'analisi isotopica del collagene della pelle del bambino (*vedi* Capitolo 7) ha rivelato che il 75% della sua dieta era costituito da animali marini (foche, cetacei, pesci) e solo il 25% da animali terrestri (renne, lepri) e piante.

Infine furono condotte alcune analisi per accertare possibili ed eventuali legami di parentela tra questi individui. Analizzando i tipi di tessuto si è potuto stabilire che alcuni individui non erano assolutamente imparentati tra loro, mentre altri avrebbero potuto esserlo. Ciascuna delle due donne più giovani avrebbe potuto essere la madre del bambino di quattro anni seppellito sopra di loro, mentre due delle donne cinquantenni (compresa quella affetta da cancro) avrebbero potuto essere sorelle. Costoro avevano anche identici tatuaggi sul viso, eseguiti forse dallo stesso artista, che sono uguali a quelli presenti nel più antico ritratto conosciuto in questa regione (1654 d.C. circa). Anche un'altra donna aveva un tatuaggio, ma così diverso per stile e tipo di esecuzione da far pensare che la donna provenisse da un'altra regione e si fosse inserita nel gruppo sposandosi.

Carson Murdy ipotizza che la famiglia di un capo potrebbe aver utilizzato il fenomeno nell'arte e nella religione per rafforzare il proprio status, identificando le deformità dei propri bambini con le caratteristiche soprannaturali del giaguaro. Se «sangue di giaguaro» scorre nelle vene dei membri della famiglia, sarebbe del tutto naturale partorire una prole di uomini-giaguaro.

Nelle società preistoriche o in quelle all'origine della Storia l'affezione più comune era l'*artrite*, scoperta in circa la metà dei soggetti maschi, che colpiva la maggior parte delle articolazioni. A Mesa Verde, in Colorado, nel periodo tra il 550 e il 1300 d.C. tutti gli individui al di sopra dei 35 anni soffrivano invece di osteoartrite, chi più chi meno.

Talvolta il corpo produce concrezioni dure, diverse dalle ossa, come i calcoli alla cistifellea o i calcoli renali, che nelle operazioni di scavo si salvano spesso assieme allo scheletro. L'osservazione diretta (o una radiografia della mummia) è sufficiente a identificare la maggior parte di questi elementi insoliti.

Intossicazione da piombo L'esame delle ossa – mediante la radiografia a fluorescenza che mostra le cosiddette linee di piombo nelle ossa lunghe – può mostrare che il pericolo di avvelenamento da sostanze tossiche non è certo limitato alla nostra epoca. Alcuni abitanti romani della cittadina di Poundbury, in Inghilterra, hanno rivelato un'altissima concentrazione di piombo nelle ossa, probabilmente a causa della loro dieta. Tuttavia è abbastanza improbabile che quella sia stata la causa del decesso. Del piombo è stato trovato anche in una polvere per il viso proveniente da una tomba micenea di 3000 anni fa che aveva probabilmente una funzione cosmetica.

Tre marinai britannici, membri dell'equipaggio della spedizione con la quale Franklin tentò di trovare, nel 1845, un passaggio navigabile a Nord-Ovest, morirono e furono sepolti circa 140 anni fa sull'isola canadese di Beechey, nei Territori del Nord-Ovest. I loro corpi, ben conservati dal permafrost, furono riesumati dall'antropologo canadese Owen Beattie e dai suoi colleghi. L'analisi di alcuni campioni di ossa rivelò un altissimo contenuto di piombo, sufficiente a provocare un'intossicazione se ingerito durante la spedizione. L'intossicazione fu probabilmente provocata dai barattoli per il cibo saldati a piombo, dalle ceramiche invetriate con vetrina piombifera e dai recipienti rivestiti con lamine di piombo. Queste cause, associate ad altre condizioni patologiche come lo scorbuto, potrebbero essere state letali.

Il piombo presente nelle ossa ha fornito dati conoscitivi anche sulla vita dei coloni americani. Analizzando le ossa provenienti da cimiteri del Maryland, della Virginia e della Georgia risalenti a un periodo compreso tra il XVII e il XIX secolo, Arthur Aufderheide ha potuto scoprire

Nel 2012 il mondo fu sbalordito dalla notizia che a Leicester era stato scoperto uno scheletro, che si riteneva fosse del re d'Inghilterra Riccardo III (1452-85). Immortalato da Shakespeare come un gobbo malvagio, l'ultimo dei re Plantageneti fu ucciso in battaglia a Bosworth Field e si sapeva che era stato sepolto a Leicester nella chiesa dei Greyfriars. Inoltre, circolava anche una storia che il suo corpo fosse stato in seguito esumato e gettato nel vicino fiume; in ogni caso, la chiesa era stata demolita nel XVI secolo.

Il progetto nasceva da un'insolita collaborazione tra archeologi professionisti e accademici, un gruppo di appassionati (Richard III Society) e la città di Leicester. Gli scavi, cominciati nell'agosto del 2012 in un luogo divenuto poi un parcheggio, misero immediatamente in luce le fondazioni di una parte della chiesa. Lo scheletro in questione fu ritrovato il giorno stesso, ubicato in una posizione chiaramente di prestigio, accanto al coro. Il corpo si trovava in una tomba mal scavata, con un fondo concavo e le pareti inclinate, ed era troppo piccola rispetto al corpo stesso; invece, altre tombe nel coro erano perfettamente rettangolari e della giusta lunghezza. Sembra proprio che il morto fosse stato trattato con poca cura: gli arti inferiori erano ben distesi ma il torace era girato verso nord, e la testa era appoggiata contro un angolo della fossa. In altre parole, sembrava che il corpo fosse stato infilato per i piedi in questa piccola buca, il che indica grande fretta e/o mancanza di rispetto. Non vi era alcuna traccia di bara o di sudario.

Se si tratta davvero di Riccardo, la fretta potrebbe essere stata causata dal fatto che il suo corpo era stato esposto al pubblico per parecchi giorni, nel pieno dell'estate. Le mani erano incrociate sui polsi, il che potrebbe indicare che erano legate. I piedi erano andati dispersi a causa di un qualche scavo durante il XIX secolo, ma per il resto lo scheletro era in buone condizioni, con 135 ossa e 29 denti. Si tratta di un maschio adulto di costituzione gracile; di età, secondo la crescita delle ossa e lo sviluppo dei denti, che oscilla tra la fine dei 20 e la fine dei 30 anni (Riccardo ne aveva 32 quando morì). Caratteristica degna di nota è una severa scoliosi, ossia una colonna vertebrale curva da un lato (a differenza della leggendaria gobba).

La scoliosi si era sviluppata all'età di 10-13 anni. Mentre cresceva, alcuni legamenti devono essersi avvolti all'osso, irrigidendone la curva; aveva anche sviluppato una certa osteoartrite. La

11.58 Lo scheletro di Riccardo III, con l'accentuata curvatura della colonna vertebrale.

scoliosi progressiva doveva aver messo a dura prova il cuore e i polmoni, forse causando la bassa statura e sofferenze. In origine, dunque, non era destinato a crescere così, dal momento che le sue ossa lunghe indicano che avrebbe dovuto essere alto circa 1,73, in linea con la media dell'epoca. Tuttavia la disabilità aveva ridotto l'altezza in misura sostanziale, cioè a circa 1,42 m, e la sua spalla destra doveva essere cresciuta più alta della sinistra. In altre parole, quest'uomo aveva un torace tozzo e spalle disuguali, il che corrisponde a parecchi dei racconti coevi sull'aspetto di Riccardo. L'analisi del radiocarbonio data i resti tra 1456 e 1530, e tale range cronologico è compatibile con la data della battaglia in cui sarebbe morto, cioè il 1485.

I denti erano un poco consunti ma non presentavano carie, ed era infestato da parassiti intestinali. Le analisi di azoto e del carbonio nelle costole, svolte da diversi laboratori, hanno rivelato una dieta altamente proteica, con circa il 25% di pesce, sintomo di un rango elevato. Gli isotopi dell'ossigeno e dello stronzio derivati dai liquidi ingeriti durante l'infanzia corrispondono alla geologia delle sorgenti acquifere del Northamptonshire, dove Riccardo era nato e cresciuto. Sempre sulla scorta di queste analisi, sembra che questo individuo si sia spostato più a ovest all'età di 7 anni, forse nelle marche scozzesi (e questo concorderebbe con il fatto che, nel 1459, Riccardo dimorò nel castello di Ludlow). D'altra parte, vi è un significativo aumento nella composizione dell'isotopo dell'ossigeno negli ultimi anni della sua vita, che gli analisti non possono addebitare a birra e cibo,

11.57 Gli scavi nel parcheggio di Leicester in cui fu ritrovato il corpo di Riccardo III. La sua tomba si può distinguere in primo piano nella foto. I resti del re furono inumati nuovamente all'interno della cattedrale di Leicester, con una cerimonia ufficiale, nel marzo del 2005.

cosicché è stata attribuita al succo d'uva, ossia al vino: una dose equivalente a un'odierna bottiglia al giorno lo avrebbe condotto a valori così alti.

Lo scheletro rivela almeno undici ferite, tutte *peri-mortem*, ossia riferite al momento del decesso, dato che nessuna mostra segni di cicatrizzazione. Due grandi ferite alla base del cranio corrispondono a colpi di alabarda o di spada, e sono quelle che devono aver causato una morte pressoché immediata. Vi è una terza ferita, più piccola, di penetrazione, nella sommità della testa, forse di pugnale. Nessuna delle ferite del cranio potrebbe essere stata inflitta a uno che portasse un elmo nel XV secolo. Altre due ferite (un taglio su una costola destra, e uno sul bacino destro, probabilmente causati da un'arma conficcata attraverso il gluteo) sono improbabili su qualcuno che indossi un'armatura: pertanto si ritiene che siano state inflitte dopo la morte, siano cioè delle «humiliation injuries». In breve, questa persona quasi certamente è morta in battaglia, e la più vicina battaglia in questo lasso di tempo è stata la battaglia di Bosworth, 24 km a ovest di Leicester. Infine, l'analisi genetica iniziale è stata svolta sull'mtDNA, ed è stato trovato un collegamento con due attuali discendenti della sorella di Riccardo, Anna di York. I ricercatori sono convinti, quindi, di aver provato l'identità di questo scheletro «al di là di ogni ragionevole dubbio». Abbiano o no ragione, il progetto ha avuto una risonanza a livello mondiale, dimostrando come l'archeologia possa avere, anche se occasionalmente, un impatto mediatico molto forte.

11.59-60 La ricostruzione facciale dallo scheletro di Leicester riporta una notevole somiglianza con i pochi ritratti di Riccardo III; peraltro, l'esecutore sapeva bene a chi apparteneva quel cranio.

che la gente era stata contaminata dal piombo presente nelle ceramiche invetriate e anche nei recipienti di peltro utilizzati per conservare, preparare e servire cibi e bevande. Tuttavia, solo le persone benestanti potevano permettersi di avvelenarsi in questo modo, offrendo così una chiave per ottenere dal contenuto di piombo dati di carattere sociale. In due popolazioni attive nelle piantagioni della Georgia e della Virginia gli agricoltori bianchi affittuari presentavano una maggiore quantità di piombo rispetto ai neri, sia liberi sia schiavi, ma minore di quella dei più ricchi proprietari di piantagioni. D'altra parte la servitù bianca – soprattutto quella che lavorava per i fittavoli bianchi – aveva solitamente basse concentrazioni di piombo. Tutto ciò suggerisce una netta segregazione dai datori di lavoro.

I denti

Poiché il cibo non solo lascia tracce nelle ossa, ma ha anche un effetto diretto sulla dentizione, lo studio delle condizioni dei denti può darci molte informazioni di vario tipo. Per esempio, l'analisi dei denti degli antichi Egizi, come Ramsete II, indica che la loro forte usura e l'impressionante carie erano causate non tanto dalla presenza di sabbia nel cibo quanto dalla consistenza del cibo stesso e dalla presenza di sostanze dure nelle piante alimentari. Le radiografie possono mostrare anche eventuali carie e lesioni dentarie. Gli scheletri provenienti da Ercolano presentavano una bassa incidenza di carie dentaria, fatto che indica un basso consumo di zucchero rispetto a quello odierno, come d'altra parte nell'antico Egitto, e anche il probabile aiuto di acque ad alto contenuto di fluoro.

Quando si esamina la dentizione è necessario tenere presente che i denti sani venivano a volte estratti per motivi rituali o estetici. Tale pratica era molto comune in Giappone durante il periodo Jomon (soprattutto circa 4000 anni fa) e vi venivano sottoposti ambedue i sessi a partire dai 14-15 anni. Alcuni incisivi, e in qualche caso anche i premolari, venivano estratti, e nel più tardo periodo Jomon (3000-2200 anni fa) si svilupparono tre differenti stili regionali.

In Australia il costume praticato dagli Aborigeni di privarsi dei denti, in particolare di uno o due incisivi superiori come parte di una cerimonia di iniziazione maschile, è stato scoperto in una tomba a Nitchie, nel Nuovo Galles del Sud, risalente a circa 7000 anni fa, e anche il cranio proveniente da Cossack, nell'Australia occidentale, antico di circa 6500 anni, sembra sia stato privato di un dente molto prima della morte.

Esistono infine alcune testimonianze a favore di una precoce pratica della professione di dentista. A Mehrgarh, in Pakistan, sembra che siano stati fatti dei fori circolari nei denti con una specie di trapano di pietra più di 8000 anni fa. La più antica otturazione è stata trovata in una

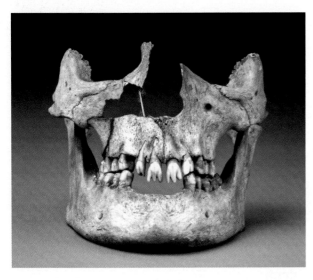

11.61 Parte inferiore del cranio di una donna adulta proveniente da un sito del periodo Jomon di Fujiidera City, Osaka (Giappone); alcuni denti vennero estratti, altri decorati, probabilmente per motivi rituali o estetici.

dentatura neolitica proveniente dalla grotta di Lonche, in Slovenia: un dente canino cariato di maschio di circa 24-30 anni era stato riempito con cera d'api, presumibilmente per alleviare il dolore e la sensibilità durante la masticazione. Un'altra otturazione è stata riconosciuta in Israele, in un dente di un guerriero nabateo, già ricordato, sepolto 2000 anni fa nel deserto del Negev. Le indagini del ricercatore Joe Zias hanno scoperto che uno dei suoi denti era verde a causa dell'ossidazione di un filo metallico con il quale era stato otturato il dente. È probabile che si tratti di una truffa del dentista, il quale, anziché utilizzare un filo d'oro, ne utilizzò uno di bronzo, che è corrosivo e tossico. Il più vecchio esempio di dente finto, fatto con un filo d'oro e due denti d'avorio, è fenicio e data al VI-IV secolo a.C. Si conoscono circa 20 casi tra gli Etruschi dello stesso periodo: i loro denti finti erano d'oro oppure fatti con denti umani o animali; mentre un esemplare di ferro fu applicato con precisione, circa 1900 anni fa, alla mandibola di un vecchio, ritrovato a Chantambre, nei pressi di Parigi.

Il recente esame del cranio di Isabella d'Aragona (1470-1524), la nobildonna italiana che è forse l'ispiratrice della Monna Lisa di Leonardo, ha rivelato che i suoi denti erano ricoperti da una patina scura che la nobildonna tentò disperatamente di rimuovere, al punto che lo smalto degli incisivi fu completamente asportato. Le analisi hanno dimostrato che la patina scura era causata da un'intossicazione da mercurio: a quei tempi l'inalazione di fumi di mercurio era considerata una cura efficace contro la sifilide e altre malattie, specialmente della pelle. Il risultato di quel trattamento protratto fu una grave infiammazione dei denti ed è probabile che la morte di Isabella sia stata causata proprio dal mercurio più che dalla sifilide.

Le conoscenze mediche

Per la conoscenza dell'antica medicina i documenti hanno senza dubbio una grande importanza. La letteratura egizia menziona l'uso di fili metallici per tenere insieme i denti al fine di prevenirne la caduta; anche alcuni testi romani ci informano sul trattamento operato dai dentisti del tempo. Per quanto riguarda la medicina generale, esistono papiri dell'antico Egitto dedicati a questo argomento e un'ampia documentazione sia letteraria sia artistica per l'antica Grecia e per Roma, nonché per le culture successive.

La testimonianza archeologica più diffusa e impressionante riguardo alle capacità chirurgiche dell'antichità è costituita dai casi di trapanazione del cranio, o anche di asportazione di un pezzo d'osso dal cranio, probabilmente per alleviare la pressione della massa cerebrale causata da una frattura cranica o per combattere le cefalee o l'epilessia. Sono conosciuti oltre mille casi di trapanazione, specialmente nella regione delle Ande, più della metà dei quali sembra avere perfettamente cicatrizzato; alcuni crani presentano fino a sette asportazioni. La cosa impressionante è che queste operazioni sembrano risalire almeno a 7000-8000 anni fa. In Francia è documentata un'amputazione di avambraccio risalente al Neolitico Antico, circa 6900 anni fa.

Altre testimonianze di antiche pratiche chirurgiche includono stecche di corteccia ritrovate in associazione con avambracci rotti in contesti egizi del III millennio a.C.; gli antichi Egizi, inoltre, applicavano delle protesi artificiali di dita di piedi fatte di legno oppure di *cartonnage* (tessuto irrigidito). Lo scheletro smembrato di un feto del IV secolo d.C. rinvenuto nel cimitero britannico-romano di Poundbury Camp, nel Dorset, presenta i segni di un taglio che corrispondono esattamente all'operazione descritta da Soranus, un medico romano, per rimuovere il feto morto dall'utero al fine di salvare la madre; mentre un femore del II secolo d.C. proveniente da un cimitero nei pressi di Roma presenta i segni di una sega chirurgica che amputò la gamba.

Esempi di strumenti chirurgici includono uno strumentario scoperto a Pompei e una cassetta medica romana col suo contenuto (compresi dei cilindri in legno provvisti di coperchio per le medicine) ritrovata in un relitto al largo della costa toscana. Uno strumentario analogo fu rinvenuto nel relitto del *Mary Rose*, una nave da guerra inglese del XVI secolo riemersa dal fondale marino nel 1982: comprendeva fiaschette, vasetti, rasoi, una siringa uretrale, coltelli e seghe.

Tra i ruderi di un ospedale dell'XI secolo d.C. annesso a un monastero buddista nei pressi della città di Polonnaruva, in Sri Lanka, sono stati rinvenuti strumenti medici e chirurgici, assieme a vasi smaltati per la loro conservazione: tutte attrezzature che suggeriscono un livello sofisticato di cure mediche.

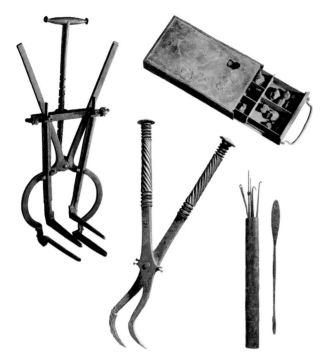

11.62-63 Scienza medica: (*sopra*) lo strumentario chirurgico di epoca romana trovato a Pompei nella Casa del Chirurgo. (*Sotto*) Nel relitto della nave inglese Mary Rose, naufragata in una battaglia con la flotta francese lungo la costa meridionale dell'Inghilterra nel 1545, fu trovata la valigetta di un chirurgo, ben chiusa nella sua cabina: conteneva la serie completa della sua attrezzatura, sebbene solo le impugnature di legno degli strumenti di acciaio si fossero conservate.

Anche in Perú è stato trovato uno strumentario chirurgico, datato al periodo Chimú (450-750 d.C.) e consistente di bisturi, forcipi, bende di lana e cotone e, cosa più interessante, alcuni strumenti in metallo molto simili a quelli oggi utilizzati per il raschiamento dell'utero al fine di provocare un aborto. Non sorprende che gli antichi peruviani avessero raggiunto un tale livello di abilità in medicina e chirurgia: sappiamo infatti da altre testimonianze che essi praticavano di *routine* la trapanazione e applicavano protesi per sostenere gli arti difettosi. Le decorazioni sulle loro ceramiche mostrano una conoscenza medica profonda, anche delle varie fasi della gravidanza e del parto. Sulla base dei codici maya e delle testimonianze raccolte dagli Spagnoli sugli Aztechi si può inoltre affermare che anche altri popoli del Nuovo Mondo possedevano raffinate conoscenze mediche, che comprendevano anche l'uso di funghi allucinogeni.

Gli archeologi e gli studiosi di paleopatologia possono dunque utilizzare un'ampia varietà di metodi e di testimonianze per far luce sulla salute delle genti del passato. Combinando i risultati di questi tipi di approccio con i dati sulla sussistenza (*vedi* Capitolo 7), possiamo ora procedere all'esame di quale fosse la qualità della dieta dei nostri progenitori e quali le probabili caratteristiche e l'entità demografica delle loro popolazioni.

© 978.8808.82073.0

COME VALUTARE LA NUTRIZIONE

La nutrizione può essere definita come la misura della capacità di una dieta di mantenere il corpo umano nel suo ambiente fisico e sociale. Naturalmente per noi è interessante venire a sapere che un certo gruppo di persone vissute nel passato godeva di una buona nutrizione. L'archeologo Charles Higham ha scoperto, per esempio, che gli esseri umani che abitarono la Thailandia nord-occidentale tra il 1500 e il 100 a.C. disponevano di cibo abbondante e, in effetti, non mostravano alcun segno di cattiva salute o di malnutrizione; alcuni riuscivano addirittura a superare i 50 anni. Ma è più interessante scoprire quando il regime alimentare era sotto certi aspetti carente e se tali carenze potrebbero aver influito sullo spessore delle ossa e sull'accrescimento dello scheletro. Il confronto della nutrizione in periodi diversi può aggiungere dati significativi alla nostra conoscenza dei cambiamenti fondamentali nei modi di vita, come nel caso del passaggio dall'economia di caccia e raccolta all'economia agricola.

Malnutrizione

Quali segni possiamo trovare sullo scheletro come indicatori di malnutrizione? Nel precedente paragrafo abbiamo menzionato le linee di Harris quali indicatori dei periodi di arresto dell'accrescimento durante lo sviluppo; a volte esse possono essere causate dalla malnutrizione. Un fenomeno simile si osserva anche nei **denti**: qui le chiazze di dentina poco mineralizzata, riflettono i disturbi dell'accrescimento provocati da una dieta povera di latte, pesce, olio o grassi animali (e talvolta da malattie infantili come il morbillo). La carenza di vitamina C causa lo scorbuto, una malattia che provoca alterazioni nel palato, e in particolare nelle sottostanti ossa mandibolari, e che è stata riconosciuta nei resti umani di molte zone del pianeta. A causa della dieta particolarmente povera lo scorbuto era assai diffuso tra i marinai fino al XIX secolo.

Anche le dimensioni e le condizioni generali delle ossa e della dentatura di uno scheletro forniscono indicazioni sugli aspetti della dieta. Come è già stato detto, la sabbia presente nel cibo, o i granuli di pietra staccatisi dalle macine, possono avere deleterie conseguenze sui denti. L'abrasione eccessiva riscontrata sui denti di alcuni Indiani della California può essere messa in relazione con la loro abitudine di eliminare il tannino dalle ghiande (l'alimento base della loro dieta) per filtrazione attraverso uno strato di sabbia.

Un'ulteriore testimonianza di malnutrizione si può ricavare ancora una volta dall'**arte** e dalla **letteratura**. La carenza di vitamina B (beriberi) è menzionata nel Su Wen, un testo cinese del III millennio a.C., e anche Strabone riferisce di un caso verificatosi fra le truppe dell'esercito romano. L'arte

11.64 Una testimonianza di malnutrizione: particolare di un rilievo murale nella necropoli che circonda la piramide di Unas, a Saqqara, che raffigura le vittime di una carestia (2350 a.C. circa).

egizia offre immagini interessanti, come la celebre «carestia» rappresentata a Saqqara, datata al 2350 a.C.

Diete a confronto: la nascita dell'agricoltura

L'analisi chimica delle ossa consente di ottenere ulteriori informazioni. Molto si può capire dagli isotopi stabili del carbonio e dell'azoto (*vedi* Capitolo 7), utili a distinguere gli individui a seconda di quello che mangiavano. Gli isotopi del carbonio, presenti nelle ossa (quelli stabili, non il 14C che è usato per le datazioni), possono essere usati per rilevare un regime alimentare ricco di alcune piante o di prodotti del mare. Si può individuare, nello specifico, il consumo di mais e, quindi, riconoscere una svolta nell'economia di sussistenza di zone del Nuovo Mondo durante la preistoria. Nel Nordamerica orientale, un mutamento nei segni dell'isotopo stabile del carbonio sulle ossa umane, avvenuto circa mille anni fa, ben corrisponde a un netto cambiamento della riproduzione di mais, individuato nei residui di piante dei siti abitati. Questo è un esempio dove distinti dati dimostrativi – la composizione delle ossa e i tipi di resti vegetali carbonizzati – si completano vicendevolmente, contribuendo ad accrescere la fiducia nelle deduzioni che si elaborano intorno al nostro passato.

Clark Larsen ha messo a confronto gli scheletri di 269 cacciatori-raccoglitori (2200 a.C.-1150 d.C.) con quelli di 342 membri di una comunità agricola (1150-1550 d.C.) provenienti da 33 siti della costa della Georgia (*vedi* anche Capitolo 7), e ha scoperto che ci fu nel tempo un peggioramento della salute dei denti e dello scheletro, attribuibile a un aumentato consumo di mais, ma anche una diminuzione delle artropatie legate allo stress meccanico che colpisce i cacciatori (gli uomini di ambedue i periodi soffrivano molto più delle donne di osteoartrite).

Larsen ha anche riscontrato una riduzione nella dimensione del volto e delle mascelle e, solo nelle donne, una diminuzione nella grandezza dei denti; furono le donne a subire un maggior aumento della carie dentaria e un più marcato rimpicciolimento delle dimensioni del cranio e dell'intero scheletro (forse legato alla riduzione dell'apporto di proteine e all'aumento del consumo di carboidrati). Questi risultati suggeriscono che il passaggio all'agricoltura colpì le donne più degli uomini, che probabilmente continuarono a dedicarsi anche alla caccia e alla pesca, mentre le donne svolgevano tutti i lavori dei campi, e cucinavano. I dati relativi al Nordamerica orientale sono dunque piuttosto omogenei e ci illuminano sui differenti effetti che l'agricoltura del mais ebbe su uomini e donne.

Se vogliamo allargare l'analisi, non è facile distinguere gli effetti dei diversi aspetti determinati dall'adozione dell'agricoltura, che comportò non solo un cambiamento nelle abitudini alimentari, ma anche un sistema di vita sedentaria, maggiori concentrazioni di popolazione, l'accesso differenziato alle risorse e così via. Nonostante questo, in molte regioni gli studi sulle patologie dello scheletro cominciano a svelare una tendenza regolare, suggerendo che il passaggio all'agricoltura, con i conseguenti effetti sulle dimensioni del gruppo e sul suo carattere stanziale, portò in generale all'aumento dello stress cronico, comprendente infezioni e malnutrizione. Come nel caso della Georgia, a una diminuzione dello stress meccanico corrispose un aumento dello stress nutrizionale.

STUDI DEMOGRAFICI

Nei paragrafi precedenti di questo capitolo abbiamo rivolto l'attenzione agli individui o a piccoli gruppi di individui; è ora il momento di estendere il nostro interesse a più ampi gruppi di individui e a intere popolazioni, un campo di ricerca conosciuto come **archeologia demografica**, che si occupa di stime desunte dai dati archeologici dei vari aspetti delle popolazioni come la grandezza, la densità e il tasso di crescita. Si occupa, inoltre, del ruolo della popolazione nei cambiamenti culturali. Modelli di simulazione basati su dati archeologici e demografici possono essere utilizzati per capire meglio i legami tra la popolazione, le risorse, la tecnologia e la società e hanno aiutato a chiarire il formarsi dei primi popoli nelle Americhe e in Australia e la diffusione dell'agricoltura in Europa.

Alleata dell'archeologia demografica è la **paleodemografia**, che si occupa principalmente dello studio dei resti di scheletri per stimare parametri della popolazione quali i tassi di fertilità e di mortalità, struttura della popolazione e aspettativa di vita. Tutti i metodi di studio fin qui menzionati potranno esserci d'aiuto nell'indagare la durata media della vita di uomini e donne in periodi diversi; lo studio

delle malattie o della malnutrizione potrà combinarsi ai dati relativi al sesso e all'età per gettare luce sulla qualità della vita. Ma rimane una domanda fondamentale a cui bisogna dare risposta: in base alle testimonianze archeologiche, come si può calcolare l'ammontare della popolazione e quindi la sua densità?

Esistono due approcci di base: il primo è quello di ricavare valori numerici dai dati relativi all'insediamento, basati sulla relazione tra la dimensione del gruppo, da un lato, e, dall'altro, l'area totale del sito, la superficie coperta, il volume del costruito o il numero delle abitazioni. Il secondo è quello di cercare di valutare la ricchezza di un particolare ambiente in termini di risorse animali e vegetali per ogni stagione, per poi calcolare quante persone quell'ambiente avrebbe potuto sostentare, a un livello di tecnologia dato, ossia la «capacità di sostentamento» (*carrying capacity*) dell'ambiente. Ai nostri fini il primo approccio è il più fruttuoso. In un singolo sito è necessario stabilire, nel miglior modo possibile, quante abitazioni erano occupate in un determinato momento: solo allora si può procedere al calcolo. (In siti impregnati d'acqua o molto secchi, come nel Sud-Ovest americano, i resti di abitazioni in legno si possono spesso datare agli anni esatti in cui furono costruite, occupate e quindi abbandonate, grazie agli anelli di accrescimento degli alberi. Solitamente simili risultati indicano che gli edifici abitati durante una certa fase sono di norma assai meno numerosi di quanto non immaginassero gli archeologi). Potenzialmente la valutazione della superficie di abitato è il mezzo più preciso per ottenere indicazioni quantitative sulla popolazione. La più celebre equazione è quella proposta dal demografo Raoul Naroll: utilizzando i dati ricavati dall'analisi di 18 culture moderne, lo studioso ha ipotizzato che la popolazione di un sito preistorico sia uguale a un decimo dell'intera superficie di abitato, misurata in metri quadrati.

Questa affermazione è stata più volte ritoccata e modificata da numerosi archeologi, i quali hanno scoperto che era necessario tenere conto della variazione degli ambienti insediativi. Ma come la formula di Naroll è stata troppo generalizzata, così alcune equazioni recentemente proposte si sono concentrate in modo forse troppo limitato su un'area particolare (come per esempio l'equazione «popolazione di un *pueblo* = 1/3 dell'area totale della superficie di abitato misurata in metri quadrati»). Un'utile norma è quella elaborata da S.F. Cook e R.F. Heizer sulla base dell'esperienza: utilizzando misurazioni non metriche, essa attribuisce 2,3 m² a ciascuna delle prime sei persone, e quindi 9,3 m² a ogni altro individuo.

Nel caso delle *long houses* polacche della cultura neolitica cosiddetta della «ceramica a bande lineari» (*Linearbandkeramik*, LBK), Sarunas Milisauskas applicò in un primo momento la formula di Naroll e ottenne la cifra di

117 persone per un totale di 10 case. Provò poi a utilizzare i dati etnografici: attribuendo a ogni focolare all'interno di una *long house* una famiglia, e quindi una famiglia ogni 4 o 5 m di lunghezza dell'edificio, ottenne per quelle stesse case la cifra di 200 persone.

Samuel Casselberry ha ulteriormente messo a punto la procedura per abitazioni plurifamiliari di questo tipo. Utilizzando dati forniti dagli studi etnografici, lo studioso ha creato una formula per le case plurifamiliari del Nuovo Mondo: «popolazione = 1/6 dell'area totale della superficie di abitato in metri quadrati». Applicando questa formula alle case polacche della cultura della ceramica a bande lineari (LBK), ha ottenuto una cifra pari a 192 persone per 10 abitazioni, che non si discosta di molto dal secondo risultato ottenuto da Milisauskas. Questo suggerisce che tali metodi di stima acquistano sempre maggiore attendibilità, purché i dati etnografici utilizzati provengano da tipi di abitazione analoghi a quelli studiati nel contesto archeologico.

Per il calcolo demografico è possibile servirsi anche di altre tecniche. Volendo stimare la popolazione di un *pa* (fortificazione su altura) ad Auckland (Nuova Zelanda), la studiosa Aileen Fox ha utilizzato i dati etnografici, secondo i quali nel tardo XVIII secolo e all'inizio del successivo i nuclei familiari Maori erano relativamente piccoli. I dati archeologici indicavano che una famiglia utilizzava in media due dei molti silos a pozzo scavati sulle terrazze del *pa*. Combinando le due serie di dati (etnografici e archeologici) si otteneva una formula di sei adulti ogni due pozzi; in questo modo i 36 pozzi rinvenuti sul sito indicavano la presenza di 18 famiglie e quindi di 108 individui; un risultato che offre cifre molto più basse rispetto a quanto si era creduto in passato. Le stime sulla popolazione possono anche essere ottenute dalla frequenza dei manufatti e dalla quantità di resti di cibo; tuttavia bisogna stare attenti perché questi calcoli dipendono da molte variabili.

In alcune situazioni è possibile stimare le dimensioni di una comunità dal numero di individui sepolti nell'area cimiteriale. Per fare questo, comunque, dobbiamo essere in grado di dimostrare che tutti i membri di una comunità erano sepolti lì e assicurarci che tutti i loro scheletri siano stati riesumati e correttamente identificati. Alcuni membri possono essere stati esclusi dal cimitero comune, per qualche ragione, forse perché erano neonati, oppure è possibile che le condizioni del terreno abbiano impedito la conservazione dei piccoli scheletri dei bambini. Si dovrebbe inoltre valutare la durata d'uso del cimitero così come il tasso di mortalità complessivo. Facendo attenzione, comunque, si possono usare i dati sulle sepolture per controllare le valutazioni scaturite dal numero di strutture o da altri dati archeologici (anch'essi soggetti a errore, peraltro).

È sempre l'etnografia (principalmente gli studi relativi ai !Kung San del Deserto del Kalahari e agli Aborigeni australiani) che ha delineato la cifra generalizzata di circa 25 individui per un gruppo locale, o banda, di cacciatori-raccoglitori e di circa 500 per una tribù. Poiché sia in Australia sia altrove le bande variano numericamente in modo considerevole nel tempo e secondo le stagioni, e raggiungono spesso un numero di individui inferiore a 25, ne segue che certe cifre devono considerarsi semplicemente indicazioni approssimative. Tuttavia, e premesso che non sarà mai possibile stabilire con esattezza l'entità delle popolazioni preistoriche, bisogna ammettere che questi valori numerici offrono valutazioni che certamente non si discostano dai corretti ordini di grandezza. Anche stime severe sono in grado di fornire una qualche idea del potenziale impatto dell'essere umano sull'ambiente o della forza lavoro disponibile per progetti di costruzioni e operazioni simili.

Per quanto riguarda invece la popolazione di vaste aree, e sulla base dei dati archeologici, si può soltanto contare il numero dei siti per ogni regione, supporre quanti di essi all'interno di ogni cultura fossero occupati nello stesso momento, stimare la popolazione relativa a ogni sito e quindi pervenire a un valore grossolano della densità di popolazione. Per i periodi storici si possono talvolta utilizzare le fonti scritte: in base ai dati provenienti dai censimenti e dalle importazioni di grano, nonché da altre fonti, è stato calcolato che la popolazione dell'Attica nel periodo classico fosse di 315 000 unità nel 431 a.C. e di 258 000 nel 323 a.C. Facendo un altro esempio relativo alla Classicità, questa volta relativo a una città invece che a una regione, la

Nome	Tipologia	Densità (km²)
Aranda, Australia	Cacciatori-raccoglitori	0,031
Paiute, Nevada	Cacciatori-raccoglitori	0,035
Kung, Botswana	Cacciatori-raccoglitori	0,097
Shoshone, California	Cacciatori-raccoglitori	0,23
Tsimshian, Nuova Guinea	Cacciatori-raccoglitori	0,82
Maring, USA	Agricoltori	15
USA	Nazione	32
Dugam Dani, Nuova Guinea	Agricoltori	160
Regno Unito	Nazione	255
Bangladesh	Nazione	1127
New York, USA	Città	10 407
Delhi, India	Città	29 149
Dharavi, Mumbai, India	Slum	315 000 circa

11.65 Densità demografica mondiale: la densità aumenta in modo impressionante via via che le società diventano più complesse, raggiungendo in alcuni casi livelli sbalorditivi.

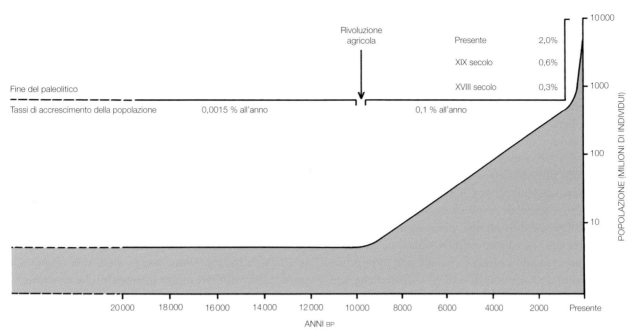

11.66 Tendenze nella popolazione mondiale: il tasso di accrescimento aumentò in modo considerevole all'indomani della rivoluzione agricola e si è accelerato fortemente negli ultimi due secoli.

popolazione dell'antica Roma è stata recentemente stimata a 450 000 unità sulla base delle densità di popolazione di Pompei e di Ostia, oltre che di altre centinaia di città pre-industriali e moderne. In generale, il modo migliore per affrontare la stima della popolazione è usare due o tre metodi diversi e verificare se concordano.

Per quanto riguarda la preistoria, le stime demografiche per grandi aree restano pure congetture. I calcoli sulla popolazione che abitava il pianeta durante il Paleolitico e il Mesolitico variano da un minimo di 5 milioni a un massimo di oltre 20 milioni. Forse in futuro saremo in grado di formulare, grazie a una più approfondita conoscenza della densità demografica di gruppi economici diversi e della capacità di sostentamento (*carrying capacity*) dell'ambiente nel passato, ipotesi più documentate sullo spinoso problema della popolazione mondiale.

DIVERSITÀ ED EVOLUZIONE

Per finire, giungiamo al problema dell'identificazione delle origini e della distribuzione delle popolazioni in base ai resti umani rinvenuti. Le moderne tecniche di indagine assicurano che oggi questi studi si possono fondare su basi più solide e oggettive di quelle disponibili prima della Seconda guerra mondiale.

Lo studio dei geni: il nostro passato dentro di noi

Gran parte delle informazioni più valide sui movimenti delle popolazioni primitive si ottiene oggi dall'«archeologia del corpo vivente», così chiamata perché le prove vanno

ricercate nel nostro materiale genetico. Recentemente si è gettata nuova luce sul vecchio problema di quando una popolazione sia entrata per la prima volta in America; i nuovi dati non sono giunti da testimonianze archeologiche o da fossili, bensì dalla distribuzione di determinati marcatori genetici presenti nella odierna popolazione indigena americana (*vedi* Scheda 11.10).

Il confronto tra il DNA antico, come quello estratto in Florida da un encefalo (*vedi* sopra), e quello di Americani contemporanei ormai è stato dimostrato possibile. Se il DNA antico presenta sequenze che non esistono più, ciò potrebbe indicare che il gruppo antico in questione è scomparso oppure si è molto modificato. A tal riguardo, nel caso dell'«Uomo di Kennewick», datato a 8500 anni fa circa, i risultati dell'analisi del DNA risultano differenti dalle analisi del cranio (*vedi* Capitolo 14).

Nel 1987 Rebecca Cann, Mark Stoneking e Allan Wilson hanno pubblicato uno studio autorevole, incentrato sul DNA mitocondriale (mtDNA) – contenuto non nel nucleo delle cellule ma in altri elementi presenti nelle cellule (i mitocondri) – che viene trasmesso solo dalle femmine. Poiché l'mtDNA viene ereditato esclusivamente attraverso la madre, a differenza del DNA nucleare che è una specie di miscela dei geni di ambedue i genitori, esso è un documento familiare che attraverso le generazioni è variato solo per mutazioni. Cann, Stoneking e Wilson hanno analizzato l'mtDNA di 147 donne di oggi appartenenti a cinque diverse aree geografiche (Africa, Asia, Europa, Australia e Nuova Guinea) e hanno scoperto che le popolazioni della discendenza africana sub-sahariana mostravano le differenze più grandi tra loro, il che significa che il loro mtDNA ha avuto più tempo per mutare, e per questo i loro progenitori devono essere i più remoti. Questo implicherebbe che la nostra specie *Homo sapiens* è originaria dell'Africa sub-sahariana.

Stimando che l'mtDNA muti a un tasso di circa il 2-4% ogni milione di anni, i tre studiosi hanno potuto calcolare l'età, circa 200 000 anni fa, della donna ancestrale da cui noi tutti discendiamo, e l'hanno soprannominata «Eva». È comunque necessario sottolineare che anche «Eva» non solo aveva avuto una madre, ma visse contemporaneamente ad altri individui. In effetti, molti altri maschi e femmine devono aver contribuito alla sua prole, o alla prole dei suoi figli, per spiegare la variabilità genetica che possediamo nel DNA nucleare. Il punto importante riguardo a «Eva» è che ella *non* fu la prima donna, bensì il progenitore di tutti gli individui che oggi abitano la Terra; anche altre femmine vissute nella stessa epoca hanno moderni discendenti, ma «Eva» è l'unica che appare nella genealogia di ognuno di noi.

La conclusione apparve chiara: la distribuzione della nostra specie era il risultato di un'espansione fuori dall'Africa, processo con un inizio stimato a circa 60 000 anni fa. Questo importante risultato, ormai largamente accettato, era in contrasto con la visione alternativa, l'«ipotesi multiregionale», secondo cui doveva esserci stato un pro-

cesso evolutivo in diverse parti del mondo riguardo alla transizione dal progenitore *Homo erectus* all'*Homo sapiens*. Sembra invece che i discendenti dell'*Homo erectus,* vissuti fuori dall'Africa, si siano estinti, rimpiazzati dal nuovo *sapiens* circa 60 000 anni fa. Questa ipotesi è stata sostenuta mediante lo studio del cromosoma Y che si trasmette per via maschile (e che parimenti non spiega come il materiale genetico sia passato alla generazione successiva).

La forza probante degli studi su mtDNA e cromosoma Y non solo riconosce nell'ipotesi «out of Africa» la ragione dell'origine della nostra specie ma offre un quadro sempre più preciso e ben datato delle prime migrazioni umane dall'Africa e dei diversi processi connessi alla successiva diffusione nel mondo. La nuova disciplina dell'archeogenetica, in collaborazione con gli studi sulle lingue, sta producendo risultati molto interessanti. Le conclusioni al momento sono ancora abbastanza precarie, ma sicuramente un quadro più chiaro verrà fuori nella prossima decina d'anni. L'archeologia delle nostre cellule ha iniziato a dirci molto su di noi e sul nostro passato. Si deve notare comunque che la genetica, basata su popolazioni viventi, può solo offrire informazioni su popolazioni del passato che hanno lasciato discendenti, mentre nulla può dirci e su popoli che si sono estinti: in questo caso ci si deve rivolgere al DNA antico.

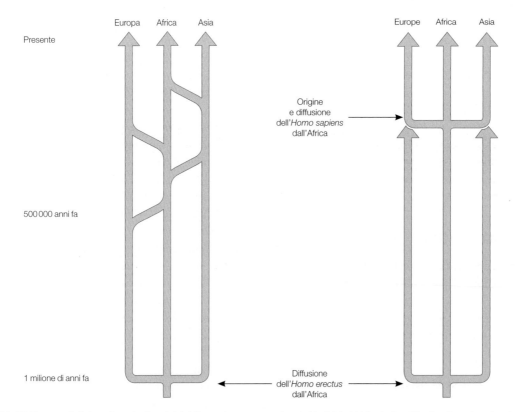

11.67 Due punti di vista diversi sulle origini dell'essere umano moderno. (*A sinistra*) L'«ipotesi multiregionale»: dopo la migrazione di *Homo erectus* dall'Africa circa 1 milione di anni fa, i popoli ebbero un'evoluzione in esseri umani moderni in modo indipendente nelle diverse regioni del mondo. (*A destra*) Ipotesi «fuori dall'Africa»: i dati genetici indicano che gli esseri umani moderni si formarono in un primo momento in Africa, per migrare poi da lì in altri continenti circa 80 000 anni fa, rimpiazzando le precedenti popolazioni di *Homo erectus*.

11.9 La genetica e la storia del linguaggio

Le metodologie genetiche sono sempre più usate assieme alla linguistica per studiare la storia delle popolazioni. In molte parti del mondo, la lingua parlata da una comunità umana è il migliore fattore predittivo delle caratteristiche genetiche (come quelle viste, per esempio, nei gruppi sanguigni) che una determinata comunità può avere.

Laurent Excoffier e i suoi colleghi hanno studiato le popolazioni africane, misurando le frequenze della varietà delle gammaglobuline nel sangue delle differenti popolazioni. Le frequenze furono utilizzate per valutare le similitudini e le differenze tra le varie popolazioni, che furono poi visualizzate in un grafico ad albero.

È stato scoperto che questa classificazione, basata su prove genetiche, in effetti suddivide le popolazioni africane nelle loro famiglie linguistiche. La classificazione genetica (basata sulle frequenze di gammaglobulina) per esempio raggruppa assieme le popolazioni che parlano la lingua Bantu; coloro che parlano l'Afroasiatico del Nord Africa formano un altro gruppo e i pigmei, con le lingue della famiglia Khoisan, un altro gruppo ancora. Una correlazione così forte tra composizione genetica e linguaggio è impressionante.

Luca Cavalli-Sforza e i suoi colleghi hanno suggerito una correlazione ampiamente distribuita tra le classificazioni genetiche e linguistiche sostenendo che ambedue sono i prodotti di un processo evolutivo simile. Ma i mutamenti del linguaggio avvengono molto più in fretta di quelli genetici, che sono governati dalla velocità di mutamento di ciascun gene. Invece la correlazione è parzialmente spiegata dal processo che sta sotto il rimpiazzamento linguistico (*vedi* Scheda 12.5).

Se la dispersione agricola introduce un grande numero di persone di un'altra popolazione che parla una lingua nuova per il territorio, il rimpiazzamento linguistico può essere anche accompagnato da quello genetico.

DNA e linguaggi

Un numero crescente di studi o di analisi dell'mtDNA (DNA mitocondriale) e del cromosoma Y sono stati usati per indagare l'affinità di popolazioni sulla base delle lingue parlate. La situazione diventa più complessa ma più affidabile quando è disponibile il DNA antico prelevato da resti umani pertinenti a specifici tempi e luoghi, come ha dimostrato il bambino Clovis ritrovato nel Montana, nel sito di Anzick.

L'applicazione della genetica molecolare agli studi demografici e alla storia delle lingue è ancora allo stadio iniziale, ma le informazioni potenzialmente disponibili sono numerose e questo è certamente un campo in espansione.

Da alcuni studi sull'mtDNA condotti nelle Americhe sembrerebbe che coloro che parlano una particolare lingua potrebbero avere frequenze di aplogruppi diverse da quelle delle popolazioni vicine, infatti questi specifici aplotipi potrebbero essere visti come caratteristici di chi parla una particolare lingua. Questo fenomeno di «polimorfismo specifico di una popolazione» e la sua relazione con lingue specifiche rimane ancora da esplorare ulteriormente (*vedi* Capitolo 5), ma come abbiamo visto sembra essere sicuramente così per le popolazioni africane (dove a essere state confrontate sono le famiglie linguistiche piuttosto che le specifiche lingue).

Genetisti molecolari hanno anche studiato le relazioni fra gruppi linguistici africani (compresi i !Kung e gli Hadza) che parlano le cosiddette «lingue clic», linguaggi spesso assegnati alla famiglia linguistica Khoisan. Hanno mostrato, utilizzando l'mtDNA, che questi gruppi sono collegati geneticamente molto alla lontana, con una datazione stimata per il comune antenato risalente fino a 27 000 anni fa. Se le caratteristiche linguistiche che condividono furono veramente ereditate da un comune antenato, si sarebbero conservate per un periodo eccezionalmente lungo.

Macrofamiglie

Linguisti russi e israeliani hanno elaborato una discussa ipotesi secondo la quale alcune delle maggiori famiglie linguistiche nella parte occidentale del Vecchio Mondo (vale a dire le famiglie Indoeuropee, le Afroasiatiche, le Uraliche, le Altaiche, le Dravidiane e le Kartveliane) possano essere raggruppate in un'unica, più ampia (e più antica) macrofamiglia alla quale è stato dato il nome di «Nostratica». Il linguista americano Joseph Greenberg ha proposto, sebbene con confini differenti, un'analoga macrofamiglia «Euroasiatica». Nel 1963 egli classificò le varie lingue dell'Africa in solo quattro macrofamiglie, una proposta che è stata ampiamente accettata, ma gli studiosi di storia delle lingue hanno abbondantemente criticato la sua analoga proposta di solo tre macrofamiglie per i linguaggi nativi delle Americhe (Eskimo-Aleut, Na-Dene e «Amerindo»).

Ciò nonostante, ci sono delle evidenze prodotte dalla genetica molecolare che sono andate a supportare il punto di vista di Greenberg e, come abbiamo visto, c'è una correlazione in Africa tra le sue classificazioni e i dati provenienti dalla genetica molecolare. Tutta la questione, inoltre, è collegata al tema del popolamento delle Americhe (*vedi* Scheda 11.10) e di altri continenti. Al momento è probabilmente opportuno per gli archeologi trattare le nozioni di «Amerindo» o di «Nostratico» con la debita precauzione, alla luce delle riserve che hanno al riguardo anche molti altri linguisti. Anche se le informazioni genetiche favoriscono una classificazione che è in accordo con quella dei *lumpers* («coloro che mettono assieme», a favore di connessioni linguistiche ad ampio spettro e delle «macrofamiglie», in opposizione agli *splitters*, i «divisori» che sono scettici in proposito), ci possono essere anche altre spiegazioni. La precauzione, fintanto che il quadro linguistico non è chiaro, è d'obbligo.

La nascita degli studi sul genoma: il DNA dei Neanderthal

Finora la maggior parte dei dati utilizzati nella genetica molecolare viene dallo studio dei campioni presi da popolazioni viventi. Ma il contributo del DNA antico, dai resti di antiche sepolture e di altri reperti umani, si dimostrerà presto molto importante. L'esempio più significativo viene dallo studio del DNA di un Neanderthaliano, più precisamente di uno dei fossili originali rinvenuti nella valle di Neander nella Germania occidentale nel 1856, che diede il nome all'«Uomo di Neanderthal». Mathias Krings e Svante Pääbo a Monaco di Baviera e Anne Stone e Mark Stoneking alla Pennsylvania State University sono riusciti a estrarre del materiale genetico e quindi ad amplificare i segmenti di mtDNA. Utilizzando le amplificazioni che si sovrappongono sono riusciti a recuperare delle sequenze di DNA mitocondriale che avevano più di 360 coppie base.

Quando queste vennero confrontate con le sequenze comparabili degli esseri umani, furono riscontrate 27 divergenze. Prendendo un tempo di divergenza stimata tra gli esseri umani e gli scimpanzé di 4 o 5 milioni di anni fa e assumendo una costante velocità di mutamento, è stata ottenuta una data di divergenza fra mtDNA neanderthaliano e mtDNA dell'essere umano contemporaneo compresa tra 550 000 e 690 000 anni fa (confrontata con una data di divergenza tra gli esseri umani di 120 000 fino a 150 000 anni). Alcune stime più recenti vorrebbero datare un po' più avanti il momento della separazione tra gli esseri umani e le ancestrali popolazioni dei Neanderthal, e cioè circa 370 000 anni fa.

La data di divergenza per gli esseri umani corrisponde bene al pensiero corrente e all'ipotesi «Out of Africa» delle origini umane. La sorpresa è che la data di divergenza uomo-Neanderthaliano è da collocarsi tanto più indietro nel tempo. I Neanderthaliani possono ancora essere considerati i nostri «cugini», ma secondo i dati forniti dall'mtDNA sono dei cugini ben più lontani nel tempo di quanto si fosse pensato.

Di recente il gruppo di ricerca sul genoma del Neanderthal presso il Max Planck Institut für evolutionäre Anthropologie di Lipsia, guidato da Svante Pääbo, ha pubblicato l'intera sequenza del genoma, usando le ossa del Neanderthal proveniente dalla grotta di Vindija in Croazia, datate tra 44 000 e 38 000 anni. Si tratta del più ambizioso progetto finora basato sul DNA antico, e rivela che, per circa 3,2 bilioni di coppie base, il genoma del Neanderthal ha circa la stessa dimensione del genoma umano moderno. La data di divergenza tra l'essere umano moderno e il Neanderthal è stimata tra 440 000 e 270 000 anni fa, cioè una data più recente rispetto a quella basata sull'mtDNA, di cui parlavamo prima. Anche

questi ricercatori hanno osservato che i Neanderthal sono notevolmente più vicini ai moderni europei e asiatici che non agli attuali africani. Hanno concluso che vi è stato un significativo flusso di geni dai Neanderthal ai moderni umani, stimato tra 1% e 4% del genoma. Ipotizzando che questo flusso di geni sia avvenuto tra 80 000 e 50 000 anni fa, e notando che i Neanderthal sono strettamente collegati a un cinese o a un papua tanto quanto a un francese, ne hanno dedotto che «ciò può essere spiegato dalla mescolanza dei primi esseri umani moderni con i Neanderthal in Medio Oriente, prima della loro espansione in Eurasia. Tale scenario è compatibile con i dati archeologici, che testimoniano la comparsa dei moderni umani in Medio Oriente prima di 100 000 anni fa, laddove i Neanderthals esistevano nella stessa regione anche dopo, probabilmente fino a 50 000 anni fa» (Green e altri, 2010, p. 718). Questa conclusione è stata contestata. Nonostante ciò, il lavoro del gruppo sul genoma del Neanderthal rappresenta un significativo passo avanti nella nostra conoscenza del passato dell'umanità.

Il quadro è stato complicato dall'analisi del DNA di un altro frammento fossile, proveniente da Denisova in Siberia, che è risultato essere non un umano moderno e neanche un Neanderthal, ma un ominide di una specie che si è separata dalle altre due circa un milione di anni fa. Il completo sequenziamento genomico del dente e della falange suggerisce che il Denisovano abbia avuto una storia evolutiva distinta sia dall'occidentale Neanderthal euroasiatico sia dall'umano moderno, sebbene l'argomentazione a favore di una nuova specie dovrebbe essere supportata, secondo l'approccio tradizionale, da alcuni più significativi elementi del cranio e dello scheletro.

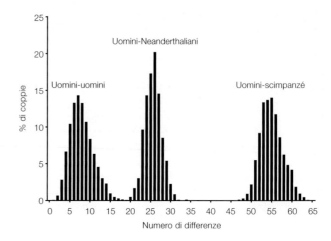

11.68 La distribuzione delle differenze di sequenze accoppiate tra esseri umani, Neanderthaliani e scimpanzé (sull'asse delle X: numero di differenze di sequenze; sull'asse delle Y: la percentuale di confronti accoppiati) mostra come le differenze degli esseri umani rispetto ai Neanderthaliani siano molto più numerose di quanto si fosse immaginato. Conseguentemente i Neanderthaliani sarebbero dei nostri cugini molto più remoti di quanto ritenuto finora.

11.10 Lo studio delle origini delle popolazioni del Nuovo Mondo

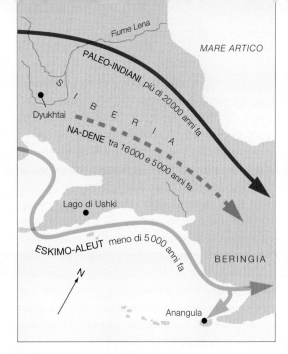

Il nord-est dell'Asia e la Siberia sono stati da tempo accettati come la piattaforma di partenza per i primi colonizzatori umani del Nuovo Mondo. Ci si chiede però se ci fu una sola grande migrazione attraverso lo stretto di Bering verso le Americhe oppure diverse migrazioni. Quando quest'evento, o questi eventi, ebbero luogo? Negli ultimi anni la ricerca linguistica e la genetica ci hanno offerto nuovi indizi al riguardo.

11.69 Tre possibili ondate di migrazione dalla Siberia al Nord America, utilizzando le datazioni suggerite da Torroni, Forster e colleghi: questa potrebbe essere una rappresentazione troppo semplificata che la ricerca futura probabilmente modificherà.

Prove dalla linguistica

Il linguista Joseph Greenberg fin dagli anni Cinquanta del secolo scorso sosteneva che tutte le lingue native americane appartengono a tre grandi macrofamiglie: l'Amerindo, il Na-Dene e l'Eskimo-Aleut (*vedi* Scheda 11.9). Questa visione ha dato origine all'idea di tre migrazioni fondamentali. Greenberg si trovava in minoranza tra i suoi colleghi linguisti; la maggior parte di essi, infatti, è favorevole all'ipotesi di molte ondate di migrazione per rendere conto delle numerosissime lingue parlate (oltre un migliaio) dagli Indiani d'America, nel corso del tempo.

Prove dalla genetica

Le prove della genetica molecolare, in primo luogo gli studi del DNA mitocondriale (mtDNA) e del cromosoma Y, sono ora in grado di fornire informazioni molto più chiare. In primo luogo bisogna tenere conto degli effetti potenziali delle condizioni glaciali sulle variazioni genetiche alle alte latitudini di ciascun continente (Europa, Asia e America). È stato notato nel 1993 che interi importanti aplogruppi dell'mtDNA mancano nelle regioni più settentrionali della Siberia e dell'America. Poi, nel 1994, Andrew Merriwether e i suoi colleghi hanno suggerito che tutti i nativi americani siano discesi da una singola ondata di popolazione poiché i quattro maggiori aplogruppi dell'mtDNA (A, B, C, D) si ritrovano quasi ovunque nelle Americhe. Merriwether (1999, 126) scrive: «la spiegazione è molto più economica con una singola ondata di migrazione con tutti questi tipi, seguita dalla diversificazione linguistica e culturale dopo o durante l'entrata».

Forster, Torroni e colleghi hanno proposto una datazione compresa tra i 25 000 e 20 000 anni fa per questa prima ondata in entrata e hanno suggerito una successiva ri-espansione nelle latitudini nord dopo il massimo glaciale in America, Siberia e Europa, cioè in un periodo successivo a 16 000 anni fa. Questo potrebbe spiegare perché Greenberg vede l'Amerindo come una famiglia linguistica (vivacemente contestata dalla maggior parte dei linguisti, ma geneticamente molto plausibile) e perché il Na-Dene e l'Eskimo-Aleut, i prodotti della successiva ri-espansione, appaiono come famiglie linguistiche separate. Le prove del cromosoma Y, dove una specifica mutazione (talvolta ascritta all'«Adamo dei nativi americani») è parte del patrimonio genetico dell'85% dei maschi indiani nativi d'America, portano a conclusioni simili.

Alcuni archeologi sono ancora refrattari ad ammettere un primo popolamento delle Americhe prima della tarda età glaciale, vale a dire prima di 20 000 anni fa. Nuove prove provenienti dal sito paleolitico di Ushki in Kamchatka (Russia), proprio di fronte all'Alaska, possono essere in questa occasione rilevanti. Con un'età stimata a 17 000 anni fa, si riteneva che fosse un valido precursore per la produzione di «bifacce», contemporaneamente al sito nordamericano di Clovis, quasi 14 000 anni fa, e ai ritrovamenti pre-Clovis di un paio di millenni precedenti. Recenti datazioni (2003) compiute a Ushki col metodo del radiocarbonio hanno spostato la datazione del sito a circa 13 000 anni fa e quindi le

somiglianze con Clovis richiedono una spiegazione diversa. Gli stessi conduttori degli scavi Ted Geobel, Michael Waters e Margarita Dikova hanno sottolineato: «forse Clovis si sviluppò *in situ* all'interno del Nord America e derivò da una migrazione molto precedente dalla Siberia; una migrazione che può essere avvenuta prima dell'ultimo massimo di glaciazione (oltre 24 000 anni fa). Solo ulteriori ricerche nel nord-est dell'Asia e nelle Americhe potranno risolvere questo problema».

Australia

I recenti studi di genetica molecolare delle popolazioni indigene contemporanee dell'Australia stanno cominciando a far luce sui primissimi insediamenti australiani. Gli schemi di ramificazione profonda del mtDNA e del cromosoma Y tra gli Australiani e le tante popolazioni attorno all'Oceano Indiano indicano un considerevole isolamento dopo l'iniziale insediamento 50 000 anni fa. Fu individuato il passaggio di un solo gene secondario minore in Australia, che potrebbe essere avvenuto prima che il collegamento via terra tra Australia e Nuova Guinea fosse sommerso, circa 8000 anni fa. Questo rimette in discussione l'ipotesi se rilevanti sviluppi, nella tarda preistoria australiana, possano essere stati indotti o no dall'esterno, come per esempio l'emergere della famiglia linguistica Pama-Nyungan oppure lo sviluppo di un'industria litica di «backed-blade» (lame affilate su un solo lato).

Un'altra importante tappa è stata raggiunta con il recupero del sequenziamento genomico mitocondriale di un ominide del Medio Pleistocene (ossia di 300 000 anni fa) da parte di Matthias Meyer e del suo gruppo presso il Max Planck Institut für evolutionäre Anthropologie di Lipsia. Il campione proveniva da un femore recuperato a Sima de los Huesos, nella Sierra de Atapuerca in Spagna (*vedi* Scheda 10.1). Si tratta della sequenza DNA dell'ominide più antico mai recuperata e perciò è un'assoluta novità, che ha spianato la strada a ulteriori ricerche mediante il DNA antico sull'evoluzione dell'ominide nel Pleistocene. I resti dello scheletro rivelano caratteristiche affini all'*Homo heidelbergensis* e, fatto inaspettato e interessante, è strettamente collegato alla discendenza che conduce al genoma mitocondriale del Denisovano, più di 200 000 anni più tardi. Molti antropologi si sarebbero aspettati una più stretta relazione con il Neanderthal piuttosto che con il Denisovano, suo contemporaneo siberiano.

Il DNA antico dell'umano moderno

La prima applicazione importante della genetica molecolare al problema delle origini dell'essere umano, inclusa la formulazione dell'ipotesi «Out of Africa» delle origini della nostra specie *Homo sapiens*, si è basata su campioni prelevati da un ampio spettro di popolazioni viventi, e questo per poter tracciare ipotesi circa parentele e storie evolutive (filogenetica). Lavorando con il DNA antico, talvolta abbreviato in aDNA, dove i campioni sono prelevati da resti antichi ben conservati – ossa, denti, capelli, e anche feci – si presenta il problema delle contaminazioni del DNA con quello dei tecnici che li analizzano. Queste sono molto più facili da riconoscere quando il DNA antico deriva da resti di scheletri di Neanderthal, ed era in parte per questa ragione che i primi lavori di successo sul DNA antico vennero effettuati su questo tipo di campioni. È solo più di recente che il lavoro su esseri della nostra specie, moderni dal punto di vista anatomico, è stato avviato su resti umani del Paleolitico superiore, nonché su resti umani preistorici dell'Olocene, nel corso degli ultimi 12 000 anni.

Il clima rigido favorisce la conservazione del DNA antico, ed è per questa ragione che il maggior numero di risultati positivi è finora derivato dall'anali di campioni rinvenuti nell'Europa del nord, o in Siberia, o in Nordamerica. Un femore in pezzi, recuperato sugli argini del fiume Ust'-Ishin, nella Siberia occidentale, datato mediante il radiocarbonio a 45 000 anni fa, ha offerto risultati particolarmente interessanti producendo dati autosomici e informazioni sul cromosoma Y e sull'mtDNA. Questo è il più vecchio umano, anatomicamente moderno, che ha già prodotto una sequenza genomica di alta qualità. Rispetto alla diversità genetica della popolazione a cui apparteneva l'individuo di Ust'-Ishin, tale sequenza era più simile a quella degli attuali euroasiatici che non degli attuali africani. Secondo Qiaomei Fu e il suo gruppo, è possibile che costui fosse associabile alla variante asiatica del primo Paleolitico superiore, l'industria litica documentata nei monti Altaj, di circa 47 000 anni fa. Questo individuo dovrebbe allora rappresentare una prima diffusione dell'umano moderno in Europa e in Asia centrale, che può aver fallito nel lasciare discendenti nella popolazione attuale. La popolazione a cui apparteneva l'uomo di Ust'-Ishin si è differenziata dagli antenati degli attuali euroasiatici, occidentali e orientali, prima della diversificazione avvenuta tra di loro (o simultaneamente a). La pubblicazione nel 2014, da parte del team di Qiaomei Fu, degli esiti delle analisi del DNA antico indicano quante cose possiamo sperare di conoscere, a breve e attraverso questi studi, circa la dispersione dei primi umani e i processi demografici.

La velocità della ricerca nel campo del DNA antico è documentata anche dallo studio del 2014 condotto da Morten Rasmussen e soci a Copenhagen sull'intero genoma di un bambino (denominato Anzick child) proveniente da un contesto funerario nel Montana occidentale, datato al radiocarbonio circa 12 500 anni fa. Corredata di strumenti della cultura Clovis, si tratta dell'unica sepoltura umana direttamente collegata a questa cultura. Il mtDNA è di un lignaggio già ritenuto uno degli iniziatori della linea di discendenza dei Primi Americani, e il suo cromosoma Y corrisponde al ceppo dei Nativi Americani. Il confronto tra il suo genoma e quelli degli Euroasiatici e dei Nativi Americani rivela che è più geneticamente simile ai Siberiani che non ad altri Euroasiatici. Questi risultati danno credito alla recente ricostruzione della storia dei Nativi Americani elaborata dal gruppo di D. Reich, in cui sono stati prese in considerazione tre sequenze del flusso genico asiatico. Il bambino Anzick sarebbe parte della prima «corrente» di Nativi americani, seguita più tardi dagli antenati dei parlanti le lingue na-dene e in seguito quelle eschimo-aleutine, come illustrato in Scheda 11.10. Il genoma mtDNA, abbastanza completo, derivato nel 2008 dai capelli di un maschio Paleo-eskimo vissuto nella Groenlandia occidentale circa 4000 anni fa, è un ulteriore contributo conoscitivo fornito dal DNA antico.

In Europa il DNA antico ha mostrato che la situazione è più complicata di quanto si potrebbe cogliere facendo semplicemente affidamento al DNA della popolazione vivente, come hanno fatto studi precedenti. Un primo gruppo di agricoltori europei, con origini in Anatolia o nel Vicino Oriente, potrebbe essere riconosciuto in campioni presi dalle prime sepolture neolitiche in Germania e in Svezia (ma anche nel tirolese Ötzi, o Uomo del Similaun, *vedi* Scheda 2.6). Un gruppo di cacciatori-raccoglitori dell'Europa occidentale, invece, può essere riconosciuto nei da campioni provenienti da ambienti di cacciatori-raccoglitori (del Mesolitico) in Spagna o nel Lussemburgo, e in un antico gruppo nord-euroasiatico da siti in Siberia, inclusa Mal'ta. Sfortunatamente non si sono ancora resi disponibili campioni dal sud-est europeo, a causa delle caratteristiche climatiche. Ma gradualmente si sta delineando un quadro delle prime popolazioni europee agli inizi dell'economia agricola, e il DNA antico offrirà sicuramente nuovi dati per approfondire la storia delle popolazioni durante le Età del Bronzo e del Ferro.

Alla fine del Capitolo 5 viene è trattata l'analisi di campioni di DNA antico provenienti dal cimitero Oneota di Norris Farm in Illinois, del 1300 d.C. circa.

QUESTIONI DI IDENTITÀ

In questo capitolo, che si è occupato dell'archeologia delle persone, l'argomento «che aspetto avevano» è stato discusso con diverse prospettive, utilizzando molte delle tecniche dell'antropologia biologica. La questione naturalmente copre differenze tra gli individui e i gruppi e abbraccia varie tematiche di diversità biologica. La questione «chi erano» è comunque più complessa, poiché dipende da come avevano costruito la loro propria identità o come venivano percepiti dagli altri sia individualmente sia collettivamente.

È forse un paradosso che, mentre le tecniche della genetica molecolare si stanno dimostrando enormemente potenti nel tracciare i lignaggi umani (le linee di discendenza), e nel disegnare la storia del popolamento del mondo, il significato delle varie categorie classificatorie utilizzate – gli aplogruppi – è sempre meno chiaro. Come indicato all'inizio di questo capitolo, la nozione di «razza» come concetto obiettivo si dimostra sempre più imprecisa e problematica. Ciò che è evidente è che gli esseri umani si prendono cura gli uni degli altri e tendono ad aggregarsi in gruppi sociali, basati spesso in grande misura sulla discendenza, e che gli appartenenti a questi gruppi frequentemente ripongono un grande significato nel gruppo stesso. La diversità dei linguaggi umani è sempre più tale che gruppi che parlano la stessa lingua spesso si ritengono come un gruppo sociale naturale: molti gruppi etnici sono di questo tipo. In questo senso l'etnicità è un fenomeno sociale ed è stato discusso nel Capitolo 5 (*vedi* anche Scheda 5.2). L'archeologia dell'individuo e della persona naturalmente va oltre le questioni di etnicità, comprendendo temi quali il genere, l'età, la parentela, la classe, la religione e altre dimensioni classificatorie. Questi temi sono sviluppati in maniera più ampia nei Capitoli 5 e 10.

▌Riepilogo

- ▪ I resti materiali delle genti antiche possono fornire diretta testimonianza attorno alla loro vita. La bioarcheologia è lo studio dei resti umani recuperati nei siti archeologici. Sebbene l'intero corpo umano possa essersi conservato, in modi diversi, la grande maggioranza dei resti umani recuperati dagli archeologi si presentano come frammenti di scheletri e di ossa.

- ▪ Un settore importante dell'analisi dei resti umani riguarda l'identificazione delle caratteristiche fisiche: il sesso di uno scheletro adulto, per esempio, può essere determinato mediante l'osservazione del bacino così come di altre ossa; i denti possono aiutare a stabilirne la presumibile età al momento del decesso, ossia se si tratta di un giovane, di un adulto o di un vecchio; attraverso un'attenta analisi delle caratteristiche del cranio è anche possibile ricostruirne l'aspetto.

- ▪ Quando si trovano corpi intatti, tipo le mummie, talvolta se ne possono dedurre le cause precise della morte; il che è raramente possibile se abbiamo solo parti di scheletro, in quanto la maggior parte delle patologie non lascia traccia sulle ossa. Solo gli effetti di violenze, incidenti, deformità congenite e un piccolo numero di malattie possono essere riconosciuti dall'analisi delle ossa.

- ▪ In fonti scritte e in oggetti materiali sono state trovate testimonianze di antiche pratiche mediche. Le culture che hanno sviluppato la scrittura hanno registrato un certo numero di malattie e la rispettiva cura. I resti del corpo umano possono mostrare, a volte, i segni di interventi chirurgici, di cui abbiamo testimonianza anche attraverso gli strumenti adoperati in tali circostanze e che sono stati rinvenuti in diverse occasioni, in contesti archeologici di tutto il mondo.

- ▪ La demografia archeologica utilizza i dati archeologici per esprimere valutazioni circa la dimensione, la densità e il tasso di crescita di una popolazione, mediante l'analisi degli insediamenti e delle dotazioni, in risorse animali e vegetali, di un particolare ambiente.

- ▪ Molte delle migliori testimonianze sui movimenti delle prime popolazioni proviene dall'analisi di materiale genetico moderno. L'esame genetico delle popolazioni viventi, però, può dirci qualcosa solo circa le culture del passato che abbiano discendenti attuali.

Letture consigliate

Le opere seguenti offrono una buona introduzione generale allo studio dei resti umani:

Aufderheide A.C., 2003, *The Scientific Study of Mummies*. Cambridge University Press: Cambridge & New York.

Blau S. & Ubelaker D.H., 2008, *Handbook of Forensic Archaeology and Anthropology*. Left Coast Press: Walnut Creek.

Brothwell D., 1986, *The Bog Man and the Archaeology of People*. British Museum Publications: London; Harvard University Press: Cambridge, MA.

Chamberlain A.T. & Parker Pearson M., 2004, *Earthly Remains. The History and Science of Preserved Human Bodies*. Oxford University Press: New York.

Larsen C.S., 2002, *Skeletons in our Closet: Revealing our Past through Bioarchaeology*. Princeton University Press: Princeton.

Mays S., 2010, *The Archaeology of Human Bones*. (2nd ed.) Routledge: London.

Roberts C.A., *2012, Human Remains in Archaeology: A Handbook*. (Revised ed.) Council for British Archaeology: York.

Waldron T., 2001, *Shadows in the Soil: Human Bones and Archaeology*. Tempus: Stroud.

White T., Black M. & Folkens P., 2011, *Human Osteology*. (3rd ed.) Academic Press: London & New York.

Per lo studio di malattie e deformità, si può cominciare con:

Ortner D.J., 2003, *Identification of Pathological Conditions in Human Skeletal Remains*. (2nd ed.) Academic Press: London.

Roberts C.A. & Manchester K., 2010, *The Archaeology of Disease*. (3rd ed.) The History Press: Stroud; Cornell University Press: Ithaca.

Un classico sugli studi demografici è:

Chamberlain A., 2006, *Demography in Archaeology*. Cambridge University Press: Cambridge & New York.

Per l'evoluzione dell'essere umano moderno:

Johanson D. & Edgar B., 2006, *From Lucy to Language*. (2nd ed.) Simon & Schuster: New York.

Stringer C. & Andrews, P., 2011, *The Complete World of Human Evolution*. (2nd ed.) Thames & Hudson: London & New York.

Per l'applicazione della genetica molecolare:

Brown T.A. & Brown K., 2011, *Biomolecular Archaeology: an Introduction*. Wiley Blackwell: Oxford.

Cavalli-Sforza L.L., Menozzi P. & Piazza A., 1994, *The History and Geography of Human Genes*. Princeton University Press: Princeton.

Jobling M.A., Hurles M.E. & Tyler-Smith C., 2004, *Human Evolutionary Genetics: Origins, Peoples & Disease*. Garland Science: New York.

Jones M., 2001, *The Molecule Hunt: Archaeology and the Hunt for Ancient DNA*. Allen Lane: London & New York.

Matisoo-Smith E. & Horsburgh K.A., 2012, *DNA for Archaeologists*. Left Coast Press: Walnut Creek, CA.

Olson S., 2002, *Mapping Human History: Discovering the Past through our Genes*. Bloomsbury: London; Houghton Mifflin: Boston.

Renfrew C., 2002, Genetics and language in contemporary archaeology, in *Archaeology, the Widening Debate* [B. Cunliffe, W. Davies & C. Renfrew (a cura di)], 43-72. British Academy: London.

Renfrew C. & Boyle K., (a cura di), 2000, *Archaeogenetics: DNA and the Population Prehistory of Europe*. McDonald Institute: Cambridge.

Sykes B. (a cura di), 1999, *The Human Inheritance: Genes, Languages and Evolution*. Oxford University Press: Oxford.

Wells S., 2002, *The Journey of Man, a Genetic Odyssey*. Princeton University Press: Princeton.

12 | Perché le cose sono cambiate?

La spiegazione in archeologia

Il compito più difficile della ricerca archeologica è rispondere alla domanda «Perché?». In effetti si tratta del compito più arduo e al tempo stesso più interessante in ogni branca del sapere e in ogni scienza, poiché con questa domanda si va al di là della mera apparenza delle cose e si giunge a un livello di analisi che in qualche modo cerca di **comprendere** il significato generale degli eventi che siamo in grado di osservare.

È questo di fatto l'obiettivo cui puntano molti di coloro che si dedicano allo studio del passato dell'umanità, è il desiderio di apprendere qualcosa che sia rilevante per il nostro personale *modus vivendi* e per le nostre attuali società. L'archeologia, con il suo spaziare dalle più antiche fasi della preistoria alle più recenti epoche storiche, è una disciplina unica nel panorama delle scienze che studiano l'essere umano e la sua storia proprio per la considerevole profondità temporale che la contraddistingue. Pertanto, se esistono regolarità da scoprire nelle vicende umane, l'ampiezza dell'arco di tempo coperto dall'archeologia può metterle in luce.

Nel suo *Why the West Rules – For Now*, del 2010, l'archeologo e storico Ian Morris parla, in modo intellettualmente provocatorio, di «disegni della storia, e di ciò che rivelano riguardo al nostro futuro», e sottolinea «che le leggi della storia ci danno un'ottima percezione di ciò che probabilmente accadrà presto». La sua attività «esige che noi guardiamo all'intero complesso della storia umana come a una storia unica, che stabilisce la sua forma generale prima di comprendere perché ha quella forma» (Morris, 2010, 22). Il suo approccio richiede tre strumenti: biologia, sociologia (cioè scienze sociali) e geografia. È nelle interazioni tra questi fattori che prende corpo la storia.

Non esiste, infatti, un accordo unanime su quale sia l'approccio ideale per capire il passato dell'umanità. Un capitolo come questo rischia dunque di essere privo di vere e proprie conclusioni, e certamente di essere confutabile; eppure valeva la pena scriverlo e vale la pena rifletterci sopra, in quanto è proprio in quest'area di indagine che la ricerca archeologica è oggi più attiva.

Grandi dibattiti si sono sviluppati nel corso degli ultimi quarant'anni. Le classiche spiegazioni dei cambiamenti avvenuti nel passato erano incentrate sui concetti di diffusione e migrazione: presumevano cioè che i cambiamenti all'interno di un gruppo fossero causati o dall'influenza o dall'arrivo di un gruppo vicino e superiore. Ma, negli anni Sessanta, lo sviluppo dell'approccio processuale portato dalla della *New Archaeology* mise in luce i limiti delle precedenti spiegazioni. Si acquisì la coscienza che mancava un sistema teorico ben strutturato capace di puntellare i metodi correntemente utilizzati nell'indagine archeologica (e in linea generale ciò è ancora vero).

La *New Archaeology* al suo nascere richiese l'uso esplicito di teoria e di modelli, e soprattutto della generalizzazione. Per questo fu criticata come troppo preoccupata degli aspetti ecologici dell'adattamento e dell'efficienza, e degli aspetti puramente utilitari e funzionali del vivere (in altri termini, come troppo «funzionalista»). Contemporaneamente, una prospettiva alternativa ispirata al marxismo portava in primo piano l'importanza dei rapporti sociali e dell'esercizio del potere.

Negli anni Settanta del secolo scorso, come reazione ai «funzionalisti» processuali, alcuni archeologi si schierarono a favore di un'archeologia strutturalista, poi a una poststrutturalista e, infine, a un'archeologia interpretativa o «postprocessuale». Questi approcci evidenziarono il fatto che non si dovessero più trascurare le idee e i credo delle società del passato. Da quel momento in poi gli archeologi hanno prestato molta più attenzione ai modi di pensare degli esseri umani, ai simboli che creavano e utilizzavano, in sostanza e ai cosiddetti aspetti cognitivi. Un approccio, oggi definito «cognitivo-processuale», che cerca di lavorare nel solco dell'archeologia processuale evidenziando nel contempo gli aspetti sociali e cognitivi.

Al momento, però, non esiste un approccio unico e largamente condiviso dagli studiosi.

SPIEGAZIONI MIGRAZIONISTE E DIFFUSIONISTE

La *New Archaeology* ci ha reso molto più consapevoli che in passato delle inadeguatezze insite nelle spiegazioni dell'archeologia tradizionale. Possiamo chiarire meglio queste inadeguatezze con un esempio di applicazione del metodo tradizionale: la comparsa, in una data area e in un dato periodo, di un nuovo tipo di ceramica, distinta in base a forme sconosciute prima e a nuovi motivi decorativi. L'approccio tradizionale, a suo modo sistematico, richiederà una più dettagliata definizione di questo stile ceramico nello spazio e nel tempo. All'archeologo si chiederà di tracciare una mappa di distribuzione della ricorrenza della ceramica e anche di stabilire il suo posto all'interno della sequenza stratigrafica dei siti dove compare. Il passo successivo è quello di assegnarle il suo posto all'interno di una **cultura archeologica**.

Utilizzando l'approccio tradizionale si capisce che ogni cultura archeologica è la manifestazione in forme materiali di uno specifico popolo, cioè di un gruppo etnico ben definito che l'archeologo può identificare. Si tratta di una classificazione etnica, e poiché il «popolo» è un popolo preistorico, sarà necessario dargli un nome arbitrario, che solitamente corrisponderà a quello del luogo dove la ceramica è stata riconosciuta la prima volta (per esempio, il popolo Mimbres nell'America sud-occidentale o il popolo Windmill Hill nella Gran Bretagna del Neolitico) o a volte

prenderà il nome dalla ceramica stessa (per esempio, cultura del bicchiere campaniforme [*Beaker Folk*]).

Il passo successivo sarà quello di verificare se sia possibile pensare alla **migrazione** di un popolo per spiegare i cambiamenti osservati. Si può localizzare una terra di origine per questo gruppo di gente? Lo studio analitico delle associazioni ceramiche in terre vicine può suggerire quale fosse questa terra, e magari anche un itinerario di migrazione.

Se l'argomento della migrazione non funziona, in alternativa si può tentare un quarto approccio, cercando elementi specifici dell'associazione culturale che abbiano **paralleli** in terre più distanti. Se l'intera associazione non può essere ascritta a una fonte esterna, ci potrebbero essere però elementi specifici che possono esserlo. Si potrebbero rinvenire tratti comuni con territori più civilizzati. Se si riuscissero a scoprire questi «paralleli», lo studioso tradizionalista argomenterebbe che questi erano i punti di origine, di partenza, per gli elementi che ritroviamo nella nostra associazione, alla quale giunsero tramite un processo di **diffusione** culturale. In realtà, prima dell'avvento della datazione con il radiocarbonio questi paralleli potevano essere utilizzati solo per datare i reperti ceramici presenti nel nostro ipotetico esempio, dal momento che gli elementi e i tratti più simili alla culla della civiltà sarebbero stati quasi certamente datati attraverso il confronto con la cronologia storica di quella civiltà.

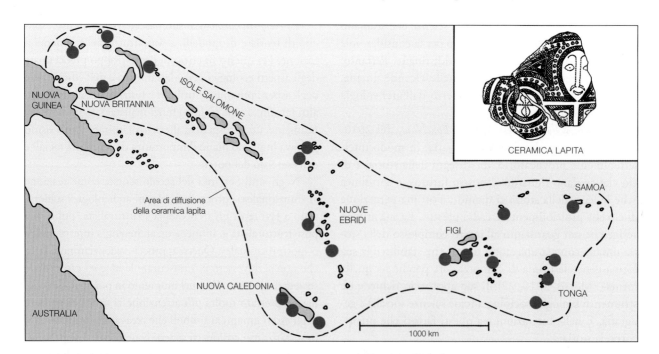

12.1 La migrazione: un esempio certo. La questione del primo insediamento sulle isole polinesiane è stata risolta con la scoperta di un complesso di ritrovamenti conosciuto come cultura Lapita, caratterizzata in particolare da un tipo di ceramica a decorazione incisa. I siti Lapita erano piccoli villaggi che offrono spesso prove di un'occupazione permanente. Forniscono la testimonianza del rapido spostamento degli isolani via mare, dalla regione settentrionale della Nuova Guinea verso est fino alle Isole Samoa nella Polinesia occidentale, in un periodo compreso tra il 1600 e il 1000 a.C. (secondo la datazione con il radiocarbonio). In genere si ritiene che gli emigranti di cultura Lapita siano gli antenati dei Polinesiani, mentre quelli che rimasero in Melanesia (la maggioranza) formarono gran parte della stirpe degli attuali abitanti delle isole della Melanesia.

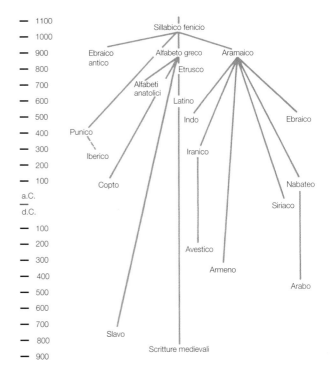

12.2-3 La diffusione: un esempio certo. L'alfabeto rappresenta il caso in cui un'innovazione prodotta in un certo luogo si propagò rapidamente in altri luoghi attraverso la diffusione. Intorno al XII secolo a.C., sulla costa del Levante i Fenici svilupparono una scrittura fonetica semplificata per mettere per iscritto la loro lingua semitica (una scrittura che oggi si crede derivare in ultima analisi dai geroglifici egizi). All'inizio del I millennio a.C. la scrittura dei Fenici era stata adattata dai Greci alla propria lingua; questo adattamento costituì la base dell'alfabeto romano che usiamo ancora oggi. (La scrittura fenicia diede origine a molti altri alfabeti, tra cui quello ebraico e quello arabo). Naturalmente, una volta introdotto in Italia, per poter essere utilizzato per scrivere l'etrusco e poi il latino l'alfabeto greco dovette essere modificato. Attraverso il latino l'alfabeto romano raggiunse la maggior parte dei paesi europei e più tardi il resto del mondo.

Non sarebbe difficile reperire numerosi esempi concreti di questo genere di interpretazione. Per quanto riguarda il Nuovo Mondo, per esempio, gli straordinari sviluppi dell'architettura e di altre attività artigianali nel Chaco Canyon nel Nuovo Messico sono stati spiegati proprio con confronti di questo tipo con le più «progredite» civiltà del Messico.

Le spiegazioni tradizionali riposano, comunque, su ipotesi che oggi possono essere facilmente confutate. Anzitutto esiste fra i tradizionalisti la convinzione che le «culture» archeologiche rappresentino in qualche modo entità reali piuttosto che semplici termini per la classificazione creati per le esigenze dello studioso. In secondo luogo, prevale il punto di vista che le unità etniche o «popoli» possano essere riconosciute partendo dal documento archeologico e rintracciando una somiglianza con queste culture definite solo sul piano teorico. È infatti chiaro che i gruppi etnici non sono sempre facilmente distinguibili attraverso i resti archeologici. Terzo punto, si parte dal presupposto che, quando si notano somiglianze tra un'area e l'altra, ciò può essere subito spiegato come il risultato di una migrazione di popoli. Le migrazioni, ovviamente, sono avvenute davvero (*vedi* più avanti), ma non è così facile documentarle archeologicamente come invece è stato spesso supposto.

Vi è infine il principio della spiegazione attraverso la diffusione della cultura. La sensazione oggi è che in passato questa spiegazione sia stata utilizzata troppo spesso e quasi sempre in modo troppo semplicistico. Perciò, anche se il contatto tra aree diverse, non ultimo attraverso il commercio, può avere grande importanza per gli sviluppi in quelle aree, gli effetti di questo contatto devono essere considerati in dettaglio: una spiegazione articolata semplicemente in termini di diffusione non è sufficiente.

È però necessario sottolineare che nel passato le migrazioni ebbero luogo davvero, e in rare occasioni l'archeologia può documentarlo. La prima colonizzazione delle isole polinesiane nell'Oceano Pacifico offre un buon esempio. Un'associazione di reperti, conosciuti come cultura Lapita,

12.1 Il rigetto della spiegazione basata sulla diffusione: il Grande Zimbabwe

Lo straordinario monumento del Grande Zimbabwe, vicino a Fort Victoria nell'attuale stato dello Zimbabwe, è diventato oggetto di approfondite analisi fin dai tempi delle prime esplorazioni di questa regione africana, da parte degli Europei, nel XIX secolo. Si trattava di un'impressionante struttura di grande perfezione con splendide opere in pietra.

I primi studiosi, attribuendo la realizzazione del Grande Zimbabwe ad architetti e costruttori provenienti dalle regioni più civilizzate del Nord, seguirono uno schema esplicativo tradizionale. Durante una visita al sito compiuta dall'esploratore britannico Cecil Rhodes, si disse ai locali capi Karange che «il Grande Maestro» era venuto «per vedere l'antico tempio che una volta apparteneva agli uomini bianchi». Nel 1896 uno scrittore sostenne addirittura che il Grande Zimbabwe era in origine un'opera fenicia.

J.T. Bent, che scavò per primo il monumento, cercò di stabilire confronti e di cogliere analogie con alcune scoperte avvenute in contesti più complessi del Vicino Oriente, e concluse così: «Le rovine e gli oggetti che si trovano in quei siti non hanno alcun punto di contatto con alcuna razza africana conosciuta». Egli localizzò quindi la patria di origine dei costruttori nella penisola arabica. Si trattava di un punto di vista migrazionista.

Scavi assai più sistematici furono intrapresi da Gertrude Caton-Thompson (Scheda 1.5), che nella sua relazione del 1931 giunse alle seguenti conclusioni: «L'esame di tutte le testimonianze esistenti, raccolte un po' ovunque, non è ancora in grado di produrre un solo elemento che non sia in accordo con l'asserzione di un'origine bantu e di una datazione al Medioevo». Nonostante le conclusioni accuratamente documentate della studiosa, altri archeologi continuarono a seguire lo schema tipico della spiegazione di tipo diffusionista e a parlare quindi di «influenze» venute da «centri di cultura più elevati». I mercanti portoghesi erano ritenuti i più probabili costruttori dello Zimbabwe; se la cronologia del monumento doveva essere spostata a un'epoca precedente quella dei navigatori europei, allora entravano in

12.5 Statuetta di uccello in steatite rinvenuta nel Grande Zimbabwe nel 1903; altri sette uccelli simili sono stati trovati qui. Il suo profilo è usato come decoro simbolico su bandiera, banconote e monete.

scena i mercanti arabi dell'Oceano Indiano. Nel 1971 R. Summers poteva scrivere, utilizzando un argomento familiare ai diffusionisti: «Non è improbabile ipotizzare che qualche tagliapietre portoghese possa aver raggiunto lo Zimbabwe ed essere entrato al servizio di qualche grande capo locale… È altrettanto probabile, ma meno plausibile, che qualche artigiano arabo itinerante possa essere l'autore di quella costruzione».

Le ricerche condotte successivamente hanno riproposto le conclusioni della Caton-Thompson. Oggi il Grande Zimbabwe è considerato il più notevole di una più ampia classe di monumenti presenti nella regione.

Sebbene il sito abbia una storia precedente, la costruzione di un edificio monumentale cominciò probabilmente nel XIII secolo d.C., mentre il sito raggiunse il suo apogeo nel XV secolo. Diversi archeologi sono stati in grado di ricostruire un quadro coerente delle condizioni economiche e sociali della regione che resero possibile questa grande impresa. L'influenza determinante – o diffusione – da aree più «avanzate» non fa più parte di quel quadro. Oggi uno schema di spiegazione processuale ha sostituito quello diffusionista.

12.4 Pianta del sito: l'Edificio Ellittico, con la serie di recinti, di piattaforme e la Torre conica disegnata nel manifesto.

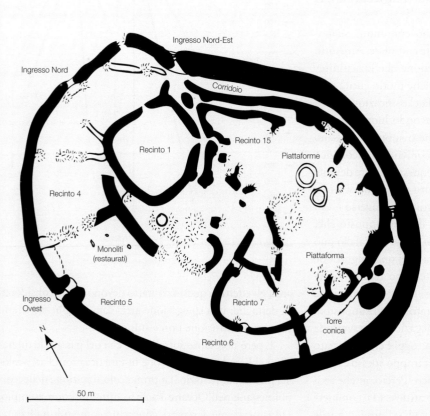

Ingresso Nord-Est

Ingresso Nord

Corridoio

Recinto 1

Recinto 15

Piattaforme

Recinto 4

Monoliti
(restaurati)

Piattaforma

Ingresso
Ovest

Recinto 5

Recinto 7

Torre
conica

Recinto 6

N

50 m

12.6 Razzismo e archeologia: in questo manifesto del governo della Rhodesia, del 1938, un ossequiente schiavo nero offre oro a una spettrale Regina di Saba.

12.7 La Torre conica è uno degli elementi più imponenti di questo sito.

costituisce una testimonianza del rapido movimento degli isolani verso est, attraverso una vasta area precedentemente disabitata, dalla regione settentrionale della Nuova Guinea fino a Samoa, in un periodo compreso tra il 1600 e il 1000 a.C. (*vedi* cartina). Bisognerebbe anche tener presente che le innovazioni spesso si manifestano in un luogo ben preciso e poi vengono adottate nelle aree limitrofe; in questo caso si può ancora parlare propriamente di meccanismo di diffusione (*vedi* l'illustrazione delle origini dell'alfabeto romano).

Un buon esempio di una spiegazione migrazionista, poi divenuta diffusionista, e infine bocciata, è offerta dal caso del Grande Zimbabwe (*vedi* Scheda 12.1). E la genetica molecolare sta ora giocando la sua parte con modelli delle prime migrazioni umane (*vedi* Scheda 12.2).

L'APPROCCIO PROCESSUALE

L'approccio processuale tenta di isolare e di studiare i diversi processi che operano in seno a una società, nonché tra società diverse, dando importanza alle relazioni con l'ambiente, alla sussistenza e all'economia, ai rapporti sociali creatisi nella società, all'influenza che l'ideologia prevalente e il sistema di credenze hanno su questi elementi, e infine agli effetti delle interazioni creatisi tra le diverse unità sociali.

Nel 1967 Kent Flannery riassunse l'approccio processuale al cambiamento nei seguenti termini:

I membri della scuola processuale vedono il comportamento umano come un punto di sovrapposizione (o «articolazione») tra un gran numero di sistemi, ciascuno dei quali comprende fenomeni sia culturali sia non-culturali (i secondi sono generalmente i più numerosi). Una comunità di Indiani, per esempio, può far parte di un sistema in cui viene coltivato il mais su una piana alluvionale che è soggetta a una lenta erosione, provocando lo spostamento a monte della zona del migliore terreno agricolo. Nello stesso tempo, questo gruppo può essere inserito in un sistema che ha fra le sue risorse una popolazione di conigli selvatici la cui densità fluttua in un ciclo di 10 anni. Lo stesso gruppo può trovarsi inserito, infine, in un sistema di scambio con un gruppo di Indiani che occupa un'area di tipo diverso, dalla quale in determinati periodi dell'anno trae prodotti utili alla propria sussistenza; e così via. Tutti questi sistemi richiedono al singolo Indiano tempo ed energie; il mantenimento del suo *modus vivendi* si basa sull'equilibrio tra i sistemi. I mutamenti culturali si producono attraverso variazioni di scarso rilievo in uno o più sistemi che si accrescono, che sostituiscono o rafforzano altri sistemi e che raggiungono l'equilibrio in modo diverso.

12.2 La genetica molecolare e le dinamiche demografiche: Europa

Ormai la ricerca genetica molecolare sta cominciando a fornire nuove significative informazioni sulla storia delle popolazioni, e in particolare riguardo sui primi popolamenti dei continenti (*vedi* Schede 11.9 e 11.10). La storia della colonizzazione iniziale dei grandi territori è inevitabilmente una storia di migrazioni, come indica il caso polinesiano, benché sia ancora necessario fare molto lavoro sulla demografia delle popolazioni locali.

Il caso dell'Europa primitiva illustra bene come lo schema stia cambiando. Il lavoro di Luca Cavalli-Sforza e colleghi, utilizzando, i dati relativi a 32 marcatori genetici classici, produsse una mappa dei principali componenti della variabilità (visibile qui in basso). Questa mappa mostra una gradualità da sud-est a nord-ovest. Una tale mappa è un palinsesto, una sovrapposizione composta dagli effetti di processi diversi in periodi diversi, senza possibilità di separarli. Tuttavia, questi studiosi attribuirono questo schema alla diffusione dell'agricoltura dall'Anatolia verso l'Europa all'inizio del periodo Neolitico, nel 6500 a.C., che essi videro come un'«ondata in avanzamento», un processo di diffusione demografica. In tal caso i marcatori genetici della precedente popolazione, risalente al Paleolitico Superiore, dovrebbero predominare nel nord-ovest, dove il processo di diffusione demografica era meno pronunciato.

L'impatto degli studi sul DNA ha notevolmente modificato questo quadro: in primo luogo la ricerca sul DNA mitocondriale (mtDNA) di Brian Sykes, Martin Richards e colleghi ha mostrato che diversi aplogruppi sono presenti nelle moderne popolazioni europee. Inoltre, studiando la distribuzione di ciascun aplogruppo separatamente, è possibile indicare la data dell'iniziale distribuzione – in genere il primo arrivo in Europa – di ciascuno. Questo li ha portati a ritenere che circa il 20% del pool genico dei moderni europei sia stato fornito dalla popolazione dei primi agricoltori che arrivarono dall'Anatolia circa 8500 anni fa (aplogruppo J). Circa il 10% proviene dagli iniziali popolamenti dell'Europa della nostra specie risalenti a 50000 anni fa, ma il maggior contributo (70%) è fornito dagli aplogruppi che, provenendo ancora dall'Anatolia, si sono diffusi in Europa in un periodo compreso fra 14000 e 11000 anni fa.

Quindi essi concordano nel riconoscere il grande contributo al pool genico europeo da parte dell'Anatolia, ma localizzano il processo principale molto più indietro nel tempo, facendolo risalire al Paleolitico Superiore. Questo lavoro è stato integrato da studi sul DNA antico applicati ai resti di antichi scheletri: i dati sul cromosoma Y hanno definito un andamento più chiaro, e concluso che «l'unica, caratteristica impronta genetica per i primi agricoltori suggerisce un apporto demografico significativo dal Vicino Oriente durante la comparsa dell'agricoltura in Europa» (Haak e altri, 2010).

Cambiamenti climatici

Antonio Torroni e colleghi hanno proposto che la maggior espansione della popolazione dalla «zona atlantica» del sud-ovest europeo avvenne tra 15000 e 10000 anni fa dopo l'ultimo massimo glaciale. Questa espansione è associata a un aplogruppo autoctono europeo (aplogruppo V) che può essersi originato nel nord della penisola iberica o del sud-ovest della Francia circa 15000 anni fa.

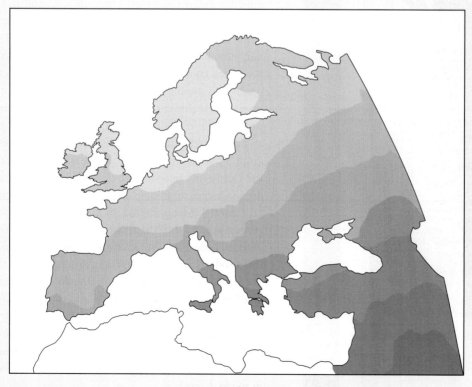

12.8 Una mappa sintetica dell'Europa e dell'Asia occidentale che usa i componenti di 32 marcatori genetici classici: questa fu interpretata da Cavalli-Sforza e colleghi come il risultato di una «ondata in avanzamento» dall'Anatolia all'Europa associata alla diffusione dell'agricoltura. La scala è arbitraria: da 1 a 100.

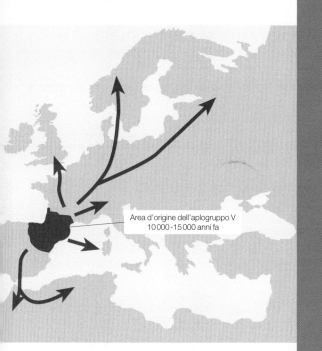

12.9 Mappa dell'Europa raffigurante la probabile area di provenienza, da 10 000 a 15 000 anni fa (area in colore), dell'aplogruppo V e il suo schema di diffusione in conseguenza del massimo glaciale.

Un forte sostegno a questa interpretazione è venuto dagli studi sul cromosoma Y. In effetti ora è diventato chiaro che, come Lewis Binford ha recentemente sottolineato, i fattori climatici devono essere presi seriamente in considerazione. Durante l'ultimo massimo glaciale, prima di 15 000 anni fa, la popolazione dell'Europa si ritirò in alcune aree-rifugio piuttosto localizzate e poi nel successivo millennio l'Europa effettivamente fu di nuovo colonizzata a partire da queste aree piuttosto che dall'Anatolia. Anche se ci sono tuttora delle divergenze di interpretazione, i dati dell'mtDNA e del cromosoma Y al momento sembrano sostenere l'ipotesi di diversi episodi di colonizzazione provenienti dall'Anatolia, ma con altri episodi demografici molto significativi interni all'Europa e attivati dai cambiamenti climatici durante e dopo l'ultimo periodo glaciale.

Gli studi sul DNA antico stanno fornendo un contributo sempre più importante (*vedi* Capitolo 11). Oltre a documentare l'arrivo dei primi agricoltori dall'Anatolia, segnalano anche successive variazioni demografiche in grado di indicare periodi di crescita ed espansione che si potrebbero dimostrare associabili a specifiche culture archeologiche. L'introduzione del DNA antico offre la possibilità di applicare approfondimenti agli studi archeo-genetici.

La strategia della scuola processuale consiste dunque nell'isolare ciascun sistema e nell'analizzarlo come una variabile separata. Il fine ultimo è ovviamente la ricostruzione dell'intera configurazione di articolazioni e di tutti i sistemi tra loro correlati, ma un'analisi così complessa si è per il momento dimostrata ben oltre la portata dei teorici processualisti (Flannery 1967, 120).

Questa dichiarazione fa improvvisamente uso del linguaggio proprio del *systems thinking* (che verrà esaminato in un paragrafo successivo); tuttavia non sempre è necessario fare uso del linguaggio dei sistemi in questo contesto. Inoltre, Flannery dà qui grande importanza all'ambiente, a quelli che chiama «fenomeni non-culturali». Alcuni critici della *New Archaeology* nella sua fase iniziale trovavano che si dava troppa importanza all'economia, specialmente alla sussistenza, e non abbastanza ad altri aspetti dell'esperienza umana, comprese quella sociale e quella cognitiva. Questo non toglie certo valore a ciò che l'archeologia processuale ha compiuto e allo stesso tempo conservato: l'attenzione all'analisi della formazione dei differenti aspetti delle società, e lo studio di come questi aspetti si adattino l'uno all'altro per spiegare lo sviluppo della società nel suo insieme attraverso il tempo.

Un altro punto importante fu sottolineato già nel 1958, prima che nascesse ufficialmente la *New Archaeology*. Gordon Willey e Philip Phillips scrissero allora: «Nel contesto dell'archeologia, l'interpretazione processuale è lo studio della natura di quello che è chiamato, con termine vago, processo storico-culturale. In pratica, essa presuppone il tentativo di scoprire regolarità nelle relazioni stabilite dai metodi dell'integrazione storico-culturale» (Willey e Phillips 1958, 5-6.) In altre parole, la spiegazione comprende un pizzico di generalizzazione e la scoperta di «regolarità».

Come vedremo nel prossimo paragrafo, oggi si discute ampiamente il ruolo della generalizzazione nella spiegazione e in quale misura gli eventi storici che analizziamo siano stati unici e, perciò, non possano affatto essere considerati casi generali di alcun processo che ne sta alla base.

APPLICAZIONI

Nel 1968 Binford propose una delle prime spiegazioni generali (laddove la *New Archaeology* cominciava a spiegare una classe di eventi) della rivoluzione agricola. Nel suo articolo «Post-Pleistocene Adaptations», lo studioso offrì quel tipo di spiegazione generale che la *New Archaeology* poneva come proprio obiettivo (*vedi* Scheda 12.3). Tuttavia, come vedremo, questo approccio generale poteva essere criticato perché caratterizzato da una visione troppo «funzionalista» delle vicende umane, una visione che attribuiva più importanza all'ambiente, alla demografia e alla sussistenza che ai fattori sociali o cognitivi.

12.3 Le origini dell'agricoltura: una spiegazione processuale

Nel 1968, Lewis Binford pubblicò un importante articolo, «Post-Pleistocene Adaptations», nel quale intendeva spiegare le origini dell'agricoltura, ossia della produzione di cibo. Tentativi analoghi erano stati fatti in precedenza da altri studiosi, soprattutto da Gordon Childe e Robert Braidwood (*vedi* Scheda 7.3). La spiegazione proposta da Binford si distingueva dalle precedenti per un elemento importante, che la rendeva un vero e proprio prodotto della *New Archaeology*: la generalità. Egli infatti non intendeva spiegare le origini dell'agricoltura solo nel Vicino Oriente o nell'area mediterranea, ma in tutto il mondo. La sua attenzione si rivolse ai grandi eventi dell'ultima èra glaciale (cioè della fine del Pleistocene, da cui il titolo dell'articolo).

Binford basò la sua spiegazione sulla demografia: era infatti interessato alle dinamiche demografiche operanti all'interno di piccole comunità, che evidenziano come – una volta che un gruppo prima mobile passa ad abitudini di vita sedentaria, e cessa quindi di spostarsi – le dimensioni della sua popolazione tenderanno ad aumentare notevolmente. In un villaggio stanziale, infatti, non sono più operanti quei vincoli che, in un gruppo mobile, limitano rigorosamente il numero di bambini che una madre può allevare; non esiste più la scomodità, per esempio, di dover trasportare i bambini piccoli da un luogo all'altro. In questo modo Binford individuò il nocciolo della questione nel fatto che nel Vicino Oriente alcune comunità (appartenenti alla cultura Natufiana, intorno al 9000 a.C.) divennero sedentarie prima ancora di aver avviato la produzione del cibo. Questa nuova condizione avrebbe provocato una forte pressione demografica, visto il maggior numero di bambini che riuscivano a sopravvivere, e avrebbe quindi portato a consumare sempre più i cibi vegetali disponibili localmente, come i cereali selvatici che fino a quel momento erano stati considerati marginali e di scarso valore. Dall'uso intensivo dei cereali e con l'introduzione delle pratiche del loro trattamento si sarebbe sviluppato il ciclo regolare di semina e raccolta, e in questo modo si sarebbe avviato il rapporto pianta-essere umano che avrebbe portato alla domesticazione.

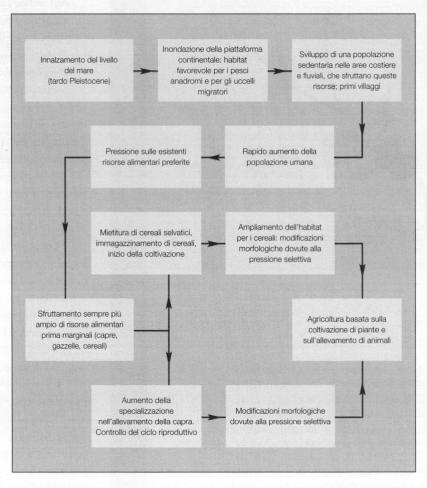

12.10 Schema che riassume la spiegazione proposta da Binford sulle origini dell'agricoltura.

Ma perché questi gruppi preagricoli divennero sedentari? Binford riteneva che l'innalzamento del livello del mare alla fine del Pleistocene (causato dallo scioglimento del ghiaccio polare) avesse avuto due effetti fondamentali. In primo luogo ridusse l'estensione delle pianure costiere fino ad allora a disposizione dei cacciatori-raccoglitori. In secondo luogo i nuovi habitat creati dall'innalzamento del livello del mare offrivano ai gruppi umani più possibilità di accedere alle specie migratorie, sia ittiche (le specie «anadrome», cioè i pesci che come il salmone risalgono i fiumi dal mare per deporre le uova) sia aviarie. Sfruttando queste ricche risorse (all'incirca come hanno fatto in tempi più recenti gli abitanti della costa nord-occidentale del Nordamerica), i gruppi di cacciatori-raccoglitori scoprirono per la prima volta la possibilità di condurre un'esistenza sedentaria. Non erano più costretti a spostarsi.

Questo riassunto assai conciso illustra comunque le linee generali della spiegazione offerta da Binford, che, sotto certi aspetti, è oggi ritenuta un po' troppo semplicistica (*vedi* Scheda 7.3). Ciò nondimeno, essa conserva molti punti di forza, e anche se l'attenzione era concentrata sul Vicino Oriente, gli stessi concetti si possono applicare ad altre parti del mondo. Binford evitò di parlare di migrazione o di diffusione e analizzò il problema in termini processuali.

A questo proposito è interessante mettere a confronto l'approccio di Binford con quello di Barbara Bender del 1978. La studiosa, lavorando in una prospettiva latamente marxista, sostenne che prima dell'avvento dell'agricoltura ci fu una competizione tra gruppi locali che cercavano di conquistare il dominio sui vicini attraverso l'offerta di feste e investendo grande dispendio di risorse in fastosi rituali e nello scambio. Furono queste esigenze che condussero alla necessità di incrementare le risorse di sussistenza, e quindi a un processo di intensificazione dell'uso della terra e di sviluppo della produzione del cibo.

La prima archeologia processuale può quindi essere ragionevolmente chiamata **funzionale-processuale**. È da notare, e si capisce perché, che molte spiegazioni funzionali-processuali sono applicate a comunità di cacciatori-raccoglitori e di primi agricoltori, nelle quali i problemi di sussistenza sembrano spesso aver avuto un ruolo dominante. Come vedremo più oltre, recentemente lo sviluppo di questo approccio, che potremmo definire **cognitivo-processuale**, è sembrato più promettente per lo studio di società più complesse. Infatti non si basa unicamente sull'approccio in qualche modo olistico dell'archeologia funzionale-processuale, ma vuole considerare anche i pensieri e la azioni degli individui (anche se queste possono raramente essere riconosciute direttamente nei reperti archeologici). Nel far ciò risponde ad alcune delle finalità dell'archeologia post-processuale (*vedi* più avanti), ma senza la retorica antiscientifica e il volersi affidare a quella empatia incontrollata che talvolta è difesa dagli esponenti di quest'ultima.

L'archeologia marxista

In seguito al veemente dibattito teoretico che accompagnò la nascita della *New Archaeology*, è rinato l'interesse per l'applicazione all'archeologia di alcune delle implicazioni dei primi lavori di Karl Marx, molti dei quali erano stati riesaminati dagli antropologi francesi negli anni Sessanta e Settanta del secolo scorso. Bisognerebbe però ricordare che già negli anni Trenta dello stesso secolo alcuni archeologi manifestamente marxisti, come Gordon Childe, compivano analisi largamente in armonia con i princìpi dell'archeologia marxista (descritta nella Scheda 12.4). Ne è uno splendido esempio l'opera di Childe *Man Makes Himself* [*L'uomo crea se stesso*] del 1936, nella quale lo studioso introduce i concetti di rivoluzione agricola e rivoluzione urbana avvenute nel Neolitico. Bisogna aggiungere che gli archeologi sovietici hanno elaborato spiegazioni marxiste del cambiamento che devono più al marxismo tradizionale che al neomarxismo francese, come l'interpretazione che Igor Diakonoff dà della nascita della società statuale in Mesopotamia, di cui parleremo più avanti.

Anche le spiegazioni sviluppate da archeologi influenzati dal neomarxismo francese (definito anche «marxismo

12.11 Calderone di bronzo dalla tomba di un capotribù dell'Età del Ferro a Hochdorf, in Germania: un contenitore di prestigio per bevande cerimoniali, importato dall'area mediterranea, un oggetto di valore e di alto rango che esprime e rinforza il potere del capo e del suo successore.

strutturalista»), quali Antonio Gilman (1981), Michael Rowlands e Susan Frankenstein (1978), e Jonathan Friedman e Michael Rowlands (1978), spesso si adattano bene agli schemi del marxismo tradizionale. Gli esempi che se ne discostano – nei quali prevale l'importanza data dai neomarxisti agli aspetti ideologici e cognitivi (la cosiddetta «sovrastruttura») – sono riportati più avanti.

Lo studio di Gilman tenta di spiegare il passaggio dalla società egualitaria alla società gerarchizzata nel Neolitico e nell'Età del bronzo in Spagna e Portogallo. Alcune interpretazioni precedenti avevano posto in rilievo il fatto che una società con un'amministrazione parzialmente centralizzata (organizzata da un capo) sotto certi aspetti poteva essere più efficiente di una società egualitaria priva di una figura centrale. Gilman, da parte sua, si chiedeva se l'istituzione dell'autorità di un capo fosse davvero vantaggiosa per la società nel suo insieme, e sosteneva invece che i capi ottenevano il potere attraverso il conflitto e si mantenevano al potere con la forza delle armi, conducendo una vita relativamente agiata grazie allo sfruttamento della gente comune. La nozione di scontro di interessi, di lotta tra classi o settori di una società e di sfruttamento dei più deboli da parte di un'élite, è un concetto tipicamente marxista.

Frankenstein e Rowlands hanno invece sviluppato un modello per spiegare la nascita della gerarchizzazione sociale nell'Europa centrale durante l'Età del ferro, sottolineando l'importanza dell'importazione, da parte dei capi, di beni di prestigio dal Mediterraneo. Ancora una volta, i capi sfruttano al meglio e a proprio vantaggio la loro posizione privilegiata. Essi in effetti si accaparravano i beni importati, tenendo i migliori per sé e passando gli altri alle persone a loro più direttamente collegate. Il modello marxista vede nel capo colui che perpetra una «rapina» piuttosto che colui che, in veste di saggio, agisce altruisticamente per aumentare il benessere dell'intera comunità.

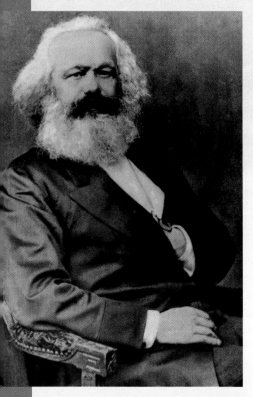

12.12-13 (*Sopra*) La struttura interna della società secondo Marx (*a sinistra*).

L'archeologia marxista, soprattutto nella sua forma più tradizionale, basa le proprie concezioni principalmente sugli scritti di Karl Marx e Friedrich Engels, che furono a loro volta influenzati dal pensiero di Charles Darwin e Lewis Henry Morgan (*vedi* Capitolo 1). Mettiamone in evidenza alcuni princìpi:

1. È evoluzionista: cerca di comprendere i processi di cambiamento avvenuti nella storia umana attraverso ampi princìpi generali.
2. È materialista: pone il punto di partenza della discussione nelle realtà concrete dell'esistenza umana, con particolare attenzione alla produzione dei beni di prima necessità.
3. È olistica: ha una chiara visione dei meccanismi di funzionamento delle società nel suo insieme e delle interrelazioni tra le parti che la compongono (*vedi* punto 8).
4. Marx costruì una tipologia di forme diverse di società umane o «formazioni sociali» alle quali corrispondono diversi «modi di produzione». Questi comprendono, prima del capitalismo, il comunismo primitivo e i modi di produzione propri del mondo antico (greco e romano), asiatico e feudale.

5. Il cambiamento in una società è dovuto principalmente alle *contraddizioni* che nascono tra le forze di produzione (compresa la tecnologia) e i rapporti di produzione (soprattutto l'organizzazione sociale). Queste contraddizioni emergono, in modo caratteristico, sotto forma di lotta tra le classi (nel caso di una società che abbia già sviluppato classi sociali distinte). L'importanza data alla lotta di classe e alle differenze interne è un elemento che distingue la maggior parte delle interpretazioni marxiste. Questa concezione del mondo in cui il cambiamento avviene attraverso la soluzione del conflitto interno può essere definita agonistica. È in contrasto con la visione *funzionalista* preferita dalla prima *New Archaeology*, nella quale si vedono operare pressioni selettive verso una maggiore efficienza, e i cambiamenti sono spesso considerati utili per tutti.
6. Nel marxismo tradizionale la sovrastruttura ideologica, ovvero l'intero sistema di conoscenza e di credenze della società, è ritenuta largamente determinata dalla natura dell'infrastruttura produttiva, cioè dalla base economica. Si tratta di un punto messo in discussione dai neomarxisti (*vedi* il testo del capitolo), i quali ritengono che l'infrastruttura e la sovrastruttura, anziché essere una dominante e l'altra subordinata, sono interrelate e si influenzano a vicenda, e citano brani tratti dagli scritti di Marx che sostengono questo punto di vista.

7. Marx è stato un pioniere nel campo della sociologia della conoscenza, dove il sistema di credenze è influenzato, se non addirittura prodotto, dalle condizioni materiali dell'esistenza, ovvero dalla base economica. Poiché la base economica si evolve, anche il sistema di credenze della società compirà la stessa evoluzione, in modo sistematico.
8. La concezione di Marx della struttura interna della società si può rappresentare nel modo illustrato nella figura. L'analisi si può applicare alle varie formazioni sociali in cui sono divise le società umane.
9. L'approccio sistemico all'interno della tendenza dominante dell'archeologia processuale ha molti tratti in comune con l'analisi tracciata più sopra. Tuttavia, abbracciare il termine «marxista» spesso implica sottintesi politici. Naturalmente molti archeologi marxisti applicano l'analisi marxiana della società anche a società attuali, che ritengono coinvolte in una continua lotta di classe nella quale essi stanno dalla parte del proletariato, in conflitto con una presunta élite capitalistica. La maggior parte degli archeologi processualisti preferirebbe invece separare il più possibile le proprie convinzioni politiche dal lavoro professionale. A questa posizione molti archeologi marxisti risponderebbero che una tale separazione è impossibile e avrebbero sospetti sui motivi di coloro che fanno tale affermazione.

Friedman e Rowlands hanno invece delineato per l'evoluzione della «civiltà» quello che essi chiamano un modello «epigenetico», che si presta a un'applicazione assai più vasta. Per ogni civiltà i due studiosi localizzano il più importante momento di cambiamento nelle relazioni sociali all'interno della società in questione e nelle tensioni tra gruppi sociali differenti.

In questi studi non compare alcun elemento incompatibile con l'analisi processuale, e proprio per questo motivo i due approcci non possono essere distinti con chiarezza. Gli elementi che queste analisi di ispirazione marxista condividono con l'archeologia funzionale-processuale comprendono la propensione a considerare i cambiamenti a lungo termine nelle società nel loro insieme e a discutere i rapporti sociali creatisi al loro interno. D'altra parte, gran parte di analisi marxiste analoghe sembrano, se confrontate con gli studi dei seguaci della *New Archaeology*, piuttosto carenti per quanto riguarda il trattamento dei dati archeologici concreti. Lo scarto tra archeologia teorica e archeologia sul campo non è sempre superato e i critici dell'archeologia marxista osservano che tutto ciò che resta loro da fare, da quando Karl Marx redasse oltre un secolo fa i princìpi basilari delle sue teorie, è elaborare quei princìpi: la ricerca sul campo diventa superflua. Malgrado queste differenze, l'archeologia funzionale-processuale e l'archeologia marxista hanno molto in comune, e queste affinità diventano ancora più chiare quando si confrontano le due scuole di pensiero con l'approccio strutturalista e con l'approccio «postprocessuale».

L'archeologia evolutiva

In questi ultimi anni il pensiero neoevoluzionista e l'influenza diretta di Charles Darwin sono tornati di moda nell'archeologia con il concetto che i processi responsabili dell'evoluzione biologica governano anche i cambiamenti culturali. Attualmente si possono individuare parecchie linee di pensiero.

Gli approcci odierni sono ampiamente in sintonia con i principi dell'ecologia comportamentale umana (*Human Behavioral Ecology*, HBE), ossia con l'ecologia evoluzionistica del comportamento umano, che studia l'evoluzione e il progetto di adattamento in un contesto ambientale dato. Esso si occupa di come l'essere umano moderno rispecchi il nostro percorso di selezione naturale, nel presupposto che gli uomini siano sempre stati selezionati per rispondere in maniera flessibile alle condizioni ambientali con soluzioni che migliorano le loro capacità: in altre parole, la selezione naturale ha assicurato che la nostra specie possa sopportare costi e benefici adottando particolari strategie.

Questo approccio si concentra sul comportamento umano e sulle differenze culturali, applicando i principi della teoria evoluzionistica e dell'ottimizzazione: per esempio, la **strategia del foraggiamento ottimale** (*optimal foraging theory*) sostiene che un organismo si sforzerà di consumare la massima energia e di spenderne il meno possibile. L'ecologia comportamentale studia i progetti adattativi di caratteri, comportamenti e relative storie in un contesto ambientale, e intende determinare come i fattori ecologici e sociali hanno influenzato e formato la flessibilità del comportamento, non solo all'interno delle popolazioni ma anche tra di esse. In sostanza, ambisce a spiegare le variazioni nel comportamento umano come semplici risposte di adattamento alle diverse e contrastanti richieste della vita. Ma mentre questo approccio pone attenzione agli aspetti ambientali, molti archeologi si accorgono che non evidenzia a sufficienza le specifiche funzioni cognitive dell'essere umano né chiarisce il ruolo della cultura umana nello sviluppo e nella trasmissione degli adattamenti positivi. Attualmente si possono individuare tre linee di pensiero che mettono l'accento su questi aspetti.

In Gran Bretagna, Richard Dawkins, un difensore dell'evoluzionismo inserito nella tradizione di Thomas Huxley, già nel 1976 sostenne che l'evoluzione culturale è prodotta dalla riproduzione di «memi»: l'analogo dei geni che sono ora riconosciuti come gli strumenti dell'evoluzione biologica e che prendono una forma molecolare nel DNA. Un replicatore è una entità che tramanda la sua struttura direttamente nel corso della stessa replica; Dawkins suggerì che «esempi di memi sono le melodie, le idee, gli slogan, la moda dei vestiti, le tendenze nelle ceramiche e nella costruzione degli archi». Il replicatore preferito di Ben Cullen era il Virus culturale; secondo Cullen il processo di diffusione attraverso il contatto culturale è il risultato della trasmissione dei Virus culturali. I critici, comunque, hanno sostenuto che, in assenza di un qualsiasi meccanismo specifico per il processo di riproduzione culturale (da confrontare con il DNA e alla funzione esplicata dai geni), queste sono poco più di metafore, che non ci offrono nessuna informazione in più sul processo in questione.

Gli antropologi evoluzionisti come John Toby e Leda Cosmides vedono la mente moderna come il prodotto dell'evoluzione biologica e sostengono che l'unica maniera in cui un'entità così complessa possa essere sorta è tramite la selezione naturale. In particolare sostengono che la mente umana si è evoluta sotto la pressione selettiva a cui sono stati sottoposti i cacciatori-raccoglitori durante il Pleistocene e che le nostre menti rimangono adatte a quel modo di vivere. Molti scrittori hanno seguito questa traccia cercando di collocare l'evoluzione della mente in una struttura esplicitamente evolutiva. Dan Sperber ha parlato di «modularità della mente» (riteneva che la mente pre-*sapiens* funzionasse con una serie di moduli per differenti attività: la caccia, la pianificazione, l'intelligenza sociale,

Nel 1786, Sir William Jones, uno studioso che lavorava in India, capì che molte lingue europee (il Latino, il Greco, le lingue Celtiche e le lingue Germaniche – tra cui l'Inglese) assieme all'Iraniano antico e al Sanscrito (antenato di molte lingue moderne dell'India e del Pakistan) avevano così tante similitudini nel vocabolario e nella grammatica che dovevano essere state collegate. Tutte queste lingue formano ciò che oggi è nota come la famiglia linguistica Indoeuropea.

Da allora molte famiglie linguistiche sono state riconosciute ed è generalmente accettato che ciascuna famiglia discenda da una protolingua ancestrale. Dove e quando queste protolingue siano state parlate originariamente è materia di discussione tra gli storici della lingua e gli archeologi che si occupano della preistoria. L'origine degli Indoeuropei nella preistoria europea è stata a lungo una discussione molto dibattuta e negli anni Trenta e Quaranta

del secolo scorso ha assunto dei connotati politici spiacevoli con l'asserzione razzista della supremazia «ariana» (cioè indoeuropea) fatta da Adolf Hitler e dai nazionalsocialisti.

Ovviamente la discussione è piuttosto speculativa, poiché non sono disponibili delle prove dirette di documenti scritti nelle lingue in questione; ma gli archeologi stanno cominciando ad affrontare il problema in una maniera più sistematica. Gli storici della lingua usano sempre di più metodi filogenetici (laddove i computer possono gestire grandi quantità di dati) per indagare le relazioni tra le lingue.

Una lingua specifica può essere parlata in un dato territorio a seguito di uno di quattro processi: un colonizzazione iniziale; una differenziazione, dove i dialetti di comunità distanti tra di loro e che parlano la stessa lingua diventano sempre più diversi, fino a formare nuove lingue, come nel caso delle varie lingue discendenti dal Latino (tra cui il

Francese, lo Spagnolo, il Portoghese, l'Italiano ecc.); una convergenza, dove lingue contemporanee si influenzano a vicenda attraverso il prestito di parole, frasi e forme grammaticali; e dal un rimpiazzamento della lingua, dove in un territorio una lingua viene rimpiazzata da un'altra.

Il rimpiazzamento linguistico può avvenire in diverse maniere:

1. attraverso la formazione di una *lingua franca* che gradualmente diventa dominante in una regione;
2. attraverso un'élite dominante, dove un piccolo numero di persone che vengono da fuori detiene il potere e impone la propria lingua alla maggioranza;
3. attraverso un'innovazione tecnologica del gruppo immigrato così significativa che gli permette di crescere in numero più efficacemente (il miglior esempio è la diffusione dell'agricoltura);

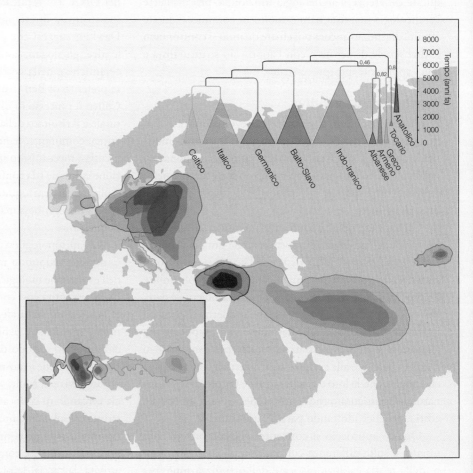

12.14 Diffusione delle lingue indo-europee dall'Anatolia, secondo la rappresentazione di Remco Bouckaert e colleghi sulla base di dati esclusivamente linguistici. Nel dendrogramma ogni triangolo rappresenta un gruppo di lingue collegate che si sono sviluppate nel tempo da un'unica lingua, proto-indo-europea, in Anatolia. Questa ipotesi concorda con quella della diffusione agricola delle lingue.

4. attraverso il contatto, dove le comunità adiacenti che parlano lingue diverse intrecciano legami più profondi.

È ora largamente accettato che le lingue Bantu (Nigeria-Congo) dell'Africa raggiunsero la loro vasta area di distribuzione come risultato della diffusione dell'agricoltura e di altre innovazioni tecniche provenienti dall'Africa occidentale (tra cui la lavorazione del ferro). La diffusione delle lingue quequa e aymara nelle Ande peruviane è stata esaminata mediante l'uso di una versione più sofisticata di questo modello.

Un altro caso di diffusione agricola è fornito dalle lingue Austronesiane del Sud-Est asiatico, che comprendono anche le lingue Polinesiane. I primi Polinesiani possono essere associati con la diffusione dei Lapita, come notato in precedenza, anche se la ricerca molecolare ora suggerisce che il quadro possa essere più complesso.

La distribuzione delle lingue indoeuropee è stata generalmente vista come un caso di dominanza di un'élite (dove l'élite era costituita da nomadi a cavallo provenienti dal nord del Mar Nero all'inizio dell'Età del bronzo), ma recentemente è stata avanzata un'ipotesi alternativa secondo la quale i proto-Indoeuropei vennero in Europa dall'Anatolia nel 6000 a.C. circa con i primi agricoltori. La teoria anatolica è stata recentemente supportata dall'analisi informatizzata della divergenza ad albero dei linguaggi (filogenetica), applicata alle lingue indo-europee da Russell Gray e Quentin Atkinson; questa interpretazione dei dati linguistici, da loro successivamente mappata in collaborazione con Remco Bouckaert, è stata duramente criticata da numerosi storici del linguaggio più tradizionalisti. È recente l'ipotesi che le lingue celtiche possano avere origine in occidente, lungo la costa atlantica, a seguito della prima diffusione da oriente dei proto-indo-europei.

Come è stato già notato nel Capitolo 11 (*vedi* Scheda 11.9), ci sono delle correlazioni tra la distribuzione delle famiglie linguistiche e i marcatori genetici molecolari che indicano che ambedue hanno molto da insegnarci sulla storia demografica del mondo e questa è una delle aree in crescita della ricerca archeologica.

l'intelligenza storico-naturale, il linguaggio ecc.); mentre Steven Mithen ha sostenuto che la «rivoluzione umana» che segnò l'emergenza della nostra specie fu il risultato di una nuova fluidità cognitiva che emerse nel momento in cui questi domini cognitivi specializzati si misero a lavorare assieme. Tutte queste idee sono molto affascinanti, ma non sono ancora state supportate da alcuna analisi neurologica dell'*hardware* del cervello e della sua evoluzione. Una critica potrebbe suggerire che, come nel caso dei «memi», tutta questa argomentazione rimane solo una elaborazione di sapore metaforico, mancando di precise informazioni sui meccanismi fisiologici.

Negli Stati Uniti, invece, i sostenitori dell'archeologia evoluzionista non propongono come spiegazione l'utilizzo dei «memi» o del Virus culturale come meccanismo esplicativo e neanche abbracciano la psicologia o l'antropologia evoluzionista. Tuttavia essi difendono l'applicazione della teoria evoluzionista di Darwin alle testimonianze archeologiche e sottolineano il valore del concetto di lignaggio definito come «una linea temporale del cambiamento che deve la sua esistenza all'ereditarietà». Legittimamente essi vedono le tradizioni culturali di lunga durata in differenti parti del mondo come un riflesso dei tratti ereditari culturali di generazioni e generazioni. Hanno ragione nel ricordarci che l'evoluzione darwiniana fu proposta e ampiamente accettata come la spiegazione dell'evoluzione delle specie ben prima che il lavoro di Mendel chiarisse i meccanismi genetici della trasmissione o che le ricerche di Crick e Watson ne individuassero le basi molecolari nella struttura del DNA. Si potrebbe anche sostenere che essi abbiano mostrato che la trasmissione della cultura umana può essere validamente vista nei termini della teoria evolutiva darwiniana. Ciò che è meno chiaro, tuttavia, è se l'analisi in questi termini possa veramente offrire nuove idee che non siano già presenti all'archeologo. L'archeologia evoluzionista non ha ancora prodotto dei casi di studio volti alla chiarificazione del cambiamento culturale che siano in grado di spiegare i suoi processi in modo più coerente e creativo di quanto sia stato fatto finora: questa è la sfida che ora deve affrontare.

LA FORMA DELLA SPIEGAZIONE: GENERALE O PARTICOLARE

È giunto ora il momento di chiedersi che cosa si intenda per spiegazione. Più sopra abbiamo preso in considerazione quali possono essere gli aspetti che potremmo cercare di spiegare, tenendo presente che tipi diversi di problemi potrebbero richiedere tipi diversi di spiegazione. Una spiegazione relativa a specifiche circostanze verificatesi nel passato, o a insiemi regolari di eventi, tenta di farci capire come tali circostanze ed eventi siano avvenuti proprio in quel modo e non in un altro. La chiave di tutto è la comprensione: se quella che si definisce «spiegazione» non aggiunge alcun elemento alla nostra comprensione, essa non è (secondo noi) una spiegazione.

Come prima approssimazione possiamo distinguere due approcci al problema diametralmente opposti. Il primo è specifico e tenta di conoscere più elementi possibili circa i particolari attinenti; opera con il convincimento che se si può stabilire una quantità sufficiente di circostanze antecedenti, di eventi che hanno condotto all'avvenimento che speriamo di spiegare, allora quell'avvenimento diventerà per noi molto più chiaro. Questo tipo di spiegazione è stata spesso qualificata come «storica», anche se si deve dire che non tutti gli storici sarebbero soddisfatti di questa definizione.

Alcune spiegazioni storiche danno grande importanza alla capacità di cogliere le idee degli uomini storici in questione, e per questo sono a volte definite **idealiste**. Lo storico R.G. Collingwood era solito dire che se si voleva sapere perché Cesare attraversò il Rubicone, era necessario entrare nella mente di Cesare, e conoscere in questo modo il più alto numero possibile di dettagli relativi a quell'evento e alla sua vita.

La *New Archaeology* ha dato invece molta più importanza alla generalizzazione. Come abbiamo visto, già nel 1958 Willey e Phillips parlavano di «regolarità», e i primi seguaci della *New Archaeology* seguirono questa linea rivolgendosi alla filosofia della scienza di quel periodo. Purtroppo, però, si imbatterono nel filosofo americano Carl Hempel, il quale sosteneva che tutte le spiegazioni dovrebbero essere formulate con riferimento alle generalizzazioni più ambiziose: le **leggi naturali**. Un'affermazione che suona quasi come una legge è un'affermazione universale, il che significa che in certe circostanze (e *ceteris paribus*) X implica sempre Y, o che Y varia al variare di X secondo una certa relazione ben definita. Per Hempel, gli eventi o lo schema che potremmo cercare di spiegare (l'*explanandum*) potrebbero essere spiegati mettendo insieme due cose: le dettagliate circostanze antecedenti e la legge che, una volta applicata, consentirebbe, attraverso un ragionamento deduttivo, la previsione di ciò che effettivamente si verificò. L'affermazione simile a legge e la determinazione delle circostanze antecedenti formano insieme l'*explanans*. Questa forma di spiegazione è di tipo **deduttivo**, poiché il risultato viene dedotto dalle circostanze antecedenti e dall'applicazione della legge; è anche **nomotetica** perché fa assegnamento su affermazioni simili a leggi (dal termine greco *nómos*, che significa «legge»). Questo sistema creato da Hempel viene a volte chiamato forma di spiegazione **deduttivo-nomotetica** (o D-N).

Solo pochi seguaci della *New Archaeology* di seconda e terza generazione hanno cercato di scrivere l'archeologia

in forma di leggi universali: un esempio notevole è il libro scritto da Patty Jo Watson, Steven LeBlanc e Charles Redman dal titolo *Explanation in Archaeology* [*La spiegazione in archeologia*], del 1971. La maggior parte degli archeologi ritiene però che sia assai difficile creare leggi universali riguardanti il comportamento umano che non siano banali o false. I tradizionalisti, come per esempio l'archeologo canadese Bruce Trigger, hanno allora proposto di tornare alle tradizionali spiegazioni della storia, a una forma di spiegazione che potrebbe dirsi **storiografica**. Certamente l'iniziale scorreria della *New Archaeology* nella filosofia della scienza non si è dimostrata un successo. Gli archeologi più accorti, come Kent Flannery, videro che la scuola che propugnava «legge e ordine» stava commettendo un errore, producendo soltanto «leggi di Topolino» di assai poco valore. L'esempio preferito di Flannery era il seguente: «Quando aumenta la popolazione di un sito aumenta anche il numero dei silos», a cui rispondeva: «Lapalissiano, signor Scienza!». Alcuni critici della *New Archaeology* hanno fatto leva su questo punto debole per suggerire che questa scuola è (o era) in generale «scientistica» (cioè non si appoggia alle solide basi della scienza). E certamente questa pesante dipendenza, da spiegazioni che si configurino come «leggi», può essere definita positivistica. Tuttavia, uno dei contributi positivi della *New Archaeology* è stato l'aver adottato la convenzione scientifica di rendere specifiche ed esplicite, per quanto possibile, le ipotesi sulle quali si basa un ragionamento.

A partire dalla metà degli anni Settanta del secolo scorso, gli studiosi che si muovono all'interno della tradizione dell'archeologia processuale cercano ancora di trarre spunti dalla filosofia della scienza, ma il loro punto di riferimento non è più Carl Hempel. Il pensiero di Karl Popper è infatti molto meno rigido nel suo approccio, con la sua insistenza sul fatto che ogni enunciato dovrebbe, per quanto possibile, essere suscettibile di verifica e di confronto con i dati: in questo modo i falsi enunciati e le generalizzazioni che non reggono possono essere confutati. Inoltre, sostengono questi studiosi, non c'è nulla di sbagliato nel ragionamento deduttivo: è un ottimo principio formulare un'ipotesi, stabilire per deduzione cosa ne seguirebbe se quell'ipotesi fosse vera e quindi vedere se queste conseguenze si trovano effettivamente nel documento archeologico, verificando l'ipotesi per confronto con nuovi dati: questo è l'approccio **ipotetico-deduttivo** (o I-D), che non implica la stessa fiducia in enunciati simili a leggi come l'approccio D-N. Ciò che distingue il lavoro scientifico dal mero e incontrollato esercizio dell'immaginazione è proprio questa volontà di sottoporre le proprie convinzioni e ipotesi a un rigoroso confronto con la dura realtà: ragionerebbero più o meno così i filosofi della scienza e con essi gli archeologi processuali.

L'individuo e la teoria dell'agenzia

Più recentemente alcuni archeologi processuali, seguendo il pensiero di Karl Popper (e di alcuni economisti del libero mercato come Friedrich von Hayek), si sono mostrati interessati a considerare i pensieri e le azioni degli individui e a cercare di recuperare aspetti del pensiero delle società primitive. La loro impostazione, che è stata descritta come **individualismo metodologico**, ha la pretesa di essere «scientifica» (utilizzando il concetto di Popper di falsificabilità come criterio di scienza), ma allo stesso tempo non rifiuta più il tentativo di studiare i sistemi simbolici del passato come «paleopsicologia», proprio come avrebbero fatto alcuni dei primi sostenitori della *New Archaeology*.

È stata messa in discussione la misura in cui percepire sé stessi, come una individualità, possa essere assunta come parte della natura umana. Julian Thomas ha sostenuto che «applicare il concetto di individuo sul lontano passato è pericoloso e potenzialmente narcisistico». Questi temi sollevano questioni che ricadono nell'ambito della «teoria dell'agenzia» (*vedi* più avanti).

L'archeologo Ian Hodder ha sostenuto che gli archeologi dovrebbero abbandonare l'approccio generalizzante e il metodo scientifico sostenuto dalla *New Archaeology* e dovrebbero, invece, cercare di ritornare alla prospettiva storico-idealistica di R.G. Collingwood, che pone molta più enfasi sullo specifico contesto sociale del passato (*vedi* più avanti). C'è però forse una via di mezzo tra i due estremi, uno rappresentato da Lewis Binford (con Carl Hempel sullo sfondo) e l'altro da Ian Hodder (con R.G. Collingwood sullo sfondo). Tra le due posizioni si può trovare la possibilità di considerare il ruolo dell'individuo, come indicato da Karl Popper e James Bell, senza arrivare all'estremo di un approccio positivista oppure alla totale rinuncia del metodo scientifico dall'altra parte.

Questo rinnovato interesse per l'individuo come attore del cambiamento all'interno della società ci porta indietro a diverse altre correnti di pensiero già presentate in precedenza. In primo luogo ci ricollega alla nozione di **mappa cognitiva**, introdotta nel Capitolo 10, e anche alla posizione filosofica dell'individualismo metodologico. Inoltre esso è in relazione alla nozione di **esperienza individuale** (considerata nella discussione sul luogo e la memoria, sempre nel Capitolo 10) e quindi all'approccio fenomenologico. L'individuo nella società e il concetto di **individualità** sono considerati nel Capitolo 5, mentre la posizione dell'**artista individuale** è trattata nel Capitolo 10. L'individuo come agente o attore (come notato più avanti, *vedi* Scheda 12.9) è stato considerato di nuovo nella discussione sull'origine delle società stato. Questa è un'area dove impostazioni con differenti prospettive stanno producendo importanti nuove idee.

TENTATIVI DI SPIEGAZIONE: UNA O PIÙ CAUSE?

Non appena gli studiosi si pongono le grandi domande dell'archeologia, le cose si complicano, poiché molte di esse si riferiscono, come abbiamo visto, non a un singolo evento bensì a una classe di eventi. L'enigma dello sviluppo dell'agricoltura sul pianeta alla fine dell'ultima èra glaciale è già stato citato come un esempio di questi grandi quesiti, e la spiegazione che Lewis Binford ha tentato di dare a questo quesito è stata descritta nella Scheda 12.3, dedicata alle origini dell'agricoltura; più sotto sarà discussa l'ipotesi proposta da Kent Flannery.

Un altro grande tema è lo sviluppo dell'urbanizzazione e la nascita delle società statuali. A quanto pare questo processo si svolse in diverse parti del mondo in modo indipendente; in un certo senso, ogni caso era senza dubbio unico. Tuttavia si può sostenere che ciascun caso era anche un caso particolare (con i suoi aspetti del tutto unici) di un fenomeno, o processo, più generale. Allo stesso modo un biologo può discutere, come fece Darwin, il processo attraverso il quale si formarono le differenti specie senza negare l'unicità di ogni singola specie, o l'unicità di ogni individuo all'interno di una specie.

Se ci soffermiamo ora sulle origini dell'urbanizzazione e dello stato, vedremo che si tratta di un campo dove sono state proposte molte e diverse spiegazioni. A grandi linee, possiamo distinguere tra spiegazioni che si concentrano prevalentemente su una singola causa (**spiegazione monocausale**) e quelle che prendono in considerazione più fattori (**spiegazione multivariata**).

Le spiegazioni monocausali: le origini dello stato

Osservando a una a una le diverse spiegazioni, scopriremo che alcune sono, a loro modo, molto plausibili. Spesso, però, una spiegazione funziona meglio di un'altra quando la si applica a una regione particolare, per esempio alla nascita dello stato in Mesopotamia o in Egitto, ma non necessariamente in Messico o nella Valle dell'Indo. Attualmente, ognuno dei seguenti esempi sembra incompleto, ma ognuno esprime un concetto che rimane valido.

L'ipotesi idraulica Lo storico Karl Wittfogel, che scriveva negli anni Cinquanta del secolo scorso, spiegava l'origine delle grandi civiltà in termini di irrigazione su larga scala delle pianure alluvionali dei grandi fiumi. Solo l'irrigazione, sosteneva, era la causa della fertilità delle terre e, di conseguenza, delle alte rese dei campi, fattori che condussero alla notevole densità demografica caratteristica delle prime civiltà, e quindi resero possibile l'urbanesimo. Allo stesso tempo, comunque, l'irrigazione richiedeva anche una ge-

In un articolo del 1970 Robert Carneiro proponeva una spiegazione delle origini dello stato nel Perù costiero. Egli sottolineava un aspetto particolare, che definiva limitazione ambientale (ovvero le restrizioni imposte dall'ambiente), e allo stesso tempo dava rilievo anche a un'altra componente: la crescita demografica (e qui le sue idee hanno punti di contatto con quelle di Esther Boserup esposte nel testo del capitolo).

I primi villaggi sorti nel Perù costiero erano situati in 78 strette valli fiancheggiate dal deserto. Questi villaggi crebbero, ma finché la terra disponibile fu sufficiente per l'insediamento di comunità scissioniste, esse si scissero di quando in quando e così non diventarono mai troppo grandi. A un certo momento, però, le colture si trovarono a occupare l'intero territorio di una determinata valle; la terra veniva allora sottoposta a una lavorazione più intensiva (con il terrazzamento e l'irrigazione) e anche i terreni meno adatti, precedentemente non lavorati, venivano messi a coltura.

Secondo Carneiro, con il tempo la crescita demografica superò l'aumento della produzione raggiunto con l'intensificazione dell'agricoltura, e la guerra divenne un fattore determinante nei rapporti tra le comunità. Il conflitto armato, che prima di allora non era praticato per desiderio di vendetta, diventava ora la risposta al bisogno di acquisire nuova terra.

Un villaggio sconfitto in guerra veniva sottomesso al villaggio vittorioso, che si appropriava anche del suo territorio. Inoltre, la popolazione vinta non poteva fuggire dalla valle chiusa tra le montagne e il mare, e restava sulla propria terra in qualità di popolazione sottomessa che pagava tributi. In questo modo si formavano i *chiefdom* e contemporaneamente si avviava il processo di stratificazione della società in classi.

La scarsità di terra prolungava anche lo stato di belligeranza – ha sostenuto Carneiro – e ora vedeva in campo unità politiche più grandi: i *chiefdom*. Con

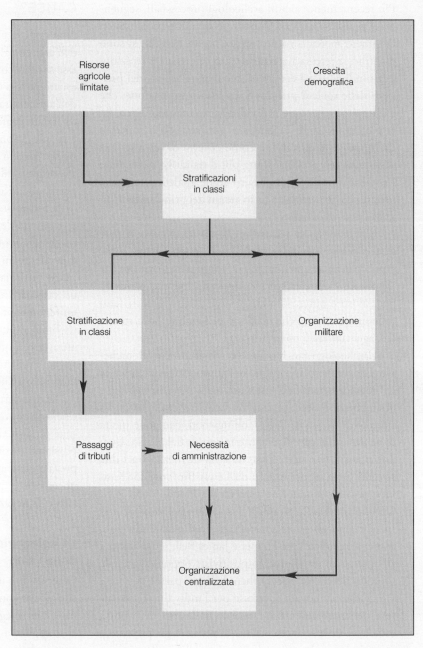

12.15 Diagramma di flusso della spiegazione formulata da Carneiro per la nascita delle società complesse.

la conquista di un *chiefdom* da parte di un altro *chiefdom* la dimensione delle unità politiche aumentò notevolmente e cominciò a svilupparsi la centralizzazione. Il risultato finale di tale processo fu la formazione dello stato. Sorsero allora regni ampi quanto le valli, poi regni che riunivano più valli, fino a quando tutto il Perù venne unificato in un unico potente impero dagli Inca.

In seguito Carneiro ha sostenuto anche che la diminuzione nel numero di unità politiche e l'aumento della loro dimensione è un processo ancora in corso, che nel prossimo millennio finirà col portare alla formazione di uno stato di dimensioni mondiali.

Come altre spiegazioni cosiddette «monocausali», quella proposta da Carneiro si basa in realtà su una serie di fattori che operano insieme, ma è altamente selettiva nella scelta di tali fattori. E, come tutte le spiegazioni monocausali, possiede un «motore primo»:

12.16 Villaggi situati in due valli separate da montagne.

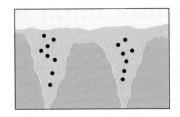

12.17 La crescita demografica porta alla nascita di nuovi villaggi, alcuni dei quali si trovano ora in territorio marginale.

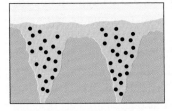

12.18 La competizione tra villaggi conduce alla guerra.

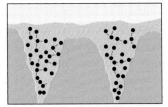

12.19 La predominanza di alcuni villaggi su altri li fa diventare centri di *chiefdom*.

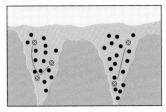

12.20 Un *chiefdom* domina gli altri: si crea uno stato.

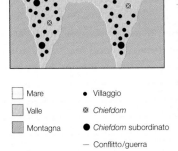

☐ Mare   • Villaggio
☐ Valle   ⊠ *Chiefdom*
☐ Montagna   ⬤ *Chiefdom* subordinato
    — Conflitto/guerra

un processo fondamentale che fa sì che l'intera sequenza degli eventi proceda, e che continua ad agire, come forza propulsiva, man mano che si svolgono gli eventi. Nel caso in esame il motore primo è rappresentato dalla crescita demografica.

Non ci viene detto però – come di norma nel caso di spiegazioni che prevedono l'esistenza di un motore primo – quale sia la causa che mette in moto tale fattore.

stione efficiente, ovvero un gruppo di persone di autorità riconosciuta capaci di controllare e organizzare il lavoro necessario allo scavo e alla manutenzione dei canali d'irrigazione. In questo modo l'irrigazione e l'«organizzazione idraulica» dovevano procedere insieme, e fu proprio da questi fattori, concludeva Wittfogel, che nacque un sistema di differenziazione del gruppo dirigente, di maggiore produttività e ricchezza, e così via.

Il sistema di governo tipico di queste civiltà, fondate sull'agricoltura d'irrigazione, fu definito da Wittfogel «dispotismo orientale». Tra le civiltà cui è stata applicata questa classificazione si trovano:

- la Mesopotamia: la civiltà dei Sumeri a partire dal 3000 a.C., e i suoi successori;
- l'antico Egitto: la Valle del Nilo, dal 3000 a.C. circa;
- l'India e il Pakistan: la civiltà della Valle dell'Indo dal 2500 a.C. circa;
- la Cina: la civiltà Shang, dal 1500 a.C. circa, e i suoi successori.

Affermazioni simili a questa sono state fatte per l'agricoltura della Valle del Messico (anche se l'irrigazione non si basava sullo sfruttamento di un fiume principale) e per la civiltà dei Maya.

Il conflitto interno Alla fine degli anni Sessanta del secolo scorso lo storico russo Igor Diakonoff sviluppò una diversa spiegazione delle origini dello stato. Nel suo modello lo stato è visto come un'organizzazione che impone l'ordine sul conflitto di classe, che nasce a sua volta dall'aumento della ricchezza. La differenziazione all'interno della società è considerata da Diakonoff un importante elemento causale, dal quale derivano altre conseguenze.

La guerra La pratica della guerra tra stati confinanti viene vista sempre più come una causa di cambiamento (*vedi* Capitolo 10). Mentre in alcuni casi vi furono dei conflitti ciclici tra stati con effetti a lungo termine, in altri casi il risultato fu la conquista e quindi la formazione di società stato più larghe e inclusive. Kent Flannery ha sottolineato il ruolo, storicamente documentato, di singoli capi militari nell'iniziale formazione delle società stato (considerandolo come un esempio di quell'«azione» dell'individuo che gli scrittori postprocessuali avevano cercato).

La crescita demografica Una spiegazione largamente accettata dagli archeologi concentra l'attenzione sul problema della crescita demografica. Lo studioso inglese Thomas Malthus, nell'opera *An essay on the Principle of Population*, del 1798 [*Saggio sul principio della popolazione*], sosteneva che la popolazione umana tende a crescere fino al limite

© 978.8808.82073.0

consentito dalla disponibilità di cibo. Quando si raggiunge questo limite, o «capacità di sostentamento» (*carrying capacity*), l'ulteriore aumento della popolazione causa penuria di cibo, che a sua volta fa aumentare i tassi di mortalità e deprime la fertilità (e in alcuni casi provoca conflitti armati). Questo meccanismo pone un limite massimo alla popolazione.

Crescita demografica $\rightarrow$ Penuria di cibo $\rightarrow$ Aumento dei tassi di mortalità e diminuzione della fertilità

Esther Boserup, nell'importante libro *The Conditions of Agricultural Growth* [*Le condizioni dello sviluppo agricolo*], del 1965, rovescia completamente la posizione di Malthus. Infatti, mentre lo studioso illuminista aveva considerato praticamente limitata la disponibilità di cibo, la Boserup sostiene che, se la popolazione aumenta, l'attività agricola si intensificherà, ovvero gli agricoltori produrranno una maggiore quantità di cibo dalla stessa area di terra. In altre parole, accorciando i periodi in cui la terra è lasciata a maggese, o introducendo l'aratro, o l'irrigazione, gli agricoltori possono aumentare la produttività. La crescita demografica può allora continuare.

Crescita demografica $\rightarrow$ Introduzione di nuovi metodi di coltivazione $\rightarrow$ Aumento della produzione agricola

Secondo questo schema, l'aumento della popolazione determina l'intensificazione dell'agricoltura e la necessità di una maggiore efficienza amministrativa e di economie di scala, compreso lo sviluppo della specializzazione artigianale. La gente lavora di più perché è necessario, e la società diventa più produttiva; si vengono a creare unità demografiche molto più ampie, e di conseguenza avvengono mutamenti nel modello di insediamento. Al crescere del numero degli individui, qualsiasi organizzazione a cui è affidato il compito di prendere le decisioni dovrà sviluppare una gerarchia; ne segue una centralizzazione, e lo stato centralizzato ne è il logico risultato.

Queste idee si accordano molto bene con il lavoro svolto dall'archeologo americano Gregory Johnson, che le ha utilizzate nello studio di società sviluppate su scala ridotta. Sulla base dei risultati delle recenti ricerche etnografiche condotte sugli accampamenti !Kung San, nell'Africa sud-occidentale, Johnson ha dimostrato che il livello di organizzazione cresceva parallelamente all'aumento delle dimensioni dell'accampamento. Mentre in campi piccoli l'unità sociale di base era l'individuo o la famiglia nucleare formata da 3 o 4 individui, nei campi più grandi era costituita dalla famiglia allargata formata da circa 11 individui. In società di scala maggiore, come quelle della Nuova Guinea, erano necessari sistemi sociali gerarchici per tenere sotto controllo i conflitti e mantenere efficiente il funzionamento della società nel suo insieme.

La circoscrizione ambientale Un approccio diverso, anche se utilizza alcune delle variabili già indicate, è quello di Robert Carneiro (*vedi* Scheda 12.6). Prendendo a esempio la formazione della società statuale in Perú, egli ha sviluppato una spiegazione che accentua i limiti («circoscrizione») imposti dall'ambiente e il ruolo della guerra. La crescita demografica è anche qui una componente importante del modello, ma il modello è messo insieme in un modo diverso, e lo sviluppo di un forte gruppo dirigente in tempo di guerra è uno dei fattori chiave.

Il commercio esterno L'importanza dei legami commerciali con le comunità esterne alla madrepatria è stata sottolineata da numerosi archeologi nel tentativo di spiegare la formazione dello stato. Una delle tesi più elaborate è il modello creato dall'archeologo americano William Rathje per la nascita delle società statuali nei bassipiani abitati dai Maya. Lo studioso sosteneva che in bassipiani privi di materie prime ci sarà una certa pressione che favorirà lo sviluppo di comunità più integrate e altamente organizzate, capaci di assicurare il regolare approvvigionamento di quelle materie. Questa ipotesi è stata utilizzata per spiegare la nascita della civiltà classica dei Maya nella foresta tropicale dei bassipiani.

Le spiegazioni multivariate

Tutte le teorie per spiegare le origini dello stato di cui abbiamo fin qui trattato danno importanza anzitutto a una variabile principale che costituisce il filo conduttore della spiegazione, anche se in essa sono coinvolti molti altri fili. In realtà, quando ci sono così tanti fattori in gioco è un po' troppo semplicistico dare spiegazioni monocausali. Infatti è necessario riuscire in qualche modo a trattare quei diversi fattori simultaneamente, producendo in questo modo spiegazioni che sono dette **multivariate**. Ovviamente nessuna delle spiegazioni che abbiamo esposto brevemente è così semplice da essere davvero **monocausale**: ognuna di esse comprende un certo numero di fattori; tuttavia questi fattori non sono integrati sistematicamente. Numerosi studiosi hanno quindi cercato il modo di trattare un gran numero di variabili; si tratta di qualcosa di piuttosto complicato, è ovvio, ed è proprio questo il campo in cui può essere molto utile la terminologia dei sistemi (già introdotta in forma abbastanza semplice nella definizione dell'archeologia processuale data nel 1967 da Kent Flannery).

L'approccio basato sui sistemi Se la società o la cultura in questione vengono considerate come un *sistema*, allora è ragionevole prendere in considerazione i differenti fattori che variano all'interno di quel sistema, e provare a elencarli. L'ammontare della popolazione (il numero degli individui che la compongono) sarà, chiaramente, uno dei **parametri del sistema**, così come le dimensioni del modello insediativo, della produzione di differenti piante da raccolto, di prodotti diversi e così via, e la scala dimensionale di vari aspetti dell'organizzazione sociale. Si può immaginare che il sistema proceda nel tempo attraverso una serie di **stati di sistema** successivi, ognuno definito dai valori delle variabili del sistema nel periodo in questione. La successione degli stati del sistema determina la **traiettoria** del sistema.

Conviene considerare che l'intero sistema sia suddiviso in numerosi **sottosistemi**, che riflettono le diverse attività del sistema nel suo insieme (*vedi* Parte II, Introd.). Ogni sottosistema può considerarsi definito dal tipo di attività che rappresenta: al suo interno si troveranno gli esseri umani coinvolti in quelle attività, così come i manufatti, la cultura materiale e gli aspetti rilevanti dell'ambiente. Ogni sottosistema presenterà, in comune con tutti i sistemi, l'opportuno fenomeno del *feedback* o **retroazione**, un concetto mutuato dalla cibernetica (teoria dei controlli).

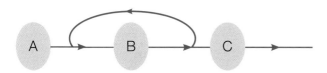

Il concetto essenziale è quello di un sistema con un *input* e un *output*. Se una parte dell'output viene riportata (*fed back*) all'input di cui diventa parte, il meccanismo prende il nome di *feedback* o retroazione. Si tratta di un meccanismo importante, perché significa che ciò che accade al sistema a un certo istante può influire sullo stato del sistema all'istante successivo.

Il *feedback* è *negativo* quando una variazione dell'output, riportata all'input, agisce in modo tale da contrastare gli effetti dell'input stesso, riducendo così ulteriori variazioni dell'output. Il *feedback* negativo, o retroazione negativa, è un meccanismo molto importante poiché, riducendo le variazioni dell'output, assicura la stabilità del sistema. Tutti i sistemi viventi impiegano un meccanismo a *feedback* **negativo**. Per esempio, la temperatura del corpo umano agisce in modo tale che, quando sale per un aumento della temperatura esterna, sudiamo, e l'evaporazione del sudore fa diminuire la temperatura corporea: l'output (l'aumento della temperatura corporea) è tale da ridurre l'effetto dell'input (l'aumento della temperatura esterna). Quando un sistema è mantenuto in uno stato costante per mezzo di un *feedback* negativo, il processo è detto **omeostasi** (dal greco *hómoios*, «simile», e *stásis*, «conservazione»). Analogamente, tutte le società umane possiedono meccanismi che assicurano che esse rimangano pressoché stabili nel tempo: se così non fosse, muterebbero radicalmente la loro natura quasi a ogni momento della loro esistenza.

Però, può agire anche un *feedback* **positivo**. Quando succede, la variazione prodotta (nell'output) ha un effetto positivo sull'input, rafforzandolo. Ha luogo allora una crescita, e a volte anche un cambiamento. Il *feedback* positivo è uno dei processi essenziali che stanno alla base della crescita progressiva e del cambiamento e, alla fine, alla nascita di forme del tutto nuove: si parla in questo caso di **morfogenesi**.

È quindi possibile stabilire l'influenza di un sottosistema su un altro osservando di volta in volta le interazioni tra ogni coppia.

In un articolo del 1968 Kent Flannery applicava l'approccio sistemico alle origini della produzione di cibo in Mesoamerica durante il periodo 8000-2000 a.C. Il modello cibernetico applicato dallo studioso comprendeva l'analisi dei vari sistemi di approvvigionamento utilizzati per le diverse specie vegetali e animali sfruttate e di ciò che egli chiamò *scheduling* («pianificazione», «programmazione»), cioè la scelta tra i vantaggi relativi di due o più tipi d'azione in un momento particolare. Flannery considerò le limitazioni imposte dalle variazioni stagionali della disponibilità delle diverse specie e la necessità di uno *scheduling* come *feedback negativo* nel suo modello sistemico; cioè, questi due fattori agivano in modo da ostacolare la variazione e mantenere la stabilità dei modelli esistenti di approvvigionamento del cibo. Nel tempo, però, le variazioni genetiche in due specie minori, i fagioli e il mais, le resero entrambe più produttive e più facili da raccogliere. Gli effetti di queste variazioni portarono a fare sempre più affidamento su queste piante, con un meccanismo a *feedback positivo* in cui la deviazione dal modello preesistente veniva amplificata. La conseguenza finale del processo così avviato – una conseguenza non prevista né voluta dalla popolazione umana – fu la domesticazione. Così concludeva Flannery nel suo articolo:

> Per l'archeologo le implicazioni di questo approccio sono chiare: è vano sperare di scoprire la prima pannocchia di mais domesticato, il primo recipiente di ceramica, il primo geroglifico o il primo sito dove avvennero altri importanti progressi. Tali deviazioni dal modello preesistente ebbero luogo quasi certamente in maniera così impercettibile e accidentale che le loro tracce non si trovano più. Sarebbe più utile investigare i mutui processi causali che amplificano queste piccole deviazioni in cambiamenti importanti nella cultura preistorica (Flannery 1968, 85).

L'approccio sistemico è certamente utile, ma gli archeologi postprocessuali (*vedi* più avanti) gli addossano gran parte delle critiche a loro mosse all'archeologia processuale in genere, e cioè che si tratta di un metodo scientistico e meccanicistico, che non tiene conto dell'individuo; sostengono anche che il *systems thinking* dà un contributo al sistema di dominazione, con il quale le élite mondiali si appropriano della scienza per controllare i meno privilegiati.

Sono particolarmente interessanti le critiche mosse dai ricercatori che non sono contrari alla spiegazione scientifica per principio; uno dei loro punti più efficaci è che l'approccio basato sui sistemi è, in ultima analisi, descrittivo più che esplicativo: infatti imita il mondo senza spiegare realmente ciò che vi accade. (D'altra parte molti potrebbero rispondere che mostrare come funziona il mondo è in realtà una delle funzioni della spiegazione). I critici sostengono anche che in molti casi è difficile attribuire valori reali alle diverse variabili; sono però d'accordo che l'approccio offre un sistema di riferimento pratico per l'analisi dell'articolazione delle varie componenti di una società e si presta facilmente alla modellizzazione e alla simulazione su computer (*vedi* il paragrafo seguente). I modelli generati possono diventare complicati, per cui diventa difficile cogliere la regolarità generale; questo è d'altra parte il prezzo da pagare quando si ha a che fare con sistemi complicati come le società statuali.

La simulazione

La simulazione implica la formulazione di un modello dinamico, cioè di un modello che tenga conto del cambiamento nel tempo. Gli studi di simulazione possono essere di grande aiuto nello sviluppo delle spiegazioni. Per produrre una simulazione è necessario avere in mente, o sviluppare, un modello specifico che contempli una serie di regole. Si può allora procedere all'immissione di dati iniziali, o condizioni di partenza, e raggiungere, attraverso l'applicazione ripetuta del modello (generalmente con l'aiuto di un computer), una serie di stati di sistema che può o meno essere convincente in relazione al mondo reale.

Una simulazione è quindi un'esemplificazione, un'elaborazione (e a volte un test) di un modello che ha già preso forma. In realtà nessuna simulazione funziona mai la prima volta, ma ripetendola più volte si può migliorare il modello. Questa dunque è l'utilità principale della simulazione: la vera spiegazione è il modello, non la simulazione in sé.

Come esempio si può citare l'esperienza di A.J. Chadwick, il quale decise di costruire un modello per lo sviluppo dell'insediamento in Messenia (Peloponneso) nell'Età del bronzo. Egli assunse alcune regole assai semplici per la crescita e lo sviluppo dell'insediamento e poi utilizzò il computer per applicarle al paesaggio della Messenia preistorica. Il risultato è una serie di schemi di insediamento simulati nel corso del tempo i quali presentano interessanti somiglianze con le modalità di insediamento reali in base a quanto si conosce riguardo al loro sviluppo. La simulazione suggerisce così con molta chiarezza che il modello generativo di Chadwick si è dimostrato almeno in parte efficace nel cogliere l'aspetto essenziale del processo di sviluppo dell'insediamento.

È anche possibile costruire modelli di sviluppo di interi sistemi, partendo essenzialmente dall'approccio sistemico che abbiamo descritto più sopra. In questo caso si analizza l'articolazione, o interazione, di vari sottosistemi; si deve allora indicare con precisione in che modo queste articolazioni potrebbero funzionare in pratica, in che modo una variazione del valore di un parametro di un sottosistema farebbe variare i valori dei parametri di altri sottosistemi.

La simulazione consente di realizzare tutto questo in pratica, a partire dai valori iniziali di tutti i parametri, che devono essere determinati (o presi dal caso reale). Il System Dynamics Modeling Group del Massachusetts Institute of Technology (MIT), guidato da Jay Forrester, ha applicato per la prima volta questa tecnica in molti campi, compresi quelli della crescita delle città e del futuro dell'economia mondiale.

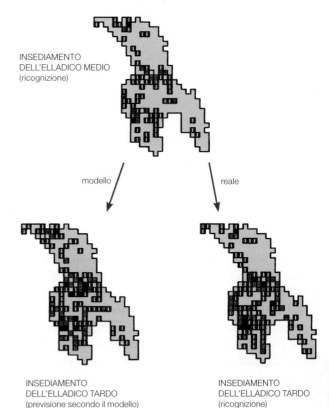

INSEDIAMENTO DELL'ELLADICO MEDIO (ricognizione)

modello   reale

INSEDIAMENTO DELL'ELLADICO TARDO (previsione secondo il modello)

INSEDIAMENTO DELL'ELLADICO TARDO (ricognizione)

12.21 La simulazione di A.J. Chadwick della crescita dell'insediamento nella Messenia dell'Età del bronzo. La Messenia Expedition della University of Minnesota aveva già redatto una carta della distribuzione dell'insediamento nell'Elladico Medio e Tardo. L'obiettivo dello studio di Chadwick era valutare la possibilità di sviluppare un modello di simulazione che, ponendo come condizione di partenza il modello di insediamento dell'Elladico Medio, creasse il modello di insediamento dell'Elladico Tardo. Il disegno mostra la distribuzione reale dei siti dell'Elladico Medio e Tardo scoperti attraverso la ricognizione e il risultato della simulazione, che utilizza la combinazione di fattori ambientali (per esempio le terre migliori) e umani (per esempio la densità dell'occupazione esistente). L'intensità dell'ombreggiatura indica, rispettivamente, uno, due o tre insediamenti su una cella di 2 km × 2 km.

Contrariamente alla convinzione generale, la civiltà Maya non è stata vittima di un crollo unico, improvviso e totale. Quando gli Spagnoli raggiunsero il nord della penisola dello Yucatan, agli inizi del XVI secolo, lo trovarono densamente popolato di gente che parlava la lingua Maya in centinaia di regni locali. Alcuni importanti sovrani vantavano fino a 60 000 sudditi. Templi e palazzi dominavano su ricche città. Sacerdoti consultavano testi profetici e divinatori che, assieme a complessi calendari, regolavano il ciclo dei riti annuali.

Dal Periodo pre-classico al classico

Gli archeologi ora sanno che i cicli di caduta e di ripresa della civiltà Maya furono frequenti nell'arco di 1500 anni. I primi «grandi» crolli si verificarono nel bacino di El Mirador nel nord Guatemala, dove Nakbe, El Mirador, Tintal e altri grandi centri prosperarono nella media e tarda età pre-classica. All'incirca dal 150 d.C. questa regione fu abbandonata (e mai sostanzialmente ripopolata in modo significativo) e si è riscontrato che lì, e da altre parti, gli ecosistemi si erano progressivamente degradati. Anche il Periodo classico (250-900 d.C.) dei bassopiani meridionali vide molte volte rovinare i regni locali, quando le capitali Maya, e le loro linee dinastiche, svanirono fino al crollo finale nel X secolo.

Il collasso nei bassopiani meridionali

Il crollo finale della società Maya del Periodo classico è stato per lungo tempo quello più famoso e il più difficile da spiegare, sia per la sua dimensione sia per l'assenza di una ripresa in quella stessa regione. Nel 750 d.C. questa regione sostentava una popolazione di alcuni milioni di abitanti, divisi in circa 40-50 regni. Ma otto secoli più tardi, quando gli Europei la attraversarono per la prima volta, essa era alquanto deserta. Gli esploratori del XIX secolo riferirono di un paesaggio con imponenti rovine invase dalla foresta, che creava in questa maniera l'impressione di un catastrofico crollo. Dagli inizi del XX secolo in avanti gli studiosi furono in grado di decifrare le date (che ora sappiamo riguardare gli affari dei reali e dei gruppi elitari) incise su alcuni monumenti. Tali documenti scritti suggeriscono una continua evoluzione ed espansione della civiltà Maya, con un inizio nel III secolo d.C., un suo culmine intorno al 790 d.C., e poi, nei successivi 120 anni, un'improvvisa riduzione nella costruzione di monumenti che segnala la decadenza del potere centrale. Sebbene in questi aspetti trovassero diretto riscontro solo le attività delle élite, in mancanza di una sistematica documentazione archeologica e di informazioni cronologiche provenienti da altre fonti, si è ipotizzato che ogni regime politico del Periodo classico, e la relativa popolazione, abbiano subito una catastrofico crollo nel giro di una o due generazioni.

Noi ora sappiamo che i processi di questo crollo furono più complicati e prolungati di quanto questo modello interpretativo abbia suggerito. La gran parte degli studiosi concorda sul fatto che il declino iniziò almeno dal 760 d.C., quando centri come Dos Pilas e Aguateca, nella regione occidentale di Petexbatun, furono abbandonati durante fasi ben documentate di guerre rovinose. Altri centri continuarono a erigere monumenti per qualche tempo ma a partire dal 909 d.C. circa sparirono le vecchie tradizioni epigrafiche. Sparì nel contempo la progettazione di palazzi reali – talvolta davvero bruscamente – e le spoglie reali non vennero più inumate. Sebbene alcuni regni e le relative capitali siano collassati all'improvviso e con chiari segni di violenza, alcuni furono abbandonati più gradualmente (e apparentemente in tempo di pace). Se noi guardiamo ai bassopiani meridionali nel loro complesso, la disintegrazione delle istituzioni politiche centralizzate si realizzò dunque in un periodo di circa 150 anni (alcuni centri grandiosi, come Lamanai e Coba, in qualche modo sopravvissero a questa situazione di crisi).

Ciò che accadde alle popolazioni collegate alle defunte capitali del Periodo classico è un argomento più complesso e controverso, e molto più difficile da valutare con i dati archeologici attuali. Molte regioni sembrano aver sofferto un repentino calo demografico, ma altre no. A Copan, per esempio, l'attività delle élite continuò in alcuni complessi di palazzi vicereali fino all'anno 1000 circa, e la popolazione totale diminuì progressivamente per quattro

12.22 Il tempio di Tikal, in Guatemala, costruito attorno al 740-750 d.C. Tikal era uno dei maggiori centri maya, dove furono costruiti dei complessi cerimoniali di grandi dimensioni e di notevole fattura; sembra tuttavia che il centro sia stato quasi completamente distrutto dopo il 950 d.C. È possibile che l'alta densità di popolazione e l'eccessivo sfruttamento agricolo abbiano avuto degli effetti disastrosi sull'ambiente.

secoli. Così prolungata e varia fu la scomparsa della tradizione Maya del Periodo classico del sud che, per descriverla, alcuni archeologi rifiutano la parola «crollo».

Spiegare il crollo

Qualsiasi spiegazione del crollo deve tener conto di tutta questa sua complessità; l'approccio migliore è determinare che cosa accadde a specifici governi e capitali prima di formulare generalizzazioni. I nostri sforzi di spiegare la crisi del Periodo classico sono ostacolati dalla nostra ignoranza (o dal disaccordo) riguardo alle strategie Maya in agricoltura, sulle modalità nella richiesta di risorse da parte della popolazione, e, infine, più in generale, sulle istituzioni sociali, politiche ed economiche. Ciò nonostante, gli archeologi hanno accantonato o sottovalutato alcune autorevoli spiegazioni iniziali, come l'idea che una vessatoria richiesta di mano d'opera abbia determinato la ribellione dei contadini contro i loro sovrani.

La maggior parte degli archeologi concorda sul fatto che nessuna causa può spiegare da sola ciò che accadde. Piuttosto, un insieme di fattori interconnessi come la sovrappopolazione, il decadimento del territorio agricolo, e poi carestie, malattie, guerre, disordini

12.23 Le interazioni che possono aver contribuito a dare il via al crollo del Periodo classico dei Maya.

sociali, mutamenti del clima, e debolezza ideologica afflissero sempre di più il tardo Periodo classico Maya (*vedi* diagramma). Nessuno di questi problemi costituivano una novità, e i primi regni Maya ne erano sopravvissuti. Tuttavia il tardo Periodo classico Maya fu più conflittuale che nel passato, e, nel contempo, aveva ereditato un ecosistema fragile e usurato perché sfruttato da secoli d'uso. La popolazione conobbe un picco demografico nell'VIII secolo, e superò così le risorse agricole che poteva offrire il territorio agricolo. L'intero, malfermo edificio della società del Periodo classico Maya venne giù, per quanto si trattasse di uno smottamento piuttosto che di un crollo.

Alcune cause furono di certo più importanti di altre. Di recente, i paleoclimatologi, usando nuovi metodi di analisi dell'isotopo dell'ossigeno su campioni provenienti da fondali lacustri e marini, hanno ipotizzato periodi di siccità, più o meno gravi, tra il 700 e il 1100 d.C. Alcuni credono che fu questo l'avvenimento più importante, la causa scatenante del crollo. Altri non sono d'accordo, perché i dati paleoclimatici non hanno consistenza scientifica, e perché i Maya del nord, che vivevano nelle parti più aride dei bassipiani, in questo periodo prosperarono, specialmente a Chichen Itza. Episodi di siccità afflissero i Maya del sud durante tutta la loro storia, e siccità prolungate nell'VIII e nel IX secolo potrebbero aver colpito la produzione di

cibo in un territorio sempre più compromesso e vulnerabile.

Sebbene gli stress derivati da problemi materiali siano stati furono probabilmente molto importanti per spiegare il collasso dei Maya, ci sono state sicuramente anche altre componenti, sia sociali che ideologiche. Lo stato di guerra, per esempio, si intensificava e, in alcuni centri, ci sono segni evidenti di rivolte interne. Élite viceregali in regni come Copan divennero sempre più forti e competitive. Testimonianze da Cancuen e da altri centri rivelano l'eliminazione con la violenza di intere famiglie reali, sebbene non sia sempre chiaro chi ne fosse responsabile. I Maya erano anche costretti ad adattarsi alla loro stessa ideologia, in particolare nella loro ossessione che il mais non fosse solo un cibo ma una sostanza pressoché mistica. Il ruolo del re, istituzione centrale della vita politica dei Maya, sottolineava la potenza soprannaturale dei sovrani: i re si ponevano come i grandi garanti della prosperità, e chiaramente furono incapaci di realizzare queste promesse durante i secoli critici, l'VIII e il IX. Molto avvenne gradualmente ma il rigetto della sovranità e dei simboli correlati – monumenti, arte, sepolcri, palazzi, iscrizioni – sembra essere stato dovunque repentino. Anche dove le popolazioni Maya sopravvissero per più secoli, esse non ripristinarono l'antica monarchia. Nei Maya del nord, i governanti del Periodo post-classico adottarono strategie differenti di rappresentazione dinastica.

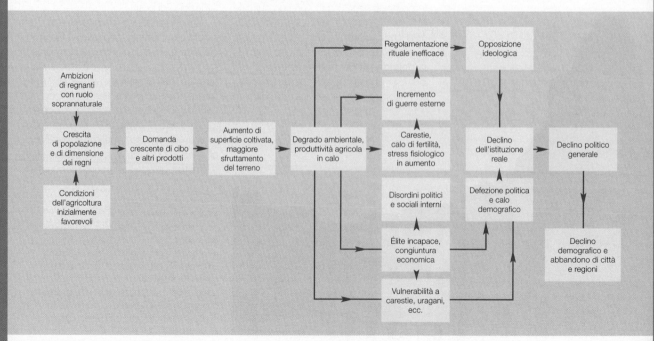

In archeologia questa tecnica di simulazione è ancora nella sua fase iniziale, ma è stata utilizzata per alcuni studi. Jeremy Sabloff e la sua équipe, per esempio, l'hanno impiegata per costruire un modello del crollo della civiltà del Periodo classico dei Maya intorno al 900 d.C., inserendo le proprie ipotesi e costruendo il proprio modello. I risultati sono stati istruttivi e hanno mostrato che il modello di Forrester potrebbe ottenere risultati plausibili, sebbene siano state formulate nuove teorie.

L'archeologo americano Ezra Zubrow ha modificato l'approccio di Forrester e l'ha usato per costruire il modello di crescita dell'antica Roma a partire dall'epoca augustea, dal tardo I sec. a.C. agli inizi del I sec. d.C. Lo scopo non era quello di stabilire uno schema completo di comportamento simulato per Roma, ma verificare quali fossero i parametri sensibili che avrebbero avuto un effetto cruciale sulla crescita e sulla stabilità. Alcuni dei risultati conseguiti da Zubrow rivelano una sequenza di cicli multipli di crescita improvvisa e di declino, circa tre nell'arco di 200 anni. Facendo lavorare il modello con input diversi (per esempio raddoppiando la forza lavoro) è possibile vedere quali cambiamenti, secondo il modello, potrebbero essere davvero significativi: difatti, raddoppiando la forza lavoro non si nota alcun effetto, ma raddoppiandola ancora si hanno effetti evidenti.

Questo è un esempio nel quale la simulazione viene utilizzata come strumento esplorativo con il quale studiare il comportamento del sistema. Fino a oggi con tali simulazioni la ricerca ha compiuto solo studi preliminari, insegnandoci di più sui procedimenti e le potenzialità della simulazione che non sulle culture antiche sotto esame. Inoltre la simulazione può produrre un modello della capacità decisionale degli individui, come ha fatto l'archeologo Steven Mithen, e le interazioni di molti agenti.

Collasso sistemico

A posteriori, può sembrare che molte società e molte civiltà abbiano subìto un improvviso collasso: questo ha sostenuto Edward Gibbon nel suo *The History of the Decline and Fall of the Roman Empire* [*Declino e caduta dell'Impero romano*], pubblicato tra il 1766 e il 1788, tuttora ammirato per l'eleganza della sua prosa. Nella Scheda 12.7 è esaminato il crollo della civiltà Maya del periodo classico. Il fenomeno è stato discusso dagli archeologi per decenni ed è stato ripreso dallo scienziato, e scrittore, Jared Diamond nel suo *Collapse: How Societies Choose to Fail or Succeed* (2005). Ne è seguita qualche discussione critica e un qualche consenso sul fatto che in molti casi la rapidità del declino di molte società (il loro «collasso») è stata esagerata. Una più accurata osservazione dei documenti spesso mostra che il declino è stato più graduale di come è apparso a prima vista e, come nel caso dell'antica

civiltà Nazca in Perù, vi sia coinvolto un insieme di fattori ecologici e culturali.

LA SPIEGAZIONE POSTPROCESSUALE O INTERPRETATIVA

Dalla metà degli anni Settanta del secolo scorso la prima *New Archaeology*, che abbiamo qui chiamato archeologia funzionale-processuale, è stata oggetto di critiche da più parti. Per esempio, ben presto fu contestata da Bruce Trigger che, nel suo libro *Time and Tradition* [*Tempo e tradizione*] del 1978, sosteneva che il metodo che cerca di formulare leggi esplicative (ovvero l'approccio nomotetico) è troppo limitante; egli preferiva l'approccio storiografico, ovvero il percorso ampiamente descrittivo dello storico tradizionale. L'archeologia funzionale-processuale fu criticata anche da Kent Flannery, il quale disdegnava la banalità di alcune delle cosiddette leggi proposte e sentiva che si sarebbe dovuto dare più importanza agli aspetti ideologici e simbolici delle società. Anche Ian Hodder credeva che l'archeologia dovesse avere legami più stretti con la storia, e voleva che il ruolo dell'individuo nella storia fosse più pienamente riconosciuto. Hodder sottolineava molto giustamente ciò che chiamava «il ruolo attivo della cultura materiale», sostenendo che i manufatti e il mondo materiale che noi costruiamo non sono semplicemente i riflessi della nostra realtà sociale incorporata nel documento materiale (da ciò che si potrebbe definire un processo di formazione culturale; *vedi* Capitolo 2); al contrario, la cultura materiale e gli oggetti reali costituiscono una larga parte di ciò che fa funzionare la società: la ricchezza, per esempio, in una società moderna è l'elemento che sprona molti a lavorare. Hodder prosegue asserendo che la cultura materiale è «intenzionalmente costituita», è cioè il risultato di azioni deliberate di individui i cui pensieri e le cui azioni non dovrebbero essere trascurati.

Andando oltre queste critiche, alcuni archeologi britannici (soprattutto Ian Hodder, Michael Shanks e Christopher Tilley) e statunitensi (in particolare Mark Leone) hanno formulato nuovi approcci, superando alcuni aspetti da loro considerati limitativi dell'archeologia funzionale-processuale (e in verità anche di molta archeologia marxista tradizionale) e creando così l'archeologia postprocessuale degli anni Novanta del secolo scorso. Il dibattito postprocessuale è ormai da tempo finito, ma ha lasciato dietro di sé una serie di approcci interessanti (e talvolta mutuamente contraddittori) che assieme danno forma alle archeologie interpretative dell'inizio del XXI secolo, operando lungo la tradizione processuale o cognitivo-processuale.

Tra le influenze riconducibili a queste archeologie interpretative elenchiamo (*vedi* Scheda 1.7):
• il neomarxismo (Althusser, Balibar, Lukacs);

- la visione «postpositivista» (anarchica) del metodo scientifico sostenuto da Feyerabend;
- lo strutturalismo di Claude Lévi-Strauss;
- l'approccio fenemenologico di Ernst Cassirer e Martin Heidegger;
- l'approccio ermeneutico (interpretativo) iniziato da Dilthey, Croce e Collingwood e sviluppato più recentemente da Ricoeur;
- la «Teoria critica» come è stata sviluppata dalla Scuola di Francoforte (Marcuse, Adorno) e da Habermas;
- il poststrutturalismo (decostruzionismo) di Barthes, Foucault e Derrida;
- la teoria della strutturazione come esemplificata da Giddens e dall'approccio di Bourdieu;
- gli approcci femministi all'archeologia (*vedi* Capitolo 1 e Capitolo 5).

Gli approcci strutturalisti

Le idee strutturaliste dell'antropologo francese Claude Lévi-Strauss e le innovazioni nella linguistica dell'americano Noam Chomsky hanno influenzato numerosi archeologi. Gli archeologi strutturalisti sottolineano che le azioni umane sono guidate da credenze e da concetti simbolici, e che il vero oggetto di studio sono le strutture del pensiero – le idee – nella mente degli uomini che realizzarono i manufatti, creando in questo modo il documento archeologico. Questi archeologi sostengono che all'interno di culture diverse esistono nel pensiero umano schemi ricorrenti, molti dei quali si possono riconoscere in opposti quali: cotto/crudo; sinistra/destra; sporco/pulito; uomo/donna, e così via. Inoltre essi ritengono che le categorie di pensiero valide per una sfera di vita saranno valide anche per altre sfere. Chiariamo con un esempio: la preoccupazione dell'essere umano di darsi «limitazioni» o confini nel campo delle relazioni sociali è assai verosimilmente riconoscibile – secondo gli archeologi strutturalisti – anche in campi completamente diversi, quali le «limitazioni» visibili nella decorazione della ceramica.

Il lavoro di André Leroi-Gourhan sull'interpretazione dell'arte paleolitica delle caverne (*vedi* Scheda 10.2) fu un progetto pionieristico nell'uso dei princìpi dello strutturalismo, e per il tentativo di interpretazione delle figure di animali l'approccio sembra particolarmente appropriato. Un altro importante studio di tipo strutturalista è il lavoro dello studioso di folklore Henry Glassie sull'architettura popolare della Virginia. In esso Glassie utilizza alcune dicotomie strutturaliste quali essere umano/natura, pubblico/privato, interno/esterno, intelletto/emozione, e le applica in modo dettagliato alla pianta e ad altri elementi di abitazioni prevalentemente del XVIII e XIX secolo. Poiché lavora principalmente sulla cultura materiale con rife-

12.8 L'interpretazione dei megaliti europei

Nella preistoria europea una questione a lungo dibattuta e non ancora risolta è quella che riguarda i cosiddetti monumenti megalitici o megaliti (dal greco *mega*, «grande», e *lithos*, «pietra»). Si tratta di strutture preistoriche impressionanti costruite con pietre di grandi dimensioni. In generale le pietre sono sistemate in modo da formare una singola camera, coperta da un tumulo di terra, alla quale si accede da un solo ingresso. Le camere possono essere piuttosto grandi e servite da un lungo corridoio di accesso. All'interno di queste strutture di solito si trovano resti umani e manufatti, ed è chiaro che la maggior parte erano camere funerarie collettive, cioè tombe per più persone.

Monumenti megalitici di vario tipo si incontrano in abbondanza lungo le coste atlantiche dell'Europa; in Spagna, Portogallo e Francia sono attestati anche nell'entroterra, mentre negli altri paesi non compaiono di norma oltre i 100 km dalla costa, e in generale sono assenti nell'Europa centrale e orientale. La maggior parte dei megaliti appartiene al periodo Neolitico, cioè all'epoca dei primi agricoltori, ma dall'inizio dell'Età del bronzo non furono più utilizzati.

Sorgono allora molte domande. Come potevano erigere monumenti di tale imponenza gli abitanti dell'Europa

12.24 La distribuzione dei monumenti megalitici nell'Europa occidentale.

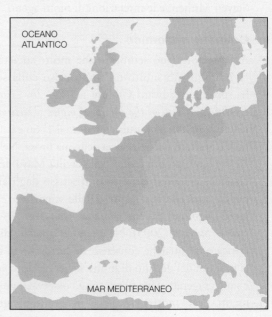

OCEANO ATLANTICO

MAR MEDITERRANEO

occidentale del Neolitico? Perché questi monumenti non si trovano anche in altre regioni? Perché vennero costruiti in quell'epoca, e non prima o dopo? Quale spiegazione si può dare della varietà di forme che presentano?

La spiegazione migrazionista e la diffusionista

Nel XIX secolo i megaliti venivano considerati opera di un unico gruppo di persone, migrato nell'Europa occidentale. Molte interpretazioni erano formulate in termini razziali, e anche quando non si delineavano distinzioni di razza, le spiegazioni ruotavano intorno al problema etnico: responsabile di una tale opera doveva essere una popolazione di immigrati.

All'inizio del XX secolo vennero formulate spiegazioni alternative in termini di influenza delle civiltà più evolute del Mediterraneo orientale: legami commerciali e altri contatti tra Creta e la Grecia da un lato, e l'Italia e forse la Spagna dall'altro, venivano considerati responsabili di un flusso di idee. Così si riteneva che l'uso della sepoltura collettiva in tombe costruite, presenti a Creta intorno al 3200 a.C., fosse stato trasmesso alla Spagna nel giro di un paio di secoli. Da lì si sarebbe propagato grazie alla diffusione. Questa concezione implicava che i megaliti della penisola iberica e poi del resto d'Europa fossero *successivi* a quelli di Creta.

La spiegazione funzionale-processuale

La datazione con il radiocarbonio chiarì che le tombe megalitiche dell'Europa occidentale erano in molti casi più antiche di quelle cretesi. Si avanzò allora l'ipotesi che le comunità locali avessero sviluppato ognuna pratiche proprie per la sepoltura dei defunti. Una valida spiegazione processuale doveva render conto di un tale sviluppo in termini di processi sociali ed economici locali.

Renfrew propose (*vedi* Scheda 5.3) che nel periodo Neolitico in molte regioni lo schema di insediamento fosse organizzato per gruppi egualitari dispersi. Ogni tomba comune avrebbe servito da punto centrale di riferimento per la comunità dispersa, e sarebbe stata d'aiuto nella definizione del suo territorio. I megaliti venivano considerati alla stregua di marcatori territoriali di società segmentarie.

Un'ipotesi analoga, e a questa correlata, fu formulata dall'archeologo britannico Robert Chapman, che riprendeva il lavoro dell'americano Arthur Saxe: secondo Chapman le aree formalmente destinate ai defunti (cioè le tombe) compaiono in società in cui esiste una competizione per la proprietà della terra. La possibilità di mostrare la tomba di famiglia che contiene le ossa degli antenati avrebbe legittimato la pretesa al possesso e all'uso di terre avite all'interno del territorio.

Questa interpretazione potrebbe definirsi in modo appropriato «funzionalista», in quanto suggerisce che le tombe sono servite a una funzione utilitaria, in termini economici e sociali, in seno alla società.

La spiegazione neomarxista

All'inizio degli anni Ottanta del secolo scorso, Christopher Tilley redasse uno studio sui megaliti svedesi del Neolitico medio, nel quale venivano evidenziati (come nell'interpretazione processuale) i fattori locali. Tilley considerò i megaliti come elementi collegati all'esercizio del potere, all'interno di queste piccole società, da parte di individui che usavano i rituali associati ai monumenti come mezzo per mascherare la natura arbitraria del loro controllo sulla società e delle ineguaglianze che lo legittimavano. La mescolanza di parti del corpo di individui diversi all'interno della tomba esaltava l'unità organica della società, distogliendo l'attenzione dalle ineguaglianze nel potere e nello status sociale esistenti nella realtà. Le tombe e i rituali facevano apparire normale e naturale l'ordine stabilito.

Nella spiegazione di Tilley l'importanza data al dominio all'interno del gruppo è di derivazione tipicamente marxista, mentre quella sul rituale e sull'ideologia che maschera le contraddizioni sottostanti è tipica del pensiero neomarxista.

La spiegazione postprocessuale

Ian Hodder, criticando i punti di vista sia processuali sia neomarxisti, ha dato più importanza agli aspetti simbolici. Egli ritiene che le prime spiegazioni non hanno considerato in modo adeguato la particolarità dei contesti storici nei quali si trovano inseriti i megaliti e, inoltre, che se non si considera lo specifico contesto culturale non si può sperare di comprendere gli effetti delle azioni sociali del passato.

Hodder afferma che molte tombe a camera dell'Europa occidentale fanno riferimento simbolicamente alle case in uso in quell'epoca e nelle epoche precedenti nell'Europa centrale e occidentale. Come egli scrive, «il modo in cui i megaliti venivano coinvolti attivamente nelle strategie sociali dell'Europa occidentale dipendeva da un contesto storico esistente. L'esistenza delle tombe può essere adeguatamente considerata solo valutando i loro significati caricati di valori in seno alla società europea» (Hodder 1984, 53). Hodder introduce nella discussione molte altre questioni, compreso il ruolo della donna nelle società prese in esame. Il suo obiettivo è quello di arrivare alla comprensione almeno parziale del significato che la tomba aveva, in un contesto specifico, per coloro che la costruirono.

Alasdair Whittle si è chiesto se i costruttori dei monumenti fossero degli agricoltori, sostenendo che l'impulso che trasformò la società a quel tempo fosse non economica o demografica (cioè legata all'agricoltura), ma ideale e che le tecniche dell'agricoltura fossero ampiamente adottate solo più tardi: questa idea sembra spingere agli estremi la posizione postprocessuale.

Confronto

Queste tre interpretazioni danno grande risalto ai fattori interni, ma sono forse in contraddizione tra loro? Noi pensiamo di no, che tutte e tre possano funzionare insieme.

L'idea processuale che i monumenti avessero un'utilità per la società svolgendo funzione di marcatori territoriali e di centro rituale di attività e credenze del territorio non contraddice necessariamente il punto di vista marxista, secondo il quale essi erano utilizzati dagli anziani per manipolare i membri della società perché riconoscessero sempre il loro status sociale.

Inoltre, nessuna di queste interpretazioni contraddice l'opinione che in particolari contesti le tombe esprimessero significati specifici, né quella che ritiene che si debbano fare studi più approfonditi sulla grande varietà delle tombe megalitiche, come l'archeologia interpretativa della «Neo-Wessex school» ha continuato a fare.

rimenti soltanto limitati a documenti scritti, il suo lavoro è certamente pertinente all'interpretazione archeologica. Altra cosa è considerare le sue interpretazioni ugualmente plausibili nei casi in cui non si riesca a dimostrare che l'oggetto della sua ricerca appartiene alla stessa tradizione culturale di quella in cui lavora.

La «Teoria critica»

«Teoria critica della società» è il termine dato all'approccio sviluppato dalla cosiddetta Scuola di Francoforte, formata da sociologi tedeschi, che raggiunse l'apogeo negli anni Settanta del secolo scorso. Questa teoria sostiene che ogni tipo di conoscenza è una forma storica e distorta di comunicazione, e che qualsiasi pretesa di perseguire una conoscenza «oggettiva» è illusoria. Con questo approccio interpretativo («ermeneutico») questi studiosi cercano un punto di vista più illuminato, che esca dalle limitazioni dei sistemi di pensiero esistenti: infatti essi ritengono che i ricercatori (archeologi compresi) che pretendono di trattare in modo scientifico i fatti sociali, in realtà sostengono tacitamente «l'ideologia del controllo» con la quale viene esercitato il dominio nella società moderna.

Questa critica apertamente politica ha serie implicazioni per l'archeologia, in quanto i filosofi di questa scuola sostengono che non esistono fatti oggettivi. I fatti hanno un significato solo in relazione a una visione del mondo e in relazione alla teoria. I seguaci di questa scuola sono critici verso il criterio di verifica che viene utilizzato dagli archeologi processuali, poiché considerano questa procedura una mera importazione, nell'archeologia e nella storia, degli approcci «positivistici» della scienza. Queste concezioni sono state proposte da Ian Hodder nel suo libro *Reading the Past* [*Leggere il passato*], del 1986, e da Michael Shanks e Christopher Tilley nel loro *Re-Constructing Archaeology* [*Ricostruire l'archeologia*], del 1987; costoro chiamano in causa gran parte delle procedure di ragionamento attraverso le quali l'archeologia ha fin qui operato.

La risposta dei processualisti a queste teorie consiste nel far notare che seguirle implica che la visione del passato di una persona vale quella di un'altra («relativismo»), senza alcuna speranza che si possa scegliere in modo sistematico. Questo aprirebbe la strada ad archeologie «marginali» o «alternative», discusse nel Capitolo 14, nelle quali le spiegazioni possono essere offerte in termini di dischi volanti, o di forze extraterrestri o di qualsiasi fantasma che la mente umana possa evocare. Non è del tutto chiaro come i seguaci della «Teoria critica» risponderanno a questa obiezione.

Il pensiero neomarxista

Il pensiero neomarxista pone un accento molto maggiore sul significato dell'ideologia nella formazione dei cambiamenti nelle società più di quanto non faccia il marxismo classico (che vede l'ideologia come una sovrastruttura subordinata all'economia). Un esempio è il lavoro di Mark Leone ad Annapolis, nel Maryland, parte di un progetto di ricerca volto a stabilire per l'area una più chiara identità storica. L'esempio scelto da Leone è rappresentato dal giardino settecentesco del ricco proprietario terriero William Paca: il giardino è stato studiato da un punto di vista archeologico ed è stato ora ricostruito.

Leone esamina il giardino in ogni dettaglio e mette in evidenza che esso rappresenta la contraddizione tra una società schiavistica e un'altra che proclama l'indipendenza per promuovere la libertà individuale, una contraddizione che si può cogliere anche nella vita di Paca. «Per mascherare questa contraddizione,» scrive Leone, «basava la sua posizione di potere sulla legge e nella natura. Ciò era messo in pratica sia nell'esercizio della legge sia nel giardinaggio.»

Questa prospettiva neomarxista ha la sua eco negli studi archeologici che si stanno delineando in alcuni paesi in via di sviluppo, dove esiste un comprensibile desiderio di costruire una storia (e un'archeologia) che ponga in rilievo l'importanza delle popolazioni locali e i progressi compiuti prima dell'età coloniale.

L'ARCHEOLOGIA COGNITIVO-PROCESSUALE

Durante gli ultimi 5-10 anni è emersa una nuova prospettiva, che trascende alcuni dei limiti dell'archeologia funzionale-processuale degli anni Settanta del secolo scorso. Questa nuova sintesi, pur traendo insegnamento da ogni sviluppo appropriato nell'archeologia postprocessuale, rimane nella scia dell'archeologia processuale. Desidera ancora spiegare più che descrivere; enfatizza ancora il ruolo della generalizzazione all'interno della struttura teorica, e sottolinea non solo che è importante formulare ipotesi, ma anche verificarle alla luce dei dati. Rigetta il relativismo totale che sembra l'obiettivo della «Teoria critica» e guarda con sospetto agli archeologi strutturalisti (e di altro tipo) che pretendono di avere una visione privilegiata del «significato» nelle società antiche, o proclamano «princìpi universali di significato».

In questo senso, non accetta le pretese rivoluzionarie dell'archeologia postprocessuale, che rigetta le conquiste positive della *New Archaeology*; invece pone se stessa (i suoi critici non saranno naturalmente d'accordo) nella corrente principale del pensiero archeologico, diretta erede dell'archeologia funzionale-processuale di venti anni fa (e beneficiaria dell'archeologia marxista e di vari altri sviluppi).

L'archeologia cognitivo-processuale differisce dall'archeologia funzionale-processuale che l'ha preceduta per molti aspetti:

1. Nelle sue formulazioni cerca attivamente di incorporare informazioni sugli aspetti cognitivi e simbolici delle società primitive (*vedi* più avanti).
2. Riconosce che l'ideologia è una forza attiva all'interno delle società, che le spetta un ruolo in molte spiegazioni – come ha sostenuto l'archeologia neomarxista – e che agisce sulla mente dell'individuo.
3. La cultura materiale è considerata un fattore attivo nella costituzione del mondo in cui viviamo. Gli individui e le società costruiscono la propria realtà sociale, e la cultura materiale ha un posto integrante in quella costruzione. Questo punto è stato efficacemente sostenuto Ian Hodder e dai suoi colleghi.
4. Il ruolo del conflitto all'interno delle società è un elemento che deve essere tenuto più in considerazione, come hanno sempre sottolineato gli archeologi marxisti.
5. La prima e piuttosto limitata visione della spiegazione storica, essendo interamente legata all'individuo umano ed essendo spesso aneddotica, andrebbe rivista. Questo punto è ben esemplificato nel lavoro dello storico francese Fernand Braudel, il quale prendeva in considerazione i cambiamenti ciclici e le tendenze di lungo periodo alla loro base.
6. Può tener conto del ruolo creativo individuale senza ritirarsi nella mera intuizione o estrema soggettività tramite l'approccio filosofico conosciuto come individualismo metodologico.
7. Una visione troppo «positivista» della filosofia della scienza non può più essere sostenuta: i «fatti» non possono più essere visti come se avessero un'esistenza oggettiva indipendente dalla teoria. Al tempo stesso, oggi si riconosce che formulare «leggi di processo culturale» come se fossero leggi universali, simili a quelle della fisica, non dà buoni risultati per la spiegazione in archeologia.

Quest'ultimo punto deve essere ulteriormente approfondito. I filosofi della scienza hanno a lungo contrapposto due approcci alla valutazione della verità di un enunciato. Un approccio valuta l'enunciato mettendolo a confronto con i relativi fatti ai quali, se è vero, dovrebbe corrispondere (questo viene chiamato **approccio della corrispondenza**). L'altro approccio valuta invece l'enunciato giudicando se è o meno compatibile (o coerente, da cui la denominazione di **approccio della coerenza**) con altri enunciati che crediamo essere veri nel sistema di riferimento delle nostre convinzioni.

Ora, anche se ci aspettiamo che lo scienziato segua il primo dei due procedimenti, in pratica qualsiasi enunciato è basato su una combinazione dei due, in quanto si accetta che i fatti devono basarsi su osservazioni, e

le osservazioni non si possono fare senza utilizzare un qualche sistema di riferimento, che dipende a sua volta dalle teorie sul mondo. È più corretto pensare che i fatti modificano la teoria, piuttosto che utilizzare la teoria per determinare i fatti:

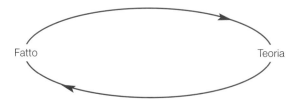

I seguaci dell'archeologia cognitivo-processuale, come i loro predecessori seguaci dell'archeologia funzionale-processuale, credono davvero che le teorie debbano essere verificate con i fatti; rifiutano il relativismo della «Teoria critica della società» e dell'archeologia postprocessuale degli anni Novanta, che sembra seguire interamente una coerente visione della verità. Ammettono tuttavia che il rapporto tra fatto e teoria sia più complesso di quanto alcuni filosofi della scienza riconoscessero quarant'anni fa.

Simbolo e interazione

È già stato detto che agli inizi la *New Archaeology* aspirava all'indagine delle strutture sociali, e i progressi fatti in quella direzione sono stati già analizzati nel Capitolo 5. Ma l'esame degli aspetti simbolici della cultura andò a rilento, ed è questo il motivo per cui si è recentemente sviluppata l'archeologia cognitivo-processuale.

Il ruolo del rituale religioso all'interno della società è stato indagato in modo nuovo negli ultimi trent'anni dallo studioso di antropologia culturale Roy Rappaport. Invece di cercare di immergersi nella società agricola della Nuova Guinea che stava studiando, per familiarizzarsi completamente con i significati delle forme simboliche di quella società egli seguì una strategia di distanziamento, di osservazione dall'esterno della società e di ciò che essa compie effettivamente (non ciò che dice di compiere) nel suo comportamento rituale. Questa posizione è utile per l'archeologo, che si trova sempre al di fuori della società che studia e che non ha la possibilità di discutere il significato con chi celebra il rito. Rappaport ha studiato il modo in cui il rituale è utilizzato in una società, e ha concentrato maggiore attenzione sul funzionamento dei simboli piuttosto che sul loro significato originario.

Il suo lavoro ha avuto una certa influenza su Kent Flannery, uno dei pochi della prima generazione di seguaci della *New Archaeology* a preoccuparsi di simboli. Il libro di Flannery, scritto a quattro mani con Joyce Marcus, dal titolo *Zapotec Civilization* [*La civiltà zapoteca*], del 1996, è uno di quei rari studi archeologici in cui problemi simbolici e cognitivi sono integrati con questioni di sussistenza e di economia e con aspetti di carattere sociale per dare una visione integrata della società. Questo grande progetto è descritto nei dettagli nel Capitolo 13.

È abbastanza chiaro che la religione e altre ideologie, come il comunismo moderno, sono state all'origine di grandi mutamenti, non solo per quanto riguarda il modo di pensare delle società, ma anche per ciò che attiene al loro modo di agire e comportarsi (e questo lascerà il suo segno nel documento archeologico). Il simbolismo ufficiale, e al suo interno il simbolismo religioso, è oggi il punto focale della ricerca in molte parti del mondo.

L'archeologia postprocessuale o interpretativa non si è dimostrata adatta alla spiegazione delle classi di eventi o processi generali poiché l'attenzione del pensiero post-processuale è sulle condizioni specifiche del contesto in questione e la validità di una generalizzazione più ampia o interculturale non è accettata. L'archeologia cognitivo-processuale, d'altro canto, è molto incline alla generalizzazione, e sicuramente all'integrazione dell'individuo nell'analisi come un attore attivo, come Kent Flannery ha dimostrato nel suo studio del 1999.

Due lavori recenti che si collocano nella tradizione processuale esemplificano bene l'enfasi che è ora posta sulla dimensione cognitiva o ideologica. Timothy Earle in *How Chiefs Come to Power* [*Come i capi arrivano al potere*], 1997, collegandosi al lavoro del sociologo Michael Mann, dedica diversi capitoli al potere economico e militare e all'ideologia come fonte di potere utilizzando tre casi di studio distinti: in Danimarca, nelle Hawaii e nelle Ande.

Inoltre in un recente lavoro collettivo sugli stati arcaici (Feinman e Marcus, 1998), che analogamente tratta l'argomento all'interno di una prospettiva comparativa, Richard Blanton ha esaminato le fonti di potere nei primi stati contrapponendo alla «base cognitivo-simbolica del potere» ciò che egli chiama la «base oggettiva del potere». La terminologia forse non è molto appropriata (chi, infatti, è posto a giudice dei confini di ciò che è oggettivo?), ma il risultato è quello di integrare pienamente la dimensione cognitiva all'analisi, assieme a problemi economici, piuttosto che trattarla come mero epifenomeno come era d'uso ai tempi dell'approccio funzionale-processuale. In questi lavori i limiti della precedente archeologia processuale sono stati trascesi e sono state studiate le radici del cambiamento in un contesto generalizzato dove alla dimensione cognitiva e simbolica viene dato pieno riconoscimento.

Il livello in cui l'approccio cognitivo-processuale e l'interpretativo possono convergere è illustrato dalle somiglianze tra la nozione di «partecipazione materiale» (nella prima tradizione) e «coinvolgimento materiale» (nella seconda), esemplificate in recenti discussioni circa lo sviluppo di una «religione» primitiva a Çatalhöyük e altri siti nello studio *Religion in the Emergence of Civilization* (Hodder, 2010).

AZIONE E RELAZIONI MATERIALI

Azione

Negli ultimi vent'anni abbiamo assistito a una sorta di convergenza fra gli archeologi che lavorano seguendo tradizioni concettuali differenti, cercando in varie maniere di conciliare il cognitivo e il simbolico da una parte con il pratico e il produttivo dall'altra. Uno degli scopi è quello di riconciliare l'intenzionalità o l'azione dell'individuo a breve termine con le conseguenze a lungo termine e spesso non pianificate delle azioni cumulative. L'intenzione è quella di tracciare un profilo grossolano dei processi di cambiamento, talvolta visti a un livello interculturale, con la struttura dettagliata delle storie della cultura specifica.

Il concetto di **azione** è stato introdotto per permettere la discussione del ruolo dell'individuo nella promozione del cambiamento (*vedi* Scheda 12.9), ma la finalità di questo termine non è sempre chiara, particolarmente quando viene utilizzata, come fa l'antropologo Alfred Gell, come una qualità che può essere assegnata ai manufatti così come alle persone. Le varie discussioni sull'azione chiaramente rispecchiano un'aspirazione da parte degli archeologi a chiarire il ruolo dell'attore individuale. Tuttavia trasferire i contributi dell'individuo nell'astrazione (in cui l'individuo non è più chiaramente evidente) talvolta sembra di dubbia utilità ed è difficilmente un vantaggio sull'individualismo metodologico di moda nella letteratura precedente. Come ha scritto John Robb, «il concetto di azione è notoriamente ambiguo» ma tocca problemi reali, proprio come accadde per il concetto di «libero arbitrio» dell'individuo nei vecchi dibattiti teologici.

Questi temi hanno condotto a gran discussioni di livello astratto, il che dimostra quanto sia difficile concettualizzare o definire l'individualità umana. Come ha detto Joanna Brück, «se una persona si è costituita attraverso i suoi legami con gli altri, non è mai un agente libero nel senso che ha la definizione nel liberalismo occidentale; in realtà le sue capacità d'azione derivano e non possono essere disgiunte dalle sue relazioni con gli altri. Pertanto, l'agire non si trova semplicemente dentro il perimetro del corpo umano ma sta all'interno del palcoscenico più ampio delle relazioni sociali che formano la persona» (Brück 2001, p. 655).

Se ne conclude che l'azione, come il potere, non è un tratto distintivo degli individui ma delle relazioni tra di essi, e che l'azione è fondamentalmente sociale. Come ha sottolineato John Robb, l'azione non è una capacità o una qualità universale ma si definisce entro contesti storici specifici; presumibilmente ne deriva che è un termine difficile da usare quando si fanno confronti interculturali o si cerca di formulare spiegazioni più generali dei cambiamenti.

12.9 L'individuo come attore del cambiamento

Steven Mithen ha sostenuto, in un suo libro sui cacciatori-raccoglitori (*Thoughtful Foragers*), che «portare l'attenzione sugli individui che operano le scelte è il modo per sviluppare delle spiegazioni adeguate in archeologia». John Barret, in un suo studio sul Neolitico e sulla prima Età del bronzo britannico (*Fragments from Antiquity*), sottolinea che le percezioni e le credenze degli individui erano parte integrante della realtà sociale, senza le quali il cambiamento non può essere adeguatamente compreso. Un approccio cognitivo (come è stato discusso nel Capitolo 10) è quindi visto come indispensabile per la comprensione del cambiamento. Kent Flannery ha recentemente posto l'accento sul ruolo dell'individuo come attore nel «dramma» storico con riferimento alla formazione delle società statali, allacciandosi a esempi documentati storicamente come la formazione dello stato Zulu nel Sudafrica e della società stato nelle Hawaii sotto il comando di Kamehameha I.

Un buon esempio di approccio che unisce le azioni individuali e il loro contesto simbolico è fornito dallo studio di John Robb sul cambiamento dell'Italia preistorica, dove indicazioni di disuguaglianze personali, come l'età, il genere e il prestigio, sono attentamente considerate e viene esaminata la prova per l'elaborazione di una gerarchia del genere maschile a ridosso dell'inizio dell'Età del bronzo. Come egli ha fatto notare, le incisioni rupestri trovate nelle Alpi sul Monte Bego e in Val Camonica (si confronti con le incisioni rupestri svedesi discusse nella Scheda 10.8) utilizzano immagini che simboleggiano alcuni concetti specifici: l'associazione e la ripetizione di cacciatori uomini, aratori uomini, bestiame e pugnali suggerisce che questi simboli erano primariamente usati per esaltare ed esprimere il genere maschile.

	Personaggio	Icona
Mascolinità	maschio	spada
Caccia/cattura di cervi	cervo	palchi
Aratura/controllo dei buoi	bue	corna

Robb si riallaccia a recenti teorie sul cambiamento sociale le quali sostengono che, benché le azioni di un individuo siano strutturate dal sistema sociale nel quale opera, le azioni specifiche costruiscono, ricostituiscono e cambiano quello stesso sistema sociale. In altre parole, i sistemi sociali sono sia *medium* che prodotto delle azioni delle persone.

Sulla base delle prove fornite dalle grotte di culto, dalle sepolture e dalle rappresentazioni umane come le statuette, Robb concluse che durante il Neolitico in Italia (6000-3000 a.C. circa) la società probabilmente conteneva «delle opposizioni cognitive bilanciate e complementari tra gli uomini e le donne». Come Ruth Whitehouse, ha indicato che le caverne di culto sembrano essere state usate sia dagli uomini sia dalle donne, anche se solo le attività maschili sembrano essere rappresentate nelle aree più interne. Le sepolture sono semplici inumazioni localizzate all'interno dei villaggi e senza corredo funebre. Tuttavia di solito gli uomini sono posizionati sul loro lato destro e le femmine sul loro lato sinistro. Le figurine ancora esistenti di questo periodo sono dominate dalle immagini femminili. Presi tutti assieme questi indizi di testimonianze suggeriscono che, benché le distinzioni di genere fossero importanti nella società neolitica, la gerarchia del genere non era presente.

12.25 Un esempio di incisione rupestre della Val Camonica: un cervo maschio con corna poderose viene cacciato da una figura maschile che regge una lancia; l'altro animale raffigurato è probabilmente un cane.

I cambiamenti nell'Età del bronzo e del ferro

Le opposizioni di genere bilanciate del Neolitico si trasformarono durante l'Età del rame e del bronzo (dopo il 3000 a.C.) in una gerarchia del genere che riteneva l'uomo superiore alla donna. La prova principale di ciò è il cambiamento che si può vedere nell'arte. Le statuette femminili spariscono; nelle rappresentazioni sulle steli e sulle pietre monumentali delle figure schematiche umane, gli uomini sono identificati con delle icone culturali, per lo più pugnali, mentre le femmine sono identificate con il seno. Nelle altre forme d'arte appaiono tre temi dominanti: armamenti, specialmente uomini con pugnali; immagini di caccia, in particolare animali maschi identificati dalle corna; e l'aratura, con il bue identificato dalle corna. Questa massiccia associazione della forma maschile con le icone culturali maschili (uomo/pugnale; maschio animale/corna; bue/corna) costruisce un sistema simbolico utilizzato per esaltare ed esprimere il genere maschile dal quale scaturisce un'ideologia del potere maschile. Allo stesso tempo, le donne, con la loro mancata rappresentazione o associazione con icone culturali, sono state lasciate «al naturale» e culturalmente non prese in considerazione. Robb, tuttavia, mette in guardia sul fatto che i simboli del genere maschile possono raccontare solo un aspetto di una complessa situazione riferita al genere.

Durante l'Età del ferro (dopo il 1000 a.C.) la gerarchia del genere dell'Età del bronzo diventò una gerarchia basata sulla classe sociale. A questo si arrivò con la trasformazione di una ideologia generalizzata della potenza maschile nella potenza aristocratica del guerriero, a cui si aggiungeva come complemento una nuova élite femminile. Ancora una volta i lavori artistici e le sepolture sono la fonte maggiore di testimonianze.

I corredi funebri disposti nelle tombe maschili ora comprendono spade, scudi e oggetti militari, piuttosto che semplici pugnali, mentre le steli, la statuaria (*vedi* il guerriero di Capestrano) e le raffigurazioni nelle arti rupestri privilegiano la pratica della guerra piuttosto che le immagini di caccia e di aratura. Ornamenti e fusaioli a gola appaiono nelle tombe femminili e le donne raffigurate sulle steli sono culturalmente marcate da vestiti e ornamenti, e non semplicemente dai seni. Questi ri-

12.26 Creazione dell'ideologia del potere maschile: il guerriero di Capestrano, statua a grandezza naturale, forse una statua funebre, ritrovata in Abruzzo e datata al VI secolo a.C.

trovamenti suggeriscono anche l'espansione del registro simbolico femminile per esprimere le distinzioni di classe.

Robb nel suo studio non vuole indagare sulle origini della disuguaglianza dei generi, ma getta luce sullo sviluppo della società nell'Italia preistorica. Allacciandosi ai concetti di significato e azione sociale, egli mostra come il sim-

bolismo del genere può avere motivato i maschi a prendere parte in diverse e mutevoli istituzioni come la caccia, la guerra, l'intensificazione economica e il commercio, e come queste istituzioni abbiano riprodotto l'ideologia del genere. Egli fa ciò senza ritirarsi minimamente nel relativismo e senza affidarsi alla pura «comprensione» empatica.

Materialità e relazioni materiali

L'idea che il cambiamento derivi da attività umane consapevoli e spesso premeditate è associata ai concetti recentemente sviluppati di coinvolgimento materiale o materializzazione. Essi cercano di superare il dualismo quando la discussione riguarda la sfera umana tra il pratico e il cognitivo, il materiale e il concettuale. Sicuramente la maggior parte delle innovazioni e dei cambiamenti a lungo termine nelle società umane, anche quelli tecnici, hanno sia una dimensione simbolica sia una materiale, che coinvolgono ciò che il filosofo John Searle chiama «fatti istituzionali», che sono essi stessi delle creazioni sociali.

La teoria delle relazioni materiali si concentra sul rapporto che l'individuo (o il gruppo) stabilisce con il mondo materiale, rapporto spesso mediato attraverso i manufatti, in genere prodotti dagli individui stessi. Come risultato di questo rapporto, vengono create strutture, soprattutto edifici e costruzioni complesse come le barche. Il processo di relazione naturalmente coinvolge interazioni con altri individui che a loro volta usano o producono manufatti.

La relazione materiale non si limita agli uomini, si verifica anche quando un uccello costruisce un nido; ma la relazione umana è consapevole e informata, nonché competente. Lambros Malafouris ha dimostrato come la conoscenza umana sia enunciata e recepita (*vedi* Capitolo 10); ha parlato di come il bastone di un cieco e la ruota di un vasaio allarghino il processo di relazione. Questo fenomeno naturalmente riguarda le varie tecnologie di produzione, comprese la caccia, l'agricoltura e la tecnologia del fuoco.

Come contributo al pensiero e al lavoro dell'archeologo, l'approccio che parte dalle relazioni materiali è pratico e realistico: infatti, i prodotti sopravvissuti di quella relazione costituiscono la vera merce dell'archeologo. Questo approccio è in sintonia anche con la recente attenzione alla materialità nell'ambito della ricerca antropologica e sociologica.

Riepilogo

- Un difficile ma fondamentale compito dell'archeologia è rispondere alla domanda «perché», e senza dubbio in molti si sono concentrati sulla ricerca del perché le cose cambino. Prima degli anni Sessanta del secolo scorso i cambiamenti della cultura materiale e sociale erano spiegati attraverso le migrazioni e la diffusione della cultura.

- L'approccio processuale della New Archaeology, che iniziò a prender piede negli anni Sessanta, tentava di isolare i diversi processi in azione all'interno di una società. Per spiegare perché una società era com'era, piuttosto che concentrarsi sui movimenti delle popolazioni come principale causa di cambiamento e sviluppo, i primi archeologi processuali guardarono maggiormente alle relazioni dell'essere umano con il suo ambiente, riguardo a sussistenza ed economia e agli altri processi in atto entro una società.

- L'archeologia processuale affronta spesso grandi questioni, tipo la nascita dell'agricoltura e le origini dello stato. In generale, spiegazioni multivariate (ossia, con molti fattori) sono migliori di quelle monocausali (con un solo fattore).

- L'archeologia marxista, concentrandosi sugli effetti della lotta di classe all'interno di una società, non entra in conflitto con le idee dell'archeologia processuale né fa archeologia evoluzionistica, che è centrata sull'idea che i processi responsabili dell'evoluzione biologica indirizzano anche i processi culturali.

- Come reazione all'approccio funzionalistico della prima archeologia processuale, negli anni Ottanta e Novanta si sono sviluppati i cosiddetti approcci postprocessuali, che enfatizzano la soggettività dell'interpretazione archeologica e si avvalgono del pensiero strutturalista e dell'analisi neo-marxista.

- Nuovi approcci cognitivo-processuali degli anni Novanta hanno cercato di superare alcuni dei limiti della prima archeologia processuale. Un maggiore rilievo è assegnato ai concetti e alle credenze delle società del passato e viene riconosciuta la difficoltà di testare ipotesi che riguardano le mutazioni culturali.

- Un contributo dell'archeologia contemporanea è tener conto dell'individualità quando spiega i cambiamenti. L'agire, definito come intenzionalità a breve termine di un individuo, può infatti avere conseguenze impreviste e a lungo termine e, che conducono a cambiamenti culturali. Un altro contributo è riconoscere il ruolo attivo della cultura materiale nelle modalità del rapporto umano con il mondo.

Letture consigliate

DeMarrais E., Gosden C. & Renfrew C. (a cura di), 2004, *Rethinking Materiality: The Engagement of Mind with the Material World*. McDonald Institute: Cambridge.

Dobres M.A., Robb J. (a cura di), 2009, *Agency in Archaeology*. Routledge: London.

Earle T., 1997, *How Chiefs Come to Power: The Political Economy in Prehistory*. Stanford University Press: Stanford.

Feinman G.M. & Marcus J. (a cura di), 1998, *Archaic States*. School of American Research Press: Santa Fe.

Gamble C., 2007, *Origins and Revolutions: Human Identity in Earliest Prehistory*. Cambridge University Press: Cambridge & New York.

Hodder I. & Hutson S., 2004, *Reading the Past*. (3rd ed.) Cambridge University Press: Cambridge & New York.

Johnson M., 2010, *Archaeological Theory: An Introduction*. (2nd ed.) Wiley-Blackwell: Chichester & Malden, MA.

Malafouris A. & Renfrew C. (a cura di), 2010, *The Cognitive Life of Things. Recasting the Boundaries of the Mind*. McDonald Institute: Cambridge.

Malafouris A., 2013, *How Things Shape the Mind, a Theory of Material Engagement*. MIT Press: Cambridge, MA.

Mithen S., 1996, *The Prehistory of the Mind*. Thames & Hudson: London & New York.

Morris I., 2010, Why the West Rules – For Now. The Patterns of History and What They Reveal About the Future. Farrar, Straus and Giroux: New York; Profile: London.

Renfrew C., 2003, *Figuring It Out: The Parallel Visions of Artists and Archaeologists*. Thames & Hudson: London & New York.

Renfrew C., 2007, *Prehistory: Making of the Human Mind*. Weidenfeld & Nicolson: London; Modern Library: New York.

Renfrew C. & Zubrow E.B.W. (a cura di), 1994, *The Ancient Mind: Elements of Cognitive Archaeology*. Cambridge University Press: Cambridge & New York.

Shennan S., 2002, *Genes, Memes and Human History*. Thames & Hudson: London & New York.

Whiten A., Hinde R.A., Stringer C.B. & Laland K.N. (a cura di), 2011, Culture Evolves. Philosophical Transactions of the Royal Society series B vol. 366, 938–1187. Royal Society: London.

Parte III
Il mondo dell'archeologia

I materiali fondamentali dell'archeologia e i metodi disponibili per stabilire un sistema di riferimento spazio-temporale sono stati esaminati nella Parte I di questo libro; la quantità di domande che possiamo porci sul passato e le tecniche utilizzabili per dar loro una risposta sono state illustrate nella Parte II. Qui, nella Parte III, il nostro scopo è vedere come queste diverse tecniche vengano messe in pratica; quando si lavora a un progetto sul campo si vorrebbe ovviamente riuscire a trovare una soluzione per ogni quesito (nessun archeologo si è mai proposto di rispondere a una domanda senza fare contemporaneamente importanti osservazioni per rispondere ad altre domande).

Nel Capitolo 13 si esamineranno cinque casi di studio scelti per illustrare come sia possibile porsi più domande contemporaneamente. In uno studio a carattere regionale l'interesse dell'archeologo è quello di localizzare le testimonianze del passato, di stabilire la sequenza cronologica dei resti rinvenuti, di indagare il contesto ambientale e la natura della società e, in ultima analisi, tutta la gamma di problemi che sono stati sollevati nei vari capitoli di questo libro. Qualunque direttore di un progetto di ricerca importante deve in un certo senso arrivare a un compromesso per essere in grado di seguire contemporaneamente diversi percorsi d'indagine. Qui lo scopo è illustrare, attraverso pochi esempi esplicativi, fino a che punto questi compromessi siano stati effettivamente raggiunti nella pratica, e anche con un certo successo. Ci auguriamo di trasmettere in questo modo ai lettori di questo libro almeno un po' del sapore della ricerca archeologica sul campo.

Qualsiasi indagine archeologica, anche se condotta su scala regionale, non può comunque essere considerata come isolata; essa non è infatti che una parte dell'universo dell'archeologia e perciò dell'intera società. L'ultimo capitolo di questo libro è quindi dedicato all'aspetto pubblico dell'archeologia, ovvero al rapporto etico, pratico e politico tra l'archeologo e la società in generale: dopo tutto, lo scopo dell'archeologia è quello di fornire informazioni, conoscenza e validi strumenti per capire il passato dell'umanità, e ciò non a beneficio del solo archeologo ma di tutta la società. La società fornisce all'archeologo i mezzi finanziari per lavorare e, in ultima analisi, è l'utente di quel lavoro. Questo rapporto merita di essere esaminato.

Il capitolo finale si prefigura lo scopo di offrire un qualche stimolo attraverso lo sguardo alla carriera di sei archeologi professionisti, molto affermati, che lavorano tutti in campi differenti e in aree geografiche diverse.

13

Archeologia in azione
Cinque casi di studio

In questo volume abbiamo cercato di esaminare i vari metodi impiegati dagli archeologi e i concetti che informano le loro indagini. Abbiamo tentato di porre in rilievo che la storia dell'archeologia è stata la storia di una ricerca in espansione, nella quale le scoperte fatte sul campo spesso possono essere meno importanti per il progresso di quanto lo siano i nuovi quesiti posti dagli studiosi e le nuove conoscenze acquisite. In questo modo il successo di un'impresa archeologica dipende in modo cruciale dalla nostra capacità di porre le domande giuste e di saper trovare il mezzo più efficace per dar loro una risposta.

È questa la ragione per cui i capitoli di questo volume sono stati ordinati in base a una serie di domande chiave. Inevitabilmente ciò ha comportato che ogni capitolo si concentrasse su un tema diverso. Nella realtà, il lavoro dell'archeologo non si configura esattamente così. Quando si è sul campo con il proprio piano di ricerca e con il fastello delle domande a cui si vorrebbe rispondere, si può effettivamente trovare qualcosa di completamente diverso da quello che ci si aspettava, anche se si tratta, è ovvio, di qualcosa comunque di molto importante. L'archeologo, scavando un sito pluristratificato, potrebbe essere interessato fondamentalmente a una sola fase di occupazione, magari proprio a quella iniziale; questo non gli dà in alcun caso il diritto di distruggere la stratificazione posteriore senza averla prima documentata. Poiché lo scavo è distruzione (come si dirà nell'ultimo capitolo), l'archeologo ha tutta una serie di responsabilità, alcune delle quali poco gradite, ma che non possono essere evitate. La pratica archeologica, a onor del vero, è spesso molto più complessa, e quindi più impegnativa, di quanto si possa immaginare.

Questo è vero soprattutto per quanto riguarda la fase organizzativa. Intraprendere un progetto sul campo richiede denaro, ma non rientra nei fini di questo libro esaminare le modalità di finanziamento e l'organizzazione di questi progetti. Come si vedrà nel Capitolo 15, i siti archeologici sono sempre più tutelati dalla legge, e spesso per iniziare una ricerca di superficie o uno scavo è necessario ottenere uno speciale permesso rilasciato dalle autorità competenti. C'è poi l'onere di reclutare un'efficiente squadra di scavatori; e che cosa dire del problema dei trasporti, del vitto e dell'alloggio? Poi, una volta terminato lo scavo, a chi spetta redigerne la relazione? E ancora, i fotografi sono all'altezza del loro compito, i reperti sono stati adeguatamente illustrati dai disegni, e chi finanzierà la pubblicazione? Questi sono i problemi di carattere pratico che l'archeologo che opera sul campo deve affrontare e risolvere.

Questo libro tratta anzitutto del modo in cui sono state acquisite le nostre conoscenze e di come siamo venuti a contatto – in termini filosofici – con l'epistemologia dell'archeologia. Per completare il quadro, è necessario osservare alcuni aspetti dell'archeologia in azione attraverso l'analisi di alcuni progetti concreti, dove le domande e i metodi sono diventati un tutt'uno e hanno prodotto, con l'ausilio delle relative discipline specializzate, autentici progressi nel nostro sapere.

Le domande che ci poniamo dipendono da quanto e da ciò che già conosciamo. Talvolta l'archeologo comincia il proprio lavoro in territori archeologicamente intatti, nei quali non è stata ancora intrapresa alcuna ricerca. Tali furono le circostanze nelle quali Charles Higham, specialista negli studi relativi al Sud-Est asiatico, diede inizio alle sue ricerche in Thailandia (si veda il quarto caso di studio «Khok Phanom Di: le origini dell'agricoltura del riso nel Sud-Est asiatico»).

D'altra parte, nella Valle di Oaxaca in Messico (il primo caso di studio), quando Kent Flannery e i suoi collaboratori iniziarono le ricerche, più di quarant'anni fa, la conoscenza dei meccanismi evolutivi di quella che possiamo definire «società complessa» era, per quanto riguarda la Mesoamerica, piuttosto scarsa, nonostante le grandi imprese degli Olmechi e dei Maya fossero ben note. Il lavoro del gruppo di Flannery ha comportato una formulazione continua di nuovi modelli e oggi rappresenta un ottimo esempio della verità lampante che fatti nuovi (i dati) conducono a domande nuove (e quindi a nuove teorie), e queste, a loro volta, determinano la scoperta di nuovi fatti.

Il secondo caso, che si occupa del progetto dei Calusa della Florida, studia il paradosso apparente di una società sedentaria, complessa, e potente che si basò quasi interamente sulla caccia, sulla pesca e sulla raccolta. Fino agli anni Ottanta del secolo scorso tutto ciò che si sapeva sui Calusa proveniva dalle fonti etnostoriche spagnole, ma l'archeologia sta trasformando ed espandendo le nostre conoscenze su molti aspetti di questa cultura preistorica.

Il nostro terzo caso-studio riguarda il progetto di ricerca del gruppo guidato da Val Attenbrow nell'Upper Margrove Creek, nell'Australia sud-orientale. Qui gli archeologi hanno tentato di studiare le tracce lasciate da piccoli gruppi di cacciatori-raccoglitori particolarmente mobili, e di definire le loro risposte tecnologiche nel tempo in relazione ai cambiamenti ambientali.

I miglioramenti conseguiti, nel corso degli ultimi 50 anni, nella conoscenza della preistoria australiana, e di quella asiatico-sudorientale, rappresentano uno dei più emozionanti progressi che hanno avuto luogo nella moderna archeologia. I progetti Upper Margrove Creek e Khok Phanom Di, con la loro stretta integrazione tra studi ambientali e studi archeologici, hanno giocato un ruolo importante in questa trasformazione.

Il quinto caso di studio si occupa del lavoro dello York Archaeological Trust nella città inglese di York. Questo progetto è di tipo molto diverso: dovendo confrontarsi con tutti i vincoli relativi all'ubicazione del sito in una moderna cittadina, l'équipe di archeologi ha deciso di presentare i suoi ritrovamenti al pubblico in una maniera discorsiva ed efficace: Jorvik, il suo centro visitatori, negli ultimi 25 anni è stato un punto di riferimento e di ispirazione per l'archeologia pubblica.

OAXACA: NASCITA E ASCESA DELLO STATO ZAPOTEC

La Valle di Oaxaca, negli altipiani meridionali del Messico, è molto nota per la grande città di Monte Albán, situata sulla cima di una collina, un tempo capitale dello stato Zapotec e famosa per la sua splendida architettura e per le lastre di pietra scolpite. Qui, dal 1930 in poi, le 18 campagne di ricerca condotte dal grande archeologo messicano Alfonso Caso hanno gettato per la prima volta le basi per la definizione della sequenza cronologica della regione. Negli ultimi decenni le ricerche sono state estese a tutta la valle con due progetti molto importanti, complementari e a lungo termine. Il primo, condotto da Kent Flannery tra il 1966 e il 1973 e poi continuato insieme con Joyce Marcus tra il 1974 e il 1981, si è rivolto ai periodi più remoti, quelli anteriori all'apogeo di Monte Albán, con lo scopo di chiarire le origini dell'agricoltura e l'evoluzione delle società complesse nella regione. Il secondo progetto, diretto da Richard E. Blanton, Stephen Kowalewski e Gary Feinman, ha concentrato l'attenzione sul periodo più tardo, quello che vede l'affermazione di Monte Albán.

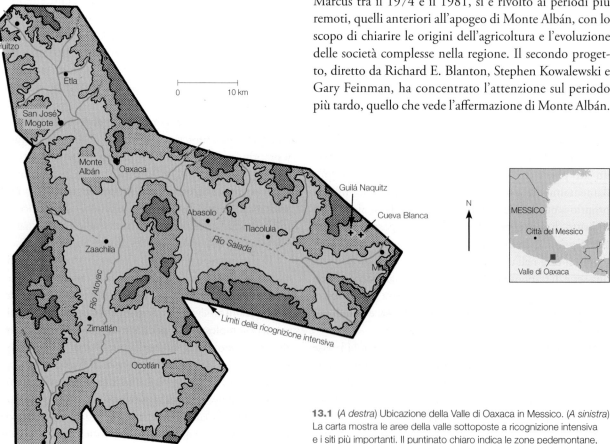

13.1 (*A destra*) Ubicazione della Valle di Oaxaca in Messico. (*A sinistra*) La carta mostra le aree della valle sottoposte a ricognizione intensiva e i siti più importanti. Il puntinato chiaro indica le zone pedemontane, quello più scuro le zone più marcatamente montuose.

Più avanti esamineremo il lavoro svolto nell'ambito di entrambi i progetti fino alla fine del Periodo formativo (100 d.C. circa) e vedremo come sia stata gettata nuova luce sull'origine dell'agricoltura, i processi di formazione dello stato nella Valle di Oaxaca e la progressiva affermazione dello stato Zapotec.

Il contesto

La Valle di Oaxaca è l'unica grande valle fluviale negli altipiani meridionali del Messico; si divide in due rami. Ha una forma di Y rovesciata ed è drenata da due fiumi. Circondata dalle montagne, è situata a un'altitudine compresa tra 1420 e 1740 m, in un ambiente semi-arido e semitropicale dove le precipitazioni oscillano notevolmente sia in modo prevedibile sia in modo imprevedibile di anno in anno, tra stagioni umide e stagioni secche.

Basandosi sul lavoro di Ignacio Bernal, che attraverso la ricognizione di superficie aveva già catalogato molti siti nella Valle, il progetto Flannery-Marcus cominciò col rilevare e localizzare quanti più siti antichi possibile in aree selezionate, prima di decidere dove effettuare gli scavi. Infatti le ricognizioni continuano ancora a rivelare nuovi siti archeologici in quest'area, man mano che il disboscamento del suolo e la costruzione di canali portano alla luce orizzonti sepolti. La ricognizione aerea è stata particolarmente utile perché permette di osservare attraverso la scarsa vegetazione e di identificare piccoli dettagli quasi a livello di singoli alberi.

Guilá Naquitz e le origini dell'agricoltura

Lo scavo del piccolo riparo sotto roccia di Guilá Naquitz (Rupe Bianca) fu intrapreso allo scopo di chiarire il passaggio da un'economia di raccolta del cibo a un'economia di produzione.

Ricognizione di superficie e scavo La raccolta in superficie di manufatti rinvenuti in più di 60 grotte della stessa zona ha fatto supporre che quattro di esse, compresa quella di Guilá Naquitz, avessero sufficiente quantità di materiale preceramico (come per esempio punte missili) e profondi depositi (fino a 1,2 m) da giustificare uno scavo completo. Dopo aver creato un migliore accesso al sito, furono effettuati alcuni sondaggi per determinare la sequenza stratigrafica, per stabilire se i livelli preceramici fossero presenti *in situ* e per valutare fino a che punto della sequenza si potessero trovare ancora resti vegetali conservati. La stratigrafia era complessa, ma allo stesso tempo molto chiara grazie alle forti variazioni di colore negli strati.

Ci si aspettava che la presenza di resti di cibo sarebbe stata abbondante perché il sito è posto nella zona più secca della Valle di Oaxaca. Il gruppo Flannery-Marcus scoprì in realtà che il grado di conservazione era straordinario,

13.2 Lavori in corso all'interno del riparo sotto roccia di Guilá Naquitz, nel 1966. Operai di Mitla, Oaxaca, appartenenti agli indiani Zapotec, scavano il livello D (il primo livello che ha restituito testimonianze di piante domesticate).

ma la scarsa densità dei manufatti significava che sarebbe stato necessario scavare in tutte o quasi tutte le piccole grotte per stabilire la natura delle associazioni di strumenti. Alla fine, tutta l'area interessata dall'occupazione del Periodo preceramico posta sotto il riparo roccioso della grotta fu rimossa scavando 64 quadrati di 1 m di lato. Il setacciamento sistematico del terreno di scavo permise di recuperare anche gli oggetti più piccoli.

La datazione Le date ottenute con il radiocarbonio dai frammenti di carbone rinvenuti a Naquitz hanno dimostrato che le superfici di abitato del Periodo preceramico vanno dall'8750 al 6670 a.C. (con una breve occupazione nel Periodo formativo e in quello post-classico, non ancora pienamente analizzata e pubblicata). La data dell'8750 a.C. è prossima alla supposta transizione dal Periodo paleoindiano, caratterizzato dall'estinzione della megafauna nel Pleistocene, al primo Periodo arcaico, con fauna dell'Olocene.

L'ambiente L'analisi dei campioni di polline prelevati in livelli diversi rivelarono una sequenza di cambiamenti avvenuti nella vegetazione della zona con fluttuazioni delle foreste spinose, dei querceti e delle pinete, e la probabile utilizzazione di risorse costituite da piante coltivate a partire da circa l'8000 a.C., affiancata alla raccolta di piante selvatiche fin dall'inizio della sequenza.

La microfauna recuperata – roditori, uccelli, sauri, chiocciole terrestri – fu confrontata con i loro rappresentanti moderni in quella regione per gettare ulteriore luce sull'ambiente del Periodo preceramico, che non differiva troppo, si è accertato, da quello odierno, eccettuati i cambiamenti provocati dagli esseri umani. Le caratteristiche del paesaggio attuale sono quindi pertinenti a qualsiasi interpretazione dell'antico modo di vita.

La dieta Poiché si riconobbe che nei siti scavati i roditori erano stati molto attivi, rosicchiando noci e semi, fu importante stabilire fin dall'inizio quanto cibo era stato portato sui siti dagli esseri umani. Nelle superfici di abitato le gallerie scavate dagli animali erano ben visibili e se ne poteva facilmente esaminare il contenuto: non vi fu trovato alcun prodotto normalmente rosicchiato, come le ghiande o le noci. Le specie di piante distribuite sul suolo mostravano uno schema di distribuzione di grandi aree di smaltimento dei rifiuti per opera dell'essere umano anziché le piccole cavità caratteristiche delle provviste alimentari dei roditori. Alcuni resti vegetali mostravano inoltre segni di preparazione del cibo. In breve, i ricercatori potevano essere certi che quasi tutte le risorse alimentari rinvenute nel sito vi erano state portate dagli esseri umani.

Sfortunatamente i sei campioni di feci rinvenuti nei livelli preceramici si dimostrarono tutti di origine animale (forse coyote o volpi). Comunque, queste creature avevano verosimilmente sottratto cibo dalla grotta, e quindi i resti di vegetali arrostiti (fico d'India e agave) presenti nelle loro feci fornirono ugualmente indizi per ricostruire la dieta umana.

Indicazioni più chiare sulla dieta furono ottenute con una combinazione di metodi. Questi comprendevano dati su resti animali e vegetali; censimenti delle piante moderne, che fornivano informazioni sulla densità, sulla stagionalità e sulle variazioni annuali delle varie specie presenti nell'area; e un'analisi degli alimenti presenti nel sito da un punto di

vista nutrizionale (valore calorico, proteine, lipidi, carboidrati). Ne risultò sia una dieta ipotetica per ogni superficie di abitato sia una stima della produttività dell'ambiente di Guilá Naquitz. Le informazioni ottenute furono riunite insieme per ricostruire quale fosse la «dieta media» degli occupanti delle grotte del periodo preceramico e per valutare l'area necessaria al loro sostentamento.

Furono recuperati più di 21 000 resti di piante identificabili, con una predominanza di ghiande, agave, baccelli e semi di *Prosopis iuliflora*, chiamata in spagnolo *mesquite*; decine di altre piante erano rappresentate in piccole quantità. Fu così chiaro che, nonostante l'ampia varietà di piante commestibili a loro disposizione, gli occupanti ne avevano adottate solo poche come cibo principale. Le ghiande venivano probabilmente immagazzinate dopo la raccolta autunnale per essere utilizzate durante l'anno, dato che uno dei fattori più importanti della vita in quella regione è la grande variazione stagionale nella disponibilità delle diverse risorse alimentari. Fu scoperto inoltre che i resti vegetali riflettevano, in ogni livello, il raccolto di un'area di grandezza variabile da pochi a qualche centinaio di metri quadrati.

Recentemente sono stati recuperati dal sito alcuni semi di *Cucurbita pepo* (un tipo di zucca), morfologicamente domesticati, e sono stati datati tramite la spettrometria di

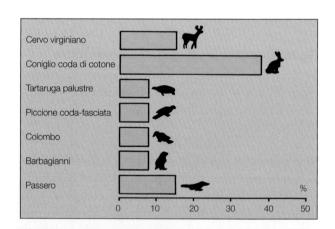

13.3-4 (*Sotto*) A Guilá Naquitz le piante, soprattutto ghiande, agavi, baccelli e semi di mesquite, erano il cibo prevalente. Il sito veniva occupato soprattutto da agosto (periodo di raccolta del mesquite) all'inizio di gennaio (fine della raccolta delle ghiande). (*A destra*) Animali che venivano consumati a Guilá Naquitz.

Piante	Aprile	Maggio	Giugno	Luglio	Agosto	Settembre	Ottobre	Novembre	Dicembre	Gennaio	Febbraio	Marzo	Quantità consumata (in grammi)	Kilocalorie rappresentate
ghianda di quercia													629	1812
agave													140	176
nopales													97	12
semi di zucca													54	19
nances													30	21
baccelli di mesquite				baccelli			semi immagazzinati						14	42
bacche (olmo della virginia)													13	4
frutti di fico d'India													12	9
"susi nuts"													5	30
fagioli			fiori		semi								3	4
pinoli													1	6
cipolle selvatiche			fiori						bulbi				1	0
zucca				fiori	semi								1	4

massa con acceleratore (AMS) a un periodo compreso tra
10 000 e 8000 anni fa; tale datazione risale a diversi millenni
prima di quella di altre piante domesticate in Mesoamerica
(come il mais, i fagioli ecc.). Due pannocchie di mais provenienti da Guilá Naquitz hanno prodotto una datazione
AMS di più di 6000 anni.

Per quanto riguarda le specie animali, almeno 360
frammenti identificati appartenevano ad animali cacciati, o catturati con trappole, per l'alimentazione. Questi
frammenti ossei furono contati sia come numero di frammenti (annotando le parti del corpo e la loro posizione
nella caverna) sia come numero minimo di individui (per
poter stimare la quantità di carne consumata o il territorio necessario per dar conto della presenza di quei resti:
vedi Scheda 7.6). Tutte le specie rinvenute sono tutt'oggi
comuni nella regione, o lo sono state fino all'arrivo delle
armi da fuoco. La maggiore fonte di carne sembra essere
stato il cervo virginiano.

Il bacino di approvvigionamento del sito (*site catchment*) di Guilá Naquitz fu calcolato nel modo seguente:
per il fabbisogno alimentare di vegetali non si superarono
probabilmente 5-15 ha; per cacciare i cervi ci si muoveva
su un'area di almeno 17 ha, mentre le materie prime si
portavano da una distanza fino a 50 km.

La tecnologia Trattandosi di un campo di dimensioni
ridotte, Guilá Naquitz non conteneva l'intera gamma di
strumenti litici conosciuti generalmente per il Periodo
preceramico nella Valle di Oaxaca. Dei 1716 frammenti
di pietra scheggiata recuperati dai livelli preceramici, non
meno di 1564 mancano di qualsiasi ritocco, il che significa
che la maggior parte era stata utilizzata «grezza», senza essere ulteriormente lavorata. Quasi ogni superficie di abitato

presentava la testimonianza di produzione di schegge a
forma di nuclei. Furono rinvenute solo 7 punte missili,
mettendo in dubbio la testimonianza fornita dalle ossa
animali e suggerendo che la caccia non doveva costituire
un'attività importante durante la stagione di occupazione
della caverna; raschiatoi laterali e coltelli potrebbero essere
stati utilizzati nella macellazione o nella preparazione del
cuoio. Un rilevamento delle fonti di approvvigionamento
della pietra ha mostrato che il materiale grezzo da cui fu
realizzata la maggior parte degli strumenti era disponibile
all'interno di una cerchia di pochi chilometri, anche se il
chert di più alta qualità era stato qualche volta ottenuto
da fonti distanti 25-50 km.

Si presume che la maggior parte delle pietre abrasive
venissero utilizzate come pietre molari per il trattamento
delle piante, poiché negli stessi livelli furono trovati resti di
piante alimentari. Si sono conservati anche materiali tessili
(reti, cestini e cordami, che rappresentano i campioni più
antichi della Mesoamerica datati con il radiocarbonio a
prima del 7000 a.C.) e pochi manufatti di legno, canna e
perfino cactus, comprendenti materiali per la preparazione
del fuoco e la costruzione dei manici degli strumenti. Qua
e là furono rinvenuti frammenti di carbone di legna, utilizzati dai ricercatori per la datazione con il radiocarbonio o
per determinare i tipi di legno preferiti come combustibile
dagli occupanti della grotta. Si è così scoperto che nel Periodo preceramico la scelta del legname veniva effettuata tra
un'ampia gamma di qualità, a differenza di quanto facevano gli abitanti della Valle di Oaxaca nel Periodo formativo:
essi infatti mostrarono più tardi una netta preferenza per
il pino, preferenza che continuò nell'èra coloniale e in
quella moderna e che probabilmente spiega la scomparsa
di quell'albero da certe regioni.

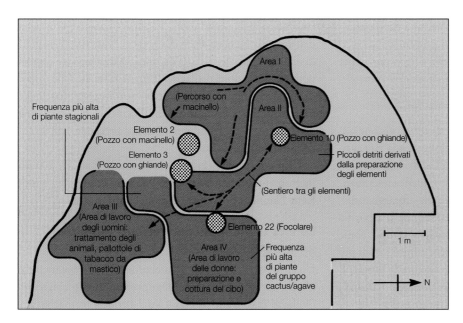

13.5 Ricostruzione delle aree di attività e dei percorsi della Zona D a Guilá Naquitz. L'Area I viene interpretata come un sentiero curvo con scarti di ghiande, di bacche, di olmo della Virginia (*Celtis occidentalis*) e di selce. Un altro sentiero, l'Area II, si snoda tra il deposito di ghiande e le aree dove si preparava il cibo. L'Area III potrebbe essere stata il luogo dove una o due persone (probabilmente uomini) trattavano gli animali. L'Area IV potrebbe essere stata utilizzata da una o due persone (probabilmente donne) per trattare e cucinare le piante stagionali e quelle appartenenti al gruppo cactus/agave.

L'organizzazione sociale e la divisione del lavoro La distribuzione del materiale sulle superfici di abitato fu sottoposta a tre analisi separate al computer per stabilire quali fossero le aree di attività e come fosse strutturata l'organizzazione del lavoro. Le aree di attività – gruppi (*clusters*) nella distribuzione – furono definite sulla base dell'associazione, cioè mostrando che un aumento di una variabile (per esempio i gusci di noce o i semi di *Celtis*) è un elemento che consente di prevedere un aumento o una diminuzione di altre variabili. Quindi i dati grezzi consistettero nelle frequenze di oggetti diversi presenti per metro quadro in ogni livello, convertite dal computer in mappe di densità.

Dopo l'analisi di sei superfici di abitato, emerse un certo numero di regolarità ripetitive che riflettono probabilmente regolarità nel modo in cui i compiti erano stati organizzati nella grotta. Queste regolarità sono piuttosto complesse e non possono essere divise in modo semplicistico in spazi di lavoro maschili e femminili; comprendono infatti aree destinate alla macellazione leggera, alla consumazione di piante crude, alla fabbricazione di strumenti, alla preparazione e alla cottura del cibo e allo scarico dei rifiuti. Tuttavia la ricerca etnografica suggeriva una qualche divisione delle aree di lavoro in base al sesso. Furono anche individuati i percorsi di entrata e di uscita dalla grotta.

Flannery e Marcus conclusero che Guilá Naquitz era un campo di dimensioni ridotte utilizzato da non più di quattro o cinque persone, forse da una sola famiglia. Era occupato soprattutto in autunno, tra fine agosto-inizio settembre (la stagione di raccolta del *mesquite*) e dicembre-inizio gennaio (il periodo finale della stagione di raccolta delle ghiande). L'attività più importante tra quelle che vi si svolgevano era costituita dalla raccolta di piante selvatiche, mentre la caccia aveva un ruolo di secondo piano rispetto ad altri siti; verso la fine dell'occupazione preceramica avvenne il passaggio alla produzione di alimenti. L'intero quadro delle attività svolte a Guilá Naquitz deve ora essere messo a confronto con i risultati provenienti da altri siti della regione e da altre regioni della Mesoamerica per stabilire quanto quei dati siano rappresentativi o insoliti per il periodo a cui si riferiscono.

Perché le cose sono cambiate? Per avere una visione migliore del processo che porta all'adozione di una vita agricola, Robert G. Reynolds elaborò un modello adattativo di simulazione al computer, nel quale una ipotetica microbanda composta da cinque raccoglitori di cibo («foraggiatori»), partendo da condizioni di ignoranza, imparava a poco a poco, per tentativi e in un lungo periodo di tempo, come programmare la raccolta delle 11 piante commestibili più importanti presenti nel territorio circostante la grotta. Il programma prevedeva che a ogni fase della simulazione i raccoglitori provassero a migliorare l'efficienza del modo di

procurarsi calorie e proteine, di fronte a un'imprevedibile sequenza di anni piovosi, secchi e con piovosità media, che facevano variare la produttività delle piante.

Le informazioni sul comportamento dei raccoglitori nel passato venivano reimmesse nella memoria del sistema e influenzavano le loro decisioni di modificare la strategia a ogni cambiamento. Quando il sistema raggiungeva un livello di efficienza tale da non poter essere sostanzialmente migliorato, nella simulazione venivano introdotte le piante agricole e l'intero processo ricominciava da capo. Venivano variate le priorità e si sviluppava un nuovo insieme di strategie; venivano saggiate anche le variazioni della frequenza degli anni piovosi, secchi e medi, nonché le variazioni dell'ammontare della popolazione.

I risultati di questo modello basato sulla teoria dell'intelligenza artificiale, con relazioni a *feedback* incorporate, furono che gli ipotetici raccoglitori di cibo sviluppavano un insieme stabile di programmi di raccolta delle risorse (uno per gli anni secchi e medi, l'altro per gli anni piovosi) che rispecchiavano fedelmente quelli di Guilá Naquitz, come li rispecchiavano i cambiamenti nell'uso delle risorse dopo l'introduzione di forme iniziali di agricoltura. Nella simulazione non furono utilizzate unità di tempo assoluto, poiché non è noto quanto tempo un gruppo reale avrebbe impiegato per arrivare alle medesime strategie, né fu introdotto nel sistema uno «stimolo» per l'agricoltura, come per esempio la pressione demografica o un cambiamento ambientale. Le risorse venivano semplicemente rese disponibili – come se provenissero da una regione vicina – e quindi adottate, prima negli anni piovosi e poi, una volta dimostratesi affidabili, anche in anni secchi e medi.

Quando il clima simulato cambiava drasticamente, o quando fu introdotta la crescita della popolazione, il tasso con cui nel sistema venivano adottate piante coltivate diminuì. Questo suggerisce che né il cambiamento climatico né l'aumento della popolazione bastano a spiegare la nascita dell'agricoltura nella Valle di Oaxaca. Piuttosto, i risultati di questa simulazione suggeriscono che una ragione importante per l'adozione dell'agricoltura nella regione era quella di aiutare a evitare gli effetti della variazione annuale delle scorte di cibo, e fu quindi semplicemente un'estensione della strategia già sviluppata in tempi precedenti all'introduzione dell'agricoltura.

Il progetto di ricerca svolto a Guilá Naquitz è stato interamente pubblicato nel 1986 in un volume a cura di Kent Flannery dopo oltre quindici anni di studio.

La vita di villaggio nel Periodo formativo antico (1500-850 a.C.)

Un'altra parte del lavoro di quel progetto, che è stata pubblicata con un certo grado di approfondimento, riguarda i villaggi della Valle di Oaxaca del Periodo formativo antico, l'epoca in cui cominciò a diffondersi nella regione una forma di vero insediamento permanente, con case dai muri a incannucciata ricoperta di fango o argilla. Lo scopo del progetto era quello di costruire un modello di come operava il villaggio antico, un modello che fosse capace di studiarlo a ogni livello, dalle caratteristiche e dalle aree di attività all'interno di una singola casa fino alle unità familiari, ai gruppi di case, agli interi villaggi, a tutti i villaggi di una valle e, infine, alle reti interregionali della Mesoamerica.

Insediamento e società L'équipe di Flannery cercò di ottenere un campione il più possibile significativo per ogni livello, per avere un'idea chiara dell'arco di variazione nei manufatti, nelle attività, nei tipi di insediamento ecc. Prima che si avviasse il progetto Oaxaca non era mai stata pubblicata una sola pianta di una casa del Periodo formativo antico. Il progetto, invece, ha recuperato 30 piante, parziali o quasi complete, insieme ad altre piante di fasi più recenti. Utilizzando la formula di Naroll (*vedi* Capitolo 11) si è potuto stabilire che queste case, di 15-35 m² di superficie, erano destinate a famiglie nucleari.

Per ogni casa si fece il rilievo delle aree di attività, che furono suddivise, in base ad analogie etnografiche, in aree di lavoro maschili e femminili. Dopo una dettagliata analisi, si poterono distinguere tre differenti tipi di attività familiari:

1. **Attività universali**, come procacciare, preparare e immagazzinare il cibo – nelle forme rivelate dagli strumenti utilizzati per la macinazione, dai sili e dai recipienti, nonché dai resti di cibo recuperati con lo scavo, la setacciatura e la flottazione; in questo gruppo furono classificati anche alcuni tipi di fabbricazione di strumenti.

2. Possibili **attività specializzate**: attività di cui si è trovata testimonianza solo in una o due case, e che comprendono la manifattura di certi tipi di strumenti in pietra e in osso.

3. Possibili **specializzazioni regionali**: attività rinvenute solo in uno o due villaggi all'interno della regione; queste attività comprendono la produzione di alcuni ornamenti di conchiglie o la lavorazione delle penne d'uccello; la produzione del sale era limitata ai villaggi che si trovavano nelle vicinanze di sorgenti saline, come Fábrica San José.

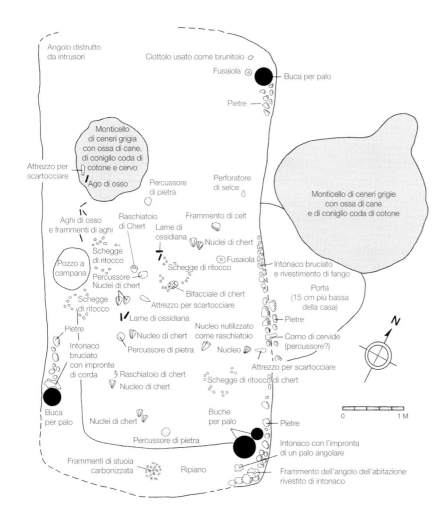

13.6-7 Oaxaca nel Periodo formativo antico. (*A sinistra*) Pianta di un'abitazione di Tierras Largas (900 a.C. circa) con alcuni manufatti rilevati *in situ*. (*Sopra*) Operai Zapotec versano una miscela di cenere, acqua e silicato di sodio in un setaccio fatto con una reticella d'ottone a maglie fini (del tipo usato come filtro nei carburatori per autoveicoli). Con la flottazione di frammenti di carbone da depositi di cenere in siti del Periodo formativo antico come Tierras Largas, si sono potuti recuperare chicchi di mais carbonizzati, fagioli, semi di zucca, semi di peperoncino e di fichi d'India e altri resti di cibo non visibili a occhio nudo durante lo scavo.

© 978.8808.82073.0

Il progetto produsse anche le prime planimetrie di un villaggio del Periodo formativo (principalmente quello di Tierras Largas). Inoltre, dallo studio emersero alcune testimonianze di differenze nello status sociale, in modo particolare nel villaggio di Santo Domingo Tomaltepec, dove un gruppo di abitazioni, appartenenti a un rango relativamente più elevato, avevano non solo un basamento costruito in *adobe* e pietra di qualità migliore, ma anche una quantità di ossa animali, di ossidiana e di conchiglie marine di importazione maggiore rispetto a quella dell'area delle case a incannucciata e fango, considerate di status inferiore. Significativamente, nell'area di status inferiore per fabbricare gli strumenti si usava il chert disponibile localmente (e quindi di minor prestigio). Altri villaggi potrebbero aver avuto un'area destinata agli edifici pubblici, sebbene la loro divisione in zone fosse meno rigida di quella dei siti dei Periodi classico e post-classico.

Sulla base del rilevamento dei siti si è potuto stabilire che gli insediamenti del Periodo formativo antico mostravano variazioni considerevoli nelle dimensioni. In circa il 90% dei casi si trattava di piccoli insediamenti, costituiti da pochi nuclei familiari (da uno a una dozzina), su una superficie massima di 12 ha, con al massimo 60 persone. La maggior parte dei villaggi conservò stabilmente quella dimensione per secoli, ma alcuni si ingrandirono: San José Mogote raggiunse 70 ha verso l'850 a.C., diventando il più grande insediamento della Valle di Oaxaca per quell'epoca e il centro di una rete di circa 20 villaggi. Flannery e Marcus supposero che la distanza di circa 5 km tra un villaggio e l'altro fosse determinata probabilmente da ragioni sociali, per evitare un sovraffollamento, piuttosto che da fattori ambientali o agricoli, in quanto la terra arabile disponibile avrebbe potuto facilmente sostentare un più fitto raggruppamento di siti. D'altra parte, fattori relativi al bacino di approvvigionamento del sito determinarono la precisa posizione di ciascun insediamento.

Le aree di approvvigionamento del sito e il commercio La ricerca fu in grado di stabilire per molti siti le aree di approvvigionamento. San José Mogote, per esempio, avrebbe potuto soddisfare le proprie necessità agricole entro un raggio di 2,5 km; le sue esigenze basilari di risorse di minerali e di alcune importanti piante selvatiche stagionali in un raggio di 5 km, mentre la carne di cervo, il materiale da costruzione per le abitazioni e i tipi di legna da ardere bisognava andarli a cercare a oltre 15 km. Il commercio con altre regioni portava prodotti esotici provenienti principalmente da un raggio di 50 km, ma talvolta potevano arrivare da fonti distanti fino a 200 km.

Il commercio dell'ossidiana sembra essersi svolto, nel Periodo formativo antico, in una forma di scambio alla pari, cui partecipavano tutti i villaggi. Dalle sue varie fonti di approvvigionamento quel prodotto viaggiava lungo reti concatenate di villaggi, per essere poi distribuito tra i nuclei familiari di ciascuna comunità. Le conchiglie non lavorate venivano portate dalla costa e a quanto pare trasformate in ornamenti nei villaggi più grandi a opera di specialisti parttime che erano anche agricoltori, come è suggerito dalla gamma di materiali rinvenuti sui pavimenti delle loro abitazioni.

Che cosa pensavano? Che aspetto avevano? Il progetto su Oaxaca nel primo Periodo formativo prese in esame anche le testimonianze relative alla religione e alla sepoltura. Da uno studio del contesto è stato possibile distinguere i manufatti e le strutture necessarie per l'espletamento dei rituali a tre livelli: quello individuale, quello connesso al nucleo familiare e, infine, alla comunità.

Per quanto riguarda il livello della **comunità**, solo certi villaggi erano dotati di strutture che possiamo considerare più edifici pubblici che residenze; si è ipotizzato che alcune delle attività che vi si svolgevano avessero una natura cerimoniale e servissero presumibilmente anche i piccoli villaggi dei dintorni. È probabile che le trombe di conchiglia e i tamburi di tartaruga che sono stati ritrovati, importati dalle pianure costiere, avessero nel rituale una funzione a questo livello comunitario (l'etnografia locale sostiene questo punto di vista).

A livello del **nucleo familiare** elementi come i misteriosi bacini poco profondi, intonacati a calce, all'interno delle abitazioni sono stati interpretati come rituali (o almeno non funzionali), anche per la presenza di statuette degli antenati e di danzatori in costume e mascherati. I responsabili degli scavi pensano ora, basandosi su fonti etnografiche, che i bacini erano utilizzati per la divinazione. Dopo averli riempiti di acqua le donne buttavano dei chicchi di mais o dei fagioli sulla superficie per poi interpretarne i disegni. L'etnografia e l'etnostoria suggeriscono che le lische di pesce fossero utilizzate in rituali personali di automutilazione e salasso; lische di pesce di mare erano importate nella vallata per questo preciso scopo.

A livello dell'**individuo** le sepolture, come le abitazioni, indicano che l'ordinamento gerarchico costituiva un *continuum* dal semplice al complesso piuttosto che un rigido sistema di classi. Il cimitero fuori del villaggio di Santo Domingo Tomaltepec aveva più di 60 tombe di 80 individui, di 55 dei quali si individuarono sesso ed età. Non c'erano neonati (che di solito venivano sepolti vicino a casa) e c'era un solo bambino. La persona più anziana aveva 50 anni; maschi e femmine erano grosso modo presenti in pari numero, ma la maggior parte delle donne era morta tra i 20 e i 29 anni, mentre la maggioranza degli uomini superava i 30 anni.

Tutte le deposizioni si presentavano a faccia all'ingiù e quasi tutte erano rivolte verso est, la maggior parte in posizione distesa. Solo pochi maschi erano in posizione flessa e, sebbene costituissero solo il 12,7% del cimitero, possedevano il 50% dei vasi di pregio, l'88% delle perle di giada e un'alta percentuale delle tombe era coperta da lastre di pietra. È abbastanza chiaro che questo gruppo deteneva uno status sociale speciale.

Sviluppi sociali nel tardo Periodo formativo (850 a.C.-100 d.C.)

I piani di ricerca per i due progetti a lungo termine cominciati da Kent Flannery e da Richard Blanton si ponevano come obiettivo finale l'identificazione dei processi che condussero alla nascita delle società con gerarchie ereditarie e all'evoluzione dello stato Zapotec.

Richard Blanton, Stephen Kowalewsky, Gary Feinman e i loro collaboratori condussero ricognizioni di superficie intensive sugli insediamenti dell'intera vallata utilizzando i metodi originariamente sperimentati per la prima volta nella Valle del Messico; in seguito disegnarono carte delle fasi che si erano succedute. Condussero anche una ricognizione molto dettagliata del sito di Monte Albán che, si

scoprì, era stato un centro di nuova fondazione intorno al 500 a.C. ed era diventato subito il centro più importante della regione. Nel frattempo, gli scavi diretti da Flannery che abbiamo già menzionato, condotti su non meno di nove villaggi, fornivano la testimonianza dello sviluppo di abitazioni, silos, aree di attività, sepolture e altri elementi durante il Periodo formativo. La sussistenza fu nuovamente al centro dell'interesse dei ricercatori, che svolsero un notevole lavoro su semi carbonizzati, ossa animali e resti pollinici, utilizzando anche l'analisi del bacino di approvvigionamento del sito.

Si indagò l'organizzazione sociale mettendo a confronto le abitazioni di periodi successivi, studiando le sepolture e considerando gli edifici pubblici per documentare l'evoluzione delle diverse istituzioni dello stato Zapotec dalle più generiche istituzioni dei tempi precedenti. La scrittura geroglifica zapotec antica fu un importante campo di indagine, e gli studi sugli elementi decorativi della ceramica intrapresi da Stephen Plog suggerirono che, quando si svilupparono complesse reti regionali di siti, certi gruppi di

13.8-10 I *danzantes* (danzatori), ora interpretati come prigionieri uccisi. (*Sopra a sinistra*) L'origine di questi rilievi si può ricondurre a questa figura tratta dal Monumento 3 di San José Mogote, datato alla fase Rosario (600-500 a.C.). (*Sopra a destra*) Il più grande edificio pubblico di San José della fase Rosario; l'operaio si trova accanto alla struttura 28. (*A destra e in basso*) Fotografia di uno dei *danzantes* di Monte Albán e disegno ricostruttivo della loro probabile collocazione nella struttura (500-200 a.C. circa).

© 978.8808.82073.0

piccoli nuclei utilizzarono in comune i servizi di un locale centro amministrativo-cerimoniale.

Già nel Periodo formativo antico, come si è già notato, il sito di San José Mogote era divenuto preminente nella regione; fu però solo nel successivo Periodo formativo medio (850-500 a.C.) che si osserva, attraverso la ricognizione dei siti, una gerarchia di insediamento a tre piani. La gerarchia dei siti in quel periodo fu identificata in base alle dimensioni dei siti stessi, e non vi sono chiare indicazioni di funzioni amministrative; le funzioni cerimoniali sono invece assai più chiare. San José Mogote raggiunse il suo massimo sviluppo come centro leader, punto di riferimento per una ventina di villaggi, con una popolazione totale di forse 1400 persone. Vantava un'acropoli occupata da edifici pubblici costruiti su una collina naturale modificata; un ritrovamento molto importante (dal Monumento 3) fu una lastra scolpita raffigurante una figura umana in atteggiamento scomposto (*vedi* illustrazione).

Questa lastra è una di quelle scoperte che portano con sé numerose implicazioni, e anticipa altre 300 o più lastre, rinvenute a Monte Albán nelle fasi successive e anch'esse scolpite con figure umane (i cosiddetti *danzantes*, ora interpretati come prigionieri assassinati). Scoprire a San José Mogote un precursore di queste raffigurazioni prima del 500 a.C. è un fatto di estremo interesse; inoltre, potrebbe essere una prova che in quest'epoca così antica avveniva il sacrificio di prigionieri. Tra i piedi della figura di San José

ci sono segni che potrebbero essere interpretati o come la data o come l'onomastico «Uno Terremoto»: ciò indica che il calendario di 260 giorni era già in funzione (*vedi* Scheda 4.1).

Monte Albán L'importante sito di Monte Albán fu fondato intorno al 500 a.C. su una montagna della «terra di nessuno» tra due diverse ramificazioni della vallata. La sua fondazione potrebbe essere il risultato di una confederazione tra San José Mogote e altre città del nord e centro valle. Tuttavia non erano uniti al centro rivale di Tilcajete, situato nella parte sud della valle e fortificato da una cinta di mura. Il lavoro fatto da Charles Spencer ed Elsa Redmond mostra che Monte Albán attaccò Tilcajete almeno due volte, sconfiggendola attorno al 20 d.C. e incorporandola nello stato Zapotec.

Al tempo della fase II di Monte Albán (200 a.C.-100 d.C.), le testimonianze sullo stato Zapotec sono chiare. Monte Albán era diventata una città nella quale i sovrani risiedevano in palazzi; i templi, con numerosi sacerdoti, dovevano trovarsi sia qui sia in altri centri secondari e terziari. Iscrizioni cerimoniali con testi disposti su numerose colonne fanno la loro apparizione sugli edifici: sono state interpretate come un elenco degli oltre 40 luoghi sottomessi da Monte Albán.

Questa concezione della nascita dello stato fa volgere l'attenzione sulla precedente fase I di Monte Albán, com-

13.11 Veduta della piazza centrale di Monte Albán, sulla quale si affacciano i resti restaurati di numerosi templi. Fu fondata sulla sommità di una montagna nel 500 a.C.

presa tra il 500 e il 200 a.C. Purtroppo la testimonianza fornita direttamente dal sito di Monte Albán non è affatto chiara; nonostante questo si può affermare che il sito era piuttosto grande, e verso la fine della fase I doveva contare circa 10 000-20 000 abitanti. Le 300 lastre scolpite con figure di *danzantes* appartengono a questa fase. Fortunatamente le testimonianze provenienti da Monte Albán possono essere integrate da indicazioni che giungono da centri secondari contemporanei, come quello di San José Mogote.

Conclusioni

La chiave di questa analisi della nascita della società statuale nella Valle di Oaxaca è stata una sicura cronologia, basata in primo luogo sullo studio degli stili ceramici; in seguito, le date ottenute con il radiocarbonio hanno fornito una cronologia assoluta. A quel punto potevano essere studiate le fasi di crescita dell'insediamento.

La prima componente del successo dei progetti su Oaxaca è stato l'uso della **ricognizione di superficie intensiva** per l'indagine sugli insediamenti; in definitiva, a tutte le altre strategie di campionamento fu preferita la ricognizione completa della vallata. La seconda, il rigoroso **approccio ecologico**, decisivo per quanto riguarda i periodi più antichi, quando si sviluppò l'agricoltura, ma importante anche per fasi più tarde, quando furono introdotti sistemi di intensificazione come l'irrigazione. Poi, la grande importanza data all'**organizzazione sociale** (utilizzando testimonianze fornite dalla gerarchia degli insediamenti, dalle differenze nelle abitazioni all'interno degli insediamenti e dalle sepolture), e alla **religione** e ai **sistemi simbolici**, secondo il dettato della moderna archeologia cognitivo-processuale. Ciò è chiarito bene da Kent Flannery, Joyce Marcus e dai loro colleghi nei libri da loro curati, *The Cloud People* (1983) e *Zapotec Civilization* (1996), che mostrano anche il loro impegno per la pubblicazione completa e accessibile della ricerca. I progetti su Oaxaca sono dunque di particolare interesse sia per i metodi applicati sia per i risultati conseguiti.

I CALUSA DELLA FLORIDA: UNA SOCIETÀ COMPLESSA DI CACCIATORI-RACCOGLITORI

I Calusa della costa del golfo sud-occidentale della Florida costituiscono un esempio insolito di società sedentaria, centralizzata e politicamente efficiente, basata quasi interamente su pesca, caccia e raccolta. Quando gli Europei arrivarono per la prima volta in quest'area nel 1500 d.C. furono sorpresi di trovare una società così avanzata e potente. Una popolazione di circa 20 000 abitanti viveva allora in città permanenti, tra costruzioni in terra e templi, praticando una religione complessa e spostandosi con canoe lungo grandi canali che attraversavano tutta le regione.

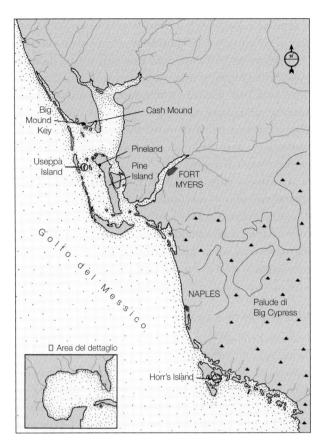

13.12 Mappa del sud-ovest della Florida che mostra i principali siti e locazioni menzionati nel testo con una mappa di localizzazione per identificare le aree in dettaglio.

13.13 Ricostruzione artistica delle case e delle canoe dei Calusa. In questo modo i Calusa si spostavano su distanze molto lunghe utilizzando una rete di canali artificiali.

Il progetto Calusa del Florida Museum of Natural History, diretto dal 1983 da William Marquardt, fu pensato per studiare tutti gli aspetti di questa importante, anche se poco conosciuta, cultura preistorica e per scoprire come una società così complessa e sofisticata poté svilupparsi e fiorire senza il ricorso all'agricoltura. Il progetto era anche interessato a esaminare le interazioni umane con l'ambiente e a capire l'impatto sui Calusa del contatto con gli Europei.

Il territorio dei Calusa, nella zona degli estuari del sud-ovest della Florida, si trova in un ambiente sub-tropicale della costa, ricco di pesci e molluschi, e con un'abbondante fauna selvatica come cervi, tartarughe e procioni. Inoltre è disponibile una varietà di piante che i Calusa utilizzarono come cibo, come medicamenti e come materiale per una grande varietà di oggetti.

La maggior parte delle informazioni di cui si era a conoscenza proveniva da fonti etnostoriche sotto forma di testi di autori spagnoli del XVI e XVII secolo. Gli archeologi cominciarono a lavorare nell'area alla fine del XIX secolo ma, nonostante le loro informazioni fossero di grande valore, solo pochi scavi erano stati fatti e ben poco si conosceva sui Calusa prima di questo progetto.

Ricognizione e scavo

I resti archeologici consistono in una vasta area di piattaforme, tumuli (*mounds*), piazze e canali ben conservati. Ci sono alcune prove che i tumuli furono costruiti seguendo delle precise idee architettoniche e non semplicemente accumulati nel tempo. Alcuni dei tumuli sono *middens*, che rappresentano secoli di scarichi di rifiuti della vita quotidiana, fatti quasi esclusivamente di *Buccinidae* (molluschi gasteropodi) e conchiglie di strombo assieme a ossa, ceneri, cocci di vasi e immondizia. Un sito, il Big Mound Key, è un accumulo di conchiglie esteso più di 15 ha e rappresenta uno dei più vasti siti archeologici singoli nel mondo. Nei terreni acquitrinosi le condizioni di conservazione sono molto buone e i sedimenti contengono manufatti che in genere non si riescono a conservare in ambienti secchi, tra cui anche alcuni antichi resti botanici che non sono stati ritrovati in nessun'altra parte del Nord America.

La ricognizione sia delle aree costiere sia di quelle fluviali è ancora molto incompleta. Indagini archeologiche sono state portate a termine in diversi luoghi, tra i quali Buck Key, Galt Island, Cash Mound, Horr's Island, Useppa Island e Big Mound Key, ma molta attenzione è stata data al Pineland Site Complex, su Pine Island. Esteso circa 81 ha, questo complesso comprende un gruppo di siti che si collocano in un arco temporale di più di 1500 anni, dal 50 d.C. in poi, tra cui tumuli sepolcrali di sabbia, un canale artificiale e una serie di enormi accumuli di conchiglie. Quando, nel 1896, l'antropologo Frank Cushing lo visitò, occupava un'area ancor più grande di quella che ricopre ora e il canale era ancora largo 9 m e profondo 1,8 m.

Al fine di recuperare qualche informazione sulle modificazioni del sito nel tempo, il terreno fu trivellato per raccogliere campioni di *midden* e altri sedimenti i quali, insieme con rilevamenti radar del sottosuolo, hanno aiutato a definire l'estensione del deposito archeologico sottostante. Il carotaggio è stato anche usato per raccogliere dati ambientali al fine di studiare l'antico clima e la stagionalità delle risorse naturali.

L'area analizzata dal progetto è stata occupata da insediamenti umani per 12 000 anni. *Middens* di conchiglie cominciarono ad accumularsi sulle creste delle dune di Horr's Island intorno al 5000 a.C., come mostrano le datazioni ottenute dai gusci di ostriche accumulati vicino al fondo dei *middens*, e intorno al 4500 a.C. su Useppa Island, dove l'innalzamento del livello del mare ha inondato ogni sito che giace sotto il livello di costa del Periodo medio arcaico o precedente (prima del 5000 a.C.). Intorno al 2800 a.C. un sito su Horr's Island era già occupato per tutto l'anno da gente che sfruttava un'ampia varietà di pesci e di molluschi. Datazioni col metodo del radiocarbonio compiute su alcuni manufatti rinvenuti a Pineland hanno evidenziato che il sito è stato occupato dal 50 d.C. circa al XVIII secolo.

13.14 I resti archeologici dei Calusa consistono in una vasta area di piattaforme, tumuli, piazze, canali e anche vasti *middens* ben conservati: secoli di detriti accumulati nella vita di tutti i giorni. Questo è il tumulo di Browns, alto 9 metri, nel sito di Pineland.

13.15 Le condizioni di conservazione dei depositi impregnati d'acqua erano eccellenti. Qui i membri dell'équipe di scavo stanno lavorando sul legno e sul cordame.

All'inizio della ricerca alcuni membri dell'équipe crearono un *midden* sperimentale nel quale misero pesci, molluschi e altri resti di animali. Una volta al mese osservavano cosa stava accadendo al materiale depositato. Scavi fatti dopo un solo anno di esposizione mostrarono che soltanto il 77% dei pesci e dei molluschi depositati fu ritrovato: le perdite erano soprattutto dovute agli uccelli, che mangiavano velocemente il pesce crudo mentre lasciavano quello cotto.

Paleoclimi e stagionalità

Gli estuari della costa del golfo così come li conosciamo oggi, attorniati da alberi di mangrovie, si formarono circa 6000 anni fa. La posizione di antichi villaggi indiani in relazione ai livelli attuali del mare può aiutare a tracciare l'innalzamento e l'abbassamento dell'oceano durante i

millenni. Per esempio a Pineland *middens* che datano al 100-300 e 500-700 d.C. sono oggi inondati di acqua nella parte inferiore del sito, mostrando che il livello del mare deve essere stato più basso nei periodi nel quali i *middens* furono realizzati.

Spugne e ostriche crestate sono attendibili indicatori della quantità di sale presente nell'acqua dell'estuario e, dal momento che il contenuto salino dell'acqua dipende anche dall'innalzamento e dall'abbassamento del mare, le conchiglie recuperate a Cash Mound suggeriscono che intorno al 270 d.C. il livello del mare era più alto di oggi e che si è abbassato entro il 680 d.C.

Studi preliminari sulla chimica delle conchiglie di molluschi, che sono buoni indicatori della temperatura (*vedi* Capitolo 6), suggeriscono che il periodo tra il 500 e il 650 d.C. fu il più freddo vissuto dai Calusa, con inverni in media dai 2,2 ai 3,4 °C più freddi di quelli della Piccola Glaciazione (1350-1500 d.C.). Le conchiglie di molluschi forniscono anche informazioni sulla stagione di raccolta: per esempio, 51 conchiglie recuperate da uno scavo a Josslyn Island nel 1987 sono state raccolte tra il tardo inverno e l'inizio di primavera.

Analisi condotte su carboni di legna hanno rivelato che le mangrovie nere, i platani americani e i pini erano comunemente usati come legna da ardere, mentre alcune incisioni recuperate a Key Marco e a Pineland sono fatte su legno di cipresso.

Dieta

Documenti spagnoli indicano che i Calusa non facevano crescere raccolti e quasi tutti i resti archeobotanici rinvenuti finora si riferiscono a piante non domesticate (sebbene ci sia qualche evidenza che piccoli orti casalinghi siano stati

13.16 La curva media proposta per il livello del mare nel sud-ovest della Florida basata sulla geocronologia, la geomorfologia e l'elevazione degli insiemi di crinale della spiaggia che formano le isole esterne.

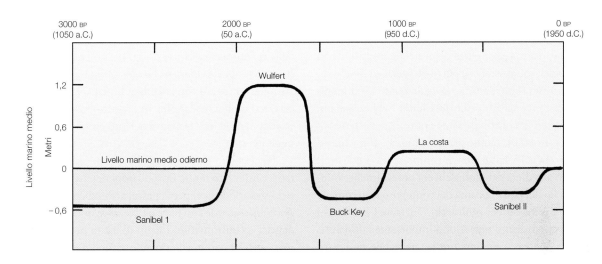

© 978.8808.82073.0

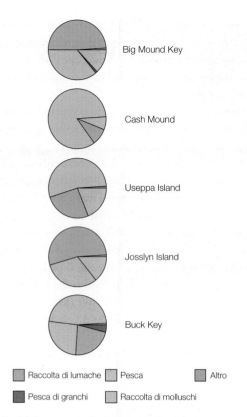

Raccolta di lumache · Pesca · Altro

Pesca di granchi · Raccolta di molluschi

13.17 Grafici che mostrano le variazioni dell'attività di sussistenza stimata nei vari siti, basate sul minimo numero di individui per la risorsa sfruttata.

coltivati entro il 100 d.C.). Frammenti bruciacchiati di legno e semi hanno rivelato che i Calusa raccoglievano e mangiavano piante selvatiche come *Caccoloba uvifera*, frutti di cactus, *Sabal palmetto* e varie radici e semi.

A Pineland, scavi di *middens* aquitrinosi datati intorno al 100-300 d.C. hanno portato alla luce centinaia di semi tra i quali anche quello del peperoncino (*Capsicum*, il primo identificato negli Stati Uniti orientali), della papaya (la prima trovata nel Nord America), e di zucche e zucchine selvatiche. La dimensione e la consistenza dei semi di papaya suggerisce che questa specie sia stata manipolata dai residenti ed è possibile che la stessa cosa sia successa al peperoncino e ad alcune varietà di zucchine.

Testimonianze scritte e archeologiche rivelano che il pesce forniva la maggior parte del nutrimento: più di 30 specie di pesci, squali e razze e più di 50 specie di molluschi e crostacei sono state identificate analizzando i sedimenti dei siti preistorici nella regione dei Calusa. Sebbene alcuni cumuli costieri di conchiglie siano enormi, con estensioni superiori a un ettaro (come già menzionato, Big Mound Key copre circa 15 ha) e altezze comprese fra 3 e 7 m, il contributo alla dieta dei molluschi era notevolmente inferiore a quello del pesce, a causa del contenuto nutrizionale relativamente basso dei molluschi. Tuttavia i molluschi devono aver costituito una risorsa importante, affidabile, facile da raccogliere e abbondante; le tartarughe e un certo numero di animali selvatici costituivano solo un supplemento alla dieta principale.

Gli otoliti (parte dell'apparato uditivo) di trote di mare, pesci rossi e pesci gatto mostrano, attraverso il confronto con esemplari moderni, la stagione di sfruttamento di questi pesci (*vedi* Capitolo 7). Insieme con le analisi degli andamenti di crescita stagionale nelle conchiglie e nelle lische di pesce, essi rivelano che i Calusa, durante il Periodo arcaico (6500-1000 a.C.), vivevano su Horr's Island per tutto l'anno, raccogliendo capesante in estate e catturando pesci in autunno.

Si pensa che furono queste abbondanti risorse naturali, disponibili tutto l'anno e ben comprese dai Calusa, che permisero loro di raggiungere un certo livello di complessità sociale, pur non basandosi sull'agricoltura, come di solito avviene altrove. È anche possibile che i Calusa siano stati in grado di aumentare la quantità di pescato costruendo dighe, trappole e appositi bacini.

Tecnologia

A Key Marco, nel 1896, gli scavi nel sito aquitrinoso portarono alla luce àncore, reti, corde e funi ancora ben conservate. Bastoncini di legno di cipresso e bottiglie fatte di zucche vuote venivano usati come galleggianti, mentre grandi gusci di *Buccinidae* e pezzi di pietra calcarea venivano utilizzati come ancore e le conchiglie più piccole come pesi per le reti. Numerose spine di osso probabilmente fungevano da parte uncinata negli ami per la pesca.

Quasi 90 tipi diversi di manufatti venivano prodotti con le conchiglie, incluse asce, asce a lama ricurva, martelli, tazze, ciotole e attrezzi per lavorare il legno e le conchiglie. Gli scavi a Useppa Island portarono alla luce la pavimentazione di un laboratorio di 3500 anni fa (alla fine del Periodo arcaico medio) che conteneva i prodotti di scarto che sono associati a ogni stadio della lavorazione di attrezzi fatti con conchiglie.

Lo scavo di un *midden* a Pineland, datato al 100-300 d.C., ha fornito numerosi reperti in legno e frammenti di cordame realizzato con palme intrecciate.

Dal 500 a.C. fino al XVI secolo d.C. la maggior parte della ceramica era formata da oggetti non decorati e di consistenza sabbiosa chiamati *Glades Plain*, oppure da oggetti semplici temperati con la sabbia. L'analisi ha mostrato una certa variabilità nell'argilla, in quanto incorporava spicole delle spugne (sottili elementi del loro esoscheletro) e sabbia quarzifera.

Negli anni i partecipanti al progetto sui Calusa hanno fatto e utilizzato molte riproduzioni dei manufatti preistorici – fiocine (lance) per la pesca, attrezzi con conchiglie di *Buccinidae*, corde con fibre native, asce di conchiglie e altri oggetti – confrontando i segni di usura prodotti da differenti attività con quelle rinvenute sugli oggetti originali.

13.18 Negli scavi è stata recuperata una grande varietà di manufatti in legno e in altri materiali deperibili. Nella foto sono mostrati delle ciotole, alcuni contenitori e attrezzi.

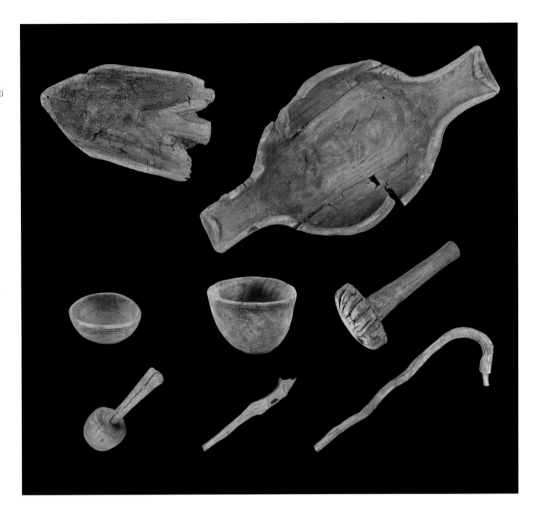

Quali contatti avevano?

Al momento non ci sono ancora indicazioni sulla presenza di contatti preistorici tra i Calusa e le popolazioni dei Caraibi, ma contatti, diretti o indiretti, con altre popolazioni di nativi americani nella parte orientale degli Stati Uniti d'America sono invece ben documentati. Per esempio, gli scavi a Pineland hanno portato alla luce due frammenti di galena, un minerale del piombo che, sbriciolato in una polvere argentea, serviva ai nativi americani per dipingersi la faccia nelle cerimonie. Questo minerale non è reperibile in natura in Florida e l'analisi con la spettrometria ad assorbimento atomico ha mostrato che i frammenti provenivano dal sud-est del Missouri. Un'ascia in pietra ritrovata a Pineland probabilmente veniva dalla Georgia. Documenti etnostorici rivelano che il capo riceveva come tributi pelli, stuoie, piume e prigionieri da altri centri che si trovavano a più di 160 chilometri di distanza.

Organizzazioni sociali e credenze

È noto da fonti etnostoriche che quando arrivarono gli Europei i Calusa vivevano in villaggi abitati da diverse dozzine a diverse centinaia di individui. La società era stra-tificata in nobili, cittadini comuni e prigionieri con un regnante a capo dello stato. Il resoconto di un testimone oculare descrive come nel 1566, per firmare un'alleanza con gli Spagnoli, il re dei Calusa allestì le cerimonie in un edificio grande a sufficienza per contenere al suo interno 2000 persone in piedi.

Il regnante era responsabile della ridistribuzione del cibo tra le comunità e aveva un importante ruolo religioso, avendo la capacità di intercedere presso gli spiriti al fine di sostenere la ricchezza ambientale che supportava la comunità. Gli Spagnoli, inoltre, descrissero un vasto tempio i cui muri erano decorati con maschere di legno incise e dipinte.

Ci sono pochissime prove del ruolo o dello status sociale delle donne, in parte perché gli Spagnoli interagivano unicamente con gli uomini. Molte donne native probabilmente evitavano gli Spagnoli, mentre gli Spagnoli probabilmente si aspettavano che fossero gli uomini a prendere le decisioni. I documenti mostrano che, nelle processioni, sacerdoti mascherati erano accompagnati da donne che cantavano. Anche se il potere regale era normalmente esercitato da uomini, c'è un documento che parla di una regina (*cacica*) presso i Calusa.

© 978.8808.82073.0

13.19 Un membro dell'équipe del progetto spiega cosa succede negli scavi a un gruppo di scolari durante l'«anno degli Indiani». Il progetto comprendeva tre stagioni di scavo, esposizioni in due musei, un programma estivo per i bambini, uno spettacolo multimediale di diapositive, lezioni, dimostrazioni per scolaresche, visite ai siti e ricerche nella riproduzione dei manufatti.

Nel sito preistorico di Fort Center, vicino al lago Okeechobee, una piattaforma costruita sopra il lago sembra essere stata decorata con realistiche immagini di animali intagliate nel legno, alcune delle quali in cima alle palafitte, forse a guardia dei morti. Esse comprendono molti tipi di uccelli, ma non è possibile immaginare il loro significato rituale. A Pineland fu ritrovata un'incisione del IX secolo in legno di cipresso raffigurante una testa di uccello e la parte superiore del becco: probabilmente ritraeva una gru e faceva parte di un costume o di una marionetta.

I Calusa sembra abbiano sepolto la maggior parte dei loro morti in tumuli di sabbia. Alcuni di questi sono stati scavati e studiati, anche se finora non ne sono venute fuori molte informazioni antropologiche. A Fort Center, tra il 200 e l'800 d.C., la piattaforma sul lago fu utilizzata per depositare circa 300 resti di scheletri umani infagottati. La piattaforma alla fine sprofondò nell'acqua consentendo un'ottima conservazione delle ossa.

Gli Spagnoli non riuscirono a convertire i Calusa al cristianesimo, ma nel 1698 la popolazione si era ridotta a 2000 individui, a causa delle malattie introdotte dagli Europei, della schiavitù e delle guerre con altri indiani. Verso la metà del Settecento i Calusa scomparvero culturalmente.

Conclusioni

Tramite le pubblicazioni, sia divulgative sia accademiche, le mostre nei musei, una regolare rivista di informazione, mostre itineranti e in collaborazione con il grande progetto sviluppato dal 1989 al 1992 e chiamato «L'anno dell'indiano: archeologia del popolo dei Calusa», si voleva avvicina-

re alla ricerca sulla preistoria della regione i bambini della scuola primaria e secondaria, i loro insegnanti e il pubblico del sud-ovest della Florida. In anni recenti il Randell Research Center è stato aperto nel sito di Pineland e sono stati installati un padiglione informativo e dei percorsi educativi.

La speranza è che un apprezzamento sempre maggiore per questo ricco e complesso paesaggio preistorico, e per la passata interazione con esso operata dai Calusa, porti a una migliore comprensione della necessità di proteggerlo e di preservarlo dalla minaccia di nuove costruzioni.

UNA RICERCA TRA CACCIATORI-RACCOGLITORI: UPPER MANGROVE CREEK, AUSTRALIA

La ricerca archeologica dell'Upper Mangrove Creek, situato nel Sidney Basin, 75 km a nord di Sidney, nel sudest dell'Australia, ebbe inizio nel 1978 come opera di salvataggio a fronte della costruzione dell'omonima diga. La zona fa parte della regione arenaria di Hawkesbury, indagata nei minimi dettagli, e la sua altitudine varia tra 25 e 200 m. Le valli sono scoscese, con rupi alte fino a 8 m e molti affioramenti di roccia, che talvolta offrono ripari. Attualmente l'area è prevalentemente ricoperta da una foresta di eucalipto e da un bosco con un fitto sottobosco di arbusti, felci e erbe.

Preparazione e obiettivi del progetto

Una volta che si fu consapevoli del valore dei siti, del tempo e della quantità di lavoro che ci voleva per indagarli approfonditamente, Val Attenbrow fu designata a dirigere il

13.20 Upper Mangrove Creek, agosto 1979.

progetto, che diventò anche il centro della sua tesi di dottorato. Lei decise di estendere il lavoro oltre il fondovalle (l'area che doveva essere inondata dalla diga), ai versanti adiacenti e alla cima dei crinali.

Uno dei principali interrogativi che il lavoro sul campo fece emergere all'inizio era l'incremento nel numero di siti nel corso del tempo (che poteva suggerire una crescita di popolazione), di contro a un decremento nel numero dei manufatti riscontrabile negli ultimi millenni di occupazione. Come si potevano conciliare questi elementi apparentemente contraddittori? Cambiamenti climatici e ambientali avevano compromesso la produzione di documenti archeologici? Erano stati invece cambiamenti nelle modalità d'uso del territorio e nello sfruttamento delle risorse ad aver giocato un ruolo in questo senso?

Collaborazione con gli Aborigeni

Attualmente Upper Mangrove Creek è all'interno dell'area per la quale il Darkinjung Local Aboriginal Land Council fornisce consulenze per la cura e gestione dei siti degli Aborigeni e di quei luoghi considerati per loro signifi-

cativi. Tuttavia, nel Nuovo Galles del Sud, non furono fondati Land Council fino al 1984: quando il lavoro sul campo iniziò, alcuni anni prima, non esisteva alcuna loro organizzazione da consultare. Alla ricerca presero parte alcuni Aborigeni impiegati nei parchi nazionali e nel Museo australiano, e alcuni di quelli residenti nella zona, che collaborarono anche nelle analisi dei manufatti di pietra.

In un piccolo riparo sotto roccia gli scavi incontrarono parti di un cranio umano: in quel settore il lavoro fu immediatamente fermato. Infatti, dato che gli Aborigeni non apprezzano che resti umani siano scavati o esaminati, i dettagli di ciò che era stato portato alla luce furono semplicemente registrati, e lo scavo venne chiuso e riempito di nuovo.

Ricognizione

Una ricognizione sistematica identificò i siti mediante gli elementi visibili sul terreno; il resto fu trovato mediante scavo. Tutti i rifugi sotto roccia che sembravano abitabili furono indagati: il più ampio misura 46 × 13,5 m, ma la maggior parte sono larghi meno di 15 m. I siti sono per lo più depositi in cui esistono manufatti litici e resti animali,

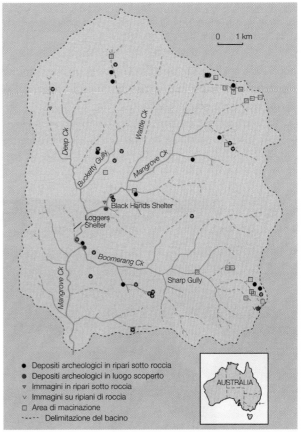

13.21 Siti archeologici registrati nelle unità di campionamento casuale nel bacino dell'Upper Mangrove Creek. I raggruppamenti corrispondono alla ubicazione delle unità, tutte di 0,25 km² eccetto quelle lungo la dorsale esterna, che misuravano 1 km².

© 978.8808.82073.0

13.22 Riparo sotto roccia di Loggers: i suoi depositi della profondità di 2 m contenevano prove di occupazione del sito che risalgono a 13 000 anni cal BP. Il riparo ha anche una piccola superficie con disegni colorati di macropodidi (canguri e wallaby) e anguille, pesci e delfini; questi disegni suggeriscono rapporti tra gli occupanti di questa area dell'entroterra con la costa a est e l'estuario del fiume Hawkesbury a sud.

ma ci sono anche ripari sotto roccia con immagini dipinte e pietre scanalate per la molatura e, fuori dai ripari, all'aperto, alcuni siti con graffiti.

Per ottenere un campione obiettivo del dato archeologico, Attenbrow progettò un programma di campionamento casuale con metodo stratigrafico sull'intero bacino di 100 km², per rilevarne il 10% per tutti i tipi di siti archeologici, e poi scavare tutti i depositi rilevati. Lei divise il bacino in: fondovalli, versanti scoscesi, cime delle dorsali. Era probabile che i principali campi di scavo dovessero trovarsi in basso e sulle creste delle dorsali, dato che queste erano percorsi regionali storicamente noti. I fondovalle e i pendii vennero divisi in aree di 0,25 km² e le cime più piane in unità di 1 km². Ogni unità era numerata e il 10% di ogni strato era scelto mediante tabelle numeriche casuali: quelle selezionate erano disseminate in tutto il bacino.

A causa della copertura forestale e dei terreni spesso ripidi, le ricognizioni furono fatte a piedi, con piccoli gruppi di 4 o 5 persone che camminavano sul contorno delle aree, alla distanza di 10-30 m tra loro a seconda della visibilità e del terreno. Tutti i rifugi individuati sui contorni furono esaminati per rilevare segni di uso (come manufatti di pietra o immagini); si cercarono manufatti di pietra nelle radure; graffiti o pietre scanalate per la molatura sulle superfici piane di arenaria; sugli alberi le cicatrici causate dalla rimozione della corteccia per farne scudi, contenitori o ripari. A causa della pesante copertura della vegetazione, fu molto difficile rilevare accampamenti all'aperto, fino a che sul fondo della valle non furono tagliati gli alberi che disturbavano la lettura del il suolo.

Metodi di scavo

Lo scavo fu effettuato con il metodo stratigrafico, all'inizio usando una griglia di 1 m² con una striscia di terra alta 10 cm, in seguito attraverso quadrati di 0,50 m² e 5 cm di altezza. I depositi nei ripari sotto roccia erano sedimenti sabbiosi misti a limo in cui si erano accumulati materiali tipo manufatti litici e resti animali. Comunque, i sedimenti di arenaria del Sidney Basin non conservano bene

13.23 Scavi al riparo di Loggers, agosto 1978. Tra i depositi furono trovati manufatti di pietra, e ossa animali negli strati superiori, quelli dei primi 90 cm. Le ossa appartenevano a canguri, wallaby, bandicoot e opossum, e anche a serpenti e lucertole.

le ossa, che solitamente non sopravvivono oltre i 3500 anni (al massimo).

Per la ricerca di dottorato della Atterbrow si scavò in 29 siti: 23 ripari sotto roccia con depositi archeologici e/o disegni o a stencil; 2 siti a cielo aperto; 4 ripari sotto roccia con probabili depositi, 3 dei quali restituirono manufatti litici. In ogni caso, gli scavi furono realizzati secondo il principio della campionatura, e fu analizzato solo il 2-7%, di solito con solo una o due buche, separate o adiacenti, di 0,25 m². Aree maggiori furono scavate con una griglia di 1 m² sotto Loggers e Black Hands, due ripari sotto roccia che contenevano depositi più ricchi e profondi (a Loggers si raggiunse una profondità di 2 m). I sedimenti recuperati furono vagliati in setacci a maglie sempre più strette, prima a secco poi nell'acqua dei ruscelli.

Datazione

Poiché furono recuperate grandi quantità di carbone, fu possibile datare molti siti mediante il metodo del radiocarbonio In più, una sequenza di manufatti di vario tipo e di materie prime, presenti nei depositi, aiutarono a costruire un preciso quadro di sviluppo culturale, mentre un altro fattore di valutazione fu il tempo relativo alla profondità di accumulo dei depositi sotto i ripari nella roccia. In generale, le datazioni al radiocarbonio ottenute hanno validato le stime fatte sulla base di altri tipi di testimonianze. La più remota occupazione dell'area, al Loggers Shelter, iniziò circa 13 000 cal BP (cioè calibrati da oggi), mentre Black Hands Shelter è stata datata solo 3300 cal BP fa; pochi siti furono occupati meno di 500 anni fa.

Di che tipo di società si tratta?

Sebbene vi sia qualche testimonianza che Upper Mangrove Creek fosse popolata nel primo periodo coloniale (XVIII-XIX secolo) non vi sono avvistamenti storicamente documentati di gente aborigena, cosicché si deve fare riferimento principalmente al materiale archeologico per ricostruire la loro società. È chiaro che essi erano cacciatori-raccoglitori e la natura dei siti abitativi e le risorse di cibo disponibili fanno pensare che coloro che vivevano qui dovevano aggregarsi in gruppi relativamente piccoli e altamente mobili. La maggior parte dei ripari sotto roccia avrebbe potuto ospitare solo piccoli gruppi, mentre comunità più numerose potrebbero essersi accampate lungo le più spaziose rive del fiume in parti libere da vegetazione (ma sono aree fredde, gelide d'inverno). Sulla base delle conoscenze riguardo agli aborigeni delle regioni confinanti, possiamo dire che la dimensione dei gruppi di «foraggiatori», che uscivano a cacciare e a raccogliere cibo, sarà stata sì determinata dalle risorse disponibili nella stagione, ma sarà anche variata di poco, da un singolo gruppo familiare (padre, madre, figli) a più di una famiglia. Grandi comu-

nità di raccoglitori dovevano poi riunirsi in occasione delle cerimonie rituali, come quelle dell'iniziazione dei maschi, che avveniva ogni due anni.

È molto probabile che gli occupanti di Upper Mangrove Creek si spostassero tra molti campi base dentro il loro ambiente, in gruppi di dimensione variabile a seconda della stagione e della località.

Ricostruzione ambientale

I ricchi e ben conservati insiemi faunistici provenienti dai rifugi di Mussel, Deep Creek e Loggers sono stati le basi della ricostruzione ambientale. A Mussel e Deep Creek, verso il 1200-1000 BP, nei resti animali si rileva un cambiamento, soprattutto della famiglia dei macropodidi, come canguri e wallaby. I loro scarsi assemblaggi sono caratterizzati da *Macropus giganteus* (canguro grigio orientale) e dal *Macropus rufogriseus* (wallaby dal collo rosso), il che indica la presenza di aree boschive aperte e relativamente secche; negli strati superiori il *Macropus giganteus* è assente e il *Macropus rufogriseus* è meno diffuso, e vi si riconosce è una crescita parallela del *Wallabia bicolor* (wallaby delle paludi), che è solitamente associato a una vegetazione fitta e umida.

È stato ipotizzato che questo cambiamento nella fauna sia molto probabilmente dovuto a un cambiamento della vegetazione, ed è noto, da ricerche in regioni vicine, che a metà del IV millennio BP vi fu un periodo più freddo e più secco, a causa di regimi di intensificazione di El Niño. In alcune aree questa situazione sembra sia durata fino al 1500 BP, ma le carote di polline locale tendono a indicare che, nella nostra zona, sia terminata nel 2000 BP. Di certo, dal tempo in cui si verificò il cambiamento della fauna, in quest'area vi è stata una transizione da condizioni di siccità a un regime di umidità, che è poi quello attuale, ma non è facile collegare i due eventi attraverso la documentazione ora disponibile.

Tecnologia

Grazie a recenti testimonianze etnografiche noi sappiamo che i cacciatori-raccoglitori aborigeni avevano un kit di strumenti portatile. I maschi usavano lance, boomerang, scudi, accette affilate per abrasione, propulsori, sacche di rete per trasportare piccoli strumenti di equipaggiamento. Le donne usavano bastoni per scavare, sacche di rete, panieri di sughero, e talvolta accette affilate. Gli strumenti erano realizzati principalmente in legno o in materiali vegetali. In inverno la gente indossava mantelli di pelle, anche se generalmente giravano nudi con fasce per testa, braccia e fianchi. Sfortunatamente gli unici oggetti che sopravvivono per l'archeologo sono quelli realizzati in pietra, ossi, conchiglie, mentre nel sudest dell'Australia sono solo gli strumenti in pietra a conservarsi per più di 3000 anni; il legno solo in circostanze eccezionali.

© 978.8808.82073.0

13.24 *Backed artifacts* (schegge o lame con un lato grezzo e uno affilato), realizzati con tufo siliceo, un minerale che non è reperibile nel bacino dell'Upper Mangrove Creek; quindi questi manufatti e/o la loro materia prima furono importati da altre regioni, come la Hunter Valley a nord oppure la zona del fiume Nepean a sud.

13.25 Un gruppo di *grinding grooves* nel letto di arenaria di Sharp Gully. Le pietre scanalate più larghe furono create molando mediante abrasione teste lapidee di accetta, quella sottile sulla sinistra forse affilando punte di legno.

Durante l'occupazione di Mangrove Creek venivano usati strumenti di pietra scheggiata; in particolare schegge non standard, ritoccate, che servivano per scorticare, tagliare e bucare. Sono conosciuti anche strumenti sagomati (una scheggia o una lama con un lato grezzo, che non taglia, e uno affilato, quali punte di Bondi e microliti geometrici). L'analisi delle tracce d'uso, e l'esame dei residui delle punte di Bondi, hanno consentito di identificare una vasta gamma di funzioni (tagliare, bucare, trapanare, raschiare)

e di attività (lavorare la lana e fibre vegetali tenere, gli ossi, la pelle, gli animali da macellare). Alcune materie prime, come il diaspro, il quarzo e la quarzite, si potevano ottenere dai sassi e ciottoli presenti nel letto dei corsi d'acqua, dove si formano dall'erosione dei conglomerati di arenaria; ma silcrete e tufo non erano disponibili localmente.

A Upper Mangrove Creek furono recuperate anche teste basaltiche di accette affilate; dal punto di vista etnografico, esse erano dotate di impugnatura e usate per attività molto differenti, cioè per lavorare il legno ma anche per combattere. I siti riservati a pietre scanalate per la molatura si possono collegare alle operazioni finali di produzione di questi strumenti, la sagomatura e la molatura.

Si possono notare cambiamenti attraverso il tempo nell'associazione degli attrezzi litici. Per esempio, i manufatti con un lato arrotondato apparvero verso 8500 BP, divennero abbondanti tra il 3500 e il 1500, ma poi scomparvero (o, in alcune aree, diminuirono di numero). Cambiamenti si verificarono nella tipologia degli strumenti, nella tecnologia di fabbricazione, e nella materia prima usata per fabbricarli. Accette affilate furono introdotte verso il 3500-3000 BP, e aumentarono di numero negli ultimi 1500-1000 anni.

Che contatti avevano?

Resoconti storici rivelano che alcune creste delle dorsali di questa zona furono importanti rotte di viaggio. Una fonte di approvvigionamento del basalto, usato per le accette affilate, distava meno di 10 km verso sud ma altre fonti per altre accette, ancora sconosciute, possono essere state molto più lontane. Comunque, silcrete e tufo, usati per alcuni utensili scheggiati, furono portati lì da altre regioni, che si trovavano forse a 35-60 km in linea d'aria di distanza: ciò può essersi verificato grazie a un accesso diretto alla fonte, ma più probabilmente potrebbe essere la conseguenza di scambi con comunità confinanti. Questo commercio aveva spesso luogo quando le popolazioni convenivano da grandi distanze per le cerimonie di iniziazione maschile.

Che cosa pensavano?

Due letti rocciosi di arenaria, all'aperto, recano graffiti di macropodidi. I ripari sotto roccia presentano immagini fatte con pigmenti rossi e bianchi e con il carbone: il gruppo più numeroso tra tutti i siti ne conta 66; qualche altro porta incisi motivi che sembrano orme di emù. I dipinti rappresentano macropodidi, formichieri spinosi, uccelli, anguille, serpenti, dingo, pesci, stencil di mani, e umani di genere maschile e femminile. Senza testimonianze locali, è naturalmente impossibile sapere se il loro significato fosse secolare o religioso, sebbene non vi sia una chiara separazione tra queste due sfere nella vita degli Aborigeni. Esseri antropomorfi cornuti sono spesso identificati con Baiame, un importante entità ancestrale nel sistema di credenze di cui si conosce l'esistenza, in Australia, all'inizi del periodo coloniale. Nulla si sa invece riguardo alla datazione di queste immagini, ma due raffigurazioni di navi a vela indicano che l'area fu frequentata dagli Aborigeni durante l'insediamento inglese.

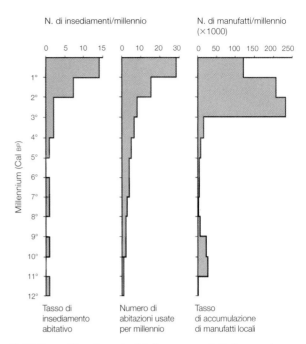

13.27 Tasso di insediamento abitativo, numero di siti d'occupazione, tasso di accumuli di manufatti durante gli almeno 14 000 anni di occupazione del bacino di Upper Mangrove Creek, di cui abbiamo testimonianze archeologiche.

13.28 (*Sotto*) Distribuzione del deposito archeologico nel bacino di Upper Mangrove Creek: si noti l'incremento per millennio del numero dei siti usati e i mutamenti nel tempo dei pattern d'uso del territorio.

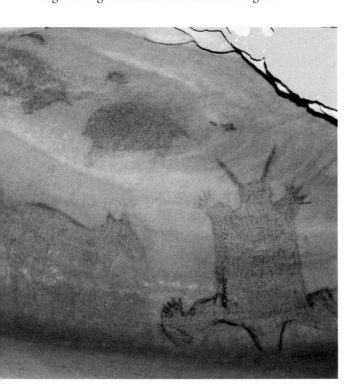

13.26 (*Sopra*) Due echidna, un dingo e un essere antropomorfo cornuto: quest'ultimo è stato spesso identificato con Baiame, una delle entità ancestrali che figura nel sistema di credenze religiose dell'Australia sud-orientale. Da quando sulle sue pareti sono state scoperte queste spettacolari immagini, il sito è conosciuto come Dingo & Hornet Anthropomorph.

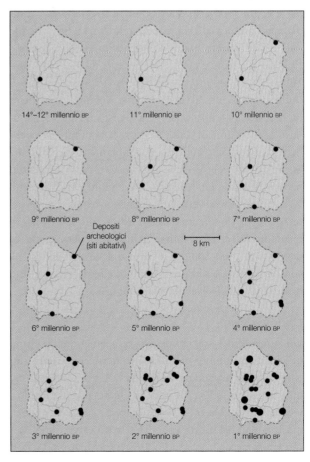

© 978.8808.82073.0

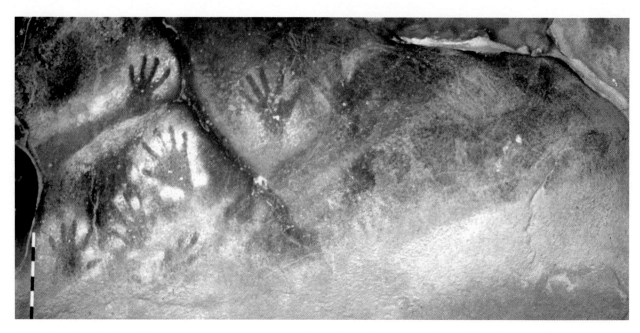

13.29 Stencil bianchi di mani, di cui una con avanbraccio, e uno stencil nero di testa di canguro, nel riparo di Black Hands, agosto 1978. L'asta metrica ha un passo di 10 cm.

Perché le cose cambiarono?

Dal lavoro su Upper Mangrove Creek, così come da altri studi sul sudest australiano, risulta chiaro che vi fu un notevole incremento nella produzione di schegge o lame con un lato arrotondato grezzo: è probabile che ciò sia parte di un vasta risposta tecnologica regionale ai cambiamenti ambientali, con condizioni climatiche di freddo e di aridità, determinati dall'intensificarsi del fenomeno El Niño alla metà e nel tardo Olocene, da 3500 al 1500-1000 cal BP. Comunque, è difficile essere precisi sul tipo di cambiamento culturale che potrebbe aver implicato questo incremento. Attenbrow all'inizio pensò che questi manufatti fossero punte di lancia accessorie, e quindi che avrebbero potuto essere collegati a cambiamenti della fauna; ma analisi più recenti delle loro tracce d'uso e dei residui hanno indicato che dovevano avere molti altri impieghi. Non sembra essersi verificato alcun gran cambiamento nel tempo riguardo alle modalità d'uso di questi strumenti; ma il loro uso crebbe tantissimo durante il periodo che va dal 3500 al 1500-1000 cal BP. Forse denotano un legame con l'instabilità e l'imprevedibilità delle risorse, ma solo future ricerche risolveranno tale questione.

Conclusione

Un aumento del numero degli accampamenti e del ritmo di accumulazione di manufatti coincise con condizioni climatiche di maggiore freddo e siccità, che interessarono questa regione 3000-1500 anni fa. Questo periodo freddo e secco senza dubbio colpì la vegetazione e la popolazione di macropodidi del sudest australiano, e può aver stimolato i cacciatori-raccoglitori ad adottare strumenti ground-edged

ed espandere l'uso di backed artifacts (schegge o lame con un lato grezzo e uno affilato), probabilmente in associazione.

Il clima più caldo e umido degli ultimi 1500 anni non vide un ritorno a un numero inferiore di accampamenti. Comunque, vi fu un decremento del numero di manufatti all'interno degli accampamenti, e allo stesso tempo aumentarono i piccoli siti identificati come sedi di attività. La diminuzione di manufatti può essere stata associata con il declino della produzione di backed artifacts, oppure il ritorno di condizioni di maggiore umidità può aver condotto a una diminuzione d'uso dell'area. Ciò nondimeno, la combinazione dei cambiamenti nella distribuzione degli accampamenti e delle sedi di attività e dei cambiamenti nel numero di manufatti indica che vi fu una ristrutturazione nell'uso dell'area e delle sue risorse. Le relazioni a lungo termine tra le attività dei cacciatori-raccoglitori nell'entroterra e quelle nelle zone costiere del Nuovo Galles del Sud centrale e meridionale, dove uncini per la pesca di molluschi /crostacei furono introdotti solo 1000-900 anni fa, sono un altro tema che richiede ulteriori ricerche.

KHOK PHANOM DI: LE ORIGINI DELL'AGRICOLTURA DEL RISO NEL SUD-EST ASIATICO

Finalità del progetto

Nel 1984-85 l'archeologo neozelandese Charles Higham e l'archeologo thailandese Rachanie Thosarat scavarono un grande tumulo, alto 12 m su una superficie di 5 ha, situato su una pianura uniforme a 22 chilometri dalla costa del Golfo di Siam nella Thailandia centrale. Il sito si trova a un'ora di macchina a est dalla moderna Bangkok. Il suo nome, Khok Phanom Di, significa «buon tumulo» ed è visibile da diversi chilometri di distanza. I bassipiani dove cresce il riso qui formano parte di uno degli ecosistemi agricoli più ricchi al mondo, ma molto poco si conosceva della sua archeologia. Quindi una delle finalità principali di questo progetto era quella di studiare le origini e lo sviluppo di un sistema agricolo dal quale una grande parte dell'umanità dipende.

I ricercatori

Aree del nord-est della Thailandia sono state studiate abbastanza intensivamente all'inizio degli anni Settanta del secolo scorso, rivelando importanti siti come Bang Chiang e Non Nok Tha, lo scavo del quale, portato a termine da Chester Gorman e altri, dimostrava una tradizione locale di lavorazione del bronzo datata al 1500 a.C., sebbene questa data sia stata ora spostata più avanti, al 1000 a.C., dallo studio di Ban Non Wat. D'altra parte il centro della Thailandia e la zona costiera non sono stati oggetto di alcun lavoro archeologico sistematico fino all'inizio del progetto di Khok Phanom Di. Il sito fu scoperto dagli archeologi thailandesi alla fine degli anni Settanta del secolo scorso; presero dei campioni nel 1978 e scavarono dei quadrati di prova nel 1979 e nel 1982. Damrongkiadt Noksakul, che diresse gli scavi, riuscì a datare col metodo del radiocarbonio un osso umano proveniente dalla sepoltura più vecchia che aveva trovato: risaliva al 4800 a.C. Se il nuovo scavo sarà in grado di portare alla luce prove della coltivazione del riso in quest'area risalenti a un periodo così antico, il sito si troverebbe in concorrenza con la prima datazione della domesticazione del riso, proveniente dalla Cina.

13.31-32 Khok Phanom Di. Nel 1984-85 gli scavi vennero effettuati da archeologi neozelandesi e thailandesi guidati da Charles Higham e Rachanie Thosarat. (*Sopra*) La tettoia che copre gli scavi nel sito, scelto dalla guida spirituale buddista locale. (*Sotto*) Lo scavo andò avanti fino a una notevole profondità, incontrando una sequenza stratigrafica dettagliata.

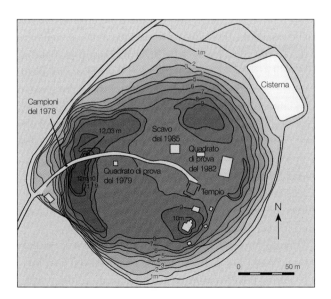

13.30 Mappa del tumulo quasi circolare di Khok Phanom Di, in Thailandia, che si estende per circa 5 ha. Si innalza fino a un massimo di poco più di 12 m sopra il livello della pianura alluvionale.

Cosa rimane?

La conservazione di alcuni materiali era eccezionale: alcune buche per palo contenevano ancora il legno originale e gli strati erano ricchi di resti organici come foglie, noci, frammenti di lolla di riso e scaglie di pesce. Non meno di 154 sepolture umane vennero alla luce con ossa e ornamenti di conchiglie intatti: uno dei più grandi e meglio conservati raggruppamenti di resti umani del Sud-Est asiatico. In alcune tombe furono ritrovati veli di materiale bianco che risultarono essere sudari di stoffa non tessuta: alcuni in pelle battuta, altri in fogli di asbesto, il che documenta l'uso più antico conosciuto di questo materiale, che in Thailandia si trova in natura e che nell'antichità aveva un grande valore perché virtualmente indistruttibile e ignifugo. I corpi giacevano su bare di legno.

Dove?

Un quadrato di 10 × 10 m (sufficientemente largo da fornire informazioni adeguate sulla dimensione spaziale del sito) fu scavato nella zona centrale del tumulo; un luogo scelto dal capo spirituale del tempio buddista locale che non danneggiasse nessuno dei suoi alberi. Sopra il quadrato fu costruita una tettoia al fine di permettere il lavoro anche durante la stagione delle piogge, e un muro di mattoni per non fare infiltrare l'acqua nello scavo.

Dopo più di sette mesi di duro e continuo lavoro lo scavo terminò avendo raggiunto gli strati naturali della falda acquifera alla considerevole profondità di 7 m. Molti anni di analisi di laboratorio delle tonnellate di materiale scavato si prospettano davanti.

Prima di cominciare lo scavo di Khok Phanom Di, Thosarat e tre suoi colleghi dedicarono sei settimane a una ricognizione del sito in quella parte della valle di Bang Pakong. Essi perlustrarono a piedi tutta l'area fino a 20 m di distanza, studiarono le fotografie aeree, intervistarono gli abitanti del villaggio locale e i buddisti del tempio vicino. La ricognizione mostrò, se non altro, che Khok Phanom Di non era un sito isolato, ma uno di molti villaggi nell'area. Nel 1991 Higham e Thosarat ritornarono nella valle per cominciare lo scavo di uno di questi siti: Nong Nor (vedi più avanti).

Quando?

Si assunse, da impressioni ricavate sul campo e da datazioni di ossa umane effettuate da altri studiosi che avevano operato degli scavi, che i primi insediamenti a Khok Phanom Di avvennero nel V millennio a.C. I suoi numerosi focolari fornirono campioni di carbone da legna utili per la datazione col radiocarbonio. I primi risultati di cinque campioni studiati nel laboratorio di Wellington, in Nuova Zelanda, produssero una prima datazione, ma purtroppo l'intera serie non poté costituire un tracciato coerente.

Poi il laboratorio della Australian National University fornì una serie intrinsecamente consistente di datazioni basate su 12 campioni. È interessante notare, tuttavia, come questi risultati rivelarono che il sito fu occupato per un periodo più breve di quello che era stato ipotizzato: pochi secoli, piuttosto che millenni. Higham e Thosarat conclusero (dopo la calibrazione delle datazioni) che l'insediamento fu occupato dal 2000 a.C. circa per 500 anni. Benché ciò, per alcuni aspetti, abbia rappresentato una delusione (non fu possibile trovare alcunché che potesse fornire delle datazioni per la coltivazione del riso), le 154 sepolture rinvenute nel sito potrebbero rappresentare una tradizione mortuaria mai interrotta: un raro ritrovamento in qualsiasi sito, in qualsiasi parte del mondo. Questo risultò dall'accumulazione molto rapida di resti culturali che, in effetti, andarono al passo con le successive sepolture sovrapposte.

Organizzazione sociale

Fu subito notato che le sepolture erano disposte in gruppi separati tra di loro. Programmi di computer grafica furono utilizzati per rendere con grafici tridimensionali le loro dislocazioni. Fu elaborata una sequenza di sepoltura molto dettagliata che diede informazioni sul sistema di relazioni di parentela della comunità per circa 20 generazioni. (Assumendo circa 20 anni per generazione, questo interessò una durata temporale di circa 400 anni, molto vicina ai 500 anni della durata del sito secondo la datazione ottenuta col metodo del radiocarbonio.) Variazioni nella presenza e nella quantità dei corredi funebri – gioielli di conchiglie, recipienti di ceramica, incudini di argilla e pietre per lucidare – furono analizzate con la cluster analysis, l'analisi del componente principale e lo scaling multidimensionale. Si scoprì che nell'insieme non c'erano differenze sostanziali nelle dotazioni tra maschi e femmine, anche se nelle fasi più recenti apparivano delle diversificazioni: le incudini di argilla furono ritrovate solo con le donne e i giovani mentre gli ornamenti fatti con i gusci di tartaruga solo con i maschi. Inoltre, in queste ultime fasi, si riscontrò una predominanza di donne, alcune delle quali sepolte con una certa opulenza: una, soprannominata «principessa», aveva con sé più di 120 000 perline di conchiglie e altri oggetti. Una profusione di ricchezza mai incontrata prima nel Sud-Est asiatico preistorico. Ma i discendenti della «principessa» furono sepolti con modesti corredi funebri: questa non era una società in cui il rango sociale era ereditario.

Nonostante ciò, c'era un chiaro legame tra la ricchezza dei bambini e degli adulti che erano sepolti con loro; i bambini poveri erano in compagnia di adulti poveri, oppure ambedue erano ricchi. L'età della persona morta non sembrava avere alcun peso nella determinazione della quantità di corredo funebre. I neonati che non riuscirono a sopravvivere al parto erano sepolti in tombe individuali o con un adulto, e senza corredo funebre; ma coloro che riuscirono a vivere qualche mese avevano un trattamento funebre simile a quello degli adulti.

L'analisi dei resti umani condotta dalla fisica antropologa Nancy Tayles (*vedi* più avanti) suggerì che i due gruppi principali di sepolture rappresentavano generazioni successive di due distinti gruppi familiari. Alcuni elementi ereditari determinati geneticamente nel cranio, nei denti e nelle ossa permisero di stabilire delle relazioni di parentela tra alcuni individui; questi legami confermarono che gli individui che componevano ciascun gruppo erano imparentati. Esempi di estrazioni di denti furono riscontrati in entrambi i sessi: il più comune era quello dell'estrazione dei due incisivi centrali superiori sia negli uomini sia nelle donne, ma solo le donne avevano anche tutti gli incisivi inferiori rimossi. La consistenza di alcuni esempi era compatibile con il fatto che costituivano dei marcatori per i membri successivi della stessa linea familiare.

L'ambiente

Il sito è circondato da campi di riso e si trova ora a 22 km a est dal mare. Tuttavia nel passato era posizionato alla bocca di un estuario su una linea di costa formatasi quando il mare era più alto del suo attuale livello, tra il 4000 e il 1800 a.C. Questo fu dedotto datando col radiocarbonio dei carboni di legna presenti in carote che il paleoecologo Bernard Maloney aveva preso dai sedimenti nella valle di Bang Pakong a 200 m a nord del sito. Queste carote, che documentano l'ambiente umano e naturale fin nel VI millennio a.C., contenevano anche grani di polline, spore di felci e frammenti di foglie; in diversi periodi (5300, 5000 e 4300 a.C.) si sono evidenziati picchi di carbone di legna, spore di felci e polline di erbe infestanti che sono associate ora alla coltura dei campi di riso. Anche se il riso non può essere identificato direttamente dal polline, la diminuzione delle specie di alberi, l'aumento dei roghi di disboscamento e l'aumento di erbe infestanti tipiche della coltivazione del riso potrebbero riflettere il sorgere dell'agricoltura in quest'area nel V millennio a.C. L'analisi successiva dei fitoliti delle piante presenti nelle carote confermarono almeno parte di questa ipotesi. I fitoliti di riso (se siano selvatici o domesticati non è possibile determinarlo) furono scoperti assieme a quelli delle erbe infestanti dei campi agricoli nel livello del V millennio a.C., anche se scomparvero subito dopo e non ricomparvero prima del 3000 a.C., circa 1000 anni prima della prima occupazione di Khok Phanom Di. I fitoliti, comunque, suggeriscono che i primi episodi di disboscamento erano molto probabilmente associati alla produzione di combustibile più che all'attività agricola. Benché il disboscamento possa essere associato all'agricoltura, resta il fatto che gli incendi

avrebbero potuto avere origine spontanea o essere l'opera di cacciatori-raccoglitori.

I depositi nel quadrato scavato contenevano ostracodi e foraminiferi, specie acquatiche minute che vivono in habitat ristretti. La loro frequenza negli strati successivi dimostrò che il sito si trovava nei pressi di un estuario con alle spalle delle paludi d'acqua dolce. Nell'ultimo periodo il mare si ritirò e l'acqua salmastra divenne dominante, anche se con residue pozze d'acqua dolce.

I resti organici dello scavo furono raccolti dalla paleoetnobotanica Jill Thompson che, mediante la flottazione, raccolse semi bruciati, frammenti di riso e piccole lumache. Alcuni frammenti di ceramica provenienti dal fondo del sito erano incrostati con *Barnacles* (crostacei dei cirripedi): questo indica che il sito un tempo si trovava a un livello inferiore e veniva ricoperto dall'acqua marina durante i moti ondosi delle maree. Furono ritrovati milioni di frammenti di ossa di mammiferi, pesci, uccelli, tartarughe e anche resti di granchi e molluschi. La loro analisi rivelò la presenza, nei primi contesti, di coccodrilli e di uccelli che prediligono zone costiere aperte come i cormorani, ma nelle fasi successive comparvero uccelli di palude che si cibano dei molluschi attaccati alle radici delle mangrovie come i pellicani e gli ardeidi. Da ultimo le specie marine e d'acqua dolce furono rimpiazzate dagli uccelli dei terreni boschivi come i corvi e il beccolargo, assieme a porcospini e a topi giganti, tutti animali che preferiscono ambienti secchi. Similmente i resti di pesce mostrano una predominanza di specie da estuario nelle prime fasi, mentre più tardi i pesci d'acqua dolce presero il sopravvento; mentre i molluschi mostrarono un cambiamento dalle specie di coste sabbiose e marine alle specie delle mangrovie e degli estuari d'acqua dolce.

È perciò chiaro che il sito era originariamente ubicato su una piccola elevazione nei pressi di un estuario vicino a una costa aperta con alcune aree sabbiose. Il mare gradualmente si ritirò, poiché la sedimentazione aumentò la distanza del sito dalla spiaggia. Alla fine il fiume stesso si allontanò verso ovest: questo cambiamento in un habitat non più da estuario può aver implicato la formazione di un lago di meandro abbandonato, che impediva l'accesso diretto al fiume, oppure addirittura un allagamento importante che spostò il fiume lontano dal sito.

La dieta

Il sito produsse più di un milione di molluschi assieme a ossa di animali e semi. Poiché non fu possibile trasportare tutte le conchiglie in laboratorio, la specie più comune, la noce di mare, fu contata sul posto e il 10% delle sue conchiglie furono conservate. La noce di mare (*Anadara granosa*) si trova nelle pianure fangose e nei pressi degli estuari. Solo 8 specie componevano il 99,4% dei molluschi e tutte costituivano una risorsa alimentare.

© 978.8808.82073.0

Tuttavia i residui di cibo e altre prove mostrano che il pesce e il riso erano in questo luogo il fondamento dell'alimentazione, come lo sono tuttora. Nella tomba di una donna morta a circa quarant'anni, fu trovata nella zona pelvica una massa di piccole ossa che non appartenevano a un feto, come si era inizialmente ipotizzato, ma i resti del suo ultimo pranzo: ossa e scaglie di persico (*Anabas testudineus*), un piccolo pesce d'acqua dolce. Frammenti di pula di riso furono ritrovati tra le scaglie assieme a denti di pastinaca comune (*Dasyatis pastinaca*). Un'altra tomba conteneva feci umane che al microscopio rivelarono molti frammenti di lolla di riso, la cui morfologia indicò che il riso era domesticato. Tra le lolle c'era uno scarafaggio, *Oryzaphilus surinamensis*, che si trova spesso tra i prodotti immagazzinati come il riso, e peli di topo, probabile infestante dei magazzini di riso del sito. Infine alcuni contenitori di ceramica sono stati temprati con frammenti di lolla di riso prima della cottura; alcuni frammenti di ceramica presentavano all'esterno un sottile strato di argilla contenente una forte concentrazione di frammenti di lolla di riso; e ancora frammenti di riso furono recuperati dai depositi archeologici.

I pesi di argilla per le reti fornirono un'ulteriore prova della pratica della pesca, così come la presenza di ami da pesca di osso, che col passar del tempo diventano più rari.

Solo pochi grandi animali erano presenti (per lo più macachi e maiali) a significare la loro scarsa importanza nell'alimentazione; non è chiaro se i maiali fossero domesticati oppure no. A parte il cane, non è stato individuato nessun altro animale domesticato.

La tecnologia

Khok Phanom Di fu un centro di produzione di ceramica durante tutto il periodo della sua occupazione poiché si trovava in un'area ricca di depositi argillosi. Spessi strati di ceneri sparse indicavano probabilmente i luoghi di cottura delle ceramiche; inoltre alcune tombe contenevano incudini di argilla, cilindri di argilla e ciottoli per la lucidatura: tutti strumenti utilizzati per formare e decorare i vasi. Le tecniche di decorazione rimasero in pratica invariate durante i secoli dell'occupazione del sito ma furono introdotte nuove forme e motivi. Il sito produsse tonnellate di ceramiche, circa 250 000 perline di conchiglie e migliaia di altri manufatti; molti come corredo funebre, altri come scarti, se rotti o irrecuperabili.

Alcune conchiglie erano state modificate e apparentemente utilizzate come attrezzi; c'erano infatti delle striature e dei segni di levigatura sulla loro superficie concava. Esperimenti con conchiglie simili mostrarono che alcuni di questi segni erano formati per abrasione con l'arenaria al fine di affilare il loro lato tagliente; fu anche provata una serie di possibili usi come tagliare le erbe selvatiche, incidere

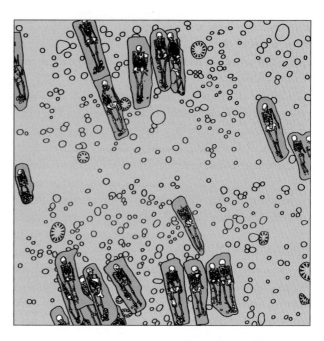

13.33-34 (*Sopra*) La tomba della «Principessa», arricchita da un insieme di gioielli in conchiglie con più di 120 000 perline, un copricapo, un braccialetto e vasellame in ceramica fine. (*Sotto*) Nella Fase mortuaria 4 i morti erano sepolti individualmente, in file ordinate.

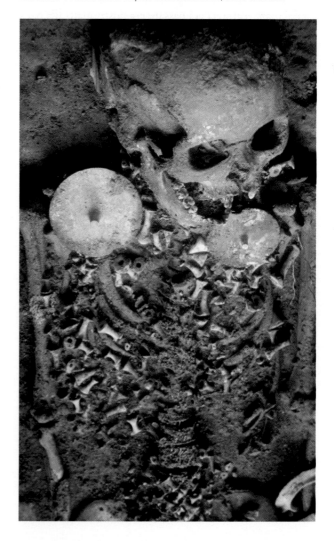

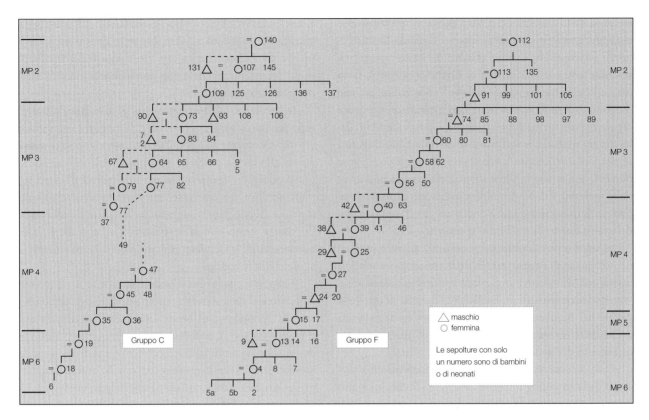

13.35 Due alberi genealogici preistorici. L'analisi dei resti scheletrici dalle Fasi mortuarie 2 e 4 ha permesso agli archeologi di individuare due sequenze genealogiche, C e F. Ricostruire l'evoluzione familiare per generazioni è un fatto molto raro in epoca preistorica.

dei disegni sulle ceramiche, tagliare dei brandelli di pelle oppure i capelli e lavorare il pesce, il taro (un vegetale edibile tropicale) e la carne. I campioni preistorici e quelli moderni sperimentali furono poi messi a confronto per mezzo del microscopio elettronico e fu possibile scartare subito alcune attività: le conchiglie preistoriche chiaramente non erano state utilizzate per decorare la ceramica, né per pulire il pesce o per tagliare la pelle. La loro funzione più probabile fu quella di raccogliere alcune graminacee come il riso, attività che non solo produce lo stesso schema di striature e di lucidatura, ma richiede anche una frequente riaffilatura.

Benché non sia rimasto alcun frammento tessile, l'abbondanza di ceramiche segnate da alcune corde e l'esistenza di reti da pesca (dedotte dalla presenza dei pesi per le reti) indicano l'uso di spago e corde in genere. Alcuni piccoli attrezzi in osso con una terminazione cesellata e una scanalatura su un lato sono stati interpretati come spolette per la tessitura.

Quali contatti avevano?

Sezioni sottili recuperate da alcune asce di pietra presenti nel sito hanno permesso di indicare la probabile fonte dei materiali; si scoprì che alcune cave dovevano essere negli altipiani a est, dove vi erano affioramenti di andesite, arenaria e sedimenti vulcanici. Un'ascia di arenaria calcarea doveva provenire da un luogo 100 km a nord-est.

Poiché il sito non contiene praticamente alcuna scheggia di pietra, è probabile che gli abitanti avessero ricevuto queste teste d'ascia in cambio delle loro fini ceramiche e dei loro ornamenti in conchiglia.

Recenti analisi degli isotopi contenuti nelle ossa umane di quel sito hanno rivelato che, nelle sepolture della fase 3B, circa a metà della sequenza, proprio quando si presenta il primo segno di coltivazione del riso, alcune donne erano arrivate lì da un ambiente diverso. Si tratta probabilmente di un indizio di contatto, forse mediante matrimonio, tra un maschio locale e una donna del Neolitico che introdusse le tecniche di coltivazione del riso, in un periodo in cui il livello del mare era abbastanza basso da consentire la formazione di acquitrini di acqua dolce. Comunque, nelle sepolture della fase 5, il livello del mare era risalito e la popolazione era tornata alla caccia e alla raccolta di molluschi lungo la costa.

Quale aspetto avevano?

Nonostante le condizioni del terreno del Sud-Est asiatico permettano molto raramente la conservazione delle ossa, lo scavo di Khok Phanom Di ha portato alla luce un «cimitero verticale», un'accumulo nel tempo di 154 inumazioni. Dopo la conservazione delle ossa e due anni di analisi fatte da Nancy Tayles si riuscì a stabilire età e sesso, per quanto possibile. Anche altri indicatori sono stati utilizzati: per esempio delle cicatrici nella zona pelvica indicavano che la donna aveva partorito. Per quanto riguarda lo stato di salute, si scoprì che i primi abitanti del sito erano relativamente alti, con ossa forti e in buone condizioni, fatto che indica un buona alimentazione. Nonostante ciò, essi morivano all'età di venti o trent'anni e metà non riusciva a sopravvivere a lungo dopo la nascita. Un ispessimento dei loro crani suggerì che soffrivano di anemia, forse dovuta a un'anomalia del sangue, la talassemia (che paradossalmente può aver aumentato la loro resistenza alla zanzara portatrice della malaria). Gli adulti inoltre soffrivano di malattie ai denti, che mostravano anche evidenti segni di usura a causa del gran numero di molluschi consumati.

In questo primo gruppo gli uomini, ma non le donne, soffrirono di degenerazione delle articolazioni specialmente sul lato destro, indicando un impiego regolare e vigoroso di questi arti, probabilmente dovuto all'uso delle pagaie per muovere le canoe. Uomini e donne avevano anche diete diverse, come è mostrato dall'usura e dal decadimento dei denti.

Una fase successiva presenta una considerevole diminuzione della mortalità infantile, anche se gli uomini erano più piccoli e meno robusti di prima, e mostravano una minor degenerazione alle articolazioni; tutto ciò suggerisce che fossero relativamente poco attivi. Avevano inoltre denti più sani, senza dubbio a causa di una dieta modificata che faceva meno uso di molluschi.

Le feci umane trovate in una sepoltura contenevano un uovo forse da attribuire a un distoma epatico, *Fasciolopisis buski*, che entra nel sistema digestivo umano quando vengono mangiati vegetali acquatici. Comunque non sono stati trovati segni di guerra o di violenze, cioè non sono visibili traumi o ferite nelle ossa umane.

Perché le cose cambiarono?

Tutti questi vari tipi di reperti formano un quadro abbastanza coerente. All'inizio gli abitanti avevano il fiume vicino e le colonie di molluschi fuori costa che erano adatti per la produzione di gioielli. Nonostante l'alta mortalità infantile e l'anemia, gli uomini erano attivi e robusti, particolarmente sul lato destro, forse a causa dell'uso delle canoe. Alcune persone erano sepolte con considerevole ricchezza. Gli uomini si occupavano della pesca e da questa ottenevano provviste di conchiglie, mentre le donne producevano vasellame nella stagione secca e lavoravano nei campi di riso in quella umida.

Da studi etnografici sappiamo che in ambienti di questo tipo circa ogni mezzo secolo possono verificarsi delle alluvioni disastrose, con inondazione e distruzione dei campi e modifiche nel percorso dei fiumi. Gli studiosi che condussero lo scavo credono che proprio un evento di questo tipo cambiò l'ambiente e i resti archeologici a

Khok Phanom Di dopo dieci generazioni: il fiume ruppe gli argini e si spostò a ovest. Quando questo accadde il mare era già distante e l'acqua limacciosa aveva eliminato molti dei molluschi che precedentemente erano stati usati per confezionare gioielli.

In seguito al cambiamento non si trovò quasi più nessuna perlina di conchiglie nei corredi funebri e la ceramica era meno decorata. Gli uomini erano meno robusti e meno attivi; gli ami da pesca e i pesi per le reti non venivano più prodotti e c'erano meno pesci di mare e di estuario, meno molluschi e i denti testimoniavano una dieta meno abrasiva. Tutto questo suggerisce che quando l'alluvione fu passata, il sito non aveva più alcun accesso diretto alla costa e quindi gli uomini smisero di andare all'estuario o al mare con le barche.

Nella fase successiva è stato riscontrato un notevole aumento nel benessere: le sepolture erano più elaborate, mentre il vasellame di ceramica aumentò di dimensioni e assunse fatture di notevole qualità. In questo periodo le donne sono predominanti nel cimitero e una di esse aveva la muscolatura del polso molto sviluppata. Fu quindi ipotizzato, anche grazie a resoconti etnografici relativi alle isole della Melanesia, che l'aumento del benessere, del prestigio e del potere venisse dalle attività di scambio. Ci fu un aumento della specializzazione delle abilità, centrato sulle donne; esse erano in grado di produrre pezzi in ceramica che venivano commerciati in cambio delle conchiglie che non potevano più essere rinvenute localmente. Quindi le loro abilità erano convertite in status sociale; le donne potrebbero essere diventate imprenditrici con gli uomini in un ruolo subalterno oppure, al contrario, gli uomini potrebbero aver sfruttato l'abilità delle donne per innalzare il proprio status sociale e seppellire le loro donne in vaste tombe assieme a una dovizia di prestigiosi gioielli di conchiglie.

Conclusioni

Una delle principali finalità del progetto era quella di aiutare a chiarire le origini dell'agricoltura del riso nel Sud-Est asiatico. L'insediamento del sito si dimostrò essere troppo tardivo (2000 a.C.) per ribaltare l'opinione corrente secondo la quale l'agricoltura del riso sarebbe nata più a nord in Cina, nella valle di Yangtze, attorno al 10 000-5000 a.C., e che poi da lì si sarebbe diffusa verso il sud (a dire il vero, sembra che recentemente sia stato ritrovato in Corea del riso domesticato ancora più antico, datato al 13 000 a.C.). Tuttavia l'analisi del polline e dei fitoliti ottenuti da carote dei sedimenti attorno a Khok Phanom Di hanno fornito prove incerte su attività agricole connesse al riso selvatico o domesticato già nel V millennio a.C.

Scavi più recenti portati a termine dalla stessa équipe di Nong Nor, 14 km più a sud, hanno aiutato a rendere la situazione più chiara. Nong Nor comprende nella sua il progetto ha mostrato che una ricerca ben focalizzata può gettare luce su un argomento di importanza generale (le origini dell'agricoltura nel Sud-Est asiatico) e anche migliorare enormemente le nostre conoscenze sulla documentazione archeologica locale in una regione del mondo in precedenza poco studiata.

YORK E LA PRESENTAZIONE AL PUBBLICO DELL'ARCHEOLOGIA

York è una delle prime grandi città d'Europa; in alcuni momenti della sua storia è stata la città più importante dell'Inghilterra settentrionale e seconda per importanza solo a Londra. Ospita anche una delle più importanti cattedrali inglesi: York Minster. York, che fu il sito di uno dei quartieri generali delle legioni romane, poi sede vescovile e poi arcivescovile in epoca anglo-sassone, e importantissima città vichinga, mantenne la sua importanza nel periodo normanno e medievale e oggi offre un quadro preciso del significato dell'archeologia in una città che continua a essere abitata e dove l'antico e il moderno convivono.

Abbiamo qui deciso di illustrare il caso dello York Archaeological Trust (YAT) per due motivi in particolare. In primo luogo, perché la storia delle sue origini e del suo sviluppo forniscono un buon esempio di risposta professionale ai problemi di conservazione dell'archeologia, dove il tema del salvataggio è molto simile a quello che si potrebbe incontrare a Pechino, a Dehli e nel centro di Manhattan (*vedi* Capitolo 5). In secondo luogo, e forse è la ragione più importante, perché il Trust ha sperimentato delle nuove tecniche volte a suscitare il coinvolgimento effettivo e l'interesse di un pubblico vasto, e per raggiungere questo scopo ha sviluppato degli approcci innovativi e di grande successo, primo tra tutti lo Jorvik Viking Centre, ora ribattezzato Jorvik (*vedi* più avanti).

Contesto e finalità

Fin dagli anni Venti del XIX secolo l'archeologia di York ha interessato gli archeologi locali e in modo particolare la Yorkshire Philosophical Society. Nel 1960 la prima grande ricognizione di York fu condotta dalla Royal Commission on the Historical Monuments of England (RCHME). Questa ricognizione mise l'accento sulla York romana, ma nel corso dell'ulteriore lavoro della Commissione negli anni Sessanta del secolo scorso furono portate alla luce anche le fasi della York anglica e vichinga; tra il 1966 e il 1972 gli scavi della Commissione sotto York Minster, che si temeva potesse crollare, produssero la documentazione di continue occupazioni dal 79 al 1080 d.C.: una della sequenze più importanti in Europa.

Fu la proposta della costruzione di un anello stradale all'interno della città, verso la fine degli anni Sessanta del

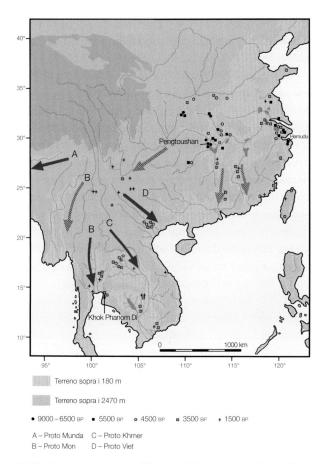

13.36 Mappa che mostra la diffusione dell'agricoltura del riso e della lingua nel Sud-Est asiatico.

prima fase un sito costiero del 2400 a.C. La ceramica, le ossa e i resti dell'industria della pietra sono praticamente identici a quelli della prima fase di Khok Phanom Di, ma non c'è riso e nemmeno ci sono delle lame di conchiglia per il raccolto o zappe di pietra. Higham e Thosarat suggeriscono che ciò indichi una tradizione di cacciatori-raccoglitori della costa e che la coltivazione del riso sia stata introdotta in Thailandia tra il 2400 e il 2000 a.C. probabilmente dalla valle di Yangtze. Secondo questa interpretazione i primi abitanti di Khok Phanom Di potrebbero aver adottato questa nuova risorsa oppure aver fatto essi stessi degli esperimenti con queste piante.

Lo scavo e l'analisi di Khok Phanom Di sono stati esemplari per diverse ragioni. In primo luogo essi hanno dimostrato proprio quante informazioni si possono ottenere da un singolo sito di sepolture in un buon stato di conservazione utilizzando un approccio veramente multidisciplinare. I molti anni di analisi della stratigrafia del sito, delle ossa umane, delle conchiglie, dei campioni di carbone da legna, dei resti vegetali e dei manufatti hanno dato luogo a un'ampia gamma di pubblicazioni, in particolar modo a un resoconto di ricerca in quattro volumi che tocca tutti i temi (Higham et al., 1990-2005); e una breve sintesi a opera di Higham e Thosarat (1994). Suprattutto

© 978.8808.82073.0

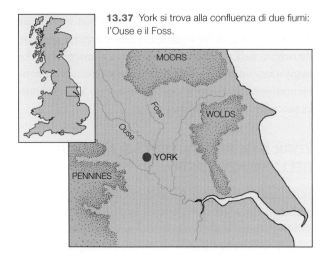

13.37 York si trova alla confluenza di due fiumi: l'Ouse e il Foss.

secolo scorso, che fece suonare l'allarme, dovuto anche alla generale consapevolezza presente a quel tempo sugli effetti distruttivi dello sviluppo urbano in tutta la Gran Bretagna. Lo York Archaeological Trust fu costituito nel 1972 come un consorzio imprenditoriale e Peter Addyman ne fu il primo direttore. Il suo fine era quello di salvare i resti archeologici prima che fossero distrutti dallo sviluppo: il progetto fu chiamato «conservazione tramite la documentazione» (*vedi* Capitolo 14) e Addyman prese la decisione si scavare soltanto i siti che erano in pericolo.

Già in quell'anno erano in corso diversi scavi di salvataggio; sotto l'edificio della Lloyds Bank, per esempio, furono ritrovati più di 5 metri di depositi ricchi di materiale organico finemente stratificato datato dal IX all'XI secolo (*vedi* illustrazione). Questi erano rimasti chiusi ermeticamente fin dal tempo della loro deposizione e un'ampia gamma di materiali organici, come tessuti, pelli, oggetti in legno, feci antiche e organismi biologici, si era conservata grazie alle condizioni anaerobiche. Fu subito chiaro che scavi estesi nell'area di Pavement-Coppergate avrebbero presumibilmente rivelato, con un dettaglio mai visto prima, l'aspetto della città all'epoca dei Vichinghi, conservatasi da quel periodo della storia anglo-sassone, prima della conquista dei Normanni nel 1066 d.C., quando gli invasori scandinavi dominavano l'Inghilterra settentrionale.

Nei primi tempi ci furono dei problemi con alcune autorità che curavano lo sviluppo della regione, la cui collaborazione non era per nulla garantita. Superati questi problemi, non ultimi quelli incontrati nella stessa York, venne in aiuto la legislazione nazionale: l'«Atto sui monumenti antichi e le aree archeologiche», del 1979, che designava il centro di York come una delle cinque aree di importanza archeologica nazionale. Nel decennio successivo furono avviati scavi per un periodo massimo di finanziamento della durata di quattro mesi e mezzo; in questo modo molti degli scavi furono portati a termine. Ma nel 1989, a seguito di complesse circostanze nel sito del Queen's Hotel, divenne

chiaro che questo provvedimento non era più sufficiente. Problemi simili vennero fuori nello stesso anno nel sito dello Shakespeare's Rose Theater a Londra (*vedi* Capitolo 14).

Infine nel 1990 Martin Carver della University of York e la società ingegneristica Ove Arup & Partners ricevettero l'incarico dall'English Heritage e dalla City of York di redigere un rapporto sulle metodologie e le finalità dell'archeologia urbana. Il rapporto delineò una mappa predittiva dei depositi di York e un programma di ricerca dove i siti potevano essere scavati, se avevano una priorità di ricerca, oppure solo conservati. Molte idee contenute in questo rapporto, in modo particolare il concetto di «valutazione», furono incorporate nel documento che veniva in quel momento preparato dal Governo inglese: il Planning Policy Guidance paper 16 (PPG 16), che si fece promotore di una nuova filosofia dell'archeologia e dello sviluppo.

Il PPG 16 (ormai superato) sottolineava che l'archeologia è una risorsa non sostituibile e auspicava la conservazione dei depositi archeologici quando sono minacciati dallo sviluppo. Inoltre stabiliva che i lavori archeologici necessari siano portati a termine a spese di coloro che intendono costruire. Dal 1990 molti dei lavori conclusi dallo York Archaeological Trust sono stati fatti a spese del costruttore, portando a termine progetti specificati dalla City Archaeologist for York.

13.38 I lavori in corso a Coppergate, prima della costruzione del centro commerciale e dello Jorvik Viking Centre nello stesso sito.

Gli obiettivi dello YAT includono «un esame su un'ampia base di tutto il processo di urbanizzazione degli ultimi due millenni» e prevedono un approccio pragmatico alle opportunità che possono offrire sia i lavori minori sia i grandi cantieri all'interno della città. Inoltre c'è il riconoscimento che deve essere data importanza a tutti i diversi tipi di testimonianze; per esempio, uno degli obiettivi del Trust è quello di integrare la quantità di nuovi dati archeologici sulla York medievale con le testimonianze fornite dai nomi di luoghi, dalle fonti documentarie e dagli edifici ancora in piedi. Tuttavia, una delle finalità originarie e particolari che il Trust si era posto e che poté svilupparsi sfruttando le opportunità che venivano offerte durante il corso dei lavori, era quella di presentare le loro scoperte al pubblico in una maniera nuova e innovativa (*vedi* più avanti).

Nonostante la nostra decisione di concentrarci sull'attività dello YAT, è importante tener presente che tutto il lavoro non fu certo portato avanti dallo YAT da solo: gli scavi sotto lo York Minster a opera della RCHME sono già stati menzionati. Un importante progetto urbano di questo tipo è sempre frutto di una collaborazione fra diverse organizzazioni e, oltre allo York Archaeological Trust e alla Royal Commission, vi hanno preso parte anche il Dipartimento di archeologia della University of York, il Comune di York e l'organizzazione nazionale English Heritage. Il successo dell'archeologia a York dipende da queste cooperazioni e sicuramente costituisce un'importante lezione di archeologia urbana per tutti.

La ricognizione, la documentazione e la conservazione

In un sito urbano, un certo numero di informazioni, anche potenzialmente di gran valore, vengono inevitabilmente scoperte in una maniera poco controllabile come conseguenza delle attività di costruzione. Queste informazioni possono essere inserite con successo nel quadro generale. Come Peter Addyman scrisse nel 1974:

> Fosse di vari tipi vengono scavate in continuazione in tutta la città. È stato calcolato che nel 1972 ne sono state scavate più di 1500 dalla sola Corporation. Il Trust ha perciò adottato la politica, laddove delle scoperte fortuite sono documentate sistematicamente, di aiutare a raccogliere le prove dell'estensione, del carattere e dell'importanza dell'insediamento nel passato.

L'utilizzo intelligente delle informazioni disponibili può anche suggerire come procedere nella fase successiva. Per esempio, il posizionamento sulla mappa delle tracce della fortezza romana evidenziate nei primi stadi dello scavo, o addirittura già note, hanno permesso di redigere una mappa ipotetica in grado di prevedere dove si sarebbero dovute trovare altre tracce. I risultati della ricognizione

urbana di York furono integrati nella realizzazione di due mappe prodotte nel 1988 dalla Ordnance Survey (l'agenzia cartografica nazionale britannica) in collaborazione col Trust e la RCHME. La prima riunisce ciò che si conosce della York romana e anglica e la seconda della York vichinga e medievale.

Recentemente lo YAT ha studiato la York fuori le mura romane monitorando qualsiasi scavo, anche modesto, realizzato a fini edilizi o infrastrutturali negli ultimi quarant'anni, a dimostrazione di quanto si possa ricostruire e osservare a partire da piccoli interventi in apparenza anche poco compromettenti.

Come notato prima, durante il periodo di attività dello YAT, il clima dell'archeologia britannica urbana cambiò; così scrisse Addyman nel 1992:

> Sembra proprio che l'era degli scavi su larga scala sia ormai finita. In un certo senso le prime due decadi di vita del Trust possono essere viste come l'età d'oro dell'archeologia di York, poiché gli scavi su larga scala hanno trasformato la conoscenza archeologica della città. Gli anni Novanta, tuttavia, sono anni di una maggiore responsabilità in cui è permessa solo un'utilizzazione sostenibile delle risorse archeologiche. Nella nuova impostazione più selettiva lo scavo richiederà nuovi approcci teorici. Verranno apprezzate le valutazioni non distruttive per mezzo del telerilevamento, per esempio attraverso il radar; la correlazione delle informazioni esistenti tramite la creazione di documentazione di siti e documenti; la creazione di modelli predittivi al computer e l'utilizzo del GIS.

Questi metodi sono stati utilizzati a York e gli scavi dal principio cominciarono a sviluppare un sistema standardizzato di documentazione, utilizzando una «scheda del contesto» prestampata per ciascuna unità stratigrafica. Con la diffusione commerciale di computer a basso costo, sono stati sviluppati un sistema informatico integrato di documentazione dei reperti e una banca dati archeologica integrata per permettere l'accesso ai dati degli scavi e dei reperti prodotti in più di 40 anni di attività.

Diversi sistemi di documentazione sono stati sviluppati e migliorati e la fotogrammetria, basata sull'analisi di coppie di fotografie proiettate stereoscopicamente, è stata utilizzata per realizzare il primo documento prodotto su York dall'unità di fotogrammetria dell'English Heritage. La documentazione definitiva dell'elmo di Coppergate Anglian (*vedi* più avanti) fu ottenuto anche grazie alla fotogrammetria e all'olografia. In alcuni casi semplici tecniche di correzione delle fotografie sono state utilizzate anche per la documentazione del sito, come per esempio nel cimitero medievale di Jewbury, dove fotografie verticali di ciascuna sepoltura hanno permesso di documentare il sito con gran-

© 978.8808.82073.0

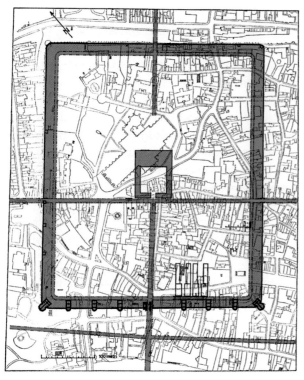

13.39 Il profilo della fortezza delle legioni romane a York sovrapposto a una mappa della città moderna.

de rapidità. I resti umani sono stati sepolti di nuovo, sicché le foto sono oggi l'unica fonte d'informazione.

A York l'impegno maggiore è stato riservato alla conservazione e ha portato alla nascita, nel 1981, di un laboratorio per i materiali impregnati d'acqua, tra cui la pelle e il legno. Tra le altre cose, questo laboratorio si trovò a esaminare elementi strutturali tra cui legni lunghi 6 me-

tri provenienti dagli edifici vichinghi di Coppergate. Il laboratorio del Trust è ora uno dei più importanti centri di conservazione regionali: lo York Archaeological Wood Centre fu aperto nel 1993 ed è il centro nazionale di trattamento del legno bagnato dell'English Heritage.

Accanto a questo lavoro, Julian Richards e Paul Miller del Dipartimento di archeologia della University of York, hanno sviluppato un GIS per York. I dati riguardanti i depositi, i monumenti e anche i ritrovamenti fortuiti possono essere in questo modo immagazzinati e utilizzati per creare dei modelli di superficie di York in un dato periodo.

Storia e datazione

I lineamenti storici della conquista romana, del periodo anglo-sassone, dell'invasione scandinava (i Vichinghi) e dell'arrivo dei Normanni nel 1067 sono chiaramente documentate per York da fonti storiche (*vedi* più avanti). Ma sequenze stratigrafiche dettagliate, soprattutto del periodo anglo-sassone e vichingo, sono state in grado di fornire molti più dettagli sullo sviluppo della ceramica e di altri manufatti.

Un programma informatico è ora utilizzato per correlare le informazioni relative ai vari siti e produrre una interpretazione coerente dei vari periodi. Per esempio, nel sito della nuova Lloyds Bank, nella strada chiamata Pavement, la sequenza stratigrafica ha fornito dei campioni per la datazione col radiocarbonio che, correlati con una serie di monete ritrovate, ha prodotto una precisa cronologia della produzione di ceramica nota come York Ware e Torksey Ware. Una serie di determinazioni dendrocronologiche nel sito di Coppergate ha confermato e ulteriormente raffinato questa cronologia.

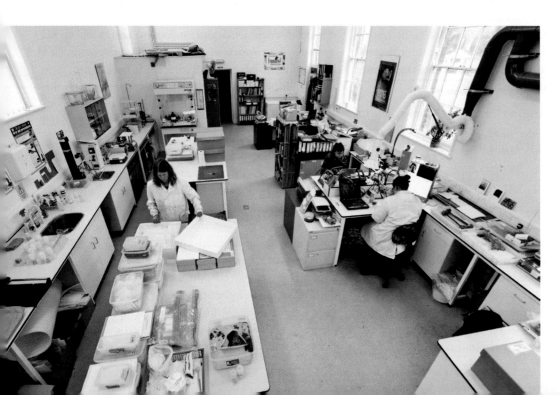

13.40 Gli scavi a York hanno portato alla luce una gran quantità di materiali, di differenti tipi e in differenti stati di conservazione. Il laboratorio dello York Archaeological Trust è stato istituito per conservare e analizzare questo materiale.

Fasi dello sviluppo urbano

Lo studio della stratigrafia profonda di un sito urbano fornisce importanti conoscenze sullo sviluppo della vita urbana, soprattutto quando sono disponibili anche abbondanti testimonianze da fonti testuali. Per ciascuna delle fasi di occupazione più importanti conosciamo il nome dell'insediamento da fonti scritte (e spesso anche da monete emesse localmente). C'è anche la possibilità, almeno per il periodo medievale, di utilizzare atti costitutivi, contratti e altri documenti che riguardano le proprietà terriere da mettere in relazione con l'attuale conformazione delle aree sotto scavo. Il «Domesday Book», un repertorio nazionale del territorio risalente alla fine dell'XI secolo d.C., registra due chiese, All Saints e St. Crux, nell'area di Coppergate e Pavement, e un atto del 1176 d.C. si riferisce alla «terra in Ousegate nella parrocchia di St. Crux». Anche Shambles è menzionata nel Domesday Book, dimostrando che questa direttrice viaria era già esistente prima della conquista dei Normanni. Informazioni sulle successive fasi urbane sono quindi state ottenute costruendo il quadro dello sviluppo di York.

La York preistorica Vi è per ora solo una piccola testimonianza di un'occupazione, nel Neolitico e nell'Età del bronzo, individuata nei sobborghi dello storico cuore della città racchiuso da mura. Scavi del Campus 2 dell'Università di York hanno scoperto a Heslington un teschio isolato, datato Età del ferro, contenente i resti ben conservati del cervello più antico della Gran Bretagna. Sono allo studio i meccanismi chimici che hanno consentito questa eccezionale conservazione.

Eboracum La York romana. La fortezza della legione e la città romana (o *Colonia*) a essa connessa sono state studiate in modo sistematico. I resti del quartier generale o *Principia* possono essere visti sotto il Minster. Importante fu la scoperta del sistema fognario in pietra conservato al di sotto della città, dal quale furono prelevati campioni di resti organici di grande rilievo. Ricco di informazioni è stato anche lo studio di campioni probabilmente provenienti da magazzini di grano, chiaramente rimanenze di una grande quantità di grano avariato. Furono anche trovate testimonianze di una basilica, di alloggi militari, di case per i centurioni, di strade e di vicoli, che hanno fatto di York uno dei quartier generali più ampiamente documentati dell'Impero romano. Di recente, grazie ai metodi di archeologia forense che comprendono anche analisi delle origini attraverso gli isotopi, in alcune sepolture sono stati identificati scheletri di gladiatori.

Eoforwic La York anglo-sassone. La caduta dell'Impero romano alla fine del IV secolo d.C. portò a un notevole spopolamento di York e sono rimasti pochi resti dei due

secoli che seguirono. I documenti storici indicano che York era un importante centro nel VII secolo e diventò sede arcivescovile nel 735 d.C. Ancora non si conosce molto degli edifici della York anglica, ovvero anglo-sassone, ma tra di essi avrebbe dovuto anche esserci una chiesa arcivescovile e una importante scuola monastica e quasi sicuramente un palazzo reale (ancora non localizzato). Tuttavia informazioni sull'insediamento degli Angli furono ritrovate negli scavi YAT di Fishergate, alla confluenza dei fiumi Ouse e Foss, che chiariscono in modo prezioso l'economia del periodo mostrando che il sito era già al centro del commercio con l'Europa settentrionale. Uno splendido villaggio di questo periodo fu portato alla luce a Coppergate (*vedi* più avanti). Quando i Vichinghi presero York nell'866 d.C. molto probabilmente avranno trovato non una città densamente popolata, ma una piccolo paese composto da una serie di insediamenti più piccoli, ciascuno dei quali, forse, era adibito a una funzione, sparsi nell'area della vecchia città romana e dominati dalle mura della fortezza romana e dal monastero lungo il fiume Ouse. Come i lavori a York hanno mostrato chiaramente, la città che essi crearono era molto diversa.

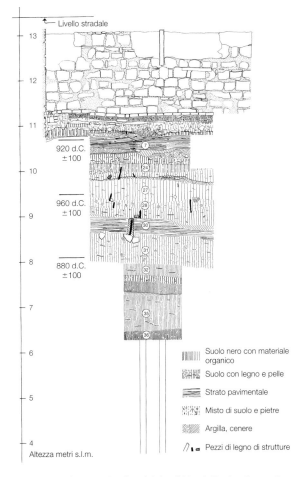

13.41 La sezione stratigrafica del sito di Lloyds Bank nella strada chiamata Pavement ha permesso una cronologia dettagliata.

© 978.8808.82073.0

Jorvik La York vichinga e anglo-scandinava. Gli scavi nell'area attorno e oltre Coppergate hanno fornito le testimonianze attualmente più significative sulla struttura delle città del periodo vichingo in Inghilterra. Mentre le chiese della città erano costruite in pietra, le case e i laboratori erano in legno e avevano tetti di paglia. I reperti conservati formarono la base della ricostruzione allestita allo Jorvik Viking Centre. I resti delle mura romane erano familiari agli abitanti della York anglo-scandinava: parti degli alloggi militari romani in rovina furono usate per ospitare delle attività industriali leggere come la lavorazione dell'ambra nera, mentre i resti delle mura del *Principia* furono usati per racchiudere un ricco cimitero. All'interno delle vecchie mura romane, molte chiese parrocchiali e cimiteri furono realizzati in questo periodo. Per la prima volta dal periodo degli scavi a Coppergate (1976-81), è stato recentemente scoperto a Hungate un fronte stradale di epoca vichinga. Questo dimostra l'espansione della città nel X secolo, sebbene non vi siano la varietà e la quantità di testimonianze di artigianato e di commerci rinvenute a Coppergate.

York La città medievale (e moderna), dall'arrivo degli invasori Normanni nel 1067 d.C. Scavi su larga scala hanno chiaramente messo in evidenza la pianta della città medievale, che fino all'inizio del XV secolo doveva rimanere la città più importante dell'Inghilterra settentrionale, con una popolazione tra gli 8000 e i 15 000 abitanti. La costruzione della cattedrale di St. Peter (York Minster) fu iniziata nel sito attuale nel 1070 e sopravvivono ancora alcuni pezzi di case in pietra datati al XII secolo assieme a molte case in legno del XIV secolo e di epoche successive. Uno studio recente in collaborazione con l'università di York ha suggerito la presenza di un coro di precoce stile gotico costruito dall'arcivescovo Roger, forse il più antico edificio gotico d'Inghilterra. Altri significativi resti della York medievale includono le mura della città, le tracce di due castelli, chiese parrocchiali e i palazzi delle corporazioni.

La York industriale Per la prima volta a York, una larga fascia di abitazioni del XVIII, XIX, e degli inizi del XX secolo è stata scoperta durante gli scavi nella zona di Hungate, insieme a resti industriali di grande scala che comprendono il grande mulino Leetham & Sons. Quest'area, studiata da un riformatore di epoca edoardiana, Seebohm Rowntree, fu da lui definita uno *slum*; si trattava di un caso-studio all'interno del suo autorevole volume *Poverty – A Study of Town Life* (1902), che aiutò a definire i fondamenti teorici del concetto di *welfare*. Insieme con la raccolta di interviste fatte alla gente che viveva lì prima della demolizione, sarà quindi possibile un riesame della rappresentazione della vita di questa comunità elaborata da Rowntree.

Ambiente

Una delle caratteristiche più interessanti degli scavi di York è quella dello studio non solo dei problemi climatici in generale e della situazione rurale nelle periferie, ma anche delle condizioni ecologiche e delle attività all'interno della città.

Gli scavi di depositi impregnati d'acqua risalenti all'occupazione romana nel sito di Tanner Row, nei pressi del fiume Ouse, hanno dato molte informazioni. I resti di piante, di vertebrati e invertebrati hanno fornito prove sulla esistenza di precedenti pascoli attraversati da fossati, cospicui «interramenti» composti prevalentemente da letame solido e altri rifiuti e una varietà di cibi importati. Sono stati trovati anche indizi dai quali risulta che il fiume era più pulito in epoca romana di quanto non lo fosse nel periodo medievale oppure oggi (*vedi* Capitolo 6).

I livelli impregnati d'acqua al di sotto dei bordi del fiume Foss hanno prodotto molte testimonianze interessanti sull'età vichinga di York. I resti di insetti al 16-22 di Coppergate, in modo particolare, rendono possibile la ricostruzione di un'intera serie di ambienti urbani su piccola scala, ciascuno dei quali è il risultato di una specifica attività umana che creò condizioni di temperatura e un ambiente adatto per le specifiche comunità di insetti. Per esempio, c'era una particolare «fauna casalinga» che

13.42 Esame di una delle fognature romane ancora conservate sotto la città.

13.43 Un pidocchio dell'essere umano, *Pediculus humanus*, da Coppergate. Gli scavi a York hanno fornito un gran numero di testimonianze di questo tipo.

vennero trovate spesso ed erano molto abbondanti in due depositi; il miele presumibilmente aiutava a rendere più piacevolmente edibili le susine di macchia e gli altri frutti selvatici. Le ossa di animali e i resti di cibi vegetali sono stati studiati attentamente a York, così come in altri progetti di scavi urbani in Gran Bretagna.

Tecnologia e commercio

Gli scavi hanno prodotto ingenti prove della pratica di lavori manuali in città; la più interessante, viene dal deposito vichingo nel sito di Coppergate. La lavorazione dell'argento costituiva un'industria importante e a metà del X secolo ebbe il suo periodo di massima fioritura, e pure venivano lavorati l'oro, il piombo, lo stagno, il rame e il peltro. Furono trovate inoltre delle testimonianze del raffinamento del metallo attraverso la coppellazione e la partizione (la separazione dell'oro e dell'argento), con crogioli, *tuyères*, lingotti, stampi e attrezzi.

Il ritrovamento di stampi coevi per monete suggerisce che la maggior parte dell'argento fosse utilizzata per la produzione di monete, probabilmente con degli addetti al conio che lavoravano sul campo. Gli stampi erano fatti di ferro e potrebbero essere legati a un'industria molto estesa della lavorazione del ferro nella metà del X secolo.

Dalla stessa area provengono anche numerosi ritrovamenti di materiali tessili, tra i quali 221 reperti di fibre, cordame, e tessuti di lana, lino e seta, in gran parte risalenti al periodo vichingo, che hanno fornito molte informazioni sulle industrie tessili del tempo. Il ritrovamento di pesi da telaio indica che all'epoca era in uso il telaio ordito con i pesi. La maggior parte della stoffa prodotta era di lana, ma veniva anche lavorato il lino, probabilmente per lenzuola e sottovesti. Come detto prima, sono stati rinvenuti anche materiali per la tintura, come la robbia e il guado: è chiaro,

includeva pulci umane e pidocchi, tipica dei pavimenti interni, mentre i pozzi neri contenevano abbondanti pulci e scarafaggi, a indicare che le deiezioni erano state esposte per lunghi periodi, con il conseguente pericolo di infezioni. La distribuzione di pidocchi permise di distinguere gli edifici domestici dai laboratori.

I cortili attorno e dietro gli edifici erano pieni di piccole buche riempite prevalentemente di feci umane ricche in cereali e noccioli di frutta (come, per esempio, le susine di macchia, *Prunus spinosa*, e le prugne selvatiche) e contenenti abbondanti uova di parassiti intestinali. Le piante della foresta e gli insetti erano abbastanza comuni, probabilmente perché portati con il muschio usato per fini sanitari.

Il ritrovamento di pidocchi di pecora indicò la presenza della preparazione e tintura della lana. Le piante per la tintura comprendevano la robbia, il guado e il licopodio dall'Europa continentale (*vedi* Capitolo 8); i rifiuti dei bagni di tintura formavano spessi strati nei luoghi di lavorazione. Probabilmente venivano tenute le api: esse

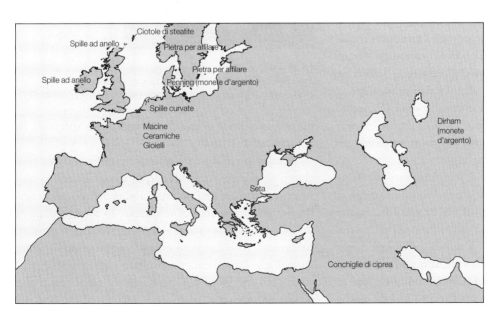

13.44 La York vichinga aveva ampi collegamenti commerciali che si estendevano attraverso l'Europa fino all'Asia. Questa mappa mostra le principali fonti di provenienza dei beni importati a Jorvik.

© 978.8808.82073.0

13.45 Uno stampo da conio (*a destra*), un pezzo di prova in piombo e monete d'argento dalla York del X secolo.

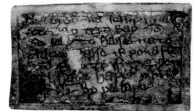

13.46-47 Una delle tavolette di bosso con iscrizioni (XIV sec.) trovate a York: al momento del ritrovamento (*a sinistra*) e dopo il restauro (*sopra*). Il testo era inciso nella cera che ne ricopriva le facce.

quindi, che le tessitrici erano in grado di produrre stoffe di lana e di lino pratiche e di buona qualità. I tessuti più fini probabilmente arrivavano con il commercio: certamente la seta, che commercianti vichinghi importavano probabilmente dalla Russia, che a sua volta si riforniva in Asia Centrale e in Cina attraverso la via della seta. Alcune sete erano probabilmente bizantine.

Questi ritrovamenti relativi alla lavorazione dei metalli e ai tessuti importati, assieme ad altre indicazioni – tra cui quelle che un tempo si ritenevano «prove di conio» e ora invece si ritiene siano ricevute di clienti – ci permettono di ricostruire un quadro complessivo dei collegamenti commerciali di York nei periodi successivi.

Aspetti cognitivi

Poiché tutti e quattro i periodi di sviluppo di York sono stati periodi in cui esisteva la scrittura e poiché disponiamo di testimonianze scritte che si riferiscono alla York di ciascun periodo, oltre alle monete e alle iscrizioni ritrovate durante gli scavi, ci sono abbondanti prove sulla visione del mondo e i modi di pensare degli abitatanti della città. Di particolare interesse sono alcuni scritti su tavolette di cera trovate in una buca per le immondizie del XIV secolo (le 8 tavolette di bosso avevano 14 facce coperte di cera che riportano ancora le iscrizioni); si scoprì trattarsi di un poema osé e di un documento legale.

Un reperto eccezionale degli scavi è l'elmo di Coppergate, che è stato oggetto di uno studio meticoloso da parte di Dominic Tweddle. Datato all'VIII secolo d.C., l'elmo risale al periodo anglico, prima dell'avvento dei Vichinghi. È uno di una serie di elmi provenienti dalla Gran Bretagna e dall'Europa (tra i quali vi è anche quello trovato nel celebre relitto di Shutton Hoo). Si tratta di un lavoro di tecnologia esemplare: il collo era protetto da una maglia

13.48-49 Uno dei ritrovamenti più importanti fatti a York è un elmo anglico risalente all'VIII secolo d.C., ritrovato a Coppergate. La protezione per il naso è finemente incisa con un motivo intrecciato.

di metallo e si può notare che un suo anello, difettoso, fu accuratamente riparato.

Possiamo considerare questo manufatto come una sintesi di valenze tecniche, sociali e cognitive: una tecnologia superba e una notevole abilità artistica sono utilizzate sapientemente per valorizzare lo status sociale di un individuo di alto rango. La protezione per il naso, in particolare, è un finissimo esempio di intreccio di figure animali che rappresenta un risultato ragguardevole per i «secoli bui» del Nord Europa, quelli che seguirono la fine dell'impero romano.

La conservazione di questo importante reperto è essa stessa un processo complicato e oggi lo si può ammirare nel Yorkshire Castle Museum, solo poche centinaia di metri dal punto del suo ritrovamento a Coppergate. (Si noti che gli stessi nomi delle strade restituiscono una valenza cognitiva: Coppergate significa «via dei fabbricanti di coppe/via dei vasai», dal norvegese *gata*, «via»).

A chi appartiene il passato? Archeologia pubblica a York

Il primo compito dell'archeologo dopo lo scavo e le ricerche iniziali è la pubblicazione; ma purtroppo spesso passano anni prima che i ritrovamenti completi vedano la luce del giorno. Per questa ragione molti studiosi, quando scavano, pubblicano annualmente dei rapporti intermedi abbastanza completi a partire dall'inizio della campagna dei lavori sul campo; questa fu anche l'impostazione seguita da Peter Addyman. Egli inoltre adottò un nuovo sistema, da allora utilizzato anche in molti altri progetti, riguardante il problema del Rapporto finale. Piuttosto che aspettare l'arrivo dei vari rapporti degli specialisti per combinarli assieme e pubblicare i volumi sugli scavi, egli decise di pubblicare non appena arrivavano sul suo tavolo i contributi individuali dei vari specialisti in una serie di brevi volumi o fascicoli. Tutti questi assieme compongono i 19 volumi di *The Archaeology of York*. Estratti della maggior parte dei volumi progettati sono stati pubblicati negli ultimi 25 anni, inclusa una serie di studi pionieristici nell'archeologia ambientale.

Probabilmente l'elemento più importante del lavoro dello York Archaeological Trust è stato il suo successo nel coinvolgere il pubblico locale e anche un numero sempre maggiore di turisti utilizzando nuovi metodi di coinvolgimento. Come istituzione di carità indipendente, il Trust riceve dei piccoli fondi tramite delle sovvenzioni, ma la maggior parte delle entrate deriva dai visitatori dell'innovativo Jorvik Viking Centre, che si trova nel piano sotterraneo del Centro Commerciale Coppergate.

Quando aprì, nel 1984, Jorvik Viking Centre fu un'iniziativa che ruppe gli schemi del passato introducendo metodi innovativi per comunicare i risultati della ricerca archeologica al pubblico. Il centro fu rimodernato nel 2001 e i visitatori ora viaggiano su navicelle sollevate da terra attraverso una nuova e autentica ricostruzione delle vie vichinghe che un tempo si trovavano proprio lì. Seguendo i quasi 30 anni di ricerca sui reperti dallo scavo originale, questa riproduzione è accurata fino ai minimi dettagli ed è completata da suggestive vedute, rumori e perfino odori. Nei primi quattro anni i guadagni hanno permesso di ripagare (con gli interessi) il prestito contratto per la

13.50-51 (*A sinistra*) I visitatori dello Jorvik Viking Centre sono trasportati da navicelle sollevate da terra attraverso la York vichinga e possono avere un'esperienza diretta di tutte la attività, i rumori e gli odori associati alla vita in città a quei tempi. Basandosi sulle ricerche condotte negli scavi a York e su informazioni provenienti da città scandinave simili, il centro presenta una ricostruzione accurata della York del X secolo. (*Sotto*) Una nuova galleria del Centre consente ai visitatori di camminare sopra lo scavo ricostruito di Coppergate, con case di legno a graticcio e oggetti scartati dagli abitanti in vista.

© 978.8808.82073.0

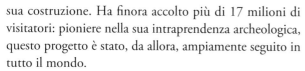

13.52 Una rappresentazione nello Jorvik Viking Centre che ricrea una scena tipica in una strada della York vichinga; la ricostruzione si basa su reperti trovati negli scavi eseguiti proprio in questo stesso luogo.

13.53 La Barley Hall restaurata.

sua costruzione. Ha finora accolto più di 17 milioni di visitatori: pioniere nella sua intraprendenza archeologica, questo progetto è stato, da allora, ampiamente seguito in tutto il mondo.

Alcuni critici sostengono che le «capsule del tempo» utilizzate dalle «macchine del tempo» sotterranee di Jorvik si avvicinano più a Disneyland che alla vera archeologia. Tuttavia quasi tutti coloro che hanno provato l'«esperienza di Jorvik», inclusi alcuni archeologi, dicono che l'hanno apprezzata e che hanno imparato qualcosa, se non altro quanto sgradevole sia stato l'odore presente nei cortili sul retro della York dell'epoca vichinga.

Ci sono anche due spazi espositivi con un programma sempre diverso di presentazioni che esplorano temi come le abilità artigianali e ciò che dati provenienti dalle ossa possono dirci circa il modo in cui gli abitanti di York vivevano e morivano nel X secolo. Queste aree sono piene di archeologi e di «Vichinghi» (questi non sono solo attori in costume, ma ricercatori che conoscono molto bene la loro materia). L'interazione con il pubblico viene incoraggiata con molte mostre.

Nel 1990 il Trust ha anche aperto un Archaeological Resource Centre – ora chiamato DIG – nella chiesa sconsacrata di St. Saviours (XV secolo). Qui i gruppi scolastici e il pubblico possono fare delle esperienze archeologiche di prima mano. Gli elementi principali includono una falsa trincea con un deposito stratificato e un'introduzione al lavoro dell'archeologo. I visitatori possono dividere e registrare i reperti e capire cosa questi reperti possono dirci sulla vita nel passato. Barney Hall, una casa urbana fatiscente in Coffee Street, fuori Stonegate, è stata rilevata, scavata, restaurata e aperta al pubblico; ora ospita esposizioni di argomento medievale.

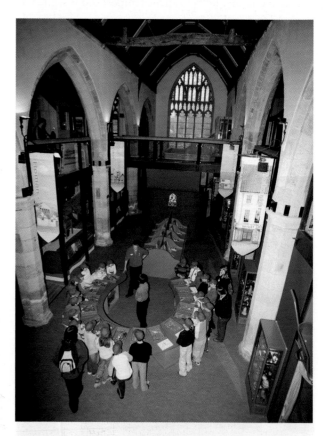

13.54 All'Archaeological Resource Centre, situato in una chiesa sconsacrata del XV secolo, persone del pubblico e gruppi di scolaresche possono scoprire cosa fanno gli archeologi classificando i reperti e guardando i ricercatori al lavoro.

Il raggio d'azione si allarga

Nel corso degli anni 2005-10, YAT ha ospitato il Greater York Community Archaeology Project, finanziato dall'Heritage Lottery Fund. La Community Archaeologist del Trust poté incoraggiare e assistere parrocchie, comunità, e speciali gruppi di interesse a esplorare e interpretare il loro circondario sfruttando nuove competenze acquisite attraverso «giornate di studio» pratiche. York People First, un gruppo costituito da gente con difficoltà di apprendimento, mise in scena uno spettacolo presso il Theatre Royal di York, basato sulle testimonianze della vita nel XIX e XX secolo ottenute dagli scavi di Hungate. Il Trust si è ora assunto il finanziamento del Community Archaeologist e sta allargando il progetto in tutto lo Yorkshire, offrendo a più gente possibile di essere coinvolta nel lavoro archeologico. L'operato dello York Archaeological Trust è un primo esempio di un progetto di archeologia in ambito urbano che è, allo stesso tempo, un successo commerciale ed educativo. L'impegno costante del Trust a comunicare i risultati del suo lavoro, e la sua efficacia nell'ideare metodi innovativi per raggiungere lo scopo, sono il suo migliore contributo all'archeologia.

▌Letture consigliate

Le fonti fondamentali per lo studio dei cinque casi esaminati sono le seguenti:

Oaxaca

Blanton R.E., 1978, *Monte Albán: Settlement Patterns at the Ancient Zapotec Capital.* Academic Press: New York & London.

Flannery K.V. & Marcus J. (a cura di), 1983, *The Cloud People: Divergent Evolution of the Zapotec and Mixtec Civilizations.* Academic Press: New York.

Flannery K.V. (a cura di), 1986, *Guilá Naquitz: Archaic Foraging and Early Agriculture in Oaxaca, Mexico.* Academic Press: New York.

Marcus J. & Flannery K.V., 1996, *Zapotec Civilization: How Urban Society Evolved in Mexico's Oaxaca Valley.* Thames & Hudson: London & New York.

Spencer C.S. & Redmond E.M., 2003., «Militarism, resistance, and early state development in Oaxaca, Mexico.» *Social Evolution & History,* 2:1, 25–70. Uchitel Publishing House: Moscow.

Calusa

Marquardt W.H. (a cura di), 1992, *Culture and the Environment in the Domain of the Calusa.* Monograph 1, University of Florida, Institute of Archaeology and Paleoenvironmental Studies: Gainesville.

Marquardt W.H. (a cura di), 1999, *The Archaeology of Useppa Island.* Monograph 3, University of Florida, Institute of Archaeology and Paleoenvironmental Studies: Gainesville.

Marquardt W.H., 2001, The emergence and demise of the Calusa, in *Societies in Eclipse: Archaeology of the Eastern Woodlands Indians*, A.D. 1400–1700 (D. Brose, C.W. Cowan, & R. Mainfort eds.), 157–71. Smithsonian Institution Press: Washington, D.C.).

Marquardt W.H., 2014, Tracking the Calusa: a retrospective. *Southeastern Archaeology* 33 (1), 1–24.

Marquardt W.H. & Walker K.J., 2001, Pineland: a coastal wet site in southwest Florida, in *Enduring Records: The Environmental and Cultural Heritage of Wetlands* (B. Purdy ed.), 48–60. Oxbow Books: Oxford.

Walker K.J. & Marquardt W.H. (a cura di), 2004, *The Archaeology of Pineland: A Coastal Southwest Florida Village Complex, ca. A.D. 50–1700.* Institute of Archaeology and Paleoenvironmental Studies, Monograph 4. University Press of Florida: Gainesville.

Upper Mangrove Creek

Attenbrow V., 2003, Habitation and land use patterns in the Upper Mangrove Creek catchment, NSW central coast, Australia, in *Shaping the Future Pasts: Papers in Honour of J. Peter White* (J. Specht, V. Attenbrow, & R. Torrence eds.), 20–31. *Australian Archaeology* 57.

Attenbrow V., 2004, What's Changing? Population Size or Land-Use Patterns? The Archaeology of Upper Mangrove Creek, Sydney Basin. *Terra australis* No 21. Pandanus Press, ANU: Canberra.

Attenbrow V., 2007, Emu Tracks 2, Kangaroo & Echidna, and Two Moths. Further radiocarbon ages for Aboriginal sites in the Upper Mangrove Creek catchment, New South Wales. *Australian Archaeology* 65, 51–54.

Attenbrow V., 2010, *Sydney's Aboriginal Past. Investigating the Archaeological and Historical Records.* (2nd ed.) UNSW Press: Sydney.

Attenbrow V., Robertson G. & Hiscock P., 2009, The changing abundance of backed artefacts in south-eastern Australia: a response to Holocene climate change? *Journal of Archaeological Science* 36, 2765–70.

Hiscock P., 2008, *Archaeology of Ancient Australia.* Routledge: London (specialmente il Capitolo12).

Robertson G., Attenbrow V. & Hiscock P., 2009, The multiple uses of Australian backed artefacts. *Antiquity* 83(320), 296–308.

Khok Phanom Di

Higham C. & others, 1990–93, *The Excavation of Khok Phanom Di, a Prehistoric Site in Central Thailand.* Vols. 1–4. Society of Antiquaries: London.

Higham C. & Thosarat R., 1994, *Khok Phanom Di: Prehistoric Adaptation to the World's Richest Habitat.* Harcourt Brace College Publishers: Fort Worth.

Kealhofer L. & Piperno D.R., 1994, Early agriculture in southeast Asia: phytolith evidence from the Bang Pakong Valley, Thailand. *Antiquity* 68, 564–72.

Tayles N.G., 1999, *The Excavation of Khok Phanom Di, a Prehistoric Site in Central Thailand. Vol. V. The People.* Society of Antiquaries: London.

▶

Thompson G.B. (a cura di), 1996, *The Excavation of Khok Phanom Di, a Prehistoric Site in Central Thailand. Vol. IV. Subsistence and Environment: The Botanical Evidence*. Society of Antiquaries: London.

York

La fonte più importante di informazioni è la serie *The Archaeology of York* pubblicata dallo York Archaelogical Trust e dal Council of British Archaeology. Dettagli sui singoli fascicoli sono reperibili su www.yorkarchaeology.co.uk.

Dean G., 2008, *Medieval York*. The History Press: Stroud.

Hall R.A., 1994, *Viking Age York*. Batsford/English Heritage: London.

Hall R.A., 1996, *York*. Batsford/English Heritage: London.

Hall R.A., 2011, «Eric Bloodaxe Rules OK»: The Viking Dig at Coppergate, York, in *Great Excavations: Shaping the Archaeological Profession* (a cura di J. Schofield), 181–93. Oxbow Books: Oxford.

Hall R.A. & others, 2014, *Anglo-Scandinavian Occupation at 16–22 Coppergate: Defining a Townscape*. Council for British Archaeology: York.

Ottoway P., 2004, *Roman York*. (2nd ed.) Tempus Publishing: Stroud.

14

A chi appartiene il passato?

L'archeologia e il pubblico

Questo libro si è occupato del modo in cui gli archeologi investigano il passato, delle domande che possiamo porre e dei mezzi che abbiamo per dare delle rispose. Ma è ora giunto il momento di affrontare questioni più ampie. Perché vogliamo conoscere il passato, al di là dell'interesse scientifico? Quale significato riveste il passato per noi? Che cosa significa per coloro che hanno diversi punti di vista? E, in ogni caso, a chi appartiene il passato?

Queste questioni ci portano ben presto ad affrontare problemi di responsabilità, sia pubblica sia privata. È poi così sicuro che un monumento nazionale, come il Partenone di Atene, abbia un significato speciale solo per i discendenti di chi lo costruì? Non ha forse un significato anche per tutta l'umanità? Se è così, non dovrebbe essere protetto dalla distruzione alla stessa stregua delle specie animali e vegetali in pericolo? Se il saccheggio dei siti antichi va deplorato, non dovrebbe essere arrestato anche in quei siti che si trovano su proprietà private? A chi appartiene, o dovrebbe appartenere, il passato?

Queste domande si trasformano ben presto in questioni morali, in dicotomie tra giusto e sbagliato, tra azioni opportune e azioni deplorevoli. L'archeologo ha una responsabilità speciale poiché lo scavo implica una distruzione. La comprensione futura di un sito non potrà mai essere maggiore di quella che si raggiunge al momento dello scavo, in quanto noi avremo distrutto la testimonianza e documentato soltanto quelle parti che consideravamo importanti e che siamo stati capaci di pubblicare correttamente.

Il passato è un grosso affare per il turismo e le case d'asta, ma i turisti con il loro numero possono minacciare alcuni siti; i reperti saccheggiati da sciacalli e scavatori clandestini finiscono in collezioni private e musei pubblici. Il passato ha una forte valenza politica, è importante a livello ideologico ed è veicolo di profondi significati. E il passato, come vedremo nel prossimo capitolo, è esposto a un livello crescente di distruzione, attraverso uno sfruttamento senza precedenti di tipo commerciale, industriale e agricolo della superficie terrestre e a causa dei danni derivati dai conflitti armati.

IL SIGNIFICATO DEL PASSATO: L'ARCHEOLOGIA DELL'IDENTITÀ

Quando ci chiediamo quale sia il significato del passato, è implicito che ci interroghiamo su cosa esso significhi per *noi*, poiché chiaramente ha un significato diverso per persone diverse. Per esempio, un aborigeno australiano attribuisce un significato diverso ai resti fossili umani provenienti da un sito primitivo come quello del lago Mungo o ai dipinti del Parco Nazionale di Kakadu rispetto a quello che farebbe un australiano bianco. Comunità differenti hanno concezioni molto diverse sul passato, che spesso si riallacciano a discorsi che vanno ben oltre l'archeologia.

In questo modo ci siamo spinti oltre la questione di cosa è effettivamente successo nel passato e della spiegazione del perché è accaduto proprio ciò che è accaduto, per affrontare temi che riguardano il valore, il significato e l'interpretazione. Questioni tipo: come interpretiamo il passato, come lo presentiamo (per esempio nelle esposizioni museali) e quale lezione pensiamo di trarne, implicano decisioni soggettive che spesso coinvolgono fattori ideologici e politici.

In un senso molto generico, il passato è il luogo da cui veniamo. Individualmente tutti noi abbiamo il nostro personale passato genealogico: i nostri genitori, i nonni e i nostri antenati dai quali discendiamo. Sempre di più nel nostro mondo occidentale c'è interesse per questo passato personale che si riflette nell'entusiasmo per gli alberi genealogici e per le «radici» in genere. La nostra identità personale, e genericamente il nostro nome, si è in parte definita per noi nel passato recente, anche se gli elementi con i quali scegliamo di identificarci sono in gran parte una scelta personale. Neanche si può dire che questa eredità sia puramente spirituale: la maggior parte della proprietà della terra nel mondo viene determinata da dinamiche ereditarie e anche molte altre ricchezze vengono acquisite nella stessa maniera: il mondo materiale, in questo senso, viene a noi dal nostro passato e, quando viene il momento, viene sicuramente ceduto da noi al futuro.

Il nazionalismo e i suoi simboli

Collettivamente la nostra eredità culturale ha le radici nel passato più profondo, dove risiedono le origini della nostra lingua, delle nostre credenze e delle nostre usanze. Sempre di più l'archeologia gioca un ruolo importante nella definizione dell'identità nazionale, e ciò vale in maniera particolare per quelle nazioni che non hanno una storia scritta molto lunga (benché molti considerino la tradizione orale alla stessa stregua di quella scritta). Gli emblemi nazionali di nazioni di recente formazione sono presi da manufatti che sono sentiti come tipici di un precedente e locale periodo d'oro: anche il nome dello Zimbabwe viene dall'eponimo sito archeologico.

Tuttavia, a volte l'uso dell'archeologia e delle immagini recuperate dal passato per orientare e rafforzare l'identità nazionale può portare a un conflitto. Recentemente abbiamo assistito a una grossa crisi legata al nome e agli emblemi nazionali adottati da uno stato di nuova formazione che faceva parte dell'ex Iugoslavia: la Repubblica di Macedonia. Per la Grecia, il nome Macedonia si riferisce non solo all'odierna omonima provincia greca, ma anche al regno del famoso condottiero greco Alessandro Magno. All'affronto arrecato alla Grecia dall'uso di questa denominazione, si aggiunse anche l'utilizzo come simbolo nazionale, da parte della Repubblica di Macedonia, di una stella che è ripresa da uno scrigno d'oro trovato tra gli splendidi oggetti provenienti da una tomba a Vergina, ben dentro i confini della Grecia moderna, e che apparteneva o a Filippo il Macedone (padre di Alessandro) o a Filippo III (fratellastro di Alessandro). Rivendicazioni di tipo territoriale possono basarsi a volte su ricostruzioni stori-

che controverse e alcuni abitanti della Grecia arrivarono a pensare che l'ex-repubblica iugoslava stesse cercando non solo di appropriarsi del passato glorioso della Macedonia greca, ma forse anche di annettere la seconda città della Grecia, Salonicco, all'interno dei propri confini territoriali. Ne derivò una situazione instabile con tafferugli, causati comunque più da esaltazioni di stampo etnico che non dalla realtà politica.

La fine dell'infausto conflitto in Sri Lanka tra le Tigri Tamil e le forze del governo a maggioranza singalese, durato dal 1983 al 2009, avrebbe dovuto riportare la pace e porre fine alle tensioni etniche tra la popolazione singalese e quella Tamil (circa il 20% del totale) nel nord dell'isola. Purtroppo pare che esistano forze «localistiche» che vogliono usare l'archeologia per finalità politiche: tra quelle del gruppo singalese la più importante è il Jathika Hela Urumaya (JHU), un partito, costituito da monaci buddhisti, che fa parte della coalizione attualmente al governo. Il JHU ha richiesto al presidente di ricostruire decine di siti buddisti nel nord. Secondo la tradizione buddista, i singalesi sono i discendenti di un principe ariano, esiliato dall'India settentrionale intorno al 500 a.C., e i Tamil, invece, sono visti come un gruppo immigrato dall'India meridionale circa 200 anni dopo. Al contrario, la ricerca archeologica indica che esistono insediamenti nello Sri Lanka settentrionale di molto antecedenti al 500 a.C., e suggerisce dunque una migrazione dei Tamil preesistente. I Tamil considerano la strategia del JHU come un tentativo di indebolire la loro posizione. Un eminente studioso di etnia Tamil avrebbe affermato che «il dipartimento di archeologia è il servo del governo». Ci sono assonanze con

14.1-3 L'appropriazione del passato come propaganda del presente: un murale rappresenta Saddam Hussein nelle vesti di Nabucodonosor, il sovrano babilonese del VI sec. a.C. (il sito si trova nell'odierno Iraq), circondato da armamenti moderni. (*A destra e in basso a destra*) I resti di Filippo II di Macedonia, padre di Alessandro Magno, oppure Filippo III, fratellastro dello stesso, furono deposti all'interno di un'urna d'oro decorata con una straordinaria immagine a stella; essa fu adottata come simbolo nazionale della ex-repubblica jugoslava di Macedonia, come mostrato anche da un francobollo.

la controversia attorno alla moschea di Babri Masjid ad Ayodhya nell'India settentrionale (*vedi* Scheda 14.1), ma in Sri Lanka sono i buddisti e non gli induisti ad avere il controllo della situazione.

Archeologia e ideologia

Il lascito del passato si estende oltre i sentimenti di nazionalismo ed etnicità. Sentimenti settari spesso trovano espressione in grandi monumenti e molte chiese cristiane furono costruite sui siti di templi «pagani» deliberatamente distrutti. Solo in alcuni casi si utilizzarono questi templi: il Partenone di Atene ne è un pregevole esempio e uno dei templi greci meglio conservati è incorporato nella Cattedrale di Siracusa, in Sicilia. Sfortunatamente la distruzione di antichi monumenti per motivi legati puramente al fanatismo non è un fenomeno del tutto esaurito (*vedi* Scheda 14.1).

Il passato, inoltre, svolge dei ruoli ideologici anche oltre la sfera delle religioni settarie. In Cina il presidente Mao aveva l'abitudine di insistere sull'utilità del passato per il presente e gli scavi nell'antica Cina continuarono anche all'apice della Rivoluzione culturale negli anni Sessanta del secolo scorso. Oggi c'è un diffuso interesse in Cina per le sue antiche reliquie culturali; una grande enfasi è posta sui tesori artistici, visti come prodotti di abili lavoratori piuttosto che come proprietà dei regnanti; essi sono visti come riflessi della lotta di classe, mentre i palazzi e le tombe dell'aristocrazia evidenziano lo sfruttamento spietato delle masse lavoratrici. Il messaggio comunista è anche espresso da manufatti più umili: il museo nel sito dell'Uomo di Pechino a Zhoukoudian, per esempio, proclama che il lavoro, come è rappresentato dalla produzione e dall'utilizzo degli attrezzi, è stato il fattore decisivo nella transizione dalla scimmia all'essere umano.

L'ETICA IN ARCHEOLOGIA

L'etica è la scienza della morale, ovvero delle azioni giuste o sbagliate da compiere, e la maggior parte delle specializzazioni dell'archeologia sembra avere una crescente dimensione morale (o a volte immorale). Proprio perché l'archeologia fa riferimento all'identità (come visto nella precedente sezione) e all'esistenza di comunità e di nazioni e addirittura dello stesso genere umano, essa tocca reali problematiche impellenti di natura etica, che spesso sono di difficile risoluzione perché interessano principi in conflitto tra di loro.

Il commediografo romano Terenzio dichiarava: «*Homo sum: humani nihil a me alienum puto*» (sono un essere umano: niente di umano mi è estraneo). Tale affermazione riveste un ruolo centrale nella Dichiarazione universale dei diritti umani. Molti antropologi affermano che «il genere umano è lo studio più adatto all'umanità», ossia «*the proper study of (hu)mankind is (hu)man(ity)*», per aggiornare il poeta inglese del XVII secolo Alexander Pope. Ciò implica che l'intero campo dell'esperienza umana dovrebbe essere l'ambito del nostro studio. Tali principi incentivano per esempio lo studio dei fossili degli Hominini e sicuramente rendono lo studio dei resti degli Aborigeni australiani o dell'Uomo di Kennewick (*vedi* oltre) una parte fondamentale del lavoro degli antropologi fisici. Abbiamo dunque un principio-guida del nostro lavoro ma, per altro verso, si è abituati a portare un decoroso rispetto per le spoglie terrene dei nostri parenti e antenati. In molte società tribali tale rispetto impone degli obblighi, che spesso vengono riconosciuti dalla legislazione, come per esempio nel *Native American Graves Protection and Repatriation Act* – NAGPRA (Legge per la protezione e il rimpatrio delle tombe dei Nativi americani, *vedi* oltre). Questo è dunque un secondo principio, che ha portato alla rideposizione (e conseguente distruzione) di resti umani antichi il cui ulteriore studio sarebbe stato di giovamento per la scienza. Quale dei due principi è corretto? Siamo di fronte a quello che potremmo definire un dilemma etico, difficile da risolvere, che è alla base di molte sezioni di questo e del prossimo capitolo.

Il diritto alla proprietà è un altro di questi principi, ma i diritti legittimi del singolo proprietario (come pure del collezionista) possono entrare in conflitto con i più evidenti diritti di comunità più ampie. Così può capitare che un investitore immobiliare può non essere d'accordo con chi deve garantire la conservazione del patrimonio culturale. Le tensioni di tipo etico tra conservazione e sviluppo urbanistico saranno trattate nel prossimo capitolo. Difficoltà simili sorgono quando il potere d'acquisto del collezionista privato porta alla distruzione di siti archeologici attraverso operazioni di scavo illecito (saccheggio). L'importanza della cultura materiale come veicolo di importanti significati sociali è rivalutata sempre di più presso la nostra società. In questi casi ci sono problemi che non si possono risolvere, dal momento che essi sono il risultato di un conflitto di principi: è proprio per questo che l'etica in archeologia è ora materia di crescente dibattito.

ARCHEOLOGIA POPOLARE CONTRO PSEUDOARCHEOLOGIA

Lo scopo dell'archeologia è quello di ottenere qualche informazione in più sul passato, e gli archeologi ritengono importante che tutti abbiano qualche nozione relativa al passato dell'umanità, cioè da dove siamo venuti e come siamo riusciti ad arrivare dove siamo ora. L'archeologia non è solo per gli archeologi; per questo motivo è fondamentale adottare un livello di comunicazione efficace con un pubblico più vasto. Purtroppo esistono diversi modi attraverso i quali si può sabotare questa importante missione:

All'estremismo religioso sono imputabili numerosi atti di distruzione. Per esempio, l'importante moschea di Babri Masjid ad Ayodhya nell'Uttar Pradesh, India settentrionale, fatta costruire da Babur, principe Moghul, nel XVI sec. d.C., venne demolita da fondamentalisti indù nel dicembre 1992. La moschea era situata in un luogo che a volte è stato identificato con l'Ayodhya del poema epico indù *Ramayana*, secondo alcuni induisti luogo di nascita del dio-eroe indù Rama. Nel 2003 un tribunale ha ordinato alla *Archaeological Survey of India* di avviare le operazioni di scavo nel sito, affinché fosse verificata la presenza di un tempio indù nell'area.

I Buddha di Bamiyan

La distruzione operata in Afghanistan dai talebani nel marzo 2001 di due giganteschi Buddha, scolpiti nelle pareti di arenaria a Bamiyan nell'Hindu Kush forse nel III sec. d.C., sconvolse il mondo: era un atto di distruzione insensata. Essi distrussero anche molti oggetti nel Museo nazionale dell'Afghanistan a Kabul che appartenevano a un passato molto più remoto. Le statue, gli avori e altri ritrovamenti erano datati al periodo ellenistico e in nessun modo costituivano simboli di un gruppo locale che era in conflitto con i talebani. Erano semplicemente immagini antropomorfe, scelte per essere distrutte da estremisti religiosi che le ritengono empie.

La distruzione dei Buddha perpetrata dai talebani sembrò ancor più sorprendente per il fatto che le loro intenzioni erano state annunciate in anticipo (e solo una minoranza della popolazione professa attualmente la religione buddhista). L'allora Segretario Generale delle Nazioni Unite, Kofi Annan, insistette affinché le statue fossero risparmiate e Koichiro Matsuura, Direttore Generale dell'UNESCO, dichiarò: «È terribile assistere alla fredda e calcolata distruzione di beni culturali che appartenevano al patrimonio della popolazione afghana». Una delegazione della Conferenza islamica, nella quale erano rappresentate 55 nazioni musulmane, si presentò al quartier generale dei talebani a Kandahar all'inizio di marzo 2001.

Tuttavia la distruzione delle statue, che raggiungevano rispettivamente

14.4 Il più grande dei colossali Buddha di Bamiyan, scolpito nella parete rocciosa forse nel III sec. d.C. e ora distrutto.

14.5-6 (*In alto*) Il momento scioccante della distruzione della statua colossale di Buddha. Tali monumenti storici sono divenuti ora dei bersagli per la politica e la guerra. (*Sopra*) Ciò che rimane della statua attualmente.

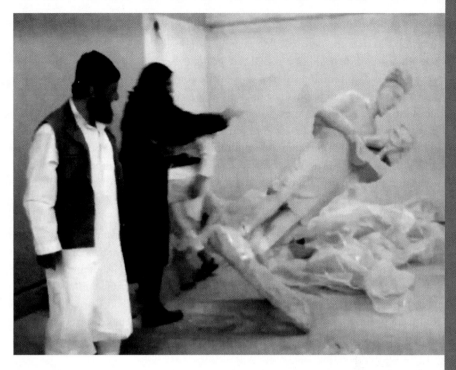

14.7 Combattenti dello Stato Islamico mentre distruggono una statua da Hatra nel Museo di Mosul, Iraq.

un'altezza di 53 e 36 m, le più grandi immagini di Buddha esistenti al mondo, proseguì. Alcune cariche esplosive assicurarono la loro effettiva e totale distruzione. E anche se si è parlato di ricostruirle riutilizzando i frammenti conservati, ci sono poche speranze di riprodurre immagini che non sarebbero altro che repliche o inutili *pastiche*.

La sorte dei Buddha di Bamiyan è stata insolita: la loro distruzione non è stata compiuta come atto di guerra. Come per gli oggetti nel museo di Kabul, sono stati distrutti non in uno scontro tra fazioni opposte in competizione per il potere, ma semplicemente in obbedienza a una dottrina religiosa radicale.

Il fanatismo in azione

Con un video diffuso nel febbraio 2015 il regime del cosiddetto «Stato islamico» (ISIS) in Iraq mandò in onda i più sensazionali atti di distruzione dovuti al fanatismo negli ultimi anni. Tra gli altri, l'uso di un trapano elettrico per cancellare il volto di un toro androcefalo alato in buono stato di conservazione nei pressi della Porta di Nergal a Ninive, vicino Mosul nell'Iraq settentrionale e datato al VII sec. a.C. Il video ha mostrato anche atti di distruzione deliberata, nel Museo di Mosul, di statue a grandezza naturale di sovrani della città carovaniera di Hatra nel deserto occidentale iracheno, datate all'età partica tra il II e il III sec. d.C. Paradossalmente, questi sono i primi sovrani arabi documentati dalla storia e Hatra è il sito arabo meglio conservato dell'era preislamica. O meglio, lo era, dal momento che circolano notizie sulla distruzione sistematica del sito da parte delle forze dell'ISIS.

Un video dell'ISIS pubblicato nell'aprile 2015 rivelò la distruzione per mezzo di cariche di dinamite del Palazzo di Nordovest a Nimrud, 30 km a sud di Mosul. Questo palazzo del re Assurnasirpal, sovrano dell'impero assiro nel IX sec. a.C.,

fu scavato e pubblicato da Layard nel XIX secolo. La sala delle udienze e la stanza del trono con i loro corridoi d'ingresso davano una vivida impressione del cuore di uno dei primi imperi del mondo.

La deliberata distruzione dei resti di Ninive fu definita «crimine di guerra» dal Segretario Generale delle Nazioni Unite Ban Ki-Moon nell'aprile 2015.

14.8 Il volto di un grande toro androcefalo alato a Ninive in Iraq viene cancellato per mezzo di strumenti elettrici.

© 978.8808.82073.0

il primo è lo sviluppo della cosiddetta pseudoarcheologia, spesso a fini commerciali, cioè a dire l'elaborazione di storie stravaganti, ma infondate, sul passato. A volte coloro che raccontano tali vicende possono davvero essere convinti della loro fondatezza, ma spesso, come nel caso del bestseller di Dan Brown, *Il codice da Vinci*, viene il sospetto che il motivo principale dell'autore sia semplicemente quello di far soldi. L'archeologia può essere ostacolata anche quando qualcuno produce dei falsi reperti e compie una frode di tipo archeologico.

Fantarcheologia

Negli ultimi anni del XX secolo «altre archeologie» sono cresciute ai margini della disciplina, offrendo delle interpretazioni alternative del passato. Per gli studiosi queste sono da considerare fantasiose e stravaganti, manifestazioni di un'età postmoderna in cui vengono ampiamente consultati gli oroscopi, i profeti della New Age predicano stili di vita alternativi e molte persone sono disposte a credere che i «cerchi nel grano» e i monumenti megalitici siano opera degli alieni. Molti archeologi etichettano tali approcci populisti come «pseudoarcheologia» e li collocano sullo stesso piano di celebri truffe archeologiche come l'Uomo di Piltdown, dove si è potuta dimostrare o almeno presumere una frode deliberata. La vicenda vedeva implicati alcuni frammenti di cranio umano, una mandibola di scimmia e alcuni denti rinvenuti agli inizi del 1900 in una cava di ghiaia presso Piltdown in Sussex, nell'Inghilterra meridionale, e datati al Paleolitico Inferiore. Le scoperte portarono immediatamente a sostenere che fosse stato trovato l'«anello mancante» tra scimmie ed esseri umani. L'Uomo di Piltdown (*Eoanthropus dawsoni*) trovò un'importante collocazione nei libri di testo fino al 1953, quando venne completamente smascherata la truffa. I nuovi metodi di datazione mostrarono che il cranio era umano, ma riferibile a un periodo relativamente recente (gli fu successivamente attribuita un'età di 620 anni circa); la mandibola proveniva da un orango ed era un «impianto» moderno. Sia il cranio sia la mandibola erano stati trattati con del pigmento (bicromato di potassio) per invecchiarli e per rendere possibile una loro associazione. Oggi molti sospettano che Charles Dawson, l'individuo responsabile della scoperta, fosse in realtà egli stesso il falsario.

Tuttavia come può un archeologo persuadere i sedicenti druidi, che svolgono rituali a Stonehenge al solstizio d'estate (se l'autorità governativa, l'*English Heritage*, permette loro di accedervi), che le loro idee non sono supportate da prove archeologiche? Ciò ci riporta alla questione centrale di questo capitolo: «A chi appartiene il passato?» Non è chiaro se dovremmo indagare la realtà del Tempo del Sogno degli Aborigeni australiani, anche se alcuni aspetti dei loro culti in effetti si scontrano con le attuali interpretazioni scienti-

fiche. Fino a che punto dobbiamo distinguere tra il rispetto per idee profonde e radicate e il ruolo dell'archeologo di informare la collettività e di respingere assurdità ingenue?

Uno dei miti più popolari e durevoli riguarda un'«Atlantide perduta», una storia narrata dal filosofo greco Platone nel V sec. a.C. e attribuita da lui al saggio greco Solone, il quale aveva visitato l'Egitto e si era consultato con i sacerdoti locali, eredi di una lunga tradizione religiosa e storica. Essi gli raccontarono la leggenda di un continente perduto oltre le Colonne d'Ercole (il moderno Stretto di Gibilterra), quindi nell'Oceano Atlantico, e della sua avanzata civiltà, che era svanito secoli addietro «in una notte e in un giorno». Nel 1882 Ignatius Donnelly pubblicò *Atlantis, the Antediluvian World*, in cui elaborava questa leggenda. La sua opera fu una delle prime a ricercare una spiegazione semplice per tutte le antiche civiltà del mondo attraverso un singolo meraviglioso dispositivo, cioè attraverso teorie che spesso presentano caratteristiche ricorrenti:

1. celebrano uno straordinario mondo perduto, la cui popolazione possedeva molte abilità superiori a quelle attuali;

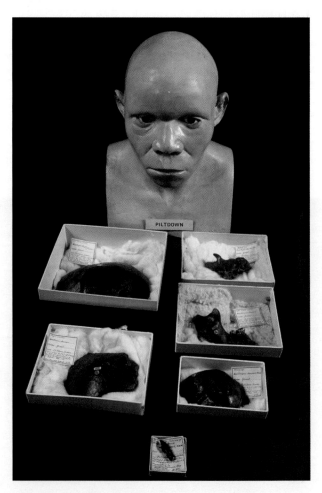

14.9 L'Uomo di Piltdown: la datazione del cranio, della mandibola e dei denti ha dimostrato che essi erano di diverse età, non associati.

2. forniscono una sola singola spiegazione per gran parte dei più antichi traguardi raggiunti dalle società preistoriche e protostatali: erano tutti il risultato del talento degli abitanti di quel mondo perduto;

3. quel mondo svanì in una catastrofe di proporzioni cosmiche;

4. non si dispone di nulla di quel mondo originario per un esame di tipo scientifico e non è conservato nessun manufatto di nessun tipo.

La struttura di base della teoria di Donnelly venne riproposta con alcune varianti da Immanuel Velikovsky (su meteore ed eventi astronomici) e più recentemente da Graham Hancock (il quale localizza il suo continente perduto in Antartide). Un'alternativa popolare, elaborata con un grande profitto in termini economici da Erich von Däniken, prevede che la fonte del progresso sia da ricercare nello spazio e che i progressi delle civiltà antiche siano il risultato di alcune esplorazioni della Terra da parte degli alieni. In ultima analisi, comunque, tutte queste teorie banalizzano la storia molto più importante che l'archeologia rivela: la storia del genere umano.

Il falso nell'archeologia

Il falso nell'archeologia non è sicuramente una cosa nuova e può assumere diverse forme, dalla manipolazione delle prove da parte di Heinrich Schliemann, colui che ha scavato a Troia, ai casi più ignobili di falsificazione come l'Uomo di Piltdown in Gran Bretagna. Si congettura che più di 1200 falsi antichi siano esposti in alcuni dei musei più importanti al mondo. Un caso particolarmente serio venne scoperto solo nel 2000 quando un famoso archeologo giapponese dovette ammettere di aver sepolto egli stesso dei manufatti negli scavi: Shinichi Fujimura (soprannominato «mani di dio» per la sua inusuale abilità a dissotterrare oggetti antichi) fu filmato mentre «seppelliva» degli oggetti prima di recuperarli come nuove scoperte. Egli ammise di aver sotterrato dozzine di manufatti in segreto, sostenendo che

era stato spinto alla frode dalla pressione di dover scoprire siti antichi e aveva utilizzato dei manufatti provenienti dalla propria collezione.

Dei 65 pezzi dissotterrati nel sito di Kamitakamori situato a nord di Tokio, Fujimura ammise di averne falsificati ben 61, assieme a tutti i 29 pezzi ritrovati nel 2000 nel sito di Soshinfudozaka nel Giappone settentrionale. Più tardi ha anche ammesso di aver manomesso le testimonianze di 42 siti ma nel 2004 l'Associazione giapponese d'archeologia ha dichiarato che tutti i 168 siti scavati da lui erano stati manomessi. Le autorità archeologiche giapponesi sono comprensibilmente preoccupate del potenziale impatto che ciò può avere sulle testimonianze del Paleolitico Superiore giapponese (di cui Fujimura era uno specialista) scavate dalla metà degli anni Settanta del secolo scorso.

Sembra che questo fenomeno sia al momento in fase di crescita; parzialmente ciò può essere dovuto alla crescente «mediatizzazione» di un settore, in cui, come in Giappone, diventa importante fare della pubblicità per promuovere la propria carriera, e dove le conferenze stampa, in cui si sbandierano i ritrovamenti più recenti, prendono il sopravvento sulle pubblicazioni scientifiche. Le scoperte spettacolari sono qualche volta viste come più importanti del dibattito accademico e della recensione scientifica. Nonostante ciò, l'effettiva fabbricazione oppure il sotterramento di oggetti falsi è una forma estrema di truffa.

Il pubblico più ampio

Sebbene il fine immediato di molte ricerche sia quello di dare una risposta a specifiche domande, l'obiettivo fondamentale dell'archeologia deve essere quello di offrire a un vasto pubblico i mezzi per conoscere meglio il passato dell'umanità. Si deve perciò arrivare a una valida forma di divulgazione, attraverso mostre organizzate sui siti di scavo o nei musei, pubblicazioni, programmi televisivi e, sempre di più, Internet. D'altra parte, non tutti gli archeologi sono pronti e disposti a dedicare tempo alla divulgazione, e solo pochi sono capaci di farlo bene.

Chi scava spesso considera il pubblico semplicemente come un ostacolo al lavoro sul campo. Gli archeologi più illuminati capiscono invece quale sostegno, e non solo finanziario, si può guadagnare incoraggiando l'interesse del pubblico; per questo preparano schede informative, organizzano giornate di apertura al pubblico e, nel caso di programmi a lungo termine, anche gite giornaliere a pagamento, come è successo sul sito di Flag Fen dell'Età del bronzo in Inghilterra. In Giappone si organizzano sul sito conferenze divulgative dei risultati degli scavi non appena il cantiere è stato chiuso; i particolari vengono comunicati alla stampa il giorno precedente, in modo che il pubblico possa essere informato dall'edizione del mattino del giornale locale, prima di arrivare al sito stesso.

14.10 Un gruppo di asce provenienti da Kamitakamori, falsificate dall'archeologo giapponese Shinichi Fujimura.

© 978.8808.82073.0

È chiaro, dunque, che esiste un grande interesse del pubblico per l'archeologia. In un certo senso, anzi, si può sostenere che il passato è stato una forma di intrattenimento fin dai tempi dei primi scavi dei tumuli funerari e dell'esposizione in pubblico delle mummie nel XIX secolo. Questa forma di divertimento può oggi migliorare il suo valore scientifico ed educativo, anche se l'archeologia, per avere completo successo, dovrà ancora rivaleggiare con forme di intrattenimento più diffuse.

A CHI APPARTIENE IL PASSATO?

Fino ad anni recenti gli archeologi riservavano poca attenzione al problema della proprietà dei siti e delle antichità del passato. La maggior parte degli archeologi proveniva da società occidentali industrializzate la cui forza economica e politica sembrava conferire loro un diritto quasi automatico a impadronirsi di antichità e scavare siti in qualsiasi parte mondo. Dopo la Seconda guerra mondiale, però, quelle che prima erano colonie sono diventate stati nazionali indipendenti, desiderosi di scoprire il proprio passato e di affermare il controllo sulla propria eredità culturale. Sono perciò emerse questioni spinose, tra le quali citeremo le seguenti: Le antichità acquisite dai musei occidentali durante l'èra coloniale dovrebbero essere restituite ai loro paesi d'origine? E gli archeologi sono liberi di scavare le sepolture di gruppi i cui moderni discendenti potrebbero sollevare obiezioni per motivi religiosi o di altra natura?

I musei e la restituzione della proprietà culturale

All'inizio del XIX secolo Lord Elgin, un diplomatico scozzese, tolse alcune delle sculture marmoree dalla facciata del Partenone, il grande tempio del V secolo a.C. che corona ancor oggi l'Acropoli di Atene. Elgin operò con il permesso dei sovrani turchi, che allora dominavano la Grecia, e più tardi vendette le sculture al British Museum, dove esse sono tuttora esposte al pubblico in una specifica galleria. Ora i Greci pretendono che i «marmi Elgin» vengano loro restituiti. Per ospitarli essi hanno costruito un eccellente nuovo Museo dell'Acropoli, situato ai piedi della collina stessa. Dall'ultimo piano i visitatori possono cogliere una stupenda visuale del Partenone. Le sue sculture rimaste ad Atene sono esposte in maniera esemplare nella loro corretta disposizione originale, accanto a riproduzioni in gesso dei «marmi di Elgin», che si trovano ancora a Londra e di cui si chiede la restituzione con molta impazienza. Questa, in sintesi, è fino a oggi la storia del caso forse più celebre, che

14.11 Parte dei «marmi di Elgin» al British Museum: cavalieri dal fregio del Partenone ad Atene, 440 a.C. ca.

14.12 Il nuovo Museo dell'Acropoli ad Atene, costruito per ospitare i marmi del Partenone (visibile attraverso le vetrate) che sono ancora ad Atene e, un giorno (si spera), anche i «marmi di Elgin».

vede un museo di fama internazionale sottoposto a pressioni perché restituisca al paese d'origine un bene culturale.

Di rivendicazioni come questa ne esistono molte, e riguardano per lo più musei europei e nordamericani. Il Museo di Berlino, per esempio, possiede il celebre busto della regina egiziana Nefertiti, che fu trasportato fuori dall'Egitto illegalmente. Il governo greco ha ufficialmente chiesto alla Francia di restituire la Venere di Milo, il *pièce de résistance* del Louvre acquistato dagli Ottomani quando dominavano la Grecia.

Il governo turco è stato molto intraprendente negli ultimi anni per cercare di far rientrare i reperti antichi che ritiene siano stati illegalmente esportati dalla Turchia; per esempio, è riuscito a recuperare il «Tesoro della Lidia», o «Tesoro di re Creso», dal Metropolitan Museum of Art di New York (che ha anche restituito il famoso «Cratere di Eufronio» all'Italia, *vedi* più avanti). Nel 2011, a seguito di una visita ufficiale a Washington, il primo ministro turco Recep Tayyip Erdogan riuscì a riportare in Turchia la metà superiore dell'«Ercole a riposo» (*vedi* più avanti) dal Museum of Fine Arts di Boston. Tale reperto era stato esportato illegalmente e il museo si era opposto per anni alla sua restituzione. Il governo turco ha esercitato pressioni anche per la restituzione di reperti antichi da musei tedeschi: ha minacciato di sospendere le concessioni di scavo al Deutsche Archäologische Institut, che compie importanti campagne di scavo in Turchia ogni anno, a meno che non avvenga la restituzione di quanto richiesto. Ora richieste simili potrebbero essere avviate anche per le statue e gli oggetti di provenienza turca in altri Paesi europei.

Lo scavo delle sepolture: è lecito disturbare i morti? La questione dello scavo delle sepolture può ritenersi altrettanto complessa. Per le sepolture preistoriche il problema non è poi così grande, dato che non possediamo alcuna diretta conoscenza scritta di quali fossero le credenze e i desideri della cultura cui appartenevano. Invece per le sepolture di epoca storica conosciamo in dettaglio le credenze religiose: sappiamo, per esempio, che gli antichi Egizi, i Cinesi, i Greci, gli Etruschi e i Romani, e anche i primi Cristiani, temevano di disturbare i morti. Nonostante questo, bisogna riconoscere che le tombe divennero bersaglio dei ladri assai prima che nascesse l'archeologia: i faraoni egizi del XII secolo a.C. dovettero nominare una commissione speciale per indagare sul saccheggio generalizzato delle tombe a Tebe. Non una delle tombe reali egizie è scampata del tutto alla visita dei ladri, compresa quella di Tutankhamon. Analogamente, le pietre tombali romane scolpite divennero materiale da costruzione di città e fortificazioni; e a Ostia, porto dell'antica Roma, le iscrizioni tombali sono state riutilizzate come sedili di una latrina pubblica!

I Nativi americani Per alcuni Nativi del Nord America l'archeologia è diventata uno strumento cardine su cui basare la denuncia dei misfatti avvenuti nel passato. Negli ultimi anni essi hanno espresso con forza le loro rivendicazioni, con l'effetto di dar vita a meccanismi legali che talvolta limitano o impediscono lo svolgimento di scavi archeologici, o che dispongono la restituzione ai Nativi americani di alcune collezioni ospitate attualmente nei musei. A volte vi sono state anche violente opposizioni a nuove operazioni di scavo. Gli indiani Chumash, per esempio, rifiutano di concedere agli studiosi il permesso di rimuovere quelli che potrebbero essere i più antichi resti umani della California, pur avendo ricevuto l'offerta di restituire e riseppellire le ossa dopo uno studio di un anno. Le ossa, che si suppone risalgano a circa 9000 anni fa, erano state portate in superficie dal processo erosivo su una falesia nell'Isola di Santa Rosa, 100 km a ovest di Los Angeles. Secondo la legislazione statale della California le decisioni circa il destino di queste ossa spettano ai loro più probabili discendenti. Poiché non era loro affatto piaciuto il trattamento riservato agli scheletri dei loro antenati, con centinaia di resti sparsi in varie università e musei, gli indiani Chumash, come molti Maori, hanno preferito vedere le ossa distrutte «secondo le leggi della natura» piuttosto

14.13 Ossa di individui di etnia Seminole dalla Florida furono nuovamente sepolti nel 1989 dagli archeologi e dai Nativi americani nel sito di Wounded Knee.

© 978.8808.82073.0

che permettere ad altre persone di intervenire su di esse. In altri casi, invece, le comunità di Nativi americani hanno provveduto alla regolare conservazione di tali reperti quando sono stati loro restituiti.

Come in Australia (*vedi* più avanti), anche in America non esiste una sola, unica tradizione indigena, e quindi i Nativi americani hanno atteggiamenti diversi rispetto ai morti e all'anima. Tuttavia, sono comuni le richieste di riseppellire resti ancestrali. La soluzione del problema è stata trovata nell'acquiescenza, nel compromesso e nella collaborazione. Abbastanza spesso gli archeologi hanno contribuito o acconsentito senza discutere alla restituzione di spoglie di antenati abbastanza recenti, nonché di molto materiale non inserito in un contesto archeologico e perciò di scarso valore scientifico. Il riseppellimento di materiale più antico e importante è invece una questione spinosa. La posizione di lunga data della Society for American Archaeology prevede che gli interessi scientifici e tradizionali verso i reperti archeologici debbano essere bilanciati e ponderati in base alla vicinanza di relazione con il gruppo moderno che ne richiede la restituzione e in base al valore scientifico dei resti umani o degli oggetti richiesti. Con il sostegno della Società, nel 1990 è stato approvato il Native American Graves Protection Act (NAGPRA), per effetto del quale a circa 5000 istituzioni sovvenzionate dal governo e agenzie governative è stato richiesto di inventariare le collezioni e valutare la «affiliazione culturale» di scheletri, oggetti funerari e sacri e beni del patrimonio culturale dei Nativi americani. Se può essere dimostrata la relazione di tipo culturale, i reperti devono essere restituiti, su richiesta, alla tribù di Nativi americani o all'organizzazione di Nativi hawaiani affiliati.

Le difficoltà risiedono nell'interpretazione di termini legislativi fondamentali, come «affiliazione culturale», e nella valutazione delle diverse tipologie di attestazione. Oltre alle informazioni di tipo archeologico e storico, la legislazione riconosce esplicitamente la validità delle tradizioni orali. Ciò ha portato a grandi aspettative da parte delle tribù, che ritengono di poter rivendicare i reperti se le tradizioni orali affermano che la propria popolazione è originaria della regione in cui i reperti stessi sono stati rinvenuti. Invece, quando queste aspettative sono state esaminate nei tribunali, si è scoperto che la legislazione impone una considerazione equilibrata della tradizione orale e delle prove scientifiche. Un emendamento del 2010 alle norme del NAGPRA ha esteso i diritti delle tribù ai resti umani senza affiliazione culturale purché rinvenuti in territori tribali o aree occupate dalle tribù in passato. Ciò significa che i musei americani dovranno rinunciare al controllo di molti più resti umani a favore dei gruppi tribali.

Ancora oggetto di una battaglia legale è stata la controversia sulle ossa dell'«Uomo di Kennewick», rinvenuto nel

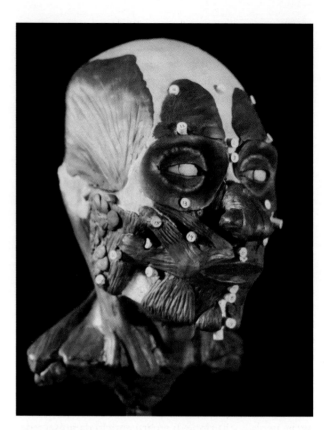

14.14 Caratteristiche facciali dell'Uomo di Kennewick durante la ricostruzione, con l'aggiunta della muscolatura in creta.

1996 nello Stato di Washington e datato a 8500 anni fa. Otto eminenti antropologi portarono in tribunale l'Army Corps of Engineers, sotto la cui giurisdizione ricade il sito, per ottenere il permesso di studiare le ossa, ma l'Army Corps voleva restituirle alla tribù indiana Umatilla per il riseppellimento, in accordo con il NAGPRA. Gli scienziati erano particolarmente ansiosi di fare i loro test poiché un esame preliminare aveva suggerito che l'«Uomo di Kennewick» potesse essere un colono bianco del XIX secolo mentre una possibile datazione antica sollevava affascinanti questioni sul popolamento delle Americhe. Gli Umatilla, d'altro canto, sono sempre stati fortemente contrari a qualsiasi tipo di investigazione: secondo la loro tradizione orale la tribù fa parte di quella terra dall'inizio del tempo e quindi tutte le ossa trovate nella regione sono necessariamente dei loro antenati e non dovevano essere danneggiate per nessuna datazione o analisi genetica. Nel 2002 un giudice affermò il diritto degli scienziati di studiare le ossa e, malgrado i successivi ricorsi di natura giuridica, nel giugno 2005 la battaglia (che è costata milioni di dollari in spese legali) venne finalmente vinta. I primi esami condotti sul cranio dell'Uomo di Kennewick avevano indicato che egli non era un Nativo americano, né strettamente imparentato con le tribù del Nordovest che sostenevano un legame ancestrale, ma era più vicino a gruppi circumpacifici come gli Ainu e i Polinesiani. Al contrario, le successive analisi del DNA hanno rivelato che egli in realtà è più vicino ai moderni Nativi americani che a qualsiasi altro gruppo umano.

Quando nel 1968 venne scoperta la sepoltura del «bambino Clovis» nella tenuta Anzick in Montana (*vedi* Capitolo 11), i resti umani, dopo alcuni studi, vennero poi riconsegnati alla famiglia Anzick. In quel periodo la figlia dei proprietari, Sarah Anzick, stava conducendo una ricerca sul cancro e sul genoma umano e pensò che si potesse sequenziare del materiale genetico dalle ossa, ma operò con molta cautela per non generare un dibattito simile a quello che circondava l'Uomo di Kennewick. Il successo ottenuto nel 2010 dal laboratorio di Eskse Willerslev di Copenhagen nel produrre una delle prime sequenze genomiche di un essere umano antico, un Paleoeschimese della Groenlandia, aveva fatto avanzare l'ipotesi che il DNA del «ragazzo Clovis» degli Anzick dovesse essere sequenziato da lui in maniera simile, con risultati di grande valore. A quel punto Willerslev chiese delucidazioni e gli venne detto che, siccome le sepolture erano state rinvenute in terreno privato, le disposizioni del NAGPRA non trovavano applicazione e che non era necessaria nessuna consultazione. Ciononostante egli andò in visita nelle riserve indiane del Montana, prendendo contatti con i membri delle comunità. In quella sede fu aiutato da una fortunata circostanza: un membro della tribù dei Crow, Shane Doyle, apparteneva anche al suo team di ricercatori (e fu anche coautore dell'articolo su *Nature*, come lo fu anche Sarah Anzick). Doyle avviò ulteriori consultazioni con le tribù del Montana, che desideravano che i resti antropologici del «ragazzo Clovis» fossero riseppelliti. L'accorta gestione del problema ha avuto come esito che il DNA antico è stato acquisito e pubblicato e che le volontà dei Nativi americani sul riseppellimento sono state rispettate.

Gli Aborigeni australiani In Australia l'emancipazione e il crescente peso politico degli Aborigeni hanno richiamato l'attenzione sulle violazioni del periodo coloniale, quando gli antropologi avevano ben poco rispetto dei sentimenti e delle credenze della popolazione indigena. Molti luoghi sacri furono indagati e pubblicati, numerosi luoghi di sepoltura dissacrati e il materiale culturale e scheletrico esumato per essere immagazzinato o esposto nei musei. Gli Aborigeni furono visti implicitamente come esemplari da laboratorio, e il destino di tutto questo materiale, e particolarmente quello delle ossa, ha assunto un significato altamente simbolico. Purtroppo, qui come in altri paesi, gli archeologi vengono ora rimproverati per la cattiva condotta di chi, non archeologo, ottenne la maggior parte dei resti umani in questione.

In generale, il punto di vista degli Aborigeni che abitano alcune zone dell'Australia è che tutti i resti scheletrici umani (e in qualche caso anche il materiale culturale) deb-

bano essere restituiti a loro, dopo di che se ne potrà decidere il destino. In alcuni casi essi stessi desiderano salvaguardare i reperti osteologici in condizioni che gli antropologi considerano soddisfacenti, di solito sotto il controllo degli stessi Aborigeni. Poiché gli Aborigeni ne hanno fatto una questione morale inattaccabile, l'Australian Archaeological Association (AAA) attualmente ha intenzione di restituire quei resti che sono recenti o che appartengono «a individui noti di cui si possano riconoscere i discendenti», per dar loro nuova sepoltura. In ogni caso, questi resti sono del tutto eccezionali. La Murray Black Collection della University of Melbourne è composta da resti scheletrici appartenenti a più di 800 Aborigeni, che risalgono da qualche centinaio di anni fino a 14 000 anni fa; essi furono scavati negli anni Quaranta del secolo scorso senza aver consultato la popolazione locale. A causa della mancanza di specialisti la collezione non è ancora stata studiata in maniera esaustiva, eppure, nonostante questo, è stata recentemente restituita alle relative comunità aborigene. Nel 1990 una serie unica di sepolture proveniente da Kow Swamp, risalenti a 19000-20000 anni fa, sono state restituite alla comunità aborigena e risepolte; più recentemente il primo scheletro trovato al lago Mungo, la cremazione più vecchia al mondo che si conosca (26 000 anni BP), è stata affidata alla custodia degli aborigeni dell'area di Mungo e i vecchi saggi aborigeni hanno annunciato che potrebbero riseppellire tutto il materiale scheletrico (datato fino a 30 000 anni fa) proveniente da Mungo.

Gli archeologi sono comprensibilmente preoccupati dalla prospettiva di dover consegnare materiale che risale a molte migliaia di anni fa. Alcuni fanno notare che gli Aborigeni – come le popolazioni indigene di altre parti del mondo – dimenticano spesso che non tutti i loro recenti antenati si sono presi pietosamente cura dei morti. Considerando però quanto queste genti hanno patito per mano degli Europei, abbiamo il dovere di guardare alle loro richieste con comprensione.

La protezione del patrimonio culturale sommerso

La proprietà e la protezione dei relitti marini sono spesso contestati ed è evidente che essi a volte sono depredati dagli autori del recupero, per procurarsi oggetti antichi da immettere sul mercato. La titolarità dei relitti è stabilita dalla UN Convention on the Law of the Sea (Convenzione delle Nazioni Unite sul diritto del mare) del 1982 e in linea di principio ogni Stato ha giurisdizione sulle proprie acque territoriali, che normalmente si estendono per 12 miglia nautiche dalla costa nel punto di bassa marea. Godono di protezione anche i relitti storici di navi da guerra. La UNESCO Convention on the Protection of the Underwater Heritage (Convenzione UNESCO sulla protezione del patrimonio culturale subacqueo) del 2001 non regola la titolarità dei relitti, ma definisce importanti principi che gli Stati firmatari si impegnano a far rispettare. La conservazione *in situ* è la prima opzione e il principio del «non sfruttamento commerciale» è di fondamentale importanza, con la conseguenza che i ritrovamenti non dovrebbero essere venduti o dispersi irrimediabilmente in altri modi.

Le nazioni spesso dispongono di strumenti legislativi, a protezione dei relitti che giacciono nelle acque di loro giurisdizione. Per esempio, il Protection of Wrecks Act (Legge sulla protezione dei relitti) del 1973 del Regno Unito garantisce protezione ai relitti indicati nella legge stessa. Inoltre, l'Ancient Monuments and Archaeological Areas Act del 1979 prevede una regolamentazione per una «lista di monumenti antichi marini», tra cui, per esempio, la flotta d'alto mare tedesca fatta affondare presso Scapa Flow nelle isole Orcadi. Tuttavia, ciò non ha del tutto salvaguardato i relitti da esplorazioni o operazioni di saccheggio non autorizzate.

Lo studio sistematico dei relitti è naturalmente il principale impegno dell'archeologia marittima (*vedi* Schede 3.10 e 9.7). Tuttavia vi sono gravi preoccupazioni che i relitti storici continuino a essere sfruttati per fini commerciali. Per esempio, la società Arqueonautas con sede a Lisbona ha negoziato una licenza esclusiva con i governi di Capo Verde e Mozambico per condurre operazioni di archeologia marittima, ma l'impresa in realtà vende reperti, tra cui monete e porcellana cinese, descritti da loro come «manufatti seriali da carico».

Eccitazione e interrogativi sorsero in Gran Bretagna quando la Odyssey Marine Exploration annunciò nel 2008 che aveva localizzato il relitto della *HMS Victory*, la nave ammiraglia della flotta inglese, naufragata oltre i confini delle acque territoriali del Regno Unito nel 1744 e che giaceva a una profondità di 75 m. Il governo del Regno Unito ha la giurisdizione sui propri relitti navali, ma destò stupore quando esso donò la *Victory* alla Maritime Heritage Foundation, un'associazione senza fini di lucro. In un comunicato stampa di poco successivo, Odyssey annunciò di aver concluso con la Fondazione un accordo che le permetteva di condurre operazioni di recupero sul relitto, di ricevere il finanziamento per il suo progetto nonché una percentuale, compresa tra il 50 e l'80%, sulle monete e gli altri reperti rinvenuti. Questo annuncio provocò numerose polemiche, dal momento che il governo inglese (che dovrebbe approvare qualsiasi progetto di scavo) aderisce al principio del «non sfruttamento commerciale» della Convenzione UNESCO del 2001. Il governo da poco ha riaffermato la propria adesione a quel principio, cosicché rimane aperta la questione di come verrà finanziata qualsiasi operazione di recupero. Agli inizi del 2015, a seguito della richiesta, da parte di archeologi marittimi in allerta, di

un riesame giudiziario della decisione governativa, lo stesso governo ha negato alla Fondazione o a Odyssey l'autorizzazione a continuare le opere di recupero sul relitto della HMS *Victory*. Così il problema non è ancora adeguatamente risolto. Questo viene visto da molti archeologi marittimi come un banco di prova circa la possibilità/necessità che in futuro venga autorizzata l'esplorazione a fini commerciali di relitti storici britannici.

LA RESPONSABILTÀ DEI COLLEZIONISTI E DEI MUSEI

Negli ultimi anni è diventato chiaro che collezionisti privati e perfino musei pubblici, per secoli considerati come guardiani e conservatori del passato, si sono trasformati (in alcuni casi) in responsabili primari di distruzione. Il mercato dei beni illeciti, scavati illegalmente senza nessuna documentazione scritta, incentiva prepotentemente il saccheggio dei siti archeologici. I finanziamenti provengono, direttamente o indirettamente, da collezionisti privati senza scrupoli e da musei che ignorano la deontologia. Molte lingue possiedono parole specifiche per i saccheggiatori: in Grecia essi sono *archaiokapiloi*, in America Latina *huaqueros*. L'Italia utilizza due definizioni: clandestini e tombaroli. I bellissimi oggetti appetibili per il commercio, che essi riportano alla luce, sono privati del loro contesto archeologico e non sono più in grado di darci nuove informazioni sul passato. Molti di questi oggetti finiscono in alcuni dei musei meno scrupolosi del mondo. Quando un museo omette di indicare il contesto della scoperta, tra cui il sito da cui proviene il reperto, ciò è spesso un indizio che l'oggetto esposto è giunto lì attraverso il mercato illegale.

Uno di questi clandestini, Luigi Perticarari, un ladro di Tarquinia, ha pubblicato nel 1986 le sue memorie dal titolo *I segreti di un tombarolo* senza provare alcun rimorso per il suo commercio. Costui ha una conoscenza di prima mano delle tombe etrusche, maggiore di quella di qualsiasi archeologo, ma la sua attività distrugge tutte le possibilità che quella conoscenza possa essere condivisa da qualcun altro. Perticarari sostiene di aver svuotato in trent'anni circa 4000 tombe, datate dall'VIII al III secolo a.C. Il risultato è che, mentre la quantità di antichità etrusche aumenta nei musei e nelle collezioni private di tutto il mondo, la nostra conoscenza dei riti funerari e dell'organizzazione sociale degli Etruschi non si arricchisce affatto.

Lo stesso vale per le splendide sculture in marmo delle Isole Cicladi in Grecia, datate intorno al 2500 a.C. Nei musei di tutto il mondo ne ammiriamo la splendida eleganza, ma sappiamo ben poco di come venissero prodotte o della vita sociale e religiosa delle comunità cicladiche che le produssero. Ancora una volta, il contesto è andato perduto.

14.2 Distruzione e reazione: il caso di Mimbres

STATI UNITI
• Mimbres

Uno degli episodi più tristi nell'archeologia degli ultimi anni è quello di Mimbres. Le officine dei vasai di Mimbres nel sudovest degli Stati Uniti hanno creato una tradizione artistica unica nell'età preistorica, riproducendo sul fondo di coppe emisferiche eccezionali figure di animali e di personaggi umani. Queste coppe sono ora molto apprezzate dagli archeologi e dagli amanti dell'arte, ma questa attrazione ha portato al sistematico saccheggio dei siti di cultura Mimbres su una scala di proporzioni ineguagliati negli Stati Uniti, o forse in qualsiasi altra parte del mondo.

La popolazione Mimbres viveva sulle rive di un piccolo fiume, il Rio Mimbres, in villaggi costruiti con il fango, simili per certi versi a quelli dei successivi popoli pueblo. Per quanto sappiamo a oggi, l'epoca delle ceramiche dipinte iniziò nel 550 d.C. circa e raggiunse l'apogeo nel periodo classico della cultura Mimbres, dal 1000 al 1130 d.C. circa.

Interventi sistematici di tipo archeologico su siti di cultura Mimbres iniziarono negli anni Venti, ma generalmente essi non furono pubblicati esaurientemente. Invece, i tombaroli scoprirono presto che con pala e piccone potevano riportare alla luce vasi mimbres da immettere sul mercato dell'arte primitiva. Questa attività non era del tutto illegale. Negli Stati Uniti non vi sono leggi che vietino al proprietario operazioni di scavo di qualunque tipo sui propri terreni, né per impedirgli di autorizzare altri a distruggere in tal modo siti archeologici.

All'inizio degli anni Sessanta venne messo a punto un metodo di scavo dei siti di cultura mimbres che risparmiava parte della ceramica. Gli operatori scoprirono che, con una attenta movimentazione della ruspa, riuscivano a rimuovere un sottile strato di terreno alla volta e a prelevare molte ceramiche intatte. È ovvio che durante il processo numerosi siti vennero completamente distrutti e si perse la speranza di ricostruire il contesto archeologico di rinvenimento degli oggetti. Dal 1973, finalmente, vi è stata una risposta concertata da parte degli arche-

ologi. La Mimbres Foundation, sotto la direzione di Steven LeBlanc, fu in grado di ottenere finanziamenti privati per condurre operazioni di scavo sulle rovine di alcuni siti depredati. Essi riuscirono anche a chiarire ai proprietari di quei siti la portata distruttiva del processo di saccheggio nei confronti di qualsiasi tentativo di ricostruire il passato della cultura Mimbres. Dal 1975 al 1978, grazie a una serie di stagioni di scavo in diversi siti parzialmente depredati, si riuscì a definire almeno per linee generali l'archeologia Mimbres e a fornire solide basi per la relativa cronologia.

La Fondazione Mimbres arrivò anche alla conclusione che lo scavo archeologico costituiva una forma di conservazione dispendiosa e scelse di acquisire un buon numero di siti superstiti (o parzialmente sopravvissuti) a fini di tutela. Peraltro, questa è una lezione che è servita di insegnamento su più ampia scala. Membri della Fondazione Mimbres hanno unito le forze insieme ad altri archeologi e benefattori per formare un'organizzazione nazionale, l'Archaeological Conservancy. Diversi siti negli Stati Uniti attualmente sono stati acquisiti e tutelati in questa maniera. Quindi la storia ha per certi versi un lieto fine. Tuttavia, nulla ci potrà restituire la possibilità di comprendere nella sua interezza la cultura Mimbres e la sua produzione artistica, una possibilità che esisteva all'inizio dello scorso secolo prima della totale e devastante opera di saccheggio.

Sfortunatamente in altre parti del mondo vi sono episodi simili da segnalare.

14.15 Coppa Mimbres datata al periodo classico che mostra una decapitazione rituale.

14.16 Le figure di animali erano un tema popolare della cultura Mimbres. Il foro praticato sul fondo della coppa permetteva allo spirito dell'oggetto di essere liberato.

© 978.8808.82073.0

Nell'America sud-occidentale, il 90% dei siti Mimbres del Periodo classico (circa 1000 d.C.) sono stati saccheggiati o distrutti (*vedi* Scheda 14.2); nel Colorado sud-occidentale il 60% dei siti preistorici dei Pueblo ancestrali è stato oggetto di atti di vandalismo. Gli scavatori clandestini di vasi lavorano durante la notte, equipaggiati con radio ricetrasmittenti, rilevatori e con l'aiuto di vedette e altri apparecchi. Secondo l'attuale legislazione essi possono essere perseguiti solo se colti in flagrante, il che è quasi impossibile.

Anche gli *huaqueros* dell'America Centrale e dell'America Meridionale si interessano solo dei reperti più ricchi, in questo caso di oro, e così interi cimiteri vengono trasformati in campi deturpati da crateri con ossa, pezzi di vasi, corredi funerari frammentati e dispersi. Le straordinarie tombe appartenenti alla civiltà dei Moche e scavate tra il 1987 e il 1990 a Sipán, nel Perù nordoccidentale, furono salvate dai saccheggiatori solo grazie alla tenacia e al coraggio dell'archeologo peruviano del posto, Walter Alva.

Per quanto riguarda i reperti antichi di provenienza illecita, i riflettori sono stati puntati in effetti verso i musei e i collezionisti privati. Molti dei più grandi musei del mondo, seguendo l'esempio dell'University Museum of Pennsylvania nel 1970, ora rifiutano di acquistare o di ricevere in dono qualsiasi reperto antico di cui non può essere dimostrata l'esportazione legale dal loro Paese d'origine. Tuttavia, altri, come il Metropolitan Museum of Art di New York, in passato non si sono fatti simili scrupoli: Thomas Hoving, allora direttore del museo, ha affermato: «Non abbiamo commesso più atti illegali di Napoleone, quando ha portato tutti i tesori al Louvre». Anche il J. Paul Getty Museum, con le sue enormi ricchezze, ha notevoli responsabilità, e recentemente ha adottato una politica di acquisizione molto più rigorosa.

I musei come il Metropolitan Museum of Art, che nel 1990 organizzò una mostra sulla collezione di Shelby White e Leon Levy, e il Getty Museum, che nel 1994 espose (e poi acquisì) quella di Barbara Fleischman e Lawrence Fleischman, – due raccolte con un'alta proporzione di oggetti antichi di provenienza ignota – devono condividere parte della responsabilità per un perdurante collezionismo che inevitabilmente consegna una buona quota di denaro a commercianti che sono parte del continuo ciclo di distruzione, e quindi, in definitiva, i saccheggiatori. È stato affermato chiaramente: «i collezionisti sono i veri saccheggiatori». Peter Watson nella sua indagine rivelatrice dal titolo *The Medici Conspiracy* (2006) ha messo in evidenza gli eventi sorprendenti che hanno spinto il governo italiano a promuovere un'azione penale contro l'ex-curatore delle antichità al Getty (*vedi* più avanti) e a recuperare dal Metropolitan Museum of Art uno dei loro oggetti antichi più famosi, il «Cratere di Eufronio», per

il quale nel 1972 era stato pagato un milione di dollari ma senza ottenere una prova sicura della sua provenienza. Come dicevano i Romani: «*caveat emptor*» (il compratore stia in guardia).

La mostra della collezione di oggetti antichi di George Ortiz alla Royal Academy di Londra nel 1994 fece divampare le polemiche e molti ritengono che non abbia portato alcun lustro alla Royal Academy. Il critico d'arte Robert Hughes ha osservato acutamente che «un aspetto della questione è il rinnovato culto del collezionista come celebrità e del museo come palcoscenico, con più interesse per lo show business che per la cultura».

Tuttavia, vi sono segnali che le cose potrebbero migliorare. Il Dealing in Cultural Objects (Offences) Act, la legge sulla gestione dei reati contro i beni culturali, è stata approvata dal Parlamento inglese nel 2003: per la prima volta nel Regno Unito costituisce reato penale trattare oggetti antichi scavati in modo illegale, provenienti sia dalla Gran Bretagna sia dall'estero. E a New York nel giugno 2003 la Corte di Appello degli Stati Uniti ha condannato in via definitiva l'antiquario Frederick Schultz per associazione a delinquere nel traffico di oggetti antichi rubati provenienti dall'Egitto. Frederick Schultz è l'ex presidente della National Association of Dealers in Ancient, Oriental and Primitive Art e in passato ha venduto oggetti antichi ad alcuni dei principali musei americani. La condanna al carcere per un antiquario così famoso costituisce un chiaro messaggio, per alcuni dei più grandi collezionisti e direttori di museo, a essere molto più vigili in futuro nell'esercizio della «dovuta diligenza» quando acquistano oggetti antichi di provenienza ignota.

Tra i casi più recenti:

L'Ercole a riposo Due porzioni di una statua romana in marmo del II sec. d.C. sono state ora riunite. La parte inferiore venne recuperata a Perge, in Turchia, nel 1980 ed esposta successivamente nel Museo di Antalya, mentre il pezzo complementare superiore venne acquistato da Leon Levy poco tempo dopo e fino al 2011 era esposto al Museum of Fine Arts di Boston, al quale Levy aveva concesso il 50% della proprietà. Per più di 20 anni il museo e la vedova di Levy, Shelby White, si opposero alla restituzione del pezzo alla Turchia, tuttavia procedettero «volontariamente» dopo l'intervento personale del primo ministro turco.

Il Tesoro di Sevso Uno spettacolare gruppo di oggetti in argento di età tardoromana venne acquistato come investimento da parte del marchese di Northampton, ma successivamente egli fu citato in giudizio in un tribunale di New York da Ungheria, Croazia e Libano. La proprietà venne aggiudicata a Lord Northampton che, quando riscontrò

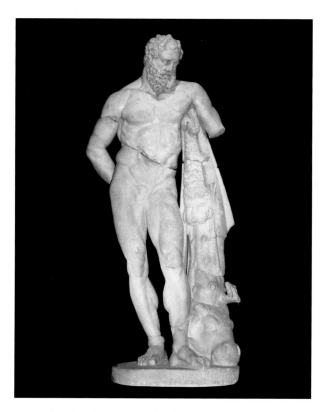

14.17 L'Ercole a riposo: la parte inferiore, scavata in Turchia nel 1980, e conservata presso il Museo di Antalya, alla fine è stata riunita alla porzione superiore nel 2011, al suo rientro dal Museum of Fine Arts di Boston.

14.18 Uno splendido cofanetto in argento dal depredato Tesoro di Sevso, uno dei più grandi scandali nella storia recente degli oggetti antichi illecitamente sottratti. Questo è uno dei sette oggetti restituiti all'Ungheria nel 2014.

che il tesoro era invendibile, fece causa ai suoi precedenti consulenti legali di Londra per la loro scadente assistenza al momento dell'acquisto; un accordo extragiudiziale, a quel che si dice superiore a 15 milioni di sterline, fu raggiunto in termini riservati nel 1999. Nel 2014 il primo ministro dell'Ungheria, Viktor Orbán, ha annunciato che sette dei quattordici oggetti in custodia a Lord Northampton erano stati restituiti all'Ungheria, pare dietro pagamento di 15 milioni di euro.

Il caso Getty Il J. Paul Getty Museum di Los Angeles si trovò sotto i riflettori delle cronache nel 2005 quando la curatrice delle antichità, Marion True (in seguito licenziata), venne processata in Italia per accuse relative all'acquisto da parte del Getty di oggetti antichi che si presumevano scavati illegalmente in Italia. Il processo ha avuto una durata eccessiva, concludendosi senza verdetto, ma nel frattempo il Getty Museum, attraverso un accordo specifico, ha restituito all'Italia molti oggetti antichi depredati.

Il deposito di Salisbury Nel 1985 una collezione di asce e armi in bronzo, nonché altri oggetti che costituivano un grandioso esempio della metallurgia dell'età del Bronzo e del Ferro, venne scavato illegalmente da «nottambuli» (cercatori con metal detector che operano clandestinamente di notte), vicino a Salisbury nell'Inghilterra sudoccidentale.

14.19 Il kouros del Getty, una statua di provenienza ignota comprata dal Getty Museum nel 1985 e ora ritenuta un falso.

14.20 Scudi miniaturistici di bronzo, recuperati (e ora al British Museum) dal deposito di Salisbury, un grandioso insieme di reperti saccheggiato dai cercatori di tesori nel 1985.

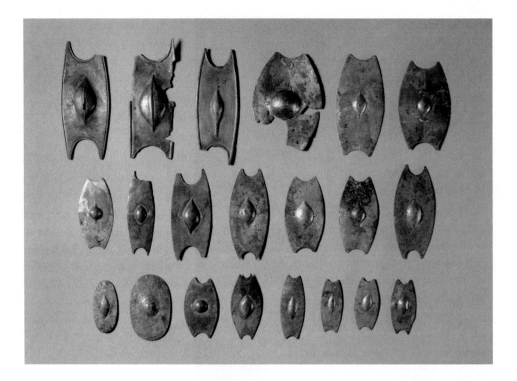

Buona parte del materiale venne recuperata successivamente, durante una retata della polizia a seguito del lavoro di indagine condotto da Ian Stead del British Museum.

Le coppe magiche aramaiche della UCL Nel 2005 l'University College London istituì un comitato di inchiesta per indagare sulla provenienza di 654 coppe magiche aramaiche (datate al VI-VII sec. d.C. e ritenute di provenienza irachena), che erano state concesse in prestito per scopi di studio da un famoso collezionista norvegese, Martin Schøyen. L'istituzione della commissione fece seguito ad alcune dichiarazioni secondo cui le coppe sarebbero state esportate illegalmente dal loro Paese d'origine. L'UCL ricevette la relazione della commissione nel luglio 2006, ma restituì le coppe a Schøyen, con cui aveva concluso un accordo extragiudiziale in termini riservati per evitare la pubblicazione della relazione, accettando allo stesso tempo di pagare una somma imprecisata a Schøyen. La relazione venne pubblicata in seguito su Wikileaks. Questo episodio sottolinea la necessità della «dovuta diligenza» nel momento in cui degli oggetti antichi sono accettati, in prestito così come per donazione o acquisto, dalle istituzioni pubbliche. La storia completa delle coppe magiche aramaiche dell'UCL deve essere ancora rivelata. Non si sa dove si trovino attualmente.

È paradossale che l'amore e il rispetto per il passato e per gli oggetti antichi che sono arrivati fino a noi portino a un tale comportamento di distruzione e acquisizione sfrenata. «A chi appartiene il passato?» è in effetti la questione fondamentale da tenere in considerazione se il lavoro dell'archeologia è quello di continuare a fornirci nuove informazioni sul nostro patrimonio culturale condiviso e sui processi attraverso i quali siamo diventati ciò che siamo ora. In questo senso potremmo anche chiederci «Il passato ha un futuro?» Questo sarà l'argomento affrontato nel prossimo capitolo.

14.21 Coppa magica aramaica del VI-VII sec. d.C. con un testo scritto con inchiostro nero allo scopo di catturare demoni, divinità e altre forze ostili che avrebbero potuto arrecare danno al proprietario.

Riepilogo

■ Il passato ha significati differenti per le diverse popolazioni e spesso l'identità di ciascuna è definita dal
passato. L'archeologia sta sempre di più assumendo un
ruolo importante nella definizione dell'identità nazionale,
laddove il passato è usato per legittimare il presente
rinforzando il sentimento di grandezza della nazione.
L'etnicità, che è una forza potente oggigiorno proprio
come nei tempi antichi, si avvale del passato anche per
questioni di legittimazione, a volte con conseguenze
distruttive.

■ L'etica, o moralità, è la scienza di ciò che è giusto e sbagliato, e si ritiene che gran parte delle specializzazioni
dell'archeologia abbiano una dimensione etica. Fino a
qualche decennio fa gli archeologi hanno dato poco peso
a problemi tipo «a chi appartiene il passato?» Oggi ogni
decisione di natura archeologica dovrebbe tenere presenti
considerazioni di natura etica.

■ Non possiamo semplicemente congedare le teorie alternative della pseudoarcheologia come ridicole, perché esse
hanno goduto di larga approvazione. Chiunque abbia letto
questo libro e chi conosce il modo in cui procede l'archeologia, capirà già che quelle descrizioni sono deliranti. Il
vero antidoto è una sorta di sano scetticismo: chiedere
«dov'è la prova?» La conoscenza progredisce ponendo
domande; ciò costituisce anche il tema centrale di questo
libro e non c'è modo migliore di screditare le teorie della
pseudoarcheologia che ponendo questioni spinose e valutando con scetticismo le risposte.

■ L'archeologia di ogni territorio deve apportare il proprio contributo alla comprensione della diversità umana e quindi
della condizione di uomini e donne. Anche se i primi studiosi
hanno agito disprezzando palesemente i sentimenti e le
concezioni delle popolazioni indigene, oggi l'interesse verso
questi temi non deve costituire un tentativo di appropriarsi
ulteriormente del passato di queste popolazioni.

■ Probabilmente la tipologia più deplorevole di distruzione
archeologica proviene dal saccheggio di siti. Attraverso
questo atto, nella ricerca di manufatti ben commerciabili,
viene distrutta qualsiasi informazione scientifica. I musei e
i collezionisti hanno qualche responsabilità a tal riguardo.
I musei si trovano anche sotto una pressione sempre
più forte per restituire gli oggetti antichi ai loro Paesi di
origine. La polizia attualmente ritiene che, nel mondo della criminalità internazionale, il furto e il traffico illecito di
opere d'arte e oggetti antichi sia secondo, in ordine di
importanza, solo al traffico di stupefacenti.

Letture consigliate

Brodie N., Kersel M., Luke C. & Tubb K.W. (a cura di), 2008,
Archaeology, Cultural Heritage, and the Antiquities Trade.
University Press of Florida: Gainesville.

Burke H., Smith C., Lippert D., Watkins J.E. & Zimmerman,
L., 2008, *Kennewick Man: Perspectives on the Ancient
One*. Left Coast Press: Walnut Creek.

Fairclough G., Harrison J., Schofield J. & Jameson H. (a cura
di), 2008, *The Heritage Reader*. Routledge: London.

Feder K., 2010, *Frauds, Myths, and Mysteries: Science and
Pseudoscience in Archaeology*. (7th ed.) McGraw-Hill:
New York.

Graham B. & Howard P. (a cura di), 2008, *The Ashgate Research Companion to Heritage and Identity*. Ashgate Publishing: Farnham.

Greenfield J., 2007, *The Return of Cultural Treasures*. (3rd
ed.) Cambridge University Press: Cambridge & New York.

Logan W. & Reeves K. (a cura di), 2008, *Places of Pain
and Shame: Dealing with 'Difficult' Heritage*. Routledge:
London.

Lynott M.J. & Wylie A., 2002, *Ethics in American Archaeology*. (2nd ed.) Society for American Archaeology: Washington D.C.

Renfrew C., 2009, *Loot, Legitimacy and Ownership: The
Ethical Crisis in Archaeology*. Duckworth: London.

Tubb K.W., 1995, *Antiquities Trade or Betrayed: Legal, Ethical and Conservation Issues*. Archetype: London.

Vitelli K.D. & Colwell-Chanthaphonh C., 2006, *Archaeological Ethics*. (2nd ed.) Altamira Press: Walnut Creek.

Watson P. & Todeschini C., 2006, *The Medici Conspiracy*.
PublicAffairs: New York.

15

Il futuro del passato
Come tutelare il patrimonio culturale?

Qual è il futuro dell'archeologia? La nostra disciplina è in grado di continuare a produrre nuove informazioni sul passato dell'umanità, l'evoluzione della nostra specie e le conquiste dell'umanità? Questo è uno dei problemi con cui attualmente si confrontano gli archeologi e in effetti tutti coloro che si occupano di comprendere il passato dell'umanità. Perché, così come il riscaldamento globale e l'aumento dell'inquinamento atmosferico compromettono il futuro ecologico del nostro pianeta, anche la documentazione del passato oggi è minacciata da forze di distruzione che richiedono un intervento omogeneo ed energico.

Alcune di queste forze di distruzione sono state prese in considerazione in precedenza e altre saranno affrontate in questo capitolo. La domanda cruciale continua a essere: che cosa si può fare? Questo è il problema di fronte al quale ci troviamo e la cui soluzione determinerà il futuro della nostra disciplina e della documentazione materiale che essa cerca di comprendere. Di seguito prendiamo in esame due approcci paralleli: **conservazione** (protezione) e **mitigazione** (riduzione del danno). La sinergia di entrambi ha generato negli anni recenti dei nuovi atteggiamenti nei confronti della pratica archeologica, che potrebbe offrire ancora delle soluzioni sostenibili.

LA DISTRUZIONE DEL PASSATO

Esistono tre principali agenti di distruzione, tutti di origine umana. Uno è la costruzione di strade, cave, dighe, edifici ecc., elementi ben visibili la cui minaccia è per lo meno facilmente riconoscibile. Una differente tipologia di distruzione, ovvero l'agricoltura intensiva, procede a ritmo più lento, ma è assai più ampia nella sua estensione, perciò molto più distruttiva sul lungo periodo. In altre zone, piani di bonifica stanno trasformando la natura dell'ambiente, cosicché le terre aride vengono irrigate e le zone umide, come quelle in Florida, vengono bonificate con sistemi di drenaggio. Il risultato è la distruzione di notevoli testimonianze archeologiche. Un terzo agente di distruzione sono i

conflitti, la cui minaccia attuale e più evidente risiede nelle zone di guerra del Medio Oriente.

Vi sono due ulteriori agenti umani di distruzione che non dovrebbero essere trascurati. Il primo è il turismo, il quale, se dal lato economico ha importanti effetti sull'archeologia, dall'altro rende più difficile la conservazione effettiva dei siti archeologici. Il secondo, come abbiamo visto nel Capitolo 14, non è nuovo, ma è cresciuto drammaticamente in proporzioni: il saccheggio di siti archeologici da parte di coloro che, interessati solamente a oggetti commercializzabili, scavano per lucro e distruggono ogni altra cosa nella loro ricerca. Sono andati perduti più reperti antichi negli ultimi due decenni che in tutta la storia del mondo.

Sviluppo edilizio e commerciale Durante il XIX secolo fu ampiamente riconosciuto che i monumenti antichi e gli edifici storici dovevano essere salvaguardati, ma si dovette attendere la metà del XX secolo per avere una piena condivisione del fatto che ogni lavoro di costruzione o ricostruzione poteva rappresentare una minaccia per il patrimonio archeologico. In Europa, durante la sistematica ricostruzione a seguito della Seconda Guerra Mondiale, divenne chiaro che le fondazioni dei nuovi edifici negli antichi centri storici stavano portando alla luce testimonianze storiche molto importanti. Nacque così la moderna archeologia urbana. Da ciò scaturì la consapevolezza che i lavori di nuova costruzione, inclusa l'apertura di nuove strade, portavano alla scoperta di siti archeologici la cui esistenza non era precedentemente nota. In molti Paesi si giunse così alla prima sistematica gestione delle operazioni di archeologia preventiva e di tutela del patrimonio culturale, come discusso nella prossima sezione.

Purtroppo la tutela statale non sempre assicura la protezione dei monumenti antichi. In Perù, nel luglio 2013, alcuni operatori immobiliari hanno fatto abbattere a El Paraíso, nei pressi di Lima, un edificio templare di forma piramidale risalente a 5000 anni fa. La struttura monumentale, una delle più antiche delle Americhe, è stata seriamente danneggiata; l'evento è stato particolarmente plateale, dal momento che il monumento era già un sito indagato e aperto al pubblico. Il danneggiamento di siti archeologici poco conosciuti o apprezzati è molto più diffuso. Ecco perché la tutela del patrimonio culturale è divenuta un'attività così importante.

Danni provocati dall'agricoltura   Un numero crescente di zone della terra, un tempo incolte o coltivate secondo metodi tradizionali non intensivi, si sta convertendo all'agricoltura meccanizzata. In altre aree popolamenti forestali coprono ora quella che un tempo era aperta campagna e le radici degli alberi stanno distruggendo siti insediativi e monumenti sparsi nel territorio.

Mentre la maggior parte dei Paesi ha un certo controllo sulle attività di imprenditori e costruttori, il danneggiamento ai siti archeologici causato dalle attività agricole è molto più difficile da valutare. I pochi studi pubblicati hanno portato risultati poco soddisfacenti. Uno di questi mostra che in Gran Bretagna anche quei siti che sono teoricamente protetti in virtù del loro inserimento nella Lista nazionale dei monumenti antichi, in realtà non sono per niente al sicuro. La situazione potrebbe essere di gran lunga migliore in Danimarca e in determinati Paesi, ma in altri

sono protetti solo i siti più rilevanti. Non sono salvaguardati i monumenti sparsi sul territorio e gli insediamenti non fortificati, più modesti, ma allo stesso tempo minacciati più degli altri dall'agricoltura meccanizzata.

Danneggiamenti in conflitti e guerre   Tra gli oltraggi più angoscianti degli anni recenti rientra anche la distruzione continua, a volte deliberata, di monumenti e di documenti archeologici nel corso di conflitti armati in diversi Paesi del mondo. Già durante la Seconda Guerra Mondiale alcuni edifici storici in Inghilterra furono deliberatamente presi di mira dai bombardamenti tedeschi.

Negli anni Novanta del secolo scorso le guerre etniche nell'ex-Jugoslavia portarono alla distruzione deliberata di chiese e moschee. Una delle maggiori perdite fu quella del vecchio Ponte di Mostar, costruito nel 1566 per ordine del sultano Solimano il Magnifico. Il monumento, di valore simbolico per gli abitanti (principalmente musulmani), crollò il 9 novembre 1993 sotto la continua pioggia dei colpi dell'artiglieria croata, anche se in seguito è stato ricostruito. Come ha osservato ironicamente J.M. Halpern (1993, 50), ora saremmo in grado di anticipare una «etnoarcheologia della distruzione architettonica».

15.1-2 Il Vaso di Warka (*qui di fianco*) fu trafugato dal Museo nazionale iracheno di Baghdad durante l'invasione dell'Iraq nel 2003. Fortunatamente fu recuperato (*estrema sinistra*), anche se in frammenti, dovuti probabilmente ad antiche fratture.

© 978.8808.82073.0

15.3 Il ponte di Mostar, in Bosnia, datato al XVI sec., fu distrutto durante gli scontri del 1993, ma ora è stato ricostruito.

Il fallito tentativo di salvaguardare il Museo nazionale iracheno di Baghdad da parte delle forze di coalizione durante l'invasione dell'Iraq del 2003 permise il saccheggio delle collezioni del museo, tra cui il celeberrimo Vaso di Warka, uno dei ritrovamenti più rilevanti delle fasi più antiche della civiltà sumera, anche se, come molti altri importanti oggetti di antichità, esso fu recuperato in seguito. Questo fallimento fu particolarmente inaudito dal momento che negli Stati Uniti gli archeologi avevano incontrato alcuni rappresentanti del Dipartimento della Difesa diversi mesi prima della guerra per avvertire del rischio di trafugamento; analogamente gli archeologi in Gran Bretagna avevano indicato i pericoli all'ufficio del Primo Ministro e al Ministero degli Esteri mesi prima che la guerra scoppiasse. Solo alcune parti della collezione furono prelevate e sembra che le operazioni di saccheggio siano state condotte da sciacalli senza alcuna organizzazione e forse anche da individui ben informati che sapevano cosa stavano cercando e che avevano accesso alle chiavi dei depositi. Sono proprio costoro che verosimilmente hanno trafugato la collezione di sigilli a cilindro, una delle più raffinate al mondo, per venderla a collezionisti oltreoceano.

Sembra tanto più incredibile che il Regno Unito non abbia ancora ratificato la Convenzione dell'Aia del 1954, e i suoi protocolli, sulla protezione del patrimonio culturale in caso di conflitto armato; cosa che gli Stati Uniti sono finalmente riusciti a fare alcuni anni fa. Il governo britannico ha annunciato l'intenzione di procedere alla ratifica ma sostiene, circa cinquanta anni dopo la stesura iniziale della Convenzione, che «a tal fine sarà necessaria un'ampia consultazione sulle problematiche legali, operative e strategiche in relazione all'attuazione del Protocollo».

Vicende belliche Nel XXI secolo la guerra continua a portare con sé la stessa messe di disgrazie al patrimonio culturale. Alla distruzione dei Buddha di Bamiyan per mano dei talebani nel 2001 (*vedi* Scheda 14.1) e al saccheggio del Museo nazionale di Baghdad ha fatto seguito una rinnovata situazione di instabilità in Egitto, Iraq e Siria. Nel 2011, durante la «primavera araba» in Egitto, i disordini civili diedero l'opportunità agli sciacalli di irrompere nel Museo del Cairo e trafugare un numero di reperti significativi, nonostante le autorità fossero intervenute tempestivamente a ripristinare l'ordine. I disordini diedero agli sciacalli anche l'opportunità di danneggiare svariati siti archeologici al fine di reperire oggetti di antichità da immettere nei circuiti clandestini. Alcuni sostenitori del deposto presidente Mohamed Morsi irruppero e saccheggiarono il Museo di antichità nella città egiziana di Malawi, 200 km a sud del Cairo, e due delle mummie conservate nei locali vennero date alle fiamme. Sarcofagi e statue vennero danneggiati e i curatori rivelarono che 1040 su 1080 oggetti della collezione andarono dispersi, molto probabilmente per essere immessi nel dilagante commercio illecito di reperti antichi.

© 978.8808.82073.0

15.4 Oggetti del corredo della tomba di Tutankhamon trafugati dal Museo del Cairo nel 2011 e successivamente recuperati dalle autorità egiziane.

Il collasso dell'ordine sociale è stato anche la causa del rinnovato saccheggio di molti siti archeologici in Iraq e Siria. I video del sedicente «stato islamico» (ISIS) sulle deliberate distruzioni nel museo di Mosul e nei siti di Ninive, Nimrud e Hatra sono stati ampiamente divulgati già nel 2015 (*vedi* Scheda 14.1), ma il danneggiamento prodotto da sciacalli che cercano manufatti da vendere ha conosciuto proporzioni ancora più grandi. In Siria, il sito di Mari, datato all'Età del Bronzo, è stato gravemente danneggiato dalle razzie e anche quello di Dura Europos è stato ampiamente saccheggiato, come documentano le immagini satellitari del 2013. E secondo quanto riportato, l'ISIS ha imposto una tassa sui reperti provenienti da razzie; tra di essi figurava anche una stele assira in basalto nero con un'immagine del sovrano, la quale è stata ritirata dalla vendita dalla casa d'aste londinese Bonham's (stima di prevendita 795 000 sterline) dopo alcune rimostranze dell'Interpol.

L'INTERVENTO: RICOGNIZIONE, CONSERVAZIONE E RIDUZIONE DEL RISCHIO

In molti Paesi del mondo, dove i reperti materiali del passato sono considerati una componente importante del patrimonio nazionale, per contrastare le minacce cui questo è sottoposto si è intervenuti attraverso la definizione di un'archeologia pubblica, ossia il riconoscimento ufficiale che i governi, a livello nazionale e a livello regionale, hanno delle responsabilità nell'evitare l'inutile depauperamento di quel patrimonio. E naturalmente ciò si riflette anche su scala internazionale.

Tale assunzione di responsabilità implica che si dovrebbero adottare provvedimenti per conservare quanto rimane, spesso con il supporto di una legislazione di tutela. E quando si intraprende la via del progresso, spesso necessario e inevitabile, ad esempio aprire autostrade, realizzare infrastrutture commerciali o per rendere la terra coltivabile,

si devono adottare misure per indagare e registrare qualsiasi reperto archeologico che rischia di andare distrutto nel processo. In questo modo l'impatto del progresso può essere attenuato.

Questi approcci hanno messo in risalto la necessità, prima di ogni eventuale sviluppo urbanistico, di avere informazioni affidabili su qualsiasi reperto archeologico che potrebbe essere localizzato nelle aree destinate ad accogliere le infrastrutture. Ciò rende di fondamentale importanza uno dei recenti e principali sviluppi nella metodologia archeologica: la localizzazione dei siti e la ricognizione di superficie. Le azioni intraprese per rispondere alle minacce al patrimonio devono seguire un ordine logico: ricognizione, conservazione e riduzione del rischio.

Negli Stati Uniti le cosiddette «leggi di tutela» per proteggere il patrimonio culturale non assicurano la reale protezione dei reperti archeologici. La legislazione impone di vagliare le possibili opzioni e detta la procedura attraverso la quale viene computato il valore del patrimonio nei confronti di quello del progetto di sviluppo urbanistico. In rari casi il valore di un sito è così prezioso che esso verrà salvaguardato ed il progetto cancellato oppure opportunamente modificato. Tuttavia, nella maggioranza dei casi, importanti testimonianze archeologiche che non possono essere eliminate dal progetto vengono comunque distrutte a seguito di uno scavo scientifico. Si tratta di un compromesso tra le istanze dello sviluppo e il valore del patrimonio culturale. La maggior parte dei siti archeologici rinvenuti durante le ricognizioni di superficie, purtroppo, non soddisfa i criteri di interesse culturale ed essi vengono semplicemente registrati e successivamente distrutti nel corso delle operazioni edilizie.

In Cina il ritmo serrato dello sviluppo economico degli anni recenti ha portato a grandi disparità regionali nella misura in cui vengono effettuate le operazioni di archeologia preventiva in vista delle opere edilizie. Nella provincia del Sichuan il museo del sito archeologico di Jinsha ha dato l'esempio, ma altri progetti di sviluppo urbanistico sono stati trattati in maniera meno adeguata. Per il progetto della diga delle Tre Gole sul fiume Yangtze vennero stanziati 37,5 milioni di dollari per le operazioni di archeologia preventiva, anche se secondo gli archeologi sarebbe stata necessaria una cifra dieci volte maggiore. A ogni modo, nel 1997, il governo ha trasformato in reato le violazioni delle leggi che riguardano il patrimonio culturale. Il sito archeologico di Liangzhu, un centro urbano del Neolitico nella Cina sudorientale, è stato inserito nella Lista dei patrimoni dell'umanità dell'UNESCO ed è dotato di un eccellente museo di nuova costruzione. In questo modo negli anni recenti si stanno certamente comprendendo le potenzialità collegate ai visitatori e al turismo, ma, come nella maggior parte delle economie emergenti, la reazione nei confronti delle conseguenze dello sviluppo non è delle più uniformi.

© 978.8808.82073.0

La ricognizione

È stato ampiamente riconosciuto che, prima dell'avvio di grandi progetti di sviluppo urbanistico, un ruolo chiave nella fase di pianificazione spetta alla ricognizione di superficie o alla valutazione dei possibili effetti dello sviluppo economico su ciò che può essere definito il patrimonio archeologico. Nella terminologia impiegata negli Stati Uniti d'America (vedi oltre) questa operazione richiede una «valutazione ambientale» (che spesso porta a una «valutazione di impatto ambientale»). Tale valutazione va ben oltre l'archeologia perché si occupa della storia più recente e di altri aspetti dell'ambiente, come per esempio specie vegetali e animali a rischio. Il patrimonio culturale e in particolar modo i reperti di cultura materiale devono essere valutati scrupolosamente.

Una valutazione di questo tipo al giorno d'oggi implica spesso l'uso di immagini satellitari e fotografie aeree. Essa richiedeuna mappatura del territorio con l'ausilio di un GIS. È altrettanto richiesta una ricognizione di superficie che valuti sul campo i dati ottenuti dalle immagini satellitari e aeree attraverso l'osservazione diretta del terreno (a volte conosciuta come *ground truthing*). In questo modo siti archeologici ignoti, infrastrutture ed edifici storici ancora esistenti, nonché paesaggi storici e beni culturali tradizionali possono essere localizzati e valutati prima dell'avvio dei progetti.

Conservazione e mitigazione

La maggior parte delle nazioni al giorno d'oggi assicura delle misure di protezione per i principali monumenti e siti archeologici di loro pertinenza. In Inghilterra già nel 1882 venne approvata la prima legge sui monumenti antichi (*Ancient Monuments Act*) e fu nominato il primo Ispettore dei Monumenti Antichi: il tenente generale Augustus Lane-Fox Pitt-Rivers (*vedi* Scheda 1.4), archeologo molto attivo sul campo e pioniere per quanto riguarda alcune metodologie di scavo. Venne stilata una «lista» di antichità che dovevano essere protette dalle norme legislative. Alcuni dei più importanti monumenti vennero posti sotto «custodia», per cui erano conservati e aperti al pubblico con la supervisione dell'Ispettorato dei Monumenti Antichi.

Negli Stati Uniti il primo fondamentale intervento legislativo per la protezione dei reperti archeologici, la legge sulle antichità americane (*American Antiquities Act*), fu emanato nel 1906 da Theodore Roosevelt. L'atto sanciva principalmente tre norme: che il danneggiamento, la distruzione o lo scavo di rovine o monumenti storici o preistorici sul territorio federale erano vietati senza preventiva autorizzazione; che sul territorio nazionale il Presidente aveva l'autorità di istituire siti nazionali e riserve culturali a essi associate; e che permessi per lo scavo o la raccolta di reperti archeologici sul territorio federale potevano essere concessi a istituzioni qualificate che perseguivano tali attività per l'incremento della conoscenza del passato e la conservazione dei reperti.

La legge sulle antichità americane ha posto le basi e definito i principi fondamentali per l'archeologia negli Stati Uniti, in virtù dei quali la protezione federale è limitata al territorio federale (benché alcuni singoli Stati e governi locali applichino la propria legislazione); l'attività di scavo è permessa per coloro che perseguono fini didattici e conducono ricerche nell'interesse pubblico. Inoltre, le attività archeologiche prive di autorizzazione e gli atti vandalici nei confronti del patrimonio culturale sono perseguibili penalmente. Infine, il patrimonio archeologico è considerato di tale importanza da permettere al Presidente di creare aree di salvaguardia indipendentemente dagli altri settori di governo. Questi principi permangono in tutti gli altri atti federali emanati in seguito. Oggi le principali norme che gli archeologi professionisti devono conoscere e cui devono attenersi sono le seguenti: la legge nazionale per la conservazione storica (*National Historic Preservation Act*) del 1966, la legge nazionale sulle politiche ambientali (*National Environmental Policy Act*) del 1969, la legge per la conservazione del patrimonio archeologico e storico (*Archaeological and Historic Preservation Act*) del 1974, la legge per la protezione del patrimonio archeologico (*Archaeological Resources Protection Act*) del 1979, la legge sui relitti abbandonati (*Abandoned Shipwrecks Act*) del 1987 e la legge per la protezione e il rimpatrio delle tombe dei nativi americani (*Native American Graves Protection and Repatriation Act*) del 1990. Queste e molte altre leggi hanno aggiornato e ampliato i principi e le pratiche fondamentali per la protezione, la conservazione e la tutela dei beni archeologici sui territori federali negli Stati Uniti [vedi la sezione successiva sulla tutela dei beni culturali negli Stati Uniti (*Cultural Resource Management* – CRM) e la cosiddetta «archeologia applicata»].

Molte nazioni hanno disposizioni simili per i monumenti principali, ma nel campo della tutela del patrimonio culturale i problemi sorgono con i siti meno evidenti, forse meno importanti. Innanzitutto è difficile o addirittura impossibile proteggere siti la cui esistenza è ignota o non riconosciuta. Ed è proprio in questa circostanza che si comprende più nitidamente il ruolo fondamentale della ricognizione di superficie.

La conservazione della documentazione archeologica è un principio di fondamentale importanza per la tutela del patrimonio culturale. Essa può essere attuata attraverso accordi di partenariato con i proprietari terrieri, per esempio per evitare l'aratura a scopo agricolo su siti tutelati. Si possono intraprendere misure per mitigare gli effetti dell'erosione delle coste (anche se risulta molto difficile) o dell'utilizzo inappropriato del territorio. E, più di tutti,

Quando i *conquistadores* spagnoli sotto il comando di Hernán Cortés occuparono la capitale azteca Tenochtitlán nel 1521, distrussero gli antichi edifici e fondarono la loro nuova capitale, Città del Messico, sullo stesso sito.

Nel 1790 fu rinvenuta la famosa statua della dea madre azteca Coatlicue, insieme al grande Calendario di pietra, ma solo nel XX secolo iniziò un'esplorazione più sistematica di tipo archeologico.

Numerose campagne di scavo di piccola scala sono state condotte all'interno della città sulle testimonianze archeologiche che emergevano durante i lavori di costruzione. Tuttavia nel 1975 venne intrapresa un'iniziativa più coerente, attraverso l'istituzione del Progetto Bacino del Messico, da parte del Departamento de Monumentos prehispanicos. Il suo obiettivo era quello di porre fine alla distruzione perpetrata nei confronti delle testimonianze archeologiche a causa della continua crescita del tessuto urbano. Nel 1977 si diede inizio al Proyecto del Museo de Tenochtitlán allo scopo di indagare l'area dove nel 1948 erano emersi i resti di ciò che si riteneva essere il Templo Mayor degli Aztechi. Il progetto subì una radicale trasformazione all'inizio del 1978, quando durante lavori alla rete elettrica venne scoperta una grande pietra decorata con una serie di motivi a rilievo. Al Departamento de Arqueologia preventiva dell'Istituto Nacional de Antropología e Historia venne dato l'incarico di svolgere le operazioni di indagine archeologica e in pochi giorni venne riportato alla luce un grande monolito di 3,25 m di diametro, sul quale era raffigurato il corpo smembrato della dea azteca Coyolxauhqui, che secondo il mito era stata uccisa da suo fratello, il dio della guerra Huitzilopochtli.

Il Proyecto del Museo de Tenochtitlán, sotto la direzione di Eduardo Matos Moctezuma, si trasformò quindi nel Proyecto Templo Mayor, attraverso il quale negli anni seguenti venne riportato alla luce uno dei più importanti siti archeologici del Messico.

Nessuno si era reso conto di quanto il Grande Tempio fosse ancora conservato. Benché gli Spagnoli avessero raso al suolo la struttura visibile nel 1521, questa piramide faceva parte dell'ultima di una serie di fasi costruttive. Al di sotto delle rovine dell'ultimo tempio le indagini archeologiche hanno rivelato i resti delle costruzioni più antiche.

Oltre ai resti di natura architettonica venne rinvenuto anche uno splendido deposito di offerte dedicate alla diade venerata nel tempio, Huitzilopochtli e il dio della pioggia Tlaloc: oggetti in ossidiana, giada, terrecotte votive e sculture in pietra, oltre ad altri oggetti votivi, tra cui frammenti di corallo e i resti di un giaguaro con una sfera di turchese tra i denti.

Un'importante area di Città del Messico è stata convertita così in un museo permanente e monumento nazionale. Il Messico ha recuperato una delle sue più grandi strutture di età precolombiana e il Grande Tempio degli Aztechi è tornato a essere una delle meraviglie di Tenochtitlán.

15.5 La grande Pietra di Coyolxauhqui, rinvenuta nel 1978, diede l'impulso per l'inizio degli scavi del Templo Mayor. Il rilievo mostra la dea Coyolxauhqui decapitata e smembrata, dopo essere stata uccisa da suo fratello, il dio della guerra Huitzilopochtil.

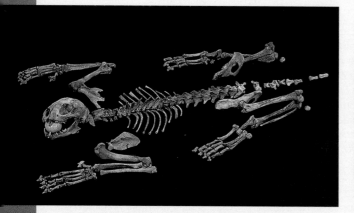

15.6 (*In alto*) Lo scheletro di un giaguaro da una camera appartenente alla quarta delle sette fasi di costruzione del Templo Mayor. La sfera di giada che stringe tra i denti potrebbe essere stata collocata come elemento sostitutivo dello spirito del defunto.

15.7 (*A destra*) Il sito degli scavi del Templo Mayor: le scalinate messe in luce sono riferibili a fasi costruttive successive del monumento. L'edificio originariamente aveva una forma piramidale, alla cui sommità erano posti due templi gemelli dedicati al dio della guerra Huitzilopochtli e a quello della pioggia Tlaloc. Si possono distinguere anche le attività di conservazione condotte sulla Pietra di Coyolxauhqui, appena visibile al centro dell'immagine, alla base di una rampa di scale.

15.8 (*Sotto*) Una scoperta recente: questa enorme lastra di pietra che ritrae il dio Tlaltecuhtli («Signore della Terra») venne rinvenuta nel sito nel 2006. Il monolito fu trasportato al Museo del Templo Mayor nel 2010.

la normativa per una pianificazione urbanistica efficace e sostenibile può essere utilizzata per evitare lo sviluppo commerciale forsennato in aree archeologiche sensibili. In effetti si assiste sempre di più all'affermarsi di un approccio che considera un intero complesso paesaggistico e la sua conservazione, piuttosto che un interesse puntuale per siti archeologici isolati.

Quando si prende in considerazione l'impato dello sviluppo commerciale o industriale, uno degli elementi attraverso cui esso può essere attenuato è l'accurata e pianificata riduzione del danno per le testimonianze archeologiche. Una strategia ben ponderata prima dell'apertura dei cantieri di solito favorisce questo approccio. In alcuni casi, comunque, lo sviluppo implica necessariamente un danneggiamento ed è a questo punto che l'archeologia preventiva si rende opportuna. In rari casi, quando inaspettatamente vengono messi alla luce importanti resti archeologici, il cantiere edilizio può essere interrotto in blocco (*vedi* Scheda 15.1).

Nel caso di grandi progetti infrastrutturali, come per esempio la costruzione di un'autostrada o una condotta, è inevitabile che durante i lavori ci si imbatta in molti siti archeologici, di notevoli o modeste dimensioni. Nella fase di ricognizione, all'interno del processo di pianificazione, gran parte di essi sono stati già localizzati, osservati, ne è stata presa nota e ne è stata eseguita una valutazione. Un piano di riduzione del danno dovrebbe intraprendere tutte quelle iniziative che si rendono necessarie per salvaguardare le testimonianze archeologiche o per recuperare

15.9 Minacce al nostro patrimonio: pali in cemento, delle fondazioni di un palazzo per uffici, sono stati affondati nel terreno attorno ai resti di natura archeologica del teatro The Rose a Londra, dove negli anni Novanta del XVI secolo furono messe in scena per la prima volta alcune opere di Shakespeare.

importanti informazioni da esse, se non possono essere altrimenti protette. In alcuni casi potrebbe essere necessario modificare il tracciato autostradale così da evitare di danneggiare importanti siti: questo è uno dei tanti aspetti della riduzione del danno. Tuttavia, di solito, se il progetto deve procedere ugualmente, l'archeologia «preventiva» mette in campo l'indagine del sito attraverso mezzi appropriati di campionamento, tra cui anche saggi di scavo.

In Gran Bretagna, per esempio, l'importante sito neolitico di Durrington Walls fu dapprima localizzato e successivamente scavato in maniera sistematica durante i lavori di costruzione di una strada. Le indagini rivelarono così che si trattava di uno dei più grandi *henge* – una grande area delimitata da un fossato (*vedi* Scheda 5.3) – e fu il primo della sua tipologia a fornire indicazioni precise su una serie di grandi strutture in legno a pianta circolare.

Molti Paesi hanno deliberato di riservare una quota consistente dei fondi disponibili per la ricerca archeologica a quei progetti in cui il danneggiamento del documento archeologico sembra inevitabile e in questo modo può essere ridotto. È sempre più radicata l'idea che non dovrebbero essere scavati siti non sottoposti a pericolo di danneggiamento, laddove esista un altro sito potenzialmente ricco di informazioni che può fornire dati comparabili dallo scavo e il cui futuro è in ogni caso minacciato dal danneggiamento dovuto allo sviluppo urbanistico. Inoltre ci si rende sempre più conto che si può dare una risposta a importanti interrogativi della ricerca attraverso tali procedure di attenuazione del danno.

L'attività del CRM negli Stati Uniti

L'archeologia dell'America settentrionale è integrata nel *Cultural Resource Management* (CRM), un sistema di leggi, disposizioni e attività professionali concepito per la tutela dei siti e dei monumenti storici, dei paesaggi con valenza culturale e altri luoghi storici e della cultura. L'attività del CRM è spesso conosciuta con l'appellativo di «archeologia applicata».

La Legge nazionale per la conservazione del patrimonio storico e la Legge nazionale sulle politiche ambientali rappresentano le più importanti basi legislative per il CRM negli Stati Uniti. Queste leggi impongono alle agenzie del governo statunitense di considerare l'impatto ambientale delle loro azioni (attraverso una «valutazione ambientale», che potrebbe condurre a una «valutazione di impatto ambientale»), inclusi gli effetti sui valori storici, archeologici e culturali. In ogni Stato americano è stata creata la figura del «funzionario di Stato per la conservazione del patrimonio storico» (*State Historic Preservation Officer* – SHPO). Ogni agenzia gestisce il proprio programma di adempimenti in materia.

I progetti edilizi e di utilizzo del territorio che coinvolgono l'operato delle agenzie governative statunitensi – sia su territorio federale, sia su altri territori, ma con

© 978.8808.82073.0

finanziamenti federali o che richiedono dei permessi federali – devono essere sottoposti a verifica per determinare i possibili effetti sul patrimonio ambientale, culturale e storico. A partire da queste disposizioni sono stati sviluppati i programmi del CRM presso le amministrazioni statali e locali, le agenzie federali, le istituzioni accademiche e gli studi privati di consulenza. I funzionari di Stato per la conservazione del patrimonio storico coordinano molte attività del CRM e conservano la documentazione su siti, strutture, monumenti, aree e paesaggi storici e preistorici.

La Sezione 106 della Legge nazionale sulla conservazione del patrimonio storico impone alle agenzie federali di identificare luoghi storici di ogni genere (siti archeologici, monumenti storici, siti sacri alle tribù dei nativi americani ecc.) che potrebbero essere interessati dai loro interventi, consultandosi con i funzionari di Stato, le tribù e altri. Alle stesse agenzie è imputato l'ulteriore obbligo di definire il programma delle attività riguardanti gli effetti del progetto, sempre previa consultazione con i funzionari di Stato e le altre parti interessate. L'identificazione spesso richiede la conduzione di ricognizioni di tipo archeologico per individuare e valutare siti antichi. La valutazione implica l'applicazione di criteri resi pubblici per determinare la possibilità di inserire uno specifico sito nel Registro nazionale dei luoghi storici, ovvero la lista statunitense di territori, siti, strutture, aree e comunità di significativo valore storico e culturale.

Se l'agenzia e le parti consultate ravvisano la presenza di importanti siti che rischiano di venire danneggiati, esse devono individuare delle modalità per attenuare il danno. Spesso ciò comporta delle varianti al progetto iniziale per ridurre, minimizzare o perfino evitare il danneggiamento. A volte, nel caso in cui sono coinvolti siti archeologici, si decide di condurre delle operazioni preliminari di scavo per recuperare informazioni significative prima che essi vengano irrimediabilmente distrutti. Se le parti non raggiungono un accordo sulla procedura da adottare, un'autorità indipendente, conosciuta come Comitato consultivo per la conservazione del patrimonio storico, emana una raccomandazione, sulla base della quale l'agenzia federale competente adotterà la sua decisione finale.

La maggior parte degli interventi di ricognizione di superficie e di raccolta dei dati negli Stati Uniti è svolta da aziende private, a volte da compagnie specializzate nelle attività del CRM, oppure da filiali di grandi società di ingegneria, di pianificazione o con competenze nella valutazione di impatto ambientale. Le attività del CRM possono essere svolte anche da alcune istituzioni accademiche, musei e organizzazioni senza fini di lucro. Le ricognizioni di superficie e gli scavi archeologici basati sull'operato del CRM rappresentano ormai almeno il 90% dell'attività archeologica svolta negli Stati Uniti.

Il sistema di valutazione previsto dalla Sezione 106 può produrre eccellenti lavori di ricerca archeologica, ma gli interessi da questa perseguiti devono essere contemperati con altri interessi pubblici, specialmente quelli che riguardano le tribù di nativi americani e altre comunità. La qualità delle attività dipende prevalentemente dalla correttezza e dalle competenze di chi vi prende parte: impiegati delle agenzie, funzionari di Stato per la conservazione del patrimonio storico, rappresentanti delle tribù e delle comunità e archeologi del settore privato. Tra i problemi ricorrenti figurano il controllo della qualità del lavoro sul campo, l'applicazione dei risultati delle attività a importanti tematiche di ricerca, la pubblicazione e la divulgazione dei risultati e la conservazione e tutela a lungo termine dei beni recuperati.

Un esempio di questo processo è il *Metro Rail Project* in Arizona (*vedi* Scheda 15.2), anche se non tutti i progetti del CRM sono condotti in maniera così esemplare e responsabile. In particolare, nel caso delle miriadi di progetti di portata minore, è facile che si svolga un'attività molto scadente e che vengano prodotti dati poco utili. D'altra parte, i grandi progetti di scavo portano alla scoperta di enormi quantità di reperti, che devono essere conservati in strutture con condizioni ambientali controllate; ciò diventa un problema sempre più grande col passare del tempo e con l'apertura di nuovi cantieri di scavo. Le attività su larga scala del CRM tendono anche a essere scarsamente finanziate. Dal tempo dei grandi progetti degli Anni Settanta e Ottanta del XX secolo, come le indagini per la via d'acqua Tennessee-Tombigbee, che hanno coperto 234 miglia di canali di nuova apertura distribuiti tra Mississippi e Alabama e portato all'identificazione di 682 siti, è proprio vero che l'attenzione si è spostata verso le tecniche di telerilevamento e la pianificazione della tutela del patrimonio archeologico in maniera tale da minimizzare il ricorso a operazioni di scavo.

Molte agenzie negli Stati Uniti ora impongono tali piani. Per esempio, il Dipartimento della Difesa predispone Piani di tutela integrata del patrimonio culturale (*Integrated Cultural Resource Management Plans* – ICRMP) per tutti i territori che ricadono sotto la propria amministrazione. Questi piani integrano le attività necessarie alla conservazione del patrimonio culturale con quelle indispensabili per far funzionare gli impianti. In maniera similare, l'Ufficio per la Gestione del Territorio (*Bureau of Land Management* – BLM) predispone Piani di tutela integrata del patrimonio e delle zone ricreative (*Integrated Resource and Recreation Area Management Plans* – IRRAMP). Questi piani possono essere estremamente efficaci per la protezione del patrimonio archeologico, a condizione che essi siano approntati da personale in possesso di un'adeguata preparazione e sensibilità nei confronti dei beni archeologici.

La Società per l'Archeologia americana (*Society for American Archaeology*) ha contribuito al finanziamento di un Registro di archeologi professionisti con lo scopo di innalzare gli standard. Il Dipartimento dell'Interno, diverse agenzie di gestione del territorio e perfino alcune amministrazioni locali hanno definito requisiti e qualifiche professionali. I permessi per intraprendere operazioni di tipo archeologico sono elaborate in maniera tale da richiedere competenze in merito, esperienza e soddisfacenti risultati conseguiti.

Chi trova qualcosa, se lo tiene?

Oltre ai problemi del patrimonio archeologico legati allo sviluppo industriale, residenziale o agricolo, risulta centrale anche la questione delle scoperte archeologiche fortuite. È chiaro che queste possono condurre al saccheggio sistematico di siti archeologici. Il problema della distruzione deliberata di siti per procurare a collezionisti e musei oggetti da collezione è stato affrontato nel Capitolo 14. Eppure resta il fatto che molte scoperte archeologiche sono effettuate per caso. Negli anni recenti il *metal detector* è stato sempre più usato in quelle aree dove è prevedibile che ci siano reperti metallici. Sebbene in molti Paesi l'uso del *metal detector* per cercare oggetti antichi sia illegale, tale pratica è comunque consentita nel Regno Unito. E mentre alcuni archeologi hanno affermato che il divieto dell'utilizzo del *metal detector* sarebbe il mezzo migliore per proteggere il patrimonio, questo hobby ha acquisito nel frattempo popolarità; ma almeno sono stati previsti dei finanziamenti statali per il Sistema dei beni culturali mobili (*Portable Antiquities Scheme* – PAS; *vedi* Scheda 15.3), mediante il quale i cercatori di tesori possono denunciare volontariamente le loro scoperte a un apposito funzionario, come già fanno in molti. Inoltre il PAS è divenuto nel corso del tempo un'importante fonte di informazioni, fornendo molti più dati sulla distribuzione di alcune tipologie di manufatti rispetto a quanto siano state in grado di fare le ricognizioni archeologiche condotte da professionisti del settore.

Protezione internazionale

Dal momento che il governo mondiale è basato attualmente sull'effettiva autonomia degli Stati nazionali in seno all'Organizzazione delle Nazioni Unite, misure di conservazione e di attenuazione operano anche a livello del singolo Stato. Solo in alcuni casi prevale una prospettiva a più ampio raggio, spesso attraverso l'operato dell'UNESCO (Organizzazione delle Nazioni Unite per l'Educazione, la Scienza e la Cultura – *United Nations Educational, Scientific and Cultural Organization*) il cui quartier generale si trova a Parigi.

La Lista del patrimonio mondiale dell'umanità Una valida iniziativa promana dalla Convenzione sul patrimonio mondiale del 1972, ai sensi della quale il Comitato per il patrimonio dell'umanità può iscrivere importanti siti nella Lista del patrimonio mondiale dell'umanità. Nel momento in cui si scrive sono 779 i siti culturali inseriti nella lista (alcuni sono illustrati più avanti), insieme a 197 siti naturali e 31 classificati come misti. Nonostante non offra in sé la dovuta protezione e soprattutto non apporti ulteriori risorse internazionali per agevolare la conservazione dei siti, l'inserimento nella lista funge da incentivo per lo Stato competente affinché sia assicurato il raggiungimento degli standard riconosciuti.

Esiste anche una Lista del patrimonio mondiale in pericolo che mette in evidenza le necessità di specifici siti a rischio. La Valle di Bamiyan in Afghanistan è inserita ancora in questa lista (*vedi* Scheda 14.1), nonostante le grandi statue che raffiguravano Buddha siano state già distrutte. Di recente introduzione sono diversi siti in Siria, tra cui Palmira e le antiche città di Aleppo e Damasco. Non ancora inseriti al momento in cui si scrive sono, invece, alcuni importanti siti nell'Iraq settentrionale, tra cui l'antica Ninive, Nimrud e Hatra, i quali purtroppo corrono un serio rischio di distruzione e hanno già subito ingenti danni. Molte delle moschee più antiche del centro storico di Mosul (Iraq settentrionale) sono già state distrutte a seguito del fanatismo di alcune fazioni interne all'Islam con il risultato che il patrimonio storico dell'Iraq è gravemente compromesso.

Il contrasto al traffico illecito di antichità Il principale strumento internazionale contro il traffico illecito di antichità è la Convenzione UNESCO del 1970 concernente le misure da adottare per interdire e impedire l'illecita importazione, esportazione e trasferimento di proprietà dei beni culturali. Purtroppo i principi sanciti da questa Convenzione non sono direttamente applicati dal diritto internazionale, ma sono piuttosto subordinati alla legislazione nazionale di riferimento e ad accordi bilaterali tra le nazioni. Le responsabilità dei collezionisti e dei musei sono state prese in considerazione nel Capitolo 14. Ci sono comunque segnali che la vendita sul libero mercato di quegli oggetti antichi frutto di recenti operazioni illecite stia diventando sempre più difficile, almeno in alcuni Paesi, ma il problema rimane a ogni modo di enorme portata.

La protezione del patrimonio culturale in tempo di guerra La Convenzione dell'Aia del 1954 per la protezione dei beni culturali in caso di conflitto armato e i suoi protocolli offrono in linea di principio un certo livello di protezione. In pratica, invece, non hanno avuto l'efficacia sperata e, come notato precedentemente, non sono stati ancora ratificati dal Regno Unito (e solo di recente dagli Stati Uniti d'America). Entrambe le nazioni sono state ampiamente criticate per le loro inadempienze durante l'invasione dell'Iraq nel 2003.

STATI UNITI
• Phoenix

Le indagini condotte dall'*Archaeological Consulting Services* (ACS) tra il 2005 e il 2008 lungo il tracciato di metropolitana leggera che si estende per 31,5 km tra il centro di Phoenix e la East Valley in Arizona, hanno portato alla scoperta di nove siti fino ad allora ignoti, nonché al notevole incremento della conoscenza di altri venti siti già rilevati in precedenza in questa vitale area urbana. La maggior parte delle indagini archeologiche si è concentrata attorno al sito *hohokam* di Pueblo Grande, nella città di Phoenix, e a quello di La Plaza, nella città di Tempe, ma a questi si sono aggiunti ulteriori ritrovamenti effettuati durante le attività di assistenza archeologica lungo il resto del tracciato. Le indagini hanno confermato che l'area di Phoenix ha ospitato una serie di insediamenti riconducibili a diverse culture nel corso di 1500 anni.

I lavori della metropolitana leggera sono stati realizzati dalla Valley Metro Rail Inc. (METRO) e, come per tutti i lavori sovvenzionati attraverso fondi federali, in base alla legge vigente alla METRO è stato imputato l'obbligo di intraprendere indagini di tipo archeologico prima e

15.10 Scavi in corso nel sito di Pueblo Grande.

15.11 Mappa dell'area metropolitana di Phoenix, che mostra il tracciato della nuova linea ferroviaria in rosso.

durante i lavori di costruzione. Sono stati registrati oltre un migliaio di contesti archeologici e più di 250 000 reperti, dato che il tracciato ferroviario attraversava numerosi villaggi preistorici frequentati da popolazione di cultura *hohokam*. Era comunque già noto che l'importante sito di Pueblo Grande è stato occupato per circa 1000 anni, dal 450-500 al 1450-1500 d.C. ca.

Il coinvolgimento dei nativi americani

I lavori, limitati ad aree predeterminate di diretto impatto, hanno visto il costante coinvolgimento sin dall'inizio di svariate associazioni ed autorità, tra cui le comunità di nativi americani, l'archeologo della municipalità di Phoenix e il Gruppo di lavoro sul patrimonio culturale delle quattro

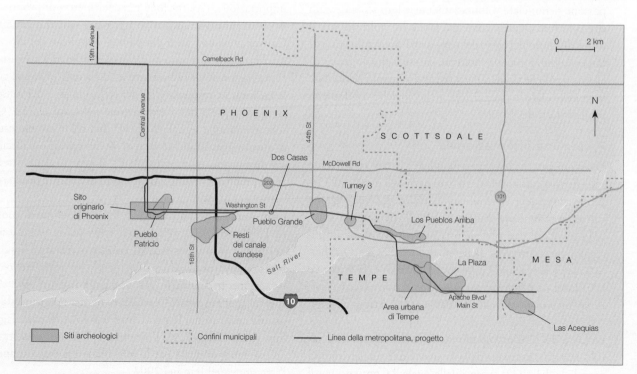

15.12 Reperti rinvenuti dal Metro Rail Project nel sito di La Plaza, tra cui (*in senso orario da sinistra*): teste di asce in pietra; tavolozze in pietra; un pendente in conchiglia raffigurante un cane; un vaso a tre aperture color camoscio con decorazioni in rosso.

tribù meridionali (*Four Southern Tribes Cultural Resources Working Group*). Massima importanza è stata data alla fase di concertazione utile a costruire fiducia e rispetto reciproci fra tutti questi soggetti, in particolar modo per quanto riguarda le sepolture, e i lavori di sicuro hanno raggiunto questo obiettivo, dal momento che è stato sviluppato e mantenuto un eccellente rapporto professionale tra le parti consultate.

Per esempio, la Comunità indiana Salt River Pima-Maricopa ha espresso il proprio apprezzamento per essere stata contattata in maniera rispettosa riguardo le varie scoperte effettuate e, più in genere, per lo spirito informativo e di cooperazione dell'ACS. Altri gruppi coinvolti nella fase di concertazione sono stati la Comunità indiana Gila River, la Nazione Yavapai Fort McDowell e la tribù degli Hopi. È stato raggiunto l'accordo secondo il quale, se le consultazioni con le tribù avessero concluso che le operazioni di scavo e recupero dei reperti erano opportune, i resti umani e gli elementi del corredo a essi associati sarebbero stati restituiti alle comunità.

Le indagini archeologiche

Sono state indicate quattro «zone sensibili» (da un archeologo dello *United Research System* – URS), ognuna delle quali ha richiesto una differente tipologia di monitoraggio. La Zona 1 comprendeva insediamenti abitativi di età preistorica con resti umani già noti. Per i lavori edilizi in quest'area è stata necessaria la presenza di archeologi professionisti in tutte le fasi di movimentazione del terreno. Sono state scavate alcune trincee

per mezzo di una pala meccanica fino a una profondità inferiore a 1,5 m e sono stati identificati così i contesti. Allo stesso tempo si è proceduto al setacciamento del terreno di scavo alla ricerca di eventuali reperti. Nel caso di rinvenimento fortuito di qualche oggetto antico, i lavori di costruzione sono stati subito fermati per il tempo necessario a che gli archeologi potessero valutare la necessità di ulteriori indagini più approfondite. Ritrovamenti importanti come le sepolture sono stati oggetto di scavo e successivamente rimossi prima della ripresa dei lavori.

La Zona 2 è stata definita come insediamento abitativo di età preistorica con probabili resti umani. Ancora una volta, tutte le operazioni di movimentazione del terreno sono state sorvegliate atten-

tamente ed è stata adottata la stessa procedura della Zona 1, fatta eccezione per il fatto che un solo archeologo ha svolto le operazioni di assistenza. La Zona 3 comprendeva aree al di fuori di siti precedentemente localizzati, considerate di moderata sensibilità per il patrimonio culturale; con tutta probabilità doveva trattarsi di allineamenti di canali di età storica o preistorica. Le indagini archeologiche hanno richiesto solamente dei controlli a campione. Infine, la Zona 4 è stata definita come area in cui non era nota la presenza di resti di natura archeologica, e dunque non richiedeva un'attività sistematica di monitoraggio. Agli imprenditori è stato semplicemente comunicato di informare gli archeologi se fosse stato rinvenuto qualsiasi oggetto di cultura materiale. È stata avviata anche un'attività di formazione professionale nei confronti delle ditte di costruzione in materia di rischio archeologico ed è stato mantenuto un contatto con queste per tutta la durata dei lavori, con occasionali controlli a campione delle trincee aperte.

Durante i lavori del cantiere sono stati messi alla luce reperti di età storica e preistorica. Tra i più importanti figurano delle rare campane in rame di cultura *hohokam* dal sito di La Plaza a Tempe, rinvenute in una sepoltura al di sotto di un tumulo.

15.13 Un ambiente con muro in mattoni crudi, riferibile alla cultura hohokam, nel sito di La Plaza.

INGHILTERRA

Frome

Tutti i Paesi devono affrontare il problema di come proteggere i beni mobili che costituiscono il loro patrimonio archeologico. Mentre si ritrova grande varietà nell'approccio alla questione, nella maggior parte delle nazioni è obbligatorio per legge denunciare il rinvenimento di tutti gli oggetti di interesse archeologico e in molti casi lo Stato rivendica la loro proprietà; vi sono meccanismi per pagare il premio di rinvenimento allo scopritore fortuito e di solito è garantita la protezione per i siti archeologici e vi sono controlli sull'uso dei metal detector. La Gran Bretagna ha legiferato in materia a seguito di un lento processo – solo nel 1996 è stato approvato in Inghilterra e Galles il *Treasure Act* – e proprio a causa di ciò è stato adottato un approccio differente: il *Portable Antiquities Scheme* (PAS).

Si tratta di un criterio dualistico: i reperti che sono conformi al *Treasure Act* per legge devono obbligatoriamente essere denunciati e offerti per l'acquisto ai musei. Se un museo intende acquistare il reperto, allora deve pagare un premio fissato al valore di mercato della cosa e la cifra viene suddivisa equamente tra scopritore e proprietario del terreno. Nel 2013 sono stati denunciati 996 ritrovamenti ai sensi della suddetta legge, di cui circa un terzo sono stati acquistati dai musei. A ogni modo la legge ha un ristretto campo di applicazione: essa si applica solo a oggetti in oro e argento o gruppi di monete appartenenti allo stesso contesto di rinvenimento, con una datazione maggiore di 300 anni, e agli oggetti associati a essi (*vedi* www.finds.org.uk/treasure).

L'attività del PAS

Il PAS, con sede presso il British Museum, incentiva la denuncia spontanea di ogni ritrovamento fortuito di tipo archeologico effettuato da parte di privati, specialmente da parte di coloro che ricercano oggetti con l'ausilio del metal detector. I ritrovamenti sono registrati a cura di una rete di 36 funzionari responsabili (*Finds Liaison Officers*) a livello locale, i quali partecipano a incontri dei club di *metal detecting* ed organizzano eventi durante i quali il pubblico presenta dei reperti da denunciare.

Una parte importante delle competenze del PAS è quella di educare gli scopritori fortuiti alle buone pratiche, come per esempio quella di non arrecare danno ai siti archeologici. Quando il cercatore di tesori Dave Crisp nell'aprile 2010 scoprì nel Somerset il Tesoro di Frome, costituito da 52 500 monete di età romana, egli non procedette al disseppellimento del contenitore ceramico, ma consentì agli archeologi di farlo, in modo tale da preservare importanti informazioni di tipo archeologico.

Un gruppo di consulenti specializzati in materia assicurano il livello di qualità dei dati, che vengono inseriti in un database online. Alla fine del 2014 esso elencava più di un milione di reperti antichi associati a più di 650 000 entrate e costituisce ormai una risorsa unica nel suo genere che viene consultata sempre di più per motivi di ricerca (più di 90 tesi di laurea magistrale e di dottorato hanno utilizzato i dati del PAS). I dati forniscono una comprensione della distribuzione delle tipologie di reperti di gran lunga più completa rispetto a prima e vengono utilizzati per scoprire nuovi siti archeologici: per esempio, uno studio ha dimostrato che il numero di siti noti di età romana nel Warwickshire e nel Worcestershire è aumentato di oltre il 30% attraverso l'utilizzo dei dati del PAS.

15.14-16 Il Tesoro di Frome, costituito da monete romane, sepolto attorno al 305 d.C. all'interno di un grande vaso (*sopra*). Questo è uno dei più grandi tesori di monete mai rinvenuti in Inghilterra ed è stato scoperto da un cercatore di tesori che subito ne ha dato notizia al PAS, cosicché è stato possibile trasportare una buona parte dell'intero ritrovamento presso i laboratori del British Museum, dove sono state condotte le operazioni di scavo microstratigrafico (*sopra a destra*). Molte monete riportano il profilo dell'imperatore Carausio (*a destra*).

Queste iniziative di stampo internazionale sono tutte importanti e potenzialmente rimarchevoli, ma al momento sono molto limitate nella loro efficacia. In futuro esse potrebbero essere maggiormente sostenute, ma la gran parte delle misure effettive per la salvaguardia del futuro del passato, tuttavia, è prevista soprattutto a livello nazionale.

Pubblicazione, archivi e finanziamenti: al servizio della comunità pubblica

Impressionante è il ritmo delle nuove scoperte effettuate attraverso le ricognizioni di superficie, condotte per valutare l'impatto ambientale, e le operazioni di scavo, finalizzate alla riduzione del danno. Ma i risultati spesso non sono adeguatamente pubblicati o altrimenti resi disponibili per gli specialisti o per la comunità pubblica. Negli Stati Uniti vige l'obbligo di depositare presso gli archivi di Stato competenti le valutazioni di impatto ambientale e una relazione sulle misure adottate per la riduzione del rischio, ma non è obbligatorio che queste debbano essere pubblicate. In Grecia il governo per alcuni anni non è riuscito a mettere a disposizione i finanziamenti necessari per la pubblicazione dell'*Archaiologikon Deltion*, il registro ufficiale degli scavi archeologici finanziati a livello nazionale. La situazione è migliore in Francia e per certi versi in Germania, ma solo pochi Paesi possono vantarsi di pubblicare in maniera efficace le numerose attività intraprese, generalmente per mezzo di finanziamenti statali.

In alcuni Paesi si è avuta una separazione tra l'attività degli archeologi accademici (che lavorano in università e musei) e quella di coloro che svolgono lavori di archeologia preventiva, finanziata dagli imprenditori o dallo Stato, che in entrambi i casi operano per ridurre l'impatto dello sviluppo. Si suppone che l'attività dei primi sia indirizzata a indagare problematiche legate alla ricerca e in effetti spesso questa porta alla pubblicazione in riviste di ambito nazionale o internazionale specializzate in archeologia e in monografie dettagliate. L'attività degli archeologi professionisti è talvolta attentamente coordinata e conduce all'esecuzione di ricognizioni di superficie su scala regionale o nazionale ricche di informazioni. Malgrado ciò, in troppe circostanze la pubblicazione di questi risultati non è altrettanto coordinata.

La soluzione a questi problemi non è ancora chiara, ma senza dubbio si sta delineando una possibilità: le pubblicazioni online. A questo proposito alcuni dei più importanti musei del mondo hanno dato l'esempio, rendendo disponibili online i cataloghi delle loro collezioni. Sono pochi gli archeologi professionisti che mettono a disposizione in maniera similare le loro valutazioni di impatto ambientale o le relazioni di riduzione del danno, ma ciò potrebbe divenire un domani un requisito essenziale: una delle condizioni prioritarie per ottenere finanziamenti.

Siti «culturali» iscritti al 2018 nella Lista UNESCO del patrimonio mondiale in pericolo*

Panorama culturale e resti archeologici della valle di Bamiyan (Afghanistan)
Minareto e resti archeologici di Jam (Afghanistan)
Centro storico di Vienna (Austria)
Riserva naturale della Belize Barrier Reef (Belize)
Città di Potosí (Bolivia)
Raffinerie di salnitro di Humberstone e Santa Laura (Cile)
Parco nazionale di Garamba (Congo)
Parco nazionale di Kahuzi-Biega (Congo)
Riserva faunistica degli Okapi (Congo)
Parco nazionale di Salonga (Congo)
Parco nazionale di Virunga (Congo)
Riserva naturale integrale del monte Nimba (Costa d'Avorio, Guinea, Liberia)
Abu Mena (Egitto)
Riserva della biosfera del Río Plátano (Honduras)
Patrimonio della foresta tropicale di Sumatra (Indonesia)
Assur (Qal'at Sherqat) (Iraq)
Città archeologica di Samarra (Iraq)
Hatra (Iraq)
Città vecchia di Gerusalemme e le sue mura (Israele)
Sito archeologico di Cirene (Libia)
Sito archeologico di Leptis Magna (Libia)
Sito archeologico di Sabratha (Libia)
Antica città di Ghadamès (Libia)
Siti rupestri di Tadrart Acacus (Libia)
Foreste pluviali di Atsinanana (Madagascar)
Timbuctù (Mali)
Tomba di Askia (Mali)
Antica città di Djenné (Mali)
Nan Madol, centro cerimoniale della Micronesia orientale (Micronesia)
Riserva naturale dell'Aïr e del Ténéré (Niger)
Luogo di nascita di Gesù: Basilica della Natività e la Via del Pellegrinaggio, Betlemme (Palestina)
Palestina: terra di olivi e vigne – paesaggio culturale di Gerusalemme Sud e Battir (Palestina)
Città vecchia di Hebron (Palestina)
Fortificazioni caraibiche a Portobelo-San Lorenzo (Panama)
Zona archeologica di Chan Chan (Perù)
Liverpool – area mercantile-marittima (Regno Unito)
Parco nazionale Manovo-Gounda St Floris (Rep. Centrafricana)
Parte orientale dell'isola di Rennell (Isole Salomone)
Parco nazionale del Niokolo-Koba (Senegal)
Monumenti medievali in Kosovo (Serbia)
Antica città di Aleppo (Siria)
Antica città di Bosra (Siria)
Antica città di Damasco (Siria)
Antichi villaggi della Siria settentrionale (Siria)
Krak dei Cavalieri e Cittadella di Salah al-Din (Siria)
Sito di Palmira (Siria)
Riserva faunistica del Selous (Tanzania)
Tombe dei re Buganda a Kasubi (Uganda)
Parco nazionale delle Everglades (USA)
Centro storico di Shakhrisabz (Uzbekistan)
Coro e il suo porto (Venezuela)
Città storica di Zabid (Yemen)
Antica città di Sana'a (Yemen)
Antica città fortificata di Shibam (Yemen)

* Dati aggiornati a cura dell'editore italiano

© 978.8808.82073.0

UNESCO: Siti Patrimonio dell'Umanità

15.17-22 (*Da sinistra, in senso orario*) Un minareto del XII secolo a Jam, Afghanistan, decorato con stucco e piastrelle smaltate; una delle 500 statue di Buddha del tempio buddista dell'VIII secolo a Borobodur, in Indonesia; chiesa rupestre ortodossa del XII secolo a Lalibela, in Etiopia; il minareto a spirale della grande moschea del IX secolo a Samarra, in Iraq; la «piramide» a base ovale di Uxmal (Messico), città maya splendidamente conservata; Fatehpur Sikri, in India, capitale dell'impero Moghul, sotto Akbar, nel XVI secolo.

© 978.8808.82073.0

Nel Regno Unito si stanno rendendo disponibili online i dati provenienti dal *Portable Antiquities Scheme* (vedi sopra), contribuendo ad abbattere le tradizionali barriere tra ricercatori professionisti e il pubblico più ampio. È probabile che in futuro anche i dati delle operazioni di scavo saranno resi disponibili online e quindi saranno accessibili più facilmente rispetto a quanto accade ora. Si ottempera così all'obbligo di informare la comunità pubblica, che ultimamente fornisce i finanziamenti per una buona parte della ricerca.

TUTELA DEI BENI CULTURALI, PROMOZIONE E TURISMO

Il futuro dei reperti materiali del passato, ovvero dei resti di ciò che è arrivato a noi dai tempi antichi, è in parte una questione di fortuna, cioè dipende dalle condizioni casuali di conservazione. Spesso essi si sono preservati perché caduti in disuso e quindi abbandonati, ma, come abbiamo visto, vi sono due elementi che acquistano sempre di più un ruolo centrale: la conservazione e l'attenuazione del danno nei confronti delle forze di distruzione.

Il patrimonio culturale a rischio Gravi problemi di conservazione e tutela possono intervenire laddove i resti archeologici sono ben conosciuti e, in linea di principio, protetti. Il caso più eclatante è quello di Pompei, la città romana sepolta dalle ceneri del Vesuvio nell'eruzione del 79 d.C. (*vedi* Scheda 1.1). Ora, per colpa dell'incuria e della corruzione a livello burocratico, i resti archeologici della città giacciono in uno stato di conservazione molto carente. L'acqua piovana provoca gravi danni. Sorte migliore è toccata invece all'altra città distrutta dal Vesuvio, Ercolano. L'*Herculaneum Conservation Project* è stato avviato nel 2001. Nel decennio appena trascorso, attraverso una spesa di 20 milioni di euro, il processo di degrado è stato invertito e per la rinascita dell'antica città è stato intrapreso un piano di conservazione sostenibile. Nel febbraio del 2013 l'Unione Europea e il governo italiano hanno lanciato un progetto di emergenza da 105 milioni di euro per porre fine ai decenni di negligenza a Pompei: il Grande Progetto Pompei. I problemi per Pompei sono su scala più ampia, ma i risultati conseguiti a Ercolano lasciano ben sperare.

La situazione nel grande centro urbano dell'antica civiltà dell'Indo, Mohenjodaro nell'odierno Pakistan, è ancora più grave. Come Pompei, anche Mohenjodaro è inserita nella Lista del patrimonio mondiale dell'umanità, ma deve affrontare inconvenienti ben più seri che la mancanza di fondi o il disinteresse da parte del governo locale. Il problema è il sale. Le acque sotterranee, risalendo per capillarità e infiltrandosi nelle strutture antiche, evaporano a causa delle alte temperature estive (superiori a 50°C) e arricchiscono in

sale i loro mattoni cotti e crudi, che iniziano a sgretolarsi. Nel 2013 gli uffici governativi del Pakistan hanno elaborato un piano per la conservazione del sito, la cui efficacia però rimane ancora da verificare.

Perfino siti che all'apparenza sembrano ben conservati, come la grande città di Teotihuacan in Messico (*vedi* Capitolo 3), possono andare incontro a problemi che magari non vengono individuati per tempo. La Piramide del Sole, la più grande del sito, sta subendo un processo di deterioramento non equilibrato, poiché il lato settentrionale risulta più umido di quello meridionale. Il problema è stato scoperto in maniera insolita. Una squadra di ricercatori dell'UNAM (Università Nazionale Autonoma del Messico), nell'ambito di un articolato progetto per studiare l'interno della piramide e scoprire camere interne, ha utilizzato dei rivelatori di muoni posti sotto il centro della piramide. I muoni sono particelle sub-atomiche che attraversano la maggior parte dei materiali, ma sono deviati da quelli più densi e, per tale motivo, offrono la possibilità di mappare l'interno della piramide. Tuttavia, il principale contributo del progetto è rappresentato dalla scoperta che su un lato della piramide la densità del terreno era inferiore del 20% rispetto all'altro, proprio in virtù della differenza di umidità. Non è ancora chiaro come diminuire tale disparità, ma almeno il problema è stato diagnosticato e si spera che il collasso della piramide sia scongiurato.

La promozione del patrimonio culturale In questa situazione è diventato fondamentale riconoscere l'importanza di quella che è diventata una nuova industria, generalmente indicata nei Paesi anglofoni come «il Patrimonio». Si tratta di un termine creato *ad hoc*, la cui nascita può essere fatta risalire al 1983 e alla ristrutturazione della Commissione degli edifici e monumenti storici per l'Inghilterra (*Historic Buildings and Monuments Commission for England*) in un nuovo ente chiamato *English Heritage*, dotato di un nuovo logo e di una rinnovata strategia di marketing. L'*English Heritage*, insieme al *National Trust*, gestisce la maggior parte dei siti e dei monumenti storici di proprietà pubblica in Inghilterra. In questo Paese come in altri, la politica è stata quella di rendere il «Patrimonio» autosufficiente economicamente e così la denominazione spesso è arrivata ad assumere delle sfumature commerciali che non sono accettate universalmente. In effetti il *National Trust*, che gestisce molte delle tradizionali «dimore lussuose d'Inghilterra», è stato accusato di «disneyficazione», quando per esempio recluta, per le proprietà che amministra, personale in costume che interpreta gli abitanti dei secoli passati in una maniera spesso associata a Disneyland e alle sue rappresentazioni fittizie di Biancaneve e i sette nani.

La promozione del patrimonio culturale a fini economici non è di certo un fenomeno nuovo. Nel Capitolo 1 abbiamo

15.23 Frotte di turisti a Pompei. Per più di 200 anni il sito è stato promosso come importante attrazione per i visitatori ed è ora una delle mete più popolari in Italia.

visto come per più di due secoli i siti romani di Pompei ed Ercolano sono stati pubblicizzati per finalità turistiche e ancor prima i monumenti di Roma erano inseriti nel tradizionale *Grand Tour* dell'aristocrazia europea. La presentazione dei reperti del passato in maniera istruttiva e autentica rappresenta una componente importante dell'industria del turismo in quasi tutti i Paesi del mondo. In alcuni, come in Grecia o Egitto, Perù o Messico (*vedi* Scheda 15.1), essa costituisce la fonte maggiore delle notevoli risorse finanziarie destinate all'archeologia. Questo è un fenomeno in continua crescita, come per esempio in Cina, dove l'industria del turismo ha un'origine più recente e una quota consistente dei visitatori è composta da turisti «interni», cittadini della nazione in questione. I musei sono sempre di più considerati come templi della cultura e assumono un ruolo molto importante nell'attrarre i visitatori da oltreoceano, con enorme giovamento dell'economia nazionale.

Il patrimonio culturale materiale è legato a ben altro che al semplice turismo archeologico: esso infatti fa affidamento su sentimenti di identità nazionale, etnica e religiosa. Per citare Frederick Temple, arcivescovo di Canterbury (la prima cattedrale e chiesa madre della Chiesa anglicana), il quale scrive nel 1922: «È un sacrosanto dovere di ogni uomo e donna inglese visitare Canterbury almeno due volte nella propria vita». Non ci può essere guida turistica che non sarebbe d'accordo!

In questo capitolo è stato posto l'accento sulla conservazione, sul *Cultural Resource Management* come attività svolta nell'interesse della collettività. Di conseguenza è un diritto della comunità pubblica visitare quei siti e monumenti che vengono sottoposti a operazioni di conservazione nel suo nome. La loro tutela e l'attività di comunicazione che li coinvolge è un compito di responsabilità. Questo ormai è un settore che dà impiego a molte persone, in un ruolo archeologicamente attivo come operatori sul campo o con un compito meno specializzato come custodi o guide turistiche.

La figura del curatore di museo, risalente al XVIII secolo, è più vecchia di quella degli archeologi professionisti (la carriera e l'attività del curatore verrà descritta nel Capitolo 16). In realtà le due figure si sono sviluppate assieme. I grandi musei del mondo e i più importanti siti archeologici possono aver avuto la loro origine nella tradizionale culla mediterranea della civiltà, ma ora essi devono affrontare i propri rivali in ogni parte del mondo.

CHI INTERPRETA E PRESENTA IL PASSATO?

Alcune delle questioni ideologiche sollevate dalla «presentazione» pubblica del passato sono state prese in considerazione in precedenza: scopi nazionalistici, obiettivi faziosi e agende politiche traggono spesso beneficio dall'interpretazione e presentazione in maniera tendenziosa di ciò che presumibilmente è il patrimonio culturale. Ma ci sono anche altri problemi oltre ai sentimentalismi nazionali o religiosi. Nei Capitoli 1 e 5 si sono fatti dei brevi accenni alla questione dell'archeologia femminista e senza dubbio una delle ragioni per cui la distorsione in senso maschilista porta a visioni androcentriche in così tanti scritti di archeologia è che la maggioranza di chi scrive, e in effetti la gran parte degli archeologi professionisti, sono uomini. Oggigiorno nel mondo accademico, mentre le studentesse in genere hanno delle opportunità che prima erano loro negate, rimane il fatto che ci sono molte meno donne rispetto agli uomini tra il personale dei docenti (due donne docenti di ruolo, una negli Stati Uniti e l'altra in Tailandia, che hanno avuto successo in questo mondo dominato dagli uomini, raccontano le loro carriere nel Capitolo 16). Finora, e ciò è sostanzialmente valido anche per le professioni museali, il passato è stato generalmente interpretato dagli uomini.

I punti di vista e le ricostruzioni di età vittoriana, o almeno del XIX secolo, permangono in molte aree legate all'interpretazione e all'esposizione museale. Questo vale per l'Occidente e, come sottolineato nel Capitolo 14, la maggior parte delle esposizioni di natura archeologica in Cina è ancora basata quasi principalmente sugli scritti di Marx ed Engels di un secolo fa.

© 978.8808.82073.0

15.24 Il Museo Nacional de Antropología a Città del Messico, uno dei migliori musei archeologici del mondo. Al piano terra trova spazio un'esposizione delle antiche culture con sale separate per le società maya, azteca, olmeca e mixteca. La cultura materiale delle corrispondenti culture indigene moderne è esposta al piano superiore, ponendo in stretta relazione l'antico e il moderno.

E mentre alcuni preconcetti di stampo coloniale o razzista sono stati accantonati, persistono ipotesi ancora più ambigue. Per esempio l'età minoica a Creta viene ancora presentata spesso come apparve al suo grande scopritore, Sir Arthur Evans, un secolo fa. Come osserva John Bintliff (1984, p. 35): «La rivitalizzazione operata da Evans di un mondo meraviglioso fatto di pacifica prosperità, autocrati divini inamovibili e un'aristocrazia benevolente deve molto al generale clima politico, sociale ed emotivo dell'*Angst* che attraversava l'Europa del suo tempo».

Nelle esposizioni museali, inoltre, spesso predomina una concezione estetica, che può portare facilmente a un approccio secondo il quale i manufatti antichi vengono esposti in una situazione in cui sono completamente estraniati dal loro contesto storico, come semplici «opere d'arte», incentivando così una ricerca della bellezza alquanto sterile («Alla ricerca dell'Assoluto» era il titolo di una mostra aperta al pubblico nel 1994, in cui erano esposti oggetti antichi facenti parte della collezione Ortiz, quasi tutti di provenienza sconosciuta). Questa mentalità,

secondo la quale il contesto archeologico viene ignorato, può facilmente condurre all'acquisizione sregolata di «opere d'arte» e all'inosservanza degli standard etici in archeologia.

La museologia è giustamente divenuta, negli ultimi due decenni, una disciplina ormai consolidata in cui si riconosce la grande complessità del compito di interpretare ed esporre al pubblico il passato. Pochi anni fa è stato calcolato che al giorno d'oggi ci sono 13 500 musei in Europa, 7000 in America settentrionale, 2800 in Australia e in Asia e circa 2000 nel resto del mondo. Ma chi visita questi musei e a chi sono indirizzate le esposizioni? Tali questioni ora vengono sistematicamente affrontate.

Ormai si ritiene generalmente che i musei siano «spazi onirici» dove si possono convogliare i diversi punti di vista del passato e del presente. Essi sono «teatri della memoria» in cui sono definite le identità locali e nazionali. Lo stesso atto di esporre un manufatto potrebbe definirlo come opera d'arte oppure come testimonianza storica di un credo condiviso.

IL PASSATO PER TUTTI

Esiste un potenziale ostacolo alla visione, condivisa da molti, secondo cui ogni regione (e ogni nazione, e ogni gruppo etnico) avrebbe la propria archeologia, che contribuisce alla propria storia, e che operatori locali e spesso indigeni, in base ai migliori standard internazionali, curerebbero le relative produzioni e pubblicazioni di stampo archeologico e storico. L'ostacolo per raggiungere tale obiettivo potrebbe paradossalmente essere la lingua inglese, il che potrà sembrare una strana affermazione, se si considera che l'inglese è vicino a essere riconosciuto come **lingua franca** globale, usato già dappertutto nel campo del traffico aereo e in quello dei mercati finanziari internazionali. L'inglese deve essere sicuramente la seconda lingua più popolare al mondo.

Tuttavia, come ha evidenziato l'archeologo russo Leo Klejn, in alcuni ambienti si percepisce un'avversione alla predominanza della lingua inglese nel dibattito archeologico. È stato notato che un convegno a cui partecipano archeologi britannici o nordamericani è considerato spesso, chissà perché, «internazionale», mentre non lo è uno a cui prendono parte studiosi che parlano lingue meno diffuse. Alcuni dei ricercatori cui si riferisce Klejn sono spagnoli e scandinavi, tra cui l'archeologo norvegese Bjornar Olsen. In effetti, è senza dubbio vero che i dibattiti teorici tra archeologi processualisti e interpretativi o postprocessualisti presi in esame in questo libro furono condotti all'inizio in larga parte tra studiosi britannici e americani con la partecipazione di qualche ricercatore scandinavo (in possesso di un'adeguata conoscenza dell'inglese). Olsen parla di un «colonialismo scientifico» e certamente il quadro storico che è alla base di ciò che potrebbe essere definito come l'attuale egemonia linguistica dell'inglese coinvolge il ruolo coloniale della Gran Bretagna di più di un secolo fa, seguito dalle conseguenze delle due Guerre Mondiali e poi, alla fine del XX secolo, dal dominio politico anglofono degli Stati Uniti d'America.

Ma si noti che né la Spagna né la Scandinavia in età moderna hanno subìto un'effettiva espansione coloniale o imperialistica: tutto il contrario, in realtà. La situazione è ben più evidente in quei territori che furono sottoposti di fatto a una dominazione di tipo coloniale, come si evince dal sempre maggiore apprezzamento dell'archeologia australiana degli Aborigeni o quella delle «Prime Nazioni» canadesi. Come riferito nel Capitolo 1, il Congresso mondiale di archeologia cerca di affrontare queste tematiche, ma non ha ancora fatto scelte risolutive.

Non si tratta neanche di una semplice influenza europea o americana di tipo coloniale sulle popolazioni indigene, poiché in altre aree del mondo la distinzione tra autoctono e allogeno risale a molto prima dell'espansione europea del XV sec. d.C. L'archeologo indiano Ajay Pratap recentemente ha affrontato la questione nel suo libro *Indigenous Archaeology in India*, in cui la contrapposizione non è tra colonizzatori europei e popolazioni autoctone, quanto piuttosto nella distinzione effettuata dalla Costituzione indiana tra caste e tribù da essa previste. Tale dicotomia risale a ben prima del dominio coloniale e anche se il sistema delle caste può essere meno marcato, oggigiorno la distinzione tra «tribale» e «non tribale» mantiene ancora una forte validità. In Cina l'ascendenza dell'etnia Han risale al I millennio a.C., in Giappone e altrove in Asia il rapporto tra minoranze etniche e maggioranze dominanti ha origine millenaria.

Tuttavia, in un certo senso l'archeologia, specialmente quella preistorica, occupa una posizione ideale per superare i problemi di egemonia linguistica e distinzione su base etnica, in quanto l'oggetto primario della ricerca archeologica è costituito da cose materiali, non da parole, e la forma di comunicazione che l'archeologo preistorico cerca di esaminare e interpretare è essenzialmente di carattere non verbale: questa è la forza più potente dell'archeologia. Ogni territorio e ogni popolazione ha la propria archeologia. L'interpretazione è in effetti una sfida; affrontare questa sfida è stata la principale preoccupazione di questo libro.

A CHE COSA SERVE IL PASSATO?

La popolarità dell'archeologia è aumentata nettamente negli anni recenti, se si usano come metro di comparazione i programmi televisivi, gli articoli di riviste e i visitatori dei musei. Di sicuro il numero degli studenti di archeologia si è moltiplicato notevolmente in molti Paesi. Come abbiamo visto, in molte nazioni si investono risorse pubbliche nella conservazione e gli imprenditori sono obbligati ad assicurare che vengano adottate le giuste misure per attenuare l'impatto delle loro azioni sul contesto culturale. Ma queste risorse vengono impiegate semplicemente per soddisfare la futile curiosità dei cittadini del mondo? Il loro scopo principale è solo quello di creare siti allettanti da visitare?

Pensiamo che sia molto più di ciò. Vi è una crescente consapevolezza che l'umanità ha bisogno di pensare e sapere che ha un proprio passato, che può essere documentato attraverso prove materiali concrete, accessibili a tutti e che tutti possono esaminare e giudicare, poiché senza radici siamo perduti. Per le generazioni recenti queste radici sono rappresentate dagli amici, dalle famiglie e dalle popolazioni esistenti, ma in un senso più profondo, e in un passato più remoto, siamo tutti coinvolti. Le grandi religioni del mondo danno un significato alle vite di molte persone, ma non tutte convengono, o così potrebbe sembrare, su alcune questioni che riguardano l'origine dell'umanità e la storia più antica, di cui abbiamo parlato in questo volume. Alcune propongono approfonditi e istruttivi racconti sulla

© 978.8808.82073.0

creazione, che possono essere ulteriormente arricchiti dalla conoscenza delle prove materiali dell'evoluzione più antica degli esseri umani.

Dal ritmo delle scoperte archeologiche è oltremodo palese che rimane ancora molto da conoscere: questa è una delle ragioni per cui la materia è così interessante e lo sarà sempre. Finché saranno assicurate le misure di conservazione e attenuazione del danno, continueremo ad apprendere di più sul passato umano e in questo senso sulla nostra stessa umanità. Speriamo che tale sia il futuro del passato e non abbiamo dubbi che esso avrà una sua utilità.

Riepilogo

■ Molte nazioni ritengono che sia compito del governo adottare misure legislative in materia di conservazione, e queste disposizioni spesso si applicano all'archeologia. Sviluppo edilizio, intensificazione dell'agricoltura, conflitti, turismo e saccheggio sono tutte attività umane che danneggiano o distruggono siti.

■ Sostenuto da una solida base giuridica, il *Cultural Resource Management* (CRM) o «archeologia applicata» ricopre un ruolo importante nell'archeologia americana. Se un progetto interviene su territorio federale, fa uso di fondi federali o necessita di autorizzazioni federali, la legge impone che il patrimonio culturale sia identificato e valutato e, se non si può procedere altrimenti, sia incluso di conseguenza in un appropriato piano di riduzione del danno. Un gran numero di società di archeologia che lavorano su contratto dà impiego alla maggioranza degli operatori del settore negli Stati Uniti. Tali imprese sono responsabili del soddisfacimento delle prescrizioni contenute nel piano di riduzione del danno e il loro operato è monitorato da un'agenzia federale e da un funzionario di stato. Vige l'obbligo di pubblicare i rapporti finali di scavo, ma rimane il problema del livello disomogeneo della qualità e quello della divulgazione, di solito limitata, di questi rapporti.

■ Gli archeologi hanno l'obbligo di segnalare ciò che scoprono. Dal momento che, in un certo senso, lo scavo è un'operazione distruttiva, il materiale pubblicato spesso è l'unica documentazione di ciò che viene alla luce in un sito. Probabilmente fino al 60% degli scavi moderni dopo 10 anni non viene pubblicato. Internet e i mezzi di comunicazione di massa possono aiutare a raggiungere uno degli obiettivi fondamentali dell'archeologia: quello di arricchire la comunità pubblica con una migliore comprensione del passato.

■ Accanto a punti di vista nazionalistici o religiosi nell'interpretazione e nella presentazione del passato, si devono tenere in considerazione anche le distorsioni di genere nel mondo dell'archeologia, spesso dominato ancora dal genere maschile. I musei sono considerati sempre di più come «teatri della memoria», in cui sono definite le identità locali e nazionali.

■ Un'altra fonte di pregiudizio è l'uso ubiquitario della lingua inglese nel dibattito archeologico e la predominanza di un gruppo etnico o di una classe sociale sulle altre in diverse parti del mondo. L'archeologia preistorica, dando risalto alla cultura materiale e non verbale, occupa una posizione ideale per superare questi problemi.

Letture consigliate

Carman J., 2002, *Archaeology and Heritage, an Introduction.* Continuum: London.

Graham B. & Howard P. (a cura di), 2008, *The Ashgate Companion to Heritage and Identity.* Ashgate Publishing: Farnham.

King T.F., 2005, *Doing Archaeology: A Cultural Resource Management Perspective.* Left Coast Press: Walnut Creek.

King T.F., 2008, *Cultural Resource Laws and Practice, an Introductory Guide* (3rd ed.). Altamira Press: Walnut Creek.

Pratap A., 2009, *Indigenous Archaeology in India: Prospects of an Archaeology for the Subaltern* (BAR International Series 1927). Archaeopress: Oxford.

Sabloff J.A., 2008, *Archaeology Matters: Action Archaeology in the Modern World.* Left Coast Press: Walnut Creek.

Smith L. & Waterton E., 2009, *Heritage, Communities and Archaeology.* Duckworth: London.

Sørensen M.L. & Carman J. (a cura di), 2009, *Heritage Studies: Approaches and Methods.* Routledge: London.

Tyler N., Ligibel T.J. & Tyler I., 2009, *Historic Preservation: An Introduction to its History, Principles and Practice* (2nd ed.). W.W. Norton & Company: New York.

Molti lettori delle edizioni precedenti di questo libro si sono chiesti come ci si può costruire una carriera nell'archeologia – che si tratti di ricerca archeologica (in un'università o come ricercatore indipendente), o in un ruolo più amministrativo come impiegato governativo, o anche nel settore del turismo storico-culturale. Abbiamo quindi invitato sei professionisti, che si guadagnano da vivere occupandosi in un modo o nell'altro di archeologia, a raccontare la proprio storia. Ognuno di loro è attivamente coinvolto nella ricerca, nella generazione di nuovo sapere: in questo senso sono i nuovi ricercatori, controparti e successori dei «pionieri» di cui si è parlato nel Capitolo 1. Non sono stati selezionati a caso; invitare persone diverse avrebbe generato risposte diverse. Ma sono tutti parte di quella che è ora un'impresa internazionale di investigazione, ricostruzione e disseminazione del passato dell'umanità.

Sono tutti archeologi affermati ma a livelli diversi delle rispettive carriere. Hanno esperienze e formazioni diverse. Eppure la maggior parte di loro ha qualcosa in comune: sono arrivati all'archeologia fortuitamente, casualmente. Questo non dovrebbe sorprendere, poiché la pratica dell'archeologia non è una delle professioni importanti come medicina o giurisprudenza o commercio. Ma ognuno di loro, in qualche modo, ne è stato rapito. Quell'entusiasmo, definito una volta da Glyn Daniel come la «curiosità di guardarsi indietro», quella fascinazione per il passato dell'umanità è ciò che li guida: ognuno la esprime a modo suo.

La gioia che esprimono («La scoperta più gratificante che io abbia mai fatto») non è semplicemente scoprire e rivelare oggetti che sono rimasti nascosti per migliaia di anni. È il piacere di trovare un senso nei dati, trovare un senso al passato. Douglas C. Comer, ora nel settore della gestione delle risorse culturali, scrive del piacere di estrarre informazioni utili dalle analisi geospaziali. Shadreck Chirikure descrive la sua gioia nell'aiutare a recuperare il relitto di Oranjemund, «un'eredità che appartiene all'umanità intera».

Due degli autori lavorano in paesi (Thailandia e Sudafrica) al di fuori dell'asse transatlantico, tra Europa e Stati Uniti, che fu così fondamentale nei primi sviluppi dell'archeologia. Potrebbe essere interessante notare che ognuno di loro si è specializzato in centri universitari all'interno di quell'asse (nel Michigan e a Londra, rispettivamente). Eppure oggi insegnano a dottorandi dei loro paesi d'origine, studenti che diventeranno a loro volta i nuovi ricercatori, contribuendo a sviluppare un'archeologia mondiale che sarà pienamente internazionale, forse genuinamente multiculturale.

Parte di questo internazionalismo deriva infatti dalla preziosa esperienza di lavorare in luoghi e con persone al di fuori della propria vita precedente. Jonathan N. Tubb, a proposito della sua prima visita a uno scavo in Giordania, scrive: «quasi dal mio primo giorno lì, l'ho sentita come *la mia terra*». Questo è stato determinante per la sua futura carriera. Molti di noi sono nati e cresciuti nelle città, e il lavoro archeologico sul campo porta una gradita prima esperienza di vita e lavoro al fianco di cacciatori-raccoglitori o contadini in un ambiente molto diverso da quello cittadino o universitario. Rasmi Shoocongdej descrive il lavoro al fianco di comunità locali nel suo paese: intendono costruire, per due siti di ripari sotto roccia, musei e programmi di training per guide turistiche. Gill Hey, nonostante abbia viaggiato e lavorato in molti luoghi diversi, continua a trovare che la preistoria del suo paese d'origine (Inghilterra) offra le esperienze più emozionanti e gratificanti: prova soddisfazione nel vedere quanto le comunità locali si sentano coinvolte e ispirate dai progressi archeologici. Il panorama dell'archeologia si apre tanto nelle campagne quanto nelle città.

Ognuno degli autori si occupa anche di presente e futuro, e aspira ad avere un impatto su quel futuro. Lisa J. Lucero spera che il suo lavoro sul collasso della civiltà Maya, apparentemente determinato da una lunga siccità, possa contribuire all'attuale comprensione dell'impatto di un cambiamento climatico. Ognuno vede come parte

© 978.8808.82073.0

del proprio lavoro sia l'interazione con accademici in altri paesi, sia la comunicazione con un pubblico più ampio. L'archeologo di oggi, così come di ieri, è una persona dagli ampi orizzonti, che possiede una conoscenza del passato dell'essere umano e si preoccupa per il suo futuro.

LISA J. LUCERO
Docente universitaria, Stati Uniti

Che cosa mi ha spinto a diventare un'archeologa Sin dal liceo ho sempre voluto sapere se (e quanto) un film o un libro basato su eventi storici lo fosse davvero. Questo interesse mi ha portata a laurearmi in antropologia alla Colorado State University. Già dal secondo anno di università ho concretizzato il desiderio in un dottorato di ricerca in archeologia. Ho frequentato un programma di specializzazione alla UCLA: nel corso di archeologia l'atmosfera era decisamente elettrizzante. Gli archeologi spesso studiano le élite che hanno governato società antiche ma, incoraggiata da colleghi e docenti, mi concentrai sugli elementi alla base del potere politico. Nel caso del periodo Maya classico (c. 250-900 d.C.) il potere dei governanti si appoggiava sul lavoro di una maggioranza di gente comune e contadini. L'unico modo di scoprire la loro storia era condurre scavi dove si trovavano le case del popolo, e l'ho fatto nel corso degli anni. È incredibile rimuovere gli strati di accumuli, che rappresentano secoli di abitazione e ricostruzione da parte di famiglie maya. Tenevano i loro antenati letteralmente vicini al focolare, scavando le tombe nel pavimento sotto i propri piedi. La mia formazione fondata su quattro campi disciplinari (archeologia insieme ad antropologia culturale, linguistica e biologica), che continuo ad apprezzare a oggi, mi permette di insegnare gli elementi-base dell'antropologia, ma anche di valutare le mie scoperte come archeologa maya all'interno di un panorama più ampio. Sono stata formata all'uso di una prospettiva comparativa; in fondo siamo tutti umani, possiamo comprendere il passato se abbiamo una comprensione generale delle caratteristiche di società diverse attraverso lo spazio e il tempo. Un tratto ricorrente nello spazio e nel tempo è la tendenza ad affidarsi a soluzioni e tecnologie a breve termine: le prime raramente hanno conseguenze positive, mentre le seconde possono non servire più a bisogni attuali, di fronte a una popolazione in veloce crescita e al cambiamento climatico globale.

Come ho ottenuto il mio primo lavoro Ho fatto un po' di colloqui prima che mi venisse offerto il mio primo lavoro alla New Mexico State University, dove sono rimasta per 10 anni, finché non sono stata contattata dalla University of Illinois a Urbana-Champaign. Mi trovo davvero bene nell'atmosfera accademica: dev'essere proprio così, visto che non l'ho mai abbandonata! Passo la maggior parte del mio tempo a insegnare e a condurre diversi progetti di ricerca, molti dei quali coinvolgono sia studenti universitari (per esempio, le scuole estive di archeologia in Belize) sia ricercatori (master, dottorati).

16.1 Lisa J. Lucero durante lo scavo nel sito maya di Yalbac, nella giungla del Belize centrale.

La mia scoperta più gratificante Nei miei oltre 20 anni da archeologa, non c'è una cosa in particolare che ho scoperto. Mi sento gratificata dalla mia crescente maturità nell'affrontare questioni che riguardano le società umane, la mia inclusa. A riempirmi di meraviglia è la resilienza della nostra specie: abbiamo affrontato e siamo sopravvissuti a così tanto nella nostra storia. Le genti del passato, tuttavia, hanno anche affrontato sfide che non erano in grado di superare. È di grande importanza identificare le strategie che non hanno funzionato, in modo da evitare che la storia si ripeta, in particolare nella risposta sul lungo termine al cambiamento climatico.

Su che cosa concentro la mia ricerca, e in che modo questo può fare la differenza? Negli ultimi 10 anni mi sono interessata al modo in cui il cambiamento climatico, in questo caso le lunghe siccità, ha giocato un ruolo nella caduta dei sovrani maya del periodo classico. Come? I centri più grandi e potenti si trovavano in aree dai terreni fertili ma prive di acque di superficie perenni. I primi re maya costruirono sistemi di cisterne sempre più complessi per raccogliere l'acqua piovana durante i sei mesi all'anno di stagione delle piogge, conservandone a sufficienza da rifornire contadini e popolo durante la stagione di secca, quattro mesi all'anno durante il quale non piove affatto. Questo sistema durò per secoli e diede ai re i mezzi per ottenere manodopera e beni altrui, in quanto gestori dell'acqua per eccellenza. E le cerimonie, giochi, e feste che patrocinavano non facevano che dimostrare ulteriormente il loro potere e la loro vicinanza agli dei. Cosa poteva portare alla caduta un sistema del genere? Diversi anni consecutivi di siccità. Nell'arco di diverse decine di anni, i re sparirono per sempre dai bassipiani maya del sud; i contadini tornarono a vivere in piccole comunità o migrarono in ogni direzione, e li si può trovare oggi in parti del Messico, del Guatemala e in Belize. Ed è qui che posso fare la differenza come archeologa. Con il mio team ho scoperto un tempio dell'acqua sul confine di una profonda dolina (cenote) nel centro del Belize, che i sommozzatori hanno esplorato per raccogliere materiale paleoclimatico (carote di sedimenti, fossili, campioni di terreno ecc.). Io tento di applicare le lezioni del passato a problemi attuali che derivano dal cambiamento climatico globale. Faccio parte di diverse organizzazioni di accademici che si concentrano su problemi legati al cambiamento climatico e alla sostenibilità nei tropici. I nostri obiettivi sono duplici: evitare gli errori del passato ed evidenziare come società antiche praticassero stili di vita sostenibili.

University of Illinois a Urbana-Champaign
Email: ljlucero@illinois.edu

GILL HEY
Archeologa a contratto, Regno Unito

Che cosa mi ha spinto a diventare un'archeologa Quando ero bambina, i miei genitori portavano spesso me e mio fratello in siti storici. Bolton Abbey, nello Yorkshire, era una delle nostre mete preferite. Ma fu durante una vacanza di famiglia nello Wiltshire, quando visitammo Stonehenge e Avebury, che l'archeologia rapì la mia immaginazione. Questo coincise con la trasmissione in tv degli scavi del tumulo neolitico di Silbury Hill: io stavo incollata a questo programma nonostante non venisse fatta nessuna scoperta sensazionale. Mi sembrava che la parte emozionante consistesse nel tentativo di risolvere il mistero di chi aveva costruito il monticello – la vita reale di chi lo aveva fatto e perché. Da quel momento in poi ho sempre desiderato diventare un'archeologa, ma non ho mai pensato che potesse davvero essere possibile. Solo quando ho scoperto di poter cambiare corsi del mio piano di studi universitario il mio sogno è diventato realtà.

Come ho ottenuto il mio primo lavoro Ho avuto la fortuna di frequentare il corso di laurea triennale alla Reading University, dove prendevano molto sul serio l'esperienza pratica sul campo. Andavamo a scavare ogni lunedì (la prima e l'unica volta in cui io ho scavato trincee di circa 1 × 1 m con il metodo Mortimer Wheeler e usato «piedi» e «pollici» durante uno scavo!) ed era previsto che prendessimo parte a tre settimane di lavoro durante le vacanze. Poiché avevo pianificato di andare in Canada durante la pausa estiva del mio primo anno di archeologia, mi impegnai a partecipare a un cantiere a Caerwent, una cittadina romana nell'est del Galles, durante il periodo di Pasqua. Lì ho incontrato un gruppo straordinario di persone che lavoravano «nel circuito», come veniva chiamato, spostandosi di sito in sito, dato che i posti fissi agli scavi erano rari. Non sono più andata in Canada, ma ho lavorato durante tutte le mie vacanze successive, e quando mi sono laureata ho continuato a scavare, con contratti brevi, per le persone che avevo conosciuto. Sono gradualmente salita di livello e ho cominciato a dirigere i miei scavi: è stato molto gratificante e godibile supervisionare il progetto archeologico Cusichaca, in Perù, dal 1978 al 1988, di cui per nove anni ho diretto le operazioni sul campo. Il mio primo lavoro fisso è arrivato più avanti, quando il progetto in Perù si era concluso e, avendo bisogno di soldi, ho fatto domanda per diventare un modesto supervisore dei servizi di risorse umane alla Oxford Archaeological Unit.

Di cosa mi occupo oggi? Oggi sono CEO (Chief Executive Officer) di Oxford Archaeology (il successore di Oxford Archaeological Unit), che è una delle più grandi

© 978.8808.82073.0

16.2 Gill Hey, amministratore delegato di Oxford Archaeology, durante lo scavo del corpo parzialmente conservato di un cavallo, sepolto in una fossa dell'Età del ferro a Thame, nell'Oxforshire.

società di archeologia a contratto in Europa oltre che una organizzazione no profit per la Conservazione del patrimonio. Lavoriamo principalmente su commesse private, ma i nostri obiettivi di fondo sono condurre ricerca e informare e istruire le persone sul nostro lavoro.

Il grosso degli incarichi viene da clienti che, nell'ambito del sistema di pianificazione, sono obbligati a far eseguire indagini archeologiche come premessa ai loro progetti di costruzione di abitazioni, oppure di opere stradali. Svolgiamo valutazioni documentali ma anche sopralluoghi e scavi, oltre a fare ricerca sul modo in cui l'ambiente storico è gestito, e pubblichiamo sempre il risultato del nostro lavoro. Essendo una società con oltre 280 dipendenti, siamo specializzati in grandi progetti infrastrutturali e impieghiamo lavoratori sul campo, ricercatori e una serie di specialisti di manufatti, analisi ambientale e geoarcheologica, archeologia funeraria, edifici storici e rilievi paesaggistici.

Rispondo direttamente a un consiglio di amministrazione, sono responsabile per lo sviluppo e l'esecuzione della nostra strategia come società e, insieme al direttore finanziario e al direttore operativo, devo garantire che la nostra posizione finanziaria sia solida. Al momento stiamo avviando un nuovo piano strategico quinquennale che migliorerà le comunicazioni interne ed esterne e darà una spinta al nostro ruolo nella ricerca e nella comunità in archeologia. Continuo ad avere i miei interessi personali di ricerca, e sto completando dei rapporti su alcuni dei miei siti, ma il

mio ruolo principale è di rappresentare e promuovere la società e assicurare che mantenga la sua buona reputazione.

I miei interessi di ricerca Ho condotto il mio dottorato di ricerca sull'archeologia dei primi insediamenti nella valle Cusichaca, che si estende nella parte orientale delle Ande, tra il Cuzco e il Machu Picchu. Inaspettatamente, durante uno scavo progettato per scoprire come gli Inca dominarono e modificarono la valle all'inizio dell'espansione del loro impero, abbiamo trovato resti datati al c. 600 a.C. al di sotto di un forte Inca. Il mio lavoro ha investigato le diverse influenze sui primi insediamenti, le loro architetture abitative, le pratiche funerarie, e i tipi di manufatti. Tuttavia, e nonostante io abbia lavorato in diverse parti del mondo e su siti di età molto diverse, la mia vera passione restano il Neolitico britannico e l'Età del bronzo. Sono interessata in particolare a ciò che successe in Gran Bretagna quando l'agricoltura sostituì caccia e raccolta come stile di vita, e al modo in cui le persone si adattarono a una nuova visione del mondo e crearono una società diversa.

La cosa più gratificante che ho mai fatto o scoperto Lavorare in Perú per il fondo archeologico Cusichaca è stata un'esperienza fantastica, e sono estremamente grata a Anne Kendal, la direttrice, per avermi dato l'opportunità di condurre lo scavo in quel luogo. Tuttavia, portare alla luce un vasto sito neolitico nella piana alluvionale del Tamigi a Yarnton, vicino a Oxford, resta la cosa più gratificante che io abbia mai fatto. Non dimenticherò mai il giorno in cui, al fianco del supervisore, ho visto tornare alla luce i buchi dei pali di fondazione di una comune casa lunga del Neolitico, data a 5800 anni fa, mentre un macchinario rimuoveva i sedimenti dell'inondazione. Queste strutture sono così rare in Inghilterra (e lo erano ancora di più negli anni Novanta), e trovarne una quasi per caso mi ha tolto il respiro. Inquadrare l'edificio in un ambiente che era stato occupato 6000 anni prima e poi si era evoluto fino al panorama contemporaneo è stato al tempo stesso emozionante e gratificante.

Perché essere un'archeologa è per me importante, e in che modo faccio la differenza L'archeologia ha un ruolo centrale nel rivelare il contributo che le generazioni precedenti hanno apportato alla società, e come si è arrivati dove siamo. Avendo lavorato a progetti di quartiere, e avendo parlato con molti abitanti del luogo delle scoperte fatte nell'area, ho visto con i miei occhi quanto si sentano coinvolti e stimolati dall'archeologia: questo specifico aspetto del mio lavoro mi dà grandissime soddisfazioni.

Credo anche che sia importante contribuire alla propria comunità professionale, e mi trovo ora nella posizione di poter esercitare qualche influenza nel settore dell'archeologia e aiutare a creare un ambiente di lavoro migliore. Quando ho cominciato come archeologa non esisteva un percorso professionale ben preciso in questo campo; se le persone avevano successo questo dipendeva da fortuna e da tenacia fisica e mentale insieme. La paga era atroce e le sistemazioni offerte estremamente primitive. Durante il mio primo scavo lontano da casa dormivamo in tenda e c'era un solo rubinetto di acqua fredda in tutto il campo. Venivamo portati una volta alla settimana a usare i bagni in un simpatico albergo locale (dove ricompensavamo il proprietario bevendo grandi quantità di birra!). Fortunatamente, le cose sono molto migliorate nel corso degli ultimi 20 anni. Naturalmente l'archeologia richiede resistenza e forma fisica se lavori sul campo, ma avere successo nel settore dovrebbe dipendere dall'essere un buon archeologo. Tentando di offrire opportunità di training, salari appropriati e contratti e condizioni oneste, la mia speranza è di rendere la professione più facile per gli altri. Vorrei anche garantire che il lavoro sia gratificante ed emozionante, ed è molto importante per me tornare a concentrarci sul valore della ricerca in tutta l'archeologia che pratichiamo, che sia in un contesto commerciale (a contratto) o meno. E, personalmente, se posso dare un piccolo contributo alla conoscenza, sarò soddisfatta.

Oxford Archaeology
Email: gill.hey@oxfordarch.co.uk
Website: http://www.oxfordarchaeology.com

RASMI SHOOCONGDEJ
Docente universitaria, Thailandia

Che cosa mi ha spinto a diventare un'archeologa Avevo circa 15 anni quando mi sono trovata a guardare in tv notizie su quanto stava succedendo nella politica thailandese del 1976. Non sapevo se ci stavano dicendo la verità, ed è stato quel momento a ispirarmi a cercare sempre la verità, a prescindere da quanto tempo addietro sia successo qualcosa. In principio ho pensato di scegliere la carriera di giornalista, ma mi sono poi interessata all'archeologia. Durante il mio terzo anno alla Silpakorn University ho scritto un articolo sul patrimonio culturale thailandese per un bollettino studentesco, ho contribuito a fondare un club di archeologia e ho organizzato una mostra itinerante sul patrimonio culturale, destinata alle scuole nelle aree rurali. Queste attività hanno costituito un punto di svolta cruciale nella mia carriera archeologica: mi stava piacendo diventare una giornalista del passato.

Come ho ottenuto il mio primo lavoro Nel 1984, dopo aver lavorato come assistente di ricerca nella Divisione di archeologia del Dipartimento di belle arti a Silpakorn, ho studiato presso l'University of Michigan con il professore Karl Hutterer, specializzato nell'archeologia del Sudest asiatico: in Thailandia non esisteva un programma universitario di archeologia antropologica o preistorica. Ho preso una laurea specialistica nel 1986 e un dottorato di ricerca nel 1996. Mentre studiavo in Michigan, ho fatto domanda di insegnamento alla Silpakorn University (una delle poche posizioni da docente in Thailandia) e sono tornata nel mio paese nel 1987 per cominciare a insegnare archeologia.

Di cosa mi occupo oggi? Attualmente sono professore associato di archeologia ed ex presidente del dipartimento di archeologia alla Silpakorn University. Dedico molto del mio tempo a lavorare con gli studenti, con l'obiettivo specifico di sviluppare in loro la conoscenza del patrimonio culturale e un senso di responsabilità verso la società intera; collaboro a campagne pubbliche per la conservazione del patrimonio thailandese e di altri gruppi etnici presenti in Thailandia. Sono anche coinvolta in un progetto di ricerca a lungo termine, iniziato nel 1998, nell'altopiano Pang Mapha, situato nel nordest del paese.

Le mie attività internazionali includono i ruoli di: rappresentante di alto grado per la regione del Sudest asiatico e del Pacifico presso il consiglio del World Archaeological Congress, membro esecutivo della Indo-Pacific Prehistoric Association, membro esperto dell'International Committee on Archaeological Heritage Management (ICOMOS), co-fondatore e co-editor (insieme alla dottoressa Elisabeth Bacus) della *Southeast Asian Archaeology International New-*

© 978.8808.82073.0

sletter; faccio parte del comitato consultivo di *World Archaeology*, di *Asian Perspectives* e del *Bulletin of the Indo-Pacific Prehistory Association*.

I miei interessi di ricerca La mia ricerca si focalizza sulla conoscenza dell'organizzazione degli spostamenti dei cacciatori-raccoglitori, in particolare sui «foraggiatori» dei periodi tardo e post Pleistocene (c. 32 000-10 000 BP), negli ambienti tropicali del confine occidentale di Thailandia e Myanmar. Mi occupo anche di pratiche funerarie, archeologia delle caverne, archeologia della Seconda guerra mondiale, nazionalismo e archeologia, archeologia e formazione multi-etnica, saccheggi dei siti archeologi, e le relazioni tra archeologia e arte. Nella mia esperienza sul campo ho partecipato a progetti nelle parti settentrionali, occidentali, centrali e meridionali della Thailandia; in Cambogia; nel sudovest degli Stati Uniti; nel sudest della Turchia.

La cosa più gratificante che ho mai fatto o scoperto In Thailandia, come in molti altri paesi in via di sviluppo, la ricerca in archeologia non è una gran priorità, mentre l'attenzione è tutta concentrata sui metodi di lavoro sul campo e sul recupero a fini turistici. Dato che sono convinta che qui il lavoro archeologico richieda teorie e metodi specifici validi per il nostro paese e per il Sudest asiatico in generale, per fare tutto ciò mi sono imposta di portare avanti un progetto di ricerca a lungo termine e multidisciplinare.

Dal progetto dell'altopiano Pang Mapha sono derivate tre scoperte davvero significative (in particolare perché sono meno di dieci i siti del tardo Pleistocene finora noti in Thailandia): i resti di due *Homo sapiens* trovati nel nord Thailandia (c. 13 000-12 000 BP), la più grande officina litica (c. 32 000-12 000 BP), e la cultura delle sepolture in tronchi (c. 2600-1100 BP), un esempio unico di pratica funeraria, a confronto con gli altri siti dell'Età del ferro individuati nel paese. Bare di tronchi di teak venivano disposte sulla cima di pali e collocate di proposito dentro grotte su alte rupi calcaree; una pratica simile è documentata nello Yunnan in Cina, nel Sabah in Malesia, sull'isola di Sulawesi in Indonesia, e a Luzon nella Filippine.

Dato che sono convinta che il passato serva al presente e al futuro, è gratificante per me anche quella parte del progetto Pang Mapha che ha coinvolto in una stretta collaborazione le comunità locali, per aiutarle a riconnettersi al proprio patrimonio culturale e archeologico (per esempio attraverso attività di artigianato artistico) in modo da presentare la storia, le credenze e i significati delle bare che sono ancora *in loco*.

Perché essere un'archeologa è per me importante, e in che modo faccio la differenza Credo nella ricerca della verità che persegue il genere umano, perciò nel fare

archeologia io sto realizzando il mio sogno di essere una giornalista del passato. La mia ricerca di competenze archeologiche indigene e locali, e di appropriate metodologie che si confrontino con quelle anglo-americane, mi consentirà di sviluppare nel mio paese un'archeologia che potrà dare un contributo alle «archeologie mondiali».

Come detto prima, il progetto Pang Mapha ha fornito l'opportunità di lavorare con membri dei gruppi etnici locali, che sono minoritari in Thailandia, e comprendono gli Shan (Tai), i Karen, i Lahu, i Lisu, i Hmong e i Lua. Per esempio, ho lavorato a stretto contatto con le comunità locali a far nascere musei degli scavi di due siti di ripari sotto doccia, Ban Rai e Tham Lod, unitamente a programmi di visite guidate per adulti e per ragazzi. Parallelamente ho sviluppato anche un progetto integrato che ha riunito membri delle comunità locali con artisti ed esperti in campi diversi, giunti da Thailandia, USA e Francia, per lavorare sulla gestione del patrimonio in questi due siti. Programmi incentrati sull'arte sono stati una parte importante di questo impegno, che comprendeva mostre a Bangkok e nei siti stessi. Spero che questi sforzi incrementino la cooperazione nella battaglia contro il commercio illegale di reperti e la distruzione dei siti archeologici. Oltre a lavorare con i gruppi etnici locali, io ho lavorato intensamente con i Thai e gente del Sudest asiatico sulla protezione del patrimonio

16.3 Rasmi Shoocongdej mentre presenta il progetto Pang Mapha alla XI Conferenza Internazionale della European Association of Southeast Asian Archaeologists, a Bougon, in Francia, nel 2006.

e l'educazione archeologica, scrivendo su riviste e giornali, in conferenze pubbliche e in seminari, e anche con documentari sull'archeologia.

Spero che il mio lavoro dimostri che l'archeologia non è solo una scienza del passato ma anche una disciplina trasversale a confini spaziali e temporali, e che lavorando con gruppi etnici, come nell'altopiano Pang Mapha, noi possiamo capire le diversità culturali del passato e del presente.

Silpakorn University, Bangkok
email: rasmi@su.ac.th
sito web: www.Rasmihoocongdej.com

DOUGLAS C. COMER
Archeologo CRM, Stati Uniti

Che cosa mi ha spinto a diventare un archeologo Io sono un prodotto dell'era delle prime esplorazioni spaziali, quando il giovane ideale era una persona normale, e normale significava essere eclettico. Alla scuola media io non ero nessuno. Un giorno il mio tutore scolastico mi chiamò nel suo ufficio per esaminare con me i risultati di un test, somministrato a tutta la classe per definire i campi più adatti ai nostri interessi. Corrucciato, disse che il 99,5% dei miei interessi ruotava attorno alle materie scientifiche: egli non aveva mai visto niente di simile. Mi chiese se avevo qualche amico. Se ricordo bene, mi pare che io sia stato spinto a diventare un archeologo non a causa di un qualche forte interesse per i manufatti o per la storia, ma perché avevo bisogno di legare con altre persone.

In quel periodo i miei amici erano due tipi che come me andavano in giro con regoli calcolatori alla cintura; uno era eccezionalmente alto, l'altro insolitamente basso. Eravamo gli unici soci del club spaziale, del circolo degli scacchi e del club degli audiovisivi. In quest'ultimo, noi tre mettevamo a posto i proiettori di film quando si rompevano e li facevamo funzionare per gli insegnanti che erano tecnologicamente imbranati. Niente di ciò richiedeva molta conversazione, il che mi stava benissimo: ero timido a un livello atroce, cosa che i non-timidi semplicemente non potranno mai capire. Se avessi potuto trasferirmi da casa mia alla biblioteca, dove si è dissuasi dal parlare e si è circondati da idee interessanti, l'avrei fatto. Stando così le cose, io seppi ben presto che sarei diventato uno scienziato.

Lo «spirito del tempo» aveva in sé il concetto che, in definitiva, mediante l'applicazione dell'approccio scientifico, noi saremmo stati capaci di predire e perfino in un certo senso controllare, per il bene dell'umanità, tutti i fenomeni, compresi il clima, i terremoti, il comportamento umano. Al college, pensavo di diventare un importante matematico ma un corso di psicologia sperimentale mi fornì l'occasione di mobilitare le mie competenze matema-

tiche in esperimenti sugli esseri umani. Presto mi ritrovai a passare la maggior parte del tempo in laboratorio facendo esperimenti sulla percezione umana: ero affascinato dal quantificare e analizzare la risposta dell'essere umano agli stimoli del mondo esterno. Perché la gente descriveva colori leggermente differenti quando ascoltava un accordo in do minore? Perché alcune persone svolgono meglio un test a risposta multipla quando sono esposte a un rumore di fondo o anche peggio? Il mondo che ci circonda ci influenza profondamente, e spesso non ne siamo consapevoli. Guardando indietro mi accorgo di come la ricerca mi abbia dato l'opportunità di interagire con il mio prossimo in un modo che mi faceva sentire al sicuro.

Ma noi si sparava alla luna in quel periodo, letteralmente e metaforicamente. Volevo affrontare questioni più grandi. In un corso di antropologia presso la Grand Valley State University, venni a conoscere il lavoro di Leslie White. Egli aveva grandi idee: la cultura era un adattamento extra-somatico all'ambiente; la vita era il processo che nega il secondo principio della termodinamica. In *The Science of Culture* e altrove, egli sosteneva che questi processi di base dovrebbero essere quantificati nel corso della maturazione del settore. A me, suggeriva che, dall'analisi delle informazioni, noi dovremmo essere capaci di isolare quei fattori che ci rendono ciò che siamo, come cultura e persone. L'archeologia fornisce elementi che sono perfettamente quantificabili per alcuni piani, per esempio il manufatto, il sito e il paesaggio. Questa convinzione mi consentiva di studiare la gente sfuggendo alle inevitabili interazioni sociali dell'ambiente di lavoro. E così, sono diventato un archeologo.

Come ho ottenuto il mio primo lavoro Quando finii il mio corso di laurea in antropologia, il National Historic Preservation Act del 1966, dopo una parentesi di qualche anno, venne applicato sul serio. Trovai subito lavoro con l'Highway Department del Colorado, facendo archeologia di salvataggio, nel nord-ovest dello Stato, per le case a fossa Basketmaker III. Fui poi prestato al Servizio forestale per rilevare nella White River National Forest le aree che dovevano essere rimboscate. Ebbi l'occasione di analizzare e stilare i risultati di alcuni di questi rilievi e in forza di ciò dopo un anno trovai un posto di lavoro fisso presso l'US National Park Service.

Di cosa mi occupo oggi? Il percorso, dal mio primo lavoro come archeologo di campo alla fondazione di una società di consulenza CRM, la CSRM (Cultural Site Research and Management), che opera in diverse parti del mondo, è stato allo stesso tempo piacevole e seccante. Piacevole perché sono sempre stato convinto che la gestione delle risorse culturali dovrebbe essere basata sulla ricerca

© 978.8808.82073.0

16.4 Douglas C. Comer in Giordania, mentre verifica la localizzazione di reperti individuati mediante immagini satellitari.

scientifica e sull'analisi: in particolare, sulla raccolta di dati significativi che possono essere quantificati e analizzati in modi replicabili. La mia tesi di laurea trattava dell'analisi statistica della distribuzione dei manufatti, la mia tesi di dottorato esaminava i modi in cui il paesaggio modificato dall'azione umana riflette e insieme forma l'ideologia. Essendo un autentico *nerd*, ho entusiasticamente abbracciato, appena sono apparse, le tecnologie geospaziali (GIS, GPS, telerilevamento aereo e satellitare) man mano che comparivano: queste tecnologie erano congruenti con il metodo pianificatorio e gestionale assunto dall'US National Park Service. Parte integrante di questo metodo è stabilire zone di gestione basate sulla distribuzione di risorse, sia naturali sia culturali, valutarne la vulnerabilità, e determinare come l'essere umano le attraversa e utilizza. Una volta che le zone sono state definite, si possono individuare attività adatte per ciascuna, e monitorare i cambiamenti nelle condizioni delle risorse. Nel 1993-94, in Thailandia, un archeologo professionista, borsista Fulbright senior, mi dimostrò che nel mondo vi era un enorme interesse per questo tipo di approccio e che ce n'era un reale bisogno. Da allora, il CSRM ha lavorato nel Sudest asiatico, in Medioriente, negli USA, in Africa, in America centrale e in Sudamerica. Questa attività ha portato al mio continuo coinvolgimento nell'applicazione della World Heritage Convention mediante l'adesione all'International Committee on Monuments and Sites (ICOMOS) che fornisce consulenza al World Heritage Committee su questioni culturali; e, attualmente, sono co-presidente (con il prof. Willem J.H. Willems,

dell'Universiteit Leiden) dell'International Committee on Archaeological Heritage Management (ICAHM).

L'aspetto meno gradevole di questo percorso professionale è che ora spendo un sacco di tempo nella comunicazione con gli altri. Le mie crescenti capacità di relazione esistono solo perché necessarie all'applicazione pratica dei risultati della ricerca alla gestione delle risorse culturali. Paradossalmente, ora mi piace moltissimo lavorare con archeologi di tutto il mondo: condividiamo una passione comune che trascende differenze politiche e culturali. In questo trovo un pizzico di ottimismo per il futuro dell'umanità.

I miei interessi di ricerca I miei interessi di ricerca ruotano attorno ai modi in cui l'umanità utilizza e struttura lo spazio a tutte le scale, anche del sito e del paesaggio. Io vorrei ulteriormente perfezionare l'uso delle tecnologie di telerilevamento, nell'archeologia e nella gestione delle risorse culturali. Esse non devono essere fine a se stesse: noi non possiamo sperare di proteggere le risorse archeologiche senza sapere dove sono. Di solito i ladri sanno dove sono i siti che contengono materiali commerciabili, e li saccheggiano quando si apre un canale di vendita. Altrettanto importante è trovare siti archeologici e *features,* perché ciò apre enormi possibilità di una migliore comprensione delle relazioni tra di loro, e tra loro e l'ambiente in cui sono collocati.

La cosa più gratificante che ho mai fatto o scoperto Alcuni anni fa, con la mia équipe, elaborai tracce di siti archeologici nell'isola San Clemente, appena al largo della costa della California meridionale, vicino a Los Angeles, tracce individuate dall'analisi di immagini sviluppate dal radar ad apertura sintetica (SAR) e da sensori multispettrali. Le tracce indicavano che la più forte concentrazione di siti archeologici era collocata in aree che i metodi tradizionali, predittivi, avrebbero trascurato, dato che erano lontani dalle risorse idriche che ci si aspetta in questi modelli di insediamento. Successivi test hanno confermato che le tracce erano corrette. L'analisi *viewshed* ha suggerito che i siti erano situati laddove si potevano sorvegliare quei tratti di mare in cui con più probabilità apparivano gruppi di mammiferi marini e fusti di alberi, che forniscono materiale da costruzione. I siti erano anche ottimamente collocati per rendere possibile le comunicazioni necessarie a coordinare le attività di caccia dei gruppi di popolazione sparpagliati sull'isola di San Clemente, tra di loro e con i gruppi delle isole vicine: uno sforzo coordinato era di sicuro necessario per raccogliere le suddette risorse prima che nuotassero al largo oppure che la corrente le trascinasse via. Lontano da qui, in Giordania, abbiamo localizzato aree dove i Nabatei, un gruppo precedentemente nomade che alla fine avrebbe costruito la città di Petra, hanno iniziato a coltivare la terra. Da questa evoluzione scaturì logicamente l'inserimento di villaggi e templi in Nabatea, nel I secolo d.C., e così nacque l'«anomalia» di Petra. In verità, mi ha interessato ogni cosa scoperta sul terreno o mediante immagini aeree o satellitari, ma questi ultimi tipi di scoperte, io penso, indicano nuove strade di ricerca per l'archeologia.

Perché essere un archeologo è per me importante, e in che modo faccio la differenza Nell'era in cui viviamo l'informazione è facilmente disponibile, molto di più che in nessun altra epoca precedente. Ma mentre si dà molto più spazio al perché e al come si comporta la gente, è divenuto sempre più difficile scremare i fatti dalla fantasia, perché sono sempre più trascurati quei protocolli di controllo delle credenziali degli autori e della veridicità dei contenuti che si applicavano una volta nella carta stampata. L'archeologia ha elaborato una solida tradizione di studio accademico che prevede una rigorosa documentazione e procedure di verifica. Come antropologi, sappiamo che i gruppi umani si definiscono e impostano la rotta del futuro sulla base di un passato immaginato. L'archeologia lavora sulle testimonianze materiali del passato e su un'analisi scientifica di esse, che serve ad adeguare meglio le nostre fantasie alle realtà del mondo, e così renderci più capaci di fare i conti con quelle realtà. E giocare un ruolo in tutto questo è super interessante e rende un po' più umili.

Cultural Site Research and Management, Baltimora
Email: dcomer@culturalsite.com
Website: http://www.culturalsite.com

SHEDRECK CHIRIKURE
Archeologo esperto di metallurgia, Sudafrica

Che cosa mi ha spinto a diventare un archeologo Il destino apre spesso porte che vanno ben oltre le più rosee fantasie! Se qualcuno vent'anni fa mi avesse chiesto se io avrei voluto fare l'archeologo, io avrei detto NO. Il mio sogno era lavorare in campo finanziario. Sono arrivato all'archeologia per puro caso. Tutto cominciò con lo studio per il Bachelor of Arts (BA) e poi il BA Special Honours in Archaeology presso l'University of Zimbabwe tra il 1997 e il 2001. Noi studiavamo le grandi civiltà, il progresso dell'umanità nel tempo, e le potenzialità dell'archeologia nello sviluppo delle comunità di accoglienza. In breve tempo io ho voluto far parte di questa disciplina, che combina il brivido della scoperta con la conoscenza e la soluzione di problemi comunitari.

Nel 2001 mi fu assegnato una borsa di studio congiunta dell'English Heritage con l'Institute for Archaeometallurgical Studies per un corso di laurea in Artefact Studies presso l'University College London. Stavo già pensando quanto avrei perso se fossi finito dentro la finanza! Per la tesi di laurea, in archeometallurgia, iniziai a lavorare sulla produzione preindustriale di metalli in Africa. Mi fu possibile proseguire la mia ricerca fino al dottorato grazie alle generose sovvenzioni della Wenner Gren Foundation for Anthropological Research e alle borse di studio Ronald Tylecote dell'Institute for Archaeology e dell'Institute for Archaeometallurgical Studies.

Come ho ottenuto il mio primo lavoro Una volta preso il dottorato in archeologia nel 2005, ottenni un postdottorato di ricerca presso il Department of Archaeology dell'University of Cape Town, e sono diventato docente nel 2007. Le mie principali responsabilità riguardano ricerca, insegnamento, amministrazione e la conduzione del Materials Laboratory, unica struttura del genere in Africa. Il laboratorio si dedica allo studio delle tecnologie preindustriali in Africa, come la lavorazione dei metalli e la ceramica. I nostri progetti spaziano dallo studio della tecnologia di produzione dei metalli (ferro, stagno, rame, bronzo) alla conoscenza del contesto sociale della tecnologia stessa. Collaboro con ricercatori di primo piano all'estero, come David Killick (University of Arizona), Thilo Rehren e Marcos Martinon-Torres (Institute of Archaeology, University College London) e nel continente africano, fra gli altri, con Webber Ndoro (African World Heritage Fund, Johannesburg), Gilbert Pwiti (University of Zimbabwe) e Innocent Pikirayi (University of Pretoria). Ho vinto premi per le mie ricerche (per es., per il miglior articolo di ricerca pubblicato in *Antiquity* nel 2008, con Innocent Pikirayi) e ho partecipato a documentari che hanno vinto premi, come *Shoreline*.

© 978.8808.82073.0

16.5 Shedreck Chirikure nel Laboratorio materiali dell'Università di Cape Town.

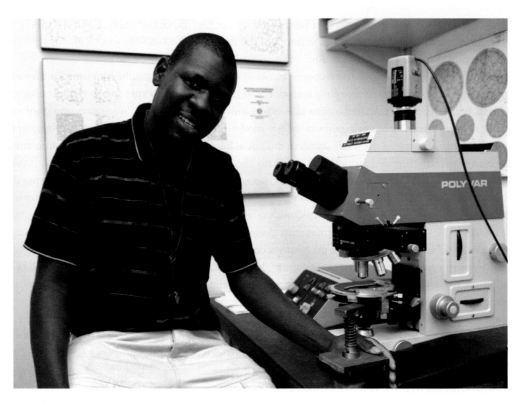

La cosa più gratificante che ho fatto o scoperto Il successo del mio lavoro nel Materials Laboratory ha condotto alla mia designazione a capo di un team internazionale di esperti che lavorano sulla conservazione e la protezione del famoso Relitto di Oranjemund scoperto in Namibia nel 2008. Questo vascello del XVI secolo conteneva un grande tesoro: 28 kg di monete d'oro spagnole e portoghesi, 4 kg di monete d'argento spagnole e portoghesi, 20 t di lingotti di rame, 6 t di avorio non lavorato, e molti altri manufatti oltre alla grande struttura del vascello stesso. Questa nave del tesoro contiene la storia del mondo, ed è per me gratificante aver collaborato a proteggerne l'eredità, che appartiene all'umanità intera.

Che cosa significa per me essere un archeologo Di tanto in tanto, scrivo articoli di archeologia sui quotidiani, e anche in radio e su riviste discuto di problemi di attualità e di vicende dell'archeologia. Essere un accademico mi consente di contribuire al dibattito nazionale su programmi di protezione del patrimonio, programmi di ricerca, corsi professionali, progetti di imprenditorialità sul patrimonio.

In Africa l'archeologia fu importata alla fine del XIX secolo. In generale, durante tutto il XX secolo e nella prima parte dell'attuale, gli schemi interpretativi del passato raramente prendevano in considerazione le esperienze locali e le relazioni della popolazione con quel passato che si stava studiando. Negli ultimi anni la mia ricerca si è focalizzata sull'uso delle esperienze locali per sviluppare una cono-

scenza «afro-centrica» su siti come Grande Zimbabwe, Khami e Mapungubwe. Questo tipo di archeologia sta guadagnando più spazio entro le comunità che in precedenza la consideravano una disciplina esoterica.

University of Cape Town
email: Shadreck.Chirikure@uct.ac.za

JONATHAN N. TUBB
Curatore museale, Regno Unito

Che cosa mi ha spinto a diventare un archeologo Il mio ingresso in archeologia è stato del tutto imprevedibile. Per un sedicenne di Coventry scegliere per il proprio futuro l'archeologia (anche se avevo manifestato qualche interesse nel settore) sarebbe stato considerato una frivolezza. Avendo studiato chimica, biologia e matematica, il mio percorso era naturalmente indirizzato verso la biochimica, e questa fu la direzione intrapresa nel 1970 al Bedford College, divenuto poi parte dell'University of London. Man mano che il mio primo anno di corso procedeva, io ne ero sempre meno soddisfatto. Fu comunque durante il mio trantran quotidiano al college che scoprii un intrigante edificio targato «The Institute of Archaeology», dell'University of London. Provenendo da un ambito scientifico molto chiuso, non avevo proprio idea che una materia così esoterica come l'archeologia potesse essere oggetto di studio. Infine una mattina feci un giro all'interno e, con

© 978.8808.82073.0

uno di quei colpi di fortuna che in qualche modo negli anni Settanta potevano accadere, fui subito preso lì come studente. A causa della mia formazione scientifica (a cui sarò eternamente riconoscente) mi toccò di studiare archeologia ambientale, e per lo più la trovavo abbastanza interessante, sebbene non abbia mai realmente compreso a fondo il problema dell'erosione delle spiagge.

Nel mio primo anno ebbi la fortuna di essere invitato a partecipare a un progetto di ricognizione/scavo in Giordania che mi guidò, quasi letteralmente, sulla mia via di Damasco. Suona banale ma, quasi dal primo giorno lì, l'ho sentita come la *mia* terra. Erano i miei vasi, i miei edifici, e io sentii che dovevo dedicare il resto della mia vita professionale all'Oriente. Passai a un corso specialistico, «Archeologia dell'Asia occidentale, IV sezione: il Levante». Esso copriva ogni argomento, non solo archeologia e storia della regione ma anche studio del Vecchio Testamento, epigrafia ebraica antica e epigrafia semitica occidentale. E non avrei potuto desiderare un maestro più appassionato di Peter Parr, il cui approccio pieno di buon senso instillava un salutare scetticismo per le teorie indimostrate e per i peggiori eccessi dell'archeologia teorica. Egli rimase mio relatore nel percorso di dottorato presso l'Institute (nel

16.6 Jonathan N. Tubb a Qatna, un grande *tell* dell'Età del bronzo nella Siria occidentale.

frattempo capii che i miei principali interessi riguardavano l'Età del bronzo della Siria-Palestina) e lui mi addestrò davvero al lavoro sul campo. Nel 1974 partecipai ai suoi scavi a Tell Nebi Mend, l'antica Qudesh, in Siria. Scoprii di avere una particolare passione per i terreni della regione (e in particolare per i mattoni di fango) ed ero sempre affascinato dalle stratigrafie complicate. Per me, svelare la complessità di un *tell* rappresenta la sfida intellettuale più stimolante. Dopo cinque anni fui nominato vicedirettore del progetto, ruolo che mi consentì di dire la mia sulla strategia generale del cantiere di scavi.

Come ho ottenuto il mio primo lavoro Quasi per caso durante la stagione di scavi 1978 a Qadesh, vidi un annuncio su un quotidiano inglese per un posto di assistente ricercatore nel Department of Western Asiatic Antiquities presso il British Museum. Anche se la data di scadenza per la domanda era già passata, la spedii ugualmente, ne guadagnai un colloquio e, a seguito, mi fu offerto il lavoro. Sono rimasto al British da allora, salendo dal ruolo di assistente ricercatore a quello di curatore senior per il Levante antico.

Inizialmente, quando entrai a lavorare al museo, le raccolte provenienti da questa area del Vicino Oriente erano molto limitate. Io ero decisissimo a risollevare il profilo storico del Levante, a portarlo allo stesso livello della Mesopotamia o dell'Iran. L'occasione arrivò quando fui incaricato di trattare l'acquisto dall'Institute of Archaeology di reperti provenienti dagli scavi della Wellcome-Marston Research Expedition (1930) a Lachish (Tell ed-Duweir). Per la prima volta, il British Museum possedeva un importante corpus di materiali ben scavati nel Levante meridionale, circa 17 000 pezzi, alcuni decisamente degni di esposizione. Questa acquisizione portò, nel 1983, alla prima mostra curata da me: «Lachish, a Canaanite and Hebrew City».

I miei interessi di ricerca e la mia scoperta più importante La mia posizione mi dette la possibilità di ottenere la direzione di cantieri di scavo. Nel 1984, con il sostegno del museo, per la prima volta portai alla luce un cimitero dell'Età del bronzo in Giordania, a Tiwal esh-Sharqi. L'anno successivo, e nuovamente con il generoso supporto del British Museum, mi fu concessa l'autorizzazione a riprendere gli scavi del grande sito di Tell es-SA'idiyeh nella valle del Giordano (in precedenza scavato da James Pritchard a nome e per conto dell'University of Pennsylvania). I tempi (ci son volute nove stagioni) e i risultati hanno superato tutte le aspettative. Forse la scoperta più eccitante fu l'individuazione della fase di dominio dei faraoni egiziani della XX dinastia. Durante quel periodo gli edifici furono costruiti usando tecniche prettamente egiziane, e la spedizione portò alla luce le mura urbane

© 978.8808.82073.0

e il complesso del palazzo, una grande residenza, parte della grande porta orientale, un magnifico sistema idrico realizzato in pietra, e circa 460 tombe, molte con caratteristiche specificamente egiziane. Il Jordanian Department of Antiquities concesse di effettuare una ricca ripartizione dei reperti con il British Museum. Era stata a lungo una delle mie ambizioni aprire una nuova ala dedicata a questa regione, e i ritrovamenti di Tell es-SA'idiyeh, insieme con quelli di Lachish, ne resero possibile la realizzazione. Nel 1998, sponsor Raymond e Beverly Sackler, fu inaugurata la Gallery of the Ancient Levant.

Perché è importante per me essere un archeologo e un curatore di museo Lavorando in un così grande museo di storia, come del resto accade anche nella direzione di un grande scavo, non puoi permetterti il lusso di dedicarti esclusivamente a uno specifico periodo o a una tipologia di materiali. Se questo significa cadere nel generalismo e non essere veri specialisti, forse non è una brutta cosa. Certo, i miei personali interessi di ricerca sono molto più diversificati ora di quanto lo fossero all'inizio della carriera. Naturalmente spendo un sacco di tempo per la pubblicazione dei miei progetti di scavo, ma mi sposto anche in molte altre aree, compresa quella particolarmente spinosa di «archeologia e Bibbia» dove, forse guidato dalla mia formazione scientifica, mi sono unito alle fila dei minimalisti (che sostengono il primato dell'archeologia sulla versione biblica nel campo dell'interpretazione delle testimonianze archeologiche, e viceversa). Io sono anche felice di scrivere e illustrare a livello divulgativo, e questa è forse la lezione più importante scaturita da 30 anni di museo: che l'archeologia non ha significato se non è comunicata in un modo che chiunque possa capire.

The British Museum, Londra
Email: jtubb@thebritishmuseum.ac.ok

Ringraziamenti

Gli autori e gli editori hanno un debito di riconoscenza con i seguenti studiosi, che hanno fornito consigli, informazioni e illustrazioni per questa edizione: George Bass, Lise Bender, Joanne Berry, John Bintliff, Roger Bland, James Brown, Margaret Bruchez, Martin Callanan, Jeb Card, Nick Card, Jesse Casana, Michael D. Coe, Jon Czaplicki, Timothy Darvill, Alexis Dolphin, Stacy Drake, David Dye, Neil Faulkner, Joseph Ferraro, Rob Foley, Sally Foster, Dorian Fuller, Ervan Garrison, Charles Golden, Marianne Goodfellow, Margerie Green, Scott Hammerstedt, Oliver Harris, Gill Hey, Tom Higham, Ian Hodder, Elizabeth Horton, Stephen Houston, Josephine Joordens, Nicola Kalimeris, Alice B. Kehoe, Sean Kingsley, Niels Lynnerup, Simon Martin, David Maxwell, Kevin McGeough, David Miles, George Milner, Nicky Milner, Rebekah Miracle, Taryn Nixon, Jens Notroff, Rog Palmer, Mike Parker Pearson, Alistair Pike, Mike Pitts, Kelly Pool, Cemal Pulak, Jeroen de Reu, Ben Roberts, Charlotte Roberts, Gordon Roberts, Peter Rowley-Conwy, George Sabo, Klaus Schmidt, Izumi Shimada, Jason Ur, Marianne Vedeler, Bence Viola, Jason Wenzel, Roger White, George Willcox, e John Winterburn.

Vorremmo inoltre ringraziare ancora una volta chi ha dato il suo contributo alla precedente edizione, in particolare: Peter Addyman, Cyril Aldred, Susan Alcock, Janet Ambers, Wal Ambrose, Tjeerd van Andel, David Anderson, Manolis Andronikos, Val Attenbrow, Arthur C. Aufderheide, Mike Baillie, Ofer Bar-Yosef, Graeme Barker, Gina Barnes, Sophie de Beaune, Peter Bellwood, Matthew Bennett, Lee Berger, Bob Bewley, Martin Biddle, Marc de Bie, Morris Bierbrier, Lewis Binford, John Boardman, Gerhard Bosinski, Steve Bourget, Sheridan Bowman, Michael Boyd, Bruce Bradley, Warwick Bray, Neil Brodie, Cyprian Broodbank, Don Brothwell, James Brown, Peter Bullock, Susan Bulmer, Sarah Bunney, Richard Burger, Simon Buteux, John Camp, Martin Carver, Zaida Castro-Curel, George Chaloupka, Andrew Chamberlain, John Cherry, Shadreck Chirikure, Henry Cleere, Kathy Cleghorn, John & Bryony Coles, Douglas C. Comer, Robin Coningham, Graham Connah, Larry Conyers & Deen Goodman, Malcolm Cooper, Ben Cullen, John Curtis, Ruth Daniel, Andrew David, Simon Davis, Heather Dawson, Janette Deacon, Albert Dekin, Richard Diehl, David Drew, Leo Dubal, Philip Duke, Christiane Eluère, Clark Erickson, Francisco d'Errico, Brian Fagan, Helen Fenwick, Andrew Fitzpatrick, Kent Flannery, John Flenley, Robert Foley, Charles French, Yuriko Fukasawa, Chris Gaffney, Vince Gaffney, Clive Gamble, Ignacio Garaycochea, Michel Garcia, Joan M. Gero, David Gill, David Goldstein, Jack Golson, Mrs D.N. Goulandris, Stephen Green, James Greig, Robert Grenier, Niède Guidon, Erika Hagelberg, Richard Hall, Sylvia Hallam, Norman Hammond, Fekri Hassan, Douglas Heggie, Christopher Henshilwood, Charles Higham, Gordon Hillman, Peter Hiscock, Rachel Hood, Stephen Hughes, John Isaacson, Simon James, Martin Jones, Rhys Jones, Hiroji Kajiwara, Thomas F. Kehoe, William Kelso, Dora Kemp, Patrick Kirch, Ruth Kirk, Bernard Knapp, Vernon J. Knight, Hiroko Koike, Alan Kolata, Roy Larick, Graeme Lawson, Tony Legge, Mark Lehner, Arlette Leroi-Gourhan, Peter Lewin, Paul Linford, Gary Lock, Michel Lorblanchet, Lisa J. Lucero, Jim Mallory, Caroline Malone, Joyce Marcus, William Marquardt, Alexander Marshack, Yvonne Marshall, Roger Matthews, Paolo Matthiae, Isabel McBryde, Augusta McMahon, Shannon P. McPherron, James Mellaart, Alan Millard, Mary Ellen Miller, Jean-Pierre Mohen, Gerda Møller, Theya Molleson, Elisabeth Moore, Iain Morley, Mandy Mottram, John Mulvaney, Hans-Jürgen Müller-Beck, Richard Neave; S.P. Needham, Mark Nesbitt, Lee Newsom, Andrea Ninfo, Yasushi Nishimura, J.P. Northover, F. van Noten, Michel & Catherine Orliac, Annette Parkes, John Parkington, Pavel Pavel, Christopher Peebles, Dolores Piperno, Stephen Plog, Mercedes Podestá, Mark Pollard, Nicholas Postgate, John Prag, Cemal Pulak, Jeffrey Quilter, Christopher Bronk Ramsey, Carmen Reigadas, Paul Reilly, Jane Renfrew, Peter Reynolds, Julian D. Richards, John Robb, Andrée Rosenfeld, Nan Rothschild, Rolf Rottländer, Makoto Sahara, Nicholas Saunders, Béatrice Schmider, Sue Scott, Payson D. Sheets, Brian Sheppard, Pat Shipman, Rasmi Shooocongdej, Pamela Smith, Elizabeth Somerville, Simon Stoddart, Ann Stone, Martin Street, Chris Stringer, Migaku Tanaka, Michael J. Tooley, Robin Torrence, Jonathan N. Tubb, Grahame Walsh, David Webster, Jurgen Weiner, John Weishampel, Fred Wendorf, David Wheatley, Todd Whitelaw, Michael Wiant, Gordon R. Willey, Richard Wilshusen, Roger Wilson, Pat Winker, Karen Wise, e Rebecca Yamin.

Un ringraziamento speciale spetta a Jeremy Sabloff, Chris Scarre e Michael Tite per il loro apporto a diverse parti di questo libro. A James McGlade per il glossario.

Fonti delle illustrazioni

I.2 Museum of London Archaeology Service; I.3 Çatalhöyük Research Project, Cambridge; I.4 David Anderson; I.5 Franck Goddio/Hilti Foundation. Foto Christophe Gerigk; I.6 Johan Reinhard; I.7 Kenneth Garrett; I.8 Imaginechina/Corbis; I.9 © Antony Gormley, per gentile concessione di White Cube Gallery, London; 1.1 O. Louis Mazzatenta/National Geographic/Getty Images; 1.3 e 1.4 Wiltshire Heritage Museum, Devizes; 1.7 Soprintendenza Archaeologica di Pompei; 1.8 Giovanni Lattanzi; 1.9 Jonathan Blair/Corbis; 1.10 Museo Archeologico Nazionale, Napoli; 1.11 da Charles Darwin, *On the Origin of Species*, 1859; 1.12 Private Collection/Archives Charmet/Bridgeman Images; 1.13 Disegno di Magnus Petersen, 1846; 1.15 da F. Catherwood, *Views of Ancient Monuments in Central America, Chiapas and Yucatán*, 1844; 1.16 National Anthropological Archives, NMNH, Smithsonian Institution; 1.17 e 1.18 per gentile concessione del Peabody Museum, Harvard University; 1.19 Grand Canyon National Park Museum; 1.20 National Anthropological Archives, NMNH, Smithsonian Institution; 1.21 per gentile concessione del Peabody Museum, Harvard University; 1.22 National Anthropological Archives, NMNH, Smithsonian Institution; 1.23 The St. Louis Art Museum, Eliza McMillan Fund; 1.25–1.28 Pitt-Rivers Museum, University of Oxford; 1.29 Petrie Museum of Egyptian Archaeology, University of London; 1.30 Pitt-Rivers Museum, University of Oxford; 1.31 Archeological Survey of India; 1.33 Museo Nacional de Arqueología, Antropología e Historia del Perú, Lima; 1.34 Courtesy the Peabody Museum, Harvard University; 1.36 The Royal Commission on Ancient and Historical Monuments of Scotland; 1.37 Gordon Willey; 1.38 per gentile concessione di Mrs Mary Allsebrook, Oxford; 1.39 The Principal and Fellows of Newnham College, Cambridge; 1.40 University of Colorado Museum; 1.41 Jericho Exploration Fund; 1.42 e 1.43 per gentile concessione del Peabody Museum, Harvard University; 1.44 Jen and Des Bartlett and Bruce Coleman Ltd.; 1.45 e 1.46 American School of Classical Studies, Athens; 1.47 Ray Smith; 1.48 National Air and Space Museum, Smithsonian Institution, Washington, D.C.; 1.49–1.53 Çatalhöyük Research Project, Cambridge; 2.2 e 2.3 John Sibbick; 2.7 Fototeka Hrvatskoga restauratorskog zavoda and Robert Sténuit; 2.8 e 2.9 per gentile concessione di Augusta McMahon; 2.10–2.17 Ruth Kirk; 2.18 e 2.19 National Museum of Ireland, Dublin; 2.20 CountrySide Collection, Homer Sykes/Alamy; 2.21 Sandro Vannini/Corbis; 2.22 De Agostini/SuperStock; 2.24 Egyptian Museum, Cairo; 2.25 Charles O'Rear/Corbis; 2.26 da Rudenko; 2.27 e 2.28 Johan Reinhard; 2.29 Foto Hojem/Callanan, NTU; 2.30 Foto V. Wangen, Museum of Cultural History, UiO; 2.31 e 2.32 Foto M. Vedeler, Museum of Cultural History, UiO; 2.34 Vienna Report Agency/Sygma/Corbis; 2.35 South Tyrol Museum of

Archaeology, Bolzano, Italy/Wolfgang Neeb/Bridgeman Images; **3.1** Museo di Roma/Collection Dagli Orti/The Art Archive; **3.2** best-photo/istockphoto.com; **3.3** Wolfgang Kaehler/Corbis; **3.4–3.6** per gentile concessione del dottor Bernard Knapp; **3.7** e **3.8** Foto S. McPherron © OldStoneAge Research; **3.11** Salisbury & South Wiltshire Museum; **3.12** American Museum of Natural History, Dept. of Library Services. Foto J. Bird; **3.14** Tony Linck/SuperStock; **3.15** © Crown Copyright: Royal Commission on the Ancient and Historical Monuments of Wales; **3.16** Rog Palmer; **3.17** per gentile concessione del dottor Andrea Ninfo (da A. Ninfo, Fontana, A. Mozzi & P. Ferrarese, F. 2009. The map of Actinium, ancestor of Venice. *Science* 325, 577); **3.19** Sara Popovic; **3.20** Rog Palmer; **3.21** Jesse Casana; **3.22** © Crown Copyright: Forestry Commission; **3.23** © Marty Sedluk; **3.24–3.26** per gentile concessione di John Weishampel, Caracol Archaeological Project; **3.27** © J.B. Winterburn, source Lt. George Pascoe, 1918; **3.28** Alison Baldry/Great Arab Revolt Project; **3.29** USGS; **3.32** e **3.33** per gentile concessione del United States Geological Survey and Jason Ur; **3.34** NASA; **3.35** Norman Hammond (da Hammond, *Ancient Maya Civilisation*, 1982, figg. 5.14, 5.15, disegno di Richard Bryant); **3.38–3.43** © 2016 Ancient Egypt Research Associates. Illustrazione di Rebekah Miracle; **3.44** René Millon/Teotihuacan Mapping Project; **3.45** OGphoto/istockphoto.com; **3.46–3.48** Mandy Mottram; **3.49** Kenneth Garrett/National Geographic/Getty Images; **3.50** per gentile concessione di Dean Goodman, Geophysical Archaeometry Laboratory, University of Miami, Japan Division; **3.51–3.54** per gentile concessione di Roger White; **3.55** Abingdon Archaeological Geophysics; **3.56** GSB, Bradford; **3.57** Birmingham Museums & Art Gallery; **3.59** Museum of London Archaeology Service; **3.60** Robin Coningham; **3.63–3.65** per gentile concessione di Robert Grenier; **3.67** Center for American Archaeology, Kampsville Archaeological Centre; **3.68** National Geographic Stock; **3.69–3.75** Foto Jamestown Rediscovery, per gentile concessione di William M. Kelso; **3.76–3.81** Wessex Archaeology. Foto Elizabeth James (3.77, 3.81), disegno di Elizabeth James (3.79); **3.82** Vernon J. Knight, Jnr.; **3.84** Janette Deacon; **3.85** Graeme Barker; **3.86–3.89** Jeroen de Reu; **3.90–3.95** Museum of London Archaeology Service; **4.1** Wheeler, *Ancient India*, 3 Jan. 1947 (colorato da Drazen Tomic); **4.5** Kevin Fleming/Corbis; **4.6** da F. Hole, K.V. Flannery, & J. Neely, *Prehistory and Human Ecology of the Deh Luran Plain*, Univ. of Michigan Memoirs of the Museum of Anthropology, No. 1, fig. 64 (colorato da Drazen Tomic); **4.8** E.R. Degginger/Science Photo Library; **4.11** Corpus of Maya Hieroglyphic Inscriptions and Gordon R. Willey Laboratory for Mesoamerican Studies, Peabody Museum of Archaeology and Ethnology, Harvard University; **4.14** Michael Worthington, Oxford Tree-Ring Laboratory; **4.16** da B. Arnold, *Cortaillod-Est* Editions du Ruau: Saint-Blaise (ridisegnato da M. Rouillard in B.& J. Coles, *Peoples of the Wetlands*, 1989, 85; colorato da Drazen Tomic); **4.20** e **4.21** Courtesy Tom Higham; **4.23** David Hurst Thomas & the American Museum of Natural History; **4.26** Ministère de la culture et de la communication, Direction régionale des affaires culturelles de Rhône-Alpes, Service régionale de l'archéologie; **4.27** P. Deliss/Godong/Corbis; **4.28** Foto Marcos Diez; **4.29** dottor Andrew Carter; **4.30–4.33** Javier Trueba/Madrid Scientific Films; **4.37** Ancient Art & Architecture Collection Ltd./Alamy; **4.39** Bence Viola, Max-Planck-Institute for Evolutionary Anthropology; **4.41** The Thera Foundation – Petro M. Nomikos; **4.42** G. Goakimedes; **4.45** Elisabeth Daynes/Science Photo Library; **4.46** Beawiharta/Reuters/Corbis; **4.47** Peter Schouten/National Geographic Society/Reuters/Corbis; **4.48** Brett Eloff, courtesy Lee R. Berger and the University of the Witwatersrand; **4.50** Walter Wurst; **4.51** Irmgard Groth Kimball; **4.52** Photo Heidi Grassley © Thames & Hudson Ltd., London; **4.53** Interfoto/Alamy; **4.54** Michael S. Yamashita/Corbis; **5.6** Paolo Matthiae; **5.7** Michael D. Coe; **5.8** Photo Services des Antiquités de l'Égypte; **5.9** Giovanni Lattanzi; **5.10** Michael D. Coe; **5.11** Gary Urton; **5.12** British Museum, London; **5.13** Musée de la Tapisserie, Bayeux; **5.14** County Museum, Gotland, Sweden; **5.15** Musée du Louvre, Paris; **5.16** British Museum, London; **5.17** Lewis Winford; **5.18** Peter Johnson/Corbis; **5.20** Nigel Pavitt/JAI/Corbis; **5.22** Robert Foley; **5.29** Jeremy Walker/Alamy; **5.30** Bryan Busovicki/iStockphoto.com; **5.32** e **5.34** © Aerial-Cam Ltd.; **5.35** © Aerial-Cam Ltd. for SoSP/UCL; **5.36** Photo Timothy Darvill, SPACES Project. Copyright reserved; **5.40** Charles Golden; **5.41** Corpus of Maya Hieroglyphic Inscriptions and Gordon R. Willey Laboratory for Mesoamerican Studies, Peabody Museum of Archaeology and Ethnology, Harvard University; **5.43** Charles Golden; **5.44** Gail Mooney/Corbis; **5.45** Martin Biddle; **5.47** Giovanni Lattanzi; **5.49** Qatna Project of the Altorientalisches Seminar of Tübingen University/Photo K. Wita; **5.50** drawing by Philip Winton; **5.51** Gavin Hellier/Robert Harding Picture Library; **5.52** Scott W. Hammerstedt; **5.53** James A. Brown; **5.54** Sam Noble Oklahoma Museum of Natural History, University of Oklahoma; **5.55** e **5.56** Werner Forman Archive/Universal Images Group/Getty Images; **5.57** David H. Dye; **5.58** The University of Arkansas Museum Collections (cat. no. 37-1-120-2); **5.59** Joyce Marcus and Kent D. Flannery; **5.60** Musée du Louvre, Paris; **5.61** per gentile concessione di Landesdenkmalmalt Baden-Württemberg-Archäologische Denkmalpflege; **5.62** Chester Higgins; **5.63** e **5.64** John Milner Associates; **5.67** e **5.58** Joan Gero; **5.69** e **5.70** disegnato da Linda Mount-Williams; **5.71** Caroline Malone and Simon Stoddart (per gentile concessione del National Museum of Archaeology, Malta); **5.72** Musée du Pays Châtillonnais – Trésor de Vix, Châtillon sur Seine, Côte d'Or;

5.73 The Art Archive/Alamy; **5.75** Godong/Robert Harding World Imagery/Corbis; **5.76** per gentile concessione dell'Illinois State Museum; **6.3** Steve Bourget; **6.4** NOAA; **6.7** da W.M. Davis, 1933 (colorato da Drazen Tomic); **6.11** USGS; **6.12** Bill Grove/iStockphoto.com; **6.13** Chris Williams/iStockphoto.com; **6.15** Michel Orliac; **6.20** © Norwich Castle Museum & Art Gallery, Norfolk Museums Service; **6.21** Vince Gaffney; **6.22** Martin Street; **6.30** e **6.31** Janette Deacon; **6.33** da J.G. Evans & others, in *Proceedings of the Prehistoric Society*, 1985, p.a306; **6.34** da A. Marshack, *The Roots of Civilization*, 1972, fig. 78b; **6.38** John Tarkington; **6.41** Jurgen Weiner; **6.42** National Geographic Stock; **6.44** Photo Melvin L. Fowler; **6.45** per gentile concessione di Tim Denham; **6.46** da Fowler, 1971, fig. 10 (colorata da Drazen Tomic); **6.47** da P. Bellwood, *The Polynesians* (Rev. ed.), 1987, ill. I (colorata da Drazen Tomic); **6.48** Robert Harding World Imagery; **6.49** John Flenley; **7.1** e **7.2** Institute of Archaeology, Chinese Academy of Social Sciences, Beijing; **7.5** e **7.6** John Coles (disegnato da Diane Griffiths Peck); **7.7** Simon James; **7.8** e **7.9** Butser Ancient Farm; **7.10** Delwen Samuel; **7.11** da Mangelsdorf; **7.12** akg-images; **7.14** J.V. Ferraro and K.M. Binetti; **7.15** Foto Curtis Marean © Dikika Research Project; **7.17–7.19** per gentile concessione dell'Universities of York, Manchester and Chester; **7.20** British Museum, London; **7.21** e **7.22** per gentile concessione dell'Universities of York, Manchester and Chester; **7.23** © Dominic Andrews; **7.24** Kathy Schick & Nicholas Toth; **7.26** per gentile concessione del dottor Chris Stringer; **7.30** Penelope Dransart; **7.31** Thomas F. Kehoe ;**7.32** Alice B. Kehoe; **7.33** e **7.34** Thomas F. Kehoe; **7.35** Alice B. Kehoe; **7.37** Sandro Vannini/Corbis; **7.38–7.41** Courtesy George Willcox, Laboratoire Archéorient, Centre National de la Recherche Scientifique; **7.42** e **7.43** adattamento dalle figg. 12 (7.42) e 6 (7.43), G. Wilcox, *Les premiers indices de la culture des céréales au Proche-Orient* in *La Transition Néolithique en Méditerrannée*, 2014; **7.45** Hiroko Koike; **7.50** Matthew Bennett & Sarita Amy Morse, Bournemouth University; **7.51** Paul Bahn; **7.52** Museo Archaeologico Nazionale, Napoli; **7.53** Egyptian Museum, Cairo; **8.1** e **8.2** Catro-Curel; **8.3** Glen Flowers; **8.5** e **8.6** Paul Bahn; **8.8** Peter Bellwood; **8.9** from Layard, 1853; **8.10** Dragon News & Picture Agency; **8.11** Pavel Pavel (colorato da Drazen Tomic); **8.12** Pavel Pavel; **8.15** e **8.17** Paul Bahn; **8.18** Béatrice Schmider; **8.19** Brian Fagan; **8.20** Marc de Bie; **8.23** Michel Lorblanchet; **8.24** e **8.25** Paul Bahn; **8.26–8.28** John & Bryony Coles; **8.30** British Museum, London; **8.31** © Justin Kerr, K3670; **8.32** Ancient Art & Architecture Collection Ltd./Alamy; **8.34** Ingenui/iStockphoto.com; **8.35** David O'Connor; **8.37** Museu Barbier-Mueller d'Art Precolombí, Barcelona; **8.39** World History Archive/Alamy; **8.40** Museo Archaeologico Nazionale, Napoli; **8.41–8.46** da D. Brothwell & E. Higgs, *Science in Archaeology*, 1969, pls. XXV, XXVI; **8.48** Gianni Dagli Orti/The Art Archive; **8.49** Izumi Shimada; **8.52** da J. Rawson, *Ancient China*, 1980, ill. 43; **8.54** Museo Arqueológico Nacional Brüning, Lambayeque, Perù; **9.7** Kenneth Garrett; **9.8** Kunsthistorisches Museum, Vienna; **9.9** British Museum, London; **9.10** Ohio Historical Society, Columbus; **9.11** Werner Forman Archive; **9.12** The Palace Museum, Beijing; **9.13** Foto Yvonne Mühleis © Landesamt for Denkmalpflege im RP Stuttgart/Ulmer Museum; **9.14** National Archaeological Museum, Athens; **9.15** Alaska State Library & Historical Collections, Juneau; **9.16** da R.B. Mason & E.J. Keall, Provenance and Petrography of Pottery from Medieval Yemen, *Antiquity* 62 (236), Sept. 1988, 452–63 (colorato da Drazen Tomic); **9.19** e **9.20** Tokyo National Museum; **9.21** Peter Frankenstein, Hendrik Zwietasch, Landesmuseum Württemberg, Stuttgart; **9.26** e **9.27** da Fulford & Hodder 1975, in Peacock 1982, figs. 86, 87 (colorato da Drazen Tomic); **9.29** British Museum, London; **9.32–9.36** George Bass/Cemal Pulak, Institute of Nautical Archaeology, Texas; **9.39** e **9.41** Isabel McBryde; **9.47** Werner Forman Archive; **9.48** Ohio Historical Society, Columbus; **10.4** Kenneth Garrett; **10.5** Javier Trueba/Madrid Scientific Films; **10.6** Musée départemental de Préhistoire du Grand-Pressigny, Indre et Loire; **10.7** Wim Lustenhouwer, VU University Amsterdam; **10.8** riprodotto per concessione di Chris Henshilwood, African Heritage Research Institute, Cape Town, South Africa; **10.10** Ministère de la culture et de la communication, Direction régionale des affaires culturelles de Rhône-Alpes, Service régionale de l'archéologie; **10.11** AP/PA Photos; **10.13** F. d'Errico & C. Cacho 1994. fig. 2 (colorato da Ben Plumridge); **10.14–10.16** Pablo Aries; **10.17** Sergey Lev; **10.20** from J. Oates, *Babylon*, 1979, ill. 6 (coloured by Drazen Tomic); **10.21** from A. Toynbee (ed.), *Half the World*, 1973, p.27 (colorato da Drazen Tomic); **10.22** Agora Excavations, American School of Classical Studies at Athens; **10.23** Photo Scala, Florence **10.24** Richard A. Cooke/Corbis; **10.26** Maria Pavlova/iStockphoto.com; **10.29** e **10.30** © Hugo Anderson Whymark; **10.31–10.33** Orkney Research Centre for Archaeology (ORCA), University of Highlands and Islands Archaeology Institute, Orkney; **10.34** © Aaron Watson; **10.40** da K. Mendelssohn, *The Riddle of the Pyramids*,1974, fig. 9 (colorato da Drazen Tomic); **10.41** Musée des Antiquitiés Nationales, St. Germain-en-Laye **10.42** U. Seitz-Gray; **10.45** British Museum, London; **10.46** Nathan Benn/Ottochrome/Corbis; **10.47** e **10.48** DAI, Foto Nico Becker **10.49**, **10.50** Vincent J. Musi/National Geographic Creative/Corbis; **10.51** Michael D. Coe; **10.55** e **10.56** Museo de Chavín de Huántar, Ancash, Perù; **10.57** Natural History Museum, London; **10.58** The Thera Foundation – Petros M. Nomikos; **10.59** Historska Museum, Lund University; **10.60** Vatican Museums; **10.61** Goulandris Foundation, Museum of Cycladic and Ancient Greek Art, Athens; **10.62** Kenneth Garrett; **10.63**

Saburo Sugiyama; **10.64** Jean Vertut; **10.65** Institut for Ur-und Frühgeschichte und Archäologie des Mittelalters, Universität Tübingen; **10.66** Graeme Lawson; **10.68** Dietrich Stout; **11.1** Archäologisches Landesmuseum, Schloss Gottorf, Schleswig; **11.2** The Sutton Hoo Society; **11.3** Çatalhöyük Research Project, Cambridge; **11.6** Natural History Museum, London; **11.7** The French Hospital, Rochester; **11.8** Natural History Museum, London; **11.11** Christian Kober/Robert Harding World Imagery/Corbis; **11.12** British Museum, London; **11.13** Griffith Institute, Ashmolean Museum, Oxford; **11.14** Elisabeth Daynes/National Geographic Image Collection; **11.15** Antti Korpisaari; **11.16** Richard Neave; **11.17** e **11.18** British Museum, London; **11.19** Jacopin/Science Photo Library; **11.20** Landesamt für Denkmalpflege und Archäologie Sachsen-Anhalt. Photo Juraj Lipták; **11.21** Landesamt für Denkmalpflege und Archäologie Sachsen-Anhalt. Disegnata da Karol Schauer; **11.22** e **11.23** Christian Meyer; **11.24** Images of Africa Photobank/Alamy; **11.26** Bogdan P. Onac, "Emil Racovita" Institute of Speleology, Cluj; **11.27** Matthew Cupper; **11.28** © Gordon Roberts; **11.31** Javier Trueba/MSF/Science Photo Library; **11.32** da E. Matos Moctezuma, *The Great Temple of the Aztecs*, 1988, ill. 23; **11.33** Staatliche Museen zu Berlin; **11.35** Direction régionale des affaires culturelles de Midi-Pyrénées, Toulouse; **11.36** da C. Barrier, 1975, fig. 17 (coloured by Ben Plumridge); **11.37** e **11.38** Muséum National d'Histoire Naturelle, Paris; **11.39–11.43** Oriental Institute, University of Chicago; **11.44–11.47** Forhistorisk Museum, Moesgård, Denmark; **11.48** per gentile concessione del professor Niels Lynnerup, University of Copenhagen; **11.49** Arthur C. Aufderheide, University of Minnesota, Duluth; **11.50** da J. Flood, *Archaeology of the Dreamtime*, 1983, fig. 4.3 (da Brown, 1981); **11.51** E. Løytved Rosenløv; **11.53** e **11.55** Greenland National Museum, Nuuk; **11.56** Department of Anatomy, Liverpool University; **11.57** Andrew Fox/Corbis; **11.58** Illustration Aman Phull © Thames & Hudson Ltd., London; **11.59** Andrew Winning/Reuters/Corbis; **11.60** SuperStock; **11.61** per gentile concessione di Hideji Harunari; **11.62** Museo Archaeologico Nazionale, Napoli; **11.63** The Mary Rose Trust/P. Crossman; **11.64** Photo Services des Antiquités de l'Egypte; **12.5** Colin Hoskins/Alamy; **12.6** National Archives of Zimbabwe, Harare; **12.11** Keltenmuseum, Hochdorf; **12.12** akg-images; **12.23** Craig Chiasson/iStockphoto.com; **12.27** Footsteps of Man – rupestre.net; **12.28** Gianni Dagli-Orti/Corbis; **13.1** e **13.2** Kent V. Flannery; **13.6** da B. Fagan, *In the Beginning* (6th ed.), 1988, fig. 16.4 (da Winter & Flannery (ed.)1976, fig. 2.17); **13.7** Kent V. Flannery; **13.8** e **13.9** Joyce Marcus; **13.10** Jeff Morse/iStockphoto.com; **13.11** Dmitry Rukhlenko/iStockphoto.com; **13.12** e **13.13** William Marquardt (colorata da Drazen Tomic); **13.14** e **13.15** Collections of the Anthropology Division of the Florida Museum of Natural History, FLMNH; **13.16** William Marquardt (colorata da Drazen Tomic); **13.18** e **13.19** Collections of the Anthropology Division of the Florida Museum of Natural History, FLMNH; **13.20** e **13.22–26**, **13.29** Dr. Val Attenbrow; **13.30–13.36** Charles Higham; **13.37–13.54** York Archaeological Trust **14.1** Karim Sahib/AFP/Getty Images; **14.2** Hellenic Ministry of Culture and Tourism; **14.3** Courtesy Serbian Stamps Shop, Belgrade; **14.4** Jean-Claude Chapon/AFP/Getty Images; **14.5** CNN/Getty Images; **14.6** Saeed Khan/AFP/Getty Images; **14.7** e **14.8** Balkis Press/Abacapress/PA Photos; **14.9** Mike Goldwater/Alamy; **14.10** Hiroshi Kasiwara; **14.11** British Museum, London; **14.12** Peter Eastland/Alamy; **14.13** Paul Bahn; **14.14** Emmanuel Laurent/Eurelios/Science Photo Library; **14.15** e **14.16** Museum of Natural History, University of Colorado, Boulder; **14.17** Ingo Mehling; **14.18** Magyar Nemzeti Múzeum, Budapest; **14.19** The J. Paul Getty Museum, Malibu, California; **14.20** e**14.21** British Museum, London; **15.1** Marc Deville/Gamma-Rapho/Getty Images; **15.2** National Museum, Baghdad; **15.3** Orhan Cam/iStockphoto.com; **15.4** STR/AFP/Getty Images; **15.5** National Geographic Image Collection/Alamy; **15.6** e **15.7** Courtesy Great Temple Project, Mexico City; **15.8** Eduardo Verdugo/AP/PA Photos; **15.9** Andrew Fulgoni; **15.10**, **15.12 e 15.13** per gentile concessione dell'Archaeological Consulting Services, Ltd., Tempe, Arizona; **15.14** e **15.15** Somerset County Council Heritage Services; **15.16** British Museum, London; **15.17** David Adamec; **15.18** Kirill Trifonov/iStockphoto.com; **15.19** Jon Arnold Images Ltd./Alamy; **15.20** Robert Harding Picture Library/Alamy; **15.21** Dmitry Rukhlenko/iStockphoto.com; **15.22** Nickolay Stanev/iStockphoto.com; **15.23** Andy Myatt/Alamy; **15.24** Wendy Connett/Alamy; **16.1** Courtesy Lisa J. Lucero; **16.2** per gentile concessione dell'Oxford Cotswold Archaeology; **16.3** per gentile concessione di Shoocongdej; **16.4** per gentile concessione di Douglas C. Comer; **16.5** per gentile concessione di Shadreck Chirikure; **16.6** per gentile concessione di Jonathan N. Tubb.

Gli editori vorrebbero inoltre menzionare i seguenti illustratori (se non altrimenti indicato, la colorazione delle illustrazioni per la sesta edizione era a cura di Drazen Tomic e Ben Plumridge): James Andrews **1.5**; Igor Astrologo **1.1**, **1.2**, **1.14**, **178** (da Annick Boothe); **5.24** (da Shennan 1975); **11.68** (da Krings & others 1997); Annick Boothe **2.5** (adattata da W. Rathje & M. Schiffer, *Archaeology* 1982, fig. 4.11); **3.9–10** (da Flannery (ed.) 1976, figg. 3.2 e 5.2); **3.13** (da Connah & Jones, in Connah 1983, p. 77); **3.61** (da *The Courier*, Unesco Nov. 1987, p. 16, disegnata da M. Redknap); **3.62** (da il *National Geographic*, supplemento di gennaio 1990); **3.96** (da J. Deetz, *Invitation to Archaeology*, Natural History Press/Doubleday & Co., New York 1967); **4.2** e **4.3** (da Rathje & Schiffer, *Archaeology* 1982, fig. 4.17); **4.12** (con adattamenti di Ben Plumridge); **4.17**, **4.18–19** (4.18 da Hedges & Gowlett in *Scientific American* 254 (1), Jan. 1986, p. 84); **4.22** (da Hedges & Gowlett 1986, p. 88); **4.34** (da Scarre (ed.) 1988, p. 25); **4.35** e **4.36** (da Aitken 1990, figg. 6.1, 6.7); **4.55** (adattata da K. Feder & M. Park, *Human Antiquity* 1989, figg. 12.1, 13.1); **5.1** (da Scarre (ed.) 1988, p. 78); **5.3** e **5.5** (da Johnson 1972); **5.19** (da Hodder); **5.23** (da Scarre (ed.) 1988, p. 30); **5.37** (da Page, and Renfrew); **5.48** (da Lehner); **6.5–6** (da van Andel 1989); **6.8** (da Sutcliffe 1985, fig. 5.4); **6.9** (da Shackleton & van Andel 1980, fig. 1); **6.14** (da K. Butzer, *Archaeology as Human Ecology* 1982, fig. 4.3); **6.24** (da Shackley 1981, fig. 4.3); **6.25** (da Scarre (ed.) 1988, p.107); **6.26** (da Sutcliffe 1985, fig. 6.4); **6.35** (da Davis 1987, figg. 2.10, 2.12, 1.8); **6.36–37** (da Davis 1987, figg. 5.5, 5.11); **6.40** (da Parkington); **6.50** (da Anderson); **7.3** (da J. Greig, Plant Foods in the Past, *J. of Plant Foods* 5 1983, 179–214); **7.25** (da Brain); **7.30** (da Davis 1987, fig. 6.13a); **7.44** (da M. Jones, *England Before Domesday*, 1986, fig. 30); **7.46** (da Koike); **7.47–48** (da Koike); **7.49** (da I. Longworth & J. Cherry (eds.), *Arch. in Britain since 1945* 1986, fig. 22); **8.4** (da K. Oakley, *Man the Toolmaker* (6th ed.) 1972, fig. 4); **8.7** (da Davis 1987, fig. 4.5); **8.14** (da J.P. Protzen, Inca Stonemasonry, *Scientific American* 254, Feb. 1986, 84); **8.16** e **8.38** (da Hodges 1970, figs. 51, 52, 172); **8.47** (da Hodges 1970, fig. 139); **8.51** (da Shimada); **8.53** (da R. Tylecote, *Metallurgy in Archaeology*, fig. 15); **8.55** (da P. Schmidt & D.H. Avery in *Science* 201, Sept. 1978, 1087); **9.25** (da Renfrew); **9.26–27** (da Renfrew); **9.42** (da Sidrys); **9.43** (da Pires-Ferreira in Flannery (ed.) 1976, fig. 10.16); **10.2** (da Renfrew); **10.39** (da O'Kelly); **10.38**, **10.52**, **10.53** (da Burger); **11.4**, **11.5** (da Brothwell 1981, fig. 3.4); **11.29** (da Toth); **11.30** (da R. Lewin, *In the Age of Mankind* 1988, p.181); **11.53**, **11.66** (da R. Lewin, *Human Evolution* 1984, p. 95); **12.1** (da Kirch); **12.2–3** (da Gelb); Sue Cawood **1.6**, **2.4**, **11.52** (da *National Geographic*, Feb. 1985, 194); Simon S.S. Driver **4.15** (information from Bannister & Smiley in *Geochronology*, Tucson 1955); **4.49** (con adattamenti di Drazen Tomic); **5.2**, **5.27–28** (da Renfrew); Aaron Hayden **10.3** (da Karlin & Julien in Renfrew & Zubrow (eds.), 1994, fig. 15.1); ML Design **2.1** (da A. Sherratt (ed.) *Cambridge Encyclopedia of Archaeology*, 1980, fig. 20.5); **4.4**, **4.30**, **4.43** (da Renfrew); **6.16** (da Butzer 1982, fig. 8.8); **7.13** (da Zohary & Hopf); **8.52**, **9.3**, **9.4**, **9.23** (da Peacock 1982, fig. 80); **9.30–31** (da Renfrew); **9.37** (da Bass); **9.40** (da McBryde); **9.49**, **10.19**, **12.4** (da Garlake); **12.16–20**, **12.22**, **12.25**, **13.3–4** (da Scarre 1988, 208); **13.5** (da Flannery); Lucy Maw **6.1**, **9.38**, **10.37** (da Mellaart); Rog Palmer **3.15**, **3.20**; Ben Plumridge **5.4** (da Knappett et al. 2008); **5.53** (da James A. Brown); **12.14** (da Bouckaert 2012); **15.11** (da Archaeological Consulting Services, Ltd., Tempe, Arizona), all locator maps; Andrew Sanigar **7.55** (da N. Hammond); **11.9** (con ulteriori informazioni di T. Molleson); **11.67** (da Leakey 1994, fig. 5.2); Drazen Tomic **2.23** (da Ian Bott); **2.36** (da Tracy Wellman); **3.36** (da Tracy Wellman); **3.58** (da M. Carver, *Underneath English Towns* 1987, fig. 2); **3.83** (da J. Coles, *Field Archaeology in Britain* 1972, fig. 61); **4.7** (da Stringer & Gamble 1993, p. 43); **4.24** (da Whittle & others, 2007, p. 125); **4.25** (da Galimberti & others 2004 and Friedrich & others 2006); **4.38** (da Roberts & others 1994, p. 577); **4.40** (da English Heritage, *Archaeomagnetic Dating*, 2006); **4.44** (adattata da Stringer & Andrews 2011, pp. 12–13); **5.39** (da C. Golden); **5.42** (da C. Golden); **5.70** (da Lois Martin); **5.74** (da Grimm 2001 p. 57 fig. 5.3); **6.17–19** (da B. Coles, *Proceedings of the Prehistoric Society* 64, 1998); **6.29** (da Hillman, and Pearsall 1989); **6.39** (da J. Parkington); **7.28**, **7.29** (con ulteriori informazioni di T. Legge); **7.36** (da Klein); **7.54** (da Schoeninger & Moore, *Journal of World Prehistory* 6, 1992, pp. 247–96); **8.18l** (da Bruce Bradley); **8.21–22** (da Marc de Bie); **9.2** (Marwick, 2003, 60, figg. 3 e 4), **9.22**, **9.44** (da Renfrew); **9.45** (da Renfrew); **10.25** e **10.35** (da Morley); **11.69**, **13.17** (con ulteriori informazioni di William Marquardt); **13.21** (da Fiona Roberts); **13.27–28** (da Fiona Roberts); Tracy Wellman **3.37**, **5.21** (da Isaac); **5.25–26** (da Wheatley 1995); **5.38a**, **6.10** (da Chaloupka 1984); **8.54a** (da Alva & Donnan 1993, p. 173, drawn by A. Gutiérrez); **9.1**, **11.10** (da Houghton 1980); **11.25** (da M.H. Day & E.H. Wickens in *Nature* 286, July 1980, 386–87); **13.10** (da Marcus); Philip Winton **5.33** (da Mike Parker Pearson and Ramilisonina, 1998, fig. 8); **5.38b** (da Mathews 1991, fig. 2.6); **5.51**, **5.66** (da Ronald W. Anthony); **6.27** (da Piperno and Ciochon, *New Scientist* 10/11/90); **6.28**, **6.43** (con ulteriori informazioni di G. Milner & J. Oliver); **10.1**, **10.10**, **10.43** (da Bartel, Frey & others, 1998); **12.8** (da Cavalli-Sforza & others 1994, 5.11.1); **12.9** (da Torroni & others 1998, fig. 4).

È stato fatto ogni tentativo per citare i proprietari delle immagini contenute in questo libro, e ci scusiamo in anticipo per eventuali omissioni involontarie. Saremo felici di inserire i riferimenti appropriati in ogni successiva edizione di quest'opera.

Indice analitico

AAS, *Atomic Absorption Spectrometry* (spettrometria ad assorbimento atomico), 353, 369, 371, 533
abbazia cistercense, 112
Abbott, Charles, 13
abete Douglas, 134
abilità
– artistiche, 554
– cognitive, 554
– fino motorie, 455
– grosso motorie, 455
– tecniche, 554
aborigeni, 30
– australiani, 25, 172, 327, 409, 446, 471, 535, 595, 559
– della Tasmania, 471
Abramo, 14
abrasione, 335
Abri Blanchard, 404
Abri Pataud, 297
Abric, 318
Abu Dhabi, 277
Abu Mena, 589
Abydos, 278, 340
accetta, 338
– dipinta, 318
acciaio, 355
– fabbricazione, 356
– tecnologia, 355, 356
acconciature, 441, 447
accoppiamento induttivo, 371
accumuli di rifiuti organici (*middens*), 233, 254, 259, 302-305, 307, 530-532
acidi grassi, 278, 306, 307, 334
acidità della neve, 155
acido
– aspartico, 445
– nitrico, 373
– tartarico, 278
acqua
– freatica, 290, 235
– gestione della, 599
– tempio della, 599
Acqua Dolce, periodo, 234
Acropoli, 566
ACS, *Archaeological Consulting Services*, 586

Adams, Richard, 67, 75
Adams, Robert, 25, 67, 75, 204
additivi minerali, 334
Addyman, Peter, 548, 549, 555
aDNA, 153,
adobe, 39
Adorno, Theodor, 508
Adu Hureyra, 275
AERA, *Ancient Egypt Research Association*, 83
Afar, 452
affiliazione culturale, 568
affinità familiari, 439, 450, 476
Afghanistan, 77, 562, 367, 585, 589, 590
Africa, 10, 20, 21, 25, 64, 65, 77, 98, 111, 126, 128, 145, 146, 153, 154, 157-161, 273, 276-278, 284, 290, 297, 301, 306, 307, 313, 315, 355, 366, 381, 488, 502, 605
– orientale, 257, 284
African Burial Ground, 217
Agamennone, 365
agenti
– naturali, 320
– umani, 320
agenzia federale, 584
AGLAE, strumento, 372
agricoltori, 35, 170-173, 189, 195, 196, 200, 216, 226
agricoltura, 159, 212, 474, 490, 492, 493, 499, 500, 502, 506, 509, 515
– di irrigazione, 33
– diffusione, 490
– intensiva, 576
– introduzione della, 524
– nascita della, 282, 283, 313, 474, 515, 524
– origini, 492
– primitiva, 490
– stanziale, 277
Aguadulce Shelter, 277
Aguateca, 505
Aguirre, Emiliano, 148
Ain Ghazai, 283
Ainu, 568
Akbar, 590

Akhenaton, 39, 450
aklla, 212
Akrotiri, 156, 175, 205, 428
Alabama, 171, 315, 584
alabarda, 471
Alaska, 53, 55, 182, 359, 367, 469
alberi genealogici, 559
alburno, 135
alcelafo/i, 250, 336
Aldilà, 39, 405, 419-421, 425
Aleppo, 585, 589
Alessandro Magno, 560
Aletsch, ghiacciaio, 235
Alexander Pope, 561
alfabeto *vedi anche* lingue
– arabo, 487
– ebraico, 48
– etrusco, 487
– fenicio, 487
– latino, 487
– romano, 487, 489
alfabetismo, 405-408, 422
Algeria, 301
alghe unicellulari, 248, 249
Ali Kosh, 283, 348, 382
alimentazione umana, 165, *vedi anche* dieta
alimenti, 270, 273, 281, 309, 312, 313
– di origine marina, 270
– di origine terrestre, 270
alisei, 230
All Saints, 551
Allen, 302
alligazione, 348, 349, 357
– intenzionale, 348
alluce, 453
alpaca, 341
Alpi
– Austriache, 321
– Francesi, 297
– Ötzaler, 56
– Svizzere, 235
ALS, *Airborne Laser Scanning* (scansione laser aerea), *vedi* LIDAR, 75
Altaj, 51
Altamira, 400
altari, 421

Althusser, 507
Altinum, 70
altopiano Pang Mapha, 601
Alva, Walter, 572
alveare, 414
Amazzonia, 347
ambiente, 168, 188, 190, 210, 215, 216, 223, 552
– analisi del, 600
– anaerobico, 44
– anossico, 44
– circostante, 150
– secco, 134, 337
– umido, 238, 342, 249
ambra, 364, 370, 375, 376, 383, 384, 389
– nera, 552
Ambrose, Stanley, 313
America
– Centrale, 388
– Meridionale, 40, 144, 159, 160, 165
– Settentrionale, 63, 95
ami, 544
amido, 277, 278, 280, 312
amministrazione, 173, 204, 206, 207, 212, 215, 226
amminoacidi, 153, 154, 256, 278, 441, 444
Ampato, 52
AMS, *accelerator mass spectrometry* (acceleratore con spettrometria di massa), 136
analisi
– a fasci di ioni (*ion beam analysis*, IBA), 372
– Bayesiana, 142
– con microsonda elettronica (*scanning electron microprobe analysis*, SEM), 373
– dei fosfati, 95
– dei gruppi (*cluster analysis*), 191
– dei resti umani, 543
– dell'azoto e carbonio, 470
– della diminuzione (*fall-off analysis*), 378
– della simmetria, 429
– della stratigrafia, 547
– delle diatomee, 249

– delle tendenze nella distribuzione spaziale (*trend surface analysis*), 378
– delle tracce di fissione, 377
– del network, 125
– di Sydris, 388
– fattoriale, 191
– filogenetica, 125
– geochimica, 95
– macroscopica, 330
– metallografica, 349
– microscopica, 330
– neurologica, 497
– non distruttiva, 372
– per attivazione neutronica (*Neutron Activation Analysis*, NAA), 369, 372, 388, 394
– per diffrazione dei raggi X, 376
– pollinica, 243-246, 248, 266
– post-scavo, 118
– spaziale, 81
– statistica, 604
analogia, concetto di, 177, 190, 197
Anasazi, 243, 310
Anatolia, 134, 156, 283, 308, 365, 381, 382, 482, 490, 491, 496, 497
– meridionale, 281
anatomia, 256
anatre, 258
Ande, 52, 55, 228, 230, 472
– Centrali, 352
– Peruviane, 298
Andernach, 243
andesite, 545
anello/i, 128, 129, 132-135, 138, 140, 142, 143, 155, 156, 166
– anello di legno, 133
– di accrescimento, 129, 297
anemia, 546
Angkor, 80, 415
anguilla, 305
– elettrica, 309
animali da soma, 359, 361
Anna di York, 471
Annan, Kofi, 562
anomalie congenite, 467
ANT, *Actor Network Theory*, 27, 175
Antalya, 572
Antartide, 127, 159, 228, 229, 231
antenati, 193, 197, 199, 221
antichità etrusche, 570
antico regno, 131, 161
anticorpi, 450
antigeni, 450
antilopi, 336
antimonio, 347
antropologia, 362, 397, 439, 450, 483, 598, 603, 605
– biologica, 168, 483
– fisica, 460
– forense, 439, 460
– forensi, 460
Anzick child, 482

Anzick, Sarah, 569
api, 553
Apicio, 281
aplogruppo, 225, 490, 491
Apollo, 325
apprendimento, 437
approccio, scelta del tipo di, 24
– ambientale, 502
– cognitivista, 215
– cognitivo, 513
– cognitivo-processuale, 511
– D-N (deduttivo-nomotetico), 498
– della coerenza, 511
– della corrispondenza, 511
– di Binford, 493
– di Forrester, 507
– ecologico, 19, 22, 23, 33
– ermeneutico, 508, 510
– etnografico, 11
– femminista, 508
– fenomenologico, 215, 499, 508
– filosofico, 511
– funzionale-postprocessuale, 512, 515
– I-D (ipotetico-deduttivo), 498
– interpretativo (ermeneutico), 26, 510
– ipotetico-deduttivo, 498
– nomotetico, 507
– positivista, 499
– postprocessuale, 495
– processuale, 485, 489, 515
– sistemico, 494, 502-504
– storico diretto, 18
– storico-classificatorio, 31
– storiografico, 507
– strutturalista, 495
– tradizionale, 486, 491
approvvigionamento (*catch area*), 169
– del sito (*site catchment*), 523
– fonti di, 359, 367-369, 373, 375-378, 380-382, 385, 388, 393
APR (Aereomobile a Pilotaggio Remoto), 73, 79
aquile, 426
Arabia Saudita, 77
aratro
– di Bayeux, 179
– *plough*, 264, 266
– semplice (*ard*), 264, 266, 276, 298
aratura, 513, 514
Archaeological Survey of India, 14
Archaiologikon Deltion, 588
archeobotanica, 273, 280
archeogenetica, 478
archeologia, 120, 128, 133, 150, 151
– – metodi, 35
– – storia della, 1, 3-6, 8, 10, 14, 16, 18-20, 22-24
– – ambientale, 227, 269, 606
– – analitica, 23

– applicata, 580, 583, 596
– classica, 27
– cognitiva, 26, 395, 396, 405, 408, 438, 491, 497, 499, 512
– cognitivo-processuale, 393, 510, 511, 529
– dei conflitti, 213
– del corpo vivente, 477
– del culto, 420
– dell'identità, 169, 170, 215, 219, 559
– dell'individuo, 169, 215, 396, 405, 408, 409, 425, 437
– delle persone, 439, 460, 471, 475, 483
– demografica, 475
– di genere, 223
– estrema, 52
– femminista, 219
– forense, 460, 551
– funzionale-processuale, 507
– funzionalista, 485, 491, 494, 509
– industriale, 317, 339, 346
– interpretativa, 26, 27, 509, 595
– marittima, 570
– marxista, 493-495, 507, 509-511, 515
– materialista, 494
– medievale, 26
– molecolare, 22
– neomarxista, 27
– olistica, 494
– peruviana, 426
– post-medievale, 26
– postpositivista, 27, 508
– postprocessuale, 26, 27, 195, 432, 485, 493, 495, 503, 507, 509-512, 595
– preventiva, 61, 583
– processuale, 23, 59, 24, 27, 30, 31, 485, 488, 489, 491-495, 498, 502, 510, 595
– pubblica, 555, 577, 579, 589, 593, 595, 596
– secca, 48, 49
– sociale, 169, 170, 180, 190, 224, 491, 494, 495, 499, 502, 503, 507, 509, 511, 512
– sperimentale, 37-38, 192
– storica, 26
– strutturalista, 485, 493, 495, 508, 515
– subacquea, 40, 44, 47, 91, 101-103, 339
– sul campo, 495, 517, 565
– teoretica, 495
– tradizionale, 167
– umida, 48
– urbana, 112, 557
– valore educativo della, 566
– valore scientifico della, 566
archeologia *non-site*, 188
archeologia *off-site*, 188
archeomagnetismo, 129, 148, 149, 154
archeometallurgia, 62

archeozoologia, 270, 283
architettura monumentale, 165
architrave, 324, 419
arciere di Amesbury, 108, 361
Arcipelago di Bismarck, 369
arcivescovo Roger, 552
Arcy-sur-Cure, 461
ard, vedi aratro semplice
Ardipithecus ramidus, 157, 158, 452
area celtica, 389
aree di attività, 187
arenaria, 544
Arens, Williams, 458
argento, 39, 40, 52, 55, 348, 350, 351, 354, 355, 532, 553, 588
argilla, 33, 34, 39, 40, 43, 47, 58, 129, 141, 150, 151, 154, 366, 368-370, 377
– cotta, 40, 92, 343
– non cotta, 92
– grigia, 265
– porosa, 354
Arhus, 464
Arica, 457
Arikamedu, 16, 370
Arizona, 189, 584
armadilli, 315
Armenia, 77
Arnold, Bettina, 222
arrowroot, 277
Arsuaga, Juan Louis, 148, 401
arte, 395, 396, 397, 398, 401, 403, 404, 406, 418, 419, 421, 425, 427, 429, 431, 435
– atzeca, 430
– estetica, 431
– mito, 429
– messicana olmeca, 467
– mobiliare (su oggetti mobili), 404, 427
– rappresentazione, 427
– stile, 428
arteriopatie, 462
articolazione/i, 469
– sacroiliaca, 445
Artide, 127, 159
artigiani, 169, 172, 173, 180, 181, 200, 212, 223
artista individuale, 499
artrite, 469
artropatie, 474
asbesto, 542
ascia a mano acheuleana, 455
ascia preistorica europea, 123
Ashkelon, 442
Asia, 224, 391
– Meridionale, 158
– Minore, 388
– Nordorientale, 159
– Orientale, 159
Askia, 589
aspetti simbolici, 509
associazione, 34-36
– di materiali, 121, 124
associazioni (*assemblages*), 117
– ceramiche, 486
– culturali, 486

Assuan, 273, 322
Assur (Qal'at Sherqat), 589
Assurbanipal, 463
asta/e, 78, 89
– metrica, 540
ASTER, *Advanced Spaceborne Thermal Emission and Reflection Radiometer* (radiometro avanzato spaziale per l'emissione e la riflettanza termica), 80
asticciole, 336
astrolabio, 102
Atacama, 292, 294
Atapuerca, 146-149, 154, 401, 458
Atene, 406, 559, 561, 566
Atkinson, Quentin, 125, 497
Atlantide, 564
Atsinanana, 589
Attembrow, Val, 520, 534, 536
Attica, 476
attivazione neutronica, 394
attività
– di scambio, 546
– simboliche rituali, 300
– specializzate, 525
– universali, 525
attributi, 117
– superficie, 118
– forma, 118
– tecnologia, 118
Atwater, Caleb, 12
Aubrey, 197
Auckland, 475
Aufderdheide, Arthus, 465, 469
Australasia, 25, 138
– settentrionale, 234
Australia, 18, 25, 26, 31, 152, 231, 239, 234, 238, 249, 257, 259, 265, 267, 318, 386, 391, 453, 482, 520, 534, 535, 537, 539, 540, 542, 557, 559, 561, 564, 568, 569
Australian Archaeological Association (AAA), 569
Australopithecus, 146, 157-159, 285, 290, 305, 446, 456
– *boisei*, 21, 146
– *sediba*, 77, 168, 452
– *afarensis*, 157, 452
– *africanus*, 313, 452, 453
– *robustus*, 313, 315
Austria, 241, 321, 404
Authin, 365
AutoCad (*Computer-Aided Design*), 81
autocoscienza, 397
autorespiratori, 101
Avebury, 193, 195, 253, 599
Aveni, Anthony, 413
Avery Silbury Hill, 4
Avery, Donald, 354
Avon, 197
avorio, 364, 365, 373, 376, 383, 384
axis mundi (asse del mondo), 197, 408
Ayodhya, 561, 562
azione, 511
– sociale, 513

azoto, 136, 137, 307, 313-315, 373
Aztechi, 4, 60, 161, 165, 214, 284, 409, 457, 581, 594

Babilonia, 177, 180
Bach, 448
back-up, 73
backed artifact (schegge con lato grezzo), 538, 540
Baghdad, 577, 578
bagni di tintura, 553
Baia di Tokyo, 233, 303
Baiami (*esseri antropomorfi cornuti*), 539
baktun, 130, 131
Balcani, 365
Balck Patch, 271
balena, 410
Balibar, 507
bambini, 542
bambino Clovis, 479, 569
bambino di Taung, 290
Ban Ki-Moon, 563
Ban Rai, 602
banca dati, 116
– archeologica, 549
banchetti, 194, 197, 220, 221
banchetto funebre, 307
bande, 168, 170, 171, 173, 186, 188, 189
– di scorrimento, 350
bandicoot, 536
Bang Chiang, 541
Bangkok, 602
Bantu, 354
baratto, 365
Barbados, 234
barche, 359, 515
bare di legno, 542
Barker, Philip, 93, 100
Barnacles (crostacei dei cirripedi), 543
Barney Hall, 556
Barthes, Roland, 508
Baryosef, Ofer, 283
basalto, 538
basilica, 551
Bass, George F., 10, 17, 91, 383, 339
bassopiani dei Maya, 408
bastoncelli d'argilla, 345, 346
Batán Grande, 352, 353
batanes, 352
batiergo, 252
battaglia di Bosworth, 471
batteri, 461
battitura, 272, 280
BCal, analisi, 139, 142
BCE, *Before the Common Era* (prima dell'era corrente), 120
Beattie, Owen, 55, 469
Beazley, John, 430
Beechey Island, 55
Behrensmeyer, Kay, 286
Behy, 243
Belgio, 214, 321, 330
Belize, 19, 33, 76, 81, 203, 264, 314, 315, 406, 589, 598, 599

Belize Barrier Reef, 589
Bell, James, 499
Belucistan, 159
Bender, Barbara, 493
beni
– archeologici, 584
– culturali, 580
– ordinari, 393
Beni Hassan, 327
Bent, J.T., 488
Berekhat Ram, 401
Beresovka, 41, 51
Beri Beri, 474
Beringia, 232
Bermúdez de Castro, Maria, 148
Bernal, Ignacio, 521
Bernardino di Sahagún, 284
Betlemme, 589
Bevins, Richard, 198
Bibbia, La, 3, 5, 11, 14, 61, 608
bicchiere campaniforme (Beaker Folk), 486
Biel, John, 208
Binneman, Johan, 332
Big Mound Key, 530, 532
bilancia, 413
bilirubina, 311
Billeri-Billi, 386
Binford, Isaac, 25
Binford, Lewis, 9, 23, 25, 38, 58, 283, 300, 396, 491-493, 499
– approccio di, 492, 493
Bintliff, John, 594
bioarcheologia, 439, 483
biochimica, 439
biossido di manganese, 334
birra, 278, 281, 307
– di frumento, 277, 278
bisonte, 295
Bitinia, 154
bitume riscaldato, 327
Black Hands Shelter, 537, 540
Blanco, Antonio, 354
Blanton, Richard, 527
Bleivik, 445
BLM, *Bureau of Land Management* (ufficio per la gestione del territorio), 584
Blombos Cave, 328
Bloom, Arthur, 234
Bloomberg, scavo di, 114
blumo, 354
Bòanton, Richard, E., 520
Boarding School, 295
Boas, Franz, 9, 18, 430
Bodo, cranio di, 466
Bogucki, Peter, 308
Bökönyl, Sandor, 283
Bolivia, 447, 589
bollo, 377
Bolton Abbey, 599
Bondi, 538
Bonnefille, Raymond, 245
boomerang, 318, 537
Boomplaas Cave, 250
Bordes, François, 185, 241, 399
Borneo settentrionale, 369
Bortes, François, 327

boscimani Gwi, 183
Boserup, Esther, 500, 502
Bosnia, 578
Bosra, 589
Boston, 572, 573
Boston Museum of Fine Arts, 573
Bosworth Field, 470
Botswana, 183
Boucher de Perthes, Jacques, 8, 12
Bouckaert, Remco, 496
Boudelo 2, 112
Bougon, 602
Boule, Marcellin, 454
Bourdieu, Pierre, 216, 508
bovini, 292
Bowdler, Sandra, 238
Boxgrove, 333
Boyd Hawes, Harriet, 20
BP, *Before Present* (a partire dal presente, prima del 1950), 120, 121, 129
bracci di terra, 231, 232
Bradbury, J.P., 249
bradipo, 249
Braidwood, Robert J., 25, 282, 492
Brain, C.K., 25, 38, 260, 290
Branč, 191
branco
– da carne, 294
– da latte, 294
Brassell, Simon, 228
Braudel, Fernand, 511
Braun, David, 392
breccione, 238, 320
Bretagna, 231, 247, 253, 254
Britannia romana, 354
British Museum, 20, 566, 588
Broadbent, Sylvia, 341
– criterio di, 413
Broken Pueblo, 189
Bromage, Tim, 443
bromo, 132
Bronitsky, Gordon, 345
bronzo, 573, 605
Brooks, H.S., 328
Brothwell, Don, 22, 310, 564
Brown, James, A., 210
Brück, Joanna, 512
Bruhns, Karen, 351
Buccinidae (molluschi gasteropodi), 530
buche per palo, 276, 289
Buck Key, 530
bucranio, 299
Buddha, 59
– di Bamiyan, 562, 578
bufalo, 250
– cafro, 297
Bulgaria, 274, 347, 416, 427
bulini, 326, 327, 333
Bullettin of the Indo-Pacific Prehistory Association, 602
buon selvaggio (*noble savage*), 213
Bureau of American Ethnology, 13
Burger, Richard, 426
Burgos, 148, 401, 458
Butler, Ann, 280

Butser Farm, 275, 276
Butser Hill, 276
Butzer, Karl, 237

Cabrera Castro, Ruben, 86
caccia, 305, 330
cacciatori-raccoglitori, 169-174, 176, 182, 185-188, 200, 214, 226, 279, 520, 537, 540, 602
Cacho, Carmen, 404
cactus, 523, 532
cadaveri, 429
Caerwent, 599
Cahokia, 261
Calabria, 467
Calakmul, 202
calandra del grano, 277
calcificazioni, 467
calcite, 369, 373
calcoli
– alla cistifellea, 469
– renali, 469
calderone di bronzo, 493
Calderone di Gundestrup, 172
calendari/o, 121, 128, 131, 132, 138, 139, 145, 153, 166, 196
– cristiano, 121, 138, 139, 145
– dell'antico Egitto, 131
– lunare, 131
– Maya, 128, 130, 131, 419
– solare, 130, 131, 138
– conto lungo del, 130-131
calibrazione al computer, 125, 138-140, 143, 145, 153, 154, 156
calibrazione (INTCAL), 138, 139, 142, 143, 156
California, 442
Callen, Eric, 311
calotta polare, 239
Calusa, 520, 529-534, 557
– credenze, 533
– dieta, 522
– organizzazione, 542
– tecnologia, 532
Calvé-Perthe (coxa plana), 468
CAM (Computer-Aided Mapping), 81
cambiamento/i
– sociali, 211
– climatico, 597
– linguistico, 496
Cambogia, 89, 408, 415, 602
Cambridge, 72, 73, 119
camelidi, 314
camera tombale, 415
camoscio, 587
Campana, Douglas, 336
campi coltivati, 69, 71
Campidoglio di Washington, 419
campionamento, 24, 64-66, 88, 100, 109, 110, 112, 583
– casuale semplice, 8
– casuale stratificato, 170
– probabilistico, 66
– strategie di, 66, 100
– sistematico, 66
– strategia del, 174

campionatura, 537
campione/i, 62, 65, 66, 91, 271, 275, 280, 281, 287, 293, 306, 551
– contaminazione dei, 140, 141, 144
– di polline, 521
– lignei, 142
Canada, 297, 599
Canada Parks, 102
canale della Manica, 241
Canaan, Terra di, 383
cancro, 468, 569
cane Ludwig, 397
canguri, 536, 537
Cann, Rebecca, 477
cannibalismo, 214, 286, 458, 459, 460
Canning, Alexander, Lord 14
canoe, 529, 546
Canone Regio, 128
Canterbury, 382
capacità
– di sostentamento (carrying capacity), 475, 502
– intellettuale, 455
– spaziali (tecnologiche), 456
capelli, 440, 441, 447, 449, 464, 469, 482
capesante, 532
Capestrano, guerriero di, 514
capi militari, 401
Capitano Cook, 252, 324
Capo Gelidonya, 17, 385
Capo Verde, 570
cappa, 349, 350
capre, 159
capriolo, 289
capsule del tempo, 556
Caracol, 75, 76, 406
caravelle, 340
carbonato di calcio, 127, 129, 140, 146, 147, 229, 238, 239, 253
carbonchio, 465
carbone, 245, 250, 251, 266
– analisi del, 251
– ardente, 355
– di legna, 334
Carbonell, Eudald, 148
Carbonifero inferiore, 377
carbonio, 312
– isotopi del, 140, 147
– carbonio, -12 (^{12}C), 136, 137
– ordinario,-13 (^{13}C), 6
– carbonio, -14 (^{14}C), 136-140, 143, 145
– radiocarbonio, 110
carbonizzazione, 271, 272, 274, 275, 279, 316
carbowax (cera poliestere), 141
carburazione, 350, 355
carcassa, 301
Card, Nick, 410
Carén, 318
carestie, 459, 467
carichi, trasporto di, 459
Carlo Magno, 365

Carn Goedog, 199
Carnac, 4, 408
Carnavon, Lord 49
Carneiro, Robert, 500, 502
carotaggi/o, 127, 132, 156, 157, 228, 229, 247, 530
– GSP2, 230
– pollinico, 247
carta fotogrammetrica, 68
Carter, Howard, 14, 49, 50
cartilagine, 291
cartografia, 67, 68, 71, 81
cartonnage, 472
Carver, Martin, 548
casa d'asta, 559, 579
casa lunga, 601
Casana, Jesse, 74
Casas Grandes, 409
Cascajal, 178
Cash Mound, 530, 531
Caspar, Jean-Paul, 330
Cassirer, Ernst, 508
caste, 595
Çasti, 406
castoro, 257, 337
Çatalhöyük, 26, 28,29, 59, 171, 172, 219, 283, 348, 382, 414, 440
catalogazione digitale, 107
catena gerarchica (nested pattern), 176
Catherwood, Frederick, 11, 14
catodoluminescenza, 376
Caton-Thompson, Gertrud, 20, 488
cattedrale di St Peter (York Minster), 552
Caucaso, 339, 381
causewayed enclosures (fossati concentrici), 195
Cava di Blombos, 111
cavalletta, 254
Cavalli-Sforza, Luca, 479, 484, 490
cavallo, 600
cave, 321, 322, 329, 333, 344
cave di Assuan, 322
caverna di Fontanet, 454
Çayönü, 342, 348
CE, in the Common Era (nell'era corrente), 120
Cefn Graeanog, 97
ceneri vulcaniche, 155, 243
cenote (pozzo naturale), 422
Central Queensland Sandstone Belt, 318
centrifuga, 369
centro amministrativo-cerimoniale, 528
cera, 554
cera persa, 349, 415
ceramica, 39, 40, 43, 44, 62, 63, 65, 84, 88, 92, 103, 110, 116-118 , 122, 123, 128, 131, 150, 154, 156, 165, 275, 277-279, 282, 283, 306, 308, 309, 319, 321, 341, 343-347, 351-353,

356, 357, 368, 369, 370-373, 376, 380, 383, 384, 387, 389, 392, 547
– a bande lineari (Linearbandkeramik, LBK), 134, 243, 308, 475
– attica, 430
– cordata, 451
– cotte, 129
– Grooved Ware (scanalata), 411
– Jomon, 275, 277
– lapita, 486, 487, 497
– Mimbres, 571
– Moche, 341
– PI, Pottery Index, 62, 63
– precolombiane moche, 459
– Recuay, 220, 221
– Torksey Ware, 550
– York Ware, 550
cereali, 271, 272, 274, 275, 277, 278, 280, 281, 283, 299, 300, 302, 309, 310, 312, 314
cerealicolture, 277
Cerén, 43, 271
cerimoniali, 391
cerimonie funebri, 392
Cerrigmarchogion, 199
Cerro Sechìn, 17
cervello, 434-437
cervide/i, 315, 335
– corno di, 321, 335, 336
cervo nobile (cervus elaphus), 291, 302, 513
cervo virginiano, 523
cesio, 94
cesti, 341
Chaco, 412
Chaco Canyon, 71, 74, 408, 487
Chadwick, A.J., 504
Chalcatzingo, 315
Chalcuapha, 155
Chaloupka, George, 234
Champollion, Jean-François, 11, 180
Chan Chan, 589
Changeux, J.P., 437
Chantambre, 472
Chapman, Robert, 509
Chappell, J.M.A., 234
Charavines, 47
Charente, 314
Charles, J.C., 349
Charsadda, 16
Chase, Arlen, 406
Chatwin, Bruce, 409
Chavín de Huantar, 17, 395, 426
Chengtoushan, 264
Cheope, 208
Cherry, John, 175, 201, 210, 226
chert (ossidiana), 327, 329, 526
cherubino, 124, 125
Cheshire, 281
Chesterman, Judson, 459
Chevdar, 274
Chichén Itzá, 21, 101, 422, 505
chiefdom, 161, 170-174, 185, 192, 195, 200, 208, 210-212, 226, 363, 500, 501

chiesa di St. Saviours, 556
Childe, Gordon, 17-19, 118, 167, 190, 282, 492, 493
Chimù, 473
chinampas, 264
Chinchorro, 457
chiocciole, 304
Chirikure, Shadreck, 597, 605, 606
chirurgo, casa del, 473
Chisholm, Brian, 313
Christaller, Walter, 176
cibernetica (teoria dei controlli), 503
cibi marini, 313
cibo, redistribuzione, 533
Cicladi, 430
cicli climatici, 230
Cicopi, 419
Cile, 38, 51, 52, 292, 302, 589
– meridionale, 244
cimitero, 197, 225, 526, 531, 552
– medioevale di Jewbury, 549
– Oneota, 225, 483
Cina, 33, 124, 128, 151, 159, 160, 161, 165, 208, 213, 261, 264, 270, 277, 284, 321, 344, 352, 357, 363, 365, 382, 433, 446, 450, 461, 471-473, 475, 478, 561, 593, 602
– nord-orientale, 301
ciondolo, 354
Cipro, 62, 240, 382
Cirencester, 467
Circleville, Ogia, 12
circoscrizione ambientale, 502
circuito, 599
Cirencester, 446
Cirene, 589
cisterne, sistemi, 599
città
– cerimoniale, 390
– moderna, 550
– romana (*colonia*), 551
– stato, 390, 391, 409
Città del Messico, 60, 63, 67, 200, 422, 581
Clacton, 332
clandestini, 570
Clarck, Desmond, 25
Clark, Grahame, 19, 288, 439
Clark, J.R., 388
Clarke, David L., 9, 23, 24
classe, 483
classi, 169, 171, 172, 211, 217
classificazione, 14, 118
– etnica, 486
classis britannica (flotta britannica), 387
clima, 40-43, 49, 54, 58, 121, 125-127, 132, 133, 144, 154, 227-230, 232, 236, 238-240, 242, 243, 246, 250, 253, 256, 257, 259
CLIMAP, progetto, 235
clonazione, 449
Clovis, 328, 481
– bambino di, 479, 481, 482
cluster analysis, 542

Cnosso, 175, 205, 377
Coates, J.F., 341
Coatlicue, 581
coca, 314, 505
cocchi, 339
coccio, 345
coccodrillo, 543
– marino, 234
codice, 81, 82, 412
– alfa-numerico, 140
– Maya, 473
Coe, Michael, 422, 425, 429, 467
Cofee Street, 557
Cohamin, 225
colatura, 348
coleottero, 254
Coles, John, 44, 241, 337, 338
colla, 141
– di resina, 330
collagene, 256, 310, 312, 313
– osseo, 313
collasso, 505-507
– culturale, 268
– sistemico, 507
collezionisti, 570
Collingwood, R. G., 498, 499, 508
colluvium, 299
Colombia, 341
– settentrionale, 319
coloni, 266
Colonne d'Ercole, 564
colonne di basalto, 323
Colorado, 51, 235
Colorado Desert, 385
Colorado State University, 598
colorimetria, 347
Colt Hoare, Richard, 5,10
coltivazione, 160
– medioevale, 72
colture orticole, 261
Columbia, 313
combustione, 334
Comer C., Douglas, 597, 603-605
commercio, 359, 360, 365, 369, 378, 379, 381, 382, 385, 390, 393
– esterno, 502
– illecito, 578
– indipendente (*freelance*), 378
– tramite emissario, 378
complesso funerario-votivo, 433
comportamento, 495, 498, 507, 511
– di comunità, 117
– di gruppo, 117
– di società, 117
– individuale, 117
– organizzato, 399
– sessuale, 459
composizioni *time-factored*, 404
computer palmari, 65
comunità, 526
– indiana Gila River, 587
– indiana Pima Maricopa, 587
– sedentarie, 174, 186, 190
conchiglie, 253, 304, 335, 336, 345, 362, 364, 366, 367, 370,

373, 384, 389, 525, 526, 530-532, 537, 542, 543-547, 553
condizioni anaerobiche, 548
condotti di areazione, 90
confine romano, 389
confini, 64
conflitto, 559, 596
congelamento, 44, 51, 55, 57, 155
Congo, 459, 589
coni setolosi, 133
coniazione, 413
coniglio selvatico, 304
conio, 388, 413, 553, 554
Conkey, Margaret, 222
Connecticut, 124
Connor, Melissa, 466
Conquistadores, 322, 364, 418, 581
conservazione, 33, 37, 38, 40, 41, 43-45, 47, 48, 49, 51-56, 58, 521, 542, 547, 549-551, 555, 561, 576, 579-581, 583-585, 592, 595, 596
– dei depositi, 531
– delle ossa, 534, 545
– di documenti, 548
– di reperti, 272
– stati di, 550
consumo, 387
contatore Geiger, 136
contatto, 394, 487, 488, 495, 497, 500
– commerciale, 487
contesto, 34, 36, 40, 58, 72, 121, 122, 125, 129, 131, 135, 141, 153, 547
– di deposizione, 121, 141
– originario, 36, 40
contestualizzazione (*framing*), 218, 219
Convenzione dell'Aia, 578, 585
Conway, J.S., 97
Cook, S.F., 475
Copàn, 21, 202, 208, 266, 506
– stele A, 14, 21
Copenhagen, 482, 569
coppe, 555
– aramaiche, 574
– Hohokam, 123
coppella, 354
coppellazione, 354, 553
Coppergate, 111, 548-554, 556
– elmo di, 554
Coppergate Anglian, 549
copricapi, 288
coproliti (feci fossilizzate), 246, 250, 260, 271, 275, 310, 311
coprostanolo, 311
cordame, 341, 531, 553
corde, 292, 532, 545
Corea, 546
Corén, 261
corna, 514
Cornovaglia, 185
Cornovii, 93
corona, 297
Corona, satellite, 77-79, 88

corpi delle torbiere (*bog bodies*), 44, 47, 127, 250
Corps of Engineers, 262
corredi funebri, 171, 190, 191, 208, 222, 514
corroborees, 391
Cortaillod, 134
corteccia, 44, 46, 57
Cortés, Hernán, 377, 581
cortice, 325
Cosa, 377
Cosmides, Leda, 495
cosmogonie, 405
Costa d'Avorio, 589
costolatura, 349
cottura, 272, 279, 281, 299-301, 311
Coventry, 605
coverage (copertura), 82
Cowgill, George, 205
Coyolxauhqui, 581
coyote, 459
Crabtree, Donald, 327, 329
Craig Mound, 210
Cranbone Chase, 15, 96
cranio/i, 318, 441-445, 447, 448, 449, 452, 453, 455-457, 459, 462, 466, 467, 471, 472, 475, 477, 480, 483
– calchi del, 455
– dimensioni del, 475
– scalpati, 466
– umano, 535
cratere di Eufronio, 572
Crayford, 329
creazione del mondo, 430
Creek, Colless, 238
Crelin, Edmund, 456
cremazione, 197, 198
crescita demografica, 500, 501
Creta, 175, 180, 190, 204, 205, 277, 377, 422, 509
Crick, 497
Cripta di Christ Church, 444
Crisp, Dave, 588
cristalli di silice, 329
cristallografia, 347
CSRM, *Cultural Site Research and Management*, 603
CRM, *Cultural Resource Management* (tutela dei beni culturali), 17, 63, 90, 580, 583, 584, 586, 593, 596
Croazia, 150, 457, 572
Croce, Benedetto, 508
crogiuolo, 354, 553
cromatografia, 279, 307
cromatologia, 275
cromosoma Y, 153, 224, 225, 361, 451, 478, 479, 481, 482, 490, 491
Cronaca anglo-sassone, 180
cronologia *vedi anche* dendrocronologia, glottocronologia
– assoluta, 123, 124, 529
– del Pleistocene, 126, 233, 249, 252
– del radiocarbonio, 127

– dell'Antico Egitto, 131
– e clima, 125, 126
– relativa, 127, 128
– seriazione, 124
– storica, 128, 131, 166
cronotipi, 62, 63
crop-marks, 67, 69, 70
crostacei, 302
Crowe, Donald, 429
Cruz-Uribe, Kathryn 297
Ctesifonte, 373
cucurbita pepo, 522
Cuello, 314, 315
Cuicuilco, 205
cultura/e, 167, 184, 185, 202,
   203, 215-218, 225
– andine, 341
– Aurignaziana, 435
– Aziliana, 337
– Chibcha, 341
– Clovis, 482
– Lapita, 487
– Mimbres, 571
– Mixteca, 185, 594
– Natufiana, 218, 492
– Nazca, 341
– Vinca, 405
– Zapoteca, 185
culture archeologiche, 117
Cultural Resource Management,
   vedi CRM
cuneo, 339
cuoio, 334-336
curatore del museo, 593, 608
Cursus, 196
curva
   – a nave di guerra (*battleship
     curve*), 124
   – di calibrazione (INTCAL),
     138, 139, 142, 143, 156
   – di diminuzione, 378
Cushing, Frank, 530
Cussac, 403
Custer, generale, 466
custodia, 580
cuticole fossili, 245, 248, 249,
   342
Cuzco, 39, 212, 600

d'Errico, Francesco, 336, 404
Dakota, 249
Dalton, George, 365
Damasco, 589, 607
Dancey, William, 63
Danebury, 71
Danger Cave, 41, 51
Daniel, Glyn, 597
Danimarca, 44, 275, 279, 305,
   312, 365, 440, 446, 457, 461,
   464, 467, 577
danni traumatici, 466
danzantes (danzatori), 461,
   527-529
Darkinjung Local Aborigenal
   Land Council, 535
Dartmoor, 264
Darvill, Timothy, 199
Darwin, Charles, 8-11, 494

data, 120-122, 125, 128, 129,
   131, 133, 142, 146, 153, 154,
   156, 157, 159
datazione, 537
   – assoluta, 120, 122, 123, 125,
     126, 128, 129, 132, 134, 135,
     150, 153, 154, 166
   – – anelli di accrescimento,
     129, 297
   – calibrata, 139
   – con il radiocarbonio, 139, 542
   – con metodi scientifici, 132
   – con metodi storici, 131
   – cronologia, 14, 22, 127
   – del contesto, 141
   – genetica, 22, 125, 128, 153,
     224
   – linguistica, 125
   – misura del tempo, 120, 121
   – ottica, 152
   – pollinica, 127
   – relativa, 120-122, 127, 128,
     153, 155, 166
   – – cronologia e clima, 120
   – – sequenze tipologiche, 122,
     123
   – – stratigrafia, 121
   – – speleotemi, 132
   – – varve, 132
datazione convenzionale, 121, 140
   – – a.C., avanti Cristo, 120-121
   – – d.C., dopo Cristo, 120-121
   – – AD, *anno domini* (anno del
     Signore), 120, 122
   – – BCE, *Before the Common Era*
     (prima dell'era corrente), 120
   – – CE, *in the Common Era*
     (nell'era corrente), 120
   – – BP, *Before Present* (a partire
     dal presente), 121
   – calendario, 121, 138, 139,
     145, 196
   – sequenziale, 16
   – TIMS, *Thermal Ionization
     Mass Spectrometry* (spettrome-
     tria di massa), 150
dati, 59, 61-65, 67, 68, 71, 73,
   75, 77, 78, 80, 82, 83, 85, 91,
   95, 103, 115, 116, 118
   – analisi dei, 67, 91, 103
   – archeologici, 476
   – digitali, 73, 85
   – etnografici, 476
   – raccolta dei, 67, 103
Daugherty, Richard, 45
David, Rosalie, 462
Davis, Edwin, 12
Davis, Simon, 292
Dawkins, Richard, 495
   – meme/i, 495
Dawson, Charles, 9, 564
Day, Michael, 453
de Beaune, Sophie, 333
de Perthes, Boucher, 8, 12
de Sigüenza, Carlos, 5
Dea Madre, 28, 219, 221, 222,
   224
Deacon, Hilary, 250

*Dealing in Cultural Objects (Offen-
   ces) Act*, 572
deambulazione, 452
Dean, Christopher, 443
Dean, Jeffrey, 134
Debie, Marc, 330
debitage (scarto), 327, 333
decadimento radiattivo, 137, 150
decorazione/i, 403, 404, 410,
   421, 429, 430
Deep Lake, 236
deforestazione, 237, 240, 247-
   249, 265-268
deformazioni intenzionali, 466
deformità, 298, 460, 466, 467,
   469, 483, 484
   – congenite, 466
   – di Sprengel, 467
Deh Luran, 125, 283
Dehli, 547
deiezioni, 553
Deir el-Medina, 222, 298
denaro, 405, 416
dendrocronologia, 48, 115, 127,
   128, 132-135, 138, 139, 142,
   143, 155, 244, 550
dendrogramma linguistico, 496
DeNiro, Michael, 249, 279, 313
Denisova, 450, 480
Denisovano, 481
Dennell, Robin, 274
Dennett, Daniel, 397
densità demografica, 476
dentatura, 256
dente/i, 152, 410, 441, 443-445,
   448-451, 455, 457, 464, 467,
   468, 470-472, 474
   – animali, 291, 296, 297
   – da latte, 297
   – decidui, 443
   – fossili, 148
   – permanenti, 443
   – otturazione, 471
   – dentina, 474
   – umani, 278, 284
   – – testimonianza della dieta,
     278, 311
   – uso dei, 281
depositi argillosi, 544
   – ceramica, 544
   – lucidatura, 544
depositi culturali
   – primari, 237
   – secondari, 237
   – terziari, 237
deposito/i
   – calcareo, 147
   – di rifiuti, 189
   – morenici, 235
   – plateau, 151
   – saturi d'acqua, 134
   – simbolico, 397
Derrida, Jacques, 508
Deserto
   – danubiano, 314
   – del Kalahari, 187, 336, 476
   – del Negev, 249, 455
destrismo, 454

deterioramento, 48
deviazione standard, 139
Devil's Tower Cave, 443
Devon, 307
diabasi, 199
diafasi, 291
diafisi, 336
diagnosi, 458, 467
diagrammi stratigrafici di Harris,
   116
Diakonoff, Igor, 501
dialetto accadico, 177
Diamond, Jared, 507
diario di scavo, 112
diarrea, 298
diaspro, 538
diatomee, 245, 248, 249, 265
Dickens, Charles, 217
Didyma, 325
Diego de Landa, 418
dieta (regime alimentare), 168,
   245, 249, 250, 253, 255, 256,
   260, 263, 269, 270-273, 278,
   286, 302, 310-315, 442, 443,
   449, 451, 459, 464, 467, 469,
   470, 473, 474, 522, 531, 532,
   543, 546
   – a base di cibi marini, 313
   – a base di mais, 474, 475
   – a base di vegetali, 278
diffrazione e rifrazione alla Rutherford (*Rutherford backscattering*), 372
diffusione, 390
   – culturale, 486, 491, 497, 509
DIG, *Archaeological Resource
   Centre*, 556
diga delle Tre Gole, 579
dighe, 532
Dikka, 285
Dilthey, Wilhelm, 508
Dima, 51
dimagranti (della ceramica), 345,
   368
dimensione
   – orizzontale (spaziale), 98
   – verticale (temporale), 98
dimezzamento, tempo di, 136,
   137, 146
dimorfismo, 287, 441
dinamiche
   – demografiche, 490, 500, 506
   – ereditarie, 559
dinastia/e, 128, 131
   – cinese, 264
   – T'ang, 284
Dingo & Hornet Antropomorph,
   539
dingo, 539
Dio L, 425
Dipartimento della Difesa, 584
disastri naturali, 33, 40, 43
disboscamento, 543
disposizione, 329, 330, 343
   – mentale (*mind set*), 397
dissenteria amebica, 461
distoma epatico, 546
distribuzione, 359, 363, 369, 370,

377, 378, 380, 381, 382, 385-
387, 390, 394
– dei manufatti, 367, 385
– delle merci, 359, 363
– orizzontale, 330
– verticale, 330
distruzione, 559, 561, 562, 563,
570-572, 574-578, 581, 585,
592
dito, 460
dittero carnivero, 302
dittico, 384, 385
divinazione, 406, 526
divinità, 406, 420-422, 424, 427,
428, 432
divisori linguisti, 479
Djenné, 589
Djoser, re, 416
DNA (acido deossiribonucleico),
22, 52, 56, 218, 224, 225, 248,
275, 278, 280, 283, 292, 301,
316, 333, 334, 361, 437, 449,
450, 451, 465, 467, 471-484,
569
– antico, 451, 478
– analisi del, 442, 450
– datazione del, 150, 153, 158
– mitocondriale (mtDNA), 224,
225, 490, 491, 449, 450, 477,
479, 480, 482
– nucleare, 224, 225
– sporco, tecnica del, 240
documentazione archeologica,
580
– sistemi di, 549
documenti d'archivio, 416
documenti storici, 551
Doggerland, 241
dolina (cenote), 599
Dolina, 238
Dolnì Vêstonice, 241, 343, 427, 428
Domesday Book, 551
domesticazione, 260, 269, 271,
279-284, 286, 291, 292, 294,
298, 301, 308, 313, 325, 316
– di piante, 165
domicilio, 379
dominanza, 390
dominio anglofono, 595
dominio coloniale, 595
Domus dei Casti amanti, 7
domus, 408
Donald, Merlin, 397
donne, 513, 514
Donne, John, 216
Donnelly, Ignatius, 564
Dordogna, 254, 403, 435
Dorn, Ronald, 249
Dos Pilas, 202, 505
dosaggio radioimmunologico, 450
Douglass, A.E, 132, 134
Doumas, Christos, 156
dovuta diligenza (*due diligence*),
572, 574
Doyle, Shane, 569
droga/he, 279, 427
dromedario, 257
droni, 73, 74, 78, 119

druidi, 564
DStretch, 335
Duisburg, 308
Dunnel, Robert, 63
Dura Europos, 388, 579
Dural, Sadrettin, 29
Durango, 51
Durkheim, Emile, 420
Durrington, 197
Durrington Walls, 583

Earle, Thimothy, 511
Earle, Tim, 27
East Anglia, 70
East Valley, 586
Eaton, E.R., 348
Ebla, 177
ecauleana, ascia, 329
Eccles, John, 397
echidna, 539
Eclipse Track, 338
ecofatto (resto organico e ambientale), 33, 34, 35, 115, 116
ecologia, 62
– comportamentale umana
(*Human Behavioural Ecology*,
HBE), 495
– culturale, 19
– evoluzionistica, 495
– ecologico, approccio, 19, 22,
23
economia, 360, 361, 362, 377,
388, 389, 416, 510
– agricola, 474
– base economica, 494
– di caccia, 474
– di produzione, 521
– di raccolta, 521, 551
– monetaria, 389
Ecuador, 230, 277, 280, 354
eczema, 460
ED XRF, *Energy Dispersive X-Ray
Fluorescence Analysis* (metodo
dispersivo dell'energia), 371
egemonia linguistica, 595
Egeo, 127,132, 134, 156, 157,
161, 375, 382
Egira, 120
Egitto, 208, 273, 281, 301, 309,
322, 340-346, 347, 406, 450,
462, 467, 471, 472, 589
– Alto, 16
– antico, 501
– cronologia, 131
– nuovo regno, 310
Egizi, 128, 131, 156, 157
Egypt Exploration Society, 26
Ein Mallalaha, 298
Eiseley, Loren, 327
El Elefante, 148, 149
Elgin, lord, 566
El Mirador, 505
El Niño, 537, 540
– ENSO (*El Niño Southern
Oscillation*), 230
El Paraiso, 576
El Salvador, 33, 43, 155, 271,
318, 387

el-Bersheh, 322
elaborazione (*output*), 116
elani, 258
Elau, 451
Elba, 241
Elboeuf, principe di, 6
elefanti, 328
elementi (*feature*), 34, 35, 37, 51,
55, 58, 121, 372, 376
elettrolisi, 40
Éliade, Mircea, 408
élite, 202, 207, 208, 222, 223
– dominante, 496
– mondiali, 504
Elladico, 504
elmo di Coppergate Anglian, 549,
550, 554
emissari, 378
emissione di raggi X indotta da
protoni (*proton induced X-ray
emission*, PIXE), 372
emissioni alfa, 147
emporio, 378, 379
emulazione, 215, 391
enantiometri, 153
encefalo, 455
enclave coloniale, 379
endocarpi, 268
endoscopio, 90
– a fibre ottiche, 462
Engels, Friedrich, 11, 494, 593
English Heritage, 548, 592, 605
ENSO (*El Niño Southern Oscillation*), *vedi* El Niño
entità politica, 170
Eofowic, 551
eoliti, 318
EOS, *Earth Observing System*
(sistema di osservazione terrestre), 80
epifisi, 287, 291, 443, 445, 457
epigenetico, modello, 495
epistemologia dell'archeologia,
519
epitaffi, 406
epoca
– edoardiana, 552
– romana, 552
equinozi, 412, 413
equivalenza, 414
Er Lannic, 231
éra
– coloniale, 566
– cristiana, 355
– glaciale, 19, 20, 25, 121, 126,
132, 144, 159, 231, 233, 235,
241, 244, 247, 251, 252, 254,
256, 258, 455
– vichinga, 301
erbivori, 248, 250, 255-259, 286
Ercolano, 6, 33, 233, 243, 460,
592
Ercole a riposo, 573
eredità culturale, 560
ermeneutica (interpretativa), 27
Erodoto, 281
eroi eponimi, 407
eroi gemelli, 422, 425

erosione, 235, 236, 237-240, 249,
266, 268
errore stimato 138, 145
eruzioni vulcaniche, 127, 146,
155, 156, 166, 233, 235, 243,
265, 266, 271
esame
– a occhio nudo, 368
– al microscopio, 368
– metallografico, 348, 349, 350
eschimesi, 182, 311
eschimo-aleutine, 482
escrementi, 310, 311, 443, 461
esercito di terracotta, 209, 446
esina, 246
Esiodo, 4
ESM, *early state modules* (unità
indipendenti), 390
esoscheletro, 532
ESR, *electron spin resonance* (risonanza di spin elettronico), 129,
136, 148, 150, 152, 166, 377
essicatura, 272
estinzione, 256
estradiolo, 441, 443
estrazione, 321, 322, 344, 348,
351, 353, 354
– a pozzo, 321, 322
estrone, 441
Estuarino, 234
Età, 4, 10, 31, 483
– biologica, 443, 444, 450, 483
– del bronzo, 4, 6, 10, 14, 17,
20-22, 38, 43, 44, 48, 62,
79, 86, 89, 108, 122, 134,
135,156, 157, 165, 240, 248,
250, 260, 264, 271, 293, 307,
308, 312, 337-339, 346- 349,
354, 368, 373, 390, 395, 415,
426, 514, 551, 579, 600, 607
– del ferro, 4, 10, 25, 41, 44,
51, 53, 71, 75, 94, 198, 219,
222, 276, 307, 321, 422, 440,
446, 447, 466, 472, 483, 493,
514, 551, 600
– dell'argento, 4
– della pietra 4, 8, 10, 12, 13,
18, 19
– del rame, 191
– della pietra, 36
– dell'oro, 4
– micenea, 375
– minoica, 594
– paleolitica, 170, 172
– sistema delle tre età, 10, 11
etica, 561, 568, 575
etichettatura, 118
Etiopia, 146, 244, 285, 452, 466,
590
etnicità, 393, 561, 575
etnoarcheologia, 170, 171, 177,
182-186, 188, 226, 356, 357,
577
etnografia, 309, 319, 347
etnostorie, 180, 181
Etruschi, 355, 570
Eubea, 219
eucalipto, 534

Europa, 490, 491, 508, 576
– continentale, 35, 44, 126, 134, 148
– settentrionale, 47
European Association of Southeast Asian Archaeologists, 602
Eva, 478
Evans, Arthur, 14, 205, 594
Evans, John, 8, 9, 10, 14, 21, 253, 279
eventi geologici, 155, 166
Everglades, 589
Evershed, Richard, 279
evoluzione biologica, 9, 495, 515
evoluzione della specie, 497
evoluzione familiare, 545
ex Cecoslovacchia, 343
ex Iugoslavia, 460, 560, 577
ex repubblica jugoslava di Macedonia, 560
Excoffier, Laurent, 479
Exekias, 430
Exosuit, 101

fabbricazione, 385
fabbro, 350
Fábrica San José, 525
Faenza, 346
faïence, 344, 346, 364, 372, 384
Faiyum, 20, 281, 406
falasco, 313
falcetto, 275, 277, 300, 316
falda acquifera, 542
Falk, Dean, 455
Fallahogy, 247
falsi reperti, 564
famiglia linguistica, 496
– Amerinda, 481
– Eskimo-Aleut, 481
– Euroasiatica, 479
– Na-Dene, 481
– Nostratica, 479
– Pama-Nyungan, 481
famiglie nucleari, 525
fanone, 410
fantarcheologia, 564
faraone/i, 204, 206, 208, 223
– Ameny, 327
– Cheope, 340
– statue ciclopiche, 419
– Tutankhamon, 3, 14, 49, 50, 339, 446, 447, 450, 467
farro, 276, 280-283, 299, 300
fasi mortuarie, 545
Fatehpur Sikri, 590
fatti (dati), 511
fauna, 227, 250, 252, 253, 255, 256, 260, 267, 269
– casalinga, 552
feci, 310, 482
– analisi delle, 248, 250
– fossilizzate *vedi* coproliti
– umane, 461
feedback, 503
Feinman, Gary, 520, 527
femore, 441, 442, 445, 457, 468, 472, 482
Fenici, 264, 487
– alfabeto dei, 487

Fenicia, 384
Fenlands, 243
Fenley, John, 267
fenomenologia, 27
ferro, 553, 573, 605
– di cavallo, 198
– stampi di, 553
fertilità, 427, 428, 475
fibre, 292, 553, 554
– tessili, 341, 343
fibule, 10
Filakopi, santuario, 421, 422
filatura, 292
filigrana, 355
Filippine, 602
Filippo II/il Macedone, 10, 445, 560
– statere aureo di, 10
filo/i, 292
– d'oro, 472
– metallici, 472
filosofia della scienza, 498
finimenti, 335
fiocine (lance), 532
fionda, 336
Fiorelli, 6
fire clouds, 345
firma, 406
Fisher, Daniel, 297
Fishergate, 551
fitoliti, 245, 248, 275, 280, 543
– di riso, 275
fiume, 359
– Foss, 548, 551
– Gouburn, 386
– Illinois, 392
– Midori, 304
– Murray, 386
– Nepean, 538
– Ouse, 264, 548, 551
– Yagtze, 579
Five Points, 217
Fladmark, Knut, 333
Flag Fen, 338
Flannery Kent, 9, 25, 27, 213, 283, 489, 491, 498, 499, 501-503, 507, 512, 513, 489, 498, 513, 519-521, 524-527, 529, 557
flauti, 435
Fleishman, Barbara, 572
Fleishman, Lawrence, 572
Fletcher Site, 416
Flinders Petrie, William, 14, 16
flora, 232
Florida, 33, 41, 44, 48, 328, 477, 529, 534, 576
flotta della britannia romana, 387
flottazione, 106, 245, 271, 273, 279, 283, 299, 310, 387, 525, 543
fluorescenza a raggi X, 348
flusso di informazioni, 360, 377, 382, 391
fluttuazione, 126, 521
fluxgate (gradiometro), 96
fMRI, *functional Magnetic Resonance Imaging* (risonanza magnetica funzionale), 437

foca, 307
focolare, 182, 183, 186, 190, 260, 330, 421
foglie d'oro, 354
fogna romana, 255
fognature romane, 552
Foley Square, 217
Foley, Robert, 188
Folsom, 328, 329
fonazione, 456
fondamentalisti indù, 562
Fontbrégua, 459
fonte/i , 367
– analisi delle, 356
– documentarie, 548
– etnostoriche, 520, 533
– identificazione delle, 345
– filologiche, 389
– orali, 356
– scritte, 61, 63, 394, 405, 476, 551
– storiche, 346
– testuali, 551
foraggiamento ottimale, strategia del (*optimal foraging theory*), 495
foraggiatori (raccoglitori di cibo), 524, 602
foraminiferi, 127, 138, 228, 229, 242, 543
Ford, James A., 18
foresta, 243
– pluviale, 41
forgiatura, 354
forma bivalve, 349
formaggio, 308
formazioni sociali, 494
formichieri, 539
formula di Naroll, 525
forni, 272, 343-345, 353, 355
– a coppa, 354
– da acciaio, 356
– da vetro, 347
– scavati, 352
Forrester, Jay, 504, 507
Forster, 481
Fort Center, 534
Fort Victoria, 488
forte Inca, 600
fortezza, 550
– di Bearsden, 311
fosfati, 95, 97
fosforo, 95, 97
fossili degli Hominini, 561
fossili microscopici, 229, 245
fossili ominidi, 146, 148, 157, 158
fotografie
– aeree, 67, 68, 72, 78, 542
– iperspettrali, 78
– multispettrali, 78
– oblique, 68, 78
– stereoscopiche, 549
– zenitali, 68, 78
fotogrammetria, 73, 453, 549
fotogrammi, 68
fotometria di fiamma, 347
fotosintesi, 136, 141, 312
Foucault, Michel, 508

Fowler, Chris, 216
Francia, 41, 44, 47, 144, 145, 223, 240, 254, 261, 275, 297, 301, 329, 399, 400, 402-404, 429, 434-436, 460, 490, 602
– sud-occidentale, 60
Francis, Peter, 335
Frankenstein, Susan, 390, 493
Frankfort, Henri, 429
Franklin, Sir John, 55
frassino, 339
Frayer, David, 457
Freidel, David, 207
Frierman, Jay, 347
frode, 564
fucinatura, 354
Fujiidera City, 472
Fujiwara, Hiroshi, 275
fuliggine, 469
funghi allucinogeni, 473
funi, 322
funzionalismo, 485, 491, 494, 509, 515
funzioni cerimoniali, 528
fuoco, 319, 343, 344, 351, 515
fusaiole, 212, 220
fusaioli, 514
fusi, 341
fusione, 344, 347-357
– della sabbia, 347
– laser argon-argon, 377
futuro, 574

gaelico, 185
Gaffney, Vince, 241
galena, 533
galeone basco, 102
Galeria, 149
Gallery of Ancient Levant, 608
Galles, 321, 377, 588, 599
– occidentale, 323
– settentrionale, 147
Galt Island, 530
Gamble, Clive, 215
gammaglobuline, 479
ganga, 354
Ganj Dareh Tepe, 287, 294
Garamba, 589
Garfie, Salvatore, 204
Gargas, 454, 460, 461
Garnsey, 287
Garrod, Dorothy, 16, 17, 219, 222, 283
gas, 373
gas-liquido, 275, 307
gas serra, 229
Gasher Benot Ya'aqov, 260
gasteropode, 302
Gatecliff Shelter, 141, 144
gatto bicefalo, 342
Gatun Basin, 248
GCP, *Ground Control Point*, 113
Geissenklösterle, 435, 436
Gell, Alfred, 512
gemma/e, 364, 370, 372, 377
gene, 9
General Land Office (GLO), 262
genere, 169-171, 180, 184, 186,

194, 201, 204, 206, 211, 214, 216, 219-225, 514
generosità, 360, 362, 363
genetica molecolare, 9, 224, 226, 280, 283, 456, 479, 480, 481, 483, 484, 489, 490
– geni, 292, 449, 477, 480
– genoma, 437, 450, 480, 482
– genoma umano, 569
Genghis Kahn, 224
Genyornis, 257
geoarcheologia, 235, 269, 600
Geobel, Ted, 481
geochimica isotopica, 375
geocronologia, 531
GEOEYE, 78
geofatti, 320
geofisica, 90, 91, 93, 94, 101, 243
geoglifo, 412
Geographical and Geological Survey, 13
geomorfologia, 62, 227, 233, 237, 263, 282, 531
georeferenze, 73
georeferenziazione, 113
Georgia, 90, 312, 471, 474, 533
gerarchia
– degli insediamenti, 174
– di genere, 513, 514
– di siti, 171, 173, 174, 176, 196, 200, 201, 204
– sociale, 171, 172, 190-192, 205, 207, 208, 215, 216, 219
Gerasimov, Mikhail, 448
Gerico, 20, 218, 219, 282
Germania, 43, 214, 243, 275, 278, 308, 312, 327, 342, 343, 365, 389, 417, 440, 441, 450, 451, 480, 482, 493
– occidentale, 129, 134
germi patogeni, 298
Gero, Joan, 220
geroglifici, 180, 201-203, 281
– egizi, 487
– ittiti, 407
– maya, 407
Gerusalemme, 20, 21, 224, 589
gesso, 41
– liquido, 261
– pseudomorfo, 318
Getty Museum, J. Paul, 6, 572, 573
Getz-Preziosi, Patricia, 431
Ghadames, 589
ghiacciai continentali, 229, 231, 232
ghiande, 524
ghisa, 355
giada, 364, 376, 377, 382, 582
– sarcofagi di, 425
giadeite, 359, 376, 382
giaguari, 426, 427, 582
Giamaica, 101
Gianette, Deacon, 332
Giappone, 40, 92, 132, 138, 160, 165, 278, 303, 307, 308, 327, 332, 346, 347, 373, 377, 381
Giava, 401

Gibbon, Edward, 507
Gibilterra, 443
Giddens, 409, 508
Giddins, Louys J., 234
Gilchrist, Roberta, 216
Gilman, Antonio, 493
Gimbutas, Marija, 28, 30, 219, 222, 427
ginestrella, 341
Giordania, 75, 283, 420, 605, 606
Girik-i-Haciyan, 66
GIS, *Geographic Information System*, 62, 63, 71, 73, 77, 79, 81-85, 88, 89, 106, 107, 193, 261-263, 549, 580, 604
– MapInfo, 62
GISP2, *Greenland Ice Sheet Project 2*, 228
GRIP, *Greenland Ice Core Project*, 228
giuria, 406
Giuseppe, 281
Giza, 49, 82-84, 208, 340
glaciazioni, 126
Glades Plain, 532
gladiatori, scheletri di, 551
Glastonbury, 44
Glauberg, 417
glauconite, 43
glifi, 129, 130, 180, 202, 203, 418
– emblema, 202
– maya, 11, 406
Glory, André, 336
glottocronologia, 125, 185
Glynn, Isaac, 398
Göbekli Tepe, 283, 421, 423, 424
Gola
– di Koobi Fora, 284
– di Olduvai, 3, 21, 25, 146, 150, 157, 284, 285, 325, 399
Golan, 401
Golden Charles, 202
Goldman, Hetty, 21
Goldstein, David, 224, 225
Golfo
– di Biscaglia, 247
– di Siam, 540
golfo di Walvis, 307
Golfo Persico, 277
gomma, 102
– di lattice, 455
Gönnersdorf, 243
Google Earth, 75, 77-79
Göttweig, 241
Gould, Richard, 327
Gourhan, André Leroy, 329
Gournia, 20
GPMP, *Giza Plateau Mapping Project*, 83, 84
GPR, *Ground Probing Radar*, 118
GPS, *Global Positioning System* (sistema di localizzazione globale), 62, 64, 71, 75, 85, 104, 113
Grace, Virginia, 21
gradiometro, 96
Grahame Clark, 365

graminacee, 274, 275, 277, 278, 300, 312-314, 545
Gran Bretagna, 20, 38, 44, 288, 486, 551, 570, 577, 578, 583, 595
Gran Dolina, 148, 149, 458
Grand Menhir, 323
Grande camera mortuaria, 211
Grande Muraglia, 33, 60, 207
Grande Piramide, 49, 83, 90
Grande Zimbabwe, 488, 489, 606
grandi laghi, 228, 235
grandi unità (*cluster*), 189
granito rosso, 322
grano monococco, 424
grano saraceno, 280
granuli pollinici, 244, 245, 246, 248, 269, 275, 280
granulometria, 237, 369
grasso, 260, 307
– di latticini, 308
– di foca, 469
graticci di rami, 338
Graves, Grimes, 293
Gray, Russel, 125, 497
Grayson, Donald, 257
Great Orme, 321
Great Serpent Mound, 68
Grecia, 363, 379, 560, 566, 567, 570, 588
Greenberg, Joseph, 479, 481
Greig, James, 247
Grenier, Robert, 102
gres, 347
Greyfriars, 470
griglia, 62, 65, 66, 86-88, 96, 97, 100, 102, 105, 107
– transetti, 66
– quadrati, 66
Grimaldi, 466
Grimes Caves, 321, 385
grinding grooves, schegge con solchi dritti, 538
GRIP, *Greenland Ice Core Project*, 228
Groenlandia, 103, 228-231, 240, 311, 365, 468
Grotta
– de Maurillac, 314
– del Bechan, 260
– di Amud, 275
– di Blombos, 402
– di Boomplaas, 332
– di Cave Bay, 238
– di Chauvet, 144, 145 , 403, 404
– di Cosquer, 404
– di Dzudzuana, 343
– di El Castillo, 147
– di Elands Bay, 252, 258
– di Fontanet, 449
– di Franchthi, 379
– di Kilu, 277
– di Klasies River Mouth, 297
– di La Garma, 404
– di La Marche, 335
– di Lascaux, 455
– di Lonche, 472

– di Lovelock, 41, 51, 311, 442, 461
– di Niaux, 454
– di Pech Merl, 334
– di Pontnewydd, 147
– di Solufar, 132, 156
– di Swartkrans, 260, 343
– di Tabun, 150
– di Vârtop, 453
– di Vindija, 480
– di Wonderwerk, 260
– Franchthi, 233, 256
– Qesem, 261
grotte
– di calcare, 41, 236
– decorate, 334, 455
– paleolitiche, 333, 334
gru, 534
gruppi sanguigni, 450, 470
gruppi, (*clusters*), 167, 168, 170, 172, 173, 176, 182, 185, 188, 190, 191, 194, 195, 199, 200, 216-218, 224, 226, 524
– allargati, 300
– familiari, 300
– preagricoli, 492
– sedentari, 492
gruppo
– culturale, 167, 169
– etnico, 486, 509
– stella, 224
Grüss, Johannes, 277
guano, 301, 341
– materiale per tintura, 553
Guatemala, 131, 202, 387, 425, 432, 505
guerra, 211, 213-215, 219, 393, 577, 595
– eventi di, 406
– guerra-stella, 406
– di Troia, 181, 201
gufo, 422, 425, 433
Guilá Naquitz (Rupe Bianca), 280, 520-524
Guillien, Yves, 238
Guinea, 589
Gull Lake, 297
Günz, 126
gusci d'uovo, 154
Gypsum, 249

Habermas, Jürgen, 508
habitus, *abitudine*, 27, 216, 222
Haciyan, 66
Hadar, 146, 244, 452
Hadza, 170, 479
Hagasa, 450
Haiti, 234
Haji Firus Tepe, 278
Halaf, 88
Hallstatt, 41, 321, 351
Halpern, J.M., 577
Hambledon Hill, 145
Hamer, Robert, 345
Hamilton, 101
Hammond, Norman, 314
Hammurabi, codice di, 179-181
Hampshire, 276

Han, 264
Hanover, 132
Happisburgh, 454
Harada, Kaoru, 445
Harappa, 16
Harris, Edward, 155
Harun al-Rashid, 365
Hastorf, Christine, 279
Hatra, 563, 579, 589
Hauptmann, Harald, 424
Haury, Emil, 334
Havana, 392
Haven, Samuel, 12
Hawaii, 266, 267, 513
Hawkes, Christopher, 168
Hawkesbury, 534
Hawksburn, 301
Haya, 354
Hayden, Brian, 327
Hayonim, 261
Heaton, Tim, 259
Hebron, 589
Hedeager, Lotte, 389
Heidegger, Martin, 409, 508
Heidelberg, 312, 455
Heights, Lucas, 372
Heit el-Ghurab, 84
Heizer, R.F., 475
Heizer, Robert, 311
Helbaek, Hans, 283, 310
Hempel, Carl, 498, 499
henge, 196, 583
Herculaneum Conservation Project, 592
Heslington, 551
Hesse, Brian, 287
Heun, Manfred, 280
Heuneburg, 278, 351
Hey, Gill, 597
Higgs, Eric, 22, 261, 283
Higham, Charles, 474, 540, 541
Highway Department of Colorado, 603
Hillfort, 71
Hindu Kush, 562
Hiroshima, 27, 30
Hissarlik, 14
Historic Buildings and Monuments Commission for England, 592
Hitler, Adolf , 496
Hmong, 602
HMS Victory, 570
Hobbes, Thomas, 214
Hochdorf, 208, 342, 417, 493
Hodder, Ian, 26, 28, 29, 32, 59, 184, 194, 219, 226, 499, 507, 509-512, 516
Hohelenstein-Stadel, 365
hohokam, 586
Holbeach, 70
Hole, Frank, 86, 282, 283
Holloway, Rakph, 455
Hollow Ways (elementi poco profondi), 79
Holm, Bill, 430
Holme Next the Sea, 48
Holmes, William Henry, 12, 13, 18
homesteads, 171

Homo, 313
– *antecessor*, 148, 158, 401, 454, 458, 459
– *australopithecus*, 146, 285, 290, 305, 313, 455
– *autralopithecus afarensis*, 452, 457
– *erectus*, 146, 157, 311, 361, 397, 398, 401, 453, 456, 457, 466, 478
– *floresiensis*, 157
– *habilis*, 146, 157, 455, 457, 397-399
– *heidelbergensis*, 148, 158, 401, 481
– *paranthropus boisei*, 146, 158
– *paranthropus aethiopicus*, 158
– *paranthropus robustus*, 146, 313, 315
– *sapiens sapiens*, 16, 218, 278, 311, 397, 400, 401, 427, 434, 435, 437, 453, 456, 466, 478, 482, 602
Honduras, 203, 208, 266
Hopewell, 392
Horr's Island, 530
Horseshoe Bend, 236
Hou-Ma, 352
Hoving, Thomas, 572
Hoxne, 332
Huaca de Luna, 230
Huaca de Tantalluc, 5
Huánuco Pampa, 212
huaqueros (saccheggiatori), 571, 572
Huges, Philip, 155
Hughes, Robert, 572
Huitzilopochtil, dio della guerra, 581
Hume, Noël, 116
Hungate, 557
Hunter Valley, 538
Hurling, Sarah, 444
Hutterer, Karl, 601
Hutton, James, 8
Huxley, Thomas, 495
Hvar, 74
Hyogo, 373

iarda megalitica, 413
IBA, *Ion Beam Analysis* (analisi a fasci di ioni), 372
Ica, 51
ICAHM, *International Committee on Archaeological Heritage Management*, 601, 604
icone culturali, 514
iconografia, 26, 393, 421, 422, 427, 432
– del potere, 419
– di rituali, 427
identità, 559, 560, 561, 575
– archeologia della, 169, 170, 215, 219, 559
– etnica, 31
– nazionale, 31, 559, 560, 575
idromele, 277, 307
idrometro, 239,

idrossiapatatite, 152
iene, 291
igiene dentale, 457
IKONOS, 77, 78, 79
Iliade, 182, 201
Illinois, 104, 191, 225
– Univerisity of, 598
– State Museum, 85
Ilopango, 155
imbarcazioni, 339
Imetto, 376
Imhotep, 416
immagazzinamento, 299
– di cereali, 492
immagini
– aeree, 580
– antropomorfe, 562
– multispettrali, 67, 77, 78, 80
– pancromatiche, 77
– satellitari, 62, 67, 69, 73, 75, 77, 78, 80, 579, 580
– termiche, 74
impalcature, 334
impatto ambientale, 583
imperatore Carausio, 588
imperatore Qianlong, 365
Impero Moghul, 590
Impero Romano, 207, 551, 554
impregnazioni d'acqua, 44
impronte di Laetoli, 452
Inca, 39, 48, 52, 55, 169, 178, 199, 207, 212, 220, 264, 322, 323, 325, 339, 352, 500, 506
incensiere, 351
inchiostro, 574
incinerazioni, 440
indagine al suolo, 61
indagine distruttiva, 64, 67, 80
India, 208, 370, 391, 590
– Settentrionale, 562
Indiani, 391, 489, 534
– d'America, 5, 11-13, 18, 25, 30, 104
– della California, 312, 474
– Kogi, 319
– Makah, 45
– Navajo, 430
– Pueblo, 134
– Shipibo-Conibo, 347
– Zapotec, 521
indicatore climatico, 240, 242
indice di ceramica (*Pottery Index*), 63
Indie Occidentali, 361
indigofera articulata (blu), 342
individualismo, 397
– metodologico, 215, 499
Indo, 236, 592
Indonesia, 361
industria
– acheuleana, 326, 327
– dei beni culturali, 592
– gravettiana, 327
– litica, 481
– – olduviana, 157
– musteriana, 327
– olduviana, 326, 327
informazioni cognitive, 180

infrarosso, 468
infrastuttura, 494
ingegneria genetica, 450
Inghilterra, 61, 63, 69, 70, 71, 75, 90, 91, 96, 99, 171, 260, 318, 321, 329, 332, 333, 337, 338, 341, 346, 348, 588, 597
– meridionale, 37, 43, 44, 63, 71, 271, 275
– nordorientale, 19, 318
– occidentale, 573
– settentrionale, 547
Ingstad, Helge e Anne Stine, 61
iniziazione maschile, 539
innovazione, 393
– tecnologica, 496
inondazione, 259
inquinamento, 227, 264, 269, 576
– dell'aria, 264
– delle acque, 245, 249
insediamento, modello di, 170, 173
insetti, 227, 252, 254, 255, 261, 265, 269, 286, 301, 302, 304, 311
Institute of Nautical Archaeology, 340
insula del Menandro, 6
INTCAL, curva di calibrazione, 138, 139, 142, 143, 156
integrazione storico-culturale, 491
interazione simbolica, 391, 392
– base cognitivo-simbolica, 511
interglaciali, 126
interpretazione, 110, 395, 399, 400, 404, 406, 412, 418, 420, 429, 432, 595
interpretazione dei campioni, 136, 140, 141, 143, 146
interstadi, 126, 127
intervallo cronologico, 138
intossicazione, 469
Inuit, 35, 55, 468
– bambino Inuit, 468, 469
– Barrow, 15, 55
– Inupiat, 55
inumazioni, 545
invasione scandinava, 550
inventario, 46
inversioni geomagnetiche, 129, 154
involucro temporale, 57
ioduro di potassio, 277
ioide, 457
ionizzazione termica *vedi* TIMS
ipertrofie, 466
ipoteca, 406
ipotesi evolutiva
– "fuori dell'Africa", 478, 480, 482
– "multiregionale", 478, 380, 482
Ippodamo di Mileto, 415
Iran, 125, 163, 278, 283, 287, 344, 348, 373, 401, 607
Iraniano antico, 496
Iraq, 16, 163, 205, 213, 281, 434,

466, 560, 563, 577-579, 585, 589, 590
– settentrionale, 282
Irlanda, 44, 129, 134, 185, 243, 247, 411, 415
– del Nord, 44, 134, 247, 243
irlandese, 134, 138, 185
IRRAMP, *Integrated Resource and Recreation Area Management Plans*, 584
irrigazione, 200, 499, 529
Irtysh, 153
Isaac, Glynn, 25, 186
Isabella d'Aragona, 472
Isbister, 459
iscrizioni cerimoniali, 528
ISIS, 563, 579
Islam, 161, 585
Isola
– di Beechey, 469
– di Cozumel, 207
– di Flores, 157, 361
– di Malta, 97, 221, 408, 414, 428
– di Kythnos, 382
– di Malta, 221, 414, 428, 483
– di Man, 185
– di Milo, 156, 381, 385, 421
– di Pseira, 306
– di Milo, 379, 385, 421
– di Oronsay, 143, 304, 305
– di Pasqua, 192, 267, 322, 324, 405, 407
– – statue di pietra, 322, 324
– – scrittura, 405, 407
– di Rennell, 589
– di San Clemente, 604
– di Santa Caterina, 90
– di Santa Rosa, 567
– di Wight, 243
Isole
– Aleutine, 51
– Britanniche, 413
– Cicladi, 175, 379, 570
– dell'Ammiragliato, 369
– della Polinesia, 486
– Ebridi, 276
– Fiji, 369
– Orcadi, 43, 194, 408, 459, 570
– Salomone, 277, 589
– Samoa, 486
isomero D, 445
isomero L, 445
isopache, 157
isotopo/i, 22, 52, 57, 127, 137, 140, 146, 147, 166, 451, 469, 470, 474, 545
– dell'azoto, 279, 313
– del carbonio, 279, 474
– del piombo, 375
– dell'ossigeno, 228, 229, 232, 234, 239, 242, 247, 254, 361
– marino, 314
– radioattivi, 372
Israele, 150, 165, 260, 275, 278, 336, 401, 442, 455, 457, 461, 472, 589

istogramma, 124, 176
Isturitz, 435, 436
Italia, 466, 513
Ixer, Rob, 198
Izumi Shimada, 352

Jam, 589, 590
James Fort, 105
Jamestown, 105, 244
Janssens, Paul, 448
Jarmo, 282
Jathika Hela Urumaya (JHU), 560
Jefferson, Thomas, 5, 31
Jerf el-Ahmar, 300
Jersey, 286
Jett, Stephen, 309
Jewbury, 549
Jiahu, 433
Jinsa, 579
Jinzhou, 446
Johnson, Gergory, 204, 502
Jones, Rhys, 25
Jorvik, 520, 547, 548, 552, 553, 555, 556
– esperienza di, 556
Jorvik Viking Centre, 555
Josslyn Island, 531
JR, Jamestown Rediscovery, 105
Juanita, 52
Julien, Michéle, 398
Jwalpuram, 157

Ka, 339
Kabul, 562
Kachiqhata, 322
Kahun, 342
Kahuzi-Biega, 589
Kamchatka, 481
Kandahar, 562
Kanjera South, 285, 286
Kanmachi, 92
Kant, Immanuel, 448
Karakadag, 280
Karanovo, 347
Karen, 602
Karlin, Claudine, 398
Kas, relitto di, 383
Kasteelberg, 336
Kasubi, 589
Katun, 130
Kauri, 244
Kebara Cave, 457, 261
Keeley, Lawrence, 214, 305, 332
Kehoe, Thomas, 295
Kemp, Barry, 208
Kendal, Anne, 600
Kennet, West, 194
Kentucky, 443
Kenya, 157, 184, 186, 187, 188, 453, 285, 305, 327, 399, 454, 455
Kenyon, Kathleen, 20, 21, 282
Khabu, 79
Khami, 606
Khentkawes, 83
Khmer, 415
Khoisan, 479

Khok Phanom, 519, 520, 540-547, 557
Khok Phanom Di, 519, 520, 541
Khorsabad, 419
Kidder, Alfred, 17, 18
Kidosaku, 304
kill site (sito di abbattimento), 271
Killick, David, 605
Kingery, W.D. 346
Kivas, 412
kiwi, 267
Klein, Richard, 252, 297
Klejin, Leo, 595
Knapp, Bernard, 62
Knorosov, Yuri, 418
Kohl, Philip, 385
Koike, Hiroko, 302
Kon Swamp, 466
Konya, 28, 283
Koobi Fora, 157, 186, 187, 305, 327, 399, 454, 455
Kosh, 348
Kosovo, 589
Koster, 104
kouros, 573
Kow Swamp, 569
Kowalewski, Stephen, 520, 527
Krapina, 150, 457, 458
Krings, Matthias, 450, 480
Krusenstern, 234
Krzemionki, 321
Kückhoven, 134, 264
Kula, 362, 365, 366
Kültepe, 365
!Kung San, 25, 187, 420, 476, 479, 502
Kunihom, Peter, 134
Kurdistan, 25
Kuwait, 77
Küyünjik, sito di, 11
Kyrenia, 339

La Brea, 41
La Chapelle-aux-Saints, 454, 455
La Cotte de St Brelade, 286
La Madeleine, 254, 336
La Plaza, 586, 587
La Quinta, 442, 455
La Roche-Cotard, 402
La Roche-Lalinde, 435
La Venta, 323
Labrador, 102
Lachish (Tell ed-Duweir), 607, 608
Laetoli, 248, 260, 261, 446, 452, 453
– orme di, 260
Lagash, 213
laghi
– Willandra, 453, 454
– vulcanici, 267
Lago
– Baringo, 184
– di Costanza, 306
– di Galilea, 283
– di meandro, 543
– Mungo, 569

– Ontario, 101
– Palcacocha, 230
– Suitgetsu, 138
– Titicaca, 447
– Turkana, 186
– Vittoria, 285
– Vittoria, 354
– Wevershoof, 249
– Zeribar, 283
Lahu, 602
Laitman, Jefrey, 456
Lajia, 270
Lalibela, 590
Lamanai, 505
Lamb, Winifred, 21
Lambayeque, 353
lame, 326-330, 333, 337, 346, 349, 357
lamine, 348
Laming-Emperaire, Annette, 403
lana, 308, 473, 553, 554
– di pecora, 341, 342
– di tasso, 342
Land Council, 535
Landbreen, 54
LANDSAT, 77, 78, 80
Lane-Fox Pitt Rivers, Augustus, 580
Lanzón (Grande Immagine), 426
lapazio, 300
lapislazzuli, 367
laringe, 456
Larsen, Clark, 312, 474
larve, 302
Lascaux, grotte di, 3, 41, 60, 261, 334, 400, 403
laser ottico, 307
Lates calcifer, 234
Lathrap, Donald, 347
Latimer, Bruce, 452
latino, 496
Latman, Jeffrey, 456
lattice sintetico, 239, 240
Lauwers, Robert, 330
lavacri, 420
lavorazione
– dei cesti e del cordame, 101, 341
– del legno, 37
– della lana, 538, 553, 554
– della pelle, 57
– di strumenti di pietra, 37, 38, 57
Lawrence d'Arabia, 75
Lawrence, T.E., 77
Layard, Austen Henry, 11, 563
layer, strato, 82, 463
LBK, *Linearbandkeramik, vedi* ceramica a bande lineari
Le Marche, 298, 441
Leakey, Louis, 25
Leakey, Mary, 21, 25, 453
lebbra, 465, 467
– della Danimarca medioevale, 467
LeBlanc, Steven, 214, 571
Lee, Richard, 25
Lefkandi, 219

lega
  – di rame e arsenico, 353
  – di rame e stagno, 348
legami matrimoniali, 360
legge di sovrapposizione, 98, 99
Legge
  – per la conservazione storica
  (*National Historic Preservation
  Act)*, 580
  – per la protezione del patrimonio archeologico (*Archaeological Resources Protection Act*),
  580
  – per la protezione e il rimpatrio
  delle tombe dei Nativi americani (*Native American Graves
  Protection and Repatriation
  Act*), 561, 568, 569, 580
  – sui Monumenti Antichi (*Ancient Monument Act*), 580
  – sui relitti abbandonati (*Abandoned Shipwrecks Act*), 580
  – sulla protezione dei relitti (*Protection of Wrecks Act*), 570
  – sulle Antichità Americane (*Ancient Antiquities Act*), 580
  – sulle politiche ambientali
  (*National Environmental
  Protection Act*), 580
Legge, Tony, 289
leggi
  – di «Topolino», 498
  – di processo culturale, 511
  – naturali, 498
legioni romane, 550
legislazione, 561
legnami del Neolitico, 260
legnami di epoca vichinga, 255
legno di quercia, 103
legno, 317-319, 321, 323, 324,
  327, 328, 332, 333, 336-341,
  343, 357, 531, 534, 550
  – di cipresso, 534
  – di tasso, 57, 343
  – essiccato, 252
  – impregnato d'acqua, 251, 266
  – incombusto, 343
legumi, 300
Lehner, Mark, 83, 208
Lehringen, 343
Leicester, 470
lenticchie, 307
lenzuola, 553
Leonardo, 472
Leone, Mark, 507
Leptis Magna, 589
Lerici, Carlo, 90
Leroi-Gourhan, André, 403, 508
Lesbos, 21
lessicostatistica, 125
Levante, 606
Lévi-Strauss, Claude, 430, 508
Levy, Leon, 572
Lewis, Henry Morgan, 9, 11,
  23, 25
Ancient Society, 11
Liangzhou, 579
Lianos, Nikolaos, 233

Libano, 572
Libby, Willard, 22, 136, 138
Liberia, 589
Libia, 589
licopodio, 341, 553
LIDAR, *Light Detection and Ranging* (rilevamento e variazione
  della luce), 69, 71, 75, 76, 78,
  80
Lieberman, Philip, 456
lievito, 278, 307
lignaggio, 483, 497
Likacs, 507
Lima, 576, 577, 594
limo (*silt fertile*), 236, 261
linea ancestrale, 361
linea cervicale, 297
Linearbandkeramik, LBK, *vedi*
  ceramica a bande lineari
Lineare A, 180
Lineare B, 175, 377
linee di Beau, 467
linee di Harris (*Harris Lines*), 467
Ling, Roger, 6, 9, 11, 17
lingotti, 351, 553
  – a pelle di bue, 383
  – di rame, 41, 352
  – di stagno, 383
  – metallici, 101
lingua, 393, 496
  – accadica, 180
  – Bantu, 479
  – comune, 393
  – cuneiforme, 179
  – dell'Isola di Man, 185
  – franca, 496, 595
  – protolingua, 496
linguaggio, 396, 397, 416, 434,
  435, 437, 438, 455-457, 461,
  479
lingue
  – altaiche, 479
  – Aymara, 494
  – clic, 479
  – germaniche, 496
  – indoeuropee, 1
  – polinesiane, 497
  – Quequa, 497
linguistica indoeuropea, 9, 496
lino, 342, 553, 554
lipidi
  – grassi, 275
  – insaturi, 228
  – saturi, 228
Lipsia, 480
lira, 318
lisciviazione, 368
Lisu, 602
litargirio, 354
litòfoni, 435
Little Big Horn, battaglia di, 466
Little foot (Piccolo piede), 452
Little Salt Spring, 450
Liverpool, 589
Lleret, 453
Llopango, 33
Lloyd Stephens, John, 11
Lloyds Bank, Building 548

Llullaco, 52
Localizzazione, 63, 71, 73, 75, 85,
  88, 100, 101, 109, 579
Lod, Tham, 602
Loess, 240, 242, 243
Loma Negra, 354
Lomekwi, 285
Londinium, 114
Londra, 460, 547, 583, 597
long barrows, 142
long houses, 475
Lorblanchet, Michel, 334
Los Angeles, 573, 605
Los Gavilanes, 461
Lothar Haselberger, 325
Louisiana, 67
Louvre, 372, 572
Lua, 602
Lubbock, John, 8, 11
luccio, 304
Lucero, Lisa J., 597, 598, 599
Lucy, 446, 452, 484
Lumbreras, Luis, 426
luminescenza, 151, 152, 166
  – ottica, 152
  – catodica, 376
lumpers, 479
luna, 404, 412, 422, 432, 433
  – fasi lunari, 404
luogo sacro, 420
Luoiang, 284
Luzon, 602
Luzòn, J.M., 354
Lyell, Charles, 8,9, 286
Lynchets, 264

macachi, 28
Macedonia, 560
macellazione, 271, 284, 287, 289,
  294, 296, 301, 308, 316, 524
  – tecniche di, 294
  – siti di, 170, 188
Machu Picchu, 163, 600
macine, 277, 300
MacNeish, Richard, 25, 311
macrofauna, 287
macrofossili, 341
macropopodi, 539
macroresti vegetali, 286
Madagascar, 589
madreperla, 388
madrepore, scogliere *vedi* scogliere
  madreporiche
Maeshowe, 410
Maestro di Goulandris, 430
magazzini di grano, 551
magie, 403
  – della caccia, 403
  – della fecondità, 403
maglia di metallo, 554
magnesio, 259
magnete quadripolare, 375
magnetismo, 91, 92, 96
magnetizzazione termoresidua
  (TRM, *Thermoremanent magnetism*), 154
magnetometro, 93, 94, 96, 101
  – cesio, 94

maiale, 362, 364, 366
  – domesticato, 292, 544
Maiden Castle, 16, 466
Mainfort, Robert, 416
mais, 10, 51, 263, 277, 280, 312,
  313, 315, 474, 523, 525, 526
Maiuri, Amedeo, 6
Makapansgat, 313
Malafouris, Lambros, 433, 515
Malattia/e, 298, 450, 460-462,
  465-467, 472, 474, 475, 483,
  484
  – delle ossa, 298
  – di Chagas, 462
Malawi, 578
Malesia, 602
Mali, 589
Malinowski, Bronislaw, 362
malnutrizione, 310, 467, 469,
  474, 475
Maloney, Bernard, 543
Malthus, Thomas, 9, 501
mammiferi, 291
mammut, 241, 250, 256, 260,
  365, 400, 443
  – sterco disidratato, 260
Manchester, 450, 462, 484
mandibola di Mauer, 455
manganese, 347
mangrovie, 531, 543
Manhattan, 217, 547
manifattura, luoghi di, 351
manioca, 277, 313
Manning, Sturt, 134
mano, 445, 448, 454, 455, 457,
  463, 467, 482
mano
  – destra, 454, 455, 457
  – sinistra, 454, 455
manoscritti, 422
Manovo-Gounda St Floris, 589
mantelli, 537
mantello proteico, 465
mantici, 351, 353-356
manufatto/i, 33-37, 40, 45-48,
  50, 53, 56, 58, 116, 122, 123,
  129, 151, 317-320, 327, 330-
  333, 335-337, 341, 344, 349,
  355, 357, 385, 521, 523, 525,
  526, 530, 532-540, 544, 547,
  550, 600
  – analisi dei, 34, 47
  – d'argento, 207
  – d'oro, 95, 97
  – di ferro, 10
  – di pietra, 10
  – di pietra verde, 386
  – di ossidiana, 372, 376
  – di ottone, 10
  – litici, 535
  – in legno, 40, 243, 523
  – in osso, 40, 260, 317, 332,
  336, 343
manuports, 399
manutenzione, 330
Manzanilla, Linda, 86
Mao, 561
Maori, 261

mappa cognitiva *(cognitive map)*, 396-398, 405, 408, 412, 414, 416, 419, 425, 499

mappatura, 62, 63, 71, 72, 79, 81-83, 85, 95, 105, 108, 119, 580
 – topografica, 81
 – planimetrica, 81

mappe, 61-63, 72, 78, 80-83, 85
 – a gradazioni di grigio, 95
 – di densità, 524
 – di elevazione del paesaggio, 193
 – tematiche, 62
 – *viewshed*, 193

Mapungubwe, 605

Mar
 – Baltico, 243, 375
 – – ambra del, 375
 – Egeo, 175
 – Mediterraneo, 375, 382
 – Nero, 376, 384
 – Rosso, 367

mare, 359, 362, 363, 366, 376, 382-384
 – Chukchi, 234
 – del Nord, 231, 241-243
 – densità del, 229
 – di Sabbia, 307
 – salinità del, 228, 229, 245, 249

marcatori, 543
 – genetici, 490, 497, 509

Marchese di Dai, 309, 310

Marco, Key, 531

Marcus, Joyce, 25, 185, 213, 419, 429, 511

Marcuse, Herbert, 508

Maria di Borgogna, 448

Marinatos, Spiridon, 156

marmo, 36, 369, 370, 373, 376

Marquardt, Wiliam, 529

Marsangy, Etiolles, 329

Marshack, Alexander, 334, 401

Marshall, John, 14

Marsiglia, 404

Martin, Paul, 256, 257, 259

Martin, Simon, 202

Martinon-Torres, 605

Marx, Karl, 9, 11, 19, 27, 420, 485, 493-495, 507, 509-511, 515, 593

marxismo, 485, 493, 494, 507, 510
 – strutturalista, 493

Mary Rose, 101

Mas-d'Azil, 436

maschera d'osso, 402

maschere, 425, 447, 533
 – litiche, 283

Maslinovik, 74

massa, 369, 371, 373, 375, 376, 385, 387

massi erratici, 235

masticazione, 311

mastodonte, 257

materiale/i,
 – antiplastico, 368

 – cristallini, 150
 – fecale, 459
 – inorganici, 49, 58
 – litico, 188
 – organico, 249
 – pesanti, 369, 373, 376
 – tessile, 343

Matos Moctezuma, Eduardo, 581

matrice, 34, 36, 40, 41, 58, 140, 141
 – incisa, 377
 – mobile, 95

matrimoni, 393

matriz, 116

Matsuura, Koichiro, 562

Matthews, Wendy, 237

mattoni, 39, 40, 43
 – di argilla, 277
 – di fango, 340

Maudslay, Alfred, 14

Mauer, 312

Mauraki, 307

Mausoleo di Augusto, 325

Mauss, Marcel, 362

Maya, 3, 11, 14, 17, 19, 21, 33, 43, 128-131, 161, 164, 165, 202, 203, 266, 327, 364, 387, 391, 432, 501, 502, 505-507, 594, 597, 598
 – agricoltura, 502, 506
 – bassipiani, 501, 502
 – ceramica, 422
 – crollo del Periodo Classico, 506
 – irrigazione, 501

mazza, 410

mazzuolo, 339

MC-ICPMS, *Multicollector-Inductively Coupled Plasma Mass Spectrometry* (multicollettore a plasma accoppiato induttiva-mente), 369, 374, 376

McBride, Isabel, 386

McGrew, William, 319

McKern, W.C., 18

McKerrell, Hugh, 348

Meadow, Richard, 292

Meadowcroft, 270

meandri, 236

Meary, 44

Medemblick, 249

Medio Oriente, 480, 576

Medio Pleistocene, 481

Medio Regno, 131

megaerbivori, 257

megafauna, 257, 521

megaliti, 508

megaterio di Shasta, 260

Mehrgarh, 159, 292

Melanesia, 160, 277, 311, 362, 466

Melbourne, 386

Mellaart, James, 28, 282

Mellars, Paul, 305, 399, 400

Melophagus ovinus (mosca paras-sita), 341

meme, 9, 495, 497

memoria, 396, 397, 408, 409

memorizzazione, 397

Menkaure, 83

mente, 396, 397, 404, 414, 434, 435
 – occhio della, 404, 427

menu, 271

mercato illegale, 570

merce/i, 359, 377, 382, 385, 394

Mercer, Roger, 385

mercurio, 472

merluzzi carbonari, 305

Merriwether, Andrew, 481

Mersey, 307, 454

Mesa Verde, 133, 469

Meshed, 385, 387

Meskell, Ann Lynn, 221

Mesoamerica, 33, 67, 128, 160, 161, 164, 327, 376, 389, 405, 412, 413, 415, 419, 422, 427, 429, 432, 433, 457, 523

Mesolitico, 233, 241, 261, 278, 288, 289, 297, 298, 304, 305, 312, 313, 315, 317, 327, 337

Mesopotamia, 11, 77, 405, 407, 422, 425, 499, 501, 607
 – settentrionale, 79

mesquite (prosopis iuliflora), 522

Messenia, 175, 504

Messico, 3, 4, 12, 17, 25, 26, 33, 39, 41, 75, 76, 86, 87, 101, 163, 202, 280, 323, 388, 519, 590
 – centrale, 315
 – meridionale, 33, 41
 – precolombiano, 204

metal detector, 95, 97, 119, 573, 585, 588

metallo/i, 39, 40, 41, 50, 553
 – alligazione, 348, 349
 – fusione in forma, 349, 357

metallurgia, 344, 348-350, 353, 354, 357, 573

metano, 228, 229

metapodio, 336

meteoriti, 354

metodi
 – acustici, 91
 – di datazione, 10, 16, 22, 120, 126
 – – assoluta, 122, 123, 128, 129, 132, 140, 145
 – – relativa, 128
 – – – cronologia storica, 128, 131, 145, 156, 157, 161
 – – degli elettroni intrappolati, 136, 152, 329
 – di ricerca, 331
 – di scavo, 536
 – elettromagnetici, 91
 – filogenetici, 496
 – geochimici, 97
 – isotopici, 312
 – magnetici, 92, 95, 97, 101
 – sismici, 91

metodo
 – di coltivazione medioevale, 72
 – del potassio-argon, 128, 129, 136, 145-148, 150, 154, 166

 – del radiocarbonio, 121, 127-129, 133, 134, 136, 138-140, 530, 537
 – della fusione laser argon-argon, 377
 – della resistività, 92, 95, 97
 – dell'uranio-piombo, 128, 129, 136
 – di Mortimer Wheeler, 599
 – dispersivo, 371
 – – dell'energia (ED XRF), 371
 – – della lunghezza d'onda (WD XRF), 371
 – – IBA, analisi del fascio ionico, 372
 – – NAA, analisi di attivazione neutronica, 372
 – – PIXE, emissione di raggi X indotta da protoni, 372
 – – SEM, analisi di microscopia elettronica a scansione, 373
 – – TL, termoluminescenza, 136, 145, 150-152, 166, 329
 – ottico, 129, 150, 152
 – radioattivo, 120, 121, 135, 136, 145, 146, 150, 153, 373
 – stratigrafico, 536
 – tradizionale, 486, 507
 – Wheeler, 100

metodologia riflessiva, 29

Metro Rail Project, 584

METRO, Valley Metro Rail Inc., 586

Metropolitan Museum of Art di New York, 572

Meuse, 330

Mezhirich, 286

Mezzaluna fertile, 282, 283, 299

mezzi di produzione, 494

Miami, 416

Micene, 14, 168, 175, 180, 181, 201, 208
 – economia, 180
 – tavolette, 180

micenea, civiltà, 14

Michigan, 297, 597, 601

microanalisi con sonda elettrica, 373

microfauna, 148, 149, 252, 269, 301, 304, 521

microfossili, 228, 248

microgravimetria, 91

microliti, 317, 327

micromorfologia, 237, 239

Micronesia, 589

microscopia elettronica a scansio-ne, 462

microscopio, 277-281, 284, 285, 297, 301, 304
 – binoculare, 332
 – elettronico a scansione (SEM, *scanning electron microscope*), 245, 332
 – ottico, 350
 – polarizzatore, 237, 245, 246, 250, 251, 260, 269

microsonda, 347

microusure, 329-332, 336, 343
Mida, re, 307
Middens vedi accumuli di rifiuti organici
midollo, 399
Midwest, 18
Miesenheim, 43, 243
mietitura, 492
migrazione, 485-487, 492
– dei Tamil, 560
– umana, 450
mihirung, 154
Mileto, 142
Milisauskas, Sarunas, 475
Miller, Paul, 550
Millon, René, 87
Milner, George, 261, 262
Mimbres, 36, 309, 486, 571, 572
Mindel, 126
miniere, 321, 352
– di rame, 321, 352
– di selce, 321, 385
Minnesota, 249
minoica, civiltà, 14
Miracle, Rebekah, 83
Mississippi, 209-211, 315, 365, 584
Missouri, 533
misure di conservazione, 48
misura, 207
– modulare, 413
– del cranio, 218
misurazione, 405, 412, 413, 415, 416
Mitchen, Steven, 497, 507, 513
mitigazione, 576, 580
Mitla, 521
mito, 422, 427, 429, 431, 432
mitocondri (piccoli organelli), 449, 450, 477, 479, 480, 482
– DNA mitocondriale, 449, 450, 477, 480, 482
mitologia, 432
MNI o MIND, minimo numero di individui, 293
moa, 267
Moche, civiltà, 230, 572
Moctezuma, 377
modelli di insediamento, 19, 64, 81, 86, 171, 605
– nucleato, 171
– sparso, 171
modelli
– di distribuzione, 85
– predittivi, 85, 549
– tridimensionali, 112
modellizzazione, 504
modularità della mente, 495
modus vivendi, 485
Moghul Babur, 562
Mohenjodaro, 14, 68, 86, 236, 413, 592
molatura, 538
molecole, 228, 269
– grasse, 311
molibdeno, 132
molluschi, 302
– bivalve, 303, 304

– marini, 230, 233, 253, 254, 269
– terrestri, 242, 253, 266
monastero, 551
Moncin, 293, 294
moneta, 354, 416, 438, 388, 406, 551
– conio, 553, 554
Monitor Valley, 143
Monna Lisa, 472
monolite, 423
monoliti a forma di T, 424
Montagna di Karacadag, 283
Montagne di San Juan, 235
Montagne Preseli, 198, 199
Montana, 295, 466, 479, 569
Monte Albán, 429, 461, 520, 527-529, 557
– Bego, 513
– Beigua, 382
– Hagen, 265
– Pendeli, 376
Montecuhzoma, 365
Montelius, Oscar, 9,10,18
Monti Zagros, 381
monumento/i, 163, 168, 192-199, 208, 539, 576, 577, 580, 584, 589, 592, 593
– pubblico, 192
– megalitici (megaliti), 508
– neolitici del Wessex, 171
Monviso, 382
morale, 561, 569
mordente, 341
morfogenesi, 503
morfologia, 272, 279-281, 285, 301
Morgan, Lewis Henry, 494
Morley, G., 429
Morris, Craig,
Morris, Ian, 485
Morrison, J.S., 341
Morsi, Mohamed, 578
mortalità, 475
morte, 439, 441, 443-446, 448, 451, 458-460, 463-468, 471, 472, 482, 483
– età della, 444, 445
– causa della, 439, 460, 465
– stagione di, 287
Mosca, 400
moschea di Babri Masjid, 561, 562
moschee, 585
Mosul, 563, 579, 585
Mottram, Mandy, 88
mound vedi tumulo
moundbuilders (costruttori di tumuli), 5,11,12
Moundville, 171
Mount Carmel, 16
Mount Hagen, 155
Mount William. 386
movimenti tettonici, 233
Moyle, Peter, 309
Mozambico, 570
mtDNA, dna mitocondriale *vedi* DNA

Mugharet El Wad, 336
Mugumamp Ridge, 155
Muldbjerg, 279
mulino Letham & Sons, 552
multicollettore, 372
– a plasma accoppiato induttivamente (MC-ICP.MS), 369, 374
multispettrali, dati, 67, 77, 78, 80
Mulvaney, John, 25
mummie, 50-52, 301, 314, 440, 446, 450, 453, 457, 461, 462, 468, 469, 483, 484
– dei faraoni, 462
– precolombine, 461
– preistoriche, 461
mummificazione, 446
muoni, 592
Murdy, Carson, 469
murena, 309
Muro del Pianto, 115
Museo
– del Cairo, 578
– dell'Acropoli, 566
museologia, 594
Museum of London Archaeology, 114
musica, 405, 421, 434-436, 438
– definizione, 435
– strumenti, 435
Mussel Creek, 537
mutilazione, 461
Myanmar, 602

N *vedi* azoto
NAA, *Neutron Activation Analysis* (analisi per attivazione neutronica), 369, 372, 388, 394
Nabatei, 605
Nabonèdo, 4
Nabucodonosor, 560
NAGPRA, *Native American Graves Protection and Repatriation Act vedi* Legge per la protezione e il rimpatrio di tombe dei Nativi americani
Nakano, Masuo, 307
Nakbe, 505
Namibia, 307, 605
nanismo, 467
Napoleone, 11
Naqada, 16
Nara, 373
Narajo, 425
Narita, 445
Naroll, Raoul, 475
Nasa, 75, 77, 78, 79, 80
Nasso, 376
Natca, civiltà, 207
National Park Service, 71
National Planning Policy Framework (quadro formativo di pianificazione nazionale), 63
Nativi americani, 561, 567-569, 580, 584, 586
natufiana, cultura, 283
Nauwalabila, 152
nave baleniera, 103

nave di Oseberg, 47
Nazca, 51, 412, 507
nazionalismo, 560
nazionalsocialisti, 496
Ndoro, Webber, 605
Neanderthal, 147, 150, 153, 158, 275, 314
– bambino, 443
– piede di, 453
– Uomo di, 16
Neave, Richard, 448
necropoli, 474
Neo-Wessex school, 509
Neolitico, 88, 89, 104, 112, 134, 142, 172, 189, 190, 192, 194-196, 214, 216, 218, 219, 270, 272, 274, 277-279, 292, 299, 306, 365, 514, 545, 551, 579
– antico, 472
– britannico, 600, 601
– tardo, 65, 189, 192, 196, 221, 270
neomarxismo, 493, 507, 509
Ness of Brodgar, 408, 410, 411
neuroscienze, 397, 437
neutrone, 137
neutroni lenti, 372
Nevada, 51, 141, 143, 144, 249, 442
Nevali Çori, 424
neve, acidità della, 155
New Archaelogy, 9, 23-26, 31, 32, 395, 485, 486, 491-495, 498, 499, 507, 510, 511, 515, 516
New England, 124
New Mexico State University, 598
Newgrange, 409, 414
Niaux, 334
Nicholas, Toth, 327
Nicola II, Zar, 449
nidi di vespe, 302
Niger, 589
Nigeria, 151
Nilo, 236, 384
Nimba, 589
Nimrud, 563, 579
Ninive, 563, 579, 585
Niño vedi El Niño
Niokolo-Koba, 589
NISP, *Number of Identified Specimens* (numero di campioni identificativi), 293
Nitchie, 471
Nizawa Senzuka, 373
noce di mare (*Anadara granosa*), 543
Noe-Nygaard, Nanna, 305
Nok, 151
Noksakul, Damrongkiadt, 541
Non Nok Tha, 541
Nong Nor, 542, 546
Norfolk, 385, 454
Normanni, 548, 550
Norris Farm, 225
Northampton, Lord 572
Northamptonshire, 279, 470
Norton Priory, 298
Norvegia, 47, 53, 54, 445

nucleo, 319, 325-329, 333, 345-347, 351, 357, 455
– d'argilla, 347
Nunamiut, eschimesi, 182
Nuova Britannia (Talasea), 369
Nuova Guinea, 172, 214, 327, 264, 265, 327, 362, 368, 385, 477, 486, 489, 502, 511
Nuova Zelanda, 231, 240, 244, 261, 266, 267, 301, 459, 475, 542
Nuovo Galles, 540
– del Sud, 471, 535
Nuovo Messico, 287, 302, 309
Nuovo Regno Egizio, 131, 161, 310
Nyerup, Rasmus, 3

Oaxaca, 213, 376, 381, 429, 521
obelisco, 322
Oceania, 159
Oceano Atlantico, 258
Oceano Pacifico, 192, 228, 230, 487
oche, 389
ocra, 334
Odissea, 182, 201
offerte, 421
officina litica, 602
oggetti votivi, 421
Ogier, Peter, 444
Ohalo, 283
Ohio, 68, 416
Okapi, 589
Okazaki, Satomi, 332
Okeechobee, 48
Oklahoma, 209
Olanda, 275, 321
Olduviano, 325
Olimpia, 340
olio
– d'oliva, 278
– di balena, 102
– di ossa di renna, 306
Oliver, James, 286
Ollantaytambo, 322
Olmechi, 161, 594
olmo, 255
Olocene, 126, 127, 244, 299, 320, 385, 454, 466, 482, 521, 540
olografia, 549
Olorgesailie, 399
Olsen, Bjornar, 595
omeostasi, 503
Omero, 181, 201
omero, 441, 442, 445, 454
ominidi, 145, 361, 439, 443, 446, 450, 452, 453, 455-457
– carnivori, 285
– fossili, 456
– primitivi, 290, 443, 446, 450, 452, 453, 457
ondata di avanzamento, 490
onde di marea, 155
Oneota, cimitero, 225, 483
Ontario, 313
opossum, 536

Oppdal, 53
Oranjemund, 605
Orbàn, Viktor, 573
Orcadi, 18, 408-410
orci, 212
ordine sociale, 409
ordito doppio, 341
oreficeria, 354
organismi fossili, 450
organizzazione
– dell'agricoltura, 501, 502
– idraulica, 501
– interna, 494
– sociale, 168, 169, 172, 177, 182, 185, 195, 200, 207, 210, 359, 360, 361, 363, 494, 524, 527, 529, 542
origine bantu, 488
origine dell'uomo, 8
Origine delle Specie, 8
origine sismica, 155
Orinoco, 313
Orliac, Michel, 239
orme, 260
ornamenti d'oro, 110
oro, 40, 49, 50, 56, 348, 553, 588
– manufatti, 416
– maschera, 425
– partizione, 553
orologi radioattivi, 135, 146, 150, 151
Oronsay, 143, 304
Ortiz, George, 572
ortofotografia, 113
orzo, 299
OSL, *Optical Stimulated Lumine-scence* (luminescenza otticamen-te stimolata), 152
Oslo Museum of Cultural History, 54
ossa, 441, 442, 444-448, 450, 452-454, 465, 466
– animali, 34, 36, 38, 255, 260, 285, 289, 293, 294, 314, 443, 451, 458, 459
– – di capra, 256
– – di pecora, 256
– – di pesce, 271, 305, 311
– – di toporagno, 25
– articolate, 297
– danni delle, 446, 467
– esame delle, 469
– dei piedi, 452
– del cranio, 445
– della mano, 457
– epifisi delle, 443
– identificazione delle, 319
– microstruttura , 445
– orientamento delle, 186
– quantificazione delle, 293, 294
– sinostosi delle, 443
– umane, 270, 310, 312, 315, 442, 458-460
osservazione diretta del terreno (*ground truthing*), 580
ossidiana, 327, 328, 332, 341, 369, 370, 372, 373, 376, 380-382, 385, 387, 433, 526

– – densità (*obsydian density*, OD), 387
– – scarsità (*obsydian scarcity*, OS), 387
– cave, 385
– distribuzione, 369
ossido di ferro, 334
ossido di rame, 349
ossigeno, 127
osso peniale, 287
ostacodi, 543
osteoartrite, 298, 469
osteologia, 110, 439
osteoni, 445
óstrakon/a, (coccio), 406
ostriche, 301, 531
Othalo II, 278
otoliti, 304, 532
otturazione, 471, 472
Ötzi (Uomo di Similaun), 56, 57, 482
Overton Down, 37
Owen-Smith, Norman, 257
OxCal, analisi, 138, 139, 142
Oxford, 372, 601
Oxford Archaeology Inc., 600
Ozette, 41, 43, 45, 46, 90

Pääbo, Svante, 450, 480
Pachamac, 14
paesaggio, 59, 62-69, 71, 73, 75, 76, 81, 82, 85, 86, 115
pagaie, 44, 46
Page, Denys, 201
piante alimentari, 234
Pakistan, 68, 86, 159, 292, 592, 205, 208, 236, 413, 501
pala, 90
palafitte, 47, 534
palancola, 111
palancolata, 104
palazzi minoici, 413
Palenque, 202, 208, 209, 364
paleo-ecosistema, 240
paleo-eskimo, 482
paleoclimatologi, 126, 506
paleodemografia, 475
paleoetnobotanica (archeobotanica), 254, 271, 273, 543
Paleografico Superiore, 490
paleoindiani, 297, 328
paleoliti, 13
Paleolitico, 3, 10, 13, 16, 27, 121, 126, 158, 273, 317, 318, 326-330, 332, 333, 334, 335, 336, 343, 344
– arte del, 400
– arte mobiliare del, 404
Paleolitico Inferiore, 154, 284
Paleolitico Medio, 64, 182, 286, 315, 362, 381, 397, 399, 401
Paleolitico Superiore, 218, 223, 326, 381, 398, 400, 401, 403, 404, 412, 427, 434, 435, 398, 400, 403, 427, 434, 435, 446, 449
paleomagnetismo, 229
paleopatologia, 460, 473

paleopsicologia, 499
paleosuolo, 233, 265, 266
Pales, Léon, 335, 454
Palestina, 16, 383, 589
pali di fondazione, 601
palinologi, 127, 244, 245, 248, 266, 269
palitino, 354
palloni aerostatici, 78, 118
Palmer, Patricia, 245
Palmer, Roger, 71
Palmira, 589
palude, 262-265
Palude di Kuk, 264, 265
Pampas, 342
Panama, 59, 248, 277
pane, 277, 278, 281, 309-311
Pang Mapha, 601-603
Pantheon, 325
papaya, 532
papiro, 180, 406
Papua Nuova Guinea, 155, 385
paraffina, 462
paramenti, 421
parametri del sistema, 503
Paranthropus robustus, 21, 146, 313, 315
parassiti, 461
– intestinali, 553
paratia, 111
Parco Nazionale di Kkadu, 559
parentela, 169, 171, 172, 187, 219, 220, 224
Parenti, Fabio, 320
Parigi, 332
Parkington, John, 258
Paro, 376
Parr, Peter, 607
Partenone, 561, 566
particelle subatomiche, 136
particolarismo storico, 9
partizione dell'oro, 553
parto, 459, 460, 469, 473
PAS, *Portable Antiquites Scheme* (sistema dei beni culturali mobi-li), 585, 588, 589
passato
– appartenenza al, 562-566, 572-575
– interpretazione del, 559
– valore del, 559, 560
pasti, 270, 281, 309-311
– e cottura dei cibi, 45, 190
– pasti individuali, 309
vedi anche dieta
pastinaca, 544
pastorizia, 314-315
Patagonia, 243
Patrik, Linda, 432
patrimonio archeologico, 580
patrimonio culturale, 31, 576-580, 584, 585, 592, 593, 596, 580
Patrucco, Raul, 461
Paudorf, 241
Pavel, Pavel, 324
Pavement, 548, 550, 551
Pavlov, 241, 343, 427
Payson Sheets, 43

Pazyryk, 33, 41, 51, 55
PCR, *Polymerase Chaine Reaction* (reazione a catena di polimerasi), 450
Peacock, David, 369
Pearsall, Deborah, 280
Pearson, Mike Parker, 197
pebble-tool (scheggia), 157
Pech Merle, 334
pecora/e, 341, 159
– di razza Soay, 276
– selvatiche, 282, 292
– evoluzione della, 283
Pecos Ruin, 17
pedologo, 240
Pedra Furada, 320
Peebles, 68
peer polities (entità politiche paritarie), 391
Peiligang, 277
pelle/i, 37, 41, 44, 46, 48, 51, 55-57, 419
– di bue, lingotto, 383, 384
– di giaguaro, 422
– di renna, 469
– lavorazione della, 330, 331
– maculata, 292, 293
– malattie della, 472
– secche, 330
– scarpa in, 115
– umana, 461, 464
pellicola pancromatica, 71
Peloponneso, 504
peltro, 553
pelvi (bacino), 441, 442, 467
pemmican, 295, 296
pendente, 384
pendenti alati, 319
penisola Huon, 232, 234
penisola iberica, 247, 509
Penkmann, Kirski, 154
penne d'uccello, 364, 525
Pennsylvania, 132, 262, 270
Penrose, Roger, 397
pensiero primitivo, 401
percezione umana, 603
percolature, 297
percussione, 318, 319, 322, 326-328, 330, 333, 335
percussore, 323, 325-327, 336
– litico, 39
Perge, 572
Périgord, 403
perimetri digitalizzati, 83
periodi
– culturali, 88
– intepluviali, 126
– pluviali, 126
P/periodo
– classico maya, 505-507
– ellenistico, 89
– estuarino, 234
– formativo, 521, 523-528
– Han, 309
– Jomon, 471
– Magdaleniano, 332, 398, 403
– Moche, 355
– Musteriano, 182

– Paleoindiano, 521
– Preestuarino, 234
– preceramico, 218, 219, 521, 523
– protodinastico, 131, 165
– Solutreano, 403
– storico classificatorio, 31
– vichingo, 341
perlina, 348, 349, 384, 387
perlustrazione, 118
permafrost, 33, 51, 54, 55, 235, 236, 255, 465
Persepoli, 163
persiani achemenidi, 161
Perticarari, Luigi, 570
Perù, 5, 14, 17, 19, 33, 39-41, 51, 52, 64, 169, 172, 220, 221, 230, 322, 325, 341, 342, 346, 352, 353, 355, 473, 497, 500, 502, 507, 576, 589, 593, 599
– centrale, 41, 51
– settentrionale, 395
Peruvian National Museum of Archaeology, 17
pesca, 305
– dell'anguilla, 305, 309
– tecniche di, 279, 301, 305
– trappole di, 279
pesci, 286, 301, 304, 305, 309, 311, 313, 314
– d'acqua dolce, 543
pesce
– gatto, 532
– persico, 309
peso, 446
– della carne, 294
peste bubbonica, 465
PET, *Positron Emission Tomography* (tomografia a emissione di positroni), 437
PeterRoche, Heide, 459
Petra, 605
Petrie, Flinders, 124, 342
petrografia, 237
Phillips, Philip, 22, 491, 498
Phoenix, 586
Photoscan, 112
PI *vedi Pottery Index*
pianificazione, 414
– strumenti di, 438
– urbanistica, 261, 583
piano di ricerca, 118
pianta agglomerata, 28
piante C3, 312, 313, 315
piante C4, 314
piante domesticate, 277, 279
– stagionalità delle, 279
piante infestanti, 271, 272, 274, 310
piante marine, 279, 312
piante nonleguminose, 279, 280
piante selvatiche, 277, 279
piante terrestri, 279, 312, 314
pianura alluvionale, 236, 238, 262, 263, 541
pianura di Konya, 28
piattaforma a U, 426
piatto rituale, 310

Piccola Glaciazione, 531
Pickering, 288
pidocchio, 553
– delle pecore, 341
piede, 452, 453
Piedi Neri, tribù dei, 295
pietra, 33, 34, 36-40, 57, 61, 64, 69, 76, 80, 88, 91-93, 99, 108-110, 116, 118
– lavorazione della, 325, 385
– microusure della, 329-332, 336, 343
– sollevamento di grandi massi, 324
– strumenti litici, 284, 285, 290, 305, 306
– trasporto, 321-323
pietra blu (*bluestonehenge*), 197-199, 323
Pietra di Coyolxauhqui, 581
pietra verde, 386
pietre abrasive, 523
pietre molari, 523
pietre sarsen, 70, 196-199
pietre-sigillo, 377
PIGME, 369
pigmento (bicromato di potassio), 564
Pikirayi, Innocent, 605
pilastri scolpiti, 243
Pilo, 201, 377
Pincevent, 182, 239, 240, 301, 329, 332
Pineland, 530, 531
Pinnacle Point, 328
pino, 246
– dai coni setosi, 138
– hickory (*pinus aristata*), 134, 156
– germanico, 138
piombo, 40, 469, 471, 533, 553, 554
– isotopi del, 370, 374-376, 382, 383
– fuso, 353
Piperno, Dolores, 248, 280
Piramide
– della Luna, 5, 422, 432
– di Unas, 422
– di Giza, 83, 84
– di Ziqqurat, 204
piramidi egizie, 33, 39, 83
Pirei, 403
Pirenei, 235
– francesi, 436
Pires-Ferreira, Jane, 388
Pirika, 307
piroghe, 44
pirolisi-gascromatografia-spettrometria di massa (py-GC/MS), 375
pirotecnologia, 319, 343, 344, 354
Pitt-Rivers, Lane-Fox Augustus, 9, 10, 14-16, 59
Pittioni, Richard, 22
pittore di Berlino, 430
pittore di Edimburgo, 430
pittura/e, 428
– bianca a base di piombo, 376

– funeraria egizia, 351
– parietali, 403, 429
– sepolcrale etrusca, 32
– vascolare, 430
PIXE (*Proton Induced X-Ray Emission)*, 353, 369, 372
Placard, 436
placcatura, 354
planimetria, 411, 415
Planning Policy Guidance paper 16 (PPG16), 548
Plantageneti, 470
plasma accoppiato, 369
Platone, 564
Playa de los Gringos, 302
Pleistocene, 126, 127, 148, 149, 154, 233, 241, 249, 252, 254, 256, 257, 259, 260, 261, 318, 320, 361, 454, 466, 482, 491, 492, 495
Pleistocene Inferiore, 126, 149, 154, 292, 318
Pleistocene Medio, 401, 233
Pleistocene Superiore, 126, 148
Plinio il Giovane, 6
Plinio il Vecchio, 252
Plog, Stephen, 527
plough vedi aratro
pneumoconiosi, 462
Polanyl, Karl, 363
poligamia, 219
polimorfismo, 224, 479
Polinesia, 159, 182, 231, 256, 266-268, 363, 364, 425, 441, 568
– occidentale, 486
– orientale, 159
polinesiane, lingue, 497
poliomielite, 465, 467
polipo, 309
polisaccaridi, 450
politica di distruzione, 562, 563
polline, 127, 138, 537
– analisi pollinica, 127, 243-246, 248, 266
– di olmo, 246, 254, 255
– di pino, 246
– di tiglio, 246
– fossile, 280
polmoni, 57, 462, 467, 470
polmonite, 462
Polonia, 321
Polonnaruva, 472
Polygonum Aviculare (correggiola), 272
Polygonum Fagopyrum (grano saraceno fossile), 280
pomice, 6, 146, 157
Pompei, 3, 5-7, 33, 37, 41, 43, 205, 233, 243, 261, 277, 460, 473, 592
pongide (scimmia antropomorfa), 452
Ponte di Mostar, 577, 578
Popol Vuh, manoscritto, 422
popolamento, 168
popolazione, 445, 446, 475-477, 479, 483
– stima della, 476, 477

popolo, 118, 167, 180, 185, 487
Popper, Karl, 396, 397, 498, 499
porcellana, 217, 218
porcospini, 543
pori, 301
porpora, 341
Port Royal, 101
Porta di Nergal, 563
Portobelo-San Lorenzo, 589
posizione, 36, 41, 58
– postprocessuale, 509
possesso, 399
Postage, Nicholas, 104, 180, 205
potassio, 145, 146, 347
potassio-argon, metodo del, 128,
129, 136, 145-148, 150, 154,
166
potere, simboli del, 416, 417
poteri soprannaturali, 422, 424
potlatch, 367, 391
Potosì, 589
Potterne, 43
Pottery Index, PI, 62, 63
Potts, Richard, 284, 285, 286
Poundbury Camp, 472
Poverty Point, 67
Powell, John Wesley, 12, 13
ppm, parti per milione, 370
Prag, John, 448
Praisos, 277
Pratap, Ajay, 595
pratica funeraria, 602
pratiche di culto, 395, 422
praxis, filosofia della, 27, 222
pre-vetro, 344, 346
precipitazioni, 256
– piovose, 282
predatori, 284-286, 294, 301, 206,
316
Predmosti, 343
preistoria, 8, 18, 22, 30, 496
– europea, 10, 22
Prestwich, Joseph, 8
principe ariano, 560
principe Djehutihetep, 322, 323
Principessa di Vix, 222
Principia, quartier generale romano, 551, 552
Pritchard, James, 607
processo di formazione, 36-38, 58,
69, 89, 98
– cognitivo, 283
processi culturali, 37, 38
– mastoidei, 441
– naturali, 33, 37, 38, 40, 41
– post-deposizionali, 69
procione, 304
prodotti tessili, 37, 343
produttività ambientale, 244, 265
produttività delle piante, 524
produzione, 359, 368, 372, 385-
387, 391
– alimentare, 173, 212
– di cibo, 261
– di lame, 330, 398
– di latticini, 308
– di merci, 359, 368, 377, 386
– scala della, 385, 386

professioni, 593
profilo di età, 297
– da catastrofe, 297
– da logoramento (per attrito),
297
profilo di resistività, 92
profitto, 360, 365
progetto di ricerca, 59, 62, 94, 103
Programma per le Antichità Mobili
(*Portable Antiquities Scheme*), 95
propulsori, 537
Proskouriakoff, Tatiana, 21, 418
prospettiva comparativa, 598
prospezione, 60, 70, 89, 91, 92,
95, 98, 101
– geofisica, 91, 101
– magnetica, 95
– termica (termografia), 92, 95
Protection of Wrecks Act vedi Legge
sulla protezione dei relitti
proteine, 450, 464, 475
protezione, 576, 578, 580, 584, 585
protolingue, 496
Protzen, Jean-Pierre, 322-325
provenienza, 361, 367, 373-376,
394
provette sigillate, 246
Provincia del Capo, 250, 256
pseudoarcheologia, 564
pubblico, 517, 520, 534, 547, 549,
555, 556, 559, 561, 565, 566
– locale, 555
– presentazione al, 547
pueblo, 475
Pueblo ancestrali, 459
Pueblo Bonito, 133, 302, 409
Pueblo Grande, 586
Pueblo Tapado, 350
Puech, Pierre-François, 311, 336,
455
Puech, tecnica di, 311
pugnali, 514
pukao, 324
Pulak, Cemal, 383
pulci, 553
pulitura dei reperti, 116
pulizia, 106, 387
Pulltrouser Swamp, 264
punch o *chasselame vedi* percussore
Pundbury, 469
punteruoli, 327
punti catenella, 342
punzonatura, 355
Purdy, Barbara, 328
purificazioni rituali, 420
Putnam, Frederick, 12, 13
putrefazione, 271
Pwiti, Gilbert, 605

Qafzeh, 150
Qatna, 208, 375
Qianlong, imperatore, 365
Qilakitsop, 55, 311, 468
Qin Shi Huangdi, 208
quadrettatura, 100, 105
quarzite, 320, 538
quarzo, 330
Quaterness, 194

Qudesh, 607
Queen's Hotel, 548
Queensland tropicale, 238
quercia, 133
– di torbiera, 141
– irlandese (*quercus petraea*), 138
Quetzacoatl, 430
Queyash Alto, 220, 221
Quiaomei Fu, 153
QUICKBIRD, 77, 78, 79
Quimbaya, 351
Quiomei, Fu, 482
quipu, 178

RAB (*Royal Amministrative Building*),
84
raccolta dati, 604
racemizzazione, 153, 154, 256,
444, 445
rachilde, 280
rachitismo, 298
RADAR, 91, 118, 549
radiazione elettromagnetica, 147,
150-152
– α, alfa, 147
– β, beta, 147
– γ, gamma, 372, 376
– elettromagnetica, 371
– solari, 155
radicale carbonio, 280
radici di genere, 559
radioattività, 136, 151, 152
radiocarbonio, 53, 56, 121, 127-
129, 133-146, 150, 152, 153
– radiocarbonio (14C), 22
– – dei carboni, 543
– metodo del, 229, 233, 243,
250, 265
– seconda rivoluzione del, 138
radiografia, 462
radiografia a fluorescenza, 469
raffigurazioni artistiche, 441
raffinamento del metallo, 553
ragazza di ghiaccio, 52
raggi γ, 372
raggi X, 106, 371, 372, 460
– tecnica di diffrazione, 237, 244,
255
ragno, 354
Ramayana, poema epico, 181, 562
rame, 40, 41, 44, 48, 50, 54, 57,
191, 210, 219, 220, 264, 361,
364, 365, 368, 371, 373, 374,
376, 382, 383, 553, 605
– antico, 348
– nativo, 348, 349
– – modellazione del, 348
– asce di, 57, 210
– attrezzi di, 109, 376
– esame del, 350
– Età del, 191, 219
– fusione del, 344
– inquinamento da, 264
– lingotti, 41
– metallurgia del, 348-350, 351
– miniere di, 321
– soldati di, 62
– spille di, 220

Ramilisonina, 197
rampa, 322
Ramsete II, 462, 471
rango, 169, 191, 194, 208, 210,
554
Rappaport, Roy, 420, 511
rapporto finale, 555
– di scavo, 595
rapporto isotopico, 231, 312-314
– del carbonio, 312, 313
– dell'azoto, 313
– dello stronzio, 314
– dello stronzio-calcio, 315
rappresentazione, 397, 400, 405,
417, 425, 427, 428, 438
raschiatoi, 325, 327, 330-332
raschiatura, 330
Rasmussen, Morten, 482
raster (griglia di celle), 82
rastrelle, 337
Rathje, William L., 391, 502
Rawlinson, Henry, 11
razze, 397, 439, 483
razza Dexter, 276
razza Soay, 276
re Mida, 307
Reading University, 599
Real Alto, 277, 280
reciprocità, 362, 363, 366, 378,
379, 381, 390
Red Bay, 102
Redford, Donald, 39
Redman, Charles, 66
Reed, Charles, A., 283
regina (*cacica*) Calusa, 533
Regina di Saba, 489
registro di archeologia, 585
registro ufficiale degli scavi, 588
regolarità, concetto di, 485, 491,
498, 504, 524
regoli calcolatori, 603
Rehen, Thilo, 605
Reich, D., 482
Reinhard, Johan, 52
Rekem, 330
Rekhmire, 337
relativismo, 510
relazione di sfruttamento, 283
relazioni familiari, 194, 224
relazioni materiali, 515
relazioni tra società segmentali, 194
relazioni tra società centralizzate,
215
religione, 395, 405, 419-421, 425,
595
– iconografia, 401, 420
– identificazione dei poteri, 421
– organizzazione, 172, 421
– rituali, 205, 421
– simboli rituali, 421
reliquie culturali, 561
relitto, 472, 359, 382, 383, 385,
569, 570
– della Red Bay, 102
– di Oranjemund, 605
– di Shutton Hoo, 554
– Mary Rose, 472
Renfrew, Colin, 381, 416, 509, 516

Reno, 241, 339

reperto, 65, 109, 110, 112, 115, 384

Repubblica Ceca, 241, 343, 427

Repubblica di Macedonia, 560

residui
- chimici nei resti vegetali, 275
- di amido, 277
- di grasso e di fosfato, 306
- di latte, 308
- organici, 307

resilienza, 599

resina, 448
- epossidica, 443

resistività, 86, 90-92, 95, 97, 119
- elettrica, 92
- mobile, 92
- del suolo, 90
- profilo della, 92

resti
- ambientali, 33, 34
- animali, 227, 252, 255, 256, 269, 284, 286, 287, 292, 535
- botanici, 530
- carbonizzati, 271-273, 277, 283
- di pasti, 309
- di pesci, 311
- di tessuti, 47
- microbotanici, 275
- macrobotanici 271, 275, 280
- organici, 33-36, 41, 43, 44, 51, 58
- umani, 271, 310, 316, 550
- vegetali, 34, 38, 40, 44, 59, 112, 116, 227, 244, 245, 249, 250, 262, 266, 272, 273, 279, 281-284, 286, 299, 300, 310, 316, 522

rete, 537
- stradale, 207
- di scambio, 360, 361, 366, 388, 394

reti sociali, analisi delle, 544

reticolo di analisi, 75, 83

reticolo molecolare, 329

Reynolds, Peter, 276

Reynolds, Robert G., 524

Rhodes, Cecil, 488

Rhodesia, 439, 489

Rhosyfelin, Craig, 198

Riccardo III, 467, 470, 471

ricchezza, 542

ricerca sul campo, 15, 24, 28

ricercatori, 26, 541, 597-600, 605, 608

Richards, Julian, 550

Richards, Martin, 490

Ricoeur, Paul, 508

ricognizione, 17, 173, 174, 188, 189, 210, 204, 205, 226, 535
- aerea, 61, 62, 67, 70, 71, 76, 521
- asistematica, 65
- di superficie, 59-68, 70, 520, 521, 528, 529, 530, 535, 542, 547, 549, 579
- estensiva, 67, 71

- intensiva, 61, 63, 67
- microregionale, 9
- sistematica, 65
- territoriale, 63
- metodi magnetici di, 92
- subacquea, 43
- urbana, 549

ricomposizione, 327, 329-332

ricostruzione dell'ambiente, 227, 228
- animale, 252
- umano, 260, 261
- vegetale, 244

ricostruzione del volto, 448, 449

ridge and furrow vedi metodo di coltivazione medioevale

ridistribuzione, 363, 366, 377-381, 390

riduzione del danno, 576, 583, 589, 596

rifiuti, 387, 399, 522
- deposito di, 548

Rift Valley, 146

Rigveda,

Rijckholt, 321

rilevamento geofisico, 101

rilevazione satellitare, 80

rilievi paesaggistici, 600

Rinascimento, 161

rinoceronte, 144
- cavilloso, 41

Rio Azul, 131

Rio Mimbres, 571

Rio Plàtano, 589

Rio Tinto, 354

riolite, 377

riparazione, 330

Riparo di Romito, 467

riproduzione, 292

riscaldamento globale, 227, 229-231

riserve culturali, 580

riso (*Oryza sativa*), 275, 277, 279
- coltivazione del 542
- d'acqua (*Zizania aquatica*), 234
- diffusione, 547
- domesticato, 544
- domesticazione del, 541
- fitoliti di, 275
- lolla di, 542
- origini del, 546
- selvatico, 546
- tecniche di coltivazione, 545

risonanza di spin elettronico, 129, 136, 148-150, 152, 166

risonanza magnetica funzionale (*functional Magnetic Resonance Imaging*, fMRI), 437

risonanza magnetica nucleare, 462

risorse culturali, 63, 85, 604

Riss, 126

rito/i, 173, 194, 199, 202, 208, 214, 218, 220, 221, 419, 421, 423-425

rituale, 400, 401, 409, 410, 416, 421, 422, 424, 426, 429
- cannibale, 458
- funerario, 458
- religioso, 420-422, 511

rivoluzione
- agricola, 493
- dei prodotti secondari, 308
- neolitica, 282, 283
- urbana, 493

RNA, 465

Robb, John, 512-514, 516

robbia, 341
- materiale per tintura, 553

rocce vulcaniche, 129, 145, 146

roccia di Loggers, 536

Rolf, Rottländer, 350

Romania, 221, 453

Romano, impero

rombo volante, 435

Roosevelt, Anna, 313

Roosevelt, Theodore, 580

Rosario, 527

Rose Theater, 548, 583

rosso, 341

rotazione, 265

Rottländer, Rolf, 261, 278

Rouletted Ware, 369

Rousseau, Jacques, 214

ROV, *Remote Operated Vehicles* (veicoli telecomandati), 101

Rover Piramid Robot, 90

Rowlands, Michael, 390, 493

Rowley-Conwy, Peter, 289

Roy Mata, 425

Royal Academy, 572

Ruanda, 460

Rudenko, Sergei, 55

Rue, David, 266

rulli, 322

Rumiqolqa, 322

ruolo
- dominante, 169, 173
- sociale, 367
- subordinato, 169

ruota, 318, 325, 337, 339
- da Veracruz, 337
- dischi pieni, 339
- piane, 339
- raggiata, 339

Russell, Mary, 457, 458

Russia, 481

rytha, testa d'ariete, 384

Sabah, 369, 602

sabbia, 345
- quarzifera, 532
- quarzosa, 369

Sabloff, Jeremy, 14, 168, 207, 507

saccheggiatori, 36, 41, 45, 570

saccheggio (scavo illecito), 559, 561, 567, 570, 571, 575, 576, 578, 579, 585, 596

sacerdoti, 172, 273, 181

Sacra Sindone, 138, 145

sacrificio/i, 406, 411, 419, 421, 432, 433, 528
- umano, 433

Saddam Hussein, 560

saggi di scavo, 583

Sahara, 256

Sahhr-i-Sokhta, 215

Sahlins, Marshall, 200, 363

saia diamante, 54

salassi rituali, 419

sale, 592

Salh al Din, 589

Salisbury, 194, 573

salmone, 264

Salonga, 589

Salt River, 587

Salts Cave, 443

Samarra, 589, 590

Samuel, Dewel, 278

San (Boscimani), 170, 172, 187, 199, 213, 221, 336, 441

San Bartolo, 432

San Francisco, 232

San José Mogote, 213, 221, 526-528

San Lorenzo, 55

Sana'a, 589

Sanders, William T., 64

sangue di giaguaro, 469

sanscrito, 496

Santa Caterina, 90

Santa Laura, 589

Santo Domingo Tomaltepec, 526

Saqqara, 309, 416, 474

SAR, *Synthetic Aperture Radar* (radar ad apertura sintetica), 78, 80, 605

sarcofagi, 462

sarcofago di Meresanum, 463

sarcofago di Seianti, 448

Sardegna, 382

Sargon II, re assiro, 419

Saskatchewan, 297

Sassanide, 373

sassole, 337

Sassonia, 451

satelliti, 67, 77, 80, 85, 119

Saxe, Arthur, 193, 509

Sayre, E.V., 347

scale, 334

scala logaritmica, 378

scala mondiale, 227, 229, 232, 235, 250, 269

scaling multidimensionale, 542

scalpellatura, 335

scambi/o, 359, 360, 362, 363, 366, 367, 369, 377-379, 381, 386, 388-390, 392-394
- cerimoniale, 393
- di doni, 362, 363, 366
- di mercato, 363, 378
- esterno, 360
- interno, 360, 363
- lineare (*down the line*), 378, 379, 380, 381
- sfera di, 365
- sistema di, 388

Scandinavia, 132, 155, 233, 236, 422

Scapa Flow, 570

scarnificazione, 425

scarto, 321, 327, 328, 331, 336, 346, 357, 368

scavengers (spazzini), 36, 38, 284, 286, 291, 297, 399

scavo/i, 60, 64, 65, 67, 72, 74, 80, 83, 89-91, 97-102, 104, 106, 108,

111, 114-116, 519, 521, 525, 530-532, 534-536, 537, 541-543, 545, 549, 555
– metodi di, 100
– microstatigrafico, 588
– per grandi aree, 100
– stratigrafico, 17, 121
– tridimensionale, 116
scheda del contesto, 549
schede, 112
scheduling (programmazione), 503
schegge, 320, 321, 325-330, 332, 333, 357
– di pietra (*microdebitage*), 333
Schele, Linda, 418
scheletro di La Ferrassie I, 455, 467
scheletro di Neanderthal, 455
scheletro umano, 313, 442, 449, 450, 452, 457, 474, 480, 482, 483
– di ominidi, 150
– sforzi esercitati sugli, 457
schemi concettuali, 433
Schiller, Friedrich, 448
schiuma, 318
Schliemann, Heinrich, 11, 207, 365
Schmidt, Klaus, 423
Schmidt, Peter, 354
Schoeninger, Margaret, 315
Schøyen, Martin, 574
sciacalli, 578
sciamani, 172
scienza medica, 473
scimmie, 398
– cappuccine, 319
scimpanzé, 456, 480
Scioto, 392
scogliere madreporiche, 232, 234, 313
scoliosi, 470
scoperta/e di siti e di elementi, 59-61, 68, 80, 86, 88, 89, 95, 98, 101-103, 105, 108, 118
– fortuite, 585
scorbuto, 469, 474
scorie, 354
Scott, Douglas, 466
Scourge, 101
Scozia, 74, 143, 233, 266, 377
scriba militari egizi, 178
scrittura, 180, 395, 405-407, 416, 418, 419, 431, 432, 437, 438
scrittura
– alfabetica, 407
– – Brahmi, 407
– – etrusca, 407, 487
– – fenicia, 407
– – greca, 406
– cinese, 407
– cuneiforme, 11, 281, 407, 407
– epiolmeca, 180
– geroglifica, 406, 407, 418
– – zapoteca, 180, 527
– indu, 180
– lineare, 180, 407
– maya, 407, 408, 419
– oracolare, 407

– pittografica, 407
– rongo rongo, 405
– runica, 407
– sacerdotale, 407
scudo giaguaro, 418
Scuola di Francoforte, 508, 510
scuola Neo-Wessex, 409
scuola scientistica, 498
Scwarcz, Henry, 313
Seamer Carr, 288
Searle, John, 397, 515
Sechìn Alto, 17
secoli bui, 554
Seconda guerra mondiale, 566, 576
sedimento organogeno, 228
sedimenti, 111
– del fondo del mare, 228, 233, 239
– depositi annuali, 166
– di arenaria, 320
– di lombrichi, 37
– lacustri, 127
sediografo, 239
Seebohm Rwontree, 552
segale, 299
segatura, 335
Segesta, 323
segni
– cutanei, 440
– di macellazione, 458
– di tagli, 451, 455, 458, 459, 466
Seianti Harunia Tiesnasia, 448
selce, 99, 289, 319, 321, 328-333, 343, 451
– magdaleniana, 398
– miniere di, 321, 385
selci nere, 328
selci petrografiche, 328
Selous, 589
selvaggina, 330
SEM, *Scanning Electron Microprobe Analysis* (analisi con microsonda elettronica), 373
Semënov, Sergei, 332
semiconduttore, 371
Senegal, 589
Senenmut, 385
Sennediem, 298
sensori
– digitali, 71, 73
– multispettrali, 605
sepoltura, 569
– altomedievale, 440
– caratteri della, 191
– collettiva, 425
– comune, 190
– deliberata o intenzionale, 38, 400, 401, 408, 420, 438
– individuale, 190, 425
– multipla, 440
– rituale, 400, 401, 420, 421
– sequenza di, 542
sepolture, 170, 171, 190-192, 194, 206, 208, 209, 211, 218, 220, 223, 224, 440, 451, 476, 480, 482, 513, 526, 551, 602
– distribuzione delle, 191

– frammentarie, 440
– neolitiche, 482
sequenza ceramologica, 123
sequenza di azioni (*chaîne opératoire*), 398, 415
sequenza stratigrafica, 486
sequenze polliniche, 127, 128, 282
Serbia, 589
seriazione, 17, 124, 125, 166
– di frequenza, 124
Serpent Mound, 12, 34
serpenti, 426
Service, Elman, 170, 172, 173
sesso, 287, 439, 441, 442, 445, 446, 459, 464, 466, 468, 475, 483
Sestius, 377
seta, 341, 553, 554
setacciatura, 106, 112, 238, 245, 250, 252, 253, 271, 272, 293, 301, 310, 521
setaccio, 387
sezione stratigrafica, 551
sezioni (*slice*), 91
– sottili, 393
sfera di scambio, 365
sfera Hopewell, 392
sfere di interazione, 392
SfM, *Structure for Motion* (struttura dal movimento), 74
sgorbia, scalpellatura, 325, 335
Shaanxi, 352
Shahr-i-Sokhta, 385
Shakespeare, William, 470, 583
Shakespeare's Rose Theater, 548, 583
Shamash, 179
Shambles, 551
Shan (Tai), 602
Shang, 208
Shanidar Cave, 466, 401
Shanks, Michael, 26, 507
Sharisabz, 589
Sharp Gully, 538
Shaugh Moor, 307
Shawnee, 85
Shear, Josephine, 21
Sheikh-eAbad, 283
Shelley, Percy Bysshe, 7
Shennan, Susan, 191
Shepard, Anna O., 20
Sherer, Andrew, 202
Sherratt, Andrew, 308
Shibam, 589
Shield Trap Cave, 286
Shimoyama, Akira, 445
Shipman, Pat, 284, 285, 286
Shoocongdej, Rasmi, 597, 601
shortorn celtico, 276
SHPO, *State Historic Preservation Officer*, 583
Shultz, Frederick, 572
Siberia, 343, 359, 480
– meridionale, 44, 51
– occidentale, 228, 240
– orientale, 153
Sibudu, 261
Sicán, 354

siccità, 537, 597-599
Sichuan, 579
Sidney, 534
Sidney Basin, 536
Sidrys, Raymond, 387
sigilli, 308, 383, 407
– a cilindro, 578
– d'argilla, 377
– imperiali, 206
Sigüenza y Góngora, Carlos de, 5
Silbury Hill, 192, 599
Silchester, 308
silcrete, 538
silhouette, 441
silice (fitoliti), 275, 277, 248, 249, 269, 347
silicio, 329
silicone dentale, 277
Sillen, Andrew, 260, 315
silos a pozzo, 475
calcolo demografico, 475-477, 479, 482-484
Silpakorn, 601
silt, 231, 236, 237, 239, 240
Sima de los huesos (fossa delle ossa), 148, 149, 401
simboli nella preistoria, 416
simboli nelle società gerarchizzate, 417
simboli presso i Maya, 406
simbolismo, 512
simbolo, 391, 395-397, 401, 403, 405, 408, 409, 414, 416, 560, 562, 569
– animale, 421, 423
– dell'aldilà, 405, 419-421
– di autorità e potere, 395, 417
– di misurazione, 405
– di organizzazione del potere, 416, 417
– di pianificazione, 405
– marcatori simbolici, 405
– ridondanza di, 421
– sistemi simbolici, 26
simmetria, 429
simulazione, 504
sindrome di Down, 468
sinfisi pubica, 445
singalesi, 560
sinostòsi, 443, 445
Sipàn, 354, 572
Siracusa, 561
SIR-C, 78
Siria, 43, 177, 208, 275, 327, 388, 578, 579, 589, 607
Sisatchanalai, 347
sistema, 485, 489, 494, 503, 514
– di numerazione, 244, 413
– – Maya, 130
– di informazioni integrato, 62
– di pesi, 395
– di scambio, 393
– di scrittura, 395, 405, 416, 419, 432
– religioso, 393
– sociale, 168, 169
sistema-mondo, 360, 390, 393
– sistema globale, 388, 389, 393

sistema di scavo per quadrati di Wheeler, 100
sistema Munsell per i colori del suolo, 239
Sitagroi, 272,
siti (*site*), 62-67, 71, 72, 74, 75, 82, 85, 86, 89, 91, 93, 94, 97, 99, 100
– abbandonati, 204
– all'aperto, 186
– archeologici, 34, 36, 38, 58
– cimiteriali, 190
– costieri, 51, 233, 256
– di abitazione, 330
– di abbattimento di animali, 271, 333
– fuori-sito (*off-site*), 63
– ghiacciati, 317
– in grotta, 186
– in rilievo, 69
– non-sito (*non-site*), 64
– spianato, 69
Sitka, 367
sito Blue J, 74
sito di Mari, 579
sito di Tanner Row, 552
sito mesolitico, 99
sito neolitico, 264, 274, 278, 411, 600
sito paleolitico, 42, 182, 183, 329, 330
sito preistorico, 85, 86
sito TU54 (Tulan Quebrada), 292
sito urbano stratificato, 99, 206
sito virtuale, 112
Skara Brae, 18, 43
Skuhl, 150
SLAR, *Sideways-Looking Airborne Radar* (radar aereo a scansione laterale), 75, 78
slice map, 91
slitta, 395, 396
Slovacchia, 191
Slovenia, 472
slum, 552
smaltimento dei rifiuti, 330, 387
smalto dentale, 313, 443
Smith, Bruce, 280
Smith, Ciril, 348
Smith, Holly, 443
Smith, R.W., 347
Smithsonian Institution, Washington D.C., 27
snow-patch (blocchi di neve), 53
Social Network Analysis, SNA, 175
società, 117, 167-173, 494, 519, 525, 527, 533, 537, 542
– alfabetizzate, 177, 180, 182, 226, 281, 405, 408
– – non alfabetizzate, 377
– classificazione delle, 172, 173
– complessa, 519
– esogamica, 451
– gerarchizzate (*ranked societies*), 161, 225
– mobili, 185, 186, 187
– organizzazione delle, 217
– patrilocale, 451
– sedentaria, 520

– segmentarie/li (*segmentaries societies*), 171, 173, 185, 189, 190, 192-194, 200, 212, 213, 226
– statuale, 529
– stato barbarico della, 11, 161, 171, 173, 176, 192, 201, 208, 212
– stato della, 11, 408, 499
– tribale, 595
– –non tribale, 595
– umane, 599
vedi anche archeologia sociale
Società per l'archeologia americana, *Society for American Archaeology*, 584
soda, 347
soffiatura del vetro, 347
sole, 412-415, 422
Solecki, Ralph, 95
Solimano il Magnifico, 577
sollevamento isostatico, 232, 233
Solone, 564
solstizio, 412-415
Solvieux, 223
Somerset, 588
Somerset Levels, 44, 134, 260, 338, 339
sommozzatori, 383
sonagli, 319
sonar, 101
sondaggio del suolo, 91
sonde, 89-92
– robotiche, 90
Soranus, 472
sottoassociazioni, 117
sottosistemi, 503
South Street, 264
sovrastruttura, 493, 494, 510
spaghetti di miglio, 270
Spagna, 145-148, 154, 293, 294, 318, 354, 400, 401, 403, 404, 429, 434, 454, 458, 473, 481-483, 508
spavenio, 298
spazzola, estremità sfrangiate, 343
specializzazione
– artigianale, 172, 200, 204, 212, 215
– regionale, 525
specie, 317, 319, 342, 499, 503
– anadrome, 492
– evoluzione della, 497
speleotemi, 132
spellamento, 330
spelta maggiore, 276
Spencer, Charles, 528
Sperber, Dan, 495
Speth, John, 287
spettrofotometria, 373
spettrometria
– a emissione a plasma con accoppiamento induttivo (*Inductively Coupled Plasma Emission Spectrometry*, ICPS), 369, 371
– a emissione ottica (*Optical Emission Spectrometry*, OES), 369, 371

– a fluorescenza da raggi X (*X-Ray Fluorescence XRF*), 369-372, 376, 382
– ad assorbimento atomico (*Atomic Absorption Spectrometry*, AAS), 369, 371, 533
spettrometria di massa, 136, 145, 147, 347
– con acceleratore (*Accelerator Mass Spectrometry*, AMS), 523
– con ionizzazione termica (*Thermal Ionization Mass Spectrometry*, TIMS), 372
– di massa gascromatografica, 275, 301, 306
– infrarossa trasformata di Fourier (*Fourier transformed infrared spectrometry*, FTIR), 375
spettrometro di massa, 229, 278, 279, 312, 315
– composizioni isotopiche, 372
– mobile a infrarosso, 97
spettroscopia
– a raggi infrarossi, 275
– ESR, *Electron Spin Resonance* (risonanza di spin elettronico), 329
– Mössbauer, 376
– Roman, 376
spicole, 532
spiegazione in archeologia
– deduttiva, 498
– diffusionista, 488, 509
– forma della, 497
– – generale, 497
– – particolare, 497
– induttiva, 498
– migrazionista, 488, 489, 509
– monocausale, 499, 500, 502, 515
– multivariata, 499, 502
– neomarxista, 509
– nomotetica, 498
– processuale, 488
– postprocessuale, 28, 29, 31, 216, 408, 485, 493, 495, 507, 509, 510, 511, 512
– simulazione, 504, 507
– storiografica, 498
– strutturalista, 493
– tentativi di, 492, 499
– teoria critica, 508
Spiennes, 321
Spiess, Arthur, 297
spighetta, 274, 280
spille, 220
spin elettronico, 129, 136, 148-150, 152, 166
spina bifida, 467
Spiro, 187, 209, 210, 211
Spitafields, 441, 443
splitters, 479
spolette, 341, 545
Spondylus gaedoporus (conchiglia), 376
Spoor, Fred, 453
spugna, 345, 531

Spurrell, F.C.J., 329
Squier, Ephraim, 12
Sri Lanka, 181, 408, 472, 560, 561
St. Crux, 551
stadi, 126, 127, 146, 158
Staffordshire, 97
stagionalità, 273, 279, 284, 286-288, 302, 304, 305
stagno, 383, 605
stalagmiti, 132, 147, 231, 238, 239
stalattiti, 238, 239
standardizzazione dei pesi e misure, 207
Stari Grand Plan, 74
Starr Carr, 19, 288, 337
Starunia, 41
stati di sistema, 503
statistica bayesiana, 139
Stato, origini dello, 499, 501
statua colossale, 562
statuaria, 514
statuetta/e, 384, 431, 433
– cicladiche, 430
statura femorale media, 446
status, 169, 171, 191, 192, 204, 207, 209, 215, 216, 220-223, 226, 417, 419, 425, 527
– sociale, 554
Stazione totale, 85, 100, 104-106, 108
Stead, Ian, 574
Steffy, Richard J., 340
stele della tempesta, 157
Stele di Rosetta, 11
Stele di Vulture, 213
stencil, 318, 403, 454
– di mani, 460, 461, 540
Sterkfontein, 453
Stern, Jack, 452
steroidi, 311
Steward, Julian, 9, 19
Sthenurus, 257
stile, 122-124, 156, 166, 404, 428-431
Stine, Scott, 243
Stoccolma, 308
stomaco, 310
Stone, Anne, 225, 480
Stonegate, 556
Stonehenge, 34, 67, 70, 75, 108, 168, 171, 172, 193, 195-199, 323, 324, 377, 405, 408, 564, 599
– interpretazione di, 197, 198
Stoneking, Anne, 480
Stoneking, Mark, 225, 477
Stones of Stenness, 410
Stordeur, Danielle, 299
storia anglosassone, 548
storia etnica, 62
storia naturale, 4
storia del linguaggio, 397
STP, *Shovel Test Pit* (saggi di scavo con la pala), 90
Strabone, 281
strati, 66, 98-100, 106, 111, 113
stratigrafia, 98, 100, 116, 121, 122, 228, 229, 234, 239, 240, 258, 259, 295, 320, 346, 521

– del sedimento, 229
– profonda, 149
stress meccanico, 475
stress nutrizionale, 475
stretto di Bering, 159
Stretto di Gibilterra, 564
strip, rimozione, 104
strisciate parallele, 65
stronzio, 314, 451
strumenti, 168, 170, 184, 185, 187, 188, 192, 200, 275-277, 284, 285, 290, 305, 306, 308, 396-400, 404, 421, 434, 435, 437, 451, 454-456, 472, 473, 483, 523
– chirurgici, 472, 483
– olduviani, 157, 325, 327
– in corno, 333, 335, 336, 337
– in legno, 319, 321, 332
– in ossidiana, 327, 328, 332, 341
– in osso, 317, 333, 335, 336, 341, 343
– in pietra, 37, 321,
– – levigata, 317, 319
– – scheggiata, 317
– in selce, 317, 318, 327, 329, 330-333
– litici, 39, 275, 277, 284, 290, 305, 317, 319, 321, 325-329, 332, 333, 335-337, 344
– – funzione, 319, 326, 327, 329, 332
– – ricomposizione, 327, 329, 330-332
– – riproduzione, 327, 329
struttura sociale, 192, 222
strutture, 34, 47
– concettuali, 283
studi ambientali, 520
studio paleoclimatico, 282
Stukeley, William, 4
Sudafrica, 250, 260, 297, 313, 402, 443, 452, 453, 597, 605
Sudamerica, 426
sudari, 542
Sugiyama, Saburo, 432
Sukhotai, 347
Sumatra, 589
Sumer, 180
Sumeri, 14
Summers, R., 488
Sungir, 400
superfici di abitato (*living floors*), 399
superficie freatica, 98
supremazia ariana (indoeuropea), 496
Susan, 344
Susman, Randall, 452, 457
Sussex, 564
sussistenza, 270, 284, 316, 473, 474, 532
Sutton Hoo, 95, 208, 318, 440
suture, 445
– del cranio, 444
Svezia, 95, 308
sviluppo edilizio, 576, 583, 596
sviluppo urbano, 551

Svizzera, 44, 134
Swaddling, Judith, 448
Swadesh, Morris, 125
Swartkrans, 290, 301, 313, 335
Sweet Track, 134
Sydney Cyprus Survey Project, 62
Sykes, Brian, 490
Sylvanus, Frances R., 429
system thinking, 491, 503

TAC (tomografia assiale computerizzata), 443, 450, 453, 462-465
Tacito, 389
tafonomia, 36, 290, 291, 284, 399, 458, 459
Tahiti, 172
Taï, 404
Tainter, Joseph A., 191
Tairona, 319
Taku, 327
talassemia, 546
talebani, 562, 578
Talheim, 214
tallone, 453
Tamigi, 141, 422, 460, 600
Tamil, 560
tane, 290
Tanzania, 21, 170, 260, 325, 399, 446, 453
tapa, 364
Tardo Minoico, 156
taro, 277, 278, 279, 288, 299, 300, 302
Tarquinia, ladro di, 570
tartarughe, 302, 532
– marine, 315
Tasmania, 145, 238, 26
tasso, 342
tassonomico, sistema, 18
tatuaggio, 57, 468, 469
Tauber, Henrik, 312
Taung, 443
tavolette, 28, 365
– d'argilla babilonese, 281
– di bosso, 554
– di cera, 554
– di legno, 405
Taxila, 14, 16
Tayles, Nancy, 543
Taylor, Walter W., 22
teak, 602
teatri della memoria, 595
Tebe, 39, 49, 281, 310, 337, 385
tecniche
– di datazione, 120, 136, 148, 154, 157
– di lavorazione, 335, 336, 338, 354, 355
– di pesca e caccia, 305
– satellitari, 80
tecnologia Levallois, 325, 326
Tecolote, 203
tecnologia
– argento, 348
– bronzo, 348
– oro, 351, 355
– ceramica, 319, 343
– conchiglie, 335

– corno di cervide, 335
– cuoio, 334, 336
– *faïence* (pre-vetro), 344, 346
– ferro e acciaio, 355
– fibre animali, 341
– fibre vegetali, 341
– fuoco, 319, 343, 344
– legno, 317, 319, 321
– metalli, 319, 348, 354, 355
– osso, 343, 354
– rame, 348, 351, 352
– pietra, 317, 319, 321
tecnologie geospaziali, 604
Tedrart Acacus, 589
tefra, 143, 155-157
tefracronologia, 155
Tehuacán, 311
telaio, 342, 553
– ordito, 553
– portatile, 342
Telarmachay, 298
telecamere miniaturizzate, 90
teleconnessione, 155
telerilevamento (*remote sensing*), 67, 73, 75, 76, 78, 80, 83, 97, 174, 189, 549
telerilevamento aereo, 604
telerilevamento satellitare, 604
Teli Halula, 88, 89
tell, 34, 40, 66, 79, 80, 88, 89, 98, 104, 607
Tell Abu Salabikh, 104
Tell Brak, 43, 79
Tell Daba'a, 157
Tell el-Amarna, 204, 281, 347, 377, 414
Tell es-SA'idiyeh, 608
Tell Mardikh, 177
Tell Nebi Mend, 607
Tello, Julio, 17, 426
temolo, 264
temperatura, 531
tempio, 533
Tempio
– di Ramsete, 163
– del Sole, 39
– di Kamak, 463
templi, 408, 409, 414, 419, 420, 422
– buddisti, 542
– pagani, 561
Temple, Frederick, 593
Templo Major, 60, 581, 582
Ténéré, 589
Tennessee-Tombidgbee, 584
Tenochtitlàn, 581
teoria
– critica della società, 508, 510, 511
– del campo intermedio (*Middle Range Theory*), 177
– del sito centrale (*Central Place Theory*), 174, 176
– dell'agenzia, 499
– evolutiva darwiniana, 495, 497
Teotihuacàn, 4,5, 60, 67, 86, 87, 89, 174, 200, 413, 422, 432, 433, 592

– *Mapping project* (progetto di documentazione planimetrica del sito), 86
Tepe Gawra, 344
Tepe Yahya, 385
teredini, 255
Terenzio, 561
terminus ante quem, 129, 131
terminus post quem, 129, 131
termitaio, 356
termografia elettrica, 92
termoluminescenza (TL), 129, 136, 145, 150-152, 166, 329
– orologio della, 151
terra di giacitura, 140
terracotta, esercito di, 172
terrapieni, 67, 69
terreni acidi, 58
terreni secchi, 58
teschio, 124, 148, 159
tesori, 38, 39, 49, 50
Tesoro
– di Frome, 588
– di Sevso, 572, 573
tessuti, 292, 299, 364
– interni, 460
– molli, 440, 441, 450, 460-462, 465, 466
– tegumentari, 460
tessuto geotessile, 106
test di significatività, 24
test, criterio di Broadbent, 413
testa di Jemaa, 151
testa leonina, 375
teste olmeche, 368
testimonianza/e, 72, 116
– archeologiche, 33, 38, 40, 48
– scritte, 554
tessuto permeabile, 106
Texas, 334, 365
Thailandia, 347, 474, 519, 540, 593, 597, 601, 602
Thame, 600
Theater Royal di York, 557
Thera (Santorini), 127, 147, 143, 156, 157, 205, 243, 428
Tholos di Micene, 365
Thom, Alexander, 413
Thomas, Cyrus, 12, 13, 18, 31
Thomas, David Hurst, 90, 141
Thomas, Julian, 216, 499
Thomas, Mark, 224, 225
Thompson, Eric, 418
Thompson, M.W., 337
Thomsen, C.J., 10, 317
Thosarat, Rachanie, 540, 541
Ti-n-Hanakaten, 301
Tibet, 228
Tierras Largas, 525
tiglio, 246
Tigri, 339
Tigri-Eufrate, 236
Tikal, 202, 406, 505
Tikopia, 302
Tilcajete, 528
Tilley, Christopher, 26, 507, 509, 510
Timbuctù, 589

time-slice, 91, 94
TIMS, *Thermal Ionization Mass Spectrometry* (spettrometria di massa), 147, 150, 376
TIN, *Triangular Irregular Network* (rete irregolare triangolare), 83
tipi, 118
tipologia, 118
– di materiali ceramici, 123
Titanic, 40
titolo, 354
Titusville, 450
Tiwal esh-Sharqi, 607
Tiwanaku, 447
Tlaloc, 581
Tlaltecuhtli, dio della terra, 581
Toba, 157
Tobias, Philip, 455
Toby, John, 495
Toca de Tira Peia, 320
Toltechi, 161
tomahawk, 386
tomba/e, 59, 61, 90, 99, 108-110, 112, 451
– a camera di Quanterness, 194
– a corridoio, 50, 414
– a pozzo, 208
– dei re sumeri, 208
– del re Mida, 307
– della Principessa, 544
– di Meketre, 281
– di Pacal, 364
– di Rekhmire, 337
– di Tutankhamon, 579
– etrusche, 32
– individuali, 543
– peruviane, 309
– Reali di Ur, 434
Tonga, 172
topografia marina, 231
toponomastica, 61
torba, 288, 289, 307, 440, 464
torbiera/e, 44, 47, 48, 127, 246-248, 250, 254, 280, 310, 317, 447, 450, 464, 465
– danesi, 310
Torino, 138
tornio, 345
Torre conica, 489
Torrence, Robin, 385
Torroni, Antonio, 224, 490
Toscana, 377
Tosi, Maurizio, 215
Tossal, 404
tostatura (o trebbiatura) 272
totem, 48
Toth, Nick, 454, 455
tracce di fissione, 129, 136, 150
– metodo delle, 150
traccia, 70, 89, 109, 110
tradizione mortuaria, 542
tradizione orale, 170, 177, 181, 182
traiettoria di volo, 71
transetti, 62, 66, 91
Transvaal, 290
trapanazione del cranio, 472
trapani, 337
trappole, 305, 532

trattamento e classificazione dei dati, 116
travertino, 146
Treasure Act, 588
Treherne, Paul, 222
tribù, 169, 171-173, 175-177, 181-184, 188-196, 429, 568
– dei Crow, 569
– Umatilla, 568
tributi, 406
Trigger, Bruce, 498, 507
triglia, 309
trilite, 323, 324
trincee a gradoni, 104
Tringham, Ruth, 332
Trinil, 401
Trinkaus, Eric, 457, 466
trireme, 340
trivelle, 89, 90
Troia, 180, 201, 207
Troodos, 62
Tropici, 228
trote di mare, 532
Trowel, cazzuole, 108
True, Marion, 573
truffa, 564
tsunami, 155
Tubb, Jonathan N., 597, 606, 607
tubercolosi, 465
tuberi di cipero odoroso, 273, 274
Tuck, James A., 102
tufo, 377, 538
– siliceo, 538
Tulan Quebrada, 292
tumulo/i (*mounds*), 5, 11-13, 61, 63, 69, 88, 89, 96, 111, 262, 263, 265, 439, 530, 587
– a forma di campana, 5
– di Browns, 530
– di sabbia, 534
– di Silbury Hill, 4
– di West Kennet, 194, 195
– funerari, 111
– sepolcrali, 142, 530
– – allungati (*long barrows*), 192, 195, 196
Turchia, 14, 17, 28, 62, 66, 79, 101, 132, 171, 219, 280, 283, 300, 325, 339, 342, 567, 572, 573, 602
– settentrionale, 156
turismo, 31, 555, 559, 576, 579, 592, 593, 596
– storico-culturale, 597
Tutankhamon, 3, 14, 49, 50, 339, 446, 447, 450, 467
– tomba di, 50
tutela, 577, 580, 583, 584, 592
– leggi di, 579
Tuxon, 145
tuyères, 352, 553
Tweddle, Dominic, 554
Tylor, Edward B., 9,11,18

UAV (*Unmanned Aerial Vehicle*), 73, 79
Uaxactùn, 413
Ubuka, 280

uccelli, 286, 289, 301, 302, 304, 308, 311
– di palude, 543
Uccello giaguaro, 203
Ucko, Peter, 427
UCL *vedi* University College London
UCLA, 598
Ucraina, 286
ugelli, 352, 356
Uhle, Max, 14
uinal, 130
Uluburun, 41, 103, 339, 383, 485
umidità, 33, 40, 41, 44, 55, 56, 537
Umm-el Tlel, 327
UMT, sistema di coordinate, 85
UN *Convention on the Law of the Sea* (Convenzione delle Nazioni Unite sul diritto di Mare), 569
UNESCO, *United Nations Educational, Scientific and Cultural Organization* (Organizzazione delle Nazioni Unite per l'educazione, la scienza e la cultura), 585, 579, 585, 589, 59
– convenzione, 31, 74, 562, 585
– *Convention on the Protection of the Underwater Heritage*, 569, 570
– siti, 589, 562, 590
Ungheria, 572, 573
unghie, 57, 457
uniformitarianismo, 8
unità
– demografiche, 502
– di campionamento, 174, 186
– di lunghezza, 403, 405, 413, 415
– di misura, 207
– di peso, 413, 414
– di ricognizione, 62
– di tempo, 405, 412, 438
– indipendenti (*Early State Modules*, ESM), 390
Università di Innsbruck, 56
– College London (UCL), 605
– of Cape Town, 605
– of Illinois, 598
– of London, 605
uomini-scimmia, 290
Uomo
– di Clonycavan, 44
– di Grauballe, 44, 440, 461, 464, 465
– di Kennewick, 477, 561, 568, 569
– di Lindow, 280, 310, 446, 457
– di Neanderthal (*Homo Neanderthalensis*), 399, 434, 438
– di Pechino, 561
– di Piltdown, 564
– di Similaun, 56, 57, 482
– di Tollund, 310, 446, 447
– di Urfa, 424
– di Ust'Ishim, 153
uomo glaciale, 11
uovo, 383

Upper Margrove Creek, 520, 535, 537-539
Ur, Iraq, 14, 79, 161, 205, 208, 318, 414
Ur, Jason, 79
uranio, 127-129, 132, 136, 137, 145-150, 156, 166
uranio-piombo, metodo del, 128, 129, 136
uranio-torio, 132, 138, 145-147, 156
Urbana-Champaign, 598
urbanesimo, 499
uri, 299
urna tra i salici, 124, 125
urne, 353
URS, United Research System, 587
Uruk (Babilonia), 161, 308, 407
US National Park Service, 603
Useppa Island, 530, 532
USGS, *Earth Explorer*, 78
Ushki, 481
Ust'Ishin, 482
Utah, 51, 58, 236, 260
UTM, *Universal Transverse Marcator* (proiezione trasversale di marcatore), 81
Utqiagvik, 55
Uttar Pradesh, 562
Uxmar, 590

vagliatura, 272, 310
vago, 348
vaiolo, 465
Val Camonica, 172, 429, 513
V/valle
– Cusichaca, 599, 600
– d'Ach, 435
– del Cango, 251
– del Danubio, 171
– del Giordano, 607
– del Messico, 527
– del Mississippi, 236
– del Nilo, 48
– dell'Indo, 161, 205, 395, 407, 413, 415, 499
– dell'Omo, 244
– dello Huang-Ho, 159
– di Bamiyan, 585, 589
– di Bang Pakong, 543
– di Oaxaca, 25, 86, 519, 520, 521, 523-526, 529, 557
– di Tehuaca, 25
– di Timna, 249
– fluviale, 521
– Virù, 19, 64
Vallo di Adriano, 281
valore
– attribuito, 417
– di prestigio, 417
– intrinseco, 417
valutazione ambientale, 580, 583, 584
valutazione, concetto di, 548
valutazioni documentali, 600
van Andel, Tjeerd, 233
van der Merwe, Nikolas, 314
van Post, Lennart, 244

vandalismo, 572
Varna, 416, 417
Varrone, 281
varve (formazione di sedimenti), 132
Varve, 236, 243
vasaio, 378
vaso
– cipriota, 279
– di Warka, 577, 578
– in argilla, 33
– Moche, 341
– Portland, 365
Vecchio di Croghan, 44, 47
veccia amara, 300
vegetazione, 65, 82, 95
vello, 292
Venere/i, 404, 428
– callipigia, 428
– di Willendorf, 404
Venezia, 70
Venezuela, 313, 589
venti, 231, 234, 260
Veracruz, 388
Verberie, 332
Vergina, 419, 445, 560
Verhoeven, Marc, 218
vernice, 249, 336
vespe, nidi di, 302
vestiti, 57
Vesuvio, 155, 592
vetro, 364, 369, 371-374, 383,
384, 389
– romano, 347
via
– Appia, 207
– dell'Abbondanza, 7
– della seta, 373
viale dei Morti, 87, 433
Vichinghi, 231, 548
vichingo di York, 449
Vicino Oriente, 34, 40, 43, 159,
237, 301, 307, 344, 354, 377,
381
Victoria, 466
videocamere palmari, 71
Vidra, 221
Vienna, 377, 589
viewshed, 85, 605
viewshed, mappe, 193
vigogna, 341
Villa dei papiri, 6
Villa, Paola, 459
Villaggio/i agricoli, 67, 171, 174
– di comunità, 300
– disperso, 174
– nucleato, 174
– su piattaforme, 47
Villersev, Eskse, 569
vincoli sociali, 216
Vindolandia, 43, 281, 343
vino, 278, 307
– di riso, 279
Virgilio, 281
Virginia, 105, 111, 244, 471, 508
– Occidentale, 95
Virunga, 589
virus, 461
– culturale, 495, 497

visione stereoscopica, 79
vita nomade, 279, 313
vita stanziale, 279
Vita-Finzi, Claudio, 261
vitamina B, 474
vitamina C, 474
volto, 446, 448, 449, 453, 457,
467, 468, 475
von Hayeck, Friederich, 499
Vostok, 228
vulcano, 394
– Rano Raraku, 322

Wade, Gery Vivian, 21
Wadi Kubbaniya, 273
Wahgi Valley, 265
Waidelich, Dietmar, 441
Wainwright, Geoff, 199
Walbrook, 115
wallaby, 536, 537
Wallerstein, Immanuel, 360, 390
Wanhxihang, 238
Wargata Mina, 145
Warì, 17
Warwickshire, 588
Washburn, Dorothy, 429
Washington, 45, 568
Watchman, Alan, 386
Waters, Michael, 481
Watson, Peter, 497, 572
WD XRF, *Wavelength Dispersive
X-Ray Fluorescence Analysis* (me-
todo dispersivo della lunghezza
d'onda), 371
Webster, Graham, 93
Weishampel, John, 76
welfare, 552
Wellington, 542
Wells, Calvin, 467
Wessex, 63, 108, 171, 181, 192,
193, 195, 196, 216
West Cotton, 279
Westwang, 318
Wheathley, Paul, 408, 415
Wheatley, David, 193
Wheeler, John, 298
Wheeler, Mortimer, 16, 20, 59,
370, 466, 599
White River National Forest, 603
White, Leslie, 9, 603
White, Shelby, 572
White, Tim, 466
Whitehouse, Ruth, 513
Whitelaw, Todd, 190
Whitley, James, 219
Whittle, Alasdair, 509
Wickens, E, 453
Wilkinson, Michael, 305
Willey, Gordon, 14, 19, 22, 23,
32, 64, 168, 491, 498
Wilson, Aallan, 477
Wilson, Daniel, 11,13
Wilson, David, 94
Wiltshire, 599
Winchester Research Unit, 206
Winckelmann, Johann Joachim, 6
Wind, Jan, 453
Windeby, 440

Windmill Hill, 486
Windover Pond, 450
Wisconsin, 126
Wittfogel, Karl, 499, 501
Wolley, Leonard, 14
Woodland, 191
– orientali, 280
Wooley, Leonard, 318
Wor Barrow, 15
Worcestershire, 588
World Archaeological Congress, 601
World Heritage Convention, 604
World Wind, 79
Wright, Henry, 27
Wroxeter (Viriconium Cornovio-
rum), 91, 93, 94
Wroxeter Hinterland Project, 93
Würm, 126
Wyke Down, 96
Wyoming, 302, 392

xeroradiografia, 462
Xi'an, 446
Xinjiang, 308
Xpuhil, 21
XRF, tecnica, 353
XTENT tecnica, 174

Yalbac, 598
Yangtze, 159, 546, 547
Yaoi, 264
Yarnton, 601
Yavapai Fort McDowell, 587
Yaxchilàn, 202, 418
Yemen, 589
Yerevan, 77
York, 206, 255, 264, 301, 341,
520, 547, 548-556
– anglica, 547
– vichinga, 552, 555, 556
– anglo-scandinava, 552
– industriale, 552
– medioevale, 552
– Minster, 546
York Archaeological Trust (YAT),
547, 549, 551, 556
Yorkshire, 557
– orientale, 231
Yorktown, 111
Yoruba, 153, 217
Yorvik, 552
Youngest Toba Tuff (YTT), 157
Youssef, Hag Ahmed, 340
Yucatán, 11, 505
Yunnan, 602

Zabid, 589
Zapotec, 520
Zapotechi, 161
zappe, 337
Zarzi, 16
zecche, 461
Zeder, M.A., 259
Zerjal, Tatiana, 224
Zhoukoudian, 261, 561
Zimbabwe, 20, 439, 488, 489,
560
zinco, 259

Ziqqurat, 204
– di Ur, 163
zolfo, 132, 350, 373
zona/e
– di approvvigionamento, 381,
382
– di caduta, 182, 183
– di contatto, 381
– di lancio, 182, 183
– polliniche, 244
– portuali, 47
– umide, 33, 44, 47, 48
Zonneveld, Frans, 453
zooarcheologia (archeozoologia),
256, 270, 284, 292, 299
zoofilia, 460
zoologi, 256
Zubrow, Ezra, 507, 516
zucca, 278, 280, 532
– del pellegrino, 280
Zulu, 513